第三卷 1966-1978

刘国新 贺耀敏 刘晓 武力 主编

中华人民共和国史长编

HISTORY OF THE PEOPLE'S REPUBLIC OF CHINA

天津人民出版社

图书在版编目（ＣＩＰ）数据

中华人民共和国史长编. 第3卷，1966～1978／刘国新等主编. —天津：天津人民出版社，2010.2
ISBN 978-7-201-06418-5

Ⅰ．①中… Ⅱ．①刘… Ⅲ．①中国—现代史—1966～1978 Ⅳ．①K27

中国版本图书馆CIP数据核字（2009）第 224800 号

天津人民出版社出版
出版人：刘晓津
（天津市西康路 35 号　邮政编码：300051）
邮购部电话：（022）23332469
网址：http://www.tjrmcbs.com.cn
电子信箱：tjrmcbs@126.com
山东新华印刷厂德州厂印刷　新华书店经销

2010 年 2 月第 1 版　2010 年 2 月第 1 次印刷
787×1092 毫米　16 开本　32.5 印张　5 插页
字数:676 千字
定　价:179.00 元

总编委会

第 三 卷

（1966 ─ 1978）

第三卷 编委会

主　编　刘国新　刘　晓
副主编　武　力　夏　潮　林　嘉　傅玉能
作　者　（按姓氏笔画排序）

毛仲伟　王　宏　王　进　王　虹　王海光
王爱华　史晓辉　母稷祥　刘小萌　刘占义
刘国新　刘　晓　刘惠君　向　彪　安建设
江秀平　许士荣　何虎生　张　丁　张　丽
张　爽　张　蒙　张碧霞　李丹慧　李松林
李　英　杨凤城　杨　红　杨亲华　沈谦芳
肖艳丽　彤新春　陈东林　林　嘉　武　力
侯京辉　姚　力　胡荣红　贺宏善　赵永承
赵　旭　赵燕华　钟真真　倪晓华　夏　潮
柴观珍　曹希岭　曹　纯　黄　伟　傅玉能
曾卓明　韩　孟　戴晨京

前　言

　　《中华人民共和国史长编》在中华人民共和国成立 60 周年之际由天津人民出版社出版，这是作者与编者共同努力的结晶。

　　写这本书的初衷就是"存史"。至于怎么存？却是有些说道的。

　　就共和国史而言，以单一的体裁述说历史，有时会显得力不从心。因为人类社会一旦搭上现代化这趟快车，就不太可能是一个直线的轨迹了，社会的整体性和网络化以及与外部世界的关联程度都决定了历史面貌的立体化结构。为了能对此有一个很好的表达，《中华人民共和国史长编》由"总论"、"重大事件"、"文献资料"、"人物"及"大事记"五部分组成。五个部分既是独立的，又能互为补充。

　　"总论"，顾名思义，是史论，是论说本阶段历史概貌。这部分内容侧重分析历史发展的阶段性，每个阶段有哪些不同的特点。此外，对主要成就的归纳和经验教训的总结，也是"总论"的题中之义。在写作方法上，不是就事论事，而是以事引论。在对成败的判断上虽然不可能用太多的笔墨，但也不是浅尝辄止。读者通过"总论"会得到一个总括性的印象。

　　"重大事件"就是按照中国传统史学纪事本末体的写法，尽可能完整地揭示重要事件的起因、过程和结局。哪些属于"重大事件"呢？首先是政治运动和社会变革，比如"三反"、"五反"运动，新中国成立初期的"禁毒运动"；接下来是重要的事件、决策和会议，比如抗美援朝战争、国民经济五年计划、全国人大和全国政协会议；再接下来就是治国理念和方略、重要的思想、重要成就，比如"三步走"发展战略、"三个代表"重要思想、科学发展观、中国成功举办奥运会等;还有主要的社会现象、社会思潮、社会习俗、突发公共事件以及重大自然灾害,比如知识青年上山下乡、防治"非典"、抗震救灾等等。大体说来,前30年因为政治运动较多,一个事件基本上就是一次运动,比较容易独立成篇;后30年国家各项工作的重点转到经济建设,不再搞运动,所以,"事件"更多的是表现为某个领域的发展、某项政策的贯彻、某一方略的提出。不管是政治运动也好,还是发展方略也罢,它们都是历史的关节点,点点相连,就组成共和国历史的脉络主线。我们在这部分里面还安排了"港澳台"专题,对于1997年前的香港和1999年前的澳门,为了照顾历史的完整性,也作了简单的引述性记载。在编排上,依照政治、经济、文化、军事、外交几大板块排列,每个板块内按时间的先后为序。

"人物"吸收了传统史学纪传体的长处,简述人物的经历。传主为在共和国创立、建设和改革过程中建功立业的人物,也适当地收录了其他方面的代表人物。这里有两个具体的标准,首先是已经去世的,仍然健在的不收。其次是凡党政军系统人物一般按正部级以上出条,其他方面如教育界、科技界、文艺界、学术界的人物则以其学术成就和社会影响为依据,这里面虽然很难定出一个明确的标准,但从约定俗成或公众认可的角度看,还是能够画出一个杠杠的。人物按姓氏音序排列。

"大事记"是学习传统史学编年史体例,以年、月、日为经,以事件为纬。在遵守通常的编写大事记体例的基础上,本书还有自己的考虑。其一,从史学定位看,本书的"大事记"是中观史学,甚至包括一点点微观事件。因为以全书的互补关系,"重大事件"主要反映宏观史学,那么,"大事记"定位于中观带点微观就是恰如其分的,这充分体现本书各个部分所代表的不同层次。其二,从收录的领域看,"大事记"除了政治、经济、文化、军事、外交以外,还有教育、科技、新闻、出版、学术、卫生、体育、民族、宗教、国土、人口、气象等林林总总的事,它编织的是一幅更为细密的网络。"大事记"有部分内容同"重大事件"相重复,本书的处理办法是,凡"重大事件"已有的,"大事记"一概从简。

"文献资料"包括从中央到地方各级党、政、军、民主党派、人民团体的组织沿革和职官,以及研究成果总目。

本书的九卷分别是"重大事件"六卷:第一卷(1949—1956)、第二卷(1956—1966)、第三卷(1966—1978)、第四卷(1978—1991)、第五卷(1992—2002)、第六卷(2002—2009)。这种分法,不是本书的独创,完全是参照近些年学术界,包括党史学界和国史学界关于阶段的划分法,同时也自觉这六卷的编排无论从其所呈现出来明显的阶段性,还是从国家最高层级的对应上也还说得过去。第七卷为"人物"卷,第八卷和第九卷为"大事记"卷。

粗粗算来,国内对于共和国史研究有近30年了,出版著作百十来部,时间和数量能不能成为一个标志,还很难说,因为绝大多数著作都是教材。我们认为,共和国史若真正成为一门学科,按史书范式写出一批论著是基本条件。本书不敢妄谈水平多高,但宽领域、多视角的记述,多多少少还是做到了存史的目的。把过去发生的事情娓娓道来,写清楚它们的来龙去脉,应了孔子所说的"物有本末,事有始终,知所先后,则近道矣"和刘知几所强调的"良史以实录直书为贵"的要求。如果条件允许,本书每隔10年重新补充修订一次,长此下去,也会成为一个可观的文化建设。

中华人民共和国史长编

（第三卷　1966—1978）

目　录

附录

总　论

“文化大革命”的十年

从 1966 年 5 月到 1976 年 10 月，中华人民共和国的历史进入了一个特殊的阶段，即十年“文化大革命”时期。这十年中，国家建设事业遭到了新中国建立以来最严重的挫折和损失。“文化大革命”既不是文化革命，也不是任何意义上的革命或社会进步。发动“文化大革命”的主要论点，既不符合马克思主义，也不符合中国的实际。“文化大革命”是一场由领导者错误发动，被林彪、江青反革命集团利用，给党、国家和各族人民带来严重灾难的内乱。

一

“文化大革命”发动的原因

“文化大革命”这种全局性的错误，其发生有着深刻的原因。“文化大革命”是毛泽东亲自发动和领导的，他发动“文化大革命”的主要理论依据，集中反映在 1966 年 5 月中共中央政治局扩大会议通过的《中国共产党中央委员会通知》（简称《五一六通知》）和中共八届十一中全会制定的《关于无产阶级文化大革命的决定》中。这些文件认为，一大批资产阶级的代表人物、反革命的修正主义分子，已经混进党里、政府里、军队里和文化领域的各界里，相当大的一个多数的单位的领导权已经不在马克思主义者和人民群众手里；党内走资本主义道路的当权派在中央形成一个资产阶级司令部，它有一条修正主义的政治路线和组织路线，在各省、市、自治区和中央各部门都有代理人；过去的各种斗争都不能解决问题，只有实行"文化大革命"，公开地、全面地、自下而上地发动广大群众来揭发上述的黑暗面，才能把被走资派篡夺的权力重新夺回来；这实质上是一个阶级推翻另一个阶级的政治大革命，以后还要进行多次，等等。这些错误论点都源于社会主义时期仍然存在着阶级和阶级斗争，存在着无产阶级道路和资产阶级道路的斗争，社会主义革命和建设必须"以阶级斗争为纲"的错误理论。这是自 1957 年以来提出并推行阶级斗争扩大化的产物，是"文化大革命"前十年错误理论积累的结果。

在 1962 年中共八届十中全会上，毛泽东把社会主义社会中一定范围内存在的阶级斗争作了扩大化和绝对化的估计，断言在整个社会主义历史阶段中，资产阶级都将存在和企图复辟，并成为党内产生修正主义的根源，强调阶级斗争要"年年讲、月月讲、天天讲"。1963 年到 1966 年春，全国约占 1/3 的县、社开展了农村社会主义教育运动。在少数城市约占 3.6％ 的国营工业交通系统开展了"五反"运动。由于错误地估计了阶级斗争形势，毛泽东把许多不同性质的问题都看成是阶级斗争的表现，认为农村基层单位有 1/3 领导权"不在我们手里"，工厂企业也有相当大的一个多数领导权不在马克思主义者和劳动群众手中，"建立反革命两面政权"已是"敌人反对我们的主要形式"，错误地强调"以阶级斗争为纲"，"阶级斗争，一抓就灵"。1964 年 10 月以后，许多基层单位进行了"夺权"斗争。12 月，毛泽东在一个批示中提出所谓"官僚主义者阶级"和"走资本主义道路的领导人"的概念。与此同时，毛泽东尖锐地提出中央各部门、各地方以至中央领导核心出修正主义的问题。他批评中共中央联络部有人主张"三和一

少"；中央统战部有人不讲阶级斗争；中央农村工作部有人主张"三自一包"，目的是要解散社会主义农业集体经济，要搞垮社会主义制度。他说，"三和一少"是他们的国际纲领，"三自一包"是他们的国内纲领。这些搞修正主义的人，有中央委员、书记处书记，还有副总理。除此以外，每个部都有，每个省都有，支部书记里头更多。1965 年 10 月，他同各大区第一书记谈话时说，中央出了修正主义，你们怎么办？如果中央出了修正主义，你们就造反。他甚至担心北京发生"反革命政变"，并为此采取了防范部署。1965 年 1 月，中共中央制定《农村社会主义教育运动中目前提出的一些问题》，错误地提出，"这次运动的重点，是整党内那些走资本主义道路的当权派"。并认为"那些走资本主义道路的当权派，有在幕前的，有在幕后的。支持这些当权派的人，有的在下面，有的在上面。在上面的，有在社、区、县、地，甚至有在省和中央部门工作的一些反对搞社会主义的人"。

毛泽东为什么要提出"以阶级斗争为纲"？又为什么把"中央出修正主义"作为现实危险提到全党全国面前呢？这是由于：

第一，对社会主义的认识带有很大的空想成分，有相当一部分离开了科学社会主义的原理。毛泽东自信他所坚持的社会主义道路，既有马列主义的某些论点作为理论基础，又有他自身在民主革命中的亲身经历作为历史依据，还有渴望人人都能平等生活的亿万农民为群众基础。加之他在长期革命斗争中一直站在正确方面，领导中国人民实现了"天翻地覆慨而慷"的宿愿，又在短短几年内大踏步完成了由新民主主义向社会主义转变的壮举。巨大的胜利滋长起骄傲情绪，认为他所坚

持的都是马列主义的，而与他不同的意见，都被认为是修正主义。超越现实生产力水平不断变革生产关系的实践总要引起党内和社会上的反对或不同程度的抵制，对此，毛泽东总是习惯于用阶级斗争的观点和方法去解释问题和处理问题。

1956年，苏共二十大揭露了斯大林的缺点和错误，苏联社会主义建设中体制上的弊端也进一步暴露出来。鉴于苏联的教训，毛泽东和中共中央开始探索适合中国国情的社会主义建设道路。在探索中，虽然也提出了一些符合客观规律的重要原则，如工农业同时并举，国家、集体、个人利益兼顾，农业为基础、工业为主导等等，但也提出了一些离开科学社会主义原理，脱离中国实际的主张，对社会主义建设的长期性、艰巨性估计不足，对生产力决定生产关系的原理重视不够，企图单凭人民群众的革命热情和拼命精神，就能在一个较短时期内建成社会主义并过渡到共产主义，为此而发动了“大跃进”运动和农村人民公社化运动。毛泽东用“一大二公”概括人民公社的优越性。“一大二公”又导致“共产风”。虽然毛泽东最早纠正“共产风”，但他在社会主义生产关系上的指导思想仍然是强调变革，不强调稳定，强调提高公有化程度。直到他的晚年，还运用列宁的话来论证小生产每日每时地、自发地大量地产生资本主义和资产阶级。从多次对包产到户的批判，证明毛泽东是把任何条件下的个体经营都当做社会主义的对立物。他所理解的社会主义是“纯粹又纯粹”的社会主义。在分配制度上，毛泽东依然留恋战争年代的那种军事共产主义生活。在他的笔记中有这样一段话：“我们党是连续打了二十多年仗的党，长期实行供给制。……大致过的是平均主义的生活，工作都很努力，打仗都很勇

敢，完全不是靠什么物质刺激，而是革命精神的鼓励”，“这些历史经验，对于我们解决社会主义建设的问题有很大意义”。这里，毛泽东既忽视了在战争年代，人们的革命精神中已经包含着追求人民的根本的物质利益而不是脱离了物质利益，又忽视了在战争时期与和平建设时期，调动人们的积极性应有不同的方针和方法。1958年，他提出要破除资产阶级法权，直至他的晚年仍然坚持这一主张。他认为一些人工资高了，就会脱离群众，逐渐蜕化变质。1974年12月，他在理论问题的指示中指出：“我国现在实行的商品制度，工资制度也不平等，有八级工资制，等等。这只能在无产阶级专政下加以限制。所以，林彪一类如上台，搞资本主义制度很容易。”姚文元之流把他的话加以引申，便得出了体现在按劳分配中的“资产阶级法权是社会主义产生资产阶级和修正主义的一个温床”。毛泽东认为人们的革命积极性可以脱离个人物质利益的动因。他在1960年读苏联第三版《政治经济学教科书》的笔记中，多次批判物质利益原则。他说：“这本书一有机会就讲个人物质利益，好像总是用这个东西来引人入胜”，“这样地宣传物质利益，资本主义成了不可战胜的了”。他把关心群众物质利益与政治思想工作完全对立起来，而又把它同资本主义联系起来，这种观点无论在理论上和实践上都是有害的。他认为关心个人物质利益，“只会带来个人主义的危险”。似乎社会主义社会的劳动者，都应有很高的政治觉悟，只知贡献，不问报酬。因而，对于该书中“社会主义的生产的目的——使劳动者从物质利益上关心自己的劳动成果，是农业生产力发展的强大动力”，“熟练劳动力的报酬较高，这就刺激了劳动者提高文化和技术水平，使脑力劳

动和体力劳动的本质区别逐渐消失",这样正确的观点也要进行批判。然而，他对于政治经济学的一些传统观点又坚信不疑，如认为个体经营（不管是在什么条件下）都会产生资本主义；商品生产、自由市场都是资本主义的土壤；价值规律不能作为计划工作的依据，说"我们搞大跃进就不是根据价值规律的要求"。这些观点，使他把20世纪60年代初中央第一线领导所采取的若干经济调整和改革措施，错误地当成资本主义性质的，从而对中央第一线的领导越来越不满。总之，毛泽东所理解和为之奋斗的社会主义的蓝图，一是建立纯粹的社会主义公有制；二是人人都为公共利益而劳动，不计较劳动报酬；三是人人过着大致相等的生活，差别很小；四是各地区在经济上能自成体系，自给自足。显然，这样的社会主义同当时中国的实际是不相符合的。

毛泽东为实现他所想象的社会主义，还提出了一套建设社会主义的方法，主要是政治挂帅和大搞群众运动。他根据自己领导中国民主革命的经验，认为用政治挂帅，提高人民群众的革命觉悟，充分发动和依靠群众的方法，既然能够在中国大地上打碎旧世界，就一定能够用同样的方法建设一个新世界。他认为，只要实行政治挂帅，大搞群众运动，社会主义建设就会有一个大跃进的速度。他重视政治的动员作用，却忽视客观的经济规律。他重视普通工农的作用，却轻视科学技术专家。他这时的政治挂帅，常常是用错误的或过火的阶级斗争方式来实现的。

第二，错误地将国际上的反修斗争引到国内党内，并将反修防修作为头等大事。20世纪50年代末60年代初，中苏两党发生论战，中国在反对苏联大国沙文主义斗争的同时，对苏联国内政治经济状况的分析也带有很大的主观成分。当时的中共中央认为，世界上第一个社会主义国家，由于赫鲁晓夫修正主义集团篡夺了领导权，正在蜕变为资本主义国家，苏联的无产阶级专政正在蜕变为资产阶级特权阶层的专政，认为这是国际共产主义运动中最严重的历史教训。基于这样的认识，1962年中共八届十中全会以后，就把在国内进行反修防修斗争，作为全党的重大课题。1963年毛泽东提出"以阶级斗争为纲"，其实质就是以反修防修为纲。人们错误地认为，既然苏联的社会主义江山已经改变了颜色，苏联人民几十年奋斗的成果已经丧失，难道我们还不应该吸取历史教训，把反修防修作为头等大事吗？反修防修的口号，毫无阻碍地得到全党的赞同。由此可见，国际上的反修斗争，对国内产生的影响是很大的。可以说，没有国际上的反修斗争，就不可能提出在国内进行反修防修的任务，"文化大革命"的发动，之所以能得到一些人的拥护，即使有怀疑和抵触情绪的人，也表示要努力紧跟，加深理解，就是因为它是在"反修防修"的口号下开展的。毛泽东之所以要始终不渝地维护"文化大革命"，就是因为他认为发动这场"革命"，"对于巩固无产阶级专政，防止资本主义复辟，建设社会主义，是完全必要的，是非常及时的"。经过毛泽东审定的《九评苏共中央的公开信》，着重论述了在社会主义国家资本主义复辟的危险。其中一个突出的论点，是夸大社会主义国家被推翻了的资产阶级的力量，夸大小生产的自发资本主义倾向，夸大国家机关和国营企业中将不断产生蜕化变质分子和新的资产阶级分子，因而强调资本主义复辟的危险性。文章在列举了苏联的工厂、农村和国家机关中某些贪污盗窃、行贿受贿、投机倒把活动之后，武断地认定:"在苏联,从城市到农村,从工业到农业,从生产领域到流通领域,从经济部门到党和国家机构,从基层到高级领导机关,都大量地出现了同无产阶级敌对的资产阶级的猖狂活动。"前车之覆,后车之鉴。既然苏联资本主义正在复辟,那么毛泽东号召"反修防修",在人们看来,自然是完全正确的了。

第三,1961 年以后,中央第一线领导人和毛泽东的意见分歧,被错误地当做修正主义与马列主义的斗争。如果仅仅提出"以阶级斗争为纲"、"反修防修",还不会导致"文化大革命",毛泽东之所以发动"文化大革命",是因为他认定中央出了修正主义,中央有两个独立王国,即以主持中央工作的刘少奇为代表的政治局的多数,和以邓小平为首的主持中央日常工作的书记处,是两个独立王国。他认为,要解决这两个独立王国,用通常的方法,即用民主集中制的方法是不行的,因为他本人是少数,必须发动"文化大革命"。由此可见,毛泽东与中央第一线领导人之间的意见分歧,是他决心发动"文化大革命"最直接的原因。在以往的一个长时期内,中共中央很少有重大的意见分歧。工作中的不同见解,通过认真讨论很容易求得统一。因此中共中央是紧密团结的,在发动反右派斗争、"大跃进"运动、农村人民公社化运动的时候,中共中央在认识上都是一致的。正如《中共中央关于党内若干历史问题的决议》所指出的,这十年中的一切成就,是在以毛泽东同志为首的党中央集体领导下取得的。这个期间工作中的错误,责任同样也在党中央的集体领导。

党内的分歧开始于庐山会议,彭德怀等人要求认真总结经验,切实纠正"左"的错误。一场"反右倾"斗争却使彭德怀等人蒙受不白之冤,遭到打击。1961 年初召

开的中共八届九中全会,号召全党大兴调查研究之风。中央的许多负责人纷纷深入基层,进行调查研究,使更多的领导人对于"大跃进"运动和农村人民公社化运动的利弊得失,有了较深入的了解。然而中央第一线的一些领导人的见解,却不为毛泽东所接受,相反,毛泽东认为他们对"三面红旗"产生了动摇,属于资产阶级的动摇性,是右倾的表现。

中央第一线领导人与毛泽东的意见分歧,主要在两个问题上:一是对困难时期形势的估计,二是为克服困难应采取何种措施。

毛泽东认为必须充分肯定"大跃进"运动的成绩,对困难估计得严重了会使人民群众丧失信心。他多次用九个指头与一个指头的关系来比喻成绩和缺点的关系。他认为缺点讲多了就会给干部和群众泼冷水。他指责那些实事求是地反映当时困难的同志是刮"黑暗风"。1961 年以后,由于深入第一线掌握了真实情况,对于"大跃进"运动的认识,刘少奇等人同毛泽东的分歧就逐渐明朗化了。刘少奇在他家乡宁乡县炭子冲回答当地干部和农民的问题时,明确指出,近几年生产和生活下降的原因,主要的不是天灾,"主要是这里的工作犯了错误",而这种错误,又主要不能怪基层,"上边要负主要责任","中央有一部分责任","根子还在中央"。在 1961 年 5 月中央工作会议上,刘少奇以对党对人民负责的精神,对造成困难的原因,作出了"三分天灾,七分人祸"的正确判断。指出,"在多数地方,我们工作中间的缺点错误是主要原因","总是九个指头、一个指头,这个比例关系不变,也不完全符合实际情况"。这显然是在纠正毛泽东对形势的估计。1962 年,在扩大的中央工作会议上的讲话中,他进一步指出:"两

三年以前,我们原来以为,在农业和工业方面,这几年都会有大跃进。在过去几年中的确有一段时间是大跃进的。可是,现在不仅没有跃进,反而退了许多,出现了一个大的马鞍形。"他要求全党对于承认缺点和错误,不要"枝枝节节、吞吞吐吐",而要"实事求是地倾箱倒箧地承认曾经有过的和还存在的缺点和错误",不然的话,"经验就无从总结"。① 当陈云发现 1962年财政预算中有巨大赤字,全党对于当前经济形势的严重困难估计不足,而要求作大的调整时,刘少奇大力支持陈云的意见。在 5 月的中央工作会议上,刘少奇要求全党要充分估计困难。他指出:"我们多少年都是因为估计不够而陷于被动","对困难估计不够,自己安慰自己,那不是马克思主义者"。在分析产生缺点和错误的原因时,刘少奇指出:"一方面,是由于我们在建设工作中的经验还很不够;另一方面,是由于几年来党内不少领导同志不够谦虚谨慎,违反了党的实事求是和群众路线的传统作风,在不同程度上削弱了党内生活、国家生活和群众组织生活中的民主集中制原则。"刘少奇的这些分析是完全正确的。

但是,毛泽东却认为上述分析是右倾的估计,是对"三面红旗"的动摇。1970 年毛泽东对斯诺谈话时承认,他从 1962 年开始,就想从政治上把刘少奇搞掉。

毛泽东与中央第一线领导人的另一个重大分歧,是为克服困难而采取的措施。毛泽东认为,刘少奇在主持中央工作期间所采取的一系列措施是刮了两股右倾风:单干风和翻案风,带有资本主义复辟的性质。刘少奇主持中央工作时,通过政治局的集体领导,为克服困难,采取了

一系列的正确措施。他提议陈云任中央财经小组组长,采纳了陈云提出的许多果断措施。在分配问题上,刘少奇强调按劳付酬。他说:"不要随便说计件工资是落后的。"在流通领域,他强调等价交换,指出"国营企业和国营企业之间的调拨,也要等价交换","这是客观规律","不懂政治经济学是要垮台的"。在政府管理企业的方式上,他强调用经济办法,反对单纯用行政办法,他说:"我们现在的办法是省市的厅局、中央各部都干预经济。这是超经济的办法,不是资本主义的办法,是封建主义的办法。企业要搞经济核算。组织企业公司,可能比行政机构管得好一些";"按经济办法管理,按等价交换、经济法则来办事"。刘少奇实际上提出了要对经济体制进行改革。但毛泽东却认为"办好社会主义企业,首先必须抓好阶级斗争",认为,只有把林彪提出的"四个第一"、"三八作风"推广到工业部门,才能保证建设任务的完成。他说:"这个问题我考虑几年了",不这样做,就"不能振起整个工业部门(还有商业部门、还有农业部门)成百万成千万的干部和工人的革命精神的"。他认为,把物质利益原则提到首位,就会产生资本主义。

分歧还表现在文学艺术等方面。当毛泽东关于文艺问题的第一个批示下达后,周扬在 1964 年 1 月文艺工作座谈会上的发言,实际上不同意对文艺战线成绩基本否定,刘少奇当即表示:"我看周扬同志讲的情况和意见都很好",并针对"许多共产党人热心提倡封建主义和资本主义的艺术"的指责,指出:"剧目,凡是无害的都容许演。""有些老戏很有教育意义。不要去改。京戏,艺术水平很高,不能轻视,不

---

① 《刘少奇选集》下卷,人民出版社 1985 年版,第 422 页。

能乱改。"对于这种意见分歧,毛泽东认为是马列主义与修正主义的斗争。实际上是中央第一线的领导人要贯彻党的"双百"方针,而毛泽东却背离了他自己提出的这个正确方针。在知识分子问题上,1962年3月,周恩来在对全国科学工作、戏剧创作等会议代表的讲话中,再次明确肯定我国知识分子的绝大多数是"属于劳动人民的知识分子",肯定"十二年来,我国大多数知识分子已有了根本的转变和极大的进步"。但是,毛泽东对于中央第一线领导人给知识分子"脱帽加冕"并不赞同。在1962年8月的北戴河会议上,他仍然用"资产阶级知识分子"的称呼,指责他们"阳过来,阴过去,阴魂未散"。

毛泽东对中央第一线最不满的,还是所谓"单干风"和"翻案风"。1961年,在某些地区出现了适合生产力发展水平的包产到户等生产责任制。刘少奇、陈云等对这种能提高农业生产的制度表示支持。邓子恢曾为此给中央写报告,建议中央采纳这种制度,认为它并未脱离社会主义轨道。但毛泽东却把包产到户视为分田单干,表示坚决反对。在北戴河会议上,他错误地指责中央第一线领导人在农村搞资本主义,不搞社会主义。中共中央根据"七千人大会"的精神,对于在历次政治运动中被错误批判和处分的同志进行了甄别平反工作。1962年5月,邓小平在中央工作会议上提出一揽子甄别平反的方法,即是对于搞错了的,或基本上搞错了的,统统摘去帽子。中共中央领导进行的甄别平反工作,对于纠正"左"的错误,调动干部的积极性,起了好的作用。但是,毛泽东却指责这是"翻案风"。

在八届十中全会上,毛泽东提出:"中国的右倾机会主义,看来改个名字好,叫做中国修正主义。"其具体表现就是"单干

风"和"翻案风"。尽管这两股风被他错误地刹住了,但他认为,中央的修正主义问题并未解决。他要用"文化大革命"来解决。因此,在他修改审定的、被认为是揭开"文化大革命"序幕的文章《评新编历史剧〈海瑞罢官〉》的最后部分,特意点出了文章的要害是要清算两股风。文章说:"1961年,正是我国因为连续三年自然灾害而遇到暂时的经济困难的时候,在帝国主义、各国反动派和现代修正主义一再发生反华高潮的情况下,牛鬼蛇神们刮过一阵'单干风'、'翻案风'","'退田'、'平冤狱'就是当时资产阶级反对无产阶级专政和社会主义革命的斗争焦点"。毛泽东把两股风作为中央出了修正主义的论据,把清算两股风作为发动"文化大革命"的突破口。

从上可知,毛泽东发动"文化大革命"的出发点的确是反修防修,但是,对于什么是修正主义,却作出了错误的判断。他所批判的修正主义,实际上正是马克思主义原理和社会主义原则,其中很多是他曾经提出和支持过的。

"文化大革命"发生的第二个原因,是党和国家政治生活中的集体领导原则和民主集中制原则由于个人专断作风的形成,而不断受到削弱以至破坏。

党内个人专断作风是逐渐形成的。党的领导制度中的缺陷,为个人专断提供了条件。早在1943年3月20日政治局通过的《中央关于中央机构调整及精简的决定》中就规定:"凡是中央政治局讨论的问题,主席有最后决定之权。"这一规定对于巩固毛泽东的领导地位,具有积极意义;但它毕竟是违背集体领导和民主集中制原则的。在民主革命时期和社会主义建设初期,毛泽东谦虚谨慎,很注意听取各方面的意见,很少擅自决定重大问题。但

由于中国革命的一系列伟大胜利，毛泽东的威望达到了高峰，他开始滋长骄傲情绪，个人专断作风随之产生。新中国成立后，毛泽东在对待胡风的问题上，随意将持有不同文艺观点的人定为反革命；在农业合作化发展速度的问题上，对邓子恢的错误批判，已表现出个人专断作风。在政治局内，他的个人专断的第一个重大表现，是他对1956年反冒进的无端指责。在1957年9月的八届三中全会以及1958年春的南宁会议、成都会议上，一再批判反冒进，批判的调子越来越高。从此开始，他同中共中央集体的关系逐渐变得不正常了，常常在未经集体讨论的情况下，独自作出重大决定。

由于历史的原因，毛泽东个人决定后，中共中央总是立即作出决议，使他的个人决定变成中共中央的集体意志。如中共八大二次会议对反冒进的批判，八届八中全会对彭德怀的批判，八届十一中全会发动"文化大革命"的决定，都是中共中央完全赞同毛泽东的结果。1959年庐山会议以后，党内形成了一个规矩：不同意毛泽东的意见就是反对毛泽东，反对毛泽东就是反党，就必须进行残酷斗争。庐山会议对党内民主生活的破坏，起着为个人专断进一步开道的作用。这种现象的形成有如下一些原因：

一是基于毛泽东的崇高威望和全党对他的信赖，相信他的主张是正确的。二是全党缺乏社会主义建设经验，分不清什么是社会主义，什么是资本主义。这时，即使毛泽东提出了错误观点，也无法识别和抵制。三是一部分人为了顾全大局而不得不支持毛泽东。这种情况曾几次出现过。因为毛泽东在遇到反对意见时，常常把分歧提到路线的高度，并提出党有分裂的危险，他可能再次上山打游击，使人

们无回旋余地，只能对他表示支持。四是有些人有意推行对毛泽东的个人崇拜。在成都会议上，柯庆施说："相信毛主席要到迷信的程度；服从毛主席要到盲从的程度。"这种观点，在广大工农干部、工农党员中颇有市场。林彪、康生一类野心家大搞个人崇拜之所以能得逞，正是利用了这种心理。当时要反对个人崇拜，在工农群众中，难以得到理解和支持。

毛泽东的个人决断立即变成党的决议，这就大大加强了他的个人专断。因为这时反对他的意见，就是反对党的决议。正如邓小平说的："在那个条件下，真实情况是难于反对。"

毛泽东的个人专断能为全党接受，主要是因为广泛存在的对他的个人崇拜，即在长期革命斗争中，由于毛泽东卓越的领导而产生的人民对他的崇敬和信赖，变成了对他的盲目崇拜。1956年，中共八大正确地肯定了苏共二十大反个人崇拜的积极意义。但是，在1958年的成都会议上，毛泽东却肯定了个人崇拜。他说："问题不在于个人崇拜，而在于是否是真理，是真理就要崇拜。"这里，他错误地将崇拜真理与崇拜个人等同起来。他多次讲，真理往往在少数人手里。以此为根据，认定真理在他手里，以为曾经掌握过真理的人将永远掌握真理。对毛泽东的个人崇拜之所以盛行，还因为分不清个人崇拜与维护领袖威信的界限。1959年9月，刘少奇在中央军委扩大会议上说："我这个人历来是积极提倡个人崇拜的，……我是说提高毛主席的领导威信"，"没有若干个人的威信，党的、无产阶级的威信就不能建立起来"。在一个长时期内，党内流行着一种观点，认为对领袖的个人崇拜，是中国共产党团结、统一和有威望的象征，甚至把这种现象作为国际共产主义运动的重要

历史经验。在由毛泽东审定的《关于国际共产主义运动总路线的建议》中写道:"提出反对个人迷信,实际是把领袖同群众对立起来,破坏党的民主集中制的统一领导,涣散党的战斗力,瓦解党的队伍。"反对个人崇拜成了大逆不道的行为了。

个人崇拜是家长制、领导职务终身制的思想基础。个人崇拜成为社会现象,为个人专断准备了群众基础。个人崇拜现象培植了领袖人物的个人专断作风。正是在这个意义上,我们说,毛泽东的个人专断,不能完全由他自己负责,全党有责任。归根结底,它是一定历史条件的产物。

在一个经济文化落后的社会主义国家,在一个以农民(他们还没有完全脱离小农的思想影响)为主要群众的社会里,由对领袖的正常的尊敬演变为个人崇拜,是有其历史必然性的。马克思曾经深刻地分析了小农的政治态度,认为他们需要绝对权威,既代表他们又主宰他们,"保护他们不受其他阶级侵犯,并从上面赐给他们雨水和阳光"。20世纪60年代开始,林彪等人掀起的神化领袖的运动,之所以能得到广泛的支持,正是利用了群众的这种心理。在广大干部中,个人崇拜的思想基础,是对毛泽东的高度信任。每当他提出一个新的观点,广大干部不能理解时,总是责怪自己思想水平低,总想力求跟上,以领袖之是非为是非。这样一来,即使毛泽东提出错误的意见,也很快能在党内推行。正如《中共中央关于建国以来党的若干历史问题的决议》所提出的:"使党的权力过分集中于个人,党内个人专断和个人崇拜现象滋长起来,也就使党和国家难于防止和制止'文化大革命'的发动和发展。"

"文化大革命"发动的第三个原因是林彪、江青、康生一类的野心家利用和助长毛泽东的错误。

林彪、康生在1959年之后大搞个人崇拜。早在1958年,康生在北京音乐堂给政治课教师作报告时就提出:"毛泽东思想是马列主义的顶峰。"1959年康生在审查中国革命博物馆的陈列时,无端指责陈列李大钊就义时的绞刑架是"分庭抗礼"、"不突出红线"。1960年他向中央党校负责人指出:毛泽东思想是马列主义的"最高标准"、"最后标准"。林彪主持军委工作后,以突出政治、政治挂帅为名,大搞活学活用毛主席著作的群众运动,为发动"文化大革命"作了重要的准备。林彪一伙发动的"活学活用"运动,达到了三个目的。

一是抢到了"高举毛泽东思想伟大红旗"的旗子,得到了毛泽东的重用。1960年10月,林彪步康生后尘也提倡"顶峰论",说毛泽东思想是马列主义发展的顶峰,后来又说"毛主席的话水平最高,威信最高,威力最大,句句是真理,一句顶一万句"。林彪对毛泽东的大歌大颂,大大提高了他在党内的声望,人们称赞他"对毛泽东思想提得最高,举得最高,发挥最多,用得最活,做得最力"。

二是用割裂和歪曲毛泽东思想的手法,使毛泽东的"左"倾错误观点易于推行。林彪宣传"句句是真理",通过"活学活用"运动,把人们在生产上、工作上的一切成就归之于背诵警句,从而在全国范围内进行了一场深入持久地神化领袖运动。这一运动使毛泽东的阶级斗争扩大化的观点,家喻户晓,深入人心,为发动"文化大革命"作了思想准备。

三是找到了打击真正坚持毛泽东思想的革命家的口实。林彪一伙掀起的"活学活用"运动,一开始就受到党内一批老革命家的抵制。公开表示反对的有罗荣桓、邓小平、刘少奇、彭真、陆定一、罗瑞卿等。他们批评林彪把毛泽东思想简单化、庸俗化。罗瑞卿批评"顶峰"的提法："难道马列主义就不再发展了吗？""最高最活，难道还有次高次活吗？"刘少奇在给胡乔木的指示中提出："主席的话不要用'教导'、'指示'等词。"邓小平认为毛泽东思想是个体系，不能用片言只语来取代毛泽东思想。彭真在1966年1月的一次会议上说："说毛主席正确，并不是说，他每句话都正确，而是说毛泽东思想是正确的。"1961年初，陆定一在中央宣传部一个报告中尖锐地指出：工农兵活学活用毛主席著作是"简单化"、"庸俗化"、"是实用主义的典型"。凡是对"活学活用"运动提出过批评的领导人，在"文化大革命"中毫无例外地都被林彪、江青一伙戴上了"反对毛泽东思想"的大帽子而被打倒。

林彪一类的野心家不仅利用和助长毛泽东赞赏个人崇拜的错误，而且利用毛泽东阶级斗争扩大化的错误。在1959年庐山会议上，林彪和康生，为博得毛泽东的青睐，在反对彭德怀等的斗争中，推波助澜，落井下石。林彪诬蔑彭德怀是野心家、伪君子。康生写文章，抓住毛泽东指责"右倾机会分子""没有社会主义革命的精神准备"的话，大加发挥，诬蔑他们"堕入反社会主义泥坑"，"和党从来就存在着原则的分歧"，"不惜破坏党和革命队伍的纪律和团结，制造分裂，企图使社会主义事业遭到极严重的损害"，等等。在中共八届十中全会上，康生给毛泽东写了一个条子，说："利用小说反党是一大发明。革命的阶级是这样，反革命的阶级也是这样。"诬陷小说《刘志丹》替高岗翻案。因《刘志丹》小说被株连者达万人。为此后进行大规模的文字狱开了一个恶劣的先

例。在京剧《海瑞罢官》演出后，康生和江青一再向毛泽东进谗言，诬陷此剧与庐山会议有关，与彭德怀罢官有关。在1966年5月中央政治局扩大会议上，康生作长篇发言，对彭真进行系统的诬蔑和攻击。在"文化大革命"初期，党内军内的高级干部，对于打倒刘少奇很不理解。又是这个康生，在1967年3月召开的有军以上干部参加的军委扩大会上，系统地列举刘少奇的所谓错误，挖空心思地罗织罪名，蒙骗了不少同志，起到了在打倒刘少奇问题上统一思想的恶劣作用。江青插手文艺界，将一大批优秀的、或并无大错的文艺作品诬之为"坏戏"、"坏电影"，在1962年以后进行马拉松式的批判，促使毛泽东决心从文艺界开刀，发动一场"革命"。江青炮制的"黑线专政论"，不仅用来镇压文艺界，也用来镇压其他各界，成为打倒中央第一线领导人的大棍子。

在利用和助长毛泽东的"左"倾错误方面，最令人触目惊心的，首推林彪。林彪的目的十分明确，就是要利用毛泽东的错误，打倒一切妨碍他篡党夺权的人。其手段十分阴险狠毒。对其政治上的对手，必欲置之死地而后快。最初，身负军内重要职务的罗瑞卿是他篡夺军权的第一个障碍。林彪采取造谣诬陷的手法，在骗取毛泽东的信任后，以突然袭击的手段，将罗瑞卿打倒。又用这个事件来证明，中央不仅有出修正主义的危险，还有发生反革命政变的危险，从而加强了毛泽东发动"文化大革命"的决心。

野心家们投毛泽东之所好，兴风作浪，把他的错误推向极端，是"文化大革命"发动和持续的重要因素。"文化大革命"的发动，主要应由毛泽东负责，但也不能把一切责任归于他一人。就是他本人的错误，也是当时社会历史条件的产物，

如果没有国际上的反修斗争,也就不会有国内的反修斗争,就不会有"文化大革命";如果没有封建主义的影响和从国际共产主义运动中因袭下来的集权于一人的领导制度,也不会发生"文化大革命";如果没有亿万群众对毛泽东的个人崇拜,即使他具有一呼百应的神圣般的权威,他也发动不起"文化大革命"。所以,"文化大革命"也是特定的国内国际条件的产物。毛泽东发动"文化大革命"的错误是异常严重的。但是,它终究是一个伟大的无产阶级革命家所犯的错误。他在犯错误时,还始终认为自己的理论和实践是马克思主义的,是为巩固无产阶级专政所必须的,这也正是他的悲剧所在。毛泽东的错误,比起他的功绩来,毕竟是第二位的,他的功绩远远大于他的过失。

二

"文化大革命"的进程

　　"文化大革命"的十年可分为三个历史阶段:1966 年 5 月"文化大革命"的发动到 1969 年 4 月中共第九次全国代表大会的召开为第一阶段;从中共九大到 1973 年 8 月中共第十次全国代表大会的召开为第二阶段;从中共十大到 1976 年 10 月"文化大革命"结束为第三阶段。

　　1965 年冬和 1966 年春,在毛泽东支持下相继开展的对《海瑞罢官》和《二月提纲》的批判,实际上揭开了"文化大革命"的序幕。1965 年 11 月由姚文元署名的《评新编历史剧〈海瑞罢官〉》一文在《文汇报》上发表。此文是江青与张春桥密谋的产物。吴晗的剧本本是响应毛泽东学习海瑞的讲话而写的,而文章则把剧本有关海瑞"退田"、"平冤狱"等情节同 1962 年的

所谓"单干风"、"翻案风"硬扯到一起。毛泽东支持对《海瑞罢官》的批判,并说:《海瑞罢官》的"要害问题是'罢官'。嘉靖皇帝罢了海瑞的官,1959 年我们罢了彭德怀的官。彭德怀也是'海瑞'"。在毛泽东的支持下,对《海瑞罢官》的批判迅速扩展为整个史学界、文艺界、社会科学领域的批判运动,吴晗等一批名学者在报刊上受到公开攻击。1966 年 2 月,以彭真为首的中共中央"文化革命五人小组"拟定了《关于当前学术讨论的汇报提纲》(即《二月提纲》),试图把已经开展起来的批判运动约束在学术讨论的范围之内,不赞成把它变为严重的政治批判。毛泽东初则对这个提纲不置可否,不久就指出《提纲》是错误的。指责中宣部不支持"左派",是"阎王殿",提出"打倒阎王,解放小鬼"。与此同时,1966 年 2 月江青以林彪委托的名义在上海召集部队文艺工作座谈会后,在陈伯达、张春桥的参与下,经毛泽东修改、同意的"座谈会纪要"指出,新中国成立以来,文艺界"被一条与毛主席思想相对立的反党反社会主义的黑线专了我们的政"。这对全国的批判运动起了推波助澜的作用。

　　1966 年 5 月中共中央政治局扩大会议和 8 月的中共八届十一中全会标志着"文化大革命"的全面发动。政治局扩大会议开展对中共北京市委书记彭真、解放军总参谋长罗瑞卿、中宣部部长陆定一和中共中央办公厅主任杨尚昆等人所谓"反党错误"的批判,停止和撤销了他们的领导职务,进行专案审查。林彪在会上大谈"政变"经,诬陷彭、罗、陆、杨联合搞"政变","要篡夺政权,复辟资本主义";康生在会上传达了毛泽东在三四月间关于发动"文化大革命"的几次讲话。会议通过了《中国共产党中央委员会通知》(即《五一六通知》)。《五一六通知》指责并宣

布撤销《二月提纲》，提出了一整套开展"文化大革命"的"左"的理论、路线、方针、政策，甚至危言耸听地说，反党反社会主义的资产阶级代表人物不但篡夺了我国文化、艺术、教育、学术和新闻界的领导权，而且渗透到党、政、军各要害部门。这些人物"是一批反革命的修正主义分子，一旦时机成熟，他们就会夺取政权，由无产阶级专政变为资产阶级专政。这些人物，有些已被我们识破了，有些则还没有被识破，有些正在得到我们的信用，被培养为我们的接班人，例如赫鲁晓夫那样的人物，他们现正睡在我们的身旁"。《五·一六通知》还宣布撤销由彭真为组长，由陆定一、康生、周扬、吴冷西组成的"文化革命五人小组"及其办事机构，重新设立文化革命小组，隶属于政治局常委之下。5月28日，以陈伯达为组长，以康生为顾问，江青、张春桥等为副组长的文化革命小组正式成立。这是为开展"文化大革命"采取的组织措施。这个小组掌握了中央很大一部分权力，逐步取代中央政治局和中央书记处，成为"文化大革命"的实际指挥机构。

一场"史无前例"的政治大风暴呼啸而起。5月31日，经毛泽东批准，陈伯达率领的工作组进驻人民日报社。6月1日，《人民日报》发表社论，号召群众起来"横扫一切牛鬼蛇神"。当晚，根据毛泽东的指示，中央人民广播电台广播了由康生授意北京大学聂元梓等人写的攻击北京大学党委和北京市委的一张大字报。4日，《人民日报》公布中共中央关于改组北京市委的决定，同时发表北京新市委关于改组北京大学党委、派工作组领导"文化大革命"的决定。北京和各地的一些青年学生首先响应号召，起来"造修正主义的反"，揪斗干部、教师、学生，冲击学校党组织，发生了许多混乱现象。

这时，中共中央在刘少奇、邓小平主持下，决定向北京市各大中学校派出工作组，以求控制混乱局面。许多省、市、自治区也陆续向大专院校和部分中学派出了工作组。6月20日，刘少奇将北京大学工作组制止乱斗乱打事件的简报转发全国，肯定了他们的处理办法。7月18日，毛泽东回到北京。25日，他指责工作组"阻碍运动"，"不要工作组，要由革命师生自己搞革命"。北京和全国各地随即撤销了所有工作组。

8月1日起，中共八届十一中全会在北京举行。全会通过了《关于无产阶级文化大革命的决定》（简称《十六条》），文件规定，"在当前，我们的目的是斗垮走资本主义道路的当权派，批判资产阶级的反动学术'权威'，批判资产阶级和一切剥削阶级的意识形态，改革教育，改革文化，改革一切不适应社会主义经济基础的上层建筑"。"运动的重点，是整党内那些走资本主义道路的当权派。"运动中要"坚决依靠革命的左派"。要"充分运用大字报、大辩论这些形式。进行大鸣大放"。这次全会原定开5天。5日，毛泽东突然写了《炮打司令部——我的一张大字报》，指责自6月上旬派工作组以来的五十多天里，从中央到地方的某些领导同志"站在反动的资产阶级立场上，实行资产阶级专政"，"实行白色恐怖"，"将无产阶级轰轰烈烈的文化大革命运动打下去"。又说，"联系到1962年的右倾和1964年形'左'而实右的错误倾向，岂不是可以发人深省的吗?"虽未指名，但其主要锋芒显然是针对刘少奇的，针对党内所谓"资产阶级司令部"的。全会还根据毛泽东的临时提议，改组了中央领导机构。全会选出的中央政治局常委中，林彪名列第二位，成为毛泽东的

"接班人"。

5月的中共中央政治局扩大会议和中共八届十一中全会的召开，是"文化大革命"全面发动的标志。这两次会议先后通过的《五·一六通知》和《十六条》以及当时采取的各项非常措施，使毛泽东的"左"倾错误的个人领导实际上取代了中共中央的集体领导。

"文化大革命"初期出现的红卫兵运动在造成全国动乱局面的过程中起了"急先锋"的作用。8月1日，毛泽东写信给清华大学附属中学红卫兵，确认他们的行动"说明对反动派造反有理"。并说，"凡是同你们采取同样革命态度的人们，我们一律给予热烈的支持"。从此，红卫兵运动遍及全国。8月18日至11月下旬，毛泽东先后八次在天安门接见来自全国各地的师生和红卫兵共1100多万人，并形成了全国性的大串联。红卫兵在"造反有理"的旗帜和口号下，从学校"杀向社会"。他们把文物典籍、名胜古迹、宗教庙宇、民间习俗统统当做"四旧"（指旧思想、旧文化、旧风俗、旧习惯），烧的烧，毁的毁。他们到处"炮打"各级党政领导机关，乱揪乱斗"走资派"、"牛鬼蛇神"，动辄打人、游街、抄家。

为了进一步排除"文化大革命"的阻力，毛泽东于10月间主持召开中央工作会议。陈伯达作报告，批判所谓"资产阶级反动路线"。林彪在会上指名攻击刘少奇、邓小平执行"一条压制群众、反对革命的路线"，并鼓吹群众运动"天然合理"的自发论。与此同时，中央军委根据林彪建议发出紧急指示，宣布取消军队院校运动由院校党委领导的规定。中共中央转发了这个文件，全国随即掀起了批判"资产阶级反动路线"、"踢开党委闹革命"的恶浪，各级党委和各级领导干部在莫须有的罪名下纷纷"靠边站"。12月，中共中央又先后发出文件，使"文化大革命"正式扩展到全国工交财贸各部门的基层单位，并推广到农村。到1966年底，全国除野战部队外，各级党委都瘫痪了，党的基层组织也停止了活动，举国上下陷入了严重的混乱和恐怖状态。

从上海"一月风暴"开始，"文化大革命"进入了"夺权"的"新阶段"。1967年1月，先是"造反派"夺了上海《文汇报》、《解放日报》的权。6日，在张春桥、姚文元的策划下，以王洪文为头子的上海造反派组织召开"打倒上海市委大会"，夺了上海市的党政大权。8日，毛泽东赞扬上海"造反派"的"夺权"行动，认为"这是一个阶级推翻一个阶级的大革命"。11月，由中央文革小组起草，以中共中央、国务院、中央军委、中央文革小组的名义给上海市各"造反团体"发出贺电。从此，夺权之风刮遍全国。一些野心分子、阴谋分子和投机分子乘机窃取了许多地方和部门的大权。

面对这场殃及全国的巨大灾难，老一辈革命家义愤填膺，拍案而起，欲挽狂澜于即倒。1967年2月前后，在周恩来主持的怀仁堂政治局碰头会和在此以前召开的军委会议上，谭震林、陈毅、叶剑英、李富春、李先念、徐向前、聂荣臻等中共中央政治局成员和中央军委领导人，对"文化大革命"的错误做法提出强烈批评，对林彪、江青、康生、陈伯达等人迫害老干部，乱党、乱军的罪恶行径进行了大义凛然的斗争。但是他们的正义行动却受到毛泽东极为严厉的批评，随后，中央多次召开"政治生活会"，他们被扣上"二月逆流"的罪名，遭到江青、康生、陈伯达、谢富治等人的批斗，周恩来也受到责难。从此，中央政治局停止活动，完全被中央文革小组取代。

在老一辈革命家挽回局势的努力遭到打击后，全国陷入了更大的动乱之中。林彪、江青一伙更加肆无忌惮地煽动"打倒一切"、"全面内战"。党和国家许多领导人和大批干部、群众遭到诬陷和迫害。1967 年 3 月，中共中央发出文件，把 1936 年 8 月至 1937 年 3 月经组织决定出狱的薄一波等 61 人错定为"自首叛变"。全国各地随即刮起"揪叛徒"风，不少人因此蒙受了莫大的冤屈。4 月，报刊开始不点名地攻击刘少奇。7 月，江青、康生、陈伯达趁毛泽东离京之际，擅自决定在中南海内组织批斗刘少奇、邓小平、陶铸夫妇的大会，并对刘少奇实行抄家和人身迫害。党政军民机关干部、各民主党派成员、知识分子、工农群众、归国华侨及社会各界人士也横遭诬陷和迫害，许多人被迫害致死。

"文化大革命"以来，在林彪、江青等人挑动下，各种旗号的"造反"组织为夺取本地区本单位的大权相互攻击，直至发展为大规模武斗。1967 年 7 月，江青以所谓"文攻武卫"口号煽动武斗。从此，全国武斗急剧升级，社会秩序更加恶化，许多企业停止生产，造成了巨大的破坏。

全国规模的"打倒一切、全面内战"的混乱局面，引起了广大干部、群众的更大的不满。为了控制局面，毛泽东于 1967 年初决定派人民解放军执行"三支（支左、支工、支农）两军（军管、军训）"任务。1967 年 7 月到 9 月，毛泽东视察华北、中南和华东地区。一方面，他错误地强调"全国的无产阶级文化大革命形势大好"，"有些地方前一段好像很乱，其实那是乱了敌人，锻炼了群众"。另一方面，他又反复强调"绝大多数的干部都是好的"，"走资派"是"一小撮"，"要扩大教育面"。他号召各地群众组织实现"革命的大联合"。1968 年 7月 27 日，3 万多人的"首都工人毛泽东思想宣传队"开进北京市各大专院校制止武斗。毛泽东指示，"凡是知识分子成堆的地方"，都应有工人、解放军开进去，"打破知识分子独霸的一统天下，占领那些大大小小的独立王国"。此后，各教育单位和军管以外的各级党政机关都进驻了"工宣队"、"军宣队"。

经过多种力量的多次较量和争夺，到 1968 年 9 月，全国 29 个省、市、自治区都先后建立了革命委员会，实现了所谓"全国山河一片红"。《人民日报》为此发表社论。说这件事"标志着整个运动已在全国范围内进入了斗、批、改的阶段"。社论转述了毛泽东关于"斗"、"批"、"改"的设想，反映出毛泽东试图通过"斗、批、改"达到"天下大治"的意向。

1968 年 10 月 13 日至 31 日举行的中共八届十二中全会，在极不正常的情况下，批准了在江青、康生、谢富治等人主持下，用伪证写成的《关于叛徒、内奸、工贼刘少奇罪行的审查报告》，作出把刘少奇"永远开除出党，撤销其党内外一切职务"的错误决定。这就造成了全国最大的冤案，很多人也受到株连。刘少奇本人在遭受迫害、摧残之后，于 1969 年 11 月 12 日在河南开封含冤去世。

1969 年 4 月 1 日至 24 日，中国共产党第九次全国代表大会在北京举行。林彪作政治报告，全面肯定了"无产阶级专政下继续革命的理论"及其指导下的"文化大革命"的"丰功伟绩"。大会通过的党章把林彪作为毛泽东的"接班人"写入总纲。林彪、江青集团的一批骨干和亲信进入中央委员会。在新产生的中央政治局委员中，林彪、江青集团的主要成员占了半数以上。这次大会使"文化大革命"的错误理论和错误实践合法化，加强了林彪、江青集团在中央的地位。这次代表大会在思想上、政治上和组织上的指导方针都是错误的。

中共九大以后，按照毛泽东关于"认真搞好斗、批、改"的部署，全国各地开展了"大批判"、"清理阶级队伍"、"整党建党"和"教育改革"等运动。所有这些，不过是继续和发展了"左"的错误，造成了更大的灾难，没有也根本不可能像毛泽东所期望的那样达到"天下大治"。

中共九大前后，毛泽东曾经表示出要稳定局势的意向。但由于总体上继续坚持"左"的错误，也由于林彪、江青集团的破坏，"文化大革命"又持续了多年。其间，发生了林彪集团策动反革命武装政变和江青集团阴谋夺取党和国家最高领导权的事件。

在"文化大革命"的特殊条件下形成的林彪反革命集团和江青反革命集团，各自图谋夺取党和国家的最高权力，既相互勾结，又相互斗争。中共九大以后，两个集团之间的矛盾日益激化。1970年，林彪意识到江青、张春桥等人势力的发展有超越自己的趋势，并认为毛泽东有改变"接班人"的意思，遂图谋提前"接班"。

林彪集团先是企图通过打击江青集团的势力，巩固"接班人"的地位，并利用召开第四届全国人民代表大会之机，使林彪首先取得国家主席的位置。1970年3月，毛泽东提出不设国家主席的建议，得到参加中共中央工作会议的大多数人的赞同。以后毛泽东又多次讲过不设国家主席和他不担任国家主席的话。林彪却别有用心地一再坚持要设国家主席，其目的是自己要当主席。叶群私下对吴法宪说："不设国家主席，林彪怎么办，往哪里摆？"1970年8月，林彪集团为实现抢班夺权的野心，有预谋地在庐山举行的中共九届二中全会上发动突然袭击。会议头一天，林彪发表长篇讲话，称赞毛泽东是天才，并指责有人否认毛泽东是天才。第二天，陈伯达抢先发言，吹捧林彪，坚持设国家主席，不指名地攻击张春桥等人。这个发言随即刊登在华北组会议第二号简报上。吴法宪、叶群、李作鹏、邱会作等按照事先商定的口径，分别在各组同时宣讲由陈伯达选编并经林彪审定的"称天才"的材料，结果引起了一场混乱。这时，毛泽东出面干预，召开中央政治局常委扩大会议，决定收回华北组会议第二号简报，责令陈伯达检讨。接着毛泽东又写了《我的一点意见》，批判了陈伯达。会后，党内开展了"批陈整风"。

林彪集团通过所谓"和平过渡"的办法夺取最高权力的企图失败后，阴谋策动反革命武装政变。1971年3月，林彪、叶群指使林立果、周宇驰等在上海制订了反革命武装政变计划《"571工程"纪要》。为了实现这个计划，他们作了多方面的准备。8月中旬至9月上旬，毛泽东巡视南方，沿途同各地党政军负责人作了多次谈话，点名批评了林彪。毛泽东说："有人急于想当国家主席，要分裂党，急于夺权。"又说："庐山这件事，还没有完，还没有解决。"9月5日，林彪、叶群接到密报，获悉毛泽东谈话的主要内容，决定对在巡视途中的毛泽东采取谋杀行动，发动武装政变。8日，林彪下达武装政变手令。林立果等人紧急部署在上海地区杀害毛泽东。但是毛泽东对林彪的反常活动已有所觉察，遂机警地改变行程，于11日提前离开上海。林彪得知谋杀毛泽东计划破产，便准备带领黄永胜、吴法宪、李作鹏、邱会作南逃广州，另立中央，实行割据。12日，一架专机被秘密调往山海关供在北戴河的林彪使用。当天下午，毛泽东安全返回北京。晚间,周恩来据报追查了专机突然去山海关的行动。林彪南逃广州计划又被打乱,遂于13日凌晨同叶群、林立果等人在山海关机场爬上专机,强行起飞,仓皇出逃叛国。飞机在途经蒙古温都尔汗时坠落,机毁人亡。

林彪反革命集团阴谋夺取最高权力、策动反革命武装政变事件的发生,客观上宣告了"文化大革命"的理论与实践的失败。

"九一三"事件后,周恩来在毛泽东的支持下主持中央日常工作。他在极其困难的情况下,以最大的努力消除林彪反革命集团留下的恶果,纠正"文化大革命"的一些极端做法,使各方面的工作出现了转机。在政治方面,党和国家领导人的冤假错案部分地得到平反,一大批干部得到"解放",安排了工作。1971年11月,毛泽东为"二月逆流"平了反。1972年1月,陈毅逝世,毛泽东参加追悼会,周恩来在悼词中肯定了陈毅一生的功绩。1973年3月,中共中央根据毛泽东的批示,决定恢复邓小平党的组织生活和国务院副总理职务,还为1969年含冤去世的贺龙恢复了名誉。在经济方面,提出了整顿和加强工业企业管理的若干措施,并着手纠正农村工作中一些"左"的政策。在外交工作方面,取得了重大的突破。1971年10月25日,第26届联合国大会以压倒多数通过决议,恢复中华人民共和国在联合国的一切合法权利,并立即把蒋介石集团的代表从联合国及其所属一切机构中驱逐出去。1972年2月28日,中美双方发表上海联合公报,两国关系开始走向正常化。同年9月29日,中日两国政府联合声明在北京签署,实现了中日邦交正常化。在此期间,周恩来提出了批判极"左"思潮的主要意见。1972年10月,《人民日报》据此发表了三篇批判极"左"思潮和无政府主义的文章,指出林彪是煽动极"左"思潮的罪魁祸首。这是1967年2月前后许多中央领导人要求纠正"文化大革命"错误这一正确主张的继续和发展。江青集团竭力反对周恩来为纠正极"左"所作的努力,攻击《人民日报》的三篇文章是"毒草"。12月17日,毛泽东在一次谈话中说:林彪是极"右",从而否定了周恩来的正确的意见。

1973年8月24日至28日在北京举行的中国共产党第十次全国代表大会继续了中共九大的错误。十届一中全会上,毛泽东当选为中央委员会主席,周恩来、王洪文、康生、叶剑英、李德生当选为副主席。江青集团在中央领导机构中取得了更多的权力。张春桥进入政治局常委,江青、姚文元也当选为政治局委员。此后,江青、张春桥、姚文元、王洪文在中央政治局内结成"四人帮",加紧进行篡权阴谋活动。

江青集团企图利用召开第四届全国人民代表大会之机,组织他们的"内阁"。他们采取各种卑劣手段打击周恩来、邓小平等,为实现其"组阁"阴谋排除障碍。1974年1月,江青等人发动所谓"批林批孔"运动。他们打着"批林批孔"的旗号,发表煽动性演说,攻击周恩来。在他们的直接策划和煽动下,报刊上发表大量文章,不批林,假批孔,以批"周公"、"宰相"、"现代大儒",影射攻击周恩来,同时借助评论法家,吹捧女皇,为江青集团"组阁"大造舆论。

毛泽东先是批准开展"批林批孔"运动,但在发现江青等人借机进行篡权活动时,又严厉地批评了这些人。1974年7月17日,毛泽东在政治局会议上批评江青,当众宣布:"她并不代表我,她代表她自己。"并第一次提出江青、王洪文、张春桥、姚文元搞"四人帮"的问题。10月4日,毛泽东提议邓小平任国务院第一副总理。"四人帮"制造借口,在10月17日的中共中央政治局会议上围攻邓小平,接着又连夜策划,第二天,由王洪文到长沙向毛泽东告周恩来等人的状,阻挠邓小平出任第一副总理。毛泽东当即批评了王洪文。11月12日,毛泽东在江青的一封来信上批示:"不要由你组阁(当后台老板)。你积怨甚多。"12月23日,毛泽东同周恩来、王洪文谈话时说,邓小平同志政治思想强,人才难得,并尖锐指出:"江青有野心。"

1975年1月,根据毛泽东的提议,中共中央任命邓小平为中共中央军委副主席兼中国人民解放军总参谋长。随后召开的中共十届二中全会选举邓小平为中共中央副主席、中央政治局常委。13日至17日,四届人大一次会议在北京举行,周恩来带病作了《政府工作报告》。大会确定了周恩来为总理、邓小平等为副总理的国务院组成人员。"四人帮"组阁阴谋失败。

四届人大后,周恩来病重,邓小平在毛泽东支持下实际上开始主持中央日常工作。他坚决果断地采取了一系列强有力的措施,着手对许多方面的工作进行整顿,使全国形势有了明显好转。他首先抓了军队的整顿,提出军队的整顿要解决"肿、散、骄、奢、惰"的问题,军队领导班子中要解决"软、懒、散"的问题。经过初步整顿,军队建设出现了新的气象。对经济工作的整顿首先是从铁路运输开始的。根据邓小平的意见,中共中央作出了加强铁路工作的决定。各铁路局调整了领导班子,惩处了一批破坏铁路运输的为首分子,初步整顿了铁路运输秩序,堵塞严重的几个铁路局所管辖路段很快就疏通了。接着,中共中央又抓了钢铁工业和其他工业行业的整顿。邓小平提出要建立坚强

的领导班子,坚决同派性作斗争,认真落实政策;要重视引进新技术新设备,加强企业科学研究工作;要认真搞好企业管理,恢复和健全规章制度。经过初步整顿,工业生产停滞下降的局面开始改变。1975年工业总产值增长率由上年的0.6%上升到15.5%。9月15日,邓小平在全国农业学大寨会议上提出实现四个现代化的关键是农业现代化的看法,并提出了全面整顿问题。他说:"毛主席讲过,军队要整顿,地方要整顿,工业要整顿,农业要整顿,商业也要整顿,我们的文化教育也要整顿,科学技术队伍也要整顿。文艺,毛主席叫调整,实际上调整也就是整顿。"他在另一次会上还明确地提出"整顿的核心是党的整顿"。邓小平提出的全国整顿的方针,实际上是要系统地纠正"文化大革命"的错误。

毛泽东先是支持邓小平工作,希望实现安定团结的局面,把国民经济搞上去。1975年3月,"四人帮"借批"经验主义"攻击周恩来、邓小平等,受到毛泽东的批评。同年5月,毛泽东召集在京的中共中央政治局委员谈话,强调要安定团结,要搞马克思主义、要团结、要光明正大,再次批评江青等人,叫他们"不要搞四人帮"。根据毛泽东的意见,邓小平两次主持政治局会议,对江青等人进行批评。这些都为各项工作的整顿创造了较为有利的条件。但是,毛泽东在全局上又始终坚持"文化大革命"的错误方针,反复强调要学习"无产阶级专政理论"。早在1974年10月,他在会见丹麦首相保罗·哈特林时就说过:中国"现在还实行八级工资制,按劳分配,货币交换,这些跟旧社会没有多少差别。所不同的是所有制变更了"。12月26日,他又对周恩来说:"列宁为什么说对资产阶级专政,要写文章","这个问题不搞清楚,

就会变修正主义。要使全国知道"。"我国现在实行的是商品制度,工资制度也不平等,有八级工资制,等等。这只能在无产阶级专政下加以限制。所以,林彪一类如上台,搞资本主义制度很容易。"他还说:"列宁说'小生产是经常地,每日每时地,自发地和大批地产生着资本主义和资产阶级的'。工人阶级一部分,党员一部分,也有这种情况。"这些观点实际上是对马克思、列宁的一些论点的误解或教条化。基于这些观点,毛泽东始终认为"文化大革命是非常必要,非常及时"的。毛泽东虽然批评了"四人帮",不让他们"组阁";但又说这些人问题不大,"不要小题大做"。因此,随着各方面整顿的发展和深入,毛泽东的态度发生了在许多人看来似乎是戏剧性的变化。

毛泽东不能容忍邓小平系统地纠正"文化大革命"的错误。1975年9月底到11月初,担任毛泽东联络员的毛远新几次向毛泽东汇报,认为邓小平否定"文化大革命"。这个看法得到毛泽东的肯定。随后毛泽东发动了"批邓、反击右倾翻案风"运动。11月下旬,中共中央在北京召开"打招呼会",此后运动逐步扩大到全国各地区、各部门。1976年1月,中共中央政治局根据毛泽东意见,确定华国锋担任国务院代总理,主持中央日常工作。2月,华国锋在各省市自治区和各大军区负责人会议上代表中共中央讲话说,当前,就是要搞好批邓,批邓小平的修正主义错误路线,对邓小平可以点名批判。"四人帮"推波助澜,制造新的动乱,全国再次陷入严重混乱之中。

"四人帮"借"批邓、反击右倾翻案风"篡党夺权。但是,他们的阴谋最终还是失败了。1976年1月8日,周恩来逝世。15日,上百万人伫立在十里长街默哀送灵。

广大干部群众满含悲痛,以各种方式悼念人民的好总理。"四人帮"倒行逆施,阻挠群众的悼念活动,继续攻击周恩来,激起全国人民的更大的义愤和反抗。3月下旬起,全国各大城市相继出现群众自发进行悼念周恩来、声讨"四人帮"的活动。4月初,首都上百万群众接连几天前往天安门广场敬献花圈、诗词,张贴传单挽联,发表演说。4月4日清明节这天,到天安门广场举行悼念周恩来、声讨"四人帮"活动的达二百万人次。当晚,华国锋召集在京的政治局委员开会,在江青等人的左右下,会议认定天安门前群众运动是"有计划、有组织的反革命性质的反扑",并决定立即清理花圈、标语和抓"反革命"。4月5日,天安门广场上的群众强烈要求"还我花圈"、"还我战友",并采取抗议行动,但遭到镇压。以"天安门事件"为代表的悼念周恩来、反对"四人帮"的强大抗议活动,实质上是拥护以邓小平为代表的党的正确领导,为后来粉碎江青反革命集团奠定了伟大的群众基础。中央政治局、毛泽东对"天安门事件"的性质作了错误的判断,错误地决定撤销邓小平党内外一切职务。中共中央政治局根据毛泽东提名,通过了华国锋任中共中央第一副主席、国务院总理的决议。

1976年9月9日,毛泽东与世长辞。全国沉浸在悲痛和忧虑的气氛之中。在毛泽东逝世前后,"四人帮"加紧进行篡夺党和国家最高领导权的阴谋活动。8月,"四人帮"在上海的死党突击发放武器,装备上海民兵。9月11日,王洪文在中南海另设值班室,并通知各省、市、自治区直接向他们请示报告,企图取代中共中央的领导。10月3日,王洪文在平谷县说:中央出了修正主义,你们怎么办?打倒!10月4日,《光明日报》头版发表梁效文章《永远按毛主席的既定方针办》,伪造毛泽东临终嘱咐,公开发出篡夺最高领导权的信号。

在粉碎江青反革命集团的斗争中,华国锋、叶剑英、李先念等同志起了重要作用。他们断然作出决策,于10月6日对江青、张春桥、姚文元、王洪文实行隔离审查。粉碎江青反革命集团的胜利,结束了"文化大革命"这场灾难。

"文化大革命"是一场由领导者错误发动,被反革命集团利用,给党、国家和各族人民带来严重灾难的内乱。它根本不是"乱了敌人",而只是乱了自己。但是"文化大革命"的十年,除了给党、国家和人民带来严重灾难以外,还有党和人民在这十年中,同"左"倾错误和林彪、江青反革命集团进行的艰难曲折的斗争。因此,对于这十年的历史是应当一分为二的。既有"文化大革命"的黑暗的一面,又有党和人民抵制"文化大革命"的光明的一面。"文化大革命"使党、国家和人民遭到新中国成立以来最严重的挫折和损失。但是,在"文化大革命"中,党、人民政权、人民军队和整个社会的性质并没有因此改变,林彪、江青反革命集团妄想改变党和国家的性质的罪恶目的,并未实现。相反,由于党和人民的斗争,终于粉碎了这两个反革命集团,并最终结束了"左"倾错误在党内的统治。"文化大革命"中党和人民所表现的光明的一面反映在如下一些方面:

1. 中共八届中央委员和它所选出的政治局、政治局常委、书记处的成员,绝大多数都站在斗争的正确方面。1967年2月前后,我们党的老一辈无产阶级革命家谭震林、陈毅、叶剑英、李富春、李先念、徐向前、聂荣臻等,在不同的会议上对"文化大革命"的错误做法,提出了强烈的批评;对林彪、江青、康生一伙进行了大义凛然的斗争。在"文化大革命"开始时还健在

的八届中央委员和候补中央委员160人中,属于林彪、江青反革命集团者只有5人,加上犯有严重错误者不过10人,其余的委员都站在正确方面。除中央委员外,党的广大干部,无论是曾被错误地打倒的,或是一直坚持工作和先后恢复工作的,绝大多数是忠于党和人民的,对社会主义、共产主义事业的信念是坚定的。正是由于广大干部和群众用各种方式同极"左"路线和林彪、江青反革命集团的破坏进行斗争,才使他们的阴谋未能得逞。

2. 遭到过打击和折磨的知识分子、劳动模范、爱国民主人士、爱国华侨以及各民族各阶层的干部和群众,绝大多数都没有动摇热爱祖国和拥护党、拥护社会主义的立场。这充分表明了我国社会主义制度已经深深扎根于各民族人民之中。"文化大革命"初期被卷入运动的大多数人,也是出于对党和毛泽东的信赖。经过现实的教育,他们中的绝大多数人都提高了觉悟,逐步对"文化大革命"采取怀疑观望以至抵制反对的态度。1976年以"天安门事件"为代表的悼念周总理、反对"四人帮"的强大抗议运动,就反映了广大群众的觉醒,他们顶住巨大的压力,拥护以邓小平为代表的党的正确领导。这个运动为粉碎江青反革命集团奠定了伟大的群众基础。

3. 广大干部和群众对林彪、江青反革命集团破坏生产的罪恶行径进行了抵制,使我国国民经济在这个时期虽然遭到巨大的损失,但仍然取得了进展。粮食生产保持了比较稳定的增长。工业交通、基本建设和科学技术方面取得了一批重要成就,其中包括一些新铁路和南京长江大桥的建成,一些技术先进的大型企业的投产,氢弹试验和人造卫星发射回收的成功,籼型杂交水稻的育成和推广,等等。

4. 在国防和外交工作方面也取得了

一些成就。人民解放军胜利地进行了珍宝岛自卫作战，英勇地保卫了祖国的安全。我国的外交工作打开了新的局面。我国恢复了联合国的合法席位，使美国长时期以来孤立我国的政策彻底破产。1972 年中美联合公报的发表和中日正式建立外交关系，是我国外交工作的重大突破。这些成就使我们更能在国际上发挥重要作用，也为此后开展广泛的对外经济技术交流，创造了有利条件。

以上这些表明，"文化大革命"的十年中，尽管遭到了新中国成立以来最严重的挫折和损失，但是我国社会主义制度的根基仍然保持着，党、人民政权、人民军队和社会主义制度都没有发生根本的变化。正如《中共中央关于建国以来党的若干历史问题的决议》所指出的：历史再一次表明，我们的人民是伟大的人民，我们的党和社会主义制度具有伟大而顽强的生命力。

三

"文化大革命"的特点、危害及主要教训

历史已经判明，波及全国、持续十年之久的"文化大革命"，不是也不可能是任何意义上的革命或社会进步，而"是一场由领导者错误发动，被反革命集团利用，给党、国家和各族人民带来严重灾难的内乱"。"文化大革命"的"左"倾错误的特点和危害是：

第一，思想上唯心主义、形而上学盛行。"文化大革命"以前，由于我国社会主义革命和建设的巨大胜利，毛泽东没有革命战争年代和新中国成立初期那样谦虚谨慎，逐渐滋长了一些脱离实际、脱离群众、主观主义的思想。"文化大革命"开

始后，毛泽东错误地对我们党内和国内的形势作了违反实际的估计，认为我们正面临着"党变修，国变色"，"赫鲁晓夫那样的人物"上台的现实危险；他提出了"无产阶级专政下继续革命理论"，进行所谓"一个阶级推翻一个阶级"的大革命。林彪、江青一伙趁机煽动宗教式的狂热，宣传天才决定论，鼓吹对毛泽东的个人崇拜，说什么毛泽东的话"句句是真理"，"一句顶一万句"，要"三忠于"、"四无限"，"早请示"、"晚汇报"，唱语录歌，跳忠字舞，顿时全国上下掀起了对革命领袖的"神化"运动。这就使得我们党长期形成的马列主义与中国革命实践相结合的原则，实事求是、一切从实际出发的思想路线遭到破坏，一系列重大理论和政策问题混淆了是非，新中国成立以来 17 年中大部分正确的方针、政策和成就被否定了，很多马列主义原理被当做修正主义批判了，而许多错误的东西则被当成了社会主义新生事物。例如，生产活动对于人类历史发展具有决定意义这一历史唯物主义的基本原理，被作为"唯生产力论"加以批判；又例如，在生产资料私有制的社会主义改造基本完成后，不应再以阶级斗争为中心的正确观点，也作为"阶级斗争熄灭论"进行批判；再例如，发展生产、繁荣经济、改善群众的物质文化生活的政策和措施，被作为"修正主义"或"资本主义"批判；如此等等。由于是非混淆，黑白颠倒，真理当成谬误，谬误变成"真理"，因而形而上学猖獗，唯心主义盛行，各种封建主义的、资产阶级的、小资产阶级的思想沉渣泛起，无政府主义、极端个人主义、派性大肆泛滥，严重地搅乱了人们的思想，腐蚀了干部和群众，毒害了青年，助长了各种歪风邪气，使光荣的革命传统和优良的社会风尚遭到了极大的败坏。

第二，政治上是非混淆、敌我颠倒。毛泽东曾经断言：在无产阶级取得政权、社会主义制度建立以后，还要进行一个阶级推翻一个阶级的革命，而且不只是要进行一次，还要进行多次。这就是所谓"无产阶级专政下继续革命理论"的核心。在这种错误理论的指导下，"文化大革命"所打倒的所谓"走资派"，实际上是党和国家各级组织中的领导干部，是社会主义事业的骨干力量；所谓以刘少奇、邓小平为首的"资产阶级司令部"，实际上党内根本不存在，完全是主观臆造的；所谓刘少奇的"叛徒"、"内奸"、"工贼"的罪名，完全是林彪、江青一伙的无耻诬陷；"文化大革命"所批判的所谓"反动学术权威"，实际上是许多拥护社会主义、有才能、有成就的知识分子，如此等等。林彪、江青一伙趁机捏造所谓"阶级关系新变化"的理论，鼓吹党内已形成一个资产阶级，制造老干部等于民主派、民主派等于走资派的反革命公式，把我们党、政府和军队的各级领导骨干当成所谓"继续革命"的对象，把无产阶级专政的国家机器当成所谓"彻底砸烂"的对象。于是，在他们煽动的"怀疑一切"、"打倒一切"的反动思潮下，"夺权"、"打倒"之风遍及全国，宪法、法律、党章成了一纸空文；上至国家主席，下至基层干部、劳动模范、各界群众，可以任意被批、被斗、被抓、被整；党纪、政纪、军纪被废除，规章制度被抛到一边，武斗不止，派仗不停，打砸抢成风，严重地破坏和削弱了人民民主专政和党的领导，使整个国家政治生活和社会生活陷于极不正常的状态之中。

第三，组织上取消党的领导，脱离广大群众。"文化大革命"名义上是直接依靠群众，实际上既取消了党的领导，又脱离了广大群众。"文化大革命"一开始，毛泽东的个人领导实际上取代了党中央的集体领导，使党和国家政治生活中的集体领导原则和民主集中制受到了削弱以至破坏。他对党中央领导机构进行了错误的改组，成立了所谓"中央文革小组"，使它掌握了党中央的很大部分权力。林彪、江青一伙则利用所谓"中央文革小组"的名义，乘机煽动"打倒一切，全面内战"。中央军委、总政治部根据林彪的旨意，发出紧急指示，宣布取消"军队院校的文化大革命在撤销工作组后由院校党委领导的规定"，中共中央和毛泽东将这一指示转发全党。从此，在全国各地进一步掀起"踢开党委闹革命"的浪潮，无产阶级政党的组织原则和纪律被完全破坏，各级党组织和政府部门受到冲击，陷于瘫痪、半瘫痪的状态，党的各级领导干部受到批判和斗争，广大党员被停止了组织生活，各种群众团体也停止了活动，干部队伍和群众队伍被分成派别，互相对立。林彪、江青反革命集团到处建立帮派体系，实行以帮代党。各种投机分子、野心分子、阴谋分子乘机钻进了党和政权机构，有的占据了主要领导岗位，进行了大量破坏活动，给我们党和人民造成了严重的创伤。

毛泽东开始曾经把这种混乱看做是"乱了敌人，锻炼了群众"，把它看做是一种群众充分发动的标志。后来，他又曾设想要由"乱"达到"治"，使局势稳定下来。然而，由于"文化大革命"本身的指导思想和方针、政策、办法都是错误的，它既违反了客观实际，违背了社会主义社会发展的规律，又同社会主义制度的稳定发展不相容，同人民的利益和愿望不相容，因此，它根本不是"乱了敌人"，而只是"乱了自己"，混乱的局面无法结束，只能给党、国家和各族人民带来严重的灾难。这就是"文化大革命"的历史悲剧。只有彻底粉碎借"文化大革命"而存在的反革命集团，彻底否定"文化大革命"的理论和实践，才能完全消除内乱的根源，从思想上、政治上、组织上进行全面的拨乱反正，真正达到安定团结，实现天下大治。

第四，"文化大革命"破坏了社会生产力，给经济建设事业造成了难以估量的损失。这十年中，国民经济发展经历了"三起三落"，经济效益全面下降，在全民所有制工业企业中，每百元资金实现的利润税金由 1966 年的 34.5 元降低到 1976 年的 19.3 元，降低了 44.1%；每百万元总产值占用流动资金，由 1966 年的 23.5 元提高到 1976 年的 36.9 元，上升了 57%。农业方面，农产品成本 1966 年与 1976 年相比，每百斤小麦的成本由 13 元上升为 15 元，每百斤棉花的生产成本由 64 元上升为 112 元。

重大比例关系严重失调。在积累与消费比例上，1970 年以后追求高积累率，1971 年高达 34.1%（我国积累率"一五"时期为 24.2%、"二五"时期为 30.8%、"三五"时期为 26.30%）。在农、轻、重比例关系上，片面强调"以钢为纲"，突出加强战备，造成农业严重落后于工业，轻工业严重落后于重工业。在农业内部，片面实行"以粮为纲"，经济作物和林牧副渔业受到排挤，甚至毁林开荒、围湖造田来增产粮食。在文教科研和国民经济发展比例上，文教科研遭到严重摧残，"文化大革命"期间，高等院校大约少培养了 100 万名大学生，中等专业学校少培养了 200 万名中专生，中小学多年未能恢复正常的教学秩序，广大人民文化素质下降，文盲大量增加。中国经济文化建设人才结构出现巨大断裂层。科研机构被撤销、解散或停止工作，许多在学术上有成就的专家、教授被戴上"反动学术权威"的帽子，知识分子

被诬蔑为"臭老九"。文教科研卫生部门的投资占总资的比重大幅度下降。"一五"时期，教育科研经费占投资总额的 7.6%，而"文化大革命"期间的"三五"时期仅为 2.8%、"四五"时期为 3.1%。

国民经济遭到严重破坏，不可避免地影响到人民生活水平。1976 年同 1965 年相比，人民物质文化生活水平没有提高，反而下降了。在农村，十年动乱期间，平均每个农民每年增加收入不到 1 元。全国有 1/4 的县，每个农民人均收入低于 50 元。在城市，职工的标准工资长期没有调整，每个职工的年平均货币工资由 1966 年的 636 元下降为 1975 年的 613 元，实际工资由 535 元下降为 508 元。如果以 1952 年的平均实际工资为 100，1957 年为 130，则 1966 年为 120，1976 年为 113.9。城乡居民吃、穿、用的消费量，1976 年与 1966 年以前相比，有些不但没有增加，反而下降了。

"文化大革命"的教训是十分深刻的，其中最重要的有：

1. 在建立了社会主义制度以后，我国所要解决的主要矛盾，是人民日益增长的物质文化需要同落后的社会生产力之间的矛盾。党和国家必须坚定不移地以经济建设为中心任务，大力发展社会生产力，逐步改善人民生活。除非发生国外敌人的大规模入侵，决不能因为出现这样那样的干扰而离开我们的中心任务。为了保障社会主义建设不受干扰，就必须对社会主义制度确立以后的国内阶级状况和阶级斗争形势，作出合乎客观实际的科学分析，并采取正确的方针和方法。我们既要反对认为阶级斗争已经熄灭的观点，又要反对把阶级斗争扩大化的观点。一定要严格区分两类不同性质的矛盾，决不能把人民内部矛盾当做敌我矛盾，更不能用对敌斗争的方法

来进行党内斗争。只有这样,我们才能够长期保持安定团结的社会政治局面,使社会主义建设得以顺利进行。

2. 必须正确理解与处理领袖和党、领袖和群众之间的关系,既要维护领袖的威信,又不能搞个人崇拜。马克思主义承认领袖人物在历史发展中有重要的作用,同时认为,起进步作用的领袖,必须是群众利益的代表者和群众意志的执行者。无产阶级政党的领袖不是一个人,而是一个集团。这些领袖人物是在群众斗争中自然产生的。任何领袖人物都不是神,都不可能没有缺点和错误,都不应当加以神化。不能为提高领袖的威信而贬低党和人民群众的作用,任意夸大领导者个人的作用。

3. 必须坚持民主集中制原则,实行集体领导,既反对分散主义、无政府主义,又反对个人专断。民主集中制的集中,必须建立在广泛民主的基础上。严格实行个人服从组织,少数服从多数,下级服从上级,全党服从中央的原则,使中央拥有必须拥有的权力。任何党员,无论他的职位有多高,都必须执行党的决议,绝不允许任何人凌驾于党组织之上。党的组织必须用制度来保证对任何党员实行严格的监督。党中央的领导,也如同各级党组织一样,必须是集体领导。党的重大方针政策和组织问题,必须是由集体讨论决定,绝不允许个人专断。

4. 必须正确进行党内斗争,全力维护党的团结。党的团结是党的生命,是各项事业胜利的保证。党的团结是整个社会安定团结的前提。只有全党团结,才能实现人民的大团结,才能保证社会主义建设的顺利发展。要维护党的团结,就必须用正确的态度和方法解决党内正常的意见分歧。对于党内的不同意见,决不能用政治运动的方式去解决,不能施加政治压力,只能用同志式的摆事实讲道理的方法,用批评与自我批评的方法去解决。搞政治运动,既容易伤害同志,也无益于分清是非,只能把问题复杂化。

5. 必须进一步发扬党内外民主,健全社会主义法制,切实保障全体党员和全体公民的民主权利,使党内民主和社会主义民主制度化、法律化。从党的领导者到每个党员,从国家领导人到每个公民,在党纪和国法面前人人平等。绝不允许有不受党纪约束的特殊党员和不受法律约束的特殊公民。绝不允许有凌驾于党纪国法之上的特权。必须明确社会主义民主,首先是社会主义国家制度问题。保障人民享有充分的管理国家的权力,是社会主义国家的根本政治原则。因此,必须不断健全和完善民主制度。为保障人民的民主权利,就必须健全法制,维护法律的权威,切实依法办事。

6. 必须加强马克思主义的学习和对于中国实际情况的调查研究工作,努力提高广大干部的马列主义水平。"文化大革命"中,林彪、康生一伙,把许多马克思主义原理和社会主义原则,当做资本主义和修正主义进行批判,不少干部缺乏鉴别能力,说明提高干部马列主义水平的重要性。但马列主义原理必须同中国实际相结合,才能正确地指导革命和建设。因此,广大干部还必须善于作调查研究,了解实际情况,总结群众经验。这样,才能制定正确的政策,并善于根据具体情况提出正确的措施,才能不犯或少犯错误。"文化大革命"中一系列"左"的理论政策和口号,既违反马列主义的基本原理,又脱离我国的实际,但许多干部对那些错误的理论政策和口号却不能鉴别,甚至把推行"左"倾错误政策当做捍卫马克思主义的纯洁性,这个教训是极为深刻的。

重大事件

"文化大革命"的酝酿与导火索

一

批判新编历史剧《海瑞罢官》

1965年11月10日,上海《文汇报》发表了姚文元的文章《评新编历史剧〈海瑞罢官〉》,对北京市副市长、明史专家吴晗的新编历史剧《海瑞罢官》进行点名批判。

吴晗的这个剧本写成于1960年底。1959年4月,毛泽东在上海会议期间提出要学习海瑞,并讲了海瑞的故事,说海瑞尽管攻击皇帝很厉害,但对皇帝还是忠心

耿耿的。1959年6月,《人民日报》发表了吴晗的《海瑞骂皇帝》一文。胡乔木又约吴晗再为《人民日报》写一篇论海瑞的文章,并告诉他毛泽东肯定海瑞精神的讲话。谈话中,吴晗还答应再写一个以海瑞为题材的戏。9月,庐山会议对彭德怀进行了错误的批判,毛泽东提出了要区分左派海瑞与右派海瑞的问题。根据这一精神,吴晗发表了《论海瑞》一文,文中也不点名地批判了彭德怀。1959年底,应北京京剧团演员马连良的要求,吴晗开始创作新编历史剧《海瑞罢官》。1960年底写成剧本,接受植物学家蔡希陶的意见,定为此名。1961年1月,该剧在北京首次演出。其后,毛泽东在家中观看了马连良演出的这个戏,称赞说:戏是好戏,剧本也写得好。

从1962年开始,毛泽东和刘少奇等党的领导人在对"大跃进"的错误、对纠正错误所采取的调整措施等问题上发生分歧。这时,江青多次向毛泽东说,《海瑞罢官》有问题,要批判。毛泽东开始时虽不同

意,但最后仍予以同意。1964年,康生也向毛泽东歪曲事实地反映,说《海瑞罢官》与庐山会议和彭德怀有关。

为了组织批判文章,江青找到中宣部、文化部的4位正副部长,但均被拒绝。她认为,在北京是攻不开的,于是1965年2月到上海,获得柯庆施和张春桥的支持,开始共同策划批判文章的撰写。整个写作活动是在很不正常的秘密状态下进行的,除毛泽东外,中央政治局委员无一人知晓。张春桥以修改现代京剧的名义多次往返北京、上海之间,秘密讨论修改批判文章。由姚文元执笔的这篇文章写成后,毛泽东看了三遍,认为基本可以,建议让中央领导人看一下,但江青表示反对,理由是如果让周恩来等人看,也必须让刘少奇、彭真看,文章就难以发表了。

这篇文章采取不顾历史事实,颠倒是非,无限上纲的手法,攻击吴晗写作这个剧本是以"退田"、"平冤狱"为1961—1962年的"单干风"、"翻案风"叫好。文章说:"1961年,正是我国国内连续三年自然灾害而遇到暂时的经济困难的时候,在帝国主义、各国反动派和现代修正主义一再发动反华高潮的情况下,牛鬼蛇神们刮过一阵'单干风'、'翻案风'。他们鼓吹什么'单干'的'优越性',要求恢复个体经济,要求'退田',就是要拆掉人民公社的台,恢复地主富农的罪恶统治。……他们希望有那么一个代表他们利益的人物出来,同无产阶级专政对抗,为他们抱不平,为他们'翻案',使他们再上台执政。'退田'、'平冤狱'就是当时资产阶级反对无产阶级专政和社会主义革命的斗争焦点","《海瑞罢官》就是这种阶级斗争的一种形式的反映","是一株毒草"。

文章发表以后,由于中央领导人不知来由和底细,并未指示有关部门安排各地转载。在一个时期内,除华东地区的几家报纸外,北京和其他各省报纸均未转载。毛泽东对此感到不满,指示上海出版单行本,北京新华书店因为不知内情,所以未予大量订购,又加深了毛泽东认为北京搞"独立王国"的看法。事实上,《人民日报》、《北京日报》在该文发表后的第三天,就向上海《文汇报》了解情况,但张春桥等人严密封锁。11月下旬,主管中央宣传工作的彭真从外地回到北京后,指示:中央报刊是否发表批判吴晗的文章,还要再考虑一下,并说吴晗的性质不属于敌我矛盾,对姚文元文章错误的地方也要批判。月底,周恩来、罗瑞卿了解到该文发表的一些背景情况后,通知了北京有关部门。11月29日、30日,《北京日报》、《人民日报》先后转载了姚文元的文章。根据周恩来、彭真意见写成的《人民日报》按语说:"我们希望,通过这次辩论,能够进一步发展各种意见之间的相互争论和相互批评。我们的方针是:既容许批评的自由,也容许反批评的自由;对于错误的意见,我们也采取说理的方法,实事求是,以理服人。"姚文元的文章被安排在"学术讨论"专栏。

姚文元文章发表以后,引起了较大的社会反响。翁独健等历史学家对这种构人于罪的做法提出了反对。在《文汇报》收到的大量读者来信中,不同意姚文元文章观点的占多数。江青、张春桥又采取了"引蛇出洞"的卑鄙手段,在《文汇报》上发表了一些持反对意见的文章,并组织一批专家、学者进行座谈会,待他们发表不同意姚文元文章的意见后,将此整理成案分类排队,称之为"右派言论",为批判上纲提供靶子。

12月21日,毛泽东在杭州召集陈伯达、艾思奇、田家英、关锋等人谈话,他说:

戚本禹的文章(指批判翦伯赞的文章)写得好,缺点是没有点名。"姚文元的文章也很好,点了名,对戏剧界、历史界、哲学界震动很大,但是没有打中要害。要害问题是'罢官'。嘉靖皇帝罢了海瑞的官,1959年我们罢了彭德怀的官。彭德怀也是海瑞。"这些话,使对《海瑞罢官》的批判,带上了更为严重的政治色彩。

1966年初,对《海瑞罢官》的批判发展到史学界、文艺界、哲学界等社会科学领域全面的政治批判。戚本禹等人在报刊上又发表了一系列批判吴晗、翦伯赞等人的文章,在全国范围内把这场政治批判运动推向高潮,使之直接成为"文化大革命"的序幕和导火索。

二

《二月提纲》与《部队文艺工作座谈会纪要》

1966年2月3日,彭真在北京人民大会堂召集"文化革命五人小组"会议,试图对当前的批判运动作出若干指导方针和规定,从而约束一些极"左"的、过火的做法。

在会议之前,彭真等人已为此采取了一些措施。1月2日,彭真在有关会议上说,"政治问题两个月以后再说,先搞学术",陆定一也表示了同样的意见。他们没有批准关锋、戚本禹另两篇批判《海瑞罢官》"要害"的文章发表。

在"文化革命五人小组"会上,彭真指出:经查明,吴晗同彭德怀没有关系,因此不要提庐山会议。他还提出:为了"放",不要谈《海瑞罢官》的政治问题,学术批判不要过头,要慎重。与会的康生没有提出反对意见。

会后,许立群、姚溱根据会议精神和彭真的指示,起草了《关于当前学术讨论的汇报提纲》(即《二月提纲》)。《二月提纲》把对《海瑞罢官》及由此开展的一系列讨论,定为学术批判性质,是"在学术领域中清除资产阶级和其他反动或错误思想的斗争"。《二月提纲》规定,这场学术批判中要采取"放"的方针,指出:"学术争论问题是很复杂的,有些事短时间内不容易完全弄清楚";"要坚持实事求是,在真理面前人人平等的原则,要以理服人,不要像学阀一样武断和以势压人。要提倡'坚持真理,随时修正错误'";"报刊上的讨论不要局限于政治问题,要把涉及到的各种学术理论问题,充分展开讨论。如果最后还有不同意见,应当允许保留,以后继续讨论"。《二月提纲》还规定:"报刊上公开点名作重点批判要慎重,有的人要经过有关领导机构批准。"针对专门攻击他人、不作丝毫自我批评的关锋、戚本禹等人,《二月提纲》指出:要"反对自以为是。警惕左派学术工作者走上资产阶级专家、学阀的道路"。

《二月提纲》限于历史条件,也带有那个时代的"左"倾色彩,但其目的,是为了将当时开展的那场愈演愈烈的政治批判运动限制在学术批判范围内,并加以控制。

2月8日,彭真、陆定一、许立群等人前往武汉向毛泽东汇报《二月提纲》。汇报前,看过初稿和修改稿的康生也未表示不同意见。在汇报中,毛泽东说:何明(即关锋)的文章我看过,还不错。"左"派的问题以后再说。他还说:郭老、范老(郭沫若、范文澜)当然要保护,但是,他们两个还是要在史学界工作,有个适当的自我批评表示为好。毛泽东问:吴晗算不算反党反社会主义呀?彭真回答:他是站在被中华人民共和国罢了官的人那一边。毛泽东说:吴晗不要罢官,还是当他的副市长,这样讨论就可以"放"了吧!毛泽东还说:"要害是罢官"的发明权是康生。

由于毛泽东对《二月提纲》没有表示不同意见,彭真便代中央拟出批语,经中央政治局常委同意后,作为中共中央文件于2月12日下发全党,指导当前的批判运动。

与此同时,江青在上海策划召开了一个所谓部队文艺工作座谈会。1月21日,在军队内没有任何职务的江青从上海到苏州见了林彪,提出召开部队文艺工作座谈会的要求。随后,叶群打电话布置了由解放军总政治部副主任刘志坚带队,由总政文化部长谢镗忠、副部长陈亚丁、宣传部长李曼村参加的座谈会。叶群还传达了林彪的指示:江青"对文艺工作方面的政治上很强,在艺术上也是内行,她有很多宝贵的意见,你们要很好重视,并且要把江青同志的意见在思想上、组织上认真落实"。

所谓座谈会于2月2日至10日、16日至20日分两段举行,实际上是江青一人讲,其他人听。江青在谈话中,极力抬高自己,说她发现文艺界牛鬼蛇神很多,报告了主席,主席才有了两个批示。她诬蔑文艺界"有一条反党反社会主义的黑线","建国17年来,他们一直在专我们的政"。同时,她还对周恩来、北京市委等进行攻击,说"文艺界基本上不听主席的","文化部不像共产党领导的文化部"。在谈话中,江青肆意否定了新中国成立以来的大批电影和文学作品。座谈会结束后,刘志坚等人起草了一份向总政领导汇报用的《纪要》,江青看后全盘予以否定。经毛泽东指定,陈伯达、张春桥、姚文元对《纪要》作了大幅度修改。

毛泽东对修改稿又作了三次重要修改,增加了一些文字,如"搞掉了这条黑线之后,还会有将来的黑线,还得再斗争";"过去几十年的教训是,我们抓迟了。毛主席说,他只抓过一些个别问题,没有全盘地系统地抓起来,而只要我们不抓,许多阵地就只好听任黑线去占领,这是一条严重的教训"等等。毛泽东还将题目《江青同志召集的部队文艺工作座谈会纪要》改为《林彪同志委托江青同志召集的部队文艺工作座谈会纪要》。3月17日,毛泽东作出批示:"此件看了两遍,觉得可以了。我又改了一点,请你们斟酌。此件建议用军委名义。分送中央一些负责同志征求意见,请他们指出错误,以便修改。"22日,林彪给中央军委领导人写了一封信,说这个文件"不仅有极大的现实意义,而且有深远的历史意义","16年来,文艺战线上存在着尖锐的阶级斗争,谁战胜谁的问题还没有解决"。4月10日,中共中央将这个《纪要》作为中央文件下发全党。

《纪要》的主要内容是:认为16年来文化战线上被一条反党反社会主义的黑线专了我们的政,"这条黑线就是资产阶级的文艺思想,现代修正主义的文艺思想和所谓30年代文艺的结合"。《纪要》还指责文艺界存在着所谓8种修正主义的黑论:即"写真实"论、"现实主义广阔的道路"论、"现实主义的深化"论、反"题材决定"论、"中间人物"论、反"火药味"论、"时代精神汇合"论等,要求"彻底搞掉这条黑线"。

这个《纪要》成为发动"文化大革命"的重要依据和舆论准备,在"文化大革命"中又成为彻底砸烂文化界的一根棍子。

《纪要》传达后,在文艺界引起了不满。参加全军文艺工作会议的一些作家提出:江青在军队和文艺界都没有领导职务,为什么由她来召集这个座谈会?《纪要》否定了全国、全军的文艺工作成就是否适当?林彪看到简报上刊登的这些反映后,立即批示要求进行反击。

另一方面,与《纪要》精神相违的《二月提纲》发向全国后,江青等人挑起的政治批判运动受到了一些限制。因此,制订这两个文件的两方:彭真与江青等人的矛盾冲突不可避免地爆发了。

3月11日晚,中宣部副部长许立群向彭真汇报上海市委提出的一些问题时说,上海要批判一批坏影片,包括《女跳水队员》,行不行?因为有大腿。彭真讥讽地说:"你去问问张春桥、杨永直,他们游过泳没有?"许立群又说:"杨永直问,重要的学术批判文章要不要送中宣部审查?"彭真怒不可遏地说:"过去上海发姚文元的文章,连个招呼都不打。上海市委的党性到哪里去了?"

3月28日至30日,毛泽东在上海两次找康生谈话,康生趁机汇报了彭真对上海市委的责问,并挑拨地说:这是整到毛主席头上了。毛泽东十分气愤地说:再不发动"文化大革命",老的、中的、小的都要挨整了。3月30日,他在与康生、江青、张春桥等人的谈话中说:打倒阎王,解放小鬼!十中全会作过决议,要在全国搞阶级斗争,为什么学术界、历史界、文艺界不可以搞阶级斗争?要把十八层地狱统统打破。孙悟空闹天宫,你是站在孙悟空一边,还是站在天兵天将、玉皇大帝一边?中央早已作过决议,要搞阶级斗争,写反修文章,培养秀才。只反国际的修,不反国内的修?我历来主张,中央不对时,地方攻中央。去年9月工作会议,专门讲了这个问题,如果中央出修正主义,地方要造反。他还说,要支持小将,保护孙悟空。再不支持,就解散五人小组、中央宣传部、

北京市委,不管哪个省市委!毛泽东特别指出:《二月提纲》混淆阶级是非,是错误的,要批判。他还要求彭真就质问上海市委擅自发表批《海瑞罢官》一事,向上海市委道歉。

康生回到北京,传达了毛泽东的谈话内容后,形势急转直下。4月1日,张春桥拿出了一份对《二月提纲》的"几点意见",批判《二月提纲》。4月2日、5日,《人民日报》、《红旗》杂志、《光明日报》分别发表了所谓被中宣部扣压的戚本禹、关锋的文章。根据毛泽东的指示,康生要王力起草一个通知,宣布《二月提纲》作废。通知初稿写出后,只有一句话,毛泽东认为太简单,不能用。指示由陈伯达主持,另写一个批判《二月提纲》的通知。

4月9日至12日,中央书记处在北京开会,康生传达了毛泽东上海谈话的精神,和陈伯达一起发言批判了彭真。会议决定:①起草一个撤销并彻底批判《二月提纲》的通知;②为起草这个通知,成立中央文化革命文件起草小组(这个小组后成为"中央文革小组"的前身),成员有陈伯达、康生、江青、张春桥、吴冷西、王力、关锋、戚本禹、尹达、穆欣、陈亚丁。康生说,光有通知不够,还要搞一份大事记,作为附件下发。他还说:错误不能人人有份,"五人小组"要给吴冷西开脱一下。王力深知其意,首先是给康生开脱,在大事记中写道:许立群和姚溱根据彭真的意见,在钓鱼台关起门来制造《二月提纲》,谁也不许进去,谁也不让知道,对康生等人严密封锁,不透露一点消息。把过去并未反对《二月提纲》的康生写成"坚决反对"。

这样,对《海瑞罢官》的批判,又发展到对《二月提纲》的批判,矛头开始指向以彭真为首的中共北京市委。

三

"三家村"与"彭罗陆杨反党集团"冤案

3月底,毛泽东在与康生等人的谈话中指出:吴晗、翦伯赞是学阀,上面还有包庇他们的大党阀(指彭真),并点名批评邓拓、吴晗、廖沫沙担任长期撰稿人的《北京日报》"三家村札记"和邓拓写的《燕山夜话》是"反党反社会主义的"。

在这样的形势下,中共北京市委为了摆脱被动,组织《北京日报》在4月16日以通栏标题《关于"三家村"和〈燕山夜话〉的批判》,发表了一批批判"三家村"的材料,《前线》、《北京日报》在编者按中说:"本刊、本报过去发表了这些文章又没有及时地批判,这是错误的。其原因是我们没有实行无产阶级政治挂帅,头脑中又有着资产阶级、封建阶级思想的影响,以致在这一场严重的斗争中丧失立场或者丧失警惕。"在同时发表的《〈燕山夜话〉究竟宣扬了什么?》一文中,从学术批判范围批判"三家村"、《燕山夜话》是"歪曲党的百花齐放、百家争鸣的方针,主要让资产阶级思想泛滥","全面美化封建社会制度","宣扬剥削阶级没落的人生哲学","以古讽今,旁敲侧击"等等。

"三家村"和《燕山夜话》的来由是:1961年3月,北京市委书记邓拓以笔名"马南邨"应约为《北京晚报》定期撰写杂文,开设了《燕山夜话》专栏,至1962年9月共发表约150篇。从1961年10月起,由邓拓出面,组织吴晗和中共北京市委统战部长廖沫沙,以"吴南星"的笔名为中共北京市委理论刊物《前线》杂志撰写杂文,开设了"三家村札记"专栏,共撰文约50

篇。这些杂文,以所见所闻所感入手,介绍读书治学、待人接物、历史人物、新人新事、道德作风等方面的知识和思想理论,旁征博引,见微知著,引人深省。其中,也有一些杂文委婉地批评了社会上的"左"倾思潮和不良作风,受到群众的欢迎。《燕山夜话》曾编辑出版了合集。这两个专栏的形成和作者之间,并没有预定的政治目的和计划。在1962年中共八届十中全会重新强调大抓阶级斗争以后,作者们便停止了撰写。

这样一个知识性专栏,在4月16日《北京日报》的违背事实的批判中,已被摆到不公正的地位。但康生、江青等人仍不肯放过,指责《北京日报》是在搞"丢卒保车"的"大阴谋"。他们企图从批判"三家村"入手,达到打倒北京市委的目的。

5月8日,《解放军报》刊登江青控制的写作班子以"高炬"署名的文章《向反党反社会主义的黑线开火》,《光明日报》刊登关锋署名"何明"的文章《擦亮眼睛,辨别真假》。两篇文章都指责北京市委组织对"三家村"和《燕山夜话》的批判是"假批判、真掩护,假斗争、真包庇",是"还在继续玩花招,顽强抵抗",质问《北京日报》和《前线》:"你们究竟是无产阶级的阵地,还是资产阶级的阵地?你们是无产阶级专政的工具,还是宣扬复辟资本主义的工具?你们究竟要走到哪里去?"5月10日,《解放日报》刊登了姚文元的文章《评"三家村"——〈燕山夜话〉、〈三家村札记〉的反动本质》。毛泽东指示要求全国各报刊一律转载,不准错一字。刊载这篇文章的《解放日报》被空运到北京,在中共中央政治局扩大会议上分发。文章毫无道理地对"三家村"和《燕山夜话》构陷罪名,说:邓拓等人"大力推行资产阶级反动的教育路线,为资本主义复辟准备精神条件",

"坚持反动的地主阶级道德,以图从社会关系上恢复剥削阶级统治","全面地、彻头彻尾地实现资本主义复辟"。文章还把批判的矛头直接指向北京市委和其他部门,提出"彻底挖掉'三家村'的根子","挖掉它最深的根子"。在这些批判文章的影响下,全国许多地方掀起了批判当地"三家村"的热潮。一些文化人士和文化部门领导人遭到了批判和迫害。

从4月中旬中央书记处会议起,彭真已实际上离开了领导岗位。经过对"三家村"的批判,彭真被诬陷为"三家村"的后台老板,与罗瑞卿、陆定一、杨尚昆一起被莫须有地加上"彭罗陆杨反党集团"的罪名。

所谓"彭罗陆杨反党集团",是"文化大革命"前夕,在林彪、江青诬陷下,人为制造的一起冤案。

1965年11月10日,即姚文元发表批判《海瑞罢官》文章的同一天,杨尚昆被免去中共中央办公厅主任的职务,调任广东省委书记,实际未能到任。后来对他横加的罪名是"背着中央,私设窃听器,私录毛主席和常委同志的讲话,盗窃党的机密","同罗瑞卿等人的关系极不正常,积极参加了反党活动"等等。实际上,杨尚昆出于工作需要而安排的录音,是经过中央有关负责人批准的,根本不存在"背着中央""窃听"的问题。

1965年11月30日,叶群携带林彪亲笔信前往杭州,向毛泽东汇报了所谓罗瑞卿逼林彪"让贤"、"一切交给罗去管"等问题。她还呈送了李作鹏、张秀川、雷英夫等人揭发罗瑞卿的9份材料,这些材料大部分是叶群授意写出的。

罗瑞卿任总参谋长期间,对林彪的"突出政治"等形式主义做法有所不满,未予积极的贯彻。林彪曾说:毛泽东思想是"最高最活"的马列主义。罗瑞卿则认为:"不能这样讲,最高,难道还有次高的吗?难道不能再高了?最活,难道还有次活的吗?"林彪提出毛泽东思想是"顶峰",罗瑞卿则说:"这不符合毛泽东思想,难道马列主义、毛泽东思想就不再发展了?"因而,林彪对罗瑞卿产生了忌恨。但是,罗瑞卿在日常工作中,对林彪还是尊重的,并未有取而代之的做法。

毛泽东轻信了林彪、叶群的汇报,决定召开中央会议解决罗瑞卿的"问题"。1965年12月8日至15日,中央政治局常委扩大会议在上海举行,毛泽东主持了会议。会上印发了叶群组织的诬告材料。林彪、叶群、吴法宪、李作鹏等人肆意罗织罪名,对罗瑞卿进行攻击。叶群在会上作了近10个小时的"揭发"发言。会前毫无所知的刘少奇、邓小平等人持怀疑态度,认为所谓刘亚楼临终前揭发罗瑞卿的问题"死无对证","未可置信";陆定一称这真是"奇闻"。会议召开三天后,正在云南巡视部队的罗瑞卿被接到上海,立即隔离,会后他被解除了军队职务。会议没有作出任何结论,决定组成中央工作小组进行调查,弄清问题。

1966年3月4日至4月8日,在北京召开了"讨论罗瑞卿同志问题的小组会议",对罗瑞卿进行"面对面"的揭发批判。罗瑞卿在会上作了申诉和检查,作了一些自我批评,但表示说自己攻击林彪"是根本没有的"。他的申辩遭到了严厉的反驳。3月17日起,会议范围扩大,斗争也随之升级。罗瑞卿在含冤无诉的情况下,写下遗书,跳楼自杀,摔断了腿。会议又转入"背靠背"的斗争。

4月30日,中央工作小组将《关于罗瑞卿同志错误问题的报告》上报中共中央。报告认定,罗瑞卿的主要错误是:①

"极端敌视毛泽东思想";②"反党";③"篡军"。还将中央予以肯定的"大比武"等活动说成是罗瑞卿"资产阶级军事路线"的表现。

陆定一被诬陷为"彭罗陆杨反党集团"成员,是由于林彪对他的憎恨及毛泽东对他任中央宣传部长时在一定程度上抵制批判《海瑞罢官》的态度而导致的。陆定一的夫人严慰冰,出于对林彪、叶群的极端不满,从1960年3月至1966年1月,连续写了几十封匿名信,攻击叶群的生活作风等问题。信件被查获后,陆定一被指责为"不可能不知道","为严开脱"。对他的另一项指责,是"在文化革命的问题上","立场和观点是同彭真完全一致的","垄断中央宣传部的工作,打击左派,包庇右派,替资本主义复辟制造舆论"。

"彭罗陆杨反党集团"冤案的形成,是"文化大革命"前夕党内生活极不正常的气氛中,在毛泽东认定"中央出了修正主义"的错误思想指导下,由林彪、江青等人推波助澜、乘机构陷而造成的。它使毛泽东错误地得出了党里、政府里、军队里确实存在着一批反革命修正主义分子,随时存在反革命复辟的可能性的结论,从而更坚定了他发动"文化大革命"的决心。

"文化大革命"以后,事实证明,所谓"彭罗陆杨反党集团"根本不存在。彭真、罗瑞卿、陆定一、杨尚昆先后得到了彻底平反和恢复名誉。

以批判《海瑞罢官》为开端,经过批判"二月提纲"、批判"三家村",同时经过林彪、江青等人在个人崇拜方面的狂热鼓吹,发动"文化大革命"的舆论准备已经完成。而"彭罗陆杨反党集团"冤案的铸成,一方面为发动"文化大革命"在组织上扫除了一批障碍,另一方面也使林彪、江青

等人通过打击、迫害他人,获得了更多的权力。

一场动乱已面临不可避免之势。

"文化大革命"的发动与再发动

一

从《五一六通知》到
北京大学第一张大字报

1966年5月4日至26日,中共中央政治局扩大会议在北京召开。出席会议的有中央政治局委员、候补委员和有关部门负责人80人,分为三个组。第一组组长李富春,副组长江青、张春桥;第二组组长李雪峰,副组长王任重;第三组组长叶剑英,副组长刘志坚。刘少奇主持会议。毛泽东没有出席会议,但会议是按照他在4月主持中央政治局常委扩大会议作出的部署和这次会前安排进行的,康生负责向在外地的毛泽东汇报请示。

会议首先由康生介绍了1965年11月以来毛泽东关于批判彭真、陆定一,要解散中宣部和北京市委的一系列指示,介绍了这次会议将要通过的《中国共产党中央委员会通知》起草经过。他说:贯穿一个中心问题是中央到底出不出修正主义?出了怎么办?现在已经出了。这个文件的通过,不是斗争的结束,而是运动的开始。张春桥随后在会上介绍了姚文元批

判《海瑞罢官》文章的写作过程和发表前后的情况。他捏造事实地攻击北京市委说:封锁得严严的,姚文元进不了北京,不是彭真统一布置,又有谁有这么大权力?陈伯达在会上作了发言,从历史上混淆是非地攻击彭真。5月8日至14日,会议进入阅读文件和分组讨论阶段。毛泽东指示的传达,康生、张春桥、陈伯达的诬谄攻击,使会议蒙上了浓厚的"左"倾气氛。

5月16日上午,刘少奇主持大会,通过了《中国共产党中央委员会通知》。与会的大多数人内心并不同意这个通知,但迫于形势和不了解内情,只好赞同。这个通知以后被称为《五·一六通知》。会前,毛泽东对陈伯达起草的这个通知作了8次修改,增加了许多重要内容。

《五一六通知》包括三部分内容:①前言。宣布撤销《二月提纲》和"文化革命五人小组",提出重新设立中央文化革命小组,隶属于政治局常委之下。②对《二月提纲》开列10条罪状进行批判。指出:这个《提纲》用混乱的、自相矛盾的、虚伪的词句,模糊了当前文化思想战线上的尖锐的阶级斗争,特别是模糊了这场大斗争的目的是对吴晗"及其他一大批反党反社会主义的资产阶级代表人物(中央和中央各机关,各省、市、自治区,都有这样一批资产阶级代表人物)的批判"。③通知在结语中要求各级党委立即停止执行《二月提纲》,夺取文化领域中的领导权,向党、政、军、文各界的"资产阶级代表人物"猛烈开火。

《五一六通知》强调指出:"高举无产阶级文化革命的大旗,彻底揭露那批反党反社会主义的所谓'学术权威'的资产阶级反动立场,彻底批判学术界、教育界、新闻界、文艺界、出版界的资产阶级反动思想,夺取在这些文化领域中的领导权。而要做到这一点,必须同时批判混进党里、政府里、军队里和文化领域的各界里的资产阶级代表人物,清洗这些人,有些则要调动他们的职务。尤其不能信用这些人去做文化革命的工作,而过去和现在确有很多人是在做这种工作,这是异常危险的。"

《五一六通知》耸人听闻地指出:"混进党里、政府里、军队里和各种文化界的资产阶级代表人物,是一批反革命的修正主义分子,一旦时机成熟,他们就会夺取政权,由无产阶级专政变为资产阶级专政。这些人物,有些已被我们识破了,有些则还没有被识破,有些正在受到我们信用,被培养为我们的接班人,例如赫鲁晓夫那样的人物,他们现正睡在我们的身旁,各级党委必须充分注意这一点。"

《五一六通知》对党内和国内的形势作了违反实际的主观臆断,根本颠倒敌我关系,把斗争矛头指向所谓"走资派"、"反动学术权威",又把广大干部和知识分子作为革命对象,从而背离了马克思列宁主义的基本原则。规定出错误的斗争方针和方法,并在组织上违反民主集中制的原则,设立凌驾于中央政治局之上的中央文革小组。

《五一六通知》成为发动"文化大革命"的纲领性文件。

5月18日,林彪在会议上作了长篇讲话。主要内容有:①大谈政变在即的紧张局势。他列举了古今中外大量政变材料之后,诬陷彭真、罗瑞卿、陆定一、杨尚昆要搞政变,无中生有地说:"他们现在就想杀人,用种种手法杀人。"②大讲"反复辟"和政权的重要性。他说:"有了政权,就有了一切,没有政权,就丧失一切","政权就是镇压之权"。③大肆鼓吹个人崇拜理论。他说:"毛主席广泛运用和发展了马克思列宁主义理论,在当代世界上没有第二个人","毛主席是天才","他的话都是我们行动的准则。谁反对他,全党共诛之,全国共讨之"。

林彪的这个讲话后来作为中央文件印发全党全国,产生了恶劣的影响。7月8日,毛泽东在给江青的一封信中曾对林彪在讲话中大讲政变、鼓吹个人崇拜表示了不安。但他并没有从本质上认识林彪,而是出于发动"文化大革命"的需要,批准了这个讲话的发出。

5月19日,彭真在会议上作了5分钟的检查。他说:"至于搞政变、颠覆中央、里通外国等罪恶活动,我连做梦也没有想到。"他的检讨立即遭到了林彪、康生、陈伯达等人的围攻。陆定一的检查也遭到了同样的对待。他们被进一步指控为"彭罗陆杨反党四大家族"。由于朱德不同意会议的一些做法,他也受到了批判,被迫检查。会议的气氛更加不正常。

5月23日,会议通过了中央政治局扩大会议决定:停止彭真、罗瑞卿、陆定一、杨尚昆在中央书记处的职务,撤销他们党内外的其他职务。会议还决定:调陶铸、叶剑英到中央书记处工作,分别兼任中宣部部长和中央军委秘书长;调李雪峰兼任中共北京市委第一书记。同日,中央政治局常委决定成立专案审查委员会,对彭真、罗瑞卿、陆定一、杨尚昆进行专案审查。

根据会议通过的《五一六通知》中的决定,5月28日,中共中央发出关于中央文化革命小组名单的通知:

"中央决定设立中央文化革命小组,隶属于政治局常委领导下。现将中央文化革命小组名单通知你们。组长:陈伯达;顾问:康生;副组长:江青、王任重、刘志坚、张春桥;组员:谢镗忠、尹达、王力、

关锋、戚本禹、穆欣、姚文元。"

8月2日,中共中央又通知,陶铸任中央文革小组顾问;8月30日,根据中央通知,陈伯达生病或外出时期,由江青代理组长。其后。随着动乱的加剧,陶铸、王任重、刘志坚、谢镗忠、尹达、穆欣很快被打倒,江青掌握了中央文革小组的实际权力,并以此作为发动"文化大革命"、制造动乱的中心,构筑起江青集团的基础。

5月中央政治局扩大会议所通过的《五一六通知》和对所谓"彭、罗、陆、杨反党集团"的组织处理是完全错误的。这次会议完成了"文化大革命"在组织上和舆论上的第一次大发动。

会议结束后,随着《五一六通知》的传达,一场风暴即将推向全国。

早在会议期间的5月14日,康生便急不可耐地安排妻子曹轶欧以所谓"中央理论小组调查组"名义秘密进驻北京大学,企图"发现革命左派",抢先打响攻击彭真和中共北京市委的第一枪。

曹轶欧找到了哲学系总支书记聂元梓。聂元梓曾因在"四清"运动中攻击校党委而遭到严厉批评,一直对彭真和北大校党委心怀不满。这时,她听到了曹轶欧透露的中央政治局会议消息,觉得时机来临。于是,两人一拍即合,开始策划撰写攻击北大校党委的大字报。

5月25日下午,聂元梓等7人在北京大学贴出了一张题为《宋硕、陆平、彭珮云在文化革命中究竟干些什么?》的大字报,尖锐地批判北大校长、党委书记陆平,北京市委大学部副部长宋硕,北大党委副书记彭珮云。大字报说:宋硕提出的急切加强领导,引导运动向正确的方向发展,是"十足的反对党中央、反对毛泽东思想的修正主义路线","北大按兵不动,冷冷清清,死气沉沉","是把严重的政治斗争引

导到'纯学术'批判上去"。大字报还攻击中央规定的"内外有别"等纪律,是"清规戒律","压制群众革命"等。大字报贴出后,引起了大批师生的反驳,千余人围着聂元梓进行辩论。

5月25日深夜,主持中央工作的刘少奇、周恩来派华北局、国务院外办和高教部的负责人来到北大,重申中央关于贴大字报的规定,特别传达了周恩来的4点补充指示,严肃批评了聂元梓搞乱中央部署,违反中央规定的做法。康生得知周恩来的批评后,唯恐他的幕后活动被揭穿,急忙让曹轶欧要走了大字报的底稿,密报在杭州的毛泽东。

6月1日下午4时,毛泽东看到《文化革命简报》上刊登的这张大字报,在上面给康生、陈伯达批示道:"此文可以由新华社全文广播,在全国各报刊发表,十分必要。北京大学这个反动堡垒从此可以开始打破。"

6月1日晚8时,中央人民广播电台播发了聂元梓等7人的大字报。北京大学陷于震惊之中,主持中央一线工作的刘少奇、周恩来、邓小平只好默认事实。康生、聂元梓等人却弹冠相庆,"感到解放了"。当晚,陈伯达派王力、关锋到北京大学去观察形势。回来后由二人起草,陈伯达签发了题为《欢呼北大的一张大字报》的评论员文章。

文章说:聂元梓等同志的大字报"揭穿了'三家村'黑帮分子的一个大阴谋。文章杀气腾腾地质问陆平等人:"你们所说的党是什么党?你们的组织是什么组织?你们的纪律是什么纪律?""你们的党不是真共产党,而是假共产党,是修正主义的党。你们的组织就是反党集团。你们的纪律就是对无产阶级革命派实行残酷无情的打击。"文章还鼓动说:"那些什么'三家村'、'四家村',不过是纸老虎","不论他们打着什么旗号,不管他们有多高的职位,多老的资格,他们实际上是代表被打倒的剥削阶级的利益。"

当日,《人民日报》还发表了陈伯达亲自修改、签发的社论《横扫一切牛鬼蛇神》。社论说:"一个无产阶级文化大革命的高潮"正在兴起,"把所谓资产阶级的'专家'、'学者'、'权威'、'祖师爷'打得落花流水,使他们威风扫地。"社论按照林彪5月18日的讲话精神,提出了"破四旧"的口号,号召彻底破除几千年来的"旧思想、旧文化、旧风俗、旧习惯",并且鼓吹:"最中心的是政权","有了政权,就有了一切。没有政权,就丧失一切"。

北京大学聂元梓大字报的发表,在全国各大中学校引起了极大的震动。

6月2日,陕西西安交大的一些人响应聂元梓大字报,率先贴出了一批大字报,攻击校党委和党委书记彭康是"黑帮"、"反党集团"。

南京大学的一些师生也贴出大批大字报,指责校长、党委第一书记匡亚明"压制群众","保护黑帮"。

上海华东师大物理系一些人在校党委书记姚力要求"将大字报贴在室内"之后,公然在室外贴出大字报,质问"姚力的居心何在?"呼吁揪出校党委中的"黑帮"。

在武汉大学、北京师范大学、复旦大学等许多高等院校,动乱在急剧地蔓延着,局势处于失控状态,学校党组织已无法领导学校运动的进行。

从《五一六通知》到北京大学贴出第一张大字报,事态在短短十几天急剧发展,标志着"文化大革命"的发动从党内推向了全社会,一场内乱开始形成。

二

工作组之争

为了控制大中学校因广播聂元梓大字报而引发的混乱局面，刘少奇、邓小平等中央一线领导人决定向全国大中学校逐步派出工作组。派工作组，既是我党处理重要问题的传统工作方法，也是在此之前经毛泽东批准同意的决策。

1966年5月29日，刘少奇主持"文化革命情况汇报会"讨论了当前出现的问题，议定："拟组织临时工作组，在陈伯达同志直接领导下，到报馆（人民日报社）掌握报纸的每天版面。同时指导新华社和广播电台的对外新闻。"当日，毛泽东在杭州对这一请示作出批示："同意这样做。"次日，陈伯达率临时工作组进驻了人民日报社。6月3日，新华社报道：中共北京市委决定"派以张承先为首的工作组到北京大学对社会主义文化大革命进行领导"，"在北京大学改组期间，由工作组代行党委的职权"。毛泽东审阅并批准了这个电讯送审稿。与此同时，刘少奇主持中央政治局常委扩大会议，作出向大中学校派出工作组的决定。6月4日，刘少奇、邓小平乘专机去杭州向毛泽东作了汇报，并请他回京主持工作，毛泽东委托刘少奇相机处理运动问题。

此后，工作组开始进驻各大中学校。工作组成员主要由各级领导机关干部组成，包括"四清"工作队和从军队中抽调的人员。共青团中央抽调了1500名干部到北京各中学，北京市委先后派出了上万名干部。工作组仓促上阵，既不理解"文化大革命"的方针，也没有得到中央开展"文化大革命"的具体指示和政策。多数工作组仍然沿用过去反右斗争和"四清"运动的办法，从加强领导入手，去处理面临的复杂问题。然而，工作组进驻之初，陈伯达控制的《人民日报》却以每日一社论的方式，向社会鼓动造反，先后发表了《触及人们灵魂的大革命》、《做无产阶级革命派，还是做资产阶级保皇派？》等等引起新混乱的社论。

因此，工作组立即处于复杂的矛盾之中。他们进校之后，既受到了大多数师生的欢迎，又受到了少数人的反对，发生了一系列的冲突。6月4日，北京邮电学院的一些人因工作组保护院党委而赶走了工作组。新的工作组进驻后，又面临被赶。6月6日，西安交大一些师生围着工作组进行辩论，怀疑他们是省委"黑帮"派来的。6月7日，北京大学工作组组长张承先为了保证学校秩序，规定校外人不得随便进入学校，各系之间不要串联，引起了一些学生的反对。6月18日，北京大学发生了乱斗干部和教师的事件。40多名校系干部和教授被挂牌子、戴高帽进行批斗污辱。工作组立即赶到现场予以制止，并指出这是被坏人利用的"反革命事件"。6月20日，刘少奇批转了刊登这一情况的《北京大学文化革命简报》，认为北大工作组的处理，"是正确的，及时的"，各单位都应参照执行。

6月20日，北京许多大学爆发了反对工作组的风潮。北京地质学院一些干部、教员上书中央，指责工作组压制群众；北京师范大学谭厚兰贴出大字报，反对工作组长孙友渔。6月21日，清华大学学生蒯大富在大字报上批语说：工作组"这个权是否代表我们，代表我们则拥护，不代表我们，则再夺权"。

6月23日，中共北京市委召开会议，李雪峰作报告要求工作组开展"反干扰"

运动,"对右派赶工作队一定要清理"。此后,北京及各地的大中学校普遍开展了"反干扰"运动,对反对工作组的一些人进行批判,并作出组织处理,将极少数人定为"右派"、"游鱼"、"反革命分子"。

对于派工作组,在中央领导人中也发生了一些分歧。6月10日,毛泽东在杭州召开有各大区书记参加的中央政治局常委扩大会议,他在谈话中提道:不要急于派工作组,不要怕乱。6月20日,陈伯达代表中央文革小组,向中央提出两项建议:一、建议大中学校、机关在适当的时候成立文化革命小组,由群众选举产生。二、在最必要的地方,最必要的时候,可以由上级派工作组。工作组的工作方法,必须认真地走群众路线,不能包办代替,独断专行。7月13日至22日,陈伯达在中央会议上又三次提出撤回北大工作组。由于刘少奇、邓小平的反对,未能通过。毛泽东这时仍未明确表示应不派或撤回工作组。7月23日,毛泽东还同意了中共中央批转总政治部关于抽调干部参加地方文化大革命工作队的报告。

7月18日,毛泽东从武汉回到北京,当天听取了江青等人关于工作组的汇报,看了一些学校反工作组的材料。7月19日至23日,刘少奇主持"文化大革命情况汇报会",中央文革小组在会上指责派工作组是"镇压学生运动"。毛泽东说:回到北京后感到很难过,冷冷清清,有些学校大门都关起来了,甚至有人镇压学生运动。北京大学看到学生起来,定框框,美其名曰"纳入正轨",其实是纳入邪轨。

7月25日,毛泽东接见各大区书记和中央文革小组时,在讲话中全面否定了派工作组的做法。他说:工作组一不会斗,二不会改,起坏作用,阻碍运动。最近一个月,工作组是阻碍群众运动的,阻碍革

命势必帮助反革命,帮助黑帮。他坐山观虎斗,学生跟学生斗。他还说:我到北京一个星期,前四天倾向于保张承先,后来不赞成了。各单位、各机关的工作组是起阻挠作用的。

根据毛泽东讲话的精神,7月28日,中央文革小组起草了中共北京市委《关于撤销各大专学校工作组的决定》,指出:目前所采取的在大专学校派工作组的办法,经验证明,已经不适应上述的革命要求,因此,决定撤销各大专院校的工作组。

7月29日,北京市委在人民大会堂召开全市大专院校和中等学校师生文化大革命积极分子大会。李雪峰宣读了北京市委关于撤销工作组的决定。邓小平、周恩来、刘少奇在会上先后讲了话。刘少奇说:"怎样进行文化大革命,你们不大清楚,不大知道。你们问我们怎么革?我老实回答你们,我也不晓得。"会议结束前,毛泽东出现在主席台上,引起了全场的欢呼。

这次大会之后,各大中学校的工作组陆续撤回。一些曾反对过工作组的人成为"革命左派",组织起一些人继续对工作组的错误进行批判。在江青、康生、陈伯达的煽动下,派工作组的问题逐渐被上纲上线,定为"资产阶级反动路线"。

"炮打司令部"

1966年7月24日,中共中央发出召开中共八届十一中全会的通知。从7月27日起,先召开预备会,传达毛泽东最近的讲话,讨论准备在这次全会上通过的《中国共产党中央委员会关于无产阶级文化大革命的决定》(简称《十六条》)。

8月1日，中共八届十一中全会在人民大会堂开幕。毛泽东主持大会。邓小平宣布这次全会的工作是：一、通过《十六条》；二、讨论和批准八届十中全会以来中央关于国内国际问题的重大决策和重大措施；三、补行5月中央政治局扩大会议关于人事变动决定的手续；四、通过会议公报。刘少奇在讲话中承认了派工作组的错误。8月4日下午，中央政治局常委扩大会议召开。毛泽东在讲话中严厉批评刘少奇、邓小平主持的中央一线领导说：实际上是方向问题，是路线问题，是路线错误，违反马克思主义的。明明白白站在资产阶级方面反对无产阶级。这是镇压，是恐怖，这个恐怖来自中央。北京大学聂元梓等7人的大字报，是20世纪60年代的巴黎公社宣言——北京公社。镇压学生运动，应严格处理。当刘少奇说到我在北京，要负主要责任时，毛泽东说：你在北京专政嘛，专得好！

全会传达了毛泽东的讲话后，气氛顿时紧张起来，议程也随之改变。刘少奇作了自我批评，承认自己"站在资产阶级立场反对群众运动"，但没有改变根本观点。

8月5日，毛泽东在刊载6月1日《人民日报》社论《横扫一切牛鬼蛇神》的《北京日报》左侧，写下了一大段文字。其后由秘书徐业夫誊清，毛泽东加上标题：《炮打司令部——我的一张大字报》，全文为：

"全国第一张马列主义的大字报和《人民日报》评论员的评论，写得何等好呵！请同志们重读一遍这张大字报和这个评论。可是在五十多天里，从中央到地方的某些领导同志，却反其道而行之，站在反动的资产阶级立场上，实行资产阶级专政，将无产阶级轰轰烈烈的文化大革命运动打下去，颠倒是非，混淆黑白，围剿革命派，压制不同意见，实行白色恐怖，自以

为得意，长资产阶级的威风，灭无产阶级的志气，又何其毒也！联系到一九六二年的右倾和一九六四年形'左'而实右的错误倾向，岂不是可以发人深省的吗？"

这张大字报，把1962年、1964年党中央在指导方针上的一些分歧及关于如何开展"文化大革命"的一些不同意见，都指责为"资产阶级专政"，并错误地认定，中央存在着一个以刘少奇为首的"资产阶级司令部"。从此，"文化大革命"的斗争锋芒开始指向刘少奇等中央一线领导。

8月7日，这张大字报印发全会，引起了强烈的震动。会议转为批判刘少奇。康生、江青在各组会上对刘少奇进行了猛烈的抨击。谢富治是第一个，也是唯一的一个对邓小平进行攻击的人。

8月8日，全会通过了《十六条》。这个文件是在毛泽东主持下由陈伯达、王力起草的。从7月初到8月7日，共修改31稿。标题原为《无产阶级文化大革命的形势和党的若干方针》，内容原为23条。陶铸与周恩来提议删去了"黑帮"的提法，增加了一些限制性的内容。

《十六条》指出："在当前，我们的目的是斗垮走资本主义道路的当权派，批判资产阶级的反动学术'权威'，批判资产阶级和一切剥削阶级的意识形态，改革教育，改革文艺，改革一切不适应社会主义经济基础的上层建筑。"

《十六条》还指出："广大的工农兵、革命的知识分子和革命的干部，是这场文化大革命的主力军。"

《十六条》中有一些比较正确的规定，如肯定干部的大多数，要求抓革命，促生产等。但《十六条》总体上是作为推动"文化大革命"的指导方针而提出的，因而是错误的。随着形势的急剧变化，《十六条》的各项规定很快便被突破。

8月12日，大会选举了新的中央政治局常委11人。按照毛泽东预先拟定的名单，顺序是：毛泽东、林彪、周恩来、陶铸、陈伯达、邓小平、康生、刘少奇、朱德、李富春、陈云。林彪上升为第二位，刘少奇降到第八位，大会未选举中央副主席，但林彪以后却成为唯一的中央副主席，刘少奇、周恩来、陈云等人不再被作为中央副主席提及。

中共八届十一中全会完成了"文化大革命"的再发动，明确地把运动的重点规定为打击"党内那些走资本主义道路的当权派"，并将刘少奇等中央一线领导人作为在中央的另一个司令部进行炮打。此后，全国各级党组织、各级政权都遭到了冲击，"炮打司令部"的狂潮席卷全国。

四

批判"资产阶级反动路线"

中共八届十一中全会结束后，毛泽东在《炮打司令部——我的一张大字报》中对刘少奇的指责迅速传向社会。林彪、江青等人为了在政治上进一步打倒刘少奇，煽动一部分造反派继续抓住派工作组的所谓"错误"不放，在全国掀起了批判"资产阶级反动路线"的高潮。

8月23日和25日，北京地质学院东方红公社和北京航空学院红旗战斗队分别制造了四进地质部及静坐国防科委事件，要求"工作组回学校作检查"。在中央文革小组的支持下，他们达到了目的，成为全国闻名的造反派组织。各地造反派组织也纷起效尤，全国都爆发了揪斗工作组成员的事件。

10月1日，林彪在新中国成立17周年庆祝大会上发表讲话，提出："在无产阶级文化大革命中，以毛主席为代表的无产阶级革命路线同资产阶级反对革命路线的斗争还在继续。"会后，中央文革小组成员认为"反对革命路线"不合语法，征得毛泽东的同意，改为"资产阶级反动路线"。在其后出版的《红旗》杂志第13期社论《在毛泽东思想的大路上前进》中正式提出："要不要批判资产阶级反动路线，是能不能贯彻执行文化革命十六条的关键，能不能正确进行广泛的斗批改的关键。"社论号召："对资产阶级反动路线，必须彻底批判。"周恩来曾对这一提法表示了不同意见，但未被接受。

10月5日，根据林彪提议，经毛泽东批准，中共中央批准中央军委、总政治部《关于军队院校无产阶级文化大革命的紧急指示》。紧急指示宣布取消"军队院校的文化大革命在撤出工作组后由院校党委领导的规定"。中央批示指出："这个文件很重要，对于全国县以上大中学校都适用。"这实际上是宣布在全国大中学校、军事院校取消各级党组织的领导权。此后全国掀起了"踢开党委闹革命"的浪潮。

10月6日，在中央文革小组支持下，首都红卫兵"三司"举行了"全国在京革命师生向资产阶级反动路线猛烈开火誓师大会"。会上宣读了《紧急指示》，严厉批判了工作组的"错误"，在全国打响了"批判资产阶级反动路线"的第一枪。

所谓"资产阶级反动路线"，在当时并没有严格的文字定义。主要是指刘少奇等中央一线领导人向大中学校派出工作组及工作组进驻后保护校党委、批判造反派分子的"镇压群众"行为。在批判"资产阶级反动路线"过程中，还进行了揪斗工作组成员，销毁所谓黑材料，为被打成"反革命"者平反等活动。

10月9日，中共中央工作会议在北京

召开。毛泽东主持了会议。会议中心议题是"批判资产阶级反动路线"。各省、市、自治区党委负责人和中央各部门负责人参加了会议。

10月16日，陈伯达在会上作了题为《无产阶级文化大革命中的两条路线》的讲语。他总结两个月来的运动说："斗争一直围绕在群众的问题上。""无产阶级的革命路线与资产阶级的反对革命路线的斗争，还是很尖锐、很复杂的。"10月25日，林彪在大会上讲话，高度评价"文化大革命"是"革命的群众运动，它天然是合理的"。他还公开点名批判刘少奇、邓小平，号召"以无所畏惧的精神"去批判"资产阶级反动路线"。同日，毛泽东在讲话中说："搞了一线、二线，出了相当多的独立王国"；"引起警觉，还是'二十三条'那个时候"；"我也没有料到，一张大字报（北大的大字报）一广播，就全国轰动了"。关于"资产阶级反动路线"，毛泽东说："路线错误，改了就是了"；"也不能完全怪刘少奇同志、邓小平同志。他们两个同志犯错误也有原因"。

刘少奇、邓小平于10月23日在会上作了检查。刘少奇说："在今年6月1日以后的五十多天中我在指导无产阶级文化大革命中发生的是路线方向错误。这个错误的主要责任应该由我来负。"他还检查了自己历史上所犯的错误和这次犯错误的原因。邓小平在检查中说："必须讲清楚，工作组的绝大多数是好同志，在这段工作中所犯的错误除了个别人外，主要责任不应由他们来负担，而应由我和少奇同志来负担。"毛泽东肯定了刘少奇和邓小平的检查，在刘少奇的检查稿上批示："基本上写得好，很严肃。特别后半段更好。"在邓小平的检查稿上批示："可以照此去讲。""是否加几句积极振奋的话。"

中央工作会议结束后，林彪和中央文革小组为了置刘少奇、邓小平于死地，继续通过各种渠道鼓动群众中的造反派组织更大的批判"资产阶级反动路线"活动。康生则煽动一些红卫兵组织从所谓"61人叛徒集团"入手，寻找彻底打倒刘少奇的材料。

12月18日，张春桥在中南海西门传达室单独召见清华大学井冈山兵团头目蒯大富，对他说："中央那两个提出资产阶级反动路线的人至今仍不投降"，"你们革命小将应该联合起来，发扬彻底革命精神，痛打落水狗，把他们搞臭，不要半途而废"。蒯大富回校后，立即召集会议，制订了把"打倒刘少奇"的口号推向社会的计划。

12月25日，蒯大富带领清华大学5000余人上街游行，在天安门广场、王府井、西单、北京站等繁华地段张贴标语，散发传单，发表演讲，呼喊口号，在社会上公开鼓动打倒刘少奇。12月30日，江青、姚文元等人到清华大学，对蒯大富的行动表示满意和支持。此后，全国"批判资产阶级反动路线"的运动转入了直接号召打倒刘少奇的狂潮。

从1966年5月中央政治局扩大会议到8月中共八届十一中全会，"文化大革命"经过发动和再发动，终于从大中学校席卷全社会。"批判资产阶级反动路线"运动将党内正常分歧定为"路线斗争"，并将这种斗争扩大到群众之中，加剧了社会矛盾，为1967年全国局势走向失控的"全面内战"埋下了潜因。

红卫兵运动

红卫兵运动是毛泽东为全面开展"文化大革命"而亲自发动起来的青少年学生造反运动。红卫兵运动裹挟了全国大中学校的青少年学生,掀起了席卷全国城乡的造反狂飙,成为"文革"造反动乱的冲锋队。

在红卫兵的旗号下,曾汇集了被极"左"思潮的迷误所驱使的整整一代青少年。他们满怀着"反修防修"的真诚愿望,抱着"保卫毛主席"的坚定信念,在毛泽东的号召下,义无反顾地举起了"造反有理"的大旗,形成了"横扫一切"的造反洪流。红卫兵运动在给民族带来深重灾难的同时,也注定了千百万运动参加者的必然结局。

一

红卫兵的最初萌生
(1966 年 5 月—1966 年 7 月底)

红卫兵的产生是中国 60 年代以"反修防修"为标志的极"左"路线恶性发展的产物。

中国大陆 60 年代开展的"反修防修"运动,把 50 年代中后期发展起来的以阶级斗争扩大化为特征的"左"倾思潮推到了一个新的高度,完全左右了全国人民的政治生活。"阶级斗争扩大化"的理论宣传,城乡"社会主义教育运动"造成的社会紧

张,中苏关系恶化和推进世界革命的号召,意识形态领域紧锣密鼓的政治批判,从军队推向全国的制造毛泽东个人崇拜的社会风气,毛泽东对教育领域的疑惧和对知识分子的严重不信任,学校贯彻阶级路线和在阶级斗争大风大浪中培养革命接班人的革命传统教育……所有这些都对世界观尚在朦胧期的青少年学生产生了不可抗拒的"教化"作用,深刻影响和左右了他们的思维方式和行为方式,在他们充满理想的纯真心灵中深深地打下了"左"的烙印。

当 1966 年到来时,全国上下阶级斗争的弦越绷越紧,党内党外政治风云翻滚,山雨欲来风满楼,一场更大规模的政治运动已成惊涛裂岸之势。

社会上,1965 年 11 月开始的对《海瑞罢官》的政治批判,在 1966 年春,已发展成为对邓拓、吴晗、廖沫沙"三家村"的全民性政治大批判,锋芒已触及北京市委和中央宣传部。全国的大、中、小学的师生们,都被卷入了这场意识形态的大批判中。在党内,中央高层一批负责干部杨尚昆、罗瑞卿、彭真、陆定一接连倒台,造成了中央果然出了修正主义的错觉。

1966 年 5 月 16 日,中央政治局扩大会议通过发动"文化大革命"的通知。通知尖锐地提出"三里五界"(党里、政府里、军队里,学术界、新闻界、教育界、文艺界、出版界)都存在着被资产阶级专政的问题,在党内外引起巨大震动。通知下达后,各省、市、自治区相继在文教宣传领域揪出了一批"三家村"式的人物。

5 月 25 日,北京大学以哲学系党总支书记聂元梓为首的一批北大社教运动中的积极分子,公开在校园里贴出了一张攻击北大党委的大字报,指名道姓指责北大党委和北京市委大学部负责人。这是全

国第一张公开批判上级党委的大字报，顿时引起了巨大轰动。

在思想敏感的青少年学生中，特别是接班人意识强烈、有良好的干部家庭背景、信息灵通的青少年学生们，已经朦胧嗅到政治大风暴来临的气息。他们自觉地集结起来，交流政治信息，分析中央动向，要为"保卫毛主席"而战斗。5月29日，清华附中一群中学生在圆明园集会，成立了命名为"红卫兵"的小组织，意思为"保卫红色政权的卫兵"。这一天后来被定为红卫兵的诞生日。6月初，北京大学附中的一群学生也自发成立了类似清华附中红卫兵的组织，命名为"红旗战斗小组"。这两个组织是最初的红卫兵组织的发起者。

6月1日，毛泽东为自下而上地发动这场运动，指示向全国播发北京大学聂元梓等人的大字报。《人民日报》同时发表了火药味十足的社论，题为《横扫一切牛鬼蛇神》。6月2日，《人民日报》发表评论员文章《欢呼北大的一张大字报》，称北京大学是"反党反社会主义的顽固堡垒"。6月4日，北京新市委宣布改组北大校党委，派工作组领导北大的"文化大革命"运动。顿时，从北京到全国都轰动起来了。各院校的师生效法北大，贴出了一批矛头指向学校党委的大字报。北京校园的骚动，很快波及全国。

6月2日，清华附中贴出了一张署名为"红卫兵"的大字报，题目是《誓死保卫无产阶级专政，誓死保卫毛泽东思想》，表示坚决将"文化大革命"进行到底。这是红卫兵组织的第一次公开亮相。6月8日，北京10多所中学的300多名中学生相约来到清华附中，声援红卫兵，一起张贴大字报和标语。有的人以××学校红卫兵签名，表示对清华附中红卫兵的支持。

受到清华附中和北大附中红卫兵组织的影响，人民大学附中、地质学院附中、石油学院附中、矿业学院附中、25中、八一中学等校也相继出现了学生自发组织的红卫兵。

这是最早出现的第一批红卫兵组织。为了有别于"八一八"以后一哄而起的红卫兵组织，他们自称是"老红卫兵"。老红卫兵由清一色的"红五类"（即出身于革命军人、革命干部、烈士、工人、贫下中农家庭的子弟）组成，其骨干大都是革命军人和革命干部子弟。他们出身于为世人称慕的家庭，是社会和学校的政治宠儿，深受毛泽东"教育革命"思想的影响，充满着革命接班人的远大抱负，政治意识非常强烈，更有"舍我其谁"的无所顾忌。在他们继承父辈革命事业的口号背后，有着强烈的"自来红"的政治优越感。

红卫兵们最初是在校园里造反，批判的目标是"修正主义教育路线"。1966年5月7日，毛泽东在给林彪的一封信（《五七指示》）中，发出了教育革命的新号召："学制要缩短，教育要革命，资产阶级知识分子统治我们学校的现象，再也不能继续下去了。"毛泽东的这一指示，为红卫兵在学校造反提供了思想纲领。他们指责学校领导和教师不突出政治，搞分数挂帅，搞填鸭式的课堂教学和突然袭击的考试方式，宣传资产阶级思想，在招生和培养学生骨干中不讲出身成分，对讲过"错话"而又出身不好的教师和干部，则视为"黑帮"、"黑线人物"予以批判。他们不无极端的看法和对抗行为在师生中引起了争执。

鉴于北京及外地的大、中学校领导普遍受到冲击，工作和教学秩序无法维持，刘少奇、邓小平等中央一线领导请示了在外地的毛泽东后，决定向大、中学校派工作组领导运动。团中央受命协助北京新市委代管北京市中学的"文化大革命"。从6月5日到6月中旬,工作组陆续进入北京市51所大学、304所中学。全国大部分省市也效法北京,向大专院校和文化单位派出工作组。

工作组领导学校运动后,沿袭"四清"运动的方式,代行党委职权。各工作队系临时抽调人员组成,仓促上阵,不熟悉学校情况,也不了解"文化大革命"。他们按照中央6月3日工作会议制定的"内外有别","不要上街,不要游行示威","不要搞大规模声讨会"等八项方针来指导运动,发动群众,组织"左派"队伍,揭发批判"黑帮"、"黑线"、"修正主义教育路线",从干部和教职工中揪出了一些出身、成分不好的,背着历史黑锅和言行上有问题的人。

工作组虽然也是执行了"左"的政策,但立足于有领导有秩序地开展运动。这就与《人民日报》连篇累牍鼓吹大批大斗的文章社论的调子很不协调。一些激进的学生不满意工作组和缓的领导方针,不接受工作组约束他们自己革命的做法,在对原学校领导的评价定性等问题上与工作组也有分歧,因此对工作组不满。有些学校的偏激学生还和工作组发生激烈冲突。这种情况在北京之外的省市也有发生,具有一定的普遍性。

6月18日,北京大学一部分人背着工作组,私设"斗鬼台",揪斗了60多名干部、教师,殴打、游街,进行人身侮辱。北大工作组闻讯后,立即予以制止,严厉批评了这种乱批乱斗的做法,认为事件的性质非常严重,要追查肇事者的责任。6月20日,刘少奇代表中共中央批转了北京大学工作组制止"六一八事件"的《文革简报》,要各地参照执行。

6月20日前后,北京几十所高校和少数中学生发生了轰赶工作组事件。这些事件使受命在京主持中央一线工作的刘少奇、邓小平等人感到问题的严重性。他们认为这是在野右派以极"左"的面目捣乱,坚决支持工作组排除干扰。根据中央指示精神,北京市各高校开始了"反干扰"运动。那些怀着不同的动机反对和轰赶工作组的激进学生,受到批判和斗争,一些人被打成"右派学生"、"反党分子"、"假左派,真右派"。有的被斗者不堪压力而自杀。到7月上旬,学校秩序基本稳定下来了。

对于中学自行成立的红卫兵,在京主持工作的中央领导人的感情更为复杂一些。红卫兵成员都是"根壮苗红"的好出身,又是率先批判修正主义教育路线的,符合政治的大方向。但是,他们自行其是,桀骜不驯,宣称"我们的领导是党中央和毛主席",不愿听命工作组的领导。按照常规方式领导运动的中央领导人,虽然肯定红卫兵是革命的"左"派学生,"在运动初期起过积极作用",但不允许学生在党团组织之外还搞别的组织。刘少奇指示说:学生搞的自发组织还是要用党、团组织来代替,"红卫兵是秘密组织,也是非法的"。在具体做法上,大都采取"消化红卫兵,溶化红卫兵"的办法,也有的学校断然取缔了红卫兵。清华附中工作组采取了"逐步把红卫兵溶化到团组织中来"的策略,吸收他们加入运动领导层,同时劝说他们解散红卫兵。但红卫兵认为工作组"搞折衷主义","火药味不浓"。他们既参加团组织活动,又保持自己的组织。北大附中红旗战斗小组则被北大工作组批判为有"宗派主义"等"方针性"错误,大批成员退出。红卫兵陷入合法性危机,命垂一线。

红卫兵自视真理在握,压而不服。6月24日和7月4日,清华附中红卫兵连续写了《无产阶级造反精神万岁》、《再论无产阶级造反精神万岁》两张大字报,主题是"造反有理","越乱越好"。理论依据来自毛泽东1939年在延安庆祝斯大林寿辰时的一段讲话:"马克思主义的道理千头万绪,归根结底就是一句话,造反有理。"这两张大字报曾被团中央和工作组认为有严重问题。

7月18日,毛泽东从南方回到北京。毛泽东听信了中央文革小组的意见,认为派工作组是镇压了学生运动,责令中央领导人到各高校实地调查。中央文革小组频频到北京各大中学校活动,表态支持造反派,收集反工作组的材料。7月22日至26日,江青等人四下北京大学,鼓动群众反对工作组,并召开万人"辩论大会",批斗了北大工作组组长。

7月25日,毛泽东决定撤销工作组。他指责工作组"起坏作用,阻碍运动",指出"不要工作组,要由革命师生自己闹革命",并表示要严肃处理积极派工作组的团中央。7月28日,北京新市委正式发出撤销工作组的决定。

7月25日,北京大学师生举行万人辩论会,北大附中红旗战斗小组的彭小蒙登台即兴发表了言词激烈的控诉工作组的造反演说,当场受到江青的表扬。7月27、28日,北京海淀区在展览馆召开中学师生代表大会,批判工作组。江青参加了28日的大会,讲话支持对工作组的批判,还讲"不怕乱",打人"不是坏事",并当场宣布罢了海淀中学工作队队长周杰的官。清华附中红卫兵把他们的"一论"、"再论"《无产阶级革命造反精神万岁》的两份大字报交给江青转呈毛泽东,请毛泽东给予指示。

7月29日,北京市委召开全市大中学校"文化大革命"积极分子大会,宣布了撤销工作组的决定。刘少奇、周恩来、邓小平等发表调子低沉的讲话,表情尴尬。毛泽东在会议结束时上台,与全体代表见面,全场欢呼雷动。会后,北京和全国各地相继撤销了工作组。

毛泽东否定工作组的举动,符合了红卫兵"造反有理"的逻辑。重获生机的红卫兵,把在工作组时期的压抑转为革命造反的狂热,许多学校发生了驱赶、揪斗、殴打工作组人员的现象。江青和中央文革小组频频出现于公众场合,以"革命小将"的保护人身份出现,天真热情的中学红卫兵们把江青称为"江阿姨"、"江妈妈",推崇备至。团中央被改组,基层组织陷入瘫痪。

红卫兵运动的兴起

1966年8月1日,中共八届十一中全会在北京召开。除中央委员和有关方面负责人外,聂元梓等人作为北京大中学校"革命师生代表"出席了会议。会议第一天,作为会议文件印发了毛泽东给清华附中红卫兵的信,并附有清华附中红卫兵的两份上送的《论无产阶级造反精神万岁》的大字报。毛泽东在信里对红卫兵大字报中"造反有理"的口号和彭小蒙7月25日在北京大学的演讲"表示热烈的支持",表示"不论在北京,在全国,在'文化大革命'运动中,凡是同你们采取同样革命态度的人们,我们一律给予热烈的支持"。信中还谆谆告诫红卫兵"注意争取团结一切可以团结的人们",要有解放全人类的胸怀。

8月5日,毛泽东写了《炮打司令部——我的一张大字报》,严厉指责刘少奇派工作组领导运动是"实行资产阶级专政",并联系到过去他与刘少奇的分歧,表明他与刘少奇的正式决裂。7日,毛泽东的大字报作为文件发至大会。

8月8日，八届十一中全会通过了《关于无产阶级文化大革命的决定》（即《十六条》）。《十六条》强调"敢"字当头，充分运用"四大"（大鸣、大放、大字报、大辩论），"不要怕出乱子"，对学生的造反行动予以高度赞扬和充分肯定。

毛泽东给清华附中红卫兵的信和8月5日发表的《炮打司令部》的大字报，当时没有公诸于众，但不胫而走，很快流传全国。青少年学生受到鼓励，纷纷拉起队伍，举起造反大旗。

1966年8月18日是全国红卫兵运动兴起的标志。

8月18日，毛泽东身着绿军装，在天安门出席了首都百万群众庆祝无产阶级"文化大革命"大会，检阅了游行队伍。1500名红卫兵和大中学校的师生代表登上了天安门城楼。毛泽东在城楼上接见了清华附中等校的红卫兵代表，接受了北师大女附中的学生宋彬彬为之佩戴的红卫兵袖章，默认了红卫兵在天安门上向大会讲演时给予他的"红司令"的称号。从8月18日到11月26日，毛泽东先后八次接见红卫兵和各地师生1100多万人。毛泽东接见红卫兵的举动，给青少年学生巨大鼓舞，红卫兵运动在全国范围一哄而起。在8、9月间，北京大专院校的红卫兵组织先后出现了三个司令部。

随着红卫兵运动的兴起，出现了"血统论"的风潮。在工作组时期，北大附中学生中出现了一副对联，"老子英雄儿好汉，老子反动儿混蛋"，引起了同学之间的争论。这副血统决定论的对联，理所当然地受到工作组的批评。工作组被否定之后，对联被加上"基本如此"的横批，命名为"鬼见愁"，在北京中学生中迅速流传开来，并掀起了一场大辩论。很快，"血统

论"思潮迅速蔓延到全国。

"血统论"是阶级路线在红卫兵运动中的扭曲，反映了干部子女的政治特权意识。如1966年8月北大附中红旗战斗小组的一张大字报《自来红们站起来了》所称："所有自来红们，拿出我们的火热的革命精神来，和一切资产阶级'权威'和他们的崽子和一切大大小小的牛鬼蛇神斗到底！"红卫兵以家庭出身的优劣作为能否革命的根据，规定只有"红五类"子女才有参加红卫兵的资格。"黑五类"子女遭到残酷迫害，被凌辱、被打骂，一些人甚至被剥夺了生命。

"血统论"思潮的泛滥，不仅伤害了广大青少年学生，而且也脱离了"文化大革命"的运动大方向。中央文革小组多次表示不同意对联的提法。8月6日，江青、康生等人代表中央文革小组在北京天桥剧场和中学红卫兵专门谈了对联问题。江青表示不同意对联，建议改为"父母革命儿接班，父母反动儿背叛——理应如此"。中央文革小组表态后，辩论对联的风潮逐渐平息。

"血统论"也被支持工作组的一派学生作为武器使用。8月20日，北京工业大学三系文革小组长谭力夫在本校关于工作组的辩论会上发表演说，以"血统论"的观点，毫不隐讳地为工作组评功摆好，攻击那些反对工作组的学生。这篇言辞犀利的演讲，得到了相同观点又看重出身的学生们的赞同，在社会上一度广为流传。对于公然给工作组评功摆好的谭力夫，中央文革小组予以严厉的点名批判。

工作组撤走后，红卫兵的"革命"行动更无所顾忌，体罚、打人的风气迅速地蔓延起来。红卫兵们凶狠地批斗被打成"黑帮"、"反动学术权威"、"牛鬼蛇神"的干部、知识分子和职工，给他们戴高帽、挂黑

牌、游街、剃"鬼头"、唱"嚎歌"……进行种种人身侮辱，并残酷地殴打他们，强迫他们进行"劳动改造"，住"牛棚"，许多人死于非命。8月13日到15日，红卫兵和中学生们一度占领了团中央办公楼，批斗了团中央主要领导人。

红卫兵运动发动起来后，立即冲出校门杀向社会，掀起了一场"破四旧"运动。8月17日，北京二中红卫兵走上街头，贴出《向旧世界宣战》的大字报，宣称"向残存的一切旧思想、旧文化、旧风俗、旧习惯开火，砸烂它"。此举立即得到各校红卫兵的响应。红卫兵纷纷走上街头"破四旧"。被列为"四旧"的，有的是历史文化传统，如旧校名、店名、地名、古典文化、戏剧艺术等等；有的是生活方式，如不符合大众的衣着、发型等等；一些少不更事的激进者还倡议修改宪法，废除国歌。

8月22日，新华社播发了北京红卫兵"破四旧"的消息，给予高度赞扬，第二天全国各大报刊都在头版作了报道，《人民日报》发表了《好得很》的社论。"破四旧"行动迅速推向了全国各地。红卫兵得到鼓励，行为更加肆无忌惮。红卫兵"破四旧"的狂飙所至，街道住宅、路标店号、教堂庙宇、图书典籍、文物古迹、工艺古玩、园林花卉……无不在扫荡之列。专家学者、社会名流、起义将领、民主党派人士都被当做"牛鬼蛇神"，进行抄家、批斗、游街。红卫兵还勒令解散了民主党派，通令合并一切个体经济，强迫私人房产主捐房，取消资本家定息和私人银行存款利息。他们对在大城市居住的地、富、反、坏、右"五类分子"和资本家及其亲属，肆意打骂，侮辱人格，抄没家产，限期驱赶出北京等大城市。

"破四旧"公然践踏宪法和法律，把人的生命财产视同草芥，造成惊心动魄的

"红色恐怖"。1966年8、9月间，北京市被红卫兵驱除出京的共85198人，被抄家的有11.4万户。上海被抄家的有15.77万户。天津被抄家的有12000户。红卫兵组织可以自行抓人、批斗，滥施酷刑，打死人的情况比比皆是。仅北京一地，在"破四旧"两个月间，被打死者就有1772人。

"破四旧"造成了严重的社会混乱和无政府状态。周恩来等中央领导人处在两难之间，也曾试图利用红卫兵来维持起码的社会秩序。一些有头脑的红卫兵领袖也感到了不安，试图呼吁红卫兵们要按"十六条"办事，不要武斗。但面对组织杂乱、山头林立、狂热激进的红卫兵运动，这种声音实在太微弱了。实际上，连呼吁者自己也是身处造反狂潮之中，欲罢不能。为了使各行其是的红卫兵组织有所约束，在一些领导人的支持下，8月25日，北京西城区31所中学的红卫兵负责人在北京师大女附中召开会议，成立了首都红卫兵纠察队西城分队（简称"西纠"）。不久，海淀区、东城区等也成立了纠察队。

"西纠"的领导成员多为高干子女，有很重的"血统论"和特权思想。他们先后颁布了十三条通令，反对揪斗老干部，抄老干部的家，反对武斗和打人，也曾阻拦一些大学生冲击国家机关，揪斗领导干部。但是，他们把自己当做凌驾于其他红卫兵之上的特殊组织，处处表现出"老子天下第一"的派头，更用以暴易暴的方式维持秩序，以打人制止打人，还私设公堂滥施酷刑，甚至打死人。"西纠"的所作所为，引起广大市民的强烈反感。中央文革小组更是反对他们保护老干部的立场。仅仅两个月时间，"西纠"就被解散了。

随着红卫兵运动的兴起，出现了全国性的大串联高潮。各大中城市、各学校之间的学生相互串联，早在6、7月份已开始

出现。到 8 月份，天津、太原、长沙、西安等地学生纷纷赴京上访、告状。中央文革小组于 8 月 16 日接见外地学生，表示欢迎他们来京。

"八一八"以后，各地师生络绎不绝地成批来京，接受毛泽东"检阅"，寻求北京造反派的支持，学习造反经验。北京的学生也大批出发，南下、北上、西进、东征，传授造反经验，支持和扶助各地造反力量，跨地区跨省区的大串联开始初具规模。毛泽东对接见红卫兵情有独钟，大力支持学生在全国大串联。在 8 月 31 日毛泽东第二次接见外地红卫兵和师生大会上，周恩来宣布了中央决定：让各地大学生的全部和中学生的一部分代表，分期分批到北京来。9 月 5 日，中共中央、国务院正式发出大串联的通知。

全国范围的红卫兵大串联把北京的造反经验和做法迅速推广到各地，推动了全国大动乱。北京红卫兵和外地红卫兵一起联手，破"四旧"，批判"资产阶级反动路线"，揪斗"牛鬼蛇神"，炮轰当地党政机关，批判"走资派"。造反串联活动很快从学校发展到工厂、农村，生产秩序开始混乱。当地干部和民众对这些外来学生的造反非常反感，视为胡闹。各地与学生的冲突不断发生。

大串联免费乘车，免费食宿，成千上万的人流在四面八方涌来涌去，许多学校都走空了，全国各条交通线拥挤不堪，耗费资财无数。为解决交通拥挤的问题，中央提倡徒步长征串联，但并未能缓解交通的紧张，反而更增加了沿途各地的负担。随着冬季的到来，大串联的势头仍然未减，而食宿接待已难以保证，大串联的圣地井冈山地区已经发生了疫情。12 月 1 日，中共中央发出通知，暂停乘车串联。不久，中共中央、中央军委、国务院、中央文革小组联合下达停止串连的通知。

经过"破四旧"和大串联，红卫兵从学校杀上社会，从北京发展到全国，从"文斗"发展到"武斗"……红卫兵运动的狂风暴雨，把广大干部群众都推入了"文化大革命"的洪流之中。

三

红卫兵运动的分野

八届十一中全会以后，"文化大革命"的发展仍然阻力很大。在红卫兵队伍中，出现了多数派和少数派的斗争。

工作组撤走后，在多数学校，群众直接选举产生的文化革命委员会（筹委会），大都仍是工作组（或党委）时期的基本人马。各校正统的红卫兵，是过去工作组（党委）依靠的基本力量，党团员多，积极分子多。由于过去运动传统的影响，且有反右派"引蛇出洞"的殷鉴在先，正统派的红卫兵人多势众。他们以革命"左派"自居，但对毛泽东发动的"文化大革命"基本不理解，造反对象是传统意义上的"阶级敌人"，对工作组（党委）持维护态度，反对普遍冲击领导干部，被称为保守派。造反派红卫兵的骨干大都在"文革"初期受到过工作组（党委）的压制和打击，对"血统论"之类的特权思想有天然反感，在思想上容易接受"无产阶级专政下继续革命的理论"，相信"走资派"是"修正主义复辟"的最大危险，要求彻底批判工作组，打倒党内"走资派"。两派冲突不断升级，形成尖锐对立。

1966 年 9 月 17 日至 20 日，中央文革小组连续四次召集北京大专院校少数派代表，座谈汇报"两条路线斗争的问题"。座谈会反映，刘、邓路线还暗中存在，造反派仍然受压。

毛泽东为了打破运动阻力，加重了刘、邓问题的分量，提出了批判"资产阶级反动路线"的新概念。10月1日，林彪在国庆讲话中说："以毛主席为代表的无产阶级革命路线，同资产阶级反对革命路线的斗争还在继续。"10月3日，《红旗》杂志第十三期社论正式发出了"对资产阶级反动路线，必须彻底批判"的号召。

10月5日，中央军委、总政治部根据林彪意见发出了《紧急指示》，要求：必须把束缚群众的框框统统取消，取消工作组撤离后由院校党委领导的规定，运动初期被打成反革命、右派的一律无效，所有检查和材料均退还本人。当天，中共中央转发了这个文件。由此，从军队到地方的各个院校，掀起了要求彻底平反，追查黑材料的风潮。

10月6日，代表少数派的"首都红卫兵第三司令部"，发起了"全国在京师生向资产阶级反动路线猛烈开火誓师大会"，到会人数有10万之众。而后，大中学校的批判"资产阶级反动路线"掀起高潮。

10月9日到28日，毛泽东主持召开了各省市自治区主要负责人参加的中央工作会议。会议主题是批判"资产阶级反动路线"，解决大家对运动的抵触情绪。刘少奇、邓小平在会上作了检讨。陈伯达和林彪先后在会上作了长篇发言。陈伯达在讲话中，点名攻击刘少奇和邓小平是"资产阶级反动路线"的代表人，赞扬红卫兵、大串联是群众运动的伟大创造。还说，虽然工作组撤走了，"两条路线斗争还在继续"，并点名批判了"血统论"和谭力夫的讲话。林彪的讲话中强调"群众运动天然合理"。毛泽东对与会的各地负责干部讲："我是不要打倒你们的，我看红卫兵也不一定要打倒你们。"但会后，各地冲击党政机关、揪斗领导干部的情况更为严重。

10月后，全国掀起了声势浩大的批判"资产阶级反动路线"的浪潮。省、市、地、县各级党政机关普遍遭到红卫兵冲击，主要领导干部被批斗。"火烧"、"炮打"、"罢官"之风遍及全国。各地党政领导机构相继陷入瘫痪半瘫痪状态。

在动乱加剧的形势下，一些军队老帅忧心忡忡，亲自出面劝导红卫兵们。11月13日，在北京工人体育场召开了军事院校和文化单位来京人员大会，陈毅、叶剑英、贺龙、徐向前出席大会并讲话。他们旗帜鲜明地批评了学生们"打倒一切"和批斗干部的过火做法和过激行为，现身说法，讲"左"的历史危害和经验教训。11月29日，陈毅，叶剑英又在同一场合发表同样的讲话。他们的讲话被指责为压制群众，遭到中央文革小组和造反派的批判。

批判"资产阶级反动路线"后，红卫兵运动出现大分化大改组。曾是少数派的造反派红卫兵迅速发展起来，以坚持"矛头向上"的造反行动而成为运动的主导力量。他们从批判"文化大革命"初期工作组的"资产阶级反动路线"，进而到追究派工作组的上级党委，直到中央的政策制定者刘少奇、邓小平，炮打所谓党内的"资产阶级司令部"。越来越多的群众加入到造反派的队伍中来，造反派的队伍很快扩大到各个社会领域。

那些曾是多数派的保守派红卫兵组织则被造反派组织攻击为"资产阶级保皇派"，①陷入土崩瓦解的境地。有保工作组和领导干部倾向的各校文化革命委员会，大都被批判为执行了"没有工作组的工作

---

①　"保皇派"是指"文革"初期保校党委和工作组的那一派群众组织。

组路线"，而相继结束使命。有"血统论"倾向的红卫兵组织，既不符合运动大方向，又为普通群众厌恶，迅速垮台。最早投入"文革"的中学老红卫兵们，也因跟不上运动的形势发展，被中央文革小组冷落，抛出了运动主流之外。

在运动转入"批判资产阶级反动路线"后，群众运动的动力结构发生权力转移，于各种力量的升降消长变化中，也出现了少数与运动主流意识形态不同的声音。其中，最著名的是北京青年工人遇罗克发表的《出身论》等文章。遇罗克的《出身论》，勇敢地向"血统论"宣战，为因家庭出身而被侮辱、被歧视的青年争取平等权利，被誉为"黑暗中的人权宣言"。遇罗克的文章引起强烈的社会反响，在许多因家庭出身问题受到伤害的青年中激起了强烈共鸣，也遭到狂热鼓吹"血统论"老红卫兵们的激烈反对。造反派主流思想则认为，"血统论"和《出身论》从两个极端违背了"党的阶级路线"，主张两者都反对。《出身论》对以后北京中学生红卫兵的两派形成也有重大影响。中央文革小组把《出身论》定性为"大毒草"，遇罗克为此付出了生命的代价。

以传统的阶级敌人作为斗争目标的保守派红卫兵，随着运动目标的转向以及大批干部被打倒，产生了对运动强烈的抵触情绪。从1966年11月下旬起到12月中旬，社会上形成了一股反中央文革小组的潮流。北京矿院红卫兵总部等十几个院校的同类组织，组成"批判戚本禹联络站"，反对戚本禹在11月12日的讲话把他们称为保皇派。北京航空学院"八一纵队"、"八一野战团"接连贴出四篇质问中央文革小组的大字报，抨击中央文革小组"纵容少数派压多数派"。北京林学院红卫战斗兵团李洪山等人贴出《踢开中央文革小组，紧跟毛主席闹革命》的大字报，抨击中央文革小组执行了一条"左"倾路线，清华大学红卫兵也贴出大字报，批判"中央文革小组的路线性错误"。有的学校还赫然出现了"刘少奇万岁"的标语。这些保守派组织的动向被称为"黑风"，遭到中央文革小组和造反派红卫兵的镇压。

最引人注目的是中学老红卫兵的动向。这些率先投入"文革"的造反小将们，突然发现批判"资反路线"的造反和他们的造反初衷大不一样：他们的父辈们一个个被打成"走资派"，往日荣耀的家庭背景成了革命的对象，叱咤风云的天之骄子转瞬成了过眼云烟的弃儿，过去不屑为伍的造反派却成为响当当的革命"左派"。这些巨大的反差，激起了他们强烈的逆反心理。11月27日，北京海淀区十几所中学的老红卫兵负责人在北大附中开会，决定成立和"三司"对立的红卫兵组织——"首都红卫兵联合行动委员会"（简称"联动"）。12月5日，"联动"宣布成立。"联动"拥护4位元帅11月13日的讲话，反对批判"资产阶级反动路线"，反对造反派红卫兵特别是其代表"三司"，公开表示对中央文革小组的不满。

起初，老红卫兵们还试图与中央文革小组再度沟通。但是，中央文革小组已不再对他们感兴趣了。12月14日，康生、陈伯达、江青等人召集"三司"、北航《红旗》等造反派组织的代表，发表讲话说："对反革命分子实行严厉的镇压，这就是最大的民主"，鼓动他们采取行动。12月16日，在"首都中学批判资产阶级反动路线大会"上，江青宣布说：红卫兵纠察队是执行"资产阶级反动路线"的"宪兵"，并说"对一小撮打人、杀人的坏家伙要实行专政"。陈伯达领头高呼口号："敌人不投降，就叫它灭亡。"12月17日，工人体育场召开群众大会,正式宣布取消"纠察队"。纠察队的活动地点被查抄,部分骨干被拘捕。

被中央文革小组抛弃的老红卫兵开始了具有自己特色的反抗。12月27日,"联动"在北京展览馆召开了《破私立公誓师大会》,愤怒的"联动"成员在会上喊出了"坚决打倒中央文革某些人为首的资产阶级反动路线"、"反对纵容、支持、鼓励反革军革干子弟的行为"等口号。他们散发张贴反对中央文革小组的传单标语,并多次冲击公安部。中央文革小组采取强硬手段对付这些胆大妄为的叛逆者。"联动"被宣布为反动组织,活动场所被捣毁,许多成员被抓。

此后,"誓做中央文革的铁拳头"的高校造反派红卫兵成为红卫兵运动的主导力量。直接听命于中央文革小组的北京大学造反派红卫兵头头,聂元梓、蒯大富、谭厚兰、韩爱晶、王大宾等,成为显赫一时的"五大学生领袖"。他们在中央文革小组的操纵下,影响和左右了全国的红卫兵造反运动。11月8日,北师大谭厚兰在戚本禹的唆使下,率领"井冈山战斗团"一干人马到山东曲阜造"孔家店"的反,与当地曲阜师范学院的毛泽东主义红卫兵联手,毁孔像、砸孔碑、掘孔坟,毁坏了大批文物,揪斗省、地、县领导干部。12月,在中央文革小组的指使下,北京地质学院和北京航空学院的红卫兵造反派,派人到四川揪回彭德怀。12月25日,蒯大富在张春桥的唆使下,组织了清华"井冈山"6000多人到闹市区游行示威,大造舆论,把打倒刘少奇的口号首先推上社会。11月,江青密派聂元梓带领北大一批人去上海造反,旨在搞垮上海市委。

随着各级干部被打倒,刘、邓问题不断升级,造反范围不断扩大,《十六条》关于工矿、农村原则上不开展运动的限制被

突破。中央文革小组支持学生到工厂、农村串联造反。受到红卫兵造反运动的鼓动,一些城市和工厂出现了战斗队组织。11月9日,在北京来的红卫兵的支持下,上海十几家工厂的工人造反派成立了"上海工人革命造反总司令部"。上海市委不支持成立全市性工人组织,王洪文等人率队上京告状,在市郊的安亭车站卧轨拦车,使宁沪线中断三十多小时之久。"安亭事件"得到毛泽东的认可,是工人造反派登上舞台的标志性事件。其他省市也先后出现了地区性工人造反组织。

12月间,林彪主持召开了两次政治局扩大会议,制定并下发了在工厂和农村开展"文革"的两个文件。到1966年底,全国城乡都卷入运动之中。造反派红卫兵不但控制了学校的运动领导权,还和机关、企事业单位、工厂、农村的造反派结合起来了。北京的大学造反派红卫兵组织,还陆续向全国各地派出了许多联络站,各地造反派和红卫兵组织也在北京设立了许多联络站。通过这样的网络,各地红卫兵组织遥相呼应,相互声援,制造声势,形成了影响全国的动乱力量。

四

卷入全面夺权的红卫兵运动

1967年1月起,在毛泽东的号召下,"文化大革命"运动进入了全面夺权阶段。

1967年1月4日,张春桥、姚文元奉命回到上海策划夺权。在北京和上海本地的红卫兵积极参与下,上海市工人造反派打垮了对立派,夺了上海市委的权。上海"一月夺权"得到毛泽东的充分肯定,全国性夺权进入了高潮。在1月中旬以后,从中央到地方,从城市到农村,普遍进行

了夺权。除上海外，山西、山东、贵州、黑龙江等省市的夺权也得到中央的承认。在各地夺权中，造反派红卫兵都是举足轻重的角色。

北京大专院校造反派红卫兵闻风而动，与各单位的造反派里应外合，参与了北京市和中央部委的夺权活动。1月份，北京广播学院北京公社到北京人民广播电台夺权；北京轻工学院到第一轻工业部夺权；北京政法学院政法公社到北京市公安局夺权；中央财政金融"八八战斗队"到财政部夺权；北大红旗战斗兵团到高教部、中宣部、华北局、团中央等十几个中央部门夺权；石油学院、矿业学院等校造反派介入国家计委的夺权，北航"红旗"、地质"东方红"等到北京市夺权等等。中央很快制止了这种"抢权"行为。

在造反过程中，红卫兵中"唯我独革、唯我独左"，"老子天下第一"的无政府主义思潮泛滥起来。个人主义、风头主义、小团体主义恶性膨胀，成为红卫兵各派组织的流行病。在运动进入夺权阶段后，毛泽东试图对红卫兵造反力量的盲动性有所控制，把他们的活动舞台从社会拉回学校。为此，中央采取了一系列措施：对红卫兵实行军训，批判无政府主义思潮，组织红卫兵内部整风，学生回校"复课闹革命"，各派组织实现"大联合"，建立"三结合"的革命委员会，开展"教育改革"等等。

1966年12月31日，中共中央、国务院下达《关于对大专院校革命师生进行短期军政训练的通知》，传达了毛泽东的指示：派军队训练革命师生的办法很好，训练一下和不训练大不一样。北京军区派出4100多名干部到北大、清华、北航、地质学院、矿业学院，对二万多名师生进行20天的军政训练，重点学习《关于纠正党内的错误思想》等文件。1967年2月19日，北京卫戍区向中央上报了关于五所高校和两所中学军训试点的两份报告。毛泽东立即批发全国并指示：大学、中学、小学高年级每年军训一次，党、政、军机关除老年人外都要军训，每年20天。军训的目的或许是为了收一收红卫兵的野性，但实际收效甚微。

1967年2月3日，毛泽东在和外宾谈话中，批判当时流行的"怀疑一切，打倒一切"的口号是无政府主义思潮。他还说：聂元梓、蒯大富这些人靠得住靠不住，还要看。2月12日，毛泽东跟中央文革小组部分成员说："怀疑一切，打倒一切"的口号是反动的，要进行批判。

2月26日，《人民日报》刊载了毛泽东推荐的红卫兵的一张大字报，题为《我们鲁迅兵团向何处去？》，文中提出了"边战斗，边整风"的口号。《红旗》杂志为此发表短评说：他们提出了解决内部问题的正确方法，这正是我们要大大提倡的。

3月7日，中央转发了天津延安中学以教学班为基础，实现全校大联合和整顿、巩固、发展红卫兵的经验。毛泽东在文件上批示道："军队应分期分批对大学、中学和小学高年级实行军训并且参与开学、整顿组织，建立三结合领导机关和实行斗批改的工作。"毛泽东这一批示被称为"三七指示"。同日，《人民日报》发表社论《中小学复课闹革命》。

为了使学校的"文化大革命"有章可循，把到处造反的红卫兵们回拢到学校，中央在2月29日和3月9日，分别发出了《关于中学无产阶级文化大革命的意见》、《关于大专院校当前文化大革命的规定（草案）》，要求下乡下厂和在外地串联的师生，一律返校参加运动，进行整顿，参加短期军训，实现大联合，组成三结合的临时领导班子。中学复课闹革命，大学进行斗、批、改。2月3日,中共中央、国务院发出通知,在全国停止长途步行串联。3月17日,中共中央发出通知,取消原定在春暖后重新进行大串联的计划,停止全国大串联。但大串联的停止并非易事。4月20日、5月14日,中央和北京市又分别发出通知、通告,重申停止大串连。

在中央三令五申之下,大批学生陆续回到了学校。大、中学校普遍开展了军训,开始了以学习毛泽东著作和大批判为主的"复课闹革命",一些红卫兵组织还进行了开门整风。中央文革小组还把北京航空学院、北京师范大学、芳草地中学等校作为教育改革的试点单位。但是,红卫兵的这些所谓"整风"、"复课"、"教改"都是表面文章,很快为争权夺利又打起了新的派仗。

"夺权"的前提条件是实现各造反派组织的大联合。在"大联合、大夺权"的口号下,人多势众的大组织合并了许多小组织,各个学校的组织联合形成地区性组织。1967年2月22日,首都大专院校红卫兵代表大会(简称"红代会")成立。周恩来、陈伯达、康生、江青到会表示祝贺并讲了话。紧接着各地"红代会"也相继成立。同时,工人、农民的造反派也成立了"工代会"、"农代会"的组织。"红代会"名义上是一个地区性的红卫兵领导机构,实际上对下属组织没有多少约束力。大联合是各有所图,联而不合,很快因排座次、争席位等利益冲突发生分裂。夺权所产生的种种矛盾,使红卫兵运动深深地陷入到了社会两大派的斗争之中。

北京的红代会维持到4月份就开始了大分裂。自夺权以来,北京高校各造反派红卫兵的矛盾逐步深化,以4月8日的北京民族文化宫武斗事件为标志,两大派斗争公开化。北京高校造反派红卫兵形成

了以"新北大公社"、清华"井冈山"和北航"红旗"为首的"天派"和以地质学院"东方红"、北师大"井冈山"为首的"地派"。中学的造反派以对军训的态度而分裂成"四三派"和"四四派"。一些著名的造反派红卫兵组织内部也发生了分化。如清华"井冈山"分裂为"团派"和"四一四派";"新北大公社"中分裂出了井冈山兵团。各地的情况也大致相同。

进入夺权阶段后,党政系统已经被冲垮,军队成为唯一能稳定社会的力量。冲击军队和批判刘少奇是这一时期红卫兵造反活动的两大特色。

1967年1月,毛泽东指示军队介入运动,支持"左派"夺权。军队奉命支"左",从思想上感情上对造反派没有什么好感,因此一开始几乎都是首先支持党团员、老工人比较多,冲击党政领导机关不太激烈,批斗干部不太凶狠的一派。坚持"矛头向上"的造反派认为军队支持了"保守派",激烈地冲击军队领导机关。一批军队的老帅非常担心搞乱军队,呈请毛泽东于1月28日批发了中央军委"八条命令"。"八条"规定:军队不许夺权,不允许冲击和占领军队领导机关等。这让军队有了对付造反派的尚方宝剑。

2月11日和16日,一些尚在工作的老帅和副总理在怀仁堂碰头会上当面怒斥中央文革小组的成员,对"打倒一切"表示了强烈的愤慨。毛泽东对这些老同志大发雷霆,极其严厉地批评了他们,连续召开政治生活会责令他们检查。此后,中央文革碰头会成为处理中央日常工作的方式,中央文革小组在相当程度上取代了过去的中央书记处。中央文革小组把这一事件称为"二月逆流",借机掀起"反击全国自上而下的复辟逆流"的浪潮。他们首先从反对他们最坚决的谭震林开刀。3

月 8 日,北师大"井冈山"头头谭厚兰率领学生冲击农业展览馆,召开大会"声讨谭震林镇压农林口群众运动",建立批谭联络站,掀起"讨谭"浪潮。3 月 14 日,北京 10 万人示威游行,反击所谓"二月逆流"。3 月中下旬,北京街头贴出了许多攻击李富春、李先念、余秋里等人的大字报。一些红卫兵组织还收集了诬蔑陈毅、徐向前、叶剑英的材料,在北京和全国广为散发。

在各地,军队执行"八条",普遍镇压了冲击军队的一派,宣布其为反动组织,抓了一批红卫兵造反派的骨干成员。青海、内蒙古等地的军队还动用了枪械,造成流血事件。当时称之为"二月镇反"。北京著名的红卫兵造反派组织原来就与各地的造反派组织有密切联系,纷纷声援他们,并派人到当地慰问和支持这些组织。被打压的造反派凄凄惨惨到北京告状,得到中央文革小组的支持。2 月 28 日,毛泽东在一份材料上批示:全国自下而上都有这种反革命复辟的现象。中央相继给青海等地被镇压的群众组织平反。

4 月 6 日,毛泽东批发了林彪起草的"军委十条命令"。"军委十条"规定,不准任意捕人,不准任意把群众组织宣布为反动组织,不准对群众开枪,对冲击过军事机关的群众概不追究。"军委十条"在很大程度上否定了"军委八条"。各地被镇压的造反派恢复了组织,更认为自己的大方向正确,造反势头更为凶猛。各大军区、省军区都遭到红卫兵造反派的冲击。

夺权引发了群众组织的派性斗争,这是毛泽东始料未及的。两大派都不择手段地搞垮对方,很快由相互攻讦的口水战升级到大出打手的武斗,派性武斗规模越来越大。6 月 6 日,中央发出通告,试图制止越打越激烈的武斗行为,但正在"战犹

酣"的两派组织,谁都不肯善罢甘休。为了摆脱运动的困境,"文化大革命"的领导者更加重了刘少奇问题的分量,号召对刘少奇展开"革命大批判"。

4 月 1 日,戚本禹奉命发表文章《爱国主义还是卖国主义》,以"中国赫鲁晓夫"等代名词,对刘少奇进行大批判。红卫兵造反派紧跟中央号召,是"大批判"的主力。他们组织游行集会,利用报刊杂志,把充满诬蔑不实之词和扣帽子、打棍子的揭发批判文章散发得满天飞,指名道姓地放肆攻击刘少奇、邓小平为代表的一大批党、政、军领导干部,要把刘少奇彻底搞臭。除上述"文斗"外,还有"武斗"。4 月 10 日,经中央批准,清华"井冈山"举行 30 万人大会批斗刘少奇的夫人王光美。陪斗的有彭真、薄一波、陆定一等 300 多名高级干部。

为了把刘少奇"批倒批臭",7 月 18 日,北京红卫兵造反派在中南海西门外召开"揪刘"誓师大会。此后,难以计数的群众组织争相加入"揪刘火线",两大派组织都把"揪刘"当做一场比赛革命的竞争。他们在中南海墙外安营扎寨,高音喇叭对着中南海日夜叫喊,声称不把刘少奇揪出中南海决不收兵。他们隔绝交通,把许多中央部委和省市的党政负责干部揪来轮番批斗。他们还组织揪刘绝食,以扩大声势,并多次冲击中南海。中南海内,在中央文革小组部署下,中南海机关造反派野蛮批斗了刘少奇、邓小平、陶铸夫妇。后来,在武汉的毛泽东得知后,传话予以制止。中央文革小组不得不作出撤销"揪刘火线"的决定,这场闹剧才慢慢平息下来。

"抓叛徒"是红卫兵很有特色的一项活动。1966 年 8 月,康生唆使红卫兵去查北平的旧报纸,说在那里可以查出一大批叛徒。南开大学的"八一八"红卫兵和北

航"红旗"组成"抓叛徒"战斗队,把经过中央批准、北方局采用特殊手续从草岚子监狱中营救出来大批干部的事情,重新提了出来。康生借此给毛泽东写了报告,制造了"六十一人叛徒集团案"。1967年3月16日,中央正式下达《关于薄一波、刘澜涛、安子文、杨献珍等人自首叛变问题的初步调查》的文件,毛泽东作了批示。江青声称:"这是小将的大功劳",鼓励红卫兵"深挖、穷追、猛打"。从此,全国各地各单位都刮起了"抓叛徒"之风。

为了搞臭刘少奇,为全面夺权扫清障碍,6月29日,中央发出《关于"抓叛徒"问题的通知》,正式肯定了群众组织"抓叛徒"的活动。"抓叛徒"名为群众运动,实际受制于中央文革小组控制的中央专案组。他们诬称有一条刘少奇叛徒集团的组织路线,策动红卫兵南查北调,捕风捉影,把许多干部已有结论的历史重新翻出来。并不了解过去年代革命斗争复杂性的红卫兵们,用他们单纯幼稚的眼光找出了大量"历史问题"。康生、江青一伙借机制造了"新疆叛徒集团案"、"东北叛徒集团案"、"北方局叛徒集团案"、"广东地下党"等重大冤案。红卫兵在搞外调时,也搞出了江青、张春桥当年在上海滩的材料。这些人对自己当年行径讳莫如深,立即对那些搞材料的人实行了专政手段,以"炮打无产阶级司令部"的罪名,一一加以迫害。

五

红卫兵运动的盛极而衰

1967年的夏季,全国各地的动乱已经发展到"全面内战"的程度。各省、市、自治区都形成了相互对立的两大派组织,派性武斗事件接连不断。一些地方的军队也卷入派性斗争中。已经夺权的省市区,也出现了两大派的分裂局面。毛泽东于7月初南下武汉,想亲自解决湖北省的问题,树立大联合的样板。中央文革小组成员王力在武汉擅自到群众组织中发表支一派、压一派的讲话,加剧了两派群众组织的对立情绪。7月20日,被激怒的武汉军民扣压了王力、谢富治,举行大规模的抗议行动,史称"七二〇事件"。

中央文革小组将"七二〇事件"定性为反革命事件,在全国掀起了反军乱军的高潮。江青提出"文攻武卫"的口号,煽动"武装左派",给"全面内战"火上浇油。全国到处都在揪"军内一小撮",冲击部队领导机关,抢夺军用物资和武器装备,冲砸公检法机关。各地大规模的武斗流血事件急剧上升,一些地方还动用了机枪、火炮、坦克和装甲车。

在这一轮动乱中,红卫兵再度冲到前台。北京著名的红卫兵造反派组织在自己的小报上登出《打倒带枪的刘邓路线》等文章,宣称夺权斗争进入到了夺枪杆子的第三阶段。北京的红卫兵造反派头头还揤出了"第二次人串联"、"武装夺取政权"、"先进的南方,落后的北方"等口号。短短的时间内,仅清华、北大就走了一万多人。红卫兵与各地造反派一起,炮打"革委会",冲击军队,参加武斗,全国形势陷入全面混乱。

这一期间,红卫兵和造反派还制造了一系列涉外事件,最为严重的是"三砸一烧"。造反派和红卫兵接连砸了印度尼西亚、印度、缅甸驻华大使馆,并于8月22日火烧了英国驻华代办处。这些恶性事件,极大地损害了中国的国际形象。7、8、9三个月,"文化大革命"的运动已经失控。

在外地巡视的毛泽东很快意识到局

面失控的严重性,果断地采取了治乱措施,隔离审查了中央文革小组骨干成员王力、关锋等人(不久戚本禹也被审查),批准发布了一系列的命令、布告、通令,制止武斗。

9月1日,周恩来在北京市革委会讲话,明确指出:"第三次大串联","揪军内一小撮"都是错误的口号。9月16日、17日,周恩来等人又分别接见北京高校红卫兵"天派"、"地派"的代表,传达了毛泽东的指示:"要告诉革命造反派头头和红卫兵小将们,现在正是他们可能犯错误的时候。"王、关、戚的倒台,毛泽东的规诫,使红卫兵和造反派不得不收敛起来,失控局面逐渐得到了控制。

9月25日,《人民日报》报道了毛泽东南巡的消息,转达了毛泽东对形势"非常好"的估计。10月7日,中共中央整理转发了《毛主席视察华北、中南和华东地区时的重要指示》。这是中央在"一月夺权"以来第一次下达毛泽东对"文化大革命"的比较系统的论述。毛泽东要求学生:"革命的红卫兵和革命的学生组织要实现革命的大联合",方法是办学习班"斗私批修",两派"各自多做自我批评,求大同,存小异",以克服派性干扰,搞好本单位的斗、批、改。

为了扭转失控的混乱局势,中共中央、国务院、中央军委、中央文革小组连续发出《关于开展"拥军爱民"运动的号召》(8月25日)、《关于不准抢夺人民解放军武器、装备和各种军用物资的命令》(9月5日)、《关于严禁抢夺国家物资商品、冲击仓库、确保国家财产安全的通知》(9月13日)、《关于在外地串联学生和在京上访人员立即返回原单位的紧急通知》(9月23日)、《关于大、中、小学校复课闹革命的通知》(10月14日)、《关于按照系统实行革命大联合的通知》(10月17日)、《关于各级军区机关目前不搞"四大"和军以下部队坚持正面教育的通知》(11月14日)。这一系列措施,目的都在稳定局势,恢复社会正常秩序。红卫兵被再度限令在学校的范围里面搞革命。

为了整肃红卫兵极"左"思潮,中央还提出了抓"五一六"的口号。"五一六兵团"是北京一些青年学生6月17日建立的人数很少的小组织。他们认为打倒刘少奇以后的主要矛盾是"新文革与旧政府"的矛盾,进行了一些反对周恩来的活动。8月11日,中央文革小组指示,"五一六兵团"是反革命组织。各校造反派立即行动,批斗了他们的骨干成员。"五一六兵团"彻底瓦解,主要成员被抓捕。9月8日姚文元发表《评陶铸的两本书》一文,提出:"现在有一小撮反革命分子,用貌似极'左'而实质极右的口号,刮起'怀疑一切'的妖风,炮打无产阶级司令部,'五一六'的组织者和操纵者,就是这样一个搞阴谋的反革命集团。"毛泽东对姚文作了重要修改。此后,在全国掀起了清查"五一六"分子的运动。清查"五一六"运动历时数年,严重扩大化,伤害了全国数以百万的人。

王、关、戚等人都是中央文革小组的骨干,一直是站在前台具体指导运动的"中央首长"。他们的突然倒台,引起了强烈的社会震动,加剧了红卫兵各派组织的内斗和分裂。如北京高校红卫兵的"天派",借此攻击"地派"的后台是王、关、戚。"地派"的北师大"井冈山"的头头谭厚兰遭对立派扣押批斗,中央文革小组闻讯后立即保护了这位曾在"二月逆流"中打头阵的干将。

王、关、戚的倒台,红卫兵造反派犯了错误,使怀疑中央文革小组的情绪在学生中迅速蔓延起来。1968 年 2 月,北京一些高校的红卫兵组织就所谓"二月逆流"的问题,打倒陈毅、余秋里等人的问题公开提出质疑,认为是王、关、戚在其中作祟。还有一些红卫兵组织认定北京市革委会主任谢富治是反革命两面派,王、关、戚的同党。在 1968 年 3 月间,北京七八个大学的红卫兵组织首先贴出一批"批倒谢富治"的大字报,许多人陆续加入,掀起了一个"倒谢"的小高潮。"文化大革命"领导者把这些动向作为来自"右"的危险。

"文化大革命"领导者还遇到了来自红卫兵激进派中更"左"的思潮的挑战。"文化大革命"的风云变幻莫测,促使红卫兵中一些有理论素养的人对运动的目的进行更深入的思考,极少数人开始独立地探求"文化大革命"理论。从 1967 年下半年,在青年学生中出现了许多具有独立见解的文章。在这些思想探索中,一些中学红卫兵比大学红卫兵走得更远,一些反映造反派、极左派最激进观点的文章大都来自他们的手笔。诸如:《一切为了九大》(上海),《今日的〈哥达纲领〉——评"倒旗协议"》(广西),《中国向何处去——极左派公社宣言》(湖南)等等。这些文章反映了他们对制度变革的诉求,认为官僚特权阶层与人民大众的矛盾是社会的基本矛盾,"文化大革命"的目的是建立一套巴黎公社式的没有官僚的新制度,因此他们呼吁更彻底的夺权,甚至把建立"三结合"的革命委员会也当做是旧官僚复辟。这些激进的观点不符合"文化大革命"领导者的意图,面世不久就遭到批判,文章作者被抓捕。

1968 年 3 月 24 日,中央高层又出现了"杨、余、傅事件"。代总参谋长杨成武、空军政委余立金、北京卫戍区司令员傅崇碧被打成为"二月逆流"翻案的黑后台,在全国掀起了反击"右倾保守主义、右倾分裂主义、右倾翻案风"的浪潮。

4 月 20 日,《人民日报》社论传达了毛泽东的指示:"对派性要进行阶级分析。"此后,造反派的派性在"坚持无产阶级革命派的派性"的名义下又发展起来。许多地方一度出现的"大联合"假象,又化为乌有。中央要求的"复课闹革命",迟迟实现不了。

"文化大革命"领导者认为,各地派性武斗屡禁不止,是因为有党内走资派和阶级敌人在背后捣乱破坏,因而提出要"清理阶级队伍"。"清队"运动残酷迫害了数以百万计的干部群众,在学校中对干部、教师的迫害尤其惨烈。

"文化大革命"运动的恶性发展,使大多数群众越来越迷惘。大多数红卫兵成员的革命热情流失殆尽,头头们的权势欲和野心却在不断膨胀。参加夺权斗争的各派组织,"以我为核心"的诉求已不再是"唯我独革"的主义,而是赤裸裸的利益争夺。经过几个回合的拉锯战,两大派的积怨越来越深。双方的争斗已难说有什么是非可言,完全变成了"凡是你拥护的我就要反对,凡是你反对的我就拥护"的混战。各派无休止的争权夺利使人们普遍感到了厌倦,游离于运动之外的逍遥派越来越多。学校中"男焊(用电焊制造收音机)女织(织钩毛活儿)",看小说、睡大觉的情况非常普遍。

红卫兵运动不仅脱离了群众,也脱离了"文化大革命"的运动轨道。红卫兵各派组织忙于内战,斗、批、改的任务迟迟不能落实。甚至在工人已经联合起来,全国性夺权即将完成之际,一些学校还在热衷于打内战,两派各自盘踞一方,武斗不断,对中央三令五申的禁止武斗的通告置若罔闻。1968 年 7 月,中央为解决广西、陕西等地武斗问题，接连发布了"七三"、"七二四"布告，在全国范围内大张旗鼓地宣传，试图平息各地武斗，推动"大联合"和"三结合"，恢复和建立秩序。毛泽东对那些不能听命的"革命小将"，也断然采取了措施。

1968年3、4月间，北大、清华、人大等高校相继爆发了大规模武斗。清华大学以蒯大富为首的"团派"与对立派"四一四"进行了百日大武斗。这和全国逐渐平息的局势形成了强烈对比，红卫兵运动已经走到了它的发动者所要求的反面。毛泽东指示北京工人组成毛泽东思想宣传队，于7月27日上午开进了武斗正酣的清华大学。蒯大富一派不明就里，对赤手空拳入校的工人宣传队武力对抗，造成工宣队5人死亡，731人受伤。这使毛泽东和中央领导人大为震怒。

7月28日凌晨，毛泽东、林彪和中央文革小组召见"五大领袖"聂元梓、蒯大富、韩爱晶、谭厚兰、王大宾，前所未有地谈了5个小时。毛泽东严肃地批评道："文化大革命"进行两年了，你们现在一不斗，二不批，三不改。斗是斗，你们少数大专学校是搞武斗。你们脱离了工人、农民、战士、学生的大多数。他警告说，现在是轮到你们小将犯错误的时候了，不要脑子膨胀，甚至全身膨胀，闹浮肿病。谁如果再破坏交通、放火、杀人、打解放军，不听劝告，谁就是土匪、国民党，就歼灭。毛泽东的严厉警告，有力地震慑了热衷于打派仗的骨干分子，保证了工宣队对学校的进驻和领导。7月29日，教育部实行了军管。

8月25日，中共中央、国务院、中央军委、中央文革小组发出《关于派工人宣传队进驻学校的通知》，提出"各地应该仿照北京的办法，把大中城市的大、中、小学逐步管起来"。8月26日，姚文元在《人民日报》发表《工人阶级必须领导一切》的文章，传达了毛泽东关于教育革命的指示："工人宣传队要在学校中长期留下去，参加学校中全部斗、批、改任务，并且永远领导学校。"

工人宣传队进驻学校并"领导一切"，宣告了红卫兵的历史命运走到了尽头。

六

红卫兵运动的终结与尾声

1968年9月，全国最后两个省级革命委员会——新疆、西藏革命委员会宣告成立。在"全国山河一片红"的欢呼声中，"文化大革命"从全局上转入"斗、批、改"阶段。随着各级革命委员会的建立，社会秩序的恢复，红卫兵组织失去了存在的基础。

工人宣传队进驻学校以后，拆除武斗工事，收缴各派武器，制止武斗，各校内战停止。在工宣队的主持下，各校都举办"毛泽东思想学习班"，两派组织"斗私批修"，按系别、班级实现大联合，成立或调整了校级革命委员会。工宣队实际起了运动初期工作组未能起到的作用，而且稳定秩序的方式更为严厉。红卫兵的政治地位由此发生了根本的变化，由运动初期到处造反的"天之骄子"，转而成为接受工人阶级"再教育"的对象。曾经是天不怕地不怕的革命"小将"，为"毛主席革命路线"冲杀两年多，结果还是没有跳出"旧学校培养出来的知识分子"的窠臼。

中共九大前后，各校在工宣队领导下，进行了清理阶级队伍、整党、教育革命等项任务。师生们以《五七指示》为纲，搞开门办学，建立学农和学工基地。在"运动"中一度活跃非常的红卫兵头头相继受到了审查,许多"老造反"受到打击。大部分学生已无心在校,只想斗、批、走,该干什么就干什么去。

对红卫兵影响最直接和关系最大的是毕业分配问题。一旦时局稳定下来,红卫兵不得不从革命狂热的云端回到毕业去向的现实土地上来。到1968年,中学滞留在学校里的有三届高初中学生,约1250万人,大学也有数十万之众。老生出不去,新生进不来,已经成了严重的社会问题。

1968年3月30日,毛泽东在黑龙江省革命委员会关于大专院校毕业生分配工作报告中作了批示:"毕业生分配是个普遍问题,不仅有大学,而且有中、小学。"

4月4日,中共中央、国务院、中央军委、中央文革小组转发了黑龙江省革委会的报告和毛泽东的批示。要求中央各部门、各省市区都要按照毛主席这一指示,面向农村,面向边疆,面向工矿,面向基层,对大、中、小学一切学龄已到毕业期限的学生,一律及时地作出适当安排,做好分配工作。

1968年6月15日,中共中央、国务院、中央军委、中央文革小组发出通知,要求立即分配1967年大专院校毕业生和中等专业学校、技工学校、半工半读学校毕业生。

但是,"文化大革命"造成国民经济各部门严重衰退,工矿企业单位无法容纳如此庞大的劳动就业大军。一代"文化大革命"的弄潮儿,"革命造反"的先锋军,竟然弄到了无法解决自身出路的地步。对于大专院校的学生,中央要求他们"一般都必须先当普通农民,当普通工人"。但大学生们毕竟还是国家干部身份,都有固定工资。数量庞大的高初中学生的去向,只

能是到边疆、农村"上山下乡"了。

1968年12月22日,《人民日报》登载了毛泽东的号召:"知识青年到农村去,接受贫下中农的再教育,很有必要。"此后,全国掀起了知识青年上山下乡的高潮。在"反修防修",走与工农相结合的道路的号召下,老三届的高初中学生们相继离开城镇,上山下乡,奔赴农村、边疆,安家落户。大批毕业生离开学校,使已经解体的红卫兵组织不复存在了。上山下乡运动把千百万青少年学生残存的"反修防修"的政治热情转移到了农村、边疆。他们插队落户为"新农民",在最缺乏文化的地方"滚一身泥巴,炼一颗红心",接受着贫下中农的"再教育"。

中共九大后,在中学里虽然还保留着红卫兵组织,但已失去了早期的造反功能,而成为模范学生的组织。在团组织未恢复时,中学的红卫兵组织一度取代了共青团。整团后,中学红卫兵成为共青团的外围组织,性质近似于"文化大革命"前的学生会组织。"文化大革命"后期,在"批邓、反击右倾翻案风"运动中,"四人帮"大力宣传"反潮流",再度鼓吹红卫兵的"造反精神",但毕竟造反动乱的时代过去了,人心思定,在学生中已鼓动不起来革命造反的浪花。少数"四人帮"树立的"反潮流"的典型人物,为广大师生所鄙夷。但是,红卫兵作为"文化大革命"的革命象征,在中学里还一直存在着。

"文化大革命"结束后,1978年8月19日,中共中央批转了共青团十大筹委会《关于红卫兵问题的请示报告》,正式取消了红卫兵。红卫兵的历史就此宣告终结。

真正意义上的红卫兵运动不过两年多的光景,显赫期只有1966年下半年,但它给我们国家和民族留下了刻骨铭心的巨大创伤。红卫兵运动的兴起充分暴露

了"文化大革命"前十几年教育的失误,说明了需以人道、人性、法治教育构建现代社会人文精神之本的重要意义。红卫兵运动"打倒一切"的革命造反之举,在搅乱社会伤害他人的同时,也造成了对自己的伤害,说明了社会变革只能走民主法制的建设道路。曾参加红卫兵的一代青少年学生,在上山下乡的蹉跎岁月中,经历了从城市到乡村,理想与现实的巨大反差,在中国真实的底层社会的贫困生活中,开始了对这场运动的反思。许多人从过去盲从的思想状态下解脱出来,成为了反对"四人帮"和支持改革开放的中坚力量。当然,这也是一种历史的补偿,虽然代价极其昂贵。

从"一月夺权"
到"全面内战"

一

上海"一月夺权"

上海是江青、张春桥、姚文元策划批判《海瑞罢官》的根据地。1966 年底,"文化大革命"进一步走向全面动乱之时,张春桥、姚文元又利用各种崛起的群众造反势力,策划了一系列打倒上海市委,夺取上海党政大权的阴谋活动。

1966 年 10 月,江青在北京指使聂元梓等人到上海去煽风点火。聂元梓等人一到上海便喊出了"打倒上海市委"的口号。

11 月 6 日,上海工人造反派头目潘国平、王洪文、黄金海等人举行集会,议定成立"上海工人革命造反总司令部"("工总司"),公开宣称要"造上海市委的反","我们要夺权"。12 月 18 日,上海市委干部徐景贤受张春桥指使,也率众造反,成立了"机关造反联络站"。

"工总司"成立不久,便制造了震惊全国的"安亭事件"。11 月 10 日,他们鼓动一批人在上海北站强行登车,要到北京告状。火车奉命停在上海附近的安亭站。中午,王洪文等人卧轨拦截了第 14 次特快列车,致使沪宁线中断 31 小时 34 分。事件发生后,上海市委坚持不承认"工总司",并派人前去劝说工人返回上海。当日,中央文革小组派张春桥回上海解决此事。陶铸指示张春桥,中央不同意成立全市性组织,决不能承认"工总司"和他们的行动。张春桥到上海后,未与市委商议,便径直去了安亭。他违背事先的承诺,于 11 月 13 日在讲话中完全同意"工总司"提出的 5 项要求,并签了字,承认"工总司"是合法组织,这次行动是革命行动。

"安亭事件"之后,上海市委遭到更猛烈的攻击,各地纷纷成立跨行业的大型群众组织。不久,又爆发了上海"《解放日报》事件"。

11 月 27 日,上海"红革会"提出,"红革会"办的《红卫战报》要同《解放日报》一道发行,对上海市委的"资产阶级反动路线"进行"消毒"。他们的要求遭到拒绝后,于 11 月 30 日扣压了《解放日报》,并与"工总司"一起占领了报社。他们的行动得到了中央文革小组的支持。12 月 5 日,上海市委不得不签字同意将《红卫战报》夹在《解放日报》中发行。

12 月 7 日,上海"工人赤卫队"发表声明,不承认上海市委在"《解放日报》事件"

中的签字。上海"工总司"又召开60万人大会，逼迫上海市长曹荻秋撤销对"赤卫队"的支持。"赤卫队"与"工总司"的矛盾日趋尖锐。12月28日，"赤卫队"万余人包围了上海市委所在地康平路，要求上海市委承认"赤卫队"。张春桥乘机又制造了"康平路事件"。他从北京打电话要王洪文等人向"赤卫队"进行"针锋相对的斗争"。12月30日晨，王洪文等调动十几万人，包了康平路，对"赤卫队"大打出手，打伤91人，关押240余人，将"赤卫队"镇压下去。这是全国第一次大规模的武斗。

通过这一系列事件，张春桥、姚文元支持的上海"工总司"在上海占据了主要地位，向上海市委夺权的条件已经成熟。

1967年1月4日，上海文汇报社造反派宣布夺权，并在《告读者书》中宣告接管《文汇报》。1月5日，上海解放日报社造反派也宣布夺权。上海市委机关报沦入造反派手中，成为他们的喉舌。同日，张春桥在"工总司"会议上讲话说："基本问题是把领导权夺过来。"

1月6日，"工总司"等造反组织在上海人民广场召开了"彻底打倒以陈丕显、曹荻秋为首的上海市委大会"。张春桥、姚文元审查修改了大会的发言稿。大会批斗了陈丕显、曹荻秋、魏文伯、杨西光等上海市委领导人，几百名高级干部陪斗。大会发出三项通令，宣布，从即日起，不再承认曹荻秋为市委领导人，在上海报刊上点名批判；要求陈丕显作出彻底交代；以陈丕显、曹荻秋为首的上海市委，必须彻底打倒。会后，张春桥、姚文元、王洪文组织成立了"火线指挥部"、"保卫委员会"、"造反派联络站"，全面夺取了上海市领导权。

1月8日，毛泽东在与中央文革小组谈话中，肯定了上海"一月夺权"。他说："《文汇报》，由左派夺权，这个方向是好

的。""《文汇报》5日的《急告全市人民书》，可以转载、广播。""这是一场大革命，是一个阶级推翻另一个阶级。""上海革命力量联合起来，全国就有希望。它不能不影响整个华东，影响全国各省市。"

1月9日，《人民日报》转载《告上海全市人民书》，并加上经毛泽东审定的编者按。1月10日，毛泽东又要中央文革小组替中共中央、国务院、中央军委起草一个致上海各革命造反团体的贺电，"号召全国党、政、军、民学习上海的经验，一致行动起来"。1月16日，《红旗》杂志发表评论员文章《无产阶级革命派联合起来》；1月22日，《人民日报》发表经毛泽东审定的社论《无产阶级革命派大联合，夺走资本主义道路当权派的权!》。这些社论和文章，代表中央和毛泽东向全国发出了夺权的号召。

上海"一月夺权"引发了全国全面夺权的风暴。

1月14日，山西省造反派在省委领导干部刘格平等人的支持下，成立"革命造反派总指挥部"，宣布接管山西省委一切权力。

1月25日，贵州省造反派在省军区副政委李再含支持下，成立"革命造反派总指挥部"，宣布接管省委、省人大、贵阳市委等党政财一切大权。

1月31日，黑龙江省造反派在省委第一书记潘复生的支持下，召开"大联合大夺权大会"。发布公告，宣布省委、省人大的一切大权归红色造反者革命委员会。

2月3日，山东省造反派在青岛市市长王效禹的支持下，继夺取青岛市大权之后，又前往济南，夺取了山东省委、省人大的大权。

包括上海在内的上述五省市的夺权，都是在中央文革小组的示意和直接插手下进行的。除李再含外，其他四省市参与夺

权的领导干部，都曾经于 20 世纪 40 年代与康生在山东共事，夺权前又得到了直接示意。因此，他们的夺权很快得到了中央的承认，《人民日报》为此分别发表社论予以承认和祝贺。而全国其他地区如江苏、浙江、吉林、云南、福建、广西等地，在上海"一月夺权"的影响下，也纷纷发生了夺权事件，但均未被中央承认。围绕夺权斗争，各造反派之间，已成立革命委员会的内部，又随即爆发了新的争夺权力斗争，全国陷入了"全面内战"的天下大乱局势。

二

二月抗争

1967 年 1 月，全国的形势进一步恶化。上海"一月夺权"引发的全面夺权高潮造成许多地方党政领导机构陷于瘫痪半瘫痪状态，社会秩序和工农业生产出现停滞和倒退。林彪、江青等人利用毛泽东继续发展的错误决策，煽动群众公然提出了"打倒刘少奇"的口号，并在中央先后策划了打倒贺龙、陶铸等党和国家领导人的阴谋事件。面对严重灾难，陈毅、谭震林、聂荣臻、徐向前、叶剑英等一批国务院副总理和中央军委副主席，毅然挺身而出，开始对"文化大革命"的错误做法提出强烈的批评，同林彪、江青一伙进行大义凛然的斗争。

1 月 19 日、20 日，在京西宾馆召开的中央军委碰头会上，聂荣臻、徐向前、叶剑英坚决反对林彪等人提出的要在军队搞大民主的主张，坚持维持部队稳定。面对江青、陈伯达一伙对总政治部主任肖华下落的质问和围攻，叶剑英愤而拍案而起，厉声答道："肖华昨天半夜跑到我那里去了，是我把他收留下来的。如有窝藏之

罪，我来承当。"用力之猛，气恼之极，致使右手掌骨远端骨折。这次会议被江青等人诬为"大闹京西宾馆事件"。

2 月 11 日，在周恩来主持的怀仁堂中央政治局碰头会上，叶剑英、陈毅、谭震林等人同康生、陈伯达、关锋等人再次交锋。叶剑英质问陈伯达说："你们把党搞乱了，把政府搞乱了，把工厂农村搞乱了，你们还嫌不够，还一定要把军队搞乱，这样搞，你们想干什么？"徐向前拍着桌子说："军队是无产阶级的支柱，你们这样把军队乱下去，还要不要这个支柱！"康生却说："军队不是你徐向前的，你有什么了不起。"叶剑英又责问陈伯达："上海夺权，改为上海公社，这样大的问题，涉及到国家体制，不经政治局讨论，就擅自改变名称。""革命，能没有党的领导吗？能不要军队吗？"陈伯达无言以答，只好说："叶帅，你这样讲，我就无地自容了。"

更为激烈的斗争，发生在 2 月 16 日的怀仁堂会议上。会前，谭震林要张春桥保陈丕显，张春桥说回去同群众商量一下。谭震林愤怒地说："什么群众，老是群众群众，还有党的领导哩！不要党的领导，一天到晚老是群众自己解放自己，自己教育自己，自己闹革命，这是什么东西？这是形而上学！"他又说："你们的目的，就是要整掉老干部。你们把老干部一个一个打光。""这一次，是党的历史上斗争最残酷的一次，超过历史上任何一次。"

谭震林边说边站起来往外走："让你们这些人干，我不干了！砍脑袋，坐监牢，开除党籍，也要斗争到底！"陈毅劝他说："不要走，要跟他们斗争！这些家伙上台，就是他们搞修正主义。""历史不是证明了到底谁是反对毛主席吗？以后还要看，还会证明。"

余秋里拍着桌子说："这样对老干部，

怎么行！"李先念也气愤地说："就是从《红旗》第13期社论开始,那样大规模在群众中进行两条路线斗争,还有什么大串联,老干部统统打掉了。"当周恩来严肃地质问为什么这篇社论事先不给他们看时,康生、陈伯达竟装作不知道。

会后,谭震林怒犹未息地给林彪写了一封信说："昨天碰头会上,是我第三次反击"。"他们把主席放在什么地位,真比武则天还凶"。"他们根本不作阶级分析,手段毒辣是党内没有见过的"。林彪将这封信转送毛泽东,并在另一信中写道："谭震林最近的思想竟糊涂堕落到如此地步,完全出乎意料之外。"

2月16日晚,张春桥、姚文元、王力整理出会议记录,向毛泽东作了汇报。

2月18日晚,毛泽东召开中央政治局会议,严厉地指责谭震林等人说:中央文革小组执行十一中全会精神,错误是百分之一、二、三,百分之九十七都是正确的。谁反对中央文革,我就坚决反对谁！你们要否定"文化大革命",办不到！这次"文化大革命"失败了,我和他(指林彪)就撤出北京,再上井冈山打游击。你们说江青、陈伯达不行,那就让你陈毅来当中央文革组长吧,把陈伯达、江青逮捕、枪毙！让康生去充军！我也下台。我提议这件

事政治局要开会讨论,一次不行就开两次,一个月不行就开两个月；政治局解决不了,就发动全体党员来解决。说罢退场。康生又火上浇油地说："毛主席发怒,是无产阶级之怒,是无产阶级的义愤！"

2月28日,毛泽东在陈伯达送去的一个材料上批示："从上至下各级都有这种反革命复辟的现象,值得注意。"

江青等人利用毛泽东的错误态度,立即掀起了一场反击"二月逆流"的高潮。从2月22日至3月18日,中央多次开会,江青、康生、陈伯达、谢富治等人对谭震林等人进行了批斗围攻。康生说："这是一种政变的预演,一种资本主义复辟的预演！"江青说："保护老干部,就是保护一小撮叛徒、特务……"陈伯达说："这是自上而下的复辟资本主义,这是颠覆无产阶级专政！"

中央文革小组一伙又将这一内部问题传达给他们控制的群众造反派组织。以北师大谭厚兰为首、各群众组织都在北京举行了反击"二月逆流"的游行、集会,张贴打倒所谓"二月逆流"、"黑干将"陈毅、谭震林等的大标语,谭震林在各种会上遭到了残酷的批斗。随后,反击"二月逆流"的恶浪卷向全国。针对前一时期各地军区在执行《中央军委八条命令》①时处理了一批造反派分子,一些省市也纷纷举

---

① 又称《中央军委命令》。1967年1月28日中共中央军委对全体指战员、院校师生、文艺团体、体工队、医院和军事工厂的职工下达开展"文化大革命"的文件。规定,一切指战员、政治工作人员、勤务、医疗、科研和机要工作人员,必须坚守岗位,不得擅离职守。军队内部开展"文化大革命"的单位,应该实行大鸣、大放、大字报、大辩论。严格区别两类矛盾。不允许用对待敌人的办法来处理人民内部矛盾,不允许命令自由抓人,不允许任意抄家、封门,不允许体罚和变相体罚。一切外出串联的院校师生、文艺团体、体工队、医院和军事工厂的职工等,应迅速返回本地区、本单位进行斗批改,不要逗留在北京和其他地方。对于冲击军事领导机关问题,要分别对待,过去如果是反革命冲击了,要追究,如果是"左"派冲击了,可以不追究,今后一律不许冲击。军队内战备系统和保密系统,不准冲击,不准串联。凡非"文化大革命"的文件、档案和技术资料,一概不得索取和抢劫。1967年2月21日,中共中央发出通知,认为《中央军委八条命令》很好,除第七条外,也都适用于地方。中央特别强调,认真执行中央军委命令,是保证无产阶级文化大革命走上正轨的重要措施,并再次申明:军事机关,今后一律不准冲击。党中央各机关、国防工业各部、公安部、外交部、计委、经委、建委、科委、财政部、各级银行、《人民日报》、《红旗杂志》、《解放军报》、新华社、广播事业局和各地广播电台不许由外单位人员接管,已经进驻这些机关的外单位人员,要立即退出。

行了揪斗当地"二月逆流"、"黑干将"的活动。

二月抗争之后，中央政治局会议不再召开。中央文革小组碰头会取代了中央政治局。

在1968年10月举行的中共八届十二中全会上，江青等人继续抓住所谓"二月逆流"问题对陈毅等人进行围攻。

毛泽东对参加二月抗争的老同志采取了保护的态度。1967年5月1日，经他批准，这些老同志仍参加了节日庆祝活动。1971年林彪叛国出逃后，毛泽东在不同场合，多次宣布不要再讲"二月逆流"了。

事实证明，二月抗争根本不是什么"逆流"，而是国务院和中央军委一些领导人，代表广大党员和人民的意志，通过与江青等人的斗争，对"文化大革命"进行抵制的正确行动。

"全面内战"

上海"一月夺权"之后，全国各省市也纷纷效仿，进行夺权。各派群众组织之间由于争权夺利，互不相让，发生了激烈的冲突，甚至酿成武斗流血事件。全国出现了严重失控的局面。在这种形势下，毛泽东决定人民解放军执行"三支两军"任务，即支工、支农、支左，军训、军管。先后参加"三支两军"任务的有280万指战员，他们在极其复杂的情况下，做了大量的工作，维护了社会和生产秩序。

但是，由于地方分裂成多种派别，"支左"实际上是支持一派，因而部队也深深地卷入到地方"内战"中去。在河北、四川、浙江、江西等省，还发生了省军区和驻地野战军各支持一派，导致部队严重对立的情况。在林彪、江青等人的直接插手

下，部队和群众组织之间的冲突事件，群众组织抢夺部队枪支事件，群众组织之间的大型武斗事件，层出不穷。

1967年1月26日，新疆石河子地区生产建设兵团的两派群众组织因夺权发生冲突，双方开枪，共打死24人，打伤74人。

2月9日，毛泽东在中央军委《关于在支持无产阶级革命派夺权斗争中不准任意开枪的规定》中写道：对持枪的右派、反革命派，可先予警告，让敌人先冲先打，我军退守，举行政治攻势。如果此时敌人仍不投降，则坚决镇压。次日，他针对冲击《河南日报》事件又批示：要命令全国各军区、各军，凡有危急情况的，都要准备第二线阵地，准备在情况危急时执行诱敌深入，大举包围，政治攻势，逮捕首犯，教育群众的策略。

2月中旬，青海西宁的一个群众组织冲进青海日报社，驱逐驻守解放军。由青海省军区副司令员赵永夫指挥的西宁驻军联合办公室决定对报社实行军管。2月23日，部队夺占青海日报社时，与群众组织发生开枪流血冲突，造成群众和部队伤亡377人的严重后果。事件发生后，林彪、江青乘机把此事说成是"二月逆流"在地方的表现。3月23日，赵永夫被指责为搞军事政变，予以逮捕。林彪在讲话中还号召揪出"带枪的刘邓"。

5月6日，四川成都爆发了几派群众组织之间的大规模武斗，打死几十人。6月6日，湖南长沙展览馆也发生几派群众组织的流血冲突事件，打死打伤多人。

为了控制全国愈演愈烈的局势，毛泽东决定前往南方视察，亲自解决一个省的问题，促进全国问题的解决。

7月14日，毛泽东到达武汉，同日到达的还有由谢富治、王力、余立金组成的

处理西南问题的中央代表团。毛泽东在召集武汉部队负责人的谈话中，要求做好两派群众组织的工作。他也指出，武汉军区负责人在"支左"问题上犯了路线错误。

王力、谢富治随之在武汉公开露面。发表讲话，表示坚决支持武汉地区造反派——"工人总部"（后称"三纲三新"），要求武汉军区广大干部转弯子，不再支持人数最多的所谓"保守组织"——"百万雄师"。王力的讲话激怒了"百万雄师"和支持"百万雄师"一派的广大部队指战员。7月20日，"百万雄师"2000多人和一些部队指战员分乘几十辆卡车，来到东湖宾馆，质问王力。冲突中群众殴打并带走了王力。武汉广大军民还组织了声势浩大的反对谢富治、王力大游行。这就是震惊全国的武汉"七二〇事件。"

林彪、江青一伙立即将这一事件说成是陈再道要搞"兵变"。在不明真相的情况下，毛泽东从武汉紧急转移到上海。7月22日，王力在陈再道的努力下获得解脱，乘专机飞回北京。7月25日，在北京天安门广场举行了号称百万人参加的"欢迎谢富治、王力归来大会"。林彪出席了大会，并号召"要突击，要战斗，砸烂总政阎王殿！"7月26日，经毛泽东、中共中央批准，改组后的武汉军区发布公告，将这一事件说成是"叛变行为"。7月27日，中共中央等四单位联合发出《给武汉市革命群众和广大指战员的一封信》，号召打败"党内、军内一小撮走资派"。林彪、江青等人又将斗争的矛头指向一大批军队领导人。徐向前、徐海东的家多次被抄。陈再道、钟汉华等人遭到残酷批斗。

7月22日，江青在接见河南省群众组织代表时，提出了"文攻武卫"的口号。此后，全国许多地方纷纷成立"文攻武卫"战斗队。

这时，陈伯达、戚本禹等人在北京又制造了一系列严重的动乱事件。8月5日，他们在中南海组织了批斗刘少奇、邓小平、陶铸夫妇的集会，进行残酷斗争，肆意侮辱。8月7日，王力、谢富治分别发表了夺外交部权、"砸烂公检法"的讲话。8月22日，北京造反派10000多人包围了英国驻华代办处，进行烧、砸，酿成了严重的外交事端。

"全面内战"的严酷事实证实了毛泽东由"天下大乱"达到"天下大治"的设想必然走向失败，使他有了一定程度的清醒。毛泽东不得不采取一系列缓和矛盾的措施。

在南巡途中，毛泽东指示："揪军内一小撮"口号是错误的，批准将中央文革小组成员王力、关锋隔离审查。另一方面，他放弃了原来通过支持"左派"解决各地分裂状态的企图，指出："在工人阶级内部，没有根本的利害冲突。"呼吁"斗私、批修"，"大联合"，"要拥军爱民"。同时，又通过办学习班的办法，将各地各群众组织的代表、军政负责人召集到北京，强制通过停止武斗实现大联合的协议。10月，中共中央发出解散跨行业、跨系统群众组织，实现归口大联合的通知。

经过一系列努力，从1967年底起，"全面内战"的严峻形势有所缓解。但由于"文化大革命"的错误方针仍在延续，制造动乱的林彪、江青集团仍然控制着很大权力，因此，动乱的局势并未得到根本的好转。云南、浙江、山西、贵州、河北等省的武斗仍在进行，一直持续到1969年以后。

"全面内战"给国家经济建设和人民生活都带来了极为严重的损失。1967年、1968年的国民经济生产总值比1966年有大幅度下降，两年中因武斗和迫害而致死的人数达十余万之多。毛泽东在晚年也不得不承认"全面内战"是"文化大革命"的严重错误之一。

四

"杨余傅事件"

1967 年 8 月底,中央文革小组成员王力、关锋被隔离审查。次年 1 月,另一成员戚本禹也被隔离审查。江青集团虽然极力宣称"王、关、戚是中央文革自己端出来的","并不代表中央文革",但在其后批判王、关、戚的过程中,积蕴已久的对极"左"思潮的愤恨,使群众不可避免地把矛头指向了江青集团与王、关、戚等共同推行的极"左"路线。因此,从 1967 年底到1968 年初,一些地区和领域先后发生了批判极"左"思潮,要求纠正前一时期"打倒一切"、"全面内战"做法的事件。

1968 年 2 月 13 日,外交部 91 名司局长、大使在外交部贴出大字报,题为《揭露敌人,战而胜之,彻底批判"打倒陈毅"的反动口号》。大字报批判了王、关、戚在外事系统鼓吹的"打倒陈毅"的口号,表示拥护陈毅领导外事工作。这张大字报很快被指责为"为'二月逆流'翻案的代表作",陈毅也被迫批评了这张大字报。

2 月底,国防科委党委常委在评选学习毛著积极分子的标准中增加了一条:"拥护以聂荣臻同志为核心的国防科委党委的正确领导"。这一情况被国防科委一派群众组织向上作了反映。因为聂荣臻当时被斥为"二月逆流"的"黑干将",所以以他为"核心"的提法被指责为"多中心论"遭到批判。

这些批判极"左"思潮的行为虽然很快就受到中央文革小组的压制和打击,但也引起了他们的不安。他们急于要制造一起新的冤案,一方面转移群众批判王、关、戚的愤怒,另一方面乘机打击敢于抵制他们倒行逆施的领导干部。

3 月 22 日,中共中央、国务院、中央军委、中央文革小组发布命令,指出杨成武、余立金、傅崇碧犯有严重错误,分别撤销他们的代总参谋长、空军政委、北京卫戍区司令员职务。同日,又发布命令,任命黄永胜为总参谋长,温玉成兼任北京卫戍区司令员。

3 月 24 日夜,在北京人民大会堂召开军队干部大会。林彪首先在会上讲话,宣布:"我们党的生活中间又出现了新的问题……这就是最近从空军里面发生了杨成武同余立金勾结,要篡夺空军的领导权,要打倒吴法宪;杨成武同傅崇碧勾结,要打倒谢富治。"江青在随后的讲话中捏造了所谓杨成武指示傅崇碧"武装冲击中央文革"的谎言。陈伯达在讲话中把揪出"杨、余、傅"说成是"文化大革命"的第五个胜利,并颠倒黑白地把"杨、余、傅"指为王、关、戚的"黑后台"。康生在讲话中说,杨成武背后还有后台。散会前,毛泽东走上了主席台,接见全体与会者,表示对这一处理的支持。

3 月 27 日,在北京工人体育场召开了10 万人大会,掀起了"反击右倾翻案邪风,打倒杨、余、傅"的新浪潮。这股浪潮很快推向全国,隔离审查王、关、戚后刚刚在群众中兴起的批判极"左"思潮的趋势,又被强行扭转,向着更"左"的方向发展。

在追查"杨、余、傅的黑后台"过程中,造反派把矛头对准了陈毅、叶剑英、聂荣臻等老帅。在大街上贴出"炮轰"的标语,并冲击了他们的住处。

"杨、余、傅事件"以后,黄永胜取代杨成武任中央军委办事组组长,下令有关文件不再报送中央军委副主席陈毅、叶剑英、聂荣臻、徐向前等人。中央军委的权力实际落到了叶群、黄永胜、吴法宪等人控制的中央军委办事组手中。

1971年林彪叛国出逃以后，毛泽东表示他在"杨、余、傅事件"上犯了错误。他说："杨、余、傅也要翻案呢，都是林彪搞的。我是听了林彪一面之词，所以我犯了错误。"

粉碎"四人帮"后，事实证明，所谓"杨、余、傅事件"完全是林彪、江青集团利用毛泽东的错误决策而制造的一起冤案。

杨成武、余立金、傅崇碧在革命战争时期曾在新四军和晋察冀根据地工作，被林彪、江青集团视为陈毅、聂荣臻"山头主义"的人。

"文化大革命"中，杨成武如实地向毛泽东反映了一些情况。在隔离王、关、戚的过程中起到了重要作用；他没有把毛泽东南巡途中的谈话内容告诉林彪，因而引起了林彪、江青集团的忌恨。

同样，余立金在参加中央代表团解决西南地区问题过程中，也没有按照林彪、江青集团的意图行事。当他的秘书遭到林彪死党王飞等人的诬陷时，他和杨成武拒绝了叶群、吴法宪擅自抓人的要求，引起叶群的愤恨，被诬指为"叛徒"。

傅崇碧在"文化大革命"中，根据周恩来的指示，尽力保护了一批老干部，他又将有关情况向毛泽东作了汇报，征得毛泽东的同意，阻止了江青等人进一步迫害老干部的企图，因而被江青视为眼中钉。所谓"武装冲击中央文革事件"的真相是，根据江青指示，他进行追查一批鲁迅手稿下落的工作。追查的结果，发现这批手稿原来就在中央文革小组工作人员保管下。傅崇碧乘车前往钓鱼台中央文革小组驻地说明了真相，使江青恼羞成怒，便诬陷傅崇碧"武装冲击中央文革驻地"。

粉碎"四人帮"后，所谓"杨、余、傅事件"和"武装冲击中央文革事件"得到了彻底平反。

在1967年至1968年从"全面夺权"到"全面内战"的大动乱中，林彪、江青等人互相勾结，打倒了从中央到地方的一大批党政军领导干部，使他们的权力达到了前所未有的顶点，林彪、江青两个反革命集团由此形成。此后，这两个反革命集团之间，为争夺更多的权力，又产生了一系列尖锐的争斗。

"文化大革命"初期的周恩来

一

老革命遇到的"新问题"

和其他老一辈革命家一样，时任党中央副主席、国务院总理的周恩来，也是在毫无精神准备的情况下被卷入"文化大革命"的激流之中的。这突出表现在"文化大革命"全面发动过程中，以擅长处理内政外交纷繁事务，机智应付各种局面而著称的周恩来，面对这场"史无前例"的政治风暴，却步步蹉跎，一再被动，甚至陷入难解的思想矛盾中。

1966年春，已是"文化大革命"发动前夕。周恩来在许多场合表示：鉴于国家一穷二白的状态尚未摆脱，工农业都比较落后，我们还需要集中力量和时间大力发展生产;过去,时间已经被我们耽误了,因此今后要快抓,不能慢,时不我待;只要"三五"期间①不打仗,我们活着就要为此而奋斗。同时,他还身体力行,亲自担任了中央北方八省、市、自治区②农业小组组长兼河北北京(含天津市)组组长,下决心从北方八省农业抓起,以推动整个国民经济的发展。4月初,在国内政治形势急转直下的关头③,周恩来仍一心扑在人民群众的安危冷暖上,他亲赴河北省石家庄——邢台——邯郸一线,一方面指导地震灾区救灾工作,一方面巡视各地打井抗旱及春播生产情况。

同年5月,中央政治局扩大会议之后到8月党的八届十一中全会期间,"文化大革命"进入全面发动阶段。两次外出④归来的周恩来在当时最核心的问题即派工作组问题上与刘少奇、邓小平等领导人的认识趋于一致,提出:在北京派工作组,"有它普遍性和必要性"。⑤几天后,在根据毛泽东决定宣布撤销工作组的北京市大、中学校师生代表大会上,周恩来迫于形势,不得不就此问题承担部分领导责任,表示:当时犯此"错误"的原因是我们做领导工作的同志对形势估计"有错误",解决问题的方法"不适当",是"老革命遇到新问题"。他的讲话,与在场的刘少奇、邓小平等的观点也是相同的。

8月中旬,从北京发起、随即推向全国的红卫兵运动,耗去了周恩来极大的精力。他不得不放下手头的许多重要事情来亲自做那些涉世不深的青少年们的教育、劝导工作。他不分昼夜地与红卫兵代表谈话,向他们宣讲党的政策和国家法律,尽最大努力和可能来缓解群众运动对各级党政机关的冲击,减少无政府主义对国民经济的破坏。在对待"群众运动"的问题上,尽管已有前面工作组一事的"教训",周恩来还是习惯于过去的一些做法,试图设置某些"条条"和"框框",把运动限制在一定范围内进行。9月初,他亲自主持起草了《有关红卫兵的几点意见(未定稿)》,其中,特别要求广大青少年要学习、掌握、执行党的方针政策,提高组织纪律性,以使"党和国家各项工作不受影响,安全不遭危害,机密不致外泄,档案不致遗失,财产不受损失","保证国家的专政工具正常行使职能","保证交通运输机构照常运行","保证党和国家的对外关系和活动不受影响"。这个文件,虽然后来被康生等人以种种理由加以否定,但周恩来致力于保持党和国家的政治稳定、国民经济的正常发展而付出的心血,已能见一斑。

最使周恩来感到不安的,还是红卫兵运动中全国各地掀起的"炮打"各级党政军领导干部之风。为此,他几乎每接见一批红卫兵代表,都要苦口婆心地劝阻"炮打一切"的言行;他反对把"文化大革命"前的17年说成是"漆黑一团",强调各行各业所取得的成绩是主要的,缺点、错误是次要的;他反对关于"黑帮"、"黑线"的提

---

① 指1966年至1970年准备执行的发展国民经济第三个五年计划期间。

② 即河北、北京、辽宁、河南、山西、陕西、山东、内蒙古。

③ 1966年3月中、下旬,毛泽东在杭州多次谈话中严厉批评北京市委和中央宣传部负责人,并对以彭真为组长的中央文化革命五人小组关于当前学术讨论的汇报提纲表示不满。根据毛泽东的指示,4月初,中央决定重新起草关于开展"文化大革命"的通知。

④ 即1966年6月中、下旬周恩来率党政代表团出访罗马尼亚和阿尔巴尼亚,7月中旬离京前往武汉、上海、大连等地。

⑤ 《周恩来书信选集》,中央文献出版社1988年版,第593页。

法,认为新中国成立以来各条战线都是毛主席的"红线"占主导地位,绝大多数领导干部都是好的和比较好的;他严厉批评对领导干部乱揪乱斗,甚至搞人身侮辱的做法,指出这不符合党的一贯的干部政策,是用对待敌人的方法来解决人民内部矛盾。周恩来甚至还力图制止当时群众中流传的毛泽东所写的《炮打司令部》大字报内容,告诫不应听信任何传抄的东西,要以党中央文件和正式报刊公布的材料为准,否则将导致不良后果。①

同年10月,中共中央召开工作会议,林彪、陈伯达在会上点名攻击刘少奇、邓小平二人,并提出批判刘、邓"资产阶级反动路线"的问题。会议期间,对于"自下而上"发动群众的"大民主"有了初步"体验"的周恩来,几乎毫不掩饰地袒露了对这场运动的看法,他说:这场史无前例的大革命,"我们每一个人不仅缺乏实践经验,并且也缺乏历史经验";在工作组问题上"没有做好助手的作用","这是我的主要错误";十一中全会之后,我努力紧跟、紧赶、紧学,但"有时仍有掉队之虞"。此后,在许多场合,周恩来还说过这样的话:"我做梦也没有想过会出现这样的局面",现在的情况是"方兴未艾,欲罢不能,大势所趋,势不可当"。他甚至还用"我不入地狱,谁入地狱?""我不入虎穴,谁入虎穴?"这样的话来反复劝导那些对"文化大革命"始终难以理解的老干部、老部下,一定要正确认识形势,正确对待群众运动,不能放弃领导者的责任。

应当说,面对一次次的困惑,周恩来在努力说服他人的同时,实际上也在努力说服他自己。作为当时中央的主要领导人之一,他对以毛主席为首的党中央作出的决定,是必须贯彻执行的。所以,无论是在党的会议上的讲话,或是公开对群众的讲话,他总是表示要"加深理解","跟上形势"。但是,"文化大革命"究竟要干什么,怎么搞法,将来的发展是个什么结局,他自己也搞不清楚。尤其是本来已下决心集中时间和力量抓经济工作的一国总理,这时只能是凭着自己的认识看问题,凭着自己的经验干事情,凭着自己的责任做工作。不言而喻,他思想和肩上的负担要比任何时候都更加沉重。

另一方面,作为久经考验的革命家和政治家,周恩来也决非一切都随波逐流,顺其自然。有学者在详尽研究了"文化大革命"发动期间周恩来的大量言论后得出这样的结论:在"文化大革命"全面发动的1966年8月至12月间,中央政治局常委②中第一个在公众场合否定错误做法的,老一辈无产阶级革命家中当时在公众场合做这样的否定最多的,是周恩来。这位学者同时认为:如果以今天的眼光来看周恩来当时每篇讲话的全文,十之八九是有缺点、错误的;但重要的是他在那样的条件下讲了一些正确的或比较正确的话,而这些话却是别人没有或很少讲到的。"判断历史的功绩,不是根据历史活动家没有提供的现在所要求的东西,而是根据他们比他们的同辈提供了新的东西","这才是事情的本质"。③

以上所述,不仅是当时周恩来个人处

①　见雍文涛:《"文化大革命"初期周总理为稳定大局所作的不懈努力》,载《我们的周总理》,中央文献出版社1990年版。

②　1966年8月召开的中共八届十一中全会改组中央领导机构后,除林彪外,刘少奇、周恩来、朱德、陈云的党中央副主席职务以后均不再提及。

③　见王年一:《周恩来1966年8月—12月的一些言论》,《党史研究资料》1992年第7期。

境和心境的真实反映,也在很大程度上代表了其他老一辈革命家在同一时间的思想轨迹和心态。正是在这种共同的背景下,加上随后而来的全面"夺权"导致的空前混乱,才不可避免地产生了1967年2月党内健康力量的不屈抗争。

二

在"大闹怀仁堂"前后

1967年2月前后,在"文化大革命"进入全面"夺权"的混乱时刻,谭震林等老一辈革命家为捍卫党和人民的最高利益,奋不顾身,大义凛然,在不同场合,用不同方式对"文化大革命"的错误做法提出强烈批评,对江青、陈伯达等人乱党乱军的罪恶行径给予愤怒斥责。老一辈革命家的壮举成为"文化大革命"发动以来党和人民向"左"倾错误和林彪、江青反革命集团所进行的一系列艰难斗争中的第一次大较量、大搏斗。这就是著名的"二月抗争。"

通常讲的"二月抗争"实际上是指从当年1月19日开始,到2月18日为止的整整一个月时间里,老一辈革命家在各种不同场合所进行的一系列斗争。在1月19日、20日召开的军委碰头会上,叶剑英等老师两次"大闹京西宾馆",由此揭开了这场斗争的序幕,构成整个抗争的第一阶段。这一阶段争论的焦点是要不要稳定军队的问题,也就是说,这场斗争首先是从军队问题开始的。从2月7日开始的由周恩来负责召集和主持的怀仁堂碰头会①上,老一辈革命家再次主动出击,向中央文革小组一伙人多次展开面对面的论争,2月16日碰头会上双方斗争达到最高潮,

这是整个抗争的第二阶段,即"大闹怀仁堂"。该阶段争论的问题已由要不要稳定军队进一步扩及到要不要党的领导和应不应当把老干部统统打倒——这样三个重大原则问题,成为整个论争的核心问题。2月16日晚至18日晚,是抗争的第三阶段,这时老同志们的斗争主要为:谭震林写信痛斥江青一伙,周恩来、陈毅、李先念、聂荣臻等在各种群众场合继续就"三原则"问题阐明看法。该阶段斗争虽然时间短暂,却方式多样,内容丰富,影响广泛。

下面从三个方面论述周恩来在长达一个月之久的抗争过程中的思想变化和主要活动情况。

首先,关于周恩来与"抗争三原则"。要不要党的领导、应不应该把老干部都打倒和要不要稳定军队,这是整个"二月抗争"中老一辈革命家紧抓不放,据理力争的三个重大原则问题,集中反映了老同志们与"文革派"之间在"文化大革命"问题上所必然形成的两种截然对立的认识。在"两军对垒"、各自旗帜鲜明的情况下,对"三原则"的态度,实际也就成了辨别"站在哪一边"的一个标准。那么,此时的周恩来在这样一些十分尖锐且又不容回避的重大原则问题上是如何认识的呢?

1967年,曾被周恩来称之为"最不平静的一年"。仅在这一年年初,北京和全国各地就接连发生了一系列令人震惊的事件:1月4日,中央政治局常委、当时的"第四号人物"陶铸被突然打倒;1月6日,北京某大学红卫兵将国家主席刘少奇和夫人王光美双双骗进中南海,演出了一场所谓"智擒王光美"的恶作剧,实际是把矛头指向刘少奇;1月7日至8日,中共中

---

① 即由部分中央常委、国务院副总理、军委副主席及中央文革小组成员参加的讨论党政业务问题的会议。

央、国务院所在地中南海被数以千计的造反派围困，各部门纷纷告急……随即，在所谓"一月革命"的狂飚中，全国到处掀起"夺权"浪潮，各级党政机关很快陷于瘫痪、半瘫痪状态；在不到一个月时间内，先后有两位省委第一书记、一位国务院部长在混乱中含冤去世。①

和"文化大革命"发动时的情形一样，面对"天下大乱"、"无法无天"的局势，周恩来一方面缺乏足够的精神准备，另一方面更是焦虑不安。即使这样，在起初的一段时间里，他仍然努力地从正面、从好的方面去理解和解释许多难以理解、难以解释的现象，甚至还在一些场合耐心说服那些思想不通、行动抵触的老同志、老部下。与此同时，周恩来在他大量公开的言论中继续重申他在"文化大革命"发动阶段对一些基本问题的看法，并指名保护了中央和地方的许多领导干部。

1 月下旬，在经过一段时间的观察后，周恩来对整个形势的认识较前更进了一步，其态度也随之发生变化：

1 月 22 日，国务院所属煤炭工业部部长张霖之在造反派的逼讯下冤逝。对此，身为国务院总理的周恩来百思不解，悲愤交集。他情绪异常激动地质问造反派：如果连一位部长的生命安全都没有保障，国家还有什么希望？那不真是无法无天了？难道可以把我们革命了三四十年的老干部统统一概打倒吗？统统靠边站吗？这次革命运动怎么能把老干部统统去掉呢？不可设想。如果这样做，是犯罪的！②之

后，在与财贸系统造反派座谈时他又强调：不能认为带"长"字的一概不要，那么多部长、副部长都统统不要了吗？不能，局长也不能。你们这样下去会走到反面。

1 月 26 日，去接见工交系统造反派时周恩来不无忧虑地指出：上海"一月夺权"消息公布后，我们估计十天左右会出现连锁反应。夺权不能看成到处都是走资本主义道路的当权派和执行资产阶级反动路线的顽固分子，再一划，就划到"三反分子"③去了。要统统都是，哪还有"一小撮"？还有什么区别对待？毛泽东思想的出发点就是从实际出发，在毛主席领导下，在党中央领导下，"长"字号都是铁板一块的"黑帮"？不会这样嘛！

1 月 27 日，周恩来对新疆某造反派提出：你们应该对解放军有起码的信任，不能把自治区党委、军区领导一脚踢开。同日，他严厉批评天津市造反派绑架几位市委领导人的行径，指出：这不是个别现象，是带有普遍性的。我们决不能让我们的青年学美国"三 K 党"④的行为！

1 月 31 日，周恩来在向军队系统有关单位宣讲军委"八条命令"⑤时，强调人民解放军必须保持稳定，不能冲击和进驻军事领导机关，更不能随便揪斗、抓人。同日，在中共中央华北局机关面临"夺权"威胁时，他明确宣布：华北局是党中央的派出机关，你们夺权就等于夺中央的权。他还当场质问造反派："你们谁想当华北局第一书记？"

---

① 即云南省委第一书记阎红彦、山西省委第一书记卫恒和煤炭工业部部长张霖之。

② 见谷牧：《回忆敬爱的周总理》，载《我们的周总理》，中央文献出版社 1990 年版；另见 1980 年 12 月 12 日原煤炭工业部副部长钟子云在最高人民法院特别法庭审判林彪、江青反革命集团案主犯时所作的出庭证词，《中华人民共和国最高人民法院特别法庭审判林彪、江青反革命集团案主犯纪实》，群众出版社 1982 年版。

③ 即"反党、反社会主义、反毛泽东思想"的人。

④ 即"KuKluxKlan"，美国专以绑架、暗杀或以私刑等迫害黑人和进步工人的恐怖组织。

⑤ 即 1967 年 1 月 28 日经毛泽东批准发布的旨在限制军内开展大民主、制止冲击军事机关的八项规定。

2月中旬前后,周恩来对一些问题的看法更加具体、明确,从不同角度直接阐明、突出了"三原则"。

关于党的领导问题,他提出:任何党的处分,只能由党组织决定,你们不能叫党委靠边站;(财政部)党组能由群众组织去解决吗?财政部党组的工作要恢复,各部党组、党委职权要恢复,要行使职权,政治部工作也要恢复起来。

关于对待干部的问题,他重申:老干部是党的财富;对干部不能搞无休止的斗争,揪住不放,乃至戴高帽、"喷气式"、照相、登报,这是对严肃的政治斗争的丑化,这不是毛主席的作风,是"左"倾路线的恶劣作风,是主席批评过的"残酷斗争、无情打击"的一套做法;对领导干部烧烧可以,但不要打倒,打倒就靠边站了,如果这样做,就危险了!大权统统交给你们,我们都靠边站,你们承担得起吗?我们不管,靠边站,如何对得起人民、对得起党、对得起革命、对得起主席?这样我们就是犯罪的![①]

关于稳定军队问题,他指出:军委"紧急指示"[②]起到动员作用,也起了副作用;现在北京和各地(如昆明、贵阳、长沙、广州、杭州、南京、沈阳等)到处都在发生冲击军事机关、揪斗军队领导干部的事件,全国形成了冲击解放军的一股风;这不是从国家整体利益着想,是对解放军的不信任、不爱惜,是给解放军脸上抹黑。[③]

以上周恩来的一系列言论,十分清楚地表明他对当时若干重要问题的看法,尤其在"三原则"的问题上,可以说是毫不含糊,观点鲜明。与红卫兵时期相比,周恩来这时的认识已不仅仅是针对这场"革命"的方式方法,而是在许多重大问题上不可避免地触及这场"革命"的目的和后果了。与此同时,在京西宾馆和怀仁堂会场上,早就对混乱局势忧心忡忡、寝食不安的老同志们也正大声疾呼,痛切陈词。会上会下,彼此呼应,看得出老一辈无产阶级革命家确实是风雨同舟,心心相印。

第二,关于周恩来的斗争方式。在看到周恩来与老同志们在"抗争三原则"方面认识一致的同时,还应当看到,在斗争的具体方式方法上,周恩来和参加抗争的老同志们又是有着明显区别的。例如,在抗争的第一、第二阶段,老同志们所采取的斗争方式多是在党内军内的高层会议上同陈伯达、康生、张春桥等人进行面对面的、唇枪舌剑的论争,即"两个大闹"。应该说,这也是构成"二月抗争"的一种主要的斗争方式。从目前能接触到的史料看,周恩来似乎并没有准备采取同样的方式和场合来表达对前述各种问题的看法。即便在几十年患难与共的老战友、老部下拍案而起、尽吐衷肠之际,"两军"阵前的周恩来仍不动声色,稳如泰山。这也许正是今天一些人难以理解的地方。

历史地看,经过长期残酷的对敌斗争,特别是经过一次次复杂、尖锐的党内斗争的考验,周恩来逐渐磨砺、锻造了一种超出一般人的性格,即不论在什么情况下,他都能够表现出极度的克制、沉着、冷静,从容自若,处变不惊;与之相适应的,则是他所习惯运用的迂回、渐进、韧性的斗争方式。越是情况复杂、矛盾加剧、冲

---

① 1967年2月17日在接见财贸系统造反派代表时的讲话。
② 即1966年10月5日中共中央批转的根据林彪"建议"军委、总政下达的有关进一步开展军内大民主,取消军队院校党委领导的"指示"。
③ 1967年2月16日、18日分别接见内蒙古自治区党政军负责人和国务院财贸口局长以上干部时的讲话。

突尖锐,就越能显示出他这种特有的性格和斗争艺术。如前所述,在"全面夺权"、"无法无天"的日子里,周恩来更多的是利用与广大领导干部和各地群众组织代表广泛接触的场合,来阐明对于各种问题的看法。这里,既有耐心细致的说服教育,也有苦口婆心的批评帮助,甚至不乏声色俱厉的批驳、责问。他总是试图寓大小道理于同各类人的谈话中。他一方面是做广大干部群众的艰苦细致的思想工作;另一方面,也是在用大量事实来抨击错误论点,揭露其危害。例如,他所反复强调的关于新中国成立后 17 年成绩是主流的观点,实际上就在很大程度上否定了发动"文化大革命"的若干论点,使之在事实上、逻辑上都难以成立,成为在当时特定历史条件下实事求是、坚持真理、保护干部的一条重要客观依据。再如,在夺权的具体问题上,周恩来从一开始就坚持只能夺领导运动之"权",而不能夺掌管业务之权,实际工作仍由原来熟悉业务的领导干部负责。这就使造反派所夺之"权"成了虚的,而实权仍掌握在许多老干部手中(在这个问题上,周恩来与江青、张春桥等人的公开讲话存在明显的差异)。后来,周恩来更进一步认为党委、党组及政工部门的领导权也不能放弃①,造反派连虚权也不能随便"夺"去了。当然,实际情况最终并没有朝着周恩来所设想的方面发展,但他为此所做的种种不懈努力,却是有目共睹,不应抹煞的。

从现实角度看,在整个"二月抗争"过程中,周恩来之所以选择了不同于其他老同志们的斗争方式,在很大程度上是因为他深知自己的地位和作用极端重要、极端

特殊。这集中表现在他同利用和扩大毛泽东错误的中央文革小组的关系上。周恩来在中央文革小组内没有任何职务,但又常常要出席中央文革小组的会议,甚至还要定期赴中央文革小组驻地"办公"。这种"新文革"与"旧政府"之间既对峙、又共事的十分复杂、微妙的关系,迫使他不能不极其慎重地处置每一件事情,权衡每一言行所带来的种种后果。在这种情况下,用"如临深渊、如履薄冰"八个字来形容周恩来的处境,是再恰当不过了。然而,也正是在这个问题上,可能至今有人对周恩来难以理解,甚至不能原谅他所讲过的违心的话或错话,所做的违心的事或错事。在一些人看来,周恩来之所以不能像其他老同志那样作面对面的公开抗争,似乎是某种软弱的表现,甚至认为是为个人保身的需要。对此,不少国内外学者发表过不同见解,如有论著指出:

"周恩来没有拍案而起否定'文化大革命'。历史地看,这正是他以党、国家和人民的根本利益为重。当时周恩来如果拍案而起,结果无非两种可能:一是不仅不能在'文化大革命'中继续起中和作用,反而使被打倒的人更多,领导权被夺去更多;二是引起党的分裂、国家的分裂、军队的分裂。无论哪种可能成为现实,党、国家、人民都将遭受更为严重的灾难。周恩来思前虑后,高瞻远瞩,在非常复杂的困难处境下,忍辱负重,委曲求全,等待时机,纠正错误。周恩来的伟大人格,永为后人景仰。"②

还有学者认为:"文化大革命"中周恩来"谨言慎行并非由于怕冒风险。在半个

① 1967 年 2 月下旬,周恩来对南方某省省委主动向造反派"让权"的做法提出严厉批评,指出这是一个"重大原则错误"。

② 王年一:《大动乱的年代》,河南人民出版社 1988 年版,第 215 页。

多世纪的革命生涯中，他一向临危不惧，不怕牺牲，意志坚强，这都是毫无疑问的"；只是由于"文化大革命"的这种特定局面，才迫使他不得不"选择一条比直言不讳、牺牲自己更为艰难和痛苦的道路"。①

总之，同是为着党和人民的最高利益，由于各种具体情况的不同，甚至不排除个人经历和性格的差异，所采取的具体的斗争方式也会不尽一样。这已是为无数革命斗争所反复证明了的道理。

《中共中央关于建国以来党的若干历史问题的决议》指出："周恩来同志对党和人民无限忠诚，鞠躬尽瘁。他在'文化大革命'中处于非常困难的地位，他顾全大局，任劳任怨，为继续进行党和国家的正常工作，为尽量减少'文化大革命'所造成的损失，为保护大批的党内外干部，作了坚持不懈的努力，费尽了心血。他同林彪、江青反革命集团的破坏进行了各种形式的斗争。"（着重号为引者所加）应该说，党和人民对于周恩来在"文化大革命"中的地位、作用及其斗争方式的历史性评价，也包括并适用于1967年"二月抗争"中的周恩来。

最后，关于周恩来与参加"二月抗争"的老同志们的关系。在这方面，最能体现周恩来与这些他所熟悉的老同志、老战友们之间的一种特殊感情。

1月24日，周恩来亲临主持有外事口造反派参加的"陈毅检查大会"。在陈毅念完"检查"（这个"检查"稿，曾经周恩来反复推敲，多次修改）之后，他向造反派强调：陈毅是为党工作了几十年的老同志，应以同志式的、阶级兄弟式的态度帮助他，而不能再加重他的负担，以便让他今后多出面，多做工作。

1月25日，在首都科技界夺权"誓师大会"上，他明确提出：夺权不是孤立的行动，要有上级的领导，不能放任自流，搞无政府状态；在你们夺权的一定时期，要请李富春、聂荣臻同志过问。

1月26日，在接见工交系统造反派时又指出：余秋里进行了六次检讨，心脏病发了，至今未恢复。你们要有阶级感情嘛！他是从红小鬼上来的，经过长期的考验，我们需要他，党需要他。

1月下旬，周恩来经与陈毅、徐向前、叶剑英、聂荣臻等老帅共同商讨研究，产生了旨在稳定军队的中央军委"八条命令"，由毛泽东批示下发，成为"二月抗争"第一阶段的一大成果。

1月底，获悉刚从三线回京的谷牧在机场遭建委机关造反派绑架，即派出联络员找造反派交涉，限令第二天必须将谷送回中南海。

2月初，在关于定期召开怀仁堂碰头会的建议中提名应由李富春、陈毅、李先念、谭震林、聂荣臻等出席。

2月8日至9日，批准同意谭震林、陈毅、李先念、李富春等人的建议，将各省、市、自治区的一批领导同志接来北京养病、休息。

2月11日，在接见农口造反派时，要求他们承认谭震林同志的领导，要让谭多抓工作。

2月16日晚，在接见内蒙古有关方面负责人及造反派时，批评了北京冲击军事首脑机关、要求与徐向前辩论的行径。

2月17日晨，在接见财贸系统造反派时质问他们：李先念同志是（财政部）党组第一书记，你们怎么能夺他的权？你们这

① 方钜成、姜桂侬：《周恩来传略》，人民出版社、外文出版社1986年版，第143页。

样搞是夺中央的权,夺毛主席的权!

　　自2月7日开始的由周恩来主持的怀仁堂碰头会上,老同志们接连主动"出击",怒斥中央文革小组一伙;周恩来一直到会"坐镇",并无"停战"、"休会"之意。

　　尤值一提的是:从2月16日老同志们"大闹怀仁堂"后至2月19日晨毛泽东召集会议前,周恩来对老同志们"大闹"之事守口如瓶,始终未作"汇报";直至江青一伙告状、毛泽东"发怒"之后,他才连日约这些老同志们谈话,实际是在做他们的工作,要他们作检讨"错误"的准备。

　　以上情况,几乎所有参加"二月抗争"的老同志的回忆录、传记、纪念文章中都直接或间接地有所提及、记叙,在他们的心目中,周恩来理所当然地是同他们站在一起的。这就说明,在长达一个月之久的伟大的"二月抗争"过程中,周恩来和参加抗争的老同志们不仅认识基础是一致的,思想感情是相通的,对于各自所采取的不同的斗争方式,也是彼此能够理解的。

三

保伴每一位老战友

　　1967年2月19日凌晨,不愿放弃"文化大革命"错误理论和实践的毛泽东,在听取张春桥等人对"大闹怀仁堂"情况的"汇报"后,严厉批评了参与"二月抗争"的几位老同志,认为他们是搞"复辟",搞"翻案"。之后,谭震林、陈毅、徐向前三人不得不"请假检讨",其他老同志也受到不同程度的非难。至此,持续了一个月之久的"二月抗争"即告失利。然而,正是在这个

时候,处境困难而地位特殊的周恩来,却起到了他人所无法取代的"特别作用"。

　　首先,周恩来利用他并未因所谓"二月逆流"失去发言权的条件,在某些重要场合继续就"抗争三原则"坚持其一贯论点。2月20日下午,就在参加抗争的老同志们受到指责后的第二天,周恩来在某省介绍"夺权经验"的会议上,当着中央文革小组重要成员康生等人的面,阐明对地方夺权问题的看法,指出:自从一月号召夺权以来,不管有没有走资本主义道路的当权派,造反派都起来"夺权";有些地方凡是"长"字号、凡是"政"字号、凡是"第一书记",他都要"夺权"。这样一解释,全党、全国还成什么样子? 怎么解释毛主席的伟大红旗占统治地位? 这不等于把我们党十七年的伟大革命和建设成就都抹煞了吗? 不能这样,逻辑上也站不住嘛! 关于中央国家机关夺权问题,他强调:不是所有的部长、副部长都是走资本主义道路当权派,也还有好的;(造反派)有的权掌多了,要加以限制。现在有人要夺中央的大权,外交大权也要夺,财政大权也要夺,还要夺军事大权。这些部门的权力属中央,谁也不能夺! 他提出:不仅各部委党委、党组领导要抓日常工作,就是司、局一级干部也不能统统"靠边站",整个业务系统还是要由这两层领导来抓。对于冲击军事机关问题,他重申:前一时期各地冲击军事机关这股风是错误的,要赶快扭转过来;军队内部搞"造反"、"夺权",完全是大方向的错误,不是一般的错误。会上,周恩来还对"坚持资产阶级反动路线的顽固分子"的提法提出异议,他说:如果这一条存在的话,任何人只要检讨不够,就可

---

　　① 老同志们在党的会议上公开发表自己的意见、看法,是符合党的组织原则的合法行为,对此,周恩来可以报告,也可以不报告,均为党的组织纪律所许可。

以说是顽固分子，人人搞过关，人人是"顽固"，所以不增加质量，增加了数量，成为另外一个标准。

在此前后，周恩来还在实际工作中努力阻止已经泛滥成灾的"打倒一切"的极端做法和口号：2月18日，他将《红旗》杂志第4期社论《必须正确地对待干部》①送审稿报给毛泽东，提出："这篇社论很重要，很及时，我看写得还不错。"3月1日，该社论经毛泽东批准发表。2月19日，周恩来又对某材料中提出的旨在打击迫害老干部的"上揪下扫"②的口号提出质疑，并为此致信陈伯达、康生、江青，提出自己的不同看法。

另一方面，作为集战友、上级、师长于一身的周恩来，在竭力劝说参与"两个大闹"的老同志们偃旗息鼓的同时，却又处处以某种特殊方式来设法保护这些老同志。事实表明，在2月19日毛泽东严厉批评参加抗争的老同志们之后，绝大多数老同志便在实际上停止了抗争的行动（有的是改变了激烈斗争的方式）。这些老同志之所以很快改变了其斗争的方式和行动，在很大程度上讲，是因为他们所进行的长达一个月之久的激烈的或其他形式的斗争，终归是建立在对党和毛泽东的信赖、对党的组织领导无条件服从的基础上的；也正因为如此，即便在最激愤的情况下，他们也丝毫没有改变或动摇过自己在长期革命斗争中建立、培养起来的这种崇高的信念和感情。他们始终把矛头对准大搞倒行逆施的中央文革小组的一伙人，而把纠正错误的希望寄托在党的组织和党的领袖身上。

此外，在参加抗争的老同志们心目中占有特殊位置的周恩来的态度和作用，这时候也不能不是一个重要的因素。不言而喻，一直与"二月抗争"的老同志们关系密切的周恩来，这时候需要他来承担的是一个极其艰难、却又是十分痛苦的"角色"。在仍然坚持"文化大革命"错误的毛泽东与思想感情同"文化大革命"格格不入的老同志们之间，周恩来已经没有回旋的余地。他甚至不能不亲自出面负责召集和主持同年2月下旬至3月中旬连续召开的针对几位老同志的"政治生活批评会"。在这样的会上，他不得不讲一些违心的话，其中包括对那些犯"错误"的老同志，也包括对他自己。

如果说，"文化大革命"的十年是周恩来整个一生中最艰难的岁月，那么，从这时候开始的两年多时间里，又是他陷于"难上难"的时期。由于"二月抗争"的失利，一直在周恩来身边协助他工作的老同志们几乎全部受到责难、"批判"，为此，周恩来只有孤军奋战。正是在这种极其特殊的情况下，周恩来不能不说一些违心的话乃至错话，做一些违心的事乃至错事。历史证明，如果他不这样做，他自己就不能保住，更谈不上以他的名义来保住更多的人。

著名英籍女作家韩素音在她的《周恩来与他的世纪》一书中，曾谈到周恩来在这一时期的有关情况，她写道："所有人（我说的所有人是指所有高层领导，包括周的妻子邓颖超在内）都同意这一看法，周恩来有些行动'是违背他自己的心意

---

① 该社论强调在夺权斗争中，不能否认和抹煞新中国成立以来17年的主要成绩，把当权派一概打倒，指出，这是一种无政府主义的思潮。

② 2月16日，北京一些高校红卫兵组织联名提出"倡议"，准备在当月下旬召开斗争大会。"揪斗"前北京市委、中央党校、中宣部、文化部及军队系统的一大批领导干部。

的'。(1968年10月中共八届十二中全会上)谴责刘少奇就是其中之一。如果他不这样做,他24小时之内就会被撵下台。中国就会成为中央文革的天下,林彪的天下",而"下决心谴责刘对周来说是很痛苦的。1970年10月的一天晚上,他向埃德加·斯诺诉说了他内疚的心情……"①

韩女士在这里提到的周恩来与斯诺谈话中吐露内心情感的重要情况,现已无从证实。但书中分析的当时周恩来的苦境,确是比较客观的说法;正是在同一会议上,内心矛盾的周恩来也"批评"了"二月逆流"的几位老同志。但是,如果仔细研究一下周恩来在此前后的大量有关言论,便可以发现这样几个特点:

一是周恩来从未否认自己同几位犯"错误"的老同志的密切关系。在"政治生活批评会"期间,由中央文革小组成员戚本禹开列的供"批判"用的材料中,有一份经李富春起草、周恩来审批的国务院系统开展运动的报告,②对此,周恩来并不介意,批示同意将其在会上印发。之后,在几次谈到"保"这些老同志时,周恩来更是一次次"联系"到自己:对陈毅、谭震林我"保"得"最多",对聂帅则"保"得"最早",对余秋里、谷牧等人也是"再三"地"保"。就在社会上已有人提出"周恩来是'二月逆流'的总后台、总根子"的同时,他甚至当着造反派的面,公开讲:批判"二月逆流","也联系到我";承认他自己也和许多老同志一样,开始对"文化大革命"也是不理解的,没有料到会出现这种局面。周恩来的这些举动,再明显不过地表示出他内心的"意向"。

二是周恩来尽可能地将几位老同志

的"错误""淡化"。就在中央文革小组一伙人借毛泽东指责"二月逆流"之机对老同志们无限上纲、横加罪名的时候,周恩来却每每把"错误"往"思想认识"、"对群众态度"等方面引导,意在"错误"难免,大事化小。一次,他曾亲笔改"二月逆流"提法为"二月的乱子",凡提及几位老同志时均加上"同志"二字。1967年4月,在"政治生活批评会"后不久召开的军委扩大会议上,周恩来就几位老同志对二月之事所作的自我批评逐一表示认可,认为这也是一种经验的总结,有些虽还不能令人满意,但总算有所进步,应进一步创造机会,给以帮助,先行改正,以观后效。就在林彪、江青一伙强行对"二月逆流"定性以后,他还多次讲到,不能把这些老同志的所作所为都一概否定,他们有许多话是根据中央政策讲的,对他们还要"一批、二保、三看"。

三是周恩来不忘在关键时候"提醒"老同志们不要在思想上放松戒备,给林彪、江青一伙以可乘之机。1967年的"五一"节,是"全面夺权"、"天下大乱"之后的第一个节日,按当时惯例,大批党政军领导人都要上天安门"亮相"。能否上天安门,成为判定某人是否有"问题"的一个"标准"。经周恩来努力,毛泽东批准,所有"二月逆流"的老同志都在"五一"那天登上天安门。一时间这种表面上的"团结"气氛掩盖了几个月前党内的激烈较量,有的老同志因心情好思想上转而放松下来。针对这种情况,周恩来于5月5日亲笔致信陈毅、谭震林、李先念、余秋里和谷牧(并告李富春),提出:五一团结,不要又造成你们五位同志错觉,重犯过去"错

---

① 详见[英]韩素音:《周恩来与他的世纪》,中央文献出版社1992年版,第472页。

② 即1966年8月21日《关于机关文化大革命的一些问题》;8月23日,周恩来对该报告作了批示、批注。

误"；否则，就又要来一个新的反复，甚至走入"绝路"；信中，周恩来一反过去平等、商量的口吻，语气强硬，措词严厉；然而，他正是想以这种极其罕见的方式，来"警醒"他的战友们切不可大意，以致产生思想错觉，把"二月逆流"一事看得太轻了。果然，后来在八届十二中全会和中共九大上，中央文革小组一伙重又煽起对"二月逆流"的猛烈批判，并借党的合法会议名义对"二月抗争"作出诬蔑性的"定性"。事实的发展完全证明了周恩来预先的判断。中共九大召开前后，周恩来对老同志们的情况尤为关注。1968 年底，当获悉徐向前所在地工作人员展开"批判反动的'二月逆流'和批判徐向前的反革命罪行"的情况后，即批示有关单位进行劝阻，强调"不要搞得过于紧张，防止意外"。中共九大期间，根据毛泽东的意见，参加"二月逆流"的老同志大都当选为中央委员，但这时林彪、江青一伙的势力仍十分猖獗。为此，周恩来多次提示几位老同志不要着急出来工作，而要注意保重身体，养精蓄锐，以等待时机，发挥作用。

1971 年"九一三"林彪自我爆炸事件，客观上宣告了"文化大革命"理论和实践的失败。不久，毛泽东亲自出面为所谓"二月逆流"平反。这时，在"二月抗争"中与老同志们"针锋相对"、"势不两立"的江青一伙人仍在台上。尽管条件有限，周恩来却利用一切场合，不失时机地为老同志们恢复名誉、出来工作提供机会，扫除障碍。

同年 10 月初，经周恩来主持的政治局会议建议、毛泽东批准，由叶剑英主持军委办公会议，李先念、余秋里等均担起重任。

之后，周恩来又委托李富春等老同志参加和领导有关批判林彪的学习会、座谈会；与此同时，陈毅、聂荣臻等老帅也纷纷起来揭发林彪一伙的罪恶行径。

1972 年 1 月，陈毅不幸病逝。经周恩来周密组织安排，陈毅追悼会开得庄严隆重，影响深远；尤其是毛泽东亲自参加追悼会的举动，给包括参加"二月逆流"在内的所有老同志以极大慰藉。

同年 12 月中旬，周恩来亲笔致信毛泽东，提出谭震林同志"当时'大闹怀仁堂'是林彪故意造成打倒一批老同志的局势所激成的"，"还是好同志，应该让他回来"。[①] 后经毛泽东批准，谭震林从桂林接来北京治病。

1973 年党的十大前后，周恩来又一再批嘱外事部门：有关外事活动场合应多请一些老同志参加，并多次亲笔添加上叶剑英、李富春、徐向前、聂荣臻、谭震林等的名字，为这些老同志的复出广造舆论。在周恩来的不懈努力下，除陈毅先期病逝外，参加 1967 年"二月抗争"的谭震林、叶剑英、李富春、李先念、徐向前、聂荣臻、余秋里、谷牧等人全被选入党的第十届中央委员会。至此，所谓"二月逆流"一事已在事实上得到平反，从此不再提及了。

---

① 《周恩来书信选集》，中央文献出版社 1988 年版，第 620 页。

控制混乱局势的努力

一

地方建立革命委员会

"文化大革命"时期的革命委员会,是毛泽东设想以法国巴黎公社为样板,采取群众夺权形式建立的临时性权力机构。从1967年1月上海"一月夺权",到1968年9月全国各省、市、自治区(除台湾省外)全部建立革命委员会,再到1979年12月全国人大常委会决定将革命委员会改为地方人民政府,这个权力机构形式共存在了13年之久,因而在中华人民共和国史上有着特定的历史意义。

各地方革命委员会的建立,大致上可分为两个阶段。

1967年1月上海"一月夺权"后,随之成立"上海人民公社"。其后受到中央文革小组示意而相继夺权成立了山西、贵州、黑龙江、山东省群众性权力机构,名称并未统一。除上海称为"人民公社"外,贵州称"毛泽东思想革命委员会",黑龙江称"红色造反者革命委员会"。在第一阶段,毛泽东对于这种群众夺权而产生的权力机构的性质、名称、产生方式,尚未考虑成熟,还在酝酿之中。2月12日,毛泽东召见张春桥、姚文元谈话,指出:原想建立北京人民公社,后考虑到国家体制改变的问题很复杂,因此还是叫革命委员会好一些。2月20日,毛泽东在贵州省庆祝毛泽东思想革命委员会成立的电讯文稿上批示:"名称叫革命委员会好。"3月7日,毛泽东在《红旗》杂志的社论《论革命的"三结合"》文稿上批示:"在需要夺权的那些地方和单位,必须实行革命的'三结合'的方针,建立一个革命的、有代表性的、有无产阶级权威的临时权力机构。这个权力机构的名称,叫革命委员会好。"此后,第一阶段夺权而经中央承认的五省、市都先后改称革命委员会。

3月16日,毛泽东在同林彪等人谈话时指出:要写一个通知,各地夺权要事先同中央商量。否则,不能成立。此后,革命委员会的建立进入了第一阶段,即由中央指定成立省革命委员会筹备小组负责人,采取地方几大派群众组织代表、军队干部代表、地方干部代表经过协商,请示中央后组成班子,再经中央批准的形式。

由于1967年春至1968年夏的一年多中,全国陷入了"全面内战"的混乱之中,各派群众组织争权夺利,互不相让,各自都有自己支持的领导干部。因此,革命委员会的建立异常困难。中央不得不以未受到"文化大革命"直接冲击的军队领导干部(主要是当地大军区、省军区或野战军负责人)为主,经过办学习班,吸收各派群众中造反分子代表,组成革命委员会班子。这一时期的革命委员会,实际上具有扩大的军管会的性质。

从1967年4月至1968年9月,各省、市、自治区革命委员会的成立情况是:

1967年4月20日,北京市革命委员会成立,主任谢富治。

8月12日,青海省革命委员会成立,主任刘贤权。

11月1日,内蒙古自治区革命委员会成立,主任滕海清。

12月6日,天津市革命委员会成立,主任解学恭。

1968年1月5日,江西省革命委员会成立,主任程世清。

1月24日,甘肃省革命委员会成立,主任冼恒汉。

1月27日,河南省革命委员会成立,主任刘建勋。

2月3日,河北省革命委员会成立,主任李雪峰。

2月5日,湖北省革命委员会成立,主任曾思玉。

2月21日,广东省革命委员会成立,主任黄永胜。

3月6日,吉林省革命委员会成立,主任王淮湘。

3月23日,江苏省革命委员会成立,主任许世友。

3月24日,浙江省革命委员会成立,主任南萍。

4月8日,湖南省革命委员会成立,主任黎原。

4月10日,宁夏回族自治区革命委员会成立,主任康健民。

4月18日,安徽省革命委员会成立,主任李德生。

5月1日,陕西省革命委员会成立,主任李瑞山。

5月10日,辽宁省革命委员会成立,主任陈锡联。

5月31日,四川省革命委员会成立,主任张国华。

8月13日,云南省革命委员会成立,主任谭甫仁。

8月19日,福建省革命委员会成立,主任韩先楚。

8月26日,广西壮族自治区革命委员会成立,主任韦国清。

9月3日,西藏自治区革命委员会成立,主任曾雍雅。

9月5日,新疆维吾尔自治区革命委员会成立,主任龙书金。

这一阶段建立的革命委员会具有的特点是:①大多数省、市、自治区革命委员会的主要领导人均为军队领导干部。据统计,军人在24个省、市、自治区中占20个,地方领导干部仅占4个。在当时动乱的情况下,由军队领导干部担任地方政权领导人,是迫不得已的办法,客观上也有利于稳定地方局势,保证政权的权威性。但是在一定程度上,这种状态也造成了军队领导干部权力过重,阻碍地方领导干部重新工作的影响。而且军队干部由于缺乏经验,无法有效地组织经济建设,也带来了不利后果。②在多数省、市、自治区革命委员会中,造反起家的投机分子、野心分子占据了重要领导岗位,获得了较大权力,形成了林彪、江青反革命集团的地方帮派体系。③这些革命委员会的建立,是在打倒一大批地方党政领导干部基础之上的。每个革命委员会建立时,《人民日报》等报刊均要代表中央发表社论,点名批判打倒的当地原主要领导人。

1968年9月7日,《人民日报》、《解放军报》发表社论,欢呼"全国山河一片红"。在北京还召开了隆重的庆祝大会。此后,"文化大革命"被宣布进入了"斗、批、改"阶段。

革命委员会是否定人民代表大会制度和地方民族自治制度的产物。它的建立,并没有中止"文化大革命""左"倾错误的推行,而是使之在纵深化、正规化的形式下延续下去。

二

工人、解放军宣传队进驻
上层建筑领域

随着各地方革命委员会的先后建立，全国自 1967 年春开始的"全面内战"混乱局势有了初步的缓解。1968 年 7 月 3 日、7 月 24 日，中共中央、国务院、中央军委、中央文革小组又两次针对广西、陕西等地仍在进行的武斗、抢劫、中断交通现象发出布告，强令要求各派停止武斗，拆除工事，交出武器，返回工作岗位。同时，也采取派军队武装平定的办法，收到了明显效果。但是，在一些大、中学校，尤其是那些著名造反派所在的大学，仍然迟迟不能实现"大联合"、"三结合"，武斗事件层出不穷。5 月 29 日，清华大学"井冈山"、"四一四"两派在校园内爆发武斗，持续一百天，使用了火攻、断电、开枪等手段，打死 4 人，被称之为清华大学"百日大武斗"。

事实证明，毛泽东提出的"群众自己解放自己"、通过"大乱"走向"大治"的设想是行不通的。他不得不考虑对那些"老、大、难"单位采取强制性措施，派出具有工作组性质的工人、解放军毛泽东思想宣传队。

1968 年 7 月 27 日上午，由毛泽东直接指示组织、以北京新华印刷厂工人为主的"首都工人毛泽东思想宣传队"几千人进驻清华大学，宣传制止武斗、收缴武器、拆除武斗工事。蒯大富与武斗指挥部的头头紧急磋商，决定抵抗、还击，不让工人进楼。一些人用长矛、枪支、手榴弹向工人进行了袭击。打死宣传队员 5 人，打伤 731 人。

这一事件引起了毛泽东的震怒。7 月

28 日凌晨，毛泽东、林彪和几乎全体中央领导人召见了北京高等院校所谓"五大领袖"聂元梓、蒯大富、韩爱晶、谭厚兰、王大宾，进行了长达 5 个小时的谈话。毛泽东严厉地批评他们："'文化大革命'搞了两年了，你们现在是一不斗，二不批，三不改。斗是斗，你们少数大专学校是在搞武斗。"他警告说："谁如果还继续违犯，打解放军、破坏交通、杀人、放火，就要犯罪；如果有少数人不听劝阻，坚持不改，就是土匪，就是国民党，就要包围起来，还继续顽抗，就要实行歼灭。"

此后，北京各大学都进驻了工人、解放军宣传队。8 月 25 日，中共中央、国务院、中央军委、中央文革小组发出《关于派工人宣传队进学校的通知》，要求全国各地都要"以优秀的产业工人为主体，配合人民解放军战士，组成毛泽东思想宣传队，分批分期，进入各学校"。9 月 2 日，中央军委、中央文革小组又发出《关于工人进军事院校及尚未联合起来的军事院校实行军管的通知》，公布毛泽东的批示说："如工人条件成熟，所有军事院校均应派工人随同军管人员进去。打破知识分子独霸的一统天下。"实际上，当时工人、解放军宣传队进驻的单位不仅有学校，还包括机关、科研、文化事业单位等上层建筑领域。其目的，是为了实现"工人阶级领导一切"，"对知识分子进行再教育"。

8 月 26 日，《人民日报》发表姚文元的文章《工人阶级必须领导一切》。毛泽东在修改文稿时写道，学校这个地方，"解放以后，好了一些，但基本上还是被资产阶级知识分子所垄断"；"在无产阶级专政的国家内，存在着资产阶级与无产阶级争夺领导权的严重现象"；"凡是知识分子成堆的地方，不论是学校，还是别的单位，都应有工人、解放军开进去，打破知识分子独霸的一统天下，占领那些大大小小的独立王国"。9月5日,《红旗》杂志发表调查报告《从上海机械学院两条路线的斗争看理工科大学的教育革命》,进一步明确提出了对知识分子进行"再教育"的任务。毛泽东在编者按中写道:"这里提出一个问题,就是对过去大量的高等及中等学校毕业生早已从事工作及现正从事工作的人们,要注意对他们进行再教育,使他们与工农结合起来。其中必有结合得好的并有所发明创造的,应予以报道,以资鼓励。实在不行的,即所谓顽固不化的走资派及资产阶级技术权威,民愤很大的需要打倒的,只是极少数。"

从此,工人、解放军宣传队成为学校等上层建筑领域的主要领导力量之一。在建立革委会、恢复党组织生活之后,仍长期留驻。直至粉碎"四人帮"后的1977年,才在中央指示下全部撤回。

在当时特定历史环境下,工人、解放军宣传队的进驻,确实起到了一定的积极作用,使"文化大革命"前期的无政府主义造反动乱得到控制,生产、教学秩序得到初步恢复,也制定和执行了一些政策。但是,由于"文化大革命"的"左"倾错误方针仍在继续和发展,在其指导下的工人、解放军宣传队的所作所为,也必然带有浓厚的"左"倾色彩,不可能使尖锐的社会矛盾得到根本的缓解。在理论上,所谓"工人阶级领导一切",是在将知识分子视为"资产阶级"的前提下,以简单的工人成分的组合,取代无产阶级政党的领导地位和作用,也是错误的。"文化大革命"后期,在这个口号指导下,甚至出现了直接选拔工人、农民担任党和国家重要领导职务的做法。

工人、解放军进驻学校,标志着"文化大革命"进入了一个新的阶段。前期的主力军红卫兵造反派,逐渐退出了历史舞台。群众自发性的造反行为,转变为在工人、解放军及革委会有组织的领导下,进行斗、批、改的形式。所谓斗争的大方向,也由主要打击"走资派",扩大为清理、批判范围广泛的"阶级敌人"。

知识青年上山下乡运动

知识青年上山下乡运动发端于50年代初,60年代初掀起初澜,"文化大革命"10年中走向高潮,70年代末才近尾声,足足延续了20年之久。正是在它的浪潮席卷下,1700余万的城镇知识青年走向农村和边疆,而家居农村、在城镇学校读书毕业后回乡务农的知识青年为数更多。这场声势浩大的运动不仅改变了一代青年的人生道路,还牵动了亿万城镇居民的切身利益,当知识青年散布到广大农村后,又使为数众多的农民不同程度受到它的影响。因此,它是中华人民共和国历史中的一个重要篇章。

一

运动的初澜

知识青年上山下乡,是在1962年被正式列入国家计划的,它的缘起,却可以追溯到50年代初期。

1953年12月3日,《人民日报》发表社论《组织高小毕业生参加农业生产劳动》,主要是针对当时高小毕业生升学难和城市就业难的问题,动员家居农村的一部分毕业生回乡务农。一般认为,这就是日后上山下乡运动的先声。

1955年9月,毛泽东在《中国农村的社会主义高潮》一书按语中指出:"全国合作化,需要几百万人当会计,到哪里去找呢?其实人是有的,可以动员大批的高小毕业生和初中毕业生去做这个工作。""农村是一个广阔的天地,在那里是可以大有作为的。"这后一句话,后来成为上山下乡运动中最著名的口号。但很少有人注意到,它原本是针对家在农村的中小学毕业生讲的。

政府最初树立的知青典型,从50年代的徐建春到60年代初的邢燕子、吕玉兰、董加耕,几乎都是回乡知识青年。由于进城就业道路越来越窄,同时也由于农民子女接受教育的机会有了明显提高,回乡务农就成为这批青年的必然归宿。1962年共青团中央统计:全国农村已有小学以上文化程度的回乡青年近3000万人。他们中间,不仅包括高小、初中毕业生,还包括一些高中毕业生。但真正意义上的"上山下乡知识青年",后来是指从城镇下放农村的初高中毕业生。

50年代中期,国家在倡导家在农村的中、小学毕业生回乡务农的同时,开始尝试动员城市少数中、小学毕业生下乡。在这方面,共青团起了举足轻重的作用。1955年2月,团中央第一书记胡耀邦在青年团北京市第三次代表大会上的讲话中,号召青年人到边疆去,到祖国最需要的地方去,开发建设边疆。7月,团中央发出《关于组织青年参加边疆建设问题的一些意见》,提出要动员一部分城市中未升学的初中、高小毕业生及其他失业青年参加

垦荒工作。

1956年1月,中共中央政治局讨论通过的《1956年到1967年全国农业发展纲要(草案)》中写道:"城市的中小学毕业的青年,除了能够在城市升学就业的以外,应当积极响应国家的号召,下乡上山去参加农业生产,参加社会主义农村建设的伟大事业。"这里第一次提出了"下乡上山"(后改上山下乡)的概念,即对知识青年参加农业生产的概括。

当时政府号召不能升学的城市中小学毕业生上山下乡,是同城市中存在就业困难,而农村又需要有文化的青年这一历史条件联系在一起的。它的根本出发点,是试图把解决城市失业问题同改变农业生产落后的状况结合起来,进而探索出一条解决中国就业问题的道路。

60年代初,由于"大跃进"运动的失败,城市人口就业途径变得空前狭窄,众多青年中学毕业后无法升学,就业遇到前所未有的困难。正是在这种背景下,官方从1962年起在全国范围内有组织有计划地动员知识青年上山下乡。随即,把上山下乡的工作重点转到城市。

很快,知识青年上山下乡成为社会上一件很有影响的活动。从1962年秋至1966年夏,全国共有129万城镇知识青年奔赴农村和边疆。[①]其中插队87万人,占67%;到国营农场(包括生产建设兵团)的有42万人,占33%。

1966年"文化大革命"爆发前夕,知识青年上山下乡计划已经按部就班地推行了四年之久。其间,知青下乡的规模逐年扩大,暴露的问题也越来越多。无论当初是否出自自愿,一旦真正下放乡村,亲自触摸到城乡间生活的巨大落差,大多数知

―――――――――

① 国务院知青办:《全国城镇知识青年上山下乡统计资料》(1962—1979),1981年铅印本第3页。

青未能安于现状。何况在动员和安置下乡知青的工作中存在着种种失误与偏差。大部分下乡知青是所谓家庭出身"不好"的青年;知青在农村、农场受歧视、迫害的现象也相当普遍。知青们的不满情绪在积蓄,但在城乡两个方面都受到行政权力有效控制的状况下,他们根本无法使自己的处境有所改观。然而,毛泽东于1966年亲自发动了"文化大革命",在一波高过一波的"造反"浪潮中,下乡知青们似乎看到了改变命运的曙光。

1966年底至翌年初,知青"返城风"迅速波及全国。各地知青利用前所未有的"大民主",恣意发泄对上山下乡的不满。返城知青集中抨击"黑暗的上山下乡运动",显然令"文革"的领导者感到"干扰了运动的大方向";知青组织跨地域横向联合的趋向,又预示着这股破坏性力量益发难以控制。而且,知识青年要户口、要工作的诉求,加重了城市中本已严重的经济压力,同时还为急剧增加的待业人口提供了决策者最不希望看到的一种反面榜样。在这种情况下,知青"返城风"很快以失败告终也就不足为奇。

1967年1月18日《文汇报》和5月4日《人民日报》连续发表社论,系统阐述知识青年上山下乡的政治意义,突出强调了它在三大革命、培养和造就无产阶级革命事业接班人、缩小三大差别、巩固无产阶级专政和防止资本主义复辟等方面的重大作用。从此,这项旨在缓解城市就业压力,把解决城市剩余劳动力问题和改变农村落后面貌、开发边疆的事业结合起来的重大措施,被进一步曲解为一场具有深远意义的政治运动。

二

运动的高潮

1966年夏季,"文化大革命"的勃然兴起,打断了上山下乡运动的正常进程。以后将近一年,大动乱迅速波及全国城乡,各级党政机构几近瘫痪,无法着手知青下乡的动员和组织。

1967年秋,北京市一些中学生主动申请到边疆插队落户,由此拉开"文革"期间大规模上山下乡运动的序幕。1968年底,毛泽东一声令下,将运动迅速推向高潮。在"文化大革命"10年中,总共有1400万以上的城镇知识青年上山下乡,十分之一以上的城镇人口在这种形式下被送往农村和边疆。

(一)席卷全国的狂澜

1966年下半年爆发的"文化大革命",给60年代初以来愈演愈烈的知识青年上山下乡活动造成一个短暂的间歇(1966年11月至1967年9月)。这种间歇,不过是使城市就业难的矛盾更加尖锐。

"文革"初的政治动乱,导致国民经济的负增长。1967年工农业总产值比上年下降近10%;1968年在1967年下降的基础上再降4.2%,只相当1966年的86.2%。国民经济呈现全面衰退迹象。绝大多数工矿和基层单位无法招收新职工。与此同时,学校基本停课,高等学校停止招生。这二年(1966—1967年),全国高、初中毕业生多达1000万人,其中属于城镇户口的就有400万人。他们留在城市,无业可就,成为十足的剩余劳动力,如何安置他们成为一项当务之急。而"文革"以前组织城镇青年上山下乡的做法,为决策者摆脱困境提供了现成的思路。

1967年9—10月,北京市中学红代会的曲折、何方方主动带头上山下乡,成为大规模上山下乡运动的前奏。

1968年4月,中共中央在对黑龙江省革命委员会关于大专院校毕业生分配工作报告的批示中,传达了毛泽东的指示:"毕业生分配是个普遍问题,不仅有大学,且有中小学",并要求按照面向农村,面向边疆,面向工矿,面向基层的原则进行分配。当时,工矿企业基本不招工,到农村和边疆上山下乡成为中学毕业生的主要方向。随即,各省、市、自治区陆续着手知识青年上山下乡的动员组织,并与毕业生分配紧密结合在一起。截至年底,全国下乡知识青年已达200万人左右,人数超过"文革"前五年的总和,堪称盛况空前。

不过,若与城镇中"老三届"(1966届、1967届、1968届)初、高中毕业生约400万人比,说明仍有半数毕业生滞留城市,而1969届毕业生又分配在即,城市就业压力尚未明显缓解。正是在这种背景下,《人民日报》于1968年12月22日通过一篇文章的按语传达了毛泽东的最新指示:"知识青年到农村去,接受贫下中农的再教育,很有必要。要说服城里干部和其他人,把自己初中、高中、大学毕业的子女送到乡下去,来一个动员。各地农村的同志,应当欢迎他们去。"当时,一部分城市居民和他们的子女对上山下乡持怀疑、观望、抵触的态度,所以毛泽东在指示中要求对他们进行"说服",并且"来一个动员"。不少地方的农村本来已有人满之患和衣食之忧,当地基层干部和农民对知青的到来并不欢迎,毛泽东则指示农民们"应当欢迎他们去。"可见,毛泽东的这段"最高指示"系为排除上山下乡运动的阻力而发。由于毛泽东享有崇高威望和至高无上的权力,他的指示,迅速在全国掀起大规模上山下乡的热潮。

(二)知青的走向

同样是到农村去,知识青年的走向却迥然有异,有的千里迢迢奔赴边疆,有的却在距家门口不远的郊县落户。其中,在知青安置地点上起主导作用的是国家规划。由于国家将知青安置地点的远近与其所居城市的行政级别、规模大小联系在一起,结果形成与知青走向相关的一个总体特征,即知青的安置地具有政区的层次性。

第一个层次,跨省安置。

在1962年至1972年上山下乡的873万城镇知青中,属于跨省安置的有135万人(占总数的15.5%),其中,1966年以前19万人,1967年以后116万人。跨省安置的知青包括三市九省,即三大直辖市北京、天津、上海,以及浙江省、四川省、江苏省、山东省、湖北省、河北省、陕西省、辽宁省、吉林省。九省中,除浙江、四川两个人口稠密省份跨省安置人数较多外,其余各省人数很少。而三大直辖市跨省安置知青将近117万人(为全部跨省安置人数的86.7%)。可见,跨省安置的主要对象是三大直辖市的青年。

国家安置部门将三市青年大批分送到外省、区,始终出自非常实际的考虑:市郊农村地亩有限,人多地少,无法承受大批下乡人口。将这批青年输送到地广人稀的边疆或者贫困落后的内陆地区,既可减轻大城市就业的压力,又可推动偏远地区的经济开发,特别是边疆地区方兴未艾的军垦事业。于是,由国务院牵头,经三大城市知青安置办与有关省、区协商,共同制订计划,将一批又一批知识青年送往四面八方。

接收外省、市知青的省份共有17个,按不同情况可以分为两大类。一类为地多人少、有待开发的边疆或偏远省份，如黑龙江、新疆、内蒙古、云南、贵州、甘肃、青海、宁夏、吉林，安置外省、市知青总计近84万人（占全部跨省、区安置知青人数的62％）。其中黑龙江省安置人数最多，将近40万人；其次为新疆、内蒙古、云南，人数均在10万人以上。第二类为内地贫困落后、或者有一部分贫困落后地区的省份，如陕西、山西、河北、安徽、江西、江苏、浙江、辽宁，安置外省、市知青共计51万人（占全部跨省、区安置知青人数的38％）。除了少数例外，跨省安置的知青处境都比较艰苦。由于半数以上跨省安置知青被编入半军事化的生产建设兵团（或农场）。所以"艰苦"的含义对他们而言，不仅是物质生活的匮乏、体力劳动的繁重，还包括组织上的严格约束、思想上的有力钳制。

第二个层次，在本省内跨地区安置。

各省、自治区首府所在地和省、区内若干大中城市的知识青年，除少数在市郊农村落户外，多数在本省范围内安置。

第三个层次，本地区内跨县安置。

属于这种情况的是地区领导机关所在城市的知识青年。地级市基本是人口数十万的中小型城市，下乡知青较多，不可能全部集中在市郊，而是疏散到所属各县。

第四个层次，县级市镇下乡青年，主要在本县所辖各公社内安置。

从知青安置地域所具有的政区层次性特征中可以看出：行政级别越高、人口越多的城市下放的青年，分布范围越广；反之，行政级别越低、人口越少的市镇出来的青年，分布范围越狭小。三大直辖市的下乡青年浪迹天涯，而县镇下乡青年只能局守家门前一隅，其间的差别是很明显的。

（三）安置经费及物资补助

城镇知识青年在农村没有任何生活基础，下乡后在住房、粮食等方面遇到各种具体问题，国家在知青下乡时拨付一定安置费用，并采用一些补助措施，都是为了使知青能比较顺利地渡过生活上的难关，尽快在农村稳定下来。

插队知青与兵团（国营农场）知青的所有制形式不同，安置经费的数额与拨付途径始终各有成规。

"文化大革命"前，国家有关部门已就安置经费形成一套比较完整的制度。1968年底上山下乡运动一下子掀起高潮。在国家没有及时就安置经费与物资补助作出统一规定以前，各省市多参照"文革"前旧例制订本地的补助标准。1970年8月，财政部对安置费的开支项目和标准，作出统一规定：国家拨付的安置费，主要用于城镇下乡人员的建房补助、生活补助、工具购置补助、旅运费和学习材料费等。安置费以省、市、自治区为单位计算，平均每人不超过下列标准：单身插队、插场的，南方每人230元，北方每人250元；成户插队、插场的，南方每人130元，北方每人150元；参加新建生产队、新建扩建国营农场和集体所有制"五七"农场的劳动力，每人400元（含部分建设资金）；家居城镇回乡落户的，每人补助50元。不难看出，除进入国营农场（包括生产建设兵团）知青的安置费由从前的1000元至250元改为一律400元外，有关插队知青的安置费标准与"文革"前的规定如出一辙。

同时，对知识青年跨省安置的路费、到高寒地区插队的冬装费重新作了规定：组织跨省、跨大区下乡的，每人分别另加路费20元、40元，从关内跨省到高寒地区插队的，每人补助冬装费30元（到国营农场的,由本人自理)。①

安置经费属国家专款专用,由各省、市、自治区财政部门按照已下乡人数,规定的开支标准和实际花钱进度,分期分批地进行拨付。除动员地区使用小部分外,其余归安置地区县、社统一掌握使用,不发给个人。

安置费中动员地区使用部分又称动员费,主要用作知青下乡时的交通费、途中食宿补助、困难补助。各地标准不一,约在15—35元左右。安置地区使用的部分主要用于建房,购置小农具和家具以及粮、油、医药等生活补助。生活补助原则上为一年。

除拨付安置经费,在日用品供应、口粮供应、食油供应方面也作出相应规定。

日用品供应。"文革"期间,生活日用品匮乏,购买棉布、棉花等日用品均需票证,限量供应。为照顾下乡知青,各地都免票供应一定数量的棉花、棉布、蚊帐等物资。

口粮供应。插队知青,原则上由国家供应一年,或由下乡青年到农村的第二个月起,一直到接上当季或下季的粮食分配时止,由当地粮食部门,按照他们所在生产队一般社员的实际吃粮水平(包括公社生产队分配的口粮、超产奖励粮和自留地收获粮的粮食总平均数)和国家统销价格,从统销粮中安排供应。

食油供应。也按当地城镇居民食油标准供应一年,或从到达接收地的第二个月起,一直到接上当季或下季的食油分配时止。

下乡知青到国营农场(生产建设兵团)落户的,食粮食油按所在场职工和家属的标准供应。

1967年到1972年,全国共动员747万城镇知青上山下乡,支出经费约在17—18亿元左右。② 问题是,支出了巨额经费,并没有真正解决下乡知青的安置问题。由于对知青经费管理松弛,相当一部分钱被农村基层干部贪污挪用;插队知青的安置费标准偏低,使住房问题变得突出起来。这些问题动摇了知识青年留在农村的决心。

(四)安置的方式

从上山下乡运动发端初,对城镇知识青年就有两种主要安置方式,一种是到国营农、林、牧、渔场(或生产建设兵团)当农业工人(或兵团战士),一种是到农村社、队插队落户当农民。两者的生活、劳动条件、经济收入方式,乃至社会身份,存在明显不同。1962年至1972年的10年中,全国共有873万城镇知识青年上山下乡,其中到农村插队落户的666万人(占总数的76%),到国营农、林、牧、渔场和生产建设兵团的207万人(占总数的24%)③。这说明,到农村插队落户是安置下乡知识青年的主导方式。

1. 插队知青的安置

下乡插队的形式可以追溯到50年代。1957年动员城市中小学毕业生下乡参加农业社生产,性质相当于后来的插队,只

---

① 财政部:《关于安置经费的开支标准和供应渠道的试行意见》,1970年8月20日。
② 官方统计前后略有差异。据1973年7月国务院知青办《知识青年下乡经费使用管理方面存在的问题》一文称,从1962年到1972年,国家共拨付城镇知识青年下乡经费25亿元,实际开支21亿元,结余4亿元。另据1981年3月国务院知青办《全国城镇知识青年上山下乡统计资料》第86—89页:同期中央财政拨款25亿元,实际开支19.9亿元。"文革"前城镇下乡知青129万人,按每人安置经费230元估算,约开支3亿元,扣除这部分,即为1967年到1972年间开支的经费。
③ 国务院知青办:《1962年至1972年全国城镇知识青年上山下乡情况》,1973年6月。

是当时农村集体所有制组织叫农业社,而不像 1958 年成立人民公社以后一律称生产大队、生产队。农业社规模小,容纳人口有限,下乡知青一般采取单身住进农户的安置形式。

1960 年以后,国家开始组织城市青年到农村插队,同时插队的形式趋向多样化,主要有单身插、集体插、投亲靠友。单身插和投亲靠友都属于分散插队。时隔不久,分散插队的弊病就暴露无遗:知青单身一人,劳动之余还要从事家务,负担过重;生活单调,缺乏文化生活和娱乐;对知青工作难以管理,以至放任自流,导致了一系列问题。所以,从 1963 年起,对插队知青进行集体安置的做法得到大力提倡。

集体插队的基本方式是选择有条件的公社和生产队,安置三五人、六七人,组成一个小集体户,集体生活,分散劳动。以后,一些地方还兴建了包括几十人的大型集体户。集体户的优点被概括为:知青力量集中,可以成为生产上的突击力量;适应青年喜欢合群的特点,便于互相照顾、帮助;吃、住问题容易解决;容易管理和组织;能比分散插队节省 30% 左右的安置经费。

一旦"文化大革命"高潮来临,"再教育"理论成为指导上山下乡运动的金科玉律,在公社或大队建立知青集体户(又称"知青点")的做法就首当其冲受到批判。1968 年 12 月 6 日《人民日报》以辽宁省新金县革命委员会名义发表的文章《下乡知识青年必须由贫下中农给以再教育》中,斥责在公社、大队建立"青年点"使知识青年脱离了政治,脱离了贫下中农,丧失了阶级斗争自觉性。

随着旧经验被否定,官方大力推广的"新经验"主张,停止在公社、大队建知青点,应把知青点建在生产队上。具体做法是把下乡知青编成若干人的小组,安排在各生产队的自然村,集中吃住,参加生产队集体劳动。①

"文革"前已被实践证明是失败的分散插队(即单独一人到生产队落户)经验,因新闻媒介的鼓吹而重放异彩。1968 年单枪匹马到山西省杜家山落户的北京女知青蔡立坚,成为"文革"中第一颗知青新星。官方舆论通过对她的表彰,为广大知青提供了一种单独到贫下中农家中"插户"形式。这也是分散插队过程中最激进的安置方式。

总之,60 年代末 70 年代初"再教育"理论所向披靡时,知青集体户出现了由公社、大队建点向生产队建点的转变,知青点的规模呈现小型化,与此同时,插队知青的分布趋向疏散,乃至单人插队,三四人插队的现象相当普遍。

对大多数插队青年来说,集体户也就是他们在农村的"新家"。显而易见,集体户有别于人们通常意义上所理解的"户"。后者是从户籍制度角度来指称的家庭,是以婚姻关系和血缘关系为基础的社会单位,包括父母、子女和其他共同生活的亲属;集体户则是由一群未婚男女知识青年组合的社会单位。当然,像真正意义上的"户"一样,集体户也拥有自己独立的户籍(户口本)和户主(户长,即一户的负责人)。

通常,集体户的成员只是集中食宿,他们参加生产队的集体劳动则是分别记工,并按个人实际劳动日(一个劳动日为一个工)和工分标准计算报酬。性别、体

---

① 《人民日报》,1969 年 11 月 16 日;参见同报 1968 年 12 月 6 日。

质、劳动态度上的种种差异,造成收入的差别。家庭经济状况的好坏,也直接影响到知识青年的生活水平。有可靠经济资助的知识青年不必为衣食操心,无家庭资助或少有资助的知识青年则往往为收入菲薄和囊中羞涩忧心忡忡。但无论这些差异多么鲜明,他们却要在集体灶(集体户统一办的伙食)合伙吃饭,同时还要分担集体户维持正常运转的各项开支。男女知青在饭量上的差异显而易见;集体户成员探亲回家或因病误工更是普遍现象。种种差异造成了集体户内部经济关系的复杂性,也增加了集体户履行生活管理职能的难度。

2. 农场(兵团)知青的安置

早在50年代中,就有一些知识青年参加农场建设。1962年至1966年,国营农场累计接收安置了42万城市知识青年。[1]

"文化大革命"开始后,上山下乡的规模迅速扩大。截至1972年底,到国营农场和生产建设兵团的知识青年已有200万人,约相当于全国城镇上山下乡知识青年总和的1/4。[2] 这以后,因多数农场、兵团人员极度饱和,安置知青人数锐减。

整个"文革"期间,安排到国营农垦系统(包括生产建设兵团)的知识青年近250万人(约为下乡知青总数的18%)。[3] 各垦区接收知识青年的人数为:黑龙江垦区55万人,广东垦区36万人,上海市农场32万人,辽宁垦区22万人,新疆、云南、内蒙古垦区各10万人,江西垦殖场8万人,江苏、湖北农场各5万人,湖南、安徽和北京市农场各3万人,其他省、区的农场在2万人以下。

到国营农垦系统的知识青年,有60万人是跨省、区安置到边远地区国营农场和生产建设兵团的,他们主要来自京、津、沪三大城市和浙江、四川两省。跨省安置的走向,基本依照"文革"前的旧轨而因时因事有所变通:北京青年12万人,大部分到黑龙江垦区,少部分到内蒙古垦区;上海青年27万人,其中12万人到黑龙江垦区,近10万人到新疆垦区,4万人到云南垦区;天津青年8万人,半数以上到黑龙江垦区,其余主要到内蒙古和甘肃农场;浙江青年4万人,大部分到黑龙江垦区;四川青年4万人,绝大多数到云南垦区。[4]

60年代后期,全国大部分省、区相继以国营农场为基础,组建了一大批生产建设兵团或农建师,划归各大军区或省军区领导。生产建设兵团是带有军队编制特点的大型国营企业。内部保持着军队师、团、营、连的建制和与之相关的政治工作机构和制度。由于"文革"期间进入国营农场系统的知识青年近半数被安置在生产建设兵团,遂使这种组织形式与轰轰烈烈的上山下乡运动形成不解之缘。

生产建设兵团体制肇建于50年代初。

---

① 此据《全国城镇知识青年上山下乡统计资料》第3页。张林池主编:《当代中国的农垦事业》,中国社会科学出版社1986年版第64页则说有25.7万人。

② 此数字系1962年至1972年合计。目前两组数据略有差异。一组是国务院知青办《1962年至1972全国城镇知识青年上山下乡情况》(1973年6月)提供的,称全国城镇知青上山下乡总数为873万人,含到生产建设兵团和国营农场的207万人(占总数的24%);一组是国务院知青办《全国城镇知识青年上山下乡统计资料》(1981年3月)提供的,称全国城镇知识青年上山下乡总数为845万人,其中到生产建设兵团和国营农场的196万人(占总数的23.2%)。

③ 此据《全国城镇知识青年上山下乡统计资料》第2—3页。《当代中国的农垦事业》第65页则说有220万人。

④ 《当代中国的农垦事业》第65页。个别数字不准确。如上海市赴新疆生产建设兵团的知青为9.7万人,书中却说有8万人。

1954 年,经中共中央批准,组建了新疆生产建设兵团。兵团以平战结合、寓兵于农,"屯垦戍边"为宗旨,实行以农为主,多种经营的方针,在发展农垦事业同时兼有巩固边防的作用。1962 年,中苏关系剑拔弩张,新疆数万边民越界外逃,新疆生产建设兵团在周恩来指示下,在千里边防线上建起一条边境农场带,屯垦戍边。在当时形势下,新疆生产建设兵团的地位进一步得到加强。

"文革"前,新疆生产建设兵团已接纳上海知青 9.7 万人。加上来自北京、天津、武汉、浙江、江苏等省、市知青,总数多达 12.7 万人。他们到新疆后,被分别安置在南起塔里木河南岸,北到中、蒙、苏边境的阿勒泰,南北相距两千公里。

1966 年"文化大革命"爆发,全国农垦管理系统很快陷于瘫痪,各地垦区混乱不堪,加之漫长的中苏边境上形势日趋紧张,战争大有一触即发之势。为了在较短时间内恢复农垦系统的秩序和生产,同时也为了加紧备战,中共中央决定在沿边各省、区和一些内陆省份,以国营农场为基础大批组建生产建设兵团和农业建设师,划归各大军区和省军区领导。兵团的师、团、营,甚至连一级主管干部,都由各军区调入的现役军人担任,用带兵打仗的办法管理企业。大规模组建生产建设兵团,为安置潮水般涌出城市的下乡知青开辟了一条重要途径。

从 1968 年到 1970 年,全国新组建的有黑龙江生产建设兵团、内蒙古生产建设兵团、兰州生产建设兵团(在原甘肃、青海、陕西、宁夏农建师基础上建立)、江苏生产建设兵团、福建生产建设兵团、广东生产建设兵团、云南生产建设兵团、山东生产建设兵团、湖北生产建设兵团、江西农建师、西藏生产建设师,加上前设新疆生产建设兵团,共计 12 个生产建设兵团、2 个农业(生产)师,分布在 18 个省、区。在各兵团和农业师,知识青年无一例外地成为骨干力量。1972 年,全国兵团系统职工 292 万人,其中知识青年 100 余万人。①

(五)知青政策的调整

1968 年到 1969 年,堪称上山下乡运动的"黄金时代",近 500 万知识青年一哄而起,掀起空前绝后的高潮。然而,接踵而至的却是运动大滑坡:1970 年,全国共有 106.4 万城镇知识青年上山下乡,仅相当上年人数的 39.8%;1971 年减至 74.8 万人,下一年再减至 67.4 万人。上山下乡运动的第一次高潮至此跌落谷底。

造成运动大滑坡的主要原因,是经济形势的变化:70 年代初,经济建设出现了新中国成立以来的又一次"过热",工矿企业招工失控。1970 年和 1971 年国家计划增加职工 306 万人,实际增加 737 万人,超过计划 1 倍多;1972 年继续盲目招工。结果 3 年增加职工 1200 万人,造成所谓"三个突破"(即职工总数突破 5000 万人,工资总额突破 300 亿元,粮食销量突破 800 亿斤)、"一个窟窿"(动用粮食库存 100 多亿斤)。② 盲目招工的结果,不仅使上山下乡的人数逐年渐少,还使大批在乡知青被招工回城。

像以往两次经济"过热"(1956 年一次,1958—1960 年一次)一样,招工失控导致供给和消费关系严重失衡,劳动生产率明显下降,尾随而来的必然是又一次经济

---

① 总参谋部、农林部:《关于生产建设兵团领导管理体制问题的调查报告》,1973 年 2 月 8 日,载《农垦工作文件资料选编》,农业出版社 1983 年版。

② 袁伦渠主编:《中国劳动经济史》,北京经济学院出版社 1990 年版,第 284 页。

"紧缩"(或曰"调整")。1973 年起,国家决定调整国民经济,精减职工,严格限制招工。以此为背景,又开始把上山下乡作为安置城镇知识青年的主要方向。为此,制订了动员 216 万人上山下乡的庞大计划(包括应届毕业生186 万人,往届毕业生未下乡的 30 万人)。然而,由于社会上阻力重重,年度计划从一开始就遇到严重挫折。原计划上半年动员 138 万人,但是到 5 月底只下去了 40 万人,占应动员人数的 29%。①

种种迹象表明:上山下乡这架一度疯狂运转的庞大机器,似乎已经精疲力竭。运动的领导者不得不承认:"现在,动员城镇中学毕业生下乡的工作越来越难做,仍在农村的知识青年也有相当大一部分不大安心。"②

大批知青下放到农村后,遇到一系列问题。多数插队知青在生活上长期不能自给,在口粮、医疗、住房等方面存在不少困难。1972 年底,福建小学教师李庆霖在给毛泽东的信中如实反映下乡知青的困境和自己家庭难处,集中抨击干部子女"走后门"的不正之风。毛泽东在复信中对知青工作的现状表示关切,指出:来信中反映的知青困难问题在全国"甚多",应当"统筹解决"。按照毛的指示,1973 年 6 月在北京召开全国知识青年上山下乡工作会议。会议决定加强对知青工作的领导,并对相关政策进行了调整、补充、完善。

李庆霖上书中谈的最多的就是生活困难。毛泽东复信中称:"全国此类事甚多",主要也是指"无米之炊"。所以,全国知识青年上山下乡工作会议,把研究解决知识青年的口粮、住房、医疗等方面的实际困难作为重要议题。会议决定,对生活困难的插队知青由国家给以必要补助,并适当增加安置经费。③

会议决定改进插队知青安置办法,明确规定:知青下乡插队要适当集中,建立青年点;在人民公社建立集体所有制青年队(或农场),以知识青年为主,由带队干部和部分贫下中农参加。从此,建立青年点(知青集体户)、青年队和集体所有制场(队),便成为安置下乡青年的主要形式。同时,对在乡知青的布点布局加以整顿,居住过于疏散的进行集中,条件过于艰苦的调出另行安置。这就是所谓知青点的"集并"。

在改进安置形式的同时,对安置走向也作了调整。"文革"初,在"到最艰苦和最需要的地方去"的思想主导下,一大批知识青年被安置到偏远或者贫困落后地区。这中间,既包括跨省安置的知青,也包括一部分省内安置知青。由于当地条件异常艰苦,许多知青难以自给。1973 年知青工作会议以后,各大中城市基本中止了将知识青年安排到偏远贫困地区插队的做法,知识青年的安置走向经历了由远及近、由分散到集中的变化。与此同时,他们在农村的生活条件有所改善。

然而,上述变化带来的副作用也是明显的,往往越是大城市,劳动就业压力越大,安置青年下乡的任务越沉重,市郊农村人多地少的矛盾也越突出。当大部分知识青年改在郊县农村落户后,当地固有的人多地少矛盾更加尖锐。在这些地区,知青的到来形成与农民争工分、争土地、

---

① 国务院知青办:《本年一至五月份各地知识青年上山下乡动员工作的进度情况》,1973 年 7 月。

② 国务院知青办:《知识青年上山下乡工作会议汇报提纲》,1973 年 7 月。

③ 国务院知青办:《关于全国知识青年上山下乡工作会议的报告》,1973 年 7 月 24 日。

争口粮的情况,严重损害农民利益。农民不满,他们把农村比喻为"收容站"。

1973 年知青工作会议以后,全国掀起新一轮知青上山下乡运动的高潮。1973 年至 1976 年的 4 年中,一共有 687 万知识青年上山下乡,平均每年近 172 万人。①这是多方面努力的结果。首先,在全国知青工作会议后实施的政策调整,如停止分散插队,提倡集体插队,实行就近安置,一定程度上减少了动员毕业生下乡的阻力。其次,许多省、市为了完成下乡动员计划,改行"轮换制",知识青年下乡两年后,多数被安排工作。此举意味着上山下乡成为求职就业前的必由之阶,较易为人们所接受。最后,一些省、市每到应届学生毕业,就由有关部门层层组织"大会战",调动一切力量,不计任何手段,以确保计划的完成。实事求是地讲,离开各种强制或变相强制的手段,就不可能有上山下乡运动的进展。

运动的尾声

1976 年 10 月 6 日,江青、张春桥、王洪文、姚文元"四人帮"被逮捕。这一石破天惊的喜讯迅速传遍全国,它预示着持续 10 年之久、给中国人民带来无穷灾难的"文化大革命"行将结束。在 1976 年以后的四年中,尽管还有 100 多万知识青年并不情愿地继续上山下乡,与此同时,却有多达 700 万以上在乡知青通过各种合法和非法的途径返回城市。1980 年,这场迁延 20 余年之久的运动终于收场。

（一）知青问题的"拨乱反正"

粉碎"四人帮"的重大胜利,标志着中国历史发展迎来一个"拨乱反正"和改革开放的新时期。但是,在如何总结"文化大革命"灾难的历史教训方面,中共领导人的认识并不一致。华国锋等领导人坚持毛泽东晚年的错误,还有相当一批干部的头脑仍旧受着"左"的思想禁锢,这就形成了一股妨碍"拨乱反正"的阻力,导致新时期头两年步履艰难的局面,同时延缓了知青问题的解决。

1977 年 7 月,中共十届三次会议恢复主张改革的领导人邓小平中共中央副主席、国务院副总理的职务。邓小平的复出,对于彻底否定"文化大革命"的理论和实践,对于清理以前的"左"的错误,具有重要意义。

1978 年 5 月 11 日,《光明日报》发表时任中央党校副校长的胡耀邦亲自主持定稿的特约评论员文章《实践是检验真理的唯一标准》。文章论述了检验真理的唯一标准只能是社会实践,理论与实践的统一是马克思主义的一个最基本的原则的观点,主张任何理论都要不断接受实践的检验,在实践中不断增加新的内容。文章发表后,引起强烈反响。在中央多数领导人的引导支持下,关于真理标准问题的讨论在全国范围迅速展开。

关于"真理标准"的大讨论,第一次破除了在上山下乡这一曾被高度政治化、神圣化的社会问题上的种种禁忌。社会科学家走在思想解放的前列。有学者直截了当地指出,上山下乡违反社会发展规律,捅开这个马蜂窝,有好处。于光远在理论务虚会上讲:"知识青年上山下乡的确是一个严重问题,应该承认这是十多年错误做法造成的。"邢贲思在《关于真理的

---

①　国务院知青办:《全国城镇知识青年上山下乡统计资料》,第 9—12 页。

标准问题》的报告中指出：知识青年上山下乡，每年国家要花十多亿[元]，包括各种各样的补助、耗费，花这么多钱，结果到了农村还跟农民争粮吃，农民并不欢迎。[1]这些犀利的言语，在社会上激起层层波澜，特别是在广大知识青年中引起强烈共鸣。

1978年11月23日《中国青年报》发表了一篇评论员文章《正确认识知识青年上山下乡问题》。文章说"文化大革命"十年来的上山下乡，是"四人帮"大肆鼓噪所造成的"恶果"。文章第一次公开披露上山下乡运动令人沮丧的真相：多数知识青年生活不能自给，不少人婚姻、住房、疾病等问题无法解决，很多地方缺少学习政治和文化科学知识的起码条件，弄得许多知识青年消极低沉，群众怨声载道。文章还从理论上驳斥了所谓上山下乡是知识青年同工农相结合的唯一途径，是缩小"三大差别"的重要道路等极"左"观点。文章发表后，在社会上产生很大震动，许多知识青年认为文章道出了他们的心声，要求为他们彻底落实政策，允许返城。

1978年12月北京召开的中共十一届三中全会，进一步批判"两个凡是"的错误方针，强调必须完整地、准确地掌握毛泽东思想的科学体系，高度评价真理标准讨论，确定了解放思想、开动脑筋、实事求是、团结一致向前看的指导方针。十一届三中全会在就历史上一系列重大事件、人物给予重新评价，拨乱反正，昭雪冤案的同时，对知识青年政策也进行了认真检讨。会议认为：知识青年是受林彪、"四人帮"反革命集团迫害的一代，广大知识青年是无辜的，他们的处境值得同情，困境

是需要及时解决的。[2]

十一届三中全会以后，主张改革的中央领导人掌握了"拨乱反正"的主动权，有步骤地解决了新中国成立以来许多历史遗留问题和实际生活中出现的新问题。这为知青问题迎刃而解准备了至关重要的政治条件。

（二）知青政策的调整

"文化大革命"结束后，上山下乡运动中根深蒂固的矛盾和积弊并没有随着极"左"派领导人退出历史舞台而消失。从当时情况看，主要问题包括：许多下乡知青生活上长期不能自给，在住房、婚姻方面困难突出；走后门之风经久不衰，下乡知青的上调机会不平等；将大批知青安置到人口较多的农村社队，加剧了人多地少的矛盾，农民不满，排斥知青现象进一步发展；下乡知青受迫害，特别是女知青受摧残问题仍旧相当严重。在这些问题中，最紧迫的还是下乡青年生活困难问题。具体说，又包括三个方面：

第一，生活不自给的比例大。根据27个省、市、自治区统计，有13个省、市、自治区下乡青年生活不能自给的比例在50%以上（自给标准120元至180元）。其中云南、贵州、四川、福建、甘肃等省高达70%—80%。跨省插队的老知青困难最大。上海市在外省插队的22.4万知识青年中，就有13万人生活不能自给。[3]

第二，住房困难问题。据1976年底统计，在插队青年中，没有建房的有95万人。已婚青年的住房困难问题最严重。江苏、安徽、四川、吉林四省已婚22万知识青年中，有10万人没有建房。国营农场系统大

---

① 中国社会科学院哲学所资料室整理，1978年10月10日铅印本。
② 《胡耀邦同志关于待业青年问题的讲话》，1982年3月2日。
③ 省、市、自治区知青办负责人座谈会《简报》(1)，1977年12月21日。

龄知青结婚无房现象也很严重。1978 年 5 月,国务院派赴黑龙江农场工作组的报告中称:当地 2 万对已婚知识青年没有住房,另有 28 岁以上知识青年 15 万人,多数也要在一两年内结婚,需要解决住房。①

第三,大龄未婚现象突出。"文革"初期下乡的"老三届"初、高中毕业生,当时的年龄介乎 25 岁至 30 岁之间。这意味着,其中年龄最轻者也已步入晚婚年龄,但未婚者却数量惊人。1977 年国务院知青办对 7 个省的统计结果表明:26 岁以上的未婚知青有 59 万人,年龄大的已过 30 岁。进入晚婚年龄而未婚的知识青年,仅黑龙江一省就达 30 万人;在第一大城市上海跨省安置的 70 多万知青中,多达 90% 以上的人属于上述情况。②

下乡知青中的种种棘手问题究竟如何解决?彻底改弦易辙,放弃上山下乡的安置模式,无疑是一劳永逸解决知青问题的唯一途径,但由于知青问题的广泛性和复杂性,又注定了这条途径充满风险。

1978 年 3 月 28 日,中共中央副主席邓小平在一次谈话中指出:要研究如何使城镇容纳更多劳动力的问题。现在是上山下乡,这种办法不是长期办法,农民不欢迎。③ 就目前所知,这是上山下乡运动发端以来,高层领导人第一次对这种做法明确表示异议。千百万城市青年的长期社会实践充分证明,用组织上山下乡的方式解决城市就业问题是行不通的,合理的途径只能在城镇中寻找。同年 7 月,胡耀邦在同国务院知青办主任许世平谈话时也指出,上山下乡这条路走不通了,要逐步减少,以至做到不下乡,这是一个正确

的方针,是可能的。安置去向,主要着眼于城市,先抓京、津、沪三大城市。④ 胡耀邦的思路与邓小平完全一致,只是表述得更明确,构想更清晰。

自 50 年代起,特别是 60 年代初以来,国家始终把农村作为安置城市剩余劳动力的场地,至此转而提出由城市自身来消化这部分劳动力,这无疑是指导思想上一个带有战略性的转变。不过,在如何"使城镇容纳更多的劳动力的问题"上,暂时还没有具体方案,所以邓小平指示"要研究"。后来的事态发展表明,在高度集中计划经济体制和"统包统配"的劳动管理制度下,在城市中国有企业"一花独秀"的格局下,劳动力就业问题是无法解决的,只有在把经济改革步步推向深入的进程中,才可能摸索出一条解决劳动就业问题的合理途径。

当主张改革的中央领导人表示不久将来上山下乡运动会画上一个句号的同时,有关部门对知识青年上山下乡政策作了新的调整,主要宗旨是逐步缩小上山下乡的规模。

1978 年 10 月至 12 月,在北京召开第二次全国知识青年上山下乡工作会议。会议是在"真理标准"大讨论之后召开的,与会者的思想比较解放,对上山下乡运动有了新认识。会议宣布:"随着社会劳动力结构的逐步改变,知识青年上山下乡人数将逐渐减少,以至做到不搞现在这样的知识青年上山下乡。"这就明确无误地向全国人民发出了这场运动要"收"的信号。经过会议讨论,并经中央政治局会议讨论

---

① 国务院知青办:《情况简报》增刊(2),1978 年 3 月 17 日。
② 省、市、自治区知青办负责人座谈会《简报》(1),1977 年 12 月 21 日。
③ 何光主编:《当代中国的劳动力管理》,中国社会科学出版社 1990 年版,第 441 页。
④ 同上,第 442 页。

同意,最后形成〔1978〕74 号文件。文件对上山下乡工作作了几方面调整:

一是调整下乡政策。改变以往城镇中学毕业生"以下乡为主"的方针,实行"四个面向"原则;进一步放宽留城条件,缩小下乡范围。会议估计,这样调整后,全国下乡人数可比前两年减少一半。

二是改变安置办法。文件指出,组织上山下乡的出发点是让青年下去创业,不是搞"再教育"。因此,提倡在农村广开门路,集体安置。插队办法利少弊多,应逐步整顿收缩。

三是逐步解决在乡知青问题。对仍旧留在农村的 800 多万知青,提出在稳定的前提下,本着"国家关心,负责到底"的精神,实事求是地逐步解决他们的问题。

这次会议的宗旨很明了:肯定成绩,揭露矛盾,调整政策,改进做法,稳而不乱地解决好知青问题。会议比较彻底地放弃了"文革"以来极"左"思潮对上山下乡运动的严重影响,大大淡化了人为赋予这场运动的各种政治意义,开始还其本来面貌。会议决定在大幅度削减下乡人数的同时,将在乡知识青年逐步调出农村并安排工作,这样就为在若干年后不再搞这样的知识青年上山下乡,迈出了关键一步。

(三)知青大返城

第二次全国知青工作会议考虑到在接收老知青返城并安置其就业方面存在的条件限制,强调要"有步骤、有区别、稳而不乱地解决他们的问题"。但仍旧滞留农村的 800 万知识青年却明显失去了继续等待的耐心。结果,1979 年前后,全国 21 个省、市、自治区相继发生上山下乡知识青年集会、游行、请愿和哄闹政府机关事件,成为严重的社会问题,人们把它称为"爆炸性的问题"。由于各地知青都把"返城"作为基本诉求,所以这次席卷全国的风潮又被称为"知青返城风"。其中,最为惊心动魄的是发生在 70 年代末 80 年代初的二起事件:一起是 1979 年云南生产建设兵团知青为返城举行的请愿、罢工、绝食运动;一起是 1981 年新疆生产建设兵团知青为返城举行的请愿、罢工、绝食运动。①

上山下乡运动中前后爆发过两场返城风。第一场爆发于"文革"初期,而第二场返城风,无论就规模、范围还是社会影响而言,都非前者可比,结局更是迥然不同:"文革"初的返城风潮,是在宏扬极"左"思潮的年代里,打着"造反"旗号进行的,由于权力机构的压制,缺乏广泛的群众基础,知青的努力很快付诸东流;第二次返城风则声势浩大,此起彼伏,最终以下乡知青大举返城而落下帷幕。上山下乡运动的终结,既与中国政局的巨变有关,也是知识青年、农民和全社会长期抵制和抗争的结果。

1979 年,上山下乡运动接近尾声。国家原计划动员 81 万知识青年上山下乡,实际下乡的只有近 25 万人。各地普遍反映,动员工作阻力重重。1980 年 5 月,中共中央书记处在讨论教育工作时,对知识青年上山下乡问题作了重要指示。万里说:"以后不要再提倡上山下乡";"像北京我不主张再搞上山下乡";"高中毕业生不能升大学的,可以到职业学校、技工学校、专科学校,把他们培养成有用之才,支援落后地区"。他认为这种办法"远比拿大笔钱搞上山下乡划算"。胡耀邦的态度也很明确:"要把让城市青年上山下乡种地的

---

① 关于这两场事件的始末,参见刘小萌:《中国知青史——大潮》第十三章,中国社会科学出版社 1998 年版;《中国知青口述史》中丁惠民、欧阳琏、杨清良口述,中国社会科学出版社 2004 年版。

办法改过来,要用其所长,不要强其所难,过去的方法是一举两害,现在要一举两得。"所谓"一举两害",显然是指既害青年又害国家,改变这种失败的做法,就是要顺遂青年人求知上进的愿望,通过多种途径把他们培养成有用人才,既利青年个人发展,又利国家建设,可谓"一举两得"。各地根据中共中央书记处的指示,从1980年暑期起对应届高中毕业生不再组织上山下乡,一律作为待业青年根据需要进行统筹安排。①

上山下乡运动的尘埃落定,并不意味着知识青年问题的圆满解决。尽管绝大多数下乡青年陆续返回了城市或者留在当地就业,但在以后的岁月里,他们中的许多人继续为运动的后遗症所困扰。80年代中期在陕西、山西等地的北京知青请愿上访活动,几起几落,持续时间长,牵涉范围广,都是历史后遗症激起的必然反弹。90年代以来,在市场经济的大潮冲击下,北京、上海等地一些老知青、老支边青年一直在为自己的基本权益奔走呼号。相当一批老知青成为企业裁减的对象,成为新时期社会中的弱势群体。

"斗、批、改"运动

一

"斗、批、改"运动的提出和展开

1966年8月8日,中共八届十一中全会通过《中国共产党中央委员会关于无产阶级文化大革命的决定》(即《十六条》),提出要"斗垮走资本主义道路的当权派,批判资产阶级和反动学术权威,批判资产阶级和一切剥削阶级的意识形态,改革教育,改革文艺,改革一切不适应社会主义经济基础的上层建筑"。当时也叫"一斗、二批、三改"。这是"斗、批、改"的缘起。1968年9月,29个省、市、自治区先后成立了革命委员会。这标志着"文化大革命"夺权的任务已基本完成。1968年9月7日,《人民日报》、《解放军报》发表社论《无产阶级文化大革命的全面胜利万岁!》,认为"全国山河一片红,这极其壮丽的一幕,是夺取文化大革命全面胜利进程中的重大事件,它标志着整个运动已在全国范围内进入了斗、批、改的阶段"。同时社论传达了毛泽东的意见:"建立三结合的革命委员会,大批判,清理阶级队伍,整党,精简机构,改革不合理的规章

---

① 龚树基主编:《北京劳动大事记》,中国工人出版社1993年版,第263页。

制度,下放科室人员,工厂里的斗、批、改大体经历了这么几个阶段。"这就把"斗、批、改"的内容具体化了,并且成为党、政、军、民、学各方面的重要任务。1969年4月1日至24日,中共九大召开,林彪在会上作了《政治报告》,报告的第三部分是"关于认真搞好斗、批、改"。报告在对我国当时阶级形势和党的政治情况作了完全错误估计的基础上,提出今后"文化大革命"的任务是"认真搞好斗、批、改",即建立三结合的革命委员会、大批判、清理阶级队伍、整党、精简机构、改革不合理的规章制度、下放科室人员等。紧接着在九届一中全会上,毛泽东指出:"社会主义革命还要继续,还有许多事没有完,现在还要继续做,比如斗、批、改。过若干年,也许又要进行革命。"因此,在中共九大以后,按照毛泽东的部署,"斗、批、改"运动在全国全面展开。

二

"斗、批、改"运动的指导思想和"六厂二校"经验

"斗、批、改"运动的指导思想就是要彻底否定"反革命修正主义路线",把上层建筑领域中的社会主义革命进行到底,巩固和发展"文化大革命"的"成果"。鉴于"文化大革命"中存在打击面过宽的问题,毛泽东也想借此落实政策,团结对敌,以达到他所想象的天下大治局面。为了指导全国的"斗、批、改"运动,毛泽东亲自抓了"六厂二校"(即北京针织总厂、北京新华印刷厂、北京化工三厂、北京北郊木材厂、北京二七机车车辆厂、北京南口机车车辆机械厂、清华大学、北京大学)作为试点单位,要求各地单位,仿照执行。为此,中共中央、中央文革小组曾多次转发了

"六厂二校"的经验。"六厂二校"的经验,指进驻这些厂校的原8341部队和首都工人毛泽东思想宣传队搞"斗、批、改"的经验。1968年5月25日,经毛泽东的批准,中共中央、中央文革小组转发了《北京新华印刷厂军管会发动群众开展对敌斗争的经验》;12月3日,转发了《北京新华印刷厂革委会在对敌斗争中坚决执行党"给出路"政策的经验》;1969年1月29日转发了驻清华大学毛泽东思想宣传队的《坚决贯彻执行对知识分子"再教育"、"给出路"的政策》;5月8日转发了《北京北郊木材厂认真落实党对民族资产阶级和小资产阶级的各项政策》;1970年3月15日转发了北大宣传队《发动群众总结经验,团结起来落实政策》、《关于清理和改造阶级敌人的情况报告》、《整党建党的情况报告》;5月29日转发了《北京二七机车车辆厂整党建党情况报告》和《上海国棉十七厂关于整党建党情况的报告》。此外,新华社总社记者曾多次报道"六厂二校"革委会或宣传队的经验,"六厂二校"革委会或宣传队在《人民日报》《红旗》杂志也发表过多篇文章,介绍他们的经验。这些厂、校革委会或宣传队的经验对当时全国的"斗、批、改"运动起着指导的作用。

总的说来,"六厂二校"革委会或宣传队的经验是"左"倾的,它的要害是以阶级斗争为纲,贯彻"无产阶级专政下继续革命的理论"。正如《北京日报》1969年3月17日社论《认真学习六厂二校的先进经验》中所说:"它的根本一条就是:狠抓阶级斗争加路线斗争,认真学习,努力掌握毛主席关于无产阶级专政下继续革命的学说,广泛发动群众,不停顿地向一小撮阶级敌人发动猛烈的进攻。"又如,驻清华大学毛泽东思想宣传队在《坚决贯彻执行对知识分子"再教育""给出路"的政策》中

所说:"在清华大学的知识分子中,一种是解放前受资产阶级培养教育出来的知识分子,一种是解放后在修正主义路线毒害下,受资产阶级知识分子培养教育出来的知识分子。总的来看,前一种人比较复杂⋯⋯他们的世界观基本上是资产阶级的。后一种人虽然与前一种人有所不同,但长期受反革命修正主义教育路线的毒害,其中多数人也是出身于非劳动人民的家庭,世界观也没有得到很好的改造";"大叛徒、大内奸、大工贼刘少奇及其在清华的代理人蒋南翔为了推行修正主义的教育路线,在清华大学把许多教授、讲师插在各系的党政领导岗位上,⋯⋯这些人大多是从旧社会过来的,世界观基本上还是资产阶级的,是属于资产阶级的知识分子,他们是刘少奇及其代理人推行修正主义教育路线的一支基本力量";"选定梁思成、刘仙洲、钱伟长三个典型,发动师生员工以毛泽东思想为武器,抓住他们的要害问题,紧紧围绕着两条路线斗争这个纲,集中批判他们的学术是在什么路线指导下,为谁服务和怎样服务的问题"。《北京新华印刷厂军管会发动群众开展对敌斗争的经验》说:"由于中国赫鲁晓夫及其代理人,尤其是彭真反革命集团的直接把持和控制,国民党反动派的残渣余孽仍然受到重用,其中许多人还篡夺了我们的各级领导权。"北京大学宣传队《关于清理和改造阶级敌人的情况报告》中说:"北大两大派在毛泽东思想的基础上实现了革命大团结以后,于7月上旬转入清理阶级队伍的工作。截至9月2日,告一段落,初步清查北大前身(旧北大、燕大)中统、军统、国民党、三青团等51个反动组织;在现有4711名教职员工中,清出叛徒3人,特务55人(其中潜伏特务17人),历史反革命分子21人,现行反革命分子9人(内含学

生1人),地、富、坏分子14人,共102人,其中大部分人已定案处理。"《南口机车车辆机械厂军管会迅速改变南口厂"老大难"面貌的经验》提出一个重要经验,就是"狠抓一个纲:以阶级斗争为纲,认真落实毛主席关于对敌斗争的各项无产阶级政策"。《红旗》杂志1969年第6期、第7期合刊发表的《改革不合理的规章制度——北京市北郊木材厂的调查报告》说:"只有彻底废除叛徒、内奸、工贼刘少奇的'利润挂帅'、'物质刺激'、'生产第一'、'专家治厂'的反革命修正主义企业路线,才能破在要害上;只有坚决贯彻毛主席的无产阶级的办企业路线,突出无产阶级政治,全心全意地依靠工人阶级,才能立在根本上。"以上都是"六厂二校"革委会或宣传队总结出来的普遍存在根本性的错误经验。它错误地指导了全国"斗、批、改运动"的开展。

另一方面,"六厂二校"大体上亦体现了毛泽东自八届十三中全会以来关于"缩小打击面"的主张,较当时全国许多单位乱揪乱斗乱关的做法有所不同。如《北京新华印刷厂革委会在对敌斗争中坚决执行党的"给出路"政策的经验》中,说到该厂原党委书记李某,"他只是执行了修正主义路线,犯了严重的错误,他虽然是旧市委派来的干部,但与黑线只是一般的工作关系,没有其他的问题。⋯⋯于是确定可以解放他"。毛泽东在这里批了注:"像这样的同志,所在多有,都应解放,给予工作。"在《北京新华印刷厂用毛泽东思想统帅定案工作的做法和体会》中,说到"把好人与坏人区分开,正确解决未解决的干部问题",讲到要注意"七个区别"(如"把与反革命修正主义分子有过关系的来往,同搞阴谋的反革命修正主义分子区分开")等等。

三

"斗、批、改"的内容

1."革命大批判"

在进行"斗、批、改"的各项工作中,一再强调要"大批判开路"。所谓"大批判开路"就是以"阶级斗争为纲"的思想开路。大批判的特征:不顾事实,不讲道理,不容分辩,粗暴地否定"文化大革命"前17年的一切成绩和各种政策法令、工作条例、规章制度等,将其硬说成是修正主义、资本主义的货色。大批判首先从对"党内最大的一小撮走资本主义道路的当权派"的批判开始,它的矛头指向刘少奇。

大批判展开后,报刊着重批判了以下四个问题。①所谓的"黑六论"。即"中国赫鲁晓夫推行所谓'六论',即'阶级斗争熄灭论'、'驯服工具论'、'群众落后论'、'入党做官论'、'党内和平论'、'公私溶化论'"。"六论"是林彪、江青等人授意强加给刘少奇的罪状,是采取了断章取义、捏造事实的做法,目的在于打垮、整垮刘少奇。②批判所谓的"历史罪行"。1968年11月25日《人民日报》、《红旗》杂志、《解放军报》发表社论《认真学习两条路线斗争的历史》,文章说:"我们党的历史,就是两条路线的斗争史","以毛主席为代表的无产阶级革命路线和以刘少奇为代表的资产阶级反动路线,在中国革命发展的每一个重要时刻,每一个重大问题上都进行了尖锐的斗争"。③批判所谓"人性论"。1970年12月29日,姚文元在给毛泽东的报告中,认为对刘少奇的地主、资产阶级的人性论这个问题没批透,提出应认真批判的意见。1971年1月6日,中共中央印发了毛泽东、林彪批示的全文和姚文元的

报告。此后全国掀起了以刘少奇为靶子的批判所谓"地主、资产阶级的人性论"的浪潮。④批判所谓"唯生产力论"。中央报刊先后连篇累牍地发表了批判"唯生产力论"的文章。如《政治统帅经济、革命统帅生产》,《永远突出无产阶级政治》等等。《红旗》杂志在1969年第6、7期合刊发表的《改革不合理的规章制度是一场革命》中说:"伟大领袖毛主席教导我们说:'政治工作是一切经济工作的生命线',突出无产阶级政治,还是搞'利润挂帅'、'物质刺激'那一套,这是两条根本对立的办企业路线";"只有彻底破除叛徒、内奸、工贼刘少奇的'利润挂帅'、'物质刺激'、'生产第一'、'专家治厂'的反革命修正主义办企业路线,突出无产阶级政治,全心全意地依靠工人阶级,才能立在根本上。"

"革命大批判"把一切都纳入"两个阶级,两条路线,两条道路斗争"的框框里,全盘否定"文化大革命"前17年,宣传空想主张,把许多马克思主义原理和社会主义原理当做修正主义或资本主义批判了。它的结果是助长了无政府主义思想,动摇了人们对共产党、共产主义的信念,造成了思想极端禁锢的局面。

2."建立三结合的革命委员会"

"建立三结合的革命委员会",就是要求在各省、直辖市、自治区以及机关、工厂、学校、人民公社等各级单位普遍建立由革命干部代表、军队代表、革命群众代表三结合的革命委员会。"文化大革命"中的派性和派性的斗争,涉及党、政、军、民、学、工、农、商几乎所有的部门。国民经济和文教事业实际上都处于瘫痪或半瘫痪状态。为巩固和发展"全国山河一片红"的果实,改变四分五裂局面和无组织无纪律状态,中共中央号召各级机关、单位普遍建立革命委员会。1969年《红旗》

杂志第 5 期发表了《为落实毛主席的无产阶级政策而斗争》一文,指出:"毛泽东说:'革命委员会'的基本经验有三条:一条是有革命干部的代表,一条是有军队的代表,一条是有革命群众的代表,实现了革命的大联合。"在"革命大联合"、"革命三结合"的口号下,各地纷纷传来消除派系、实现大联合的"喜讯"。但是,由于人们对本地区、本单位革命委员会成员的看法普遍存在着巨大和深刻的分歧,加上林彪、江青一伙及其追随者的把持和操纵,勉强成立起来的各级革命委员会,大抵只是形式上的大联合。实际上是一派掌权,压制多数,矛盾更为严重,或者两派、几派分权,互相掣肘、争权夺利,纠纷更趋复杂的情况。这个情况表明,被誉为"文化大革命"的新生事物的革命委员会,并没有生命力。

3."清理阶级队伍"

在"斗、批、改"中,进行了大规模"清理阶级队伍"的工作。所谓"清理阶级队伍",就是利用军管会和进驻工宣队这种方式,把"文化大革命"进程中,以各种名义、各种方式揪出来的所谓地、富、反、坏、右、特务、叛徒、走资派、"漏网右派"、"国民党残渣余孽"……来一次大清查。它成了巩固"无产阶级专政"、"文化大革命"成果的手段。1967 年 11 月 27 日,江青在一次讲话中说:"在整党建党过程中,在整个无产阶级文化大革命的过程中,都要逐渐清理队伍,在党内、也有党外。""清理阶级队伍"开展以后,大批的所谓"阶级敌人"被清理了出来,各单位相继组织了"劳改队",隔离看守"劳改人员",每天早、晚让他们排队向伟大的领袖请罪,白天除了"攻心会"、"批斗会"等活动与单位其他群众在一起外,其余时间都参加劳动。当时,"六厂二校"的经验便是清理阶级队伍

的典型经验。1968 年 5 月 25 日中共中央转发了《北京新华印刷厂军管会发动群众开展对敌斗争的经验》,要求全国各地"有步骤、有领导地把清理阶级队伍这项工作做好"。"清理阶级队伍"运动不断深入,到了中共九大以后"打击反革命"成了它的主要内容之一。1970 年 1 月 31 日,中共中央发出《关于打击反革命破坏活动的指示》,指出"清理阶级队伍"时要注意:"一、要放手发动群众。用战备的观点,观察一切,检查一切,落实一切,使群众认清,打击反革命破坏活动是一场激烈的阶级斗争";"二、要突出重点。打击的重点是现行的反革命分子";"三、要严格区分两类不同性质的矛盾,分清敌我,区分轻重";"四、要大张旗鼓地,广泛深入地做好宣传、动员";"五、要统一掌握批准权限。按照中央规定杀人由省、直辖市、自治区革命委员会批准,报中央备案";"六、要加强领导。必须首长负责,自己动手,具体指导,深入实施"。"清理阶级队伍"的另一重要活动是清查"五一六"。1967 年 9 月 5 日,江青在接见安徽来京代表时讲了话,说:"目前,拿北京来说,就有这么一个反革命组织叫'五一六'。他们人数不多,在表面上也是青年人,这些青年人我看是上当的……真正的幕后人都是坏人","'五一六'这个反革命组织是以极'左'的面貌出现的,它集中目标反对总理,实际上对我们一些好人他们都整了黑材料,它什么时候都可以往外抛的";"目前这股风,是从极'右'的方面来反对总理,反对中央。'五一六'就是这样一个反革命组织"。9 月 8 日《人民日报》发表了姚文元诬陷陶铸的文章《评陶铸的两本书》。文章第一次公开点了所谓的"五一六"的名。文章说:"现在有一撮反革命分子也采用了陶铸的反革命两面派的办法","他们用

貌似极'左'而实质极右的口号,刮起'怀疑一切'的妖风,炮打无产阶级司令部,……所谓'五一六'的组织者与操纵者,就是这样一个搞阴谋的反革命集团。"江青的讲话和姚文元的文章,成了向所谓的"五一六"进攻的总动员会。从此,一切对"毛主席司令部"(包括江青、康生、陈伯达和中央文革),对林彪和他的死党,对"新生的革命委员会"稍有怀疑或持有反对情绪的人都被笼统地称作"五一六"分子。1971年,中共中央于2月8日决定成立"联合专案组",用以统筹全国清查"五一六"的工作。全国性的清查所谓"五一六"运动按照中共中央《关于清查"五一六"反革命阴谋集团的通知》和《关于建立"五一六"专案联合小组的决定》的精神,采取以往"若干决定"中的种种做法,诸如"坦白运动"、"一般号召"、"个别突破"等等方式开展。

"清理阶级队伍"在极"左"思潮影响和派系斗争的干扰下,严重地夸大了敌情、混淆了敌我,践踏了民主和法制,造成了打击一大片的结果。

4."整党建党"

"文化大革命"中"踢开党委闹革命"、"全面夺权"的狂潮,使中央和地方的大批党政领导受到批斗,党的各级组织陷于瘫痪之中。早在1967年10月27日,中共中央、中央文革小组就作出了《关于已经成立了革命委员会的单位恢复党的组织生活的批示》。12月2日,还向全党发出了《关于整顿、恢复、重建党的组织的意见和问题》的文件,提出了指导各地整顿、恢复、重建党的组织的几个问题。1968年1月1日,《人民日报》《红旗》杂志、《解放军报》在元旦社论《迎接无产阶级文化大革命的全面胜利》中,公布了整个整党建党的原则,即毛主席的"五十字"方针:"党组

织应是无产阶级先进分子所组成,应能领导无产阶级和革命群众对于阶级敌人进行战斗的朝气蓬勃的先锋队组织。"1970年4月18日,康生在中央和全军整党建党工作座谈会上就中共九大的党章问题发表了一个讲话。他在解释毛泽东的"五十字建党纲领"时说:"学习、理解'五十字'的整党方针,必须同整个毛泽东思想、整个毛泽东的建党路线联系起来。"党的组织"应是无产阶级先进分子所组成",这是针对叛徒刘少奇的叛徒路线所讲的;"应能领导无产阶级和革命群众",这是针对"文化大革命"中有些党员脱离群众的现象讲的;"对于阶级敌人进行战斗",这是针对叛徒刘少奇的"阶级斗争熄灭论"讲的,针对刘、邓走资本主义道路的问题讲的;"进行战斗的朝气蓬勃的",这是针对叛徒刘少奇的"驯服工具论"讲的,这都是有针对性的。同时他还把1969年4月中共九大通过的党章概括为5个特点。总之,康生以"左"倾的观点对"五十字建党纲领"和九大党章作了阐明,用以指导整党。1970年7月1日,《人民日报》、《红旗》杂志、《解放军报》发表社论《共产党员应是无产阶级先进分子》,指出:"整党建党运动,就是继续建设和巩固我们的无产阶级先锋队,吐故纳新,把各级党组织进一步建设成为无产阶级专政下继续革命的战斗堡垒,把广大党员进一步锻炼成为无产阶级专政下继续革命的先进分子。"文章指出整党的指导思想是:贯彻"五十字"方针,实行"吐故纳新"。从1970年底到1971年初,部分省、市一级进行了整党,产生了新的省委和市委。到了1971年8月,全国各省、直辖市、自治区一级进行整党,产生了新的党委。省、直辖市、自治区以下,也相继按照"六厂二校"的经验开展了整党建党。但是由于"建党整党"方针

的"左"的错误,特别是唯成分论、阶级斗争和路线斗争扩大化错误思想的影响,"整党建党"的结果是一部分合格的党员不能恢复组织生活,甚至被开除出党;而一部分不合格的人员,如造反派头头,打砸抢分子入了党,造成党严重的不纯。这次"整党建党",虽然重新建立了从中央到地方的各级党组织、恢复了大多数党员的组织生活,对于稳定局势,推动工农业生产有一定作用,但它不可能解决"文化大革命"期间发展起来的个人崇拜、争权夺利、破坏党的纪律、宗派斗争等恶劣思想作风。

5."改革不合理的规章制度"

"改革不合理的规章制度",是要求按"破字当头,立也就在其中了"的精神,对新中国成立以来不断总结正反两方面经验所制定的各种规章制度,实行"大破大立"。江青一伙甚至提出了"跟前十七年对着干"的荒谬口号,煽动否定一切,特别是对20世纪60年代初制定的一系列工作条例,诸如"农业六十条"、"工业七十条"、"商业四十条"、"文艺十条"、"高教六十条"等,统统被当做"修正主义"、"复辟资本主义"的"黑条例"进行批判。对于各企业、事业单位多年来为了保证工作和生产有秩序、有效率地进行而建立起来的许多规章制度,则统统被当做"束缚群众手脚的条条框框"而被"彻底砸烂"。在整个"斗、批、改"运动甚至整个"文化大革命"的过程中,确实实现了"大破",但并没有带来"大立"。"改革不合理的规章制度"采取了完全否定过去经验的做法,导致了工作和生产中无章可循,造成了极大的混乱和损失。

6."精简机构"、"下放科室人员"、"上山下乡"

在"斗、批、改"中,各级执行了"精简机构"、"下放科室人员"政策。许多部门被取消,大批干部、工作人员被裁减。在"精简机构"过程中,采取了大破大砍的做法。如国务院原有机构90个单位,1970年6月决定精简为27个;原有机关工作人员53748人,只规定编制9710人。而许多基层单位里采取了弄虚作假形式主义的做法,明简暗不简。在"精简下放"的名义下,把大批干部、教师、科学工作者、文艺工作者、新闻出版工作者、工程技术人员等,下放到各种"五七干校"劳动。

"下放干部"是毛泽东"反修防修"的重要措施之一。1968年5月7日,即毛泽东作出《五七指示》两周年之际,黑龙江省革命委员会组织大批机关干部下放劳动,办了一所农场,名为"五七干校",成了全国各种"五七干校"的典范。10月5日《人民日报》在介绍这一经验时加了编者按,说:"毛主席最近指出:'广大干部下放劳动,这对干部是一种重新学习的极好机会,除老弱病残者外都应这样做。在职干部也应分批下放劳动。'毛主席的这个指示,对搞好斗、批、改有十分重大的意义,应引起我们各级干部和广大革命群众的高度重视。希望广大干部(除老弱病残者外),包括那些犯过错误的干部,遵照毛主席的指示,在下放劳动的过程中重新学习,使自己精神面貌来一个比较彻底的革命化。"在这以后,大批党、政干部和知识分子被下放到各种"五七干校"和山区、农村接受贫下中农的再教育。

1968年12月22日,《人民日报》发表了《我们也有两只手,不在城市里吃闲饭!》的文章,并在所加的编者按中说:"毛主席最近又一次教导我们:知识青年到农村去,接受贫下中农的再教育,很有必要。要说服城里干部和其他人把自己初中、高中、大学毕业的子女,送到乡下去,来一个动员。各地农村的同志应当欢迎他们去。希望广大知识青年和脱离劳动的城镇居民,热烈响应毛主席这个伟大召号,到农业生产的第一线去。"以此为起点,掀起了"文化大革命"中轰轰烈烈的知识青年上山下乡运动。上山下乡政策一直执行到"文化大革命"结束。

"精简机构"实际上只是简单地减人简事,其大砍大破的做法,不但没能提高工作效率,相反使工作已难以开展的各机关、部门陷入困境。而"下放干部"的政策虽然使许多干部、知识分子接受了劳动的锻炼,增长了对农村的了解,但使他们长期被排除在各项业务工作和科学文化研究之外,给国家现代化建设造成了巨大损失。在许多单位、部门,下放劳动成了迫害干部、打击知识分子、扼杀科研、反对钻研业务和技术的合法手段。"上山下乡"政策使青年在农村中受到锻炼,对落后的地区作出一定的贡献,但却耽误了年轻的一代,加重了"文化大革命"给我国历史造成的"人才奇缺"的问题,并给许多上山下乡的知识青年在思想、文化、个人生活等方面带来不幸和创伤。

7. "教育改革"

在"斗、批、改"阶段,还进行了所谓的"教育改革"。自"文化大革命"开始以后,高等学校停止招生,"停课闹革命"已长达4年之久。1968年7月21日,毛泽东在《人民日报》关于《从上海机床厂看培养工程技术人员的道路(调查报告)》的编者按清样中加了一段话:"大学还是要办的,我这里主要说的是理工科大学还要办,但学制要缩短,教育要革命,要无产阶级政治挂帅,走上海机床厂从工人中培养技术人员的道路。要从有实践经验的工人农民中间选拔学生,到学校学几年以后,又回到生产实践中去。"这段话亦称为"七二一

指示"。9月22日,《人民日报》公布了毛泽东关于对知识分子"给出路"的意见。1968年1月29日,中共中央、中央文革小组转发了毛泽东批示"照办"的驻清华大学工人、解放军宣传队的报告《坚决贯彻执行对知识分子的"再教育"、"给出路"的政策》。报告中把全校各级干部说成是"犯了走资派错误的人",强迫他们"承认错误",才"给予适当的工作"。1970年6月,中共中央决定在部分高校进行试点,恢复招生。27日批转了《北京大学、清华大学关于招生(试点)的请示报告》。报告指出:经过三年来的"文化大革命",两校已经具备了招生条件,计划本年度下半年开始招生。学制根据各专业具体要求,分别缩短为二至三年。另办一年左右的进修班。学习内容:设置"以毛主席著作为基本教材的政治课;实行教学、科研、生产三结合的业务课;以备战为内容的军事体育课"。各科学生都要参加生产劳动。学生条件:政治思想好、身体健康、具有三年以上实践经验、年龄在二十岁左右,有相当初中以上文化程度的工人、贫下中农、解放军战士和青年干部。招生的办法:实行群众推荐、领导批准和学校复审相结合的办法。工农兵学员学习期间的任务是"上大学、管大学、用毛泽东思想改造大学"。同年10月15日,国务院电报通知各地:1970年高校招生工作,按中央转批的北大、清华上述报告提出的意见进行。

1970年7月21日《红旗》杂志第8期发表了由张春桥、姚文元主持撰写的《为创办社会主义理工科大学而奋斗》,文中提出创办"社会主义理工科大学"的六个方面问题:第一,"实行工人阶级的领导"。第二,"建立一支无产阶级的教师队伍"。"对原有的教师坚持边改造、边使用,建立工农兵、革命技术人员和原有教师三结合

的教师队伍"。第三,实行"开门办学、厂校挂钩、校办工厂、厂带专业,建立教学、科研、生产三结合的新体制"。第四,"坚持把政治教育作为一切教育的中心"。"坚持以阶级斗争为主课"。第五,彻底改革教材。以毛泽东思想为武器,以工农兵的需要为出发点,三大革命为源泉,编写无产阶级新教材。第六,实行新的教学方法。改变以课本、教师为中心的教学方法,结合生产、科研任务的典型工程、典型产品、典型工艺、技术革新等进行教学。这篇文章发表后,许多报纸加以转载。它的意见为许多高等学院教学改革提供了依据。1971 年 4 月 15 日至 7 月 31 日,北京召开了全国教育工作会议,会议通过了经张春桥、姚文元修改定稿,经毛泽东同意的《全国教育工作会议纪要》。纪要中提出了所谓的"两个估计",即新中国成立后 17 年,"毛主席的无产阶级教育路线基本上没有得到贯彻执行","资产阶级专了无产阶级的政";大多数教师的"世界观基本上是资产阶级的"。8 月至 11 月,各省、直辖市、自治区先后召开了教育工作会议,传达和贯彻了《全国教育工作会议纪要》的精神。

"教育改革",特别是纪要的"两个估计"极大挫伤了广大教育工作者和其他知识分子的积极性,同时在社会上和中小学生中,普遍产生了"读书无用"的错误观念。导致学校的秩序持续混乱、教学质量严重下降,使我国教育事业遭到巨大的破坏。

8. "文艺革命"

早在 1963 年领导城乡社会主义教育运动"挖修正主义的根子"的同时,毛泽东就开始抓文艺方面的阶级斗争。1963 年 12 月,毛泽东在中宣部编印的《文艺情况汇编》所载《上海柯庆施抓革命故事会受到群众欢迎的情况》文章上作了重要批示。1964 年 6 月 27 日,毛泽东又在中宣部《关于文联和各协会整风情况的报告(草稿)》上作了第二个重要的批示。这两个批示都否定了新中国成立以后在党领导下的文艺工作取得的成绩,不切实际地夸大了文艺工作中的错误。它导致了文艺界的两次整风。在整风的过程中,把文艺工作(包括领导工作)中存在的某些缺点视为文艺界尖锐的阶级斗争和两条道路斗争的表现,于是开展对一些文艺界代表人物及文艺作品的过火的政治批判。从 1964 年夏季开始,文艺界的政治批判扩大到了哲学、经济学、历史学、教育学等各学术领域。政治批判代替了文艺的"百家争鸣"。"文艺革命"随着国内阶级斗争的扩大化不断升级。1966 年 4 月 10 日,中共中央转发了毛泽东三次亲自修改过的《林彪同志委托江青同志召开的部队文艺工作座谈会纪要》。《纪要》提出了"文艺黑线专政"论和要批判所谓"黑八论"。否定了 20 世纪 30 年代革命的文艺工作和"文革"以前 17 年的文艺工作,否定了几乎所有正确的和比较正确的文艺主张,给文艺界许多知名人士戴上了"反党反社会主义黑线"的大帽子;《纪要》捧高了江青在文艺界的地位。《纪要》下达以后,大批文艺工作者和许许多多的文艺作品遭到了厄运,它加剧了"文艺革命"的"左"倾错误的发展。1966 年 11 月 28 日,江青在首都文艺界无产阶级文化大革命大会上讲话,把《纪要》中的某些观点作了进一步的发挥。第一次提出文化遗产内容上不能推陈出新,只有艺术形式可以继承的观点;并且第一次在公开场合把所谓的"旧中宣部"、"旧文化部"、"旧北京市委"连在一起加以攻击,这成为后来文艺界所谓砸"三旧"的动员令。而江青亦成了"文艺革命"

的"旗手",被吹捧为"用最大努力在戏剧、音乐、舞蹈各个方面,做了一系列革命的样板戏,把牛鬼蛇神赶下文艺舞台,树立了工农兵的英雄形象","成为文艺革命披荆斩棘的人"。江青借助"京剧革命"的成果——八个"样板戏"竭力扩大自己在思想、文化界的影响。5月,现代京剧《智取威虎山》等八个"样板戏"同时在首都舞台上演出,历时37天,演出218场。5月10日《红旗》杂志第6期发表了社论《欢呼京剧革命的伟大胜利》,社论指出:"京剧革命的胜利,宣判了反革命修正主义文艺路线的破产,给无产阶级新文艺开拓了一个崭新的纪元。"6月18日《人民日报》号召"把革命的样板戏推向全国去"。一时间,文艺界成了"样板戏"的天下,中国的文艺只能表现为八个"样板戏",塑造人物也只能遵循像"样板戏"一样的"三突出"原则(在所有人物中突出正面人物,在正面人物中突出主要英雄人物,在主要英雄人物中突出最主要的中心人物)。1969年9月30日,《红旗》杂志第10期发表《学习革命样板戏,保卫革命样板戏》一文,提出"保卫革命样板戏"的口号。在这个口号下演出的"样板戏",一句台词,一个台步,一个道具,甚至人物身上一块补丁都不能变动,否则就是"破坏革命样板戏"。随着"样板戏"的推广,文艺界走向了教条主义的极端。从1969年7月起,各级文艺工作者纷纷下放到"五七"干校等地劳动,文艺园地更是一片凋零。

"文艺革命"使文艺完全脱离了生活,它的极端教条主义严重地禁锢了广大人民的思想,扼杀了中国文艺的繁荣。

毛泽东试图通过"斗、批、改"达到"天下大治"的目标。但是由于"斗、批、改"否

定了新中国成立后17年的伟大成就和宝贵经验,继续坚持"无产阶级专政下继续革命"的错误理论、方针,使"文化大革命""左"的错误理论进一步渗透到社会各种制度和生活中,不仅没有达到稳定局势的目的,反而引发了一系列新的矛盾,造成了各方面工作的混乱和损失。"斗、批、改"的一系列错误的做法,也始终遭到干部、群众的抵制。"斗、批、改"运动一直到"林彪事件"的发生才中断。

周恩来与"抓革命、促生产"

一

"革命"与生产的冲突

1964年底召开的三届人大会议上,周恩来在所作政府工作报告中提出:"要在不太长的历史时期内,把我国建设成为一个具有现代农业、现代工业、现代国防和现代科学技术的社会主义强国,赶上和超过世界先进水平。"①之后,在开始执行发展国民经济的第三个五年计划的头一年即1966年初,他又多次表示,要下决心从北方农业抓起,带动整个国民经济持续、稳定地向前发展,尽快改变我国一穷二白的落后面貌。但是,这一年夏季前后爆发的"无产阶级文化大革命"及其造成的"天

---

① 《周恩来选集》下卷,人民出版社1984年版,第439页。

下大乱"的局势,却打断了人民共和国通往既定目标的进程;作为共和国第一任总理的周恩来,也正是从这时起,不得不面对他做梦都不曾料想的现实,并开始置身于这场"史无前例"的"大革命"与举步维艰的经济建设之间愈来愈难以协调的矛盾和冲突之中。

在"红卫兵运动"之前,"革命"还仅仅限制在大、中学校和一些党政机关内进行,对工农业生产、国防科研和三线建设等尚未造成直接的影响。但与以往政治运动相比,"文化大革命"来势更猛,涉及面更广,其矛头也越来越上指、滥指,大有一发便不可收拾之势。在这种情况下,一直关注工农业生产的周恩来一方面也讲要"突出政治"、"以阶级斗争为纲",同时他又强调要"'三大革命'①一起抓",强调在农忙季节,"决不要停止生产来参加学习,以致延误农时",提出"三线建设与一、二线不同,不能受'文化大革命'的影响",等等。这一年8月,中共八届十一中全会通过的"十六条",是经过周恩来、陶铸等反复磋商、斟酌的一个文件,其中关于"抓革命、促生产"的一段话,无疑也反映了当时老一辈革命家和广大干部群众的真诚愿望。

8月中旬从北京发起的"红卫兵运动",将"革命"迅速推向社会,并开始涉及工农业生产。首先是"大串连"造成全国铁路运输紧张,生产秩序被严重打乱。这就在事实上冲破了中央有关"文化大革命"运动的一些政策规定(包括"十六条"中的某些限制),违背了周恩来等老一辈革命家希求稳定国家经济秩序的初衷。详细考察周恩来在"红卫兵运动"中的大量言论后便不难发现,他对于红卫兵冲向社会"破旧立新"、到处"串联"、"点火"的行为,是顾虑愈来愈多,劝阻愈来愈频。他于9月初主持起草的《关于红卫兵的几点意见(未定稿)》,最能反映他这时的许多真实想法,如担心党和国家对内对外工作受到影响,国民经济的大动脉——铁路运输不能照常运行,公、检、法专政机关不能正常行使职能,等等。② 在试图进一步制定某些具体的政策规定来限制"革命"、保护生产的同时,周恩来还多次出面向广大青少年做说服、解释工作,他说:现在有些地方的红卫兵与工人发生对立,他们要求工人也应像学生在学校那样搞革命。但工厂和学校不同,不能把生产停下来,放假闹革命。我们既要革命,还要生产,否则吃什么? 用什么? 所以,凡是生产的地方都不要影响,生产减少了于国于民都不利。

9月7日,《人民日报》发表了题为《抓革命、促生产》的社论,提出"要以文化大革命为纲,一手抓革命,一手抓生产,保证革命和生产两不误"。社论要求各生产单位和业务部门都应适当分工,搞两个班子,一个班子主要抓"文化革命",一个班子主要抓生产。应当说,这篇社论也是反映了周恩来、陶铸等领导同志当时的一些想法的,这就是,在认可"文化大革命为纲"的前提下,将"革命"和生产二者分开,以便"各行其道",互不干扰。这实际上已是对一个月前通过的"十六条"中论点的一种修正,是当时特定的历史环境下保证生产业务工作得以正常进行的一种设想。

就在社论发表的当天晚上,周恩来来到中国科学院辩论会场,针对中科院的科

---

① 即阶级斗争、生产斗争和科学实验,当时称为"三大革命运动"。

② 这个意见稿,后来被康生等人以种种理由给予否定。

研业务现状,他特别强调:我们在进行无产阶级"文化大革命"、搞阶级斗争的同时,又要进行其他两大革命——生产斗争和科学实验,要大抓"三大革命运动"。这就是今天《人民日报》社论讲的"抓革命、促生产"。我们不能眼看着科学院的尖端的科学研究和许多重点实验项目像现在这样放在一边;凭我自己的责任来说,我不能够看着这样的情况继续下去,即在这样一场革命的进行当中,使我们最紧急、最重要的业务工作受到影响。随后,他在另一场合又提出:"抓革命、促生产"是对科学院的最大考验。

基于同一认识,周恩来还亲自主持制定了《关于"抓革命、促生产"的通知》(即"工业六条")和《关于县以下农村文化大革命的规定》(即"农村五条")两个文件,经毛泽东批准于 9 月中旬以中央名义下发。文件要求各个生产地区和业务部门应"立即加强或组成各级生产业务指挥机构",停止串联,坚守岗位,保证本单位革命和生产的正常进行。这两个文件传达后,受到生产第一线的广大干部群众的普遍欢迎,对趋于更加混乱的局势起到某种抑制作用。

可以说,在"文化大革命"发动阶段,周恩来集中精力、全力以赴做的就是这样两件事:一是设法将"革命"控制在一定范围内进行,二是全力保护生产少受干扰和损失,使人民的吃、穿、用等生活必需品得以基本保障。例如,在红卫兵大串联期间,他每天都要仔细审看工交部门汇总上来的生产报表,哪个铁路局的货运量减少了,哪个煤矿的产量降低了,哪种产品的原料供应不上了,他都要亲自过问、查询,

找有关领导研究解决问题的措施。与此同时,周恩来还在许多场合对抓紧工农业生产和科研业务工作提出明确、具体的要求,指出:一定要抓季节,要不误农时,讲"关心国家大事",搞好秋收秋种也是"大事"之一,从季节上说是目前最大的事情;他说:现在工业方面已出现了不好的苗头,如果继续下去,不但今年年度计划难以完成,还要影响明年的计划,影响整个"三五计划"的实现;他还强调:目前更严重的问题是尖端(即我国国防科研业务)工业,今年已耽误了一个月,搞不好将打乱整个尖端工业的五年设想,那就不是几个月,而是要推迟一两年时间了!

以上事实表明,在"文化大革命"仍在继续发动,而绝大多数党政机关和企事业单位的领导干部对于这场突如其来的"革命"尚处于"很不理解、很不认真、很不得力"的情况下,周恩来更关心的问题不是这场"革命"能否真正发动起来、深入人心,而是整个工农业生产的正常秩序怎样才不被这场"革命"所打乱。他曾对派到国务院协助抓工业的余秋里、谷牧二人一吐心中忧虑之所在:"你们可得帮我把住经济工作这个关啊!经济基础不乱,局面还能维持。经济基础一乱,局面就没法收拾了。所以,经济工作一定要紧紧抓住,生产绝不能停。生产停了,国家怎么办?不种田了,没有粮食吃,人民怎么能活下去?还能闹什么革命?"[1]

另一方面,在这段时间里,周恩来无论是强调"'三大革命'一起抓"、"抓革命、促生产、促业务",还是提出"一手抓革命,一手抓生产,保证革命、生产两不误",都是有其特定含义的。他实际上是接过"抓

① 见余秋里、谷牧回忆文章:《回忆敬爱的周总理》、《中流砥柱,力挽狂澜》,载《我们的周总理》,中央文献出版社 1990 年版。

革命、促生产"这一口号，却在很大程度上改变了其原来意义上"革命"与生产之间的关系和侧重点，使之成为旨在突出抓生产、抓业务的一种约定俗成的特殊用语了。

二

较量与挫折

1966年初冬，围绕"革命"和生产的关系问题，党内上层爆发了一场相当规模的争论，这就是11月中下旬至12月初在北京召开的工业交通座谈会上的一场斗争。从其发生、发展过程看，这次斗争具有这样几个特点：

第一，它是在"革命"和生产之间矛盾急剧发展、异常尖锐的情况下发生的。

这一年10月初，中央批转了根据林彪"建议"作出的有关军队院校开展"文化大革命"的"紧急指示"，之后，全国很快掀起了"踢开党委闹革命"的浪潮。和绝大多数党政机关一样，大批工交企业的领导班子也纷纷陷于瘫痪、半瘫痪状态，致使生产节节下降，建设面临停滞。对此，周恩来极为焦虑，他一再对国务院有关同志讲：工农业生产绝对不能中断，经济建设一定要尽可能设法进行下去，否则，后果不堪设想。他还特别强调，工交企业要业余闹革命，要坚持八小时工作制，要保证生产活动的正常进行！

但就在这时，被称作"文化大革命"全面发动的第三个大动作——10月中央工作会议召开了。这个会议，以批判所谓刘少奇、邓小平的"资产阶级反动路线"为主要内容，实际是为了进一步排除来自各级领导干部对于"文化大革命"的种种"阻力"，宣扬所谓群众运动"天然合理"。虽然会议没有专门讨论生产问题，但周恩来还是抽空听取了有关经济建设遭受严重干扰的情况汇报，有的老同志也撇开会议主题，呼吁今后要注意"抓革命、促生产"，表现出老一辈革命家忧国忧民的同一心情。

中央工作会议结束后，周恩来继续抓住生产问题不放松。11月9日，他亲自主持讨论《人民日报》社论稿《再论"抓革命、促生产"》，在重申生产建设不能停滞、中断的同时，还据理驳斥了那种只讲"抓革命"而根本不讲抓生产业务的错误论调。次日，根据周恩来意见定稿的这篇社论向全党、全国人民公开宣布："抓革命、促生产"的方针，"不论在城市工矿企业、事业单位里面，在一切科学研究和设计部门里面，在农村里面，都是完全适用的，没有例外的，必须坚决遵守、时刻遵守的"，因为，"工农业生产稍有间断，就会影响到人民的经济生活。国民经济是一个整体。工业生产是一个整体，一个环节扣一个环节；只要某一部门脱节，就可能影响全局。这是常识范围的事情，谁都会懂得的"。

应当说，在"文化大革命"即将全面涉入工农业生产领域的汹涌势头面前，这篇社论却毅然亮出了"红灯"，警告某些人不要做超出"常识范围"以外的事情，其针对性是不言而喻的。以上代表着周恩来所一贯坚持的这些论点，不仅与刚刚开过的10月中央工作会议的基调不相适宜，更与林彪、江青一伙借"文化大革命"来搞乱国家、打倒一切的图谋格格不入。在这种情况下，"革命"和生产的矛盾已十分明朗、尖锐，周恩来等老一辈革命家以及大批坚持生产的领导干部与林彪、江青一伙的斗争也就在所难免了。

第二，在斗争过程中，鼓吹"革命"的中央文革小组一班人的矛头始终是对准周恩来的。

就在"再论"社论发表后不久，早就心存不满的中央文革小组一伙人也已开始动作。11月13日，陈伯达提出一份由中央文革小组拟定的关于工交系统开展"文化大革命"的文件稿，其中明白地写有"允许工厂成立派系组织"、"允许学生到工厂串联"等条款，与周恩来所表明的观点唱反调。这个文件稿，成为双方进一步斗争的一个导火索。

在11月中旬召开的工交座谈会期间，陈伯达的稿子遭到与会各地负责人的激烈反对，大家一致表示支持周恩来的一贯主张，即工矿企业不能停产闹革命，运动只能在业余时间进行，学生不能到工厂串联，等等，进而批驳了陈伯达一伙的谬论。然而，就在正义的力量始占上风之际，形势却突然发生逆转，周恩来、陶铸等坚持正确意见的同志遭到一通前所未有的非难和攻击。

12月4日和6日，在林彪主持的两次政治局扩大会议（听取有关工交座谈会情况汇报）上，中央文革小组一伙人针对工交座谈会上大家的发言及形成的文件修改稿，公然提出：工业系统的问题，比文教系统还要严重；如果工交、财贸系统的"文化大革命"不好好地闹一闹，变修了，文教系统搞得再好也没有用，国家非出修正主义不可！会上，张春桥还指着汇报人谷牧训斥道："你的发言，代表了一小撮走资派的情绪！"王力、陈伯达的发言更是露骨地把矛头指向周恩来。王力说：关于工业文化大革命问题，我们文革小组没有抓紧，过去运动开展的情况是两起两落，现在第三次起来又在那里拼命地要把它压下去，

就是这样一个局势。9月上旬，用"抓革命、促生产"这么一个口号来压，我们中央有的同志就是主张压；后来又产生《再论"抓革命、促生产"》的社论，为的就是讲生产，骂得很厉害，批得很凶。这是陶铸同志支持的，这个精神就是堵，就是压！所有问题集中到一点，就是工人要不要搞文化大革命，要不要支持工人搞革命！工交座谈会的这个"汇报提纲"集中反映一套错误的东西，就是不要搞文化大革命！过去对学校设置许多限制性规定，现在又拿这一套来对付工人，还有什么"工业六条"、"农村五条"，还适用不适用？如果这些都适用，就走到压制群众运动、压制革命的道路上去了！随即，陈伯达也气势汹汹地指责根据座谈会发言整理的"汇报提纲"没有同他"商量"，是对他搞"突然袭击"。①

第三，周恩来的正确主张是在林彪、江青两股势力联合施以高压的情况下受挫的。

以上中央文革小组一伙人的发言虽然没有公开点周恩来的名，但他们所举的事例全都是在周恩来（也包括陶铸等人）亲自过问和积极支持下搞的。对此，攻击者的心里当然是十分清楚的。而这时的周恩来也不会不明白这伙人的险恶用心，但为形势所迫，他不得不暂时组织一次必要的"退却"，以保住从国务院到各省、市、自治区主管工业生产的骨干力量。② 会上，他再次使用了"方兴未艾，欲罢不能，势不可当"③这样的语言来表达自己对形势的看法，指出：十一中全会和工作会议后的几个月时间证明，领导干部中绝大多

---

① 以上王力、陈伯达的发言，均据中央政治局扩大会议记录（1966 年 12 月 6 日）。

② 参加这次工交座谈会的有上海、北京、黑龙江、辽宁等省市和国务院所属铁道、水电、化工等部门的负责人。

③ 同年 10 月中央工作会议期间，周恩来曾以此表达对运动的看法。

数都没有"想通","想通"是极个别的,这种情绪一直影响到这次工交座谈会。关于"汇报提纲",周恩来明确表示,这是"我让他们写的",其中。当然是反映了一些客观上的思想动态。他提出,大家要下决心到实践中去,继续摸索经验,包括前面犯过"错误"的同志,要负起责任来,既不要诚惶诚恐,也不能掉以轻心,而是要兢兢业业、毫不松懈地抓好生产。①

对周恩来这种自白加掩护式的发言,林彪、中央文革小组一伙当然是不会满意的。用王力的话说,现首要的问题是工矿企业要不要"革命"和怎样"革命"的问题,而不是什么深入实践、摸索经验的问题,更不是要"负起责任"、"兢兢业业"地抓生产的问题。对此,从不关心、过问生产的林彪,却在这时给工交座谈会下了"结论":这次工交会议开得不好,是错误的,思想很不对头,需要来一个180度的大转弯。他说,不能把文化革命的成果单是落在生产上,如果我们完全从生产收获的多少来论文化革命的成败,那是大错特错的!他甚至毫不掩饰地批驳周恩来的发言:我们应该不是被动地而是主动地让这场革命进入到工业、进入到农业、进入到社会,因此,我认为不应该是"势不可当",不是当不当的问题,而是迎接的问题,不是"刹"的问题,而是要扩大的问题;要让这个革命席卷全国每一个领域,渗透每一个领域……②

作为当时党中央唯一的"副主席",林彪讲出上面这番话的分量是不言而喻的;为了压住周恩来、陶铸等代表的正确意见,林彪不啻是中央文革小组一伙请来的一位"尊神"。在"革命"和生产关系的问题上,林彪的观点十分明确:"革命"是至高无上的,它可以取代一切,冲击一切,不管国家和人民为之付出多么重大的代价,其损失也是"最小、最小、最小"。③ 这也是后来很长一段时间里,林彪、江青等人在"革命"和生产问题上散布的种种荒谬论点的一次"开场白"。

值得一提的是,在这次会上被点名"批判"的陶铸,在关键时刻置个人安危于不顾,为保护周恩来和其他领导同志,他毫不犹豫,挺身而出,毅然承担了"堵"、"压"工厂、农村开展"文化大革命"的"主要责任"。一个月后,陶铸便被中央文革小组一伙人突然打倒。从某种意义上说,陶铸也是因致力抓生产而"冷淡""革命"才遭此不测的。

总之,1966年初冬工交座谈会上的这场斗争,实际是以周恩来、陶铸等领导同志为代表的党内正义力量同林彪、江青一伙在要不要借抓"革命"而搞乱生产、乃至要不要生产这样一个基本问题上的一次激烈较量。自"文化大革命"发动以来,"革命"影响、干扰、破坏生产的情况已是屡屡发生,成为世人所耳闻目睹的客观事实。这就不能不使人们开始重新认识这场"革命"对于生产到底是起一种什么样的作用了。对于长期以来一直致力于经济建设的老一辈革命家和广大干部群众来说,这样的"革命"越扩大、越深入,他们心中的疑虑、不解、反感和抵触情绪也就越发展、越加重。纵观十年"文化大革命"历史,这种由"革命"和生产之间关系所引发的矛盾和斗争,不仅反映在"文化大革命"的前期,还一直延续到"文化大革命"

---

① 中央政治局扩大会议记录,1966年12月6日。

② 同上。

③ 林彪在另一场合关于"文化大革命"的讲话,另外的一句话是:"文化大革命"的"成绩""最大、最大、最大"。

的中期和后期,成为贯穿于"文化大革命"全过程的一种特有的历史现象。

三

抓生产的不懈努力

工交座谈会之后,在中央文革小组一伙的大肆煽动下,"文化大革命"开始全面进入工交、财贸、科研等生产业务部门。一时间,在"革命"压倒生产、压倒一切业务工作的言论甚嚣尘上,大批产业工人、技术干部、科研人员纷纷脱离生产岗位,"停产闹革命"竟成了"合法"行动。

接着,在上海"一月夺权"的影响下,全国又掀起"夺权"浪潮,1967年、1968年这两年里,各地武斗迭起,派仗不息。极端混乱的局势使得整个国民经济陷入无政府状态,工交、财贸、科研等系统的生产业务更是连连受损,每况愈下。① 在这种情况下,周恩来等老一辈革命家关于"革命"和生产"双轨进行"、互不干扰的最初设想,实际上已根本无法实现;他们为之付出的种种努力,也一次次地在客观现实面前受挫、落空。和其他老一辈革命家一样,这时的周恩来不能不对那些自诩是最最"革命"的行为产生极大的怀疑;他这时的言论,已不仅仅是停留在对所谓"革命"的劝导和限制上,而是对其事实上给国家和人民造成的严重后果表示极大的愤慨和不安,对其本质上的虚伪性和反动性给予有力的揭露和批判。

其一,周恩来在应对和处理各地各部门生产业务中急需解决的大量问题之际,不断向党内外群众(包括各地的造反派头头)指出"革命"给生产建设带来的巨大损害。仅从1967年下半年周恩来有关铁路、煤炭等生产情况的谈论中,便可知当时问题的极端严重性。

1967年5月底,铁道部业务监督小组的紧急报告中称:因各地两派纠纷和武斗,京广、津浦、陇海、浙赣等四条铁路干线均已处于半瘫痪状态,仅徐州一处,就停开货车69列……到6月份,各地造反派仍继续滞留车辆,阻断交通,致使包括国际列车在内的客货运输都不能正常运行。

据此,7月初,周恩来在接见河南某群众组织代表时沉重宣布:现在,全国除东北外整个铁路交通中断。② 随后,他又告诫,铁路问题是关系整个国民经济生活的首要问题;由于交通中断,现在煤运不进来,许多工业用电都停了,民用电也停了,整个生产生活都在受这个影响!

9月间,他又在一些场合指出:现运输已降到最低水平,码头货物堆积如山,外国船只卸不了货,每天罚款,国家财产损失相当大。他说:"四大"一提倡,大字报一搞,搞到这个程度,谁能料到?(两派武斗)恐怕最大的损失就是国家的损失,到处停产!像沈阳、西安这样的大工业城市,有很多援外项目,也搞得停产、停电,我们想起来就难过!

11月下旬,他对黑龙江省某造反派代表说:你们东北是最冷的地方,但现在最好的煤矿日产量还不到一半。东北离开煤怎么行?……闹"革命"闹了一年半,去年还有库存,今年都用上了,搞不好就都得停产。所以不能再打(派仗)了!一次,当周恩来得悉某铁路枢纽站因打派仗滞留了3600多节车皮,而该地区造反派还在

---

① 1967、1968年全国工农业总产值及其指数、十余种主要工业产品产量等均低于1966年达到的指标。

② 此后不久,东北地区的铁路运输也多处堵塞、中断。

反映写大字报没有纸和笔时,他不胜激愤地答道:现在不是要纸要笔的问题,现在是要火车畅通的问题!全国铁路"革命"革了一年半,造成这种局面,我们在座的难道心里就舒服?我就不信!

在这段时间里,周恩来多次使用"内战"这两个字来概括他对各地因武斗所造成的混乱局面的看法。他曾严词责问广西两派代表:你们看一看,现"内战"打成什么样子!一段段的铁路比过去军阀混战时搞得还厉害!我们的工人、阶级兄弟、人民群众就在打这个"内战"!

在诸如此类的场合,周恩来极少讲"文化大革命"的"伟大胜利",而讲得更多、更具体的恰恰是"革命"给生产建设和人民生活造成的实实在在的损失和破坏。他的这种切身感触,甚至还可以从他与外宾的交谈中窥见一斑。1968年2月,他在接见邻国客人时曾回顾说:一年来,我都在管铁路运输工作,每星期都过问。运输上发生问题,这是文化大革命的副作用,两派争吵不休嘛!同年8月,他又对另一批外宾讲:由于运输上的关系,动力上的关系,直接影响到生产;在去年下半年、今年上半年有很多指标不是上升的趋势,原来设想今年生产会逐步好转,结果相反。

其二,周恩来在指出"革命"给国家、给人民带来巨大损害的同时,还进一步揭示了所谓"革命"的实质,即资产阶级、小资产阶级的派性。极端的无政府主义和反动的极"左"思潮。

1967年6月初,周恩来向"炮轰"聂荣臻的国防科工委某造反派指出:不能任"打、砸、抢、抄、抓"这股风发展下去,这种无理、残暴的行为根本不像无产阶级革命派。你们现在完全是派别之争、意气之

争,是不顾大局的极左倾向、极左错误,这不是个小错误,其表现就是整天忙于打"内战"!后来,周恩来又当面质问该造反派组织头头:你们到底是无产阶级革命派,还是极左思潮派?!

7月25日,他针对钢产量急剧下降、许多炼焦炉熄火的情况,严厉批评鞍钢两派代表:你们这样做完全是为个人、为小团体、为派别利益争"气",而不是为国争光;你们两大派相互"压"的结果,不是把派性组织压垮了,而是把钢铁生产压垮了!

随后,周恩来在许多场合强调:要反对极左倾向,警惕极左煽动,其表现就是无政府主义,就是不相信领导、否认一切领导,怀疑一切、打倒一切。当前,资产阶级、小资产阶级派性已成为一种社会思潮,成为一种普遍现象。

在周恩来苦口婆心地反复批评、教育下,某些造反派组织的"革命"行动确有所收敛,一些地区的生产危机也有所缓解。但是,由于"文化大革命""左"的指导思想始终没有从根本上改变,其"左"的实践也必然会恶性发展,乃至愈演愈烈,难于自拔。自1967年冬起,"全面内战"已达到空前激烈的程度,许多地区的派性争斗不仅仅是客观上带来种种严重恶果,而是有目的地、人为地制造一连串的大规模的破坏行动。据1968年2月4日铁道部军管会生产指挥部报:2月2日晚,津浦线上两列客车遭武装抢劫,乘务员数人被绑架,枪支等被抢走;此外,该干线几处路段被毁,通讯调度中断,数座铁路、公路桥被炸。同日,周恩来就此情况致信毛泽东:像另纸所报破坏铁路情况①,在徐州、蚌埠、郑州、连云港十字线上为最甚;次之为衡阳、柳州、广州三角线;再次为西南昆明、成都

---

① 即2月4日铁道部《关于徐州地区铁路运输中断的情况反映》。

一线。这些破坏铁路、炸毁桥梁的行动，已超出派性，完全是反革命行为，必须实行专政措施。之后，经周恩来亲笔修改的《关于确保援越抗美物资运输畅通的紧急命令》中明确提出：对于一切破坏运输、装卸的反革命行为，必须采取有力措施。同年7月，中央连续发布"七三"、"七二四"布告，对大搞打、砸、抢、烧、杀行为的造反派组织采取断然措施，在一定程度上制止了上述大规模的破坏性行为，但也因此留下了一些后遗症。

其三，周恩来这个时期一直强调的具有特定含义的"抓革命、促生产"，是建立在革命应体现在生产上、生产是检验一切革命的标准的基础上的。

1967年，正当"全面夺权"深入进行时，周恩来即向造反派指出：搞革命，就要使工作有起色。难道搞革命就是为争权吗？在后来的一些场合里，他还这样讲过：生产是检验我们各项工作成绩的最好标志；每一个革命群众组织，都要在生产中经受考验。

6月下旬，在接见国家机关各部委代表及出席全国订货会议代表时，他又说：愿做真正的革命派，就要"抓革命、促生产"；眼下首先要保证把订货会议开好，拿这件事考验你们是不是真正的无产阶级革命派。

7、8月间，他接见河南等地代表时又指出：现在是黄河防汛时期，这关系到千百万人的生命财产，也是对你们的最大考验。在你们这里，最关键的问题一个是铁路，一个是水利，以此考验你们是否真正愿意革命。铁路上的两派，不管过去认识怎样，都要在"抓革命、促生产"这个问题上一致起来，都要在保证铁路畅通这个问题上证明你是站在毛主席的革命路线上。

10月29日，周恩来在全国铁路运输工作会议期间更加明确地提出：如何把铁路运输搞上去，这个问题太大了。从这里不仅看出业务，也看出政治。他说：空喊"革命"而不抓业务，"革命"就是空的，革命与业务要联系起来、结合起来。不管你过去是什么"派"，只要在这个问题上做得好，就是回到毛主席的革命路线上，就是革命派。之后，他又具体提出："革命"就要拿出实际行动来，保证上班8小时，不误点，不旷工，不打扑克，在这些问题上作出模范。

1968年1月8日，他在中央对沈阳等铁路局建成革命大联合、实现"抓革命、促生产"的协议的批语中亲笔加上：是否严格遵守和坚决执行自己所达成的协议，是对每一个群众组织"是否能真正成为无产阶级革命派"的重大考验。

同年2月2日，在接见工交、财贸、农林口各部委及国务院直属单位的代表时，周恩来再次强调：每个部门一定要把革命跟业务、跟工作结合起来，再不能只抓"革命"，不管工作……每个部门的造反组织如果不抓业务，你就不能算一个完全的革命派，你就是口头革命家，因为你不去实践嘛！要通过你自身的业务来实行革命，通过实践来考验你是不是一个完全的革命派。

以上周恩来的一系列言论表明，在"天下大乱"、"全面内战"的日子里，他对于"抓革命、促生产"的理解和倡行，一方面是建立在对"文化大革命"所造成的大量破坏性事实的根据上的，另一方面，也是源于他长期以来对政治与业务、革命与建设关系的不同理解和认识。由此，产生了这一时期具有特定含义"抓革命、促生产"①的口号。

①　这个口号，后来又扩充为"抓革命、促生产、促工作、促战备"。

在"文化大革命"中,周恩来还曾多次批驳过所谓"'革命'抓好了,生产就会自然而然地上去"的说法,表示从不相信这种"自然而然"的逻辑。① 从表面上看,这与他在各种场合提出的"抓革命、促生产"的口号是有矛盾的,似乎不可同日而语。然而,通过以上对周恩来在"文化大革命"前期抓生产、抓业务的思想和实践的考察,乃至"文化大革命"中期,在批判林彪的过程中周恩来有关政治必须落实在业务上的观点的提出,凡此种种,都无不证明了周恩来思想的连续性、一贯性。这样,周恩来对于"自然而然"论的批驳,也就不足为怪了,这恰恰是他自己对于具有特定含义的"抓革命、促生产"口号的诠释和补充。

纠正"文革"初期外交工作的偏差

一

极"左"路线对外交工作的冲击

"文化大革命"开始后,林彪及江青、康生等中央文革小组主要成员插手外事工作,全面否定建国17年来外交工作所执行的坚持独立自主和爱国主义与国际主义相结合的原则,以和平共处五项原则为基础,与世界各国之间实现和平共处,开展友好合作,求得共同发展和繁荣的正确外交路线和方针政策,否定外交工作所取得的成就。康生并把强加给外事工作的所谓对帝、修、反,和支持各国革命运动的"三和一少"修正主义路线的罪名,上纲为投降帝、修、反,扑灭各国革命运动的"三降一灭"。外事部门大批领导干部遭到揪斗,夺权风潮普遍波及外交部等外事领导机构,国内的正常外事工作受到严重干扰。

1966年9月9日,毛泽东在奥地利红旗派人士对中国驻维也纳商务代表的"资产阶级举止和资产阶级生活方式"提出批评的来信上批示说,写得好,值得一切驻外机关注意,来一个革命化,否则很危险。我国驻外使领馆随即也相应开始搞"四大"(大鸣、大放、大字报、大辩论)。这样,不仅驻外大使几乎全部应召回国参加"文化大革命"运动,而且国内的动乱局势开始波及驻外使领馆,使我国驻外机构的正常工作也受到极大影响。直至1967年2月6日,兼任外交部长的陈毅副总理在批送周恩来总理的一份电报上提出,内外有别,使领馆一律不准搞"四大",2月7日毛泽东签发了周恩来呈送的这份电报后,各驻外使领馆才基本稳住。

与此同时,林彪、江青、康生等人还极力推行四面出击,打倒一切的极左外交路线,并用"输出革命"的极左方针冲击国与国的正常外交关系,使我国的外交工作进一步走上了"反对帝修反"的"革命外交"道路。一些外事工作人员受极左思潮和无政府主义的影响,不顾政策,无视内外有别的原则,自作主张地采取种种所谓革命行动;有的驻外使馆在国庆招待会的讲话稿中,不顾驻在国的反对,强要点名指

---

① 见刘西尧回忆文章:《我当总理联络员前后》,载《不尽的思念》,中央文献出版社1987年版。

责另一个国家;宣传毛泽东思想更成为对外活动的一项主要任务,《毛主席语录》开始在100个国家和地区广泛发行,毛主席像章也被作为革命的标志输出国外,在一些国家发生了我国驻外人员强迫华侨学生或外国人佩戴毛主席像章,在使馆新闻公报、新闻橱窗和其他宣传材料中转载或展出国内宣传"文化大革命"的文章和图片等事件,引起驻在国反感,成为一些国家与我国关系停滞或恶化的始因。许多红卫兵还越过国境,到越南、缅甸等国去参加反抗美帝国主义和反动派的实际斗争。

1967年1月25日,中国留欧学生69人回国途经莫斯科,到列宁、斯大林墓前献花圈,集体朗读《毛主席语录》"社会主义制度终究要代替资本主义制度","不管反动派怎样企图阻止历史车轮的前进,革命或迟或早总会发生,并且必将取得胜利"等。苏联方面认为中国学生的行为破坏了拜谒列宁陵墓的有关规定,扰乱了秩序,出动军警两三百人,围攻殴打中国留学生和使馆陪同人员及新华社记者,学生们则高唱《国际歌》,高呼"打倒现代修正主义"等口号。1月26日,中国外交部发表声明,"最最强烈抗议苏修疯狂镇压我留欧学生",周恩来和陈毅代表毛泽东、林彪、党中央和国务院向我留欧学生致电慰问。国内群众开始在苏联驻华使馆周围游行示威,苏使馆中的中国服务人员也宣布"罢工"。此后,苏联政府决定从北京撤回大使馆、商务代办处等苏联代表机构人员的家属。2月初,这些人员和陪同他们的其他东欧国家驻华使馆人员在北京机场遭到红卫兵的围攻。1至2月,北京还发生了多起红卫兵围攻、侮辱捷克斯洛伐克、波兰、蒙古、德意志民主共和国、匈牙利、保加利亚等国驻华外交官的涉外事

件。3月20日,林彪在军以上干部会议上的讲话中提出,中国对世界革命起决定因素,"中国不倒","世界就有希望","中国一片红,就等于整个欧洲一片红"。根据毛泽东指示,这个讲话的录音在全国播放,中共中央并印发了此讲话。中国是世界革命的中心之说开始风行一时,使中国的外交环境更趋恶化。

随着全面夺权的展开,全国动乱的升级,林彪、江青、康生等人进一步插手外事领域,阴谋夺取外交权力。3月31日,北航"红旗"负责人韩爱晶等人根据戚本禹的暗示,贴出"打倒陈毅"的标语,首都一些群众造反组织组成"批陈联络站"。4月17日,陈伯达、戚本禹接见了"联络站"等组织,鼓动说,到中南海揪陈"没有错","外事口的盖子还是要揭开"。"批陈联络站"等组织随即发表了"打倒陈毅"的声明,要求揪斗陈毅。

7月,江青等人借毛泽东让王力过问外交部运动之机,再次鼓动外交部造反派夺权。北京外国语学院和外交系统的一些造反群众在关锋、戚本禹等人操纵下,于外交部大门外"安营扎寨",静坐绝食,要求揪斗陈毅,成为北京"揪刘火线"之外的另一个动乱中心。8月4日,首都新闻界举行"支持香港人民抗暴斗争大会",关锋、戚本禹出席。戚本禹在谈到外交部问题时肯定"安营扎寨"是革命行动,提出陈毅应接受群众批判。外交部一派群众组织认为戚本禹的这一讲话有违周恩来总理关于保护陈毅的指示,上告周恩来和江青、陈伯达。8月7日,王力便对外交部造反派发表谈话,煽动说,"揪斗陈毅大方向当然对","红卫兵就不能干外交"?"现在外交部还是原班人马","为什么不能动一动班子"?"还是三结合班子好,以革命造反派为主体","让我们共同努力把外交部

搞成彻底革命的外交部",等等。8月16日,外交部系统的造反群众即开始行动,冲砸了外交部政治部,查封外交部党委,宣称夺了外交大权,擅自以外交部名义向我国驻外机构发号施令,并将外交部副部长姬鹏飞、乔冠华等人押上街头卖红卫兵小报,几乎所有的驻外大使、参赞和外交部的司局长都遭到揪斗。

尤其严重的是,8月22日晚在北京发生了火烧英国代办处事件。这起涉外纠纷,源于4月末5月初,香港新蒲岗人造塑胶花工厂的中国工人为反对资方加强剥削、开除工人,连续数日佩戴着毛主席像章,手举《毛主席语录》,高呼"毛主席万岁"等口号,高唱《大海航行靠舵手》等歌曲,进行抗议斗争。香港英国当局出动武装警察和防暴队进行镇压,打伤、拘捕多人。5月中旬,北京群众接连举行大规模示威游行和集会,声讨港英当局镇压香港同胞。此后至8月,随事态发展,港英当局又绑架香港《文汇报》、《大公报》、《新晚报》等报记者,并下令香港《夜报》、《田丰报》、《新午报》三家报纸停刊。8月20日,我外交部照会英国驻华代办处,"最强烈抗议港英疯狂迫害香港新闻事业",要求英国政府在48小时内撤销对香港三家爱国报纸的停刊令,释放所有被捕的爱国新闻工作者。并由谢富治主持,在北京工人体育场召开了数万人的声援声讨大会。由北京外语学院、清华大学、北京师范大学、北京第一机床厂等十几个单位造反派组织在王力、关锋、戚本禹等人支持下成立的"首都无产阶级革命造反派反帝反修联络站",决定到英国驻华代办处前召开大会,并采取"革命行动"。周恩来获悉后紧急召见"反帝反修联络站"负责人予以劝阻,至深夜得到造反派不进入代办处的保证后方离去。但8月22日晚,48小时

限令一过,一万多红卫兵和造反群众涌到英国驻华代办处前举行声势浩大的示威,召开声讨英帝反华罪行大会,并以英政府逾期不答复最后通牒为由冲进代办处,进行砸抄,放火焚烧汽车和代办处办公楼,唾骂踢打代办处工作人员,迫令他们向毛主席像鞠躬,有人还践踏英国女王像。狂热的群众直至凌晨才散去。同日,新华社报道说,"被英帝国主义疯狂迫害我香港爱国同胞的法西斯暴行激怒了的首都红卫兵和革命群众","激于义愤,对英国代办处采取了强烈的行动"。8月23日,《人民日报》以《首都红卫兵对英代办处采取强烈行动》为题,刊登了这则报道。当日,周恩来、陈伯达、谢富治等接见外交部造反组织的核心小组和进驻外交部的群众组织代表,对火烧英国代办处、查封外交部党委、冲进外办等行为提出批评。周恩来并指示姬鹏飞向英方赔礼道歉,表示由我国为英代办处重盖房屋。与此同时,还发生了造反群众砸印度、印尼驻华使馆和集会要冲缅甸驻华使馆等事件。这些行动严重损害了我国的外交声誉和国际形象。而在此期间发生的种种极左行为,如高喊武力收回香港,推行所谓外交工作中的"下层路线",我驻外使领馆在外事活动中疏远所在国执政领导人,亲近反对派,煽动和支持驻在国人民打倒本国政府,干涉别国内政,对重大政治问题不经外交部批准,直接发抗议照会等,都进一步使我国的外事工作陷入混乱。

8月末,周恩来将王力"八七讲话"记录托杨成武呈送正在上海的毛泽东。毛泽东批示说这个讲话是"大、大、大毒草"。经毛泽东批准,中共中央作出了对王力、关锋隔离审查的决定。1968年1月,戚本禹也被隔离审查。外事系统的动乱局势由此而有所缓解,外交失控现象基本得到控制。

在 1966 年至 1967 年一年多的时间里,40 多个与我国建交和半建交的国家中,近 30 个国家与我国发生外交纠纷。在亚洲国家中,我国同印度、印尼、缅甸的关系进一步恶化;东盟国家由于我国对马共、菲共、泰共等反政府活动的支持以及华侨问题等其他因素的影响,对我更加疑虑和敌视。与非洲国家之间,由于除驻埃及大使黄华外我国驻非洲各国使节纷纷被召回国接受批判,许多使馆由造反派掌权,干涉驻在国内部事务,引起这些国家的严重不满和反对,致使不少国家对我采取了戒备措施。达荷美(贝宁)、中非、肯尼亚、加纳、突尼斯等国与我国关系更为恶化,有的关闭其驻华使馆,有的中断了与我国的外交关系。我国与非洲国家关系出现倒退。拉丁美洲唯一与我国有外交关系的古巴,由于我方人员在古散发反苏传单等原因,也同我关系恶化。我国与拉美国家之间的贸易往来和其他交往都受到影响。对欧洲国家,我国只与阿尔巴尼亚和罗马尼亚关系比较密切。1967 年 6 月 21 日至 7 月 1 日,姚文元、谭厚兰还率中国红卫兵代表团应邀参加了阿尔巴尼亚劳动党青年联盟第五次代表大会。这是我国对外交往中从未有过的事情。而同其他建交的欧洲国家,基本没有互访活动。特别是同英国的关系,遭到更多的破坏。在此期间,正式派出政府代表团访华的国家大大减少,因大小问题与我国发生争执的国家却大大增多。

二

纠正偏差,修复对外关系

对于极左路线对外交工作的冲击和干扰,周恩来、陈毅和广大外事干部从一开始就进行了反对和抵制。周恩来曾多次申明,外交大权属于中央,不能夺。陈毅是好同志,不应打倒。努力制止造反派揪斗陈毅、冲击外交部夺权,以及制造外交事端等极左行动。1968 年 1 月,周恩来提出要从政策角度鉴别和批评极左思想,要整顿外事纪律。2 月 13 日,外交部 91 位司长、大使等干部贴出了题为《揭露敌人,战而胜之——批判"打倒陈毅"的反动口号》的大字报,以大量事实证明陈毅是党的忠诚坚定的战士,引起外事系统和全国轰动。3 月以后,毛泽东就对外宣传毛泽东思想等问题,作出了"不要强加于人","对一切外国党(马列主义)的内政,我们不应干涉"等批示,并批评"世界革命的中心——北京"的提法,是"所谓'以我为中心'的错误思想"。外事领导机构开始对以往主要由我国方面的极左行为而造成两国关系损害的事件,或在公开场合,或通过内部接触,主动向当事国表示承担责任,争取修复双方关系。

如与尼泊尔关系的改善。1967 年 7 月,一批尼泊尔学生在首都加德满都举办的国际博览会中国馆前示威,要求撤除毛泽东照片和中国国旗,同时另有一批同情中国的学生举行反示威活动,尼方出动警察进行了干预。中国驻尼大使为此向尼外交部提出口头抗议,尼方表示道歉,并对中国受伤受辱人员表示慰问。但康生却要求"应当不怕反华,不怕断交,坚决斗争",中国继续向尼方提出"强烈抗议",从而造成双方关系紧张。1968 年 5 月 23 日至 6 月 1 日,尼泊尔王国副首相比斯塔应中国政府的邀请访华。5 月 28 日毛泽东会见了比斯塔副首相,双方进行了友好的谈话。中尼双方发表联合公报,表示要进一步加强两国之间的友好关系。与缅甸的关系,经过努力,逐步改善而至恢复。

1967年初，缅甸的华侨学生佩戴毛主席像章，由此引起纠纷，牵涉到中国驻缅使馆，发生了数十人死亡及华侨被捕的事件，并发展为缅甸国内的反华排华暴行。从5月起，中缅两国政府间递呈抗议照会、备忘录不断。北京上百万群众连续数日在缅甸驻华使馆门前举行示威游行，经周恩来打电话给外交部和北京卫戍区，暂时制止了事态的发展。7月初，部分造反群众召开大会，又试图冲缅甸使馆，再次被周恩来所制止。此后，中国采取控制措施，避免双方关系继续恶化，并着力促进和逐步恢复两国关系。1970年五一节时，毛泽东在天安门城楼请缅甸驻华代办转达对缅甸联邦革命委员会主席、政府总理奈温的问候。11月和1971年3月，双方先后互派新任大使。1971年8月，周恩来还向来访的缅甸政府总理奈温解释了1967年极左思潮对中国外交政策的影响，以及坏人利用群众运动破坏中缅等国关系的问题。中缅两国友好关系完全恢复。中国政府还着手消除1967年间极左思潮对中朝关系的消极影响。1969年10月1日，毛泽东在会见朝鲜最高人民会议常任委员会委员长崔庸健时提出，"我们的目标是一致的"，"应该搞好关系"。1970年6月，毛泽东又在接见朝鲜代表团时，就"文化大革命"初期中朝关系中发生的一些不愉快事情解释说，那是由于有"五一六反革命集团"在起作用。中朝两国间的团结与合作不断得到加强。我国并继续重视发展与罗马尼亚的友好关系。1968年8月苏联入侵捷克斯洛伐克后，中罗双方共同谴责苏联的霸权主义行径。1971年6月齐奥塞斯库率罗马尼亚党政代表团访华，罗还曾一度担当起中美联系秘密渠道的责任。1968年以后，我国与南斯拉夫也停止了相互指责，开始了两国关系正常化的进

程。1969年双方签订了新的贸易支付协定。1970年5月和8月又先后重新互派大使，恢复了大使级外交关系。中罗与中南关系在重点反对苏联霸权主义的共同斗争中，不断得到发展。

1968年6月，中央派军队干部担任外交部政治部军代表，8、9月一批外事领导干部被"解放"，外交部分工，一部分人搞运动，一部分人抓业务。1970年初，中央又向外交部派出了军代表。同年6月5日，国务院将国家各部关于建立革命委员会的报告上报中央。6月22日中央批准，毛泽东也批示"照办"。外交部革委会随即成立，外事工作进一步恢复了正常。

1969年春节后，周恩来催促外交部改变我国驻外使节空缺的不正常状况，指示无论新任或返任的大使，要以阿尔巴尼亚、越南、法国等为第一批。根据该项指示，外交部很快下达了驻这三国大使的任命。此后，我国开始重新派出一批批驻外使节，使各驻外使馆由大使等主要负责人回国参加"文革"运动而造成的长期出缺状况得到扭转。

1969年5月1日晚，毛泽东、周恩来、康生等在天安门城楼先后接见了阿尔巴尼亚、巴基斯坦、赞比亚、瑞典、柬埔寨、刚果（布）、坦桑尼亚、几内亚8国新任驻华大使。1970年五一国际劳动节时，毛泽东又在天安门城楼会见了亚、非、欧40个国家的驻华使节，同一些使节进行了重要谈话，并与21个国家的使节握手。毛泽东还请各国使节代向本国元首问候。这实际上传递了中国愿意改善和发展同世界各国关系的明确信息。

1970年6月，毛泽东在接见外宾时反复谈到，"文化大革命"乱子很多，就是有那么一小撮反革命分子，有一个叫"五一六兵团"的秘密反革命集团在起作用。7

月，毛泽东在会见外宾时更直接点明：有些人趁机会名为造反，在北京砸烧英国代办处，印尼、印度的大使馆也遭了殃，指责"那些人就是国民党"。12月毛泽东又对斯诺说，外交部有一个半月失去了掌握，这个权掌握在反革命手里。使有关国家了解到，1967年7—8月间中国发生的一些严重外事纠纷是不正常现象，为这些国家修复和改善同中国的关系提供了思想准备。

1970年9月和1971年4月至5月，周恩来还亲自部署外事部门批判极左思潮，一再指示驻外使馆如有极左分子迅速调回，对外宣传不能把"文化大革命"输出，否则就要犯大国沙文主义错误，抽象地用一两句《毛主席语录》搞宣传反而有破坏性。周恩来还分别在国家旅游、援外会议和全国外事工作会议上作报告，系统阐述党的外交方针政策，批评外事工作中的极左行为。并针对"文化大革命"以来我国同许多国家几乎中断来往，许多方面的活动停止等状况，提出现在是应该"开门"的时候了，表示不同意把前17年的外交路线说成是"修正主义路线"，不赞成到处搬用"反对帝修反"的口号。

由此，自1968年始，中国同一些国家的关系开始陆续得到恢复，特别是从1970年起同亚非国家恶化了的关系，有了明显的改善。至1972年2月止，中国同缅甸、肯尼亚、突尼斯、布隆迪、锡兰（斯里兰卡）和加纳等国，或恢复、发展了外交关系，或进行了重要访问，或开展贸易、事务往来新关系，或致电表达相互合作与谅解的愿望。中国与印尼的关系也有所转圜，双方外交人员开始在联合国进行接触。在已建交国家中，除与苏联和印度关系仍较为紧张外，同其他国家的关系均得到改善或不同程度的好转并发展。这期间，与中国

建交的亚洲、非洲、欧洲、美洲的24个国家中，有9国是在1971年4月中美关系出现转机的影响之前建交的。这表明中国的外交声誉及国际形象也在逐渐恢复。

中苏边界谈判

一

中苏边界存在的问题

中苏边界全长7300多公里，是世界上最长的国界之一。16世纪以前，中俄两国并不接壤。随着沙俄的向东扩张，1689年中俄签订了第一个边界条约《尼布楚条约》，规定了中俄东段边界。1727年中俄签订的《布连斯奇条约》又规定了以后大部成为蒙苏边界的中俄中段边界。1840年中英鸦片战争爆发后，沙俄强迫清政府签订了中俄《瑷珲条约》、《北京条约》、《勘分西北界约记》、《伊犁条约》等一系列不平等条约，在短短半个世纪中割去中国领土150余万平方公里。此外，沙俄政府还通过践越不平等条约规定的边界线，进一步侵占了大片中国领土。

1917年俄国十月革命胜利后，苏维埃政府根据列宁对华的一贯思想，制订了对华政策纲领，提出取消强加于中国的不平等条约，将沙皇政府单独和伙同日本掠自中国的一切，交还给中国人民。1920年9月27日苏维埃政府的"第二次对华宣言"明确宣布："以前俄国政府历次同中国订

立的一切条约全部无效,放弃以前夺取中国的一切领土和中国境内的俄国租界,并将沙皇政府和俄国资产阶级从中国夺得的一切,都无偿地永久归还中国。"①1923年9月4日的"第三次对华宣言"又声明:苏联政府"正在制订完全尊重主权、彻底放弃从别国人民那里夺得的一切领土和其他利益的政策。苏联对中国的政策也是这样"。②

1924年5月31日,苏维埃政府与中华民国政府签订了《中俄解决悬案大纲协定》,双方同意在所定的条款中,"将中国政府与前俄帝国政府所订立之一切公约、条约、协定、议定书及合同等项概行废止,另本平等,相互公平之原则,暨一九一九与一九二〇两年苏联政府各宣言之精神,重订条约、协约、协定等项"。并将"彼此疆界重新划定,在疆界未行划定以前,允许仍维持现有疆界"。③

根据此项协定,1926年中苏双方举行会谈,商议重新划界,订立新约。但由于历史条件的限制,双方在边界问题上未能达成协议,疆界没有重新划定。新的平等条约也未能签订。中苏边界问题由此长期悬而未决。

中华人民共和国成立后,中苏之间的边界问题虽仍然存在,但在20世纪50年代两国关系友好时期,中苏边境一直安宁无事。1960年以后,随中苏关系的逐渐恶化,中苏边界也开始多事。1960年,苏联边防军在新疆博孜艾格尔山口附近地区挑起第一次边境事件。此后苏方不断破坏边界现状,向中国境内推进巡逻线,在中国境内修建军事设施,干涉中国边境居民正常生产和通行,殴打、绑架中国边境

居民,阻挠中国边防人员正常巡逻。1962年,苏联又在中国新疆的伊犁、塔城地区策动和胁迫6万多中国公民越境前往苏联,并于该年5月策动了伊宁暴乱事件,使中苏边境越来越不安宁,中苏边界问题日益尖锐起来。

对于中苏边界问题,中国政府一贯主张通过谈判加以解决,在未解决以前,维持边界现状,避免武装冲突。1960年8月和9月,中国政府就曾先后两次主动向苏联政府建议就边界问题举行谈判。1963年8月23日,中国政府向苏联政府提出了关于维持边界现状,避免冲突等6项建议。在中国的倡议下,1964年2—8月,中苏边界谈判终于在北京举行。谈判中,中方提出:应肯定清政府与沙俄政府签订的有关两国边界的条约是不平等的;但中方以中苏两国人民的友谊为重,愿意以那些条约为基础,全面解决中苏边界问题,不要求收回沙皇俄国通过那些不平等条约从中国攫取的150多万平方公里的土地;任何一方违反那些条约而侵占的另一方的领土,原则上必须无条件归还对方,但双方可以根据平等协商、互谅互让原则,考虑当地居民的利益,对边界上的这些地方作必要的调整。苏方却拒绝接受这些合理建议,不但不承认以往那些条约的不平等性质,不同意以那些条约作为唯一基础来解决边界问题,而且要求把苏方于沙俄时代和苏维埃时代超越不平等条约而侵占和企图侵占的中国领土,也划归苏联。谈判遭到破坏。

1964年10月勃列日涅夫担任苏共领导人之后,苏领导集团在对华问题上没有

① 程道德等编:《中华民国外交史资料选编1919—1931》,北京大学出版社1985年版,第174页。
② 同上,第180页。
③ 同上,第199页。

改变赫鲁晓夫的立场,拒不承认过去对中国和阿尔巴尼亚等国做法上的霸权主义错误,与此同时,在国内政治上的"左"倾错误继续发展。中苏双方关系未能得到缓和。1966年3月毛泽东决定不派代表团出席苏共二十三大,也不发贺电,中苏两党关系至此中断。随后,毛泽东为防止赫鲁晓夫修正主义在中国的重演,发动了"文化大革命"。至此,不仅中苏两党意识形态的争论进一步发展,两国之间的边界冲突也进一步升级。苏联向中苏边境不断增兵,并向蒙古派驻军队,在7300公里长的中苏边境线上,展开了对中国的军事威胁。中苏边界的紧张形势加剧,从1964年10月15日至1969年3月15日,苏方挑起边境事件达4189起,比1960年至1964年10月前的边境冲突增加了1倍半。中苏两国关系急剧恶化。

二

珍宝岛事件

在不断升级的中苏边界争端中,珍宝岛地区是冲突的焦点之一。珍宝岛位于中国黑龙江省虎林县境内乌苏里江主航道中心线中国一侧,面积不足一平方公里,以形状与中国古代的元宝相似而得名。该岛历来是中国的领土。在《中俄尼布楚条约》中,该岛所在的乌苏里江还是中国的内河。即便1860年11月清政府在沙俄胁迫下签订了不平等的《中俄北京条约》,将乌苏里江以东的全部中国领土划归俄国,根据公认的凡通航界河如无明确规定均以主航道中心线为界,以此划分岛屿归属的国际法准则,该岛与其附近的卡脖子岛和七里沁岛由于位于乌苏里江主航道中心线中国一侧,也仍然是中国的领土,历来由中国管辖。在这些岛屿上一直有中国边防部队巡逻,并有中国居民生产生活。但1947年,苏联将珍宝岛划入自己的警戒线内。此后,尽管中苏两国之间在边界问题上的争议长期没有得到合理解决,珍宝岛是中国领土这个事实,却不容否认。

随着中苏关系的不断恶化,苏联加强了对珍宝岛地区的军事挑衅行动。从1967年1月23日到1969年3月2日,苏军即侵入珍宝岛地区16次;1967年11月底到1968年1月5日,侵入珍宝岛以北的七里沁岛8次。仅1967年11月22日到1968年1月5日,苏边防军就打伤中国边防人员和边民122人,其中重伤21人,打死轧死边民5人;中国边防人员在回击中打伤苏边防军人10余名。为捍卫国家主权和尊严,维护边境地区安全,1968年1月24日,中央军委电示沈阳、北京等有关军区,加强中苏边界东段边防警戒的重点部署,要求边防部队在反挑衅斗争中严格遵守针锋相对,后发制人和有理、有利、有节的原则,并提出了具体防卫措施。

1969年初,珍宝岛地区的形势更趋紧张,仅1、2两个月,苏军入侵就达8次之多。1月25日,黑龙江省军区提出珍宝岛地区反干涉斗争方案,设想以3个连左右的兵力参加该地区的斗争,以一部兵力上岛潜伏,并在珍宝岛附近的边防检查站设立指挥所。对此,沈阳军区基本同意。2月19日,总参谋部、外交部也予以同意。总参在给沈阳军区和黑龙江省军区的复电中要求要选择重点,预有准备地坚决以自卫还击,速斗速决,不予纠缠。中共中央同意选择珍宝岛作为对苏自卫反击的重点。

3月2日上午8时40分,中国边防站派出两个巡逻组执行珍宝岛巡逻任务。

当由边防站长孙玉国带领的第一组沿中国境内冰道抵近珍宝岛时，苏联下米海洛夫卡和库列比亚克依两个边防站出动边防军 70 余人、装甲车 2 辆、卡车和指挥车各 1 辆前往阻拦。苏军不听中方劝阻，步步紧逼。中国巡逻组主动向岛内后撤，苏边防军则从两面继续进逼，试图造成合围之势。中国边防人员在忍无可忍的情况下，被迫进行自卫还击，将苏边防军的 7 人迂回分队消灭。苏军利用装甲车火力压制中国巡逻组，其中一辆进入岛北端的江汉。中国边防部队岸上掩护分队拦截住苏装甲车，登岛反击。经 1 小时战斗，击退入侵之敌。

当日，中国政府即照会苏联驻华大使馆，就苏军入侵我国领土制造流血事件，提出最强烈抗议。同时苏联政府也向我国政府提交了"强烈抗议照会"。此后苏外交部新闻司司长和边防军副司令还在莫斯科举行记者招待会，声称珍宝岛是苏联的岛屿，中国挑起了珍宝岛流血冲突。3 月 3—12 日，中国城乡共有 4 亿多军民集会游行，声讨苏军的侵略行径。与此同时，苏联 18 个城市举行了反华游行，莫斯科 10 万人冲砸了中国驻苏使馆。3 月 4 日，《人民日报》《解放军报》发表社论《打倒新沙皇》，揭露苏军侵略本质。但苏联当局不顾中国政府和人民的抗议，继续扩大对珍宝岛地区的武装侵略。从 4 日到 12 日，苏边防军装甲车和武装人员又多次侵入珍宝岛及岛西侧的中国河道。3 月 7 日，中央军委复电沈阳军区，明确指示在 3 月 20 日化冻前仍把珍宝岛和七里沁岛作为自卫反击的重点，并作了军事部署。同期，周恩来也召见在京参加中共"九大"筹备工作的沈阳军区司令员，了解反击的准备情况。3 月 13 日，中国政府再次照会苏联政府，抗议苏军的连续侵犯行为。苏联政府对此依然置之不理。

3 月 15 日 8 时至 15 时，苏边防军出动坦克 20 余辆、装甲车 30 余辆、步兵 200 余人，在飞机掩护下，向中国守岛边防部队和民兵连续发起 3 次进攻。守备军民奋起反击，激战 9 个多小时，将入侵者全部击退。17 时 15 分，苏军撤出珍宝岛。3 月 16 日，苏边防军登岛收尸，中国军根据周恩来指示，按照有理、有利、有节的原则，严密监视，未予出击。

3 月 17 日，苏军先后出动坦克 3 辆、步兵 100 余人，在猛烈炮火掩护下，再次发起进攻。中国边防部队以炮火还击侵入珍宝岛的苏边防军，毙伤其一部，其余苏军撤离。

在 3 月 2 日、15 日、17 日的战斗中，中国边防部队共击毁击伤苏边防军坦克、装甲车 17 辆，击毁卡车、指挥车各 1 辆，打死打伤 250 余人，缴获 T—62 型坦克 1 辆、各种枪支 31 支(挺)，以及部分弹药和军用物资。T—62 型坦克送北京公开展出。中国伤亡近百人。参战边防部队、民兵和人民群众，发扬"一不怕苦，二不怕死"的精神，英勇顽强，连续作战，取得了珍宝岛自卫反击战的重大胜利，保卫了祖国的神圣领土，捍卫了中华民族的尊严。

3 月 21 日，苏联部长会议主席柯西金要同中国领导人通电话，遭到话务人员拒绝。次日，根据周恩来指示，中国政府以备忘录形式回复苏联大使馆，指出："从当前中苏关系来说，通过电话方式进行联系已不适用。如果苏联政府有什么话要说，请通过外交途径向中国政府提出。"珍宝岛自卫反击作战引起国际国内巨大反响，中苏两国关系紧张达到顶点。

此后，苏联继续在中苏边界许多地段进行武装挑衅。1969 年 6 月 10 日，苏武装人员侵入中国新疆裕民县巴尔鲁克山西部地区,绑架和打死中国牧民;7月8日,苏边防军入侵黑龙江省抚远县境内黑龙江主航道中心线中国一侧的八岔岛地区;8月13日,又在新疆裕民县铁列克提地区挑起了更为严重的边境事件。中苏两国边界问题的解决愈益迫切。

恢复中苏边界谈判

珍宝岛事件后,1969年3月29日苏联政府就苏中边界问题发表声明,一方面仍然坚持原立场,一方面表示愿意恢复1964年在北京开始的关于边界问题的协商。5月24日,中国政府向苏联政府递交关于中苏边界问题的声明。对苏3月29日的声明作出答复,重申我国政府在1964年中苏边界谈判中的立场,并提出,边界问题应当通过谈判全面解决,另订平等的新约,代替不平等的旧约,而不是就"核定苏中两国个别地段的边界走向"进行"协商"。中国政府在声明中再次建议:双方保证维持现状,不以任何方式将边界实际控制线向前推进,在以河流为界的地段,双方边防人员不越过主航道和主河道的中心线;双方保证避免冲突,在任何情况下,双方边防人员不向对方射击;双方边境居民按照惯例进行的正常生产活动不受干扰。声明同时指出,"如果苏联政府认为中国政府的和平解决边界问题的态度是软弱可欺的,可以用核讹诈政策吓倒中国人民,用战争实现对中国领土的要求,那就完全打错了算盘"。对此,6月13日苏联政府又发表声明,坚持说沙俄通过不平等条约割去的大片中国领土"历来属于苏联"。此后,为寻求边界谈判的恢复,6月18日至8月8日,中苏边境河流航行

联合委员会第15次例会在苏哈巴罗夫斯克(伯力)举行,双方就一些具体问题达成了协议。

1969年9月9日,苏联部长会议主席柯西金在越南河内参加胡志明主席葬礼后,通过越方向中国传话,表示希望途经北京时与中国领导人会面。由于越方延误,柯西金于10日离越时未获得回音,苏驻华代办处向中国外交部紧急提出此愿望,经报毛泽东批准后,中国向柯西金作了肯定的答复。这时已抵达塔吉克共和国首府杜尚别的柯西金,随即绕道于9月11日上午飞抵北京,同周恩来总理举行了"机场会见"。双方就两国关系的紧迫问题,特别是边界问题进行了讨论。周恩来说:"约五年前,毛泽东同志对你说过,理论和原则问题的争论可以吵一万年。但这是理论的争论,对这些争论,你们可以有你们的见解,我们可以有我们的见解。这些争论不应该影响我们两国的国家关系。因为不同意见的争论,不要说现在,就是到了共产主义社会,一万年以后,也会有矛盾,有斗争。中苏两国的问题,只要我们能心平气和地来处理,总是可以找到解决办法的。"他进而指出:在边界冲突问题上,中国是被动的。打开地图就会知道,今年发生冲突的地方都是争议地区。你们总说我们要打仗,我们现在自己国内的事还搞不过来,为什么要打仗呢?我国领土广大,足够我们去开发,我们没有任何军队驻在国外,我们也不会侵略别人,可是,你们调了很多兵力到远东。你们说我们想打核大战,我们的核武器达到了什么水平,你们是清楚的。周恩来恳切表示:"吵架也是文吵,动口不动手。"中苏之间的原则争论不应该妨碍两国国家关系的正常化,中苏两国不应该为边界问题而打仗,中苏边界谈判应该在不受任何威胁

的情况下举行。并强调说:"你们说,你们要用先发制人的手段来摧毁我们的核基地,如果你们这样做,我们就宣布,这是战争,这是侵略,我们就要坚决抵抗,抵抗到底。"①

在长达3小时40分钟的会谈中,周恩来提出了维持边界现状、避免武装冲突、双方武装力量在争议地区脱离接触三项建议,并将双方讨论结果归纳为此三项及遇有争论时由双方边防部门协商解决等四条,征求苏方意见。柯西金表示完全赞同。双方还就谈判代表团成员、地点、重派大使等问题交换了意见,并约定将双方达成的协议上报各自中央后,交换信件予以确认。周恩来还告诉柯西金,中国政府准备恢复中美大使级谈判。9月18日,当中国将已达成的谅解列成条文致函要苏方确认时,苏方复函却仅说已向边防部队下达命令,对达成协议之事只字不提。态度出现退缩。

10月1日,毛泽东在会见朝鲜外宾时谈道:对苏修,我们不一定天天骂,有时可以停一下,中苏分裂,美国高兴。并说:我们是不希望打的。明确表达了缓和中苏边境冲突的愿望。10月7日,周恩来召集了参加中苏边界谈判的中国政府代表团第一次会议,宣布中苏两国政府已商定从10月20日起在北京举行两国副外长级边界谈判,并公布了以乔冠华为团长的代表团成员名单。

10月19日,由苏联第一副外长库兹涅佐夫率领的苏政府代表团抵京。10月20日谈判开始,当中国根据周恩来指示,把9月18日致柯西金函改写成临时措施协议草案提交苏方时,苏方拒不讨论,甚至根本否认"机场会见"达成的谅解,只要

求立即进行边界谈判。对苏联方面的这种态度的转变,中国提出质询。苏方无言以答,只能让其工作人员向中方透露说,这是他们政府最高层的意思。谈判中,苏方不接受中国外交部于10月8日发表的重申1964年中苏谈判中我方立场的文件所概括的5点主张:①肯定有关目前中苏边界的条约是沙俄强加给中国的不平等条约;②以这些条约为基础,通过谈判全面解决中苏边界问题,并不要求收回被沙俄割去的中国领土;③违反这些条约侵占另一方的领土原则上须无条件归还,但双方可根据平等协商、互谅互让原则,对边界这些地方作必要调整;④签订中苏平等新条约代替中俄不平等旧约,勘界立标;⑤在边界问题全面解决前,维持边界现状,避免武装冲突,双方武装力量撤出边界一切争议地区并脱离接触等。苏方拒不承认中苏边界存在争议地区,既不承认沙俄强加于中国的条约的不平等性质,又不同意以这些条约为唯一基础解决边界问题,设置重重障碍,使谈判陷入僵局。

1970年4月,库兹涅佐夫回莫斯科参加苏共中央和最高苏维埃纪念列宁诞辰一百周年联席会议,谈判中断。5月1日,毛泽东在天安门城楼会见了40个驻华使节和参加中苏边界谈判的苏联代表团副团长。毛泽东对他说:我们应当好好谈判,谈出个友好睦邻关系。要有耐心。我们要文斗不要武斗。表明了中苏争论不应导致边界冲突,不应妨碍两国关系正常化的态度。5月4日库兹涅佐夫返回北京,中苏双方重开谈判,但仍无进展。此后至1975年,双方谈判代表有所更换,苏以副外长伊利切夫取代库兹涅佐夫,略降低了谈判级别。中国也相应以副外长韩

---

① 据《当代中国外交》,中国社会科学出版社1988年3月版,第125、126页。

念龙换下乔冠华,后又改由副外长余湛主持谈判。从 1969 年 10 月 20 日至 1978 年 6 月,中苏双方共进行了 15 轮谈判。由于苏联政府一直坚持原有立场,拒不接受中国政府的合理主张,谈判始终未能达成任何协议。自 1978 年 7 月以后,谈判一直处于休会状态。

这一阶段的中苏谈判是在中美苏三大力量进行斗争的国际大背景下举行的。苏试图通过对中国打出和谈旗帜,争取时机,稳定东欧局势,巩固并扩展其在中东及亚洲的地盘,并在同美争夺中增加资本,求得主动,同时也是由对中美关系缓和感到忧虑而打出的中国牌。中国响应苏举行边界会谈的建议,一方面是要在坚持原则的基础上,谋求与苏解决长期悬而未决的边界纠纷,缓和两国间的紧张局势;一方面也是利用苏美矛盾,促进美国与中国关系正常化的步伐,以利于进一步团结国际上一切可以团结的力量,孤立在世界事务中采取攻势、到处扩张的苏联。这次谈判断断续续相持了 9 年,虽未获得结果,但中苏两国边界毕竟已再无大规模的武装冲突发生。

四

中苏举行国家关系谈判

鉴于苏联领导人从 20 世纪 60 年代起对《中苏友好同盟互助条约》文字和精神的践踏,致使该条约早已名存实亡,1979 年 4 月 3 日,第五届全国人大常委会第 7 次会议根据该条约的有关规定,作出了条约期满后不再延长的决定。同日,中国外交部长黄华向苏联驻华大使谢尔巴科夫递交了中国政府致苏联政府的照会,将上述决定通告了苏方。为保持和发展中苏两国间的正常关系,中国政府同时向苏联政府建议,就两国间悬而未决的问题举行谈判,以消除障碍,改善两国关系。双方经过外交途径商定,轮流在两国首都举行副外长级中苏国家关系谈判。这样,9 月 27 日,以外交部副部长王幼平为中国代表、苏外交部副部长伊利切夫为苏联代表的中苏国家关系第一轮谈判在莫斯科举行。双方举行了五次预备性会议,决定恢复中苏边界谈判,此后轮流在双方首都举行。但是,由于苏联在谈判中只谈空洞的原则,拒不解决中苏两国关系中悬而未决的实际问题,中苏国家关系第一轮谈判于 11 月 30 日毫无成果地结束。此后,由于苏联入侵阿富汗,中国于 1980 年 1 月宣布中断双方国家关系谈判,中苏边界谈判也随即停止。

刘少奇在"文化大革命"中（上）

"文化大革命"这场波及上自中央领导、下至普通群众的长达 10 年之久的政治运动成为中华人民共和国发展史上令人痛心的浩劫。在这场运动中,中共中央政治局常委、中央委员会副主席、国家主席刘少奇走过了困惑、努力、抗争、无奈、囚徒、冤死的人生轨迹。

一

运动初期的困惑

1966 年 3 月 25 日至 4 月 19 日,刘少

奇夫妇在陈毅副总理的陪同下对巴基斯坦、阿富汗和缅甸进行国事访问。在他们出访期间，国内形势发生了急剧的变化。

4月19日，刘少奇结束对巴基斯坦等三国的访问回到昆明，第二天就直飞杭州，参加毛泽东亲自主持的政治局常委扩大会议。进入会场，迎接他的是彭真已被打倒的既成事实。22日下午，毛泽东讲道，我不相信只是吴晗的问题，这是触及灵魂的斗争。吴晗的问题之所以严重，是因为"朝里有人"。24日，会议初步通过了由毛泽东反复修改过的《中国共产党中央委员会通知》。4月28、29日，毛泽东又对彭真和北京市委提出了更加严厉的批评。他说：北京市一根针也插不进去，一滴水也泼不进去，彭真要按他的世界观来改造党，事物是向反面发展的，他自己为自己准备了垮台的条件，对他的错误要彻底批判。

4月下旬，刘少奇回到北京。像往常一样，每逢毛泽东不在北京时，由他主持中央日常工作。5月4日至26日，按照毛泽东的安排，中央政治局在北京召开扩大会议，集中揭发和批判彭真、陆定一、罗瑞卿、杨尚昆等人的"问题"，并于5月16日通过了由陈伯达起草、毛泽东做了八次修改的《中国共产党中央委员会通知》（即《五一六通知》）。

《五一六通知》被认为是"文化大革命"全面爆发的标志，其中有些段落是毛泽东亲自写的，为全面发动"文化大革命"提供了指针。

对这种突发的带有火药味的政治形势，刘少奇根本没有思想准备。但是，主持中央工作的位置使他不得不处在这场"文化大革命"的第一线。在5月26日的政治局扩大会议上，他说出了自己当时的处境："在我们这次讨论发言中，对文化革命问题讲得比较少，对这个问题，我们过去也是糊涂的，很不理解，很不认真，很不得力，包括我在内。我最近这个时期对于文化革命的材料看得很少。生了一次病，出了一次国，很多材料没有看，接不上头。"

6月1日，毛泽东直接下令将康生送去的北京大学聂元梓等人的大字报向全国广播。第二天，《人民日报》发表社论《横扫一切牛鬼蛇神》，称赞这张大字报"揭露了一个罪恶集团"。随后，在全国掀起了造反浪潮，"文化大革命"哄然而起，学校党委和支部瘫痪，校园秩序一片混乱。

面对这种状况，本来就缺乏思想准备的刘少奇，此时就更难以理解了。他说："在社会主义条件下，搞目前这样的运动，我没有经验。我们党用这种方式整风，过去也没有遇到过，要观察几天再说。"6月20日，他在听取北师大附中工作组汇报时说："当前主要问题是不知怎么搞，我们也是第一次，不知怎么搞。"7月29日，他在人民大会堂召开的北京市大专院校和中等学校师生"文化大革命"积极分子大会上说："怎样进行无产阶级文化大革命，你们不大清楚、不大知道。你们问我们；我老实回答你们，我也不晓得。我想党中央其他的工作人员也不知道。"他还说道："在新的条件下进行的革命，要重新学习，不仅你们要重新学习，而且我们也要重新学习，要在革命中学会革命。"

由此可以看出，对于"文化大革命"这个新生事物，刘少奇是没有任何经验可谈的，内心充满了困惑。然而，他又处于这场"革命"的第一线，必须作出回答，还必须拿出相应的策略来领导这场运动。于是，刘少奇按着自己的理解，作出了积极的努力。

派工作组始末

随着"文化大革命"复杂局势的发展，许多单位的领导班子已经瘫痪，造反浪潮掀起的混乱局面在进一步扩大。受毛泽东委托领导这场运动的刘少奇和在京其他中央领导同志考虑到了派工作组这一党过去经常采用的工作方法。

1966年5月29日，在京主持工作的三位政治局常委刘少奇、周恩来、邓小平及有关领导同志研究，决定由中央文革小组组长陈伯达率工作组去人民日报社，以"掌握报纸的每天版面，同时指导新华社和广播电台的对外新闻"。由河北省委书记处书记张承先率工作组去北京大学。周恩来当场到隔壁房间用电话向正在杭州的毛泽东请示，获得同意。次日，刘少奇、周恩来、邓小平又联名致信毛泽东，书面请示向人民日报社派工作组一事，毛泽东在这封由刘少奇起草的请示信上批示："同意这样做。"陈伯达遂于当日率工作组进驻人民日报社。

6月1日晚十点多钟，以张承先为组长的工作组进驻北京大学。3日，新华社向全国播发了这一消息。毛泽东看了这条由周恩来起草的电讯稿后表示同意。同日，刘少奇主持中央政治局常委扩大会议，汇报和讨论北京地区"文化大革命"的情况。会议同意北京新市委第一书记李雪峰提出的在运动中要"注意内外有别"等八条意见，并由北京新市委向一些学校派出工作组。

这样一来，许多部门、单位和群众纷纷涌入中共中央、国务院和北京市委所在地，要求派工作组。同时，为了制止运动中的混乱，维持正常的工作秩序和社会秩序，从6月5日至6月中旬，以北京新市委的名义向北京地区的绝大多数大专院校和部分中学先后派出了工作组。大学工作组的成员从中央和国务院有关部委抽调，中学的由团中央抽调。全国大部分省市和一些中央、国家机关部委，也纷纷仿效北京的做法，陆续向本地区、本部门的某些单位派出了工作组。对"问题严重"的文艺战线，由新上任的文化部副部长肖望东主持，向国务院文化系统派出了由军队干部组成的工作组。

6月9日，刘少奇、周恩来、邓小平等去杭州向毛泽东汇报情况。在议论"文化大革命"问题时，毛泽东说："派工作组太快了并不好，没有准备。不如让他乱一下，混战一场，情况清楚了再派。"紧跟毛泽东的讲话，刘少奇在6月14日中央政治局常委扩大会上讲道："（中学）工作组是团中央去的，有的是好的，能与学生三同，同吃同住同工作。不好的应该撤回。"针对一些学校赶工作组的现象，他指出："工作组派下去被人赶回，证明他不行么！乱就好么！"

刘少奇坚决支持那些能够有效地对运动实施领导的工作组，他认为这才是派工作组的目的，这样的工作组才是比较好的工作组。6月18日，北京大学有几个系的一些学生，将40多位干部和教师拉出来批斗，并出现了抹黑脸、戴高帽、罚跪等行动。驻北大工作组发现后迅速予以制止，刘少奇对此表示满意。6月20日，他将驻北大工作组关于这次事件处理情况的《北京大学文化革命简报（第九号）》转发全国。刘少奇在为中共中央起草的批语中说："中央认为北大工作组处理乱斗现象的办法，是正确的，及时的。各单位如果发生这种现象，都可参照北大的办法处理。"

出于良好的愿望,刘少奇努力使运动正常发展,希望工作组能起到好的领导作用。6月19日,他要夫人王光美去清华大学,作为驻清华大学工作组的顾问,帮助指导运动。6月20日和7月11日,刘少奇两次召集驻北京师范大学附中工作组的成员座谈,同他们一起分析情况,解决问题。6月21日,刘少奇在他主持的政治局常委扩大会议上指出,"有的学校赶工作组,向工作组夺权,要夺档案、枪支、广播这些权。不准随便提出夺权"。又说,运动的整个过程,要抓生产、工作、生活,恢复星期日,注意劳逸结合,注意反革命的破坏,禁止打人、污辱人和变相的体罚。

由于有些工作组不懂政策,出现了一些过火行为和混乱现象。中央文革小组借机诋毁工作组,甚至准备取消工作组。6月20日,他们向中央提出一个书面建议,其中说:"建议全国大中学校、机关单位在适当时候成立文化革命小组,领导文化革命运动……在最必要的地方,最必要的时候,可以由上级派工作组。"陈伯达在政治局常委会上曾三次对工作组问题提出非议。

其实,当时主持中央工作的刘少奇和邓小平也看到了工作组的缺点,并不断提出批评,但不同意马上撤出所有的工作组。① 7月13日,刘少奇在政治局常委召集的汇报会上说:"现在的工作队要进行教育,他们不懂政策,不学政策。不好的工作队要进行整顿、清理。"7月19日,他又说:"工作组有好的,有坏的,他们在第一线,有他们的辛苦,要求不能过高;现在是如何帮助他们,教育他们,总结工作经验。"邓小平说:"有的机关和学校,不派工

作组可以;有的要夺权的,就要派工作组。工作组主要是起行政和党委的领导作用,因此是否通盘考虑,对工作组要正确估计。我们对这样的运动没有经验,他们也没有经验。坏的工作组可以先撤,好的工作组可以留,代替党委工作。"在7月22日的会上,刘少奇说:"多数工作组是好的,还是教育帮助,改正错误。赶工作组,有的不应该赶。"

"文化大革命"开始后,工业交通和基本建设就受到影响,钢、煤的产量和质量都开始下降。为了防止这种状况继续恶化,除了采取派工作组领导运动外,刘少奇还力争限制"革命"的范围。6月30日,他和邓小平联名给毛泽东写信说:"在京同志讨论之后认为在文化革命运动的部署方面,重点放在文化教育部门、党政机关。对于工业交通、基建、商业、医院等基层单位,仍按原定的四清和二十三条结合文化大革命进行,……这是一个重要决定,请主席考虑决定。"7月2日,毛泽东复信表示同意。当日,《中共中央、国务院关于工业交通企业和基本建设单位如何开展文化大革命运动的通知》发出,指示这些单位的运动要"按照原来确定的部署,分期分批有领导、有计划地进行"。并明确提出要"由上级派出工作队领导进行"。

当时,刘少奇同大多数干部群众一样,真诚地希望,通过这场大革命来克服党内阴暗面,改革不合理体制,纠正干部中的官僚主义作风。因此,他对运动本身,也有自己的设想。6月12日,在杭州毛泽东主持的讨论会上,刘少奇就提出:"学校如何搞法?有的是夺权,有的是批判学术权威,然后就搞教学制度改革,解决考试和教材等一连串的问题。城市工

---

① 黄峥:《刘少奇与"文革"初期的工作组》,《党的文献》1992年第6期。

厂和农村文化革命运动,是不是同四清结合起来搞。"他认为:"文化革命要有斗、批、改三个阶段,7月底斗争结束。你们学生对学校领导有意见,可以提出,这就是斗争嘛,但不能动手打人。8月进入批判阶段。在这个阶段内,让群众把自己的意见全讲出来,看看我们以前犯了什么错误,通过批判要搞清错在哪里。我们领导了人民几十年,让人家批评我们几个月还不行吗?到9月,就转入扎扎实实地'改'的阶段。12月底,我们就可以按照马列主义、毛泽东思想改革一切不合理的制度。"①7月13日,在听取团中央关于中学文化革命规划的汇报时,他说:"第一阶段的工作初中在八九月底搞完,争取十月开学上课,高中在九十月搞完",第二阶段的教学改革转入正常工作中逐步解决。

然而,刘少奇的这些良好愿望和计划与毛泽东"天下大乱达到天下大治"的设想相差太远,在林彪、江青一伙的破坏下,不仅得不到顺利实施,反而招来更大的灾难。

7月18日,在外地已停留长达8个多月的毛泽东从武汉回到北京。他在听取了陈伯达、康生等中央文革小组成员和刘少奇等中央常委的汇报后,对运动的进展情况表示不满。7月24日、25日,毛泽东先后找中央文革小组成员和来北京出席中共八届十一中全会预备会议的各中央局书记谈话,再次对前一阶段的运动情况提出批评。认为有许多地方搞得冷冷清清,"工作组一不会斗,二不会改,只会起阻碍运动的作用",明确提出要撤出工作组。

7月26日,陶铸在政治局常委扩大会议上传达了毛泽东两次谈话的内容,会议决定撤销工作组。7月28日,中共北京市委正式发出了由中央文革小组起草的、毛泽东亲自作了修改的《关于撤销各大专院校工作组的决定》,文件中注明这一决定"也适用于中等学校"。29日,北京市大专院校和中等学校"文化大革命"积极分子大会在人民大会堂召开,李雪峰在这个万人大会上宣读了北京市委关于撤销工作组的决定。随后,北京和全国各地都相继撤销了工作组,造反派的无约束、无政府状态从学校蔓延到社会。在8月1日开幕的中共八届十一中全会上,毛泽东对工作组提出了更为严厉的批评,他说:"工作组不管怎么样是做了坏事,一不能斗,二不能批,三不能改……起了一个镇压群众、阻碍群众的作用,起了个坏作用。一般说,就是百分之九十以上的工作组干尽了坏事。"

事实上,派工作组是在中央政治局常委扩大会议上讨论决定的、维持党的领导和社会秩序所必须采取的措施。对此,刘少奇在8月1日的全会上也作过解释:"讨论时,多数同志还是要工作组,我也发言要工作组,认为工作组有方便之处,要去就去,要撤就撤。当时我曾考虑,这样大的运动,北京各院校部分组织已经瘫痪了,怕中断了党的领导不好。"然而,在江青、陈伯达、康生等人的煽动下,毛泽东给工作组定了性,而最终使它成为刘少奇的一大"罪状"。

---

① 见刘平平、刘源、刘亭亭:《胜利的鲜花献给您——怀念我们的爸爸刘少奇》,载《历史在这里沉思——1966—1976年纪实》,华夏出版社1986年第1版,第3—4页。

三

主动承担责任

毛泽东回到北京后,对工作组大加批评,严厉指责工作组犯了方向、路线错误,"实际上是站在资产阶级立场,反对无产阶级革命"。

对这些指责,刘少奇在思想上想不通,但又必须服从毛泽东的决定。他曾对身边工作人员说:"我不理解,但我要跟上形势。"由此看来,刘少奇是抱着有错必改的态度对待这个问题的,但是有些人揪住工作组不放,使问题步步升级。尤其是在八届十一中全会期间,毛泽东于8月5日写了《炮打司令部——我的一张大字报》,把派工作组的问题升格为"资产阶级司令部"的错误了。八届十一中全会结束后,在政治局常委名次排列中刘少奇由第2位降至第8位。

为了保护干部,使其他同志尽量得到解脱,刘少奇在公开场合一再说明工作组是中央决定派的,尽量为工作组成员开脱。7月29日,在人民大会堂万人大会上,刘少奇、周恩来、邓小平都说明派工作组是中共中央决定的,代表中央承担了责任。刘少奇说:"派工作组是中央决定、中央同意的。现在发现,工作组这个方式不适合于当前无产阶级文化大革命运动的需要,中央决定撤出工作组。"8月2日,他在北京建工学院群众大会上说:"错误也不能完全由工作组负责,我们党中央和北京新市委也有责任。派工作组是党中央同意的。"

在党内,刘少奇也检讨了派工作组的问题,反复表示责任在自己。他在八届十一中全会上说:"最近主席不在家,中央常委的工作我在家主持。主席回来,发现派工作组的方式不好,责任主要在我。"他又说:"错误与同志们无关,我一个人负责,请大家放心。"从此以后,刘少奇作为国家主席的权力已是名存实亡,毛泽东亲自主持中央工作,运动在猛烈地发展着。毛泽东、林彪等多次接见红卫兵,"破四旧"的浪潮席卷全国,全国大乱。与此同时,林彪正在秘密准备诬陷刘少奇的材料,一场更大的斗争就要开始了。

1966年10月的北京,秋高气爽,风和日丽。然而,人民大会堂内的中央工作会议却笼罩着沉重的气氛,国家主席刘少奇要在全体会议上作检讨。他在经过毛泽东审批过的检讨稿中说:"在今年6月1日以后的50多天中,我在指导无产阶级文化大革命中发生的是路线错误、方向错误。这个错误的主要责任应该由我来负……第一位要负责任的,就是我。"

随着"文化大革命"的发展,强加给刘少奇的罪名越来越多,如"党内最大的走资派"、"中国的赫鲁晓夫"等等,一大批久经考验的老干部受牵连被打倒。尽管刘少奇已无力扭转这种局面,但他还想通过自己承担责任的方式,使广大干部得以解脱,使运动尽早结束。1967年1月13日夜,毛泽东在人民大会堂召见刘少奇,刘少奇郑重地提出了经过自己反复考虑的两点要求:"一、这次路线错误的责任在我,广大干部是好的,特别是许多老干部是党的宝贵财富,主要责任由我来承担,尽快把广大干部解放出来,使党少受损失。二、辞去国家主席、中央常委和《毛泽东选集》编委会主任职务,和妻子儿女去延安或老家种地,以便尽早结束'文化大革命',使国家少受损失。"毛泽东要刘少奇"好好学习,保重身体",而对他的要求没有表态。

至此,刘少奇已经做好了牺牲自己一切利益的准备,来挽救国家。然而,在林彪、江青之流篡党夺权的目的没有达到之前，他们是不会就此罢休的。刘少奇一次又一次出来承担责任的良苦用心和不懈努力，根本起不到应有的作用，等待他的只有一场更大的灾难。

四

"倒刘狂潮"

1966年10月中央工作会议后，全国开展了批判"刘、邓资产阶级反动路线"的浪潮。林彪、江青一伙一方面加紧制造诬陷刘少奇的材料，制造"倒刘理论"，一方面向毛泽东煽风点火、推波助澜。

早在八届十一中全会尚未结束时，叶群就两次找人口授诬陷刘少奇的材料，要他写成书面揭发材料。后来，林彪看过后，又要求此人把书面揭发材料改成向林彪、毛泽东写信的形式上报，并说"这样更政治化些"。8月14日，林彪将这封信和诬陷刘少奇的材料批送江青，要她"酌转"毛泽东。康生的诬陷更为毒辣。1966年8月13日，由康生妻子曹轶欧出面向一位中央领导同志写信，揭发王光美的所谓问题，并攻击刘少奇包庇王光美。9月16日，康生亲自给毛泽东写信，重提1936年薄一波等61人经组织决定出狱一事，并说"少奇的决定，就使这些人的反共叛党合法化了"。此外，他们还对刘少奇前妻的孩子刘涛和刘允真威逼利诱，诱使他们与家庭划清界线，揭发刘少奇生活上的事。许多造反派、红卫兵组织把那些道听途说、无中生有的"消息"、"材料"郑重其事地整理上报，受到林彪、江青等人的赏识，并呈送毛泽东。凡此，最终使毛泽东改变了对刘少奇的看法。事实证明，

毛泽东对刘少奇的看法经历了一个作为党内问题和人民内部矛盾对待到打倒、立案审查的过程。

1966年11月3日，在天安门城楼接见红卫兵时，毛泽东特地走到刘少奇跟前，询问了他的工作、生活情况。刘少奇表示要到群众中去接受锻炼，毛泽东劝阻道：你年纪大了，就不要下去了。次年1月初，北京建工学院的红卫兵组织几次"勒令"刘少奇到该院检查，毛泽东知道后派人转告他不要去。1月13日两人在人民大会堂谈话时，毛泽东还劝他"好好学习，保重身体"。1月17日，毛泽东在会见一位外国党的领导人时的谈话中还称"刘少奇同志"，并且建议刘少奇、邓小平应该当选中央委员。

随着全国范围内"文化大革命"局势的恶性发展，在林彪、江青一伙的阴谋陷害下，尤其是那些诬陷刘少奇几次被捕叛变的假材料，使毛泽东把刘少奇和整个干部队伍的问题看得越来越严重，以至于产生了把刘少奇作为靶子，彻底打倒的想法。① 同时，它又在客观上助长了社会上的"倒刘"风潮。

1966年12月18日下午，张春桥在中南海西门以中央文革小组副组长的身份秘密召见清华大学造反组织"井冈山"红卫兵总部的头头蒯大富，指使他发动学生掀起大规模的"倒刘"行动。12月25日早晨，蒯大富率领5000余人，由数辆广播车开道，高喊"打倒刘少奇"、"彻底捣毁以刘少奇为首的资产阶级司令部"等口号，浩浩荡荡地向天安门广场行进。在广场上，蒯大富主持召开了"彻底打倒以刘少奇、邓小平为代表的资产阶级反动路线誓师大会"，之后，又分作五路杀向北京主要闹

① 黄峥：《"刘少奇专案组"始末》，《党的文献》1993年第3期。

市区进行广播、演讲,散贴传单。一时间,"和刘、邓血战到底"、"刘少奇必须向全国人民低头认罪"之类的标语和大字报贴上了天安门城墙,贴满了大街两侧。井冈山兵团的行动震动了北京,从而把"打倒刘少奇"的运动全面推向社会,受到了江青和姚文元等人的赞赏。

1967年1月,冒着凛冽的寒风,中南海内的造反派多次去刘少奇住处骚扰、围攻、批斗。1月3日,中南海秘书局的几十名造反派突然闯进刘少奇的住所,在庭院里和办公室里贴满了标语。然后,又勒令刘少奇夫妇站在走廊门口接受批斗。其中有一个造反派头头让刘少奇当场背诵《毛主席语录》中某一页某一条,当刘少奇背不下去时,他们大声嘲笑,但刘少奇平静地回答他们:"叫我背词句,我背不出,你们可以问我毛主席的哪篇文章,写的内容是什么,当时的历史背景是什么,针对什么问题,在当时起到什么作用,在理论上有什么创见,这些才是毛泽东思想的精髓。我是毛泽东著作编辑委员会主任,无论哪一篇文章的问题我都可以回答。"一上升到真正的理论层次,造反派们面面相觑,无言以答,只有高呼一通口号退去。这次批斗持续了整整40分钟。

江青、蒯大富之流不惜采用卑鄙的欺骗手段来达到摧残、打击刘少奇夫妇的目的。1月6日傍晚,清华大学的蒯大富等人诈称刘少奇的女儿刘平平在回家的路上被车轧断了腿,马上需要截肢,由此将刘少奇夫妇骗到医院。他们把王光美绑架到清华大学,随即在社会上大肆宣传了这次所谓"智擒王光美"事件。那些造反派还洋洋得意地说:"这是江青同志支持我们搞的!"1月9日,谢富治在接见全国

公检法系统赴京代表时,号召"全国政法战线立即行动起来,向赫鲁晓夫式的人物刘少奇、邓小平开火!""倒刘"活动蔓延到全国,而且愈演愈烈。

在江青、戚本禹的直接指使下,中南海内的一些造反派胆子越来越大。1月17日,中南海某电话局的一些造反派闯进刘少奇的办公室,要撤电话。刘少奇实在不能容忍,起来劝止,他气愤地说道:"这是政治局的电话,没有毛主席、周总理的亲自批示,你们不能撤,也无权撤!"当时,这一伙人只好离去。第二天,他们又闯进来,二话不说,把电话线扯断。从此。刘少奇和外界的一切联系都被切断了。

刘少奇在"文化大革命"中(下)

一

"刘少奇专案组"的成立

1966年冬,在愈演愈烈的"倒刘狂潮"中,社会上出现了一些揭发刘少奇、王光美有所谓"历史问题"的材料。在12月的一次中央碰头会上,议论了这些情况并提议组织班子进行审查。但当时刘少奇还是中央政治局常委、国家主席,因此不便直接设立审查刘少奇的专案组,决定先设立王光美专案组。①

---

① 黄峥:《"刘少奇专案组"始末》,《党的文献》1993年第3期。

大约在 12 月 15 日至 18 日之间，拟了一个"王光美专案小组领导成员名单"。顾问陈伯达，组长谢富治，主要领导人有江青、汪东兴、肖华、叶群等。又从军委办公厅、公安部等单位抽调了 4 名工作人员。12 月 18 日晚，由谢富治、汪东兴主持，在中南海西楼一个小会议室召集抽调来的人开会。谢富治说："中央决定成立一个专案组审查王光美。"专案组正式成立，当时宣布名称暂叫"中央办公厅丙组"。

"王光美专案组"实际上是借王光美之名，主要负责调查刘少奇的问题。1967 年 3 月 9 日、10 日，陈伯达、康生在部队军以上干部会议上讲话，点名对刘少奇从历史到现实进行了系统的批判。3 月 21 日，毛泽东同意调查刘少奇的历史问题。当日下午 7 时半，毛泽东、林彪等政治局常委讨论了所谓"刘耀祖案中涉及刘少奇在 1929 年叛党嫌疑问题"，研究决定将这方面的材料交丙组专案办公室即"王光美专案组"调查研究。会后，分管这项工作的康生让工作人员手写了一份备案性质的"关于专案问题纪要"，它就成了对刘少奇进行专案审查的依据。也就是从这个时候起，在康生、江青等人的实际操作中，一个相当庞大的"刘少奇专案组"开始了活动。

这个专案组的名称很混乱。1966 年 12 月刚成立时叫"王光美专案组"，对外叫"中央办公厅丙组"。次年 3 月康生又称之为"丙组专案办公室"。5 月中旬，谢富治宣布丙组改为"刘少奇、王光美专案组"，对外叫"五〇四组"，组织上归中央专案审查小组第一办公室领导。在专案组的文件中，也是几种名称混用，有时单独用"王光美专案组"或"刘少奇专案组"，有时用"刘少奇、王光美专案组"或"刘、王组"。

专案组的领导成员和工作人员前后变动很大。1967 年 9 月 11 日，谢富治在一份便条中写道："江青、谢富治、戚本禹、汪东兴、叶群组成王光美专案组。"专案组的机构几经改组、扩充，人员一再调整、增加，具体人数很难统计。固定工作人员从初建时的几人陆续增加到数十人。参加某一项工作或"外围组"的那就更多了。例如，集中关押该案嫌疑犯的北京第二监狱，一次就从军队借调了 100 多名干部作审讯工作；在查所谓"1929 年刘少奇在沈阳被捕叛变"的证据时，仅沈阳一地就组织了 400 人的"彻查队伍"。

专案的工作一直处在江青和康生的操纵之下，直接负责人主要是谢富治。要事都要向他们直接汇报，专案材料和工作报告都要首先经过他们，然后才能上报或作进一步处理。他们还不断发出各种指示，要求专案组照办、落实。

为了达到目的，他们主要采取弄虚作假、逼供信等手段制造伪证，对办案人员威逼利诱。康生曾鼓励办案人员说："你们填干部履历表，填上哪年哪月在中央搞专案，比提级还光荣。"1967 年 10 月 23 日谢富治在中央专案小组办公室会议上说："所有列入专案的，都是反对以毛主席为首的资产阶级司令部的人，要同这些人作坚决的不可调和的斗争，绝不能施仁政，不能妥协。"有一段时间，专案组费尽心机仍未能找到能说明刘少奇有所谓"自首叛变"的证据，江青严厉地批评专案人员思想不解放。右倾保守，说："刘少奇是个大叛徒、大内奸、大特务，小将整理的材料，比你们整理的好。你们现在的材料有进展，但有好多东西没有超过红卫兵的材料。"

1979 年 12 月，曾作为专案组负责人之一、后被关进秦城监狱 5 年的萧孟回忆说："他们不断给专案组施加压力，反右倾。在调查、看材料中如实反映某些情况时,就以客观主义、扩散专案材料等罪名,停止专案人员工作,查封档案材料,有的被赶出专案组,甚至被关起来。搞专案的人思想负担很重,精神压力很大。在我被关进秦城监狱后,甚至有这种想法,宁肯坐牢,也比按那些人的旨意昧着良心办事为好,倒感觉自慰一些。"

专案组存在期间,剥夺了被审查人申辩和申诉的权利。对刘少奇来讲,从什么时候开始立案审查不知道,直到中共八届十二中全会、九大作出决议,从来没有人找刘少奇谈过一句话,了解过一个字。据萧孟说:"专案组曾向江青、康生、谢富治等人提出这个问题,但他们拒不同意专案组和刘少奇见面和接触。这一方面说明对专案组的人不信任,另外,怕露出破绽,甚至怕专案组受影响而不能按着他们的指令办事。"

为获取口供,专案组先后以莫须有的罪名关押了一批人,其中有很多是高级干部、高级知识分子、民主人士,也有普通的居民、炊事员、保姆。据不完全统计,仅被专案组直接关押的就有64人。另外,全国因刘少奇冤案受株连被判刑的达28000多人①。他们把人抓来之后,采取勒令交代、长期隔离、日夜审讯、轮番批斗、软硬兼施等手段,编造假情况,拼凑假证据。1968年9月专案组整理上报的刘少奇的三本所谓"罪证材料",主要就是这种逼供信的产物。

专案组在中共八届十二中全会对刘少奇定案后继续存在,大约到1973年6月后才结束。林彪、江青一伙把专案组作为他们篡党夺权的一个工具,将一大批老干部打成叛徒、特务、反革命,也据此制造了

共和国历史上最大的冤案。1978年12月中共十一届三中全会总结了这方面的沉痛教训,指出:"过去那种脱离党和群众的监督,设立专案机构审查干部的方式,弊病极大,必须永远废止。"

二

八个"为什么"

为了置刘少奇于死地,林彪、江青一伙除了采用设立"专案组"的方式在背后加紧制造伪证外,还利用一切场合和条件对刘少奇的身心进行摧残。

刘少奇和外界的联系被切断后,每天就靠几个孩子出门排队买小报,从墙上揭下传单,抄大字报,听人们的议论来了解"文化大革命"的动向。1967年3月28日,有一张小报上说,刘少奇曾吹捧电影《清宫秘史》是"爱国主义"的,还说他曾自诩为"红色买办"。刘少奇意识到这是一种不祥之兆。他回到办公室,立刻提笔给毛泽东写了一封信,逐条驳斥了这些造谣诬蔑之词,要求中央调查。

4月1日,《红旗》杂志等各大报刊纷纷登载了戚本禹的长文《爱国主义还是卖国主义?——评反动影片〈清宫秘史〉》。这篇文章是经过毛泽东的批准才发表的,时间正是"刘少奇专案组"刚刚成立,开始对刘少奇进行专案审查的时候。可见,江青等人对刘少奇的迫害采取了公开与秘密的反革命两手策略。

戚文公然号召打倒刘少奇:"一定要把党内最大的走资本主义道路的当权派拉下马,让他靠边站。"文末通过提问的方式,对刘少奇罗列了"八条罪状",接连提

---

① 图们、孔弟:《共和国最大冤案》,法律出版社1993年第1版,第196页。

问了八个"为什么"，包括抗战前宣扬投降哲学、抗战胜利后提出"和平民主新阶段"的投降主义路线以及建国后反对农业合作化，恶毒攻击三面红旗、破坏社会主义教育运动等等罪名。并指出："答案只有一个：你根本不是什么'老革命'！你是假革命、反革命，你就是睡在我们身边的赫鲁晓夫！"

读到此文，刘少奇肺都要气炸了，他把报纸狠狠一摔，对家人说："这篇文章有许多假话，我什么时候说过那个电影是爱国主义的？什么时候说过当'红色买办'？不符合事实，是栽赃！党内斗争从来没有这么不严肃过。我不反革命，也不反毛主席，毛泽东思想是我在七大提出来的，我宣传毛泽东思想不比别人少。"刘少奇越说越愤怒："我早在去年8月的会议上就讲过五不怕，如果这些人无所畏惧，光明正大，可以辩论嘛！在中央委员会辩论，在人民群众中辩论嘛！我还要为这个国家、人民，为我们党和广大干部讲几句话！"这时，刘少奇已失去了在党的会议上申辩的权利，连在人民群众中辩明是非的权利都没有了，只能面对妻子和儿女发发牢骚而已。

4月6日，中南海的一些造反派冲进刘少奇办公室，勒令他必须自己做饭、打扫卫生、洗衣服，改变夜里工作、上午睡觉的作息习惯，并限制安眠药量。他们还就戚本禹文章中的所谓"八大罪状"提出质问，要刘少奇回答并写出交代。当质问到所谓"六十一人叛徒集团"的问题时，刘少奇一下子被激怒了："这个问题简直是岂有此理。六十一人出狱之事，是经过党中央批准的。在日寇就要进攻华北时，必须保护这批干部，不能再让日寇把他们杀了。当时王明路线使白区党组织大部分受到破坏，这些同志是极宝贵的。许多中

央领导同志都知道，早有定论嘛。"他接着说："我们许多干部有武装斗争的经验，有建设根据地的经验，有白区工作经验，有城市工作经验。这些经验都是在长期斗争中，通过成功与失败，靠鲜血总结出来的，不能全部否定。《关于若干历史问题的决议》已总结过。经过长期革命斗争，又懂得建设新中国的干部是最宝贵的，怎能把他们统统打倒呢？"第二天，刘少奇交出一篇关于"八大罪状"的答辩，说明一部分事实真相。工作人员把原件上送，抄了一份大字报在中南海内贴出。几个小时后，那张答辩的大字报就被撕得粉粹。

"我已失去自由"

1967年4月9日，在得知清华大学的造反派要组织30万人大会批斗王光美的消息后，刘少奇又一次震怒了："我有错误我承担，工作组是中央派的，光美没有责任。为什么让她代我受过？要作检查，要挨斗，我去！我去见群众！我是一个共产党员，死都不怕，还怕群众？"在那样艰难的处境中，凭着对党和人民的赤胆忠心，刘少奇始终没有忘记自己是一名共产党员。时刻想到去面对群众，到群众中去，时刻关心着国家的前途。希望这场"左"的错误早日改正，使党和国家少受损失。他说："去年八月，我就不再过问中央工作。从那以后，错误仍在继续；将来，群众斗群众的情况还会更厉害，不改，后果更严重。责任不能再推到我身上。这么多干部都被打倒了，将来的工作谁去搞？生产谁来抓？"他还对家人说："有人要逼我当反革命，我可以问心无愧地说，不论过去和现在，就是将来也永远不反毛主席，

永远不反马列主义、毛泽东思想！一个革命者，生为革命，死也永远为共产主义事业，一心不变。"

刘少奇也终于意识到，他的一切申辩都将无济于事，这一天，他郑重地向家人讲到了自己的死，表示自己决不会自杀，除非被枪毙或斗死。同时，他平静地口述了遗嘱："将来，我死了以后，你们要把我的骨灰撒在大海里，像恩格斯一样。大海连着五大洋，我要看着全世界实现共产主义。"他还不能不为儿女们的处境担忧。在这险恶的日子里，刘少奇无法估计孩子们的命运，但他确信人民群众能够理解和保护他的后代。他坚定地对孩子们说："你们，也一定要活下去，一定要在群众中活下去，要在各种锻炼中成长。你们要记住：爸爸是个无产者，你们也一定要做个无产者。爸爸是人民的儿子，你们也一定要做人民的好儿女。永远跟着党，永远为人民。"过了不久，刘少奇夫妇又把年仅6岁的幼女小小（潇潇）托付给了保姆赵淑君。

4月10日凌晨，王光美被押进了清华大学主楼7层的会议室，她将要接受30万人大会的批判。在批斗会之前，红卫兵造反派们突击进行了审问，王光美义正辞严地进行了驳斥。具体审问经过登在1967年8月10日的《井冈山》专刊上，题目叫《三审王光美》。由于这次批斗会的组织者事先大作宣传，到处张贴了海报，有300多个造反派组织赶来参加，汽车阻塞了道路，会场内外，人山人海。造反派们强迫王光美穿上旗袍、丝袜和高跟鞋，并把用乒乓球串成的"项链"挂在她的脖子上。当时，遭到批斗的还有彭真、薄一波、陆定一、蒋南翔等被打倒的"走资派"，另有300人陪斗。

批斗会结束后，下午和晚上，王光美又遭到两次围攻式的审问。当孩子们回

到家把批斗的情况告诉了刘少奇时，他双眉紧蹙，一句话也没有说，晚饭一口也未吃。

1967年5月中共中央发出通知，要求全国开展对刘少奇等"党内最大的一小撮走资本主义道路当权派的大批判运动"。林彪、江青一伙欺骗和煽动单纯幼稚的红卫兵"围攻中南海，揪出刘少奇"，一时间，中南海红墙外，帐篷林立，车水马龙，围得水泄不通。刘少奇在中南海内，依旧像往常一样，坚持每天看大字报。刘平平、刘源把他们去云南、湖南、湖北、陕西、山西、四川、青海、天津等地串连时看到的情况告诉爸爸和妈妈，当他们说到长沙、武汉、成都、天津等地开始大规模武斗时，刘少奇仔细倾听，陷入了沉思，他为此忧心如焚，寝食难安。

7月初，北京建工学院的一个红卫兵组织突然要刘少奇写检查。建工学院是"文化大革命"开始时刘少奇蹲点考察的地方。在中央文革小组的全力支持下，该校的红卫兵组织在中南海西门外设立了"揪刘前线指挥部"。此时的刘少奇已是身心交瘁，怎么也写不下去，检查只好由王光美代笔。最后，由刘少奇补了一句："毛主席不在北京时，是毛主席党中央委托我主持中央日常工作的。"这一下，得罪了建工学院的红卫兵。他们正式在中南海西门外安营扎寨。北京各大专院校、机关团体，纷纷前往声援，3万多人在北京连续举行了3天示威。几百个高音喇叭对准中南海日夜狂吼，"把刘少奇赶出中南海"、"粉碎刘少奇的新反扑"等标语用气球高高悬挂在市区上空。这期间，由于周恩来总理的坚决抵制，造反派们冲不进中南海，就把不少省委第一书记和中央各部部长，轮番揪到中南海门口进行批斗。

与"围攻"相配合，中南海院内又一次

掀起"批刘"的高潮。7月18日清早，刘平平他们去中南海职工食堂吃饭。在他们常坐的饭桌旁吊着一张大字报，说根据江青、戚本禹的指示，今晚要召开揪斗刘少奇的大会。刘少奇意识到已经到了紧急时刻。中午，他把孩子们叫到身旁，从衣服的口袋里拿出两份文件让他们看，一是毛泽东肯定他去年10月检查的批语全文，一是毛泽东赞扬和推广"桃园经验"的批示全文。这是刘少奇第一次让孩子们看中央文件，也是最后一次。他以期待的目光望着孩子们说："你们都看了，这证明爸爸、妈妈从来没有骗过你们啊。"也就在这一天，他对夫人王光美说了最后一句话："好在历史是由人民写的！"这一句掷地有声的名言表明刘少奇只能寄希望于历史，他相信最可爱的人民群众是历史的见证人，历史最终一定会公正地评价自己。

当晚，在江青、康生、戚本禹的直接指使下，300多名造反派在中南海西大灶食堂批斗刘少奇。批斗会上，年近七旬的刘少奇被强按着低头弯腰站了两个多小时，汗流浃背……与此同时，中南海西楼大厅对王光美的批斗会一直持续到次日零时1刻。利用召开批斗会的时机，"刘少奇专案组"搜查了刘少奇的家。批斗会结束后，刘少奇被押回住所的前院办公室隔离看管，加派了岗哨。王光美被押到后院。他们的子女还住在自己的房子里，但也失去了自由，不准去他们父母关押的地方，也不准离开家。

1967年8月5日，为纪念毛泽东《炮打司令部》大字报发表1周年，全国对刘少奇的批判进一步升级。

北京天安门广场召开了300万人的誓师大会。同时，江青、康生、陈伯达、戚本禹在中南海内策划了一场批斗刘、邓、陶的大会，分别在各家院内举行，与天安门的百万人大会相呼应。中央文革小组特派员曹轶欧等亲临现场指挥，安排了录音、照相、拍电影，说要在全国放映。刘平平、刘源、刘亭亭也被迫参加大会。

刘少奇和王光美夫妇被几个彪形大汉架进会场。大汉们狂暴地按头扭手，强迫他们坐"喷气式"，并拳打脚踢，揪着刘少奇稀疏的白发，强迫他抬头拍照。在长达两个多小时的批斗会上，刘少奇不断遭到谩骂和扭打。他的每次答辩，都被口号声打断，随之被人用"红宝书"劈头打来，无法讲下去。刘少奇被打得鼻青脸肿，头发蓬乱，鞋被踩掉，只穿着袜子。夫妇俩在暴力的阻挠下进行了最后的握别。在一片谩骂和围攻之中，造反派们把一幅画着绞索、红卫兵的笔尖和拳头的漫画套在刘少奇的头上。

批斗会结束后，刘少奇被押回办公室。他疲惫已极，怒火未息，立即按铃叫来了机要秘书。他拿出《中华人民共和国宪法》，用一只手扶着桌子，大声抗议道："我是中华人民共和国的主席，你们怎样对待我个人，这无关紧要，但我要捍卫国家主席的尊严。谁罢免了我国家主席？要审判，也要通过人民代表大会。你们这样做，是在侮辱我们的国家。我个人也是一个公民，为什么不让我讲话？宪法保障每一个公民的人身权利不受侵犯。破坏宪法的人是要受到法律的严厉制裁的。"秘书当夜就写了汇报，但刘少奇的抗议没有得到任何回答。

8月7日，刘少奇给毛泽东写信。严正抗议给他扣上反党反社会主义的帽子。书面向毛泽东提出辞呈，并明确写道："我已失去自由。"为了捍卫自己的政治生命，刘少奇决定再一次表明自己的态度。他在给毛泽东并中共中央的信中说："当我看到说我的目的就是要'反党'、'反社会主义'、'反毛主席'、'反毛泽东思想'、'要在中国复辟资本主义'、'要阴谋篡党篡国'等,我是不能接受的,因为我从来没有这样想过。而我想的都是同这些相反的。""我没有在党内组织任何派别,没有在党内进行过任何非法的组织活动。"[①]这是他最后一次给毛泽东和中共中央写信。也是一生中所写的最后一封信。

四

"永远开除出党"

经过8月5日的那场摧残,刘少奇的腰伸不直了,打伤的右腿一瘸一拐地拖着,只能双手扶着走廊的窗台一步一步蹭着移动。王光美被关在后院,被强迫劳动搬砖。

1967年9月13日上午,刘少奇的几个孩子被强行赶出家门,回各自学校接受审查批判;下午,小小和赵淑君也被赶出中南海;晚上,王光美被正式逮捕,暂时关押在中南海内的福录居后院。

过了几天,刘少奇托警卫员转告孩子们:"让孩子们与我和妈妈划清界限。"这是刘少奇为保护孩子们而不得已说出的违心话。从此以后,刘少奇的孩子们成了无家可归的"黑崽子",东躲西藏,为了生存而搏斗。不久,他们有的被抓,有的被斗,有的被赶出北京。长子刘允斌惨死在包头市郊的铁轨上;长女刘爱琴被关在"牛棚"里,遭受毒打;次子刘允若被投入黑牢8年之久,身患多种疾病;刘平平被关进单人牢房,释放后又被驱赶到山东;刘源在山西雁北山阴县插队;刘亭亭去了顺义县牛栏山尼龙厂当工人;小小仍由赵阿姨抚养。他们的母亲王光美于11月27日

被转押至著名的秦城监狱,一关就是12年,受到非人的折磨。其间,曾被林彪一伙判了死刑,"立即执行"。但毛泽东在"判决书"上批示:刀下留人。王光美就这样活了下来,直到1978年底十一届三中全会结束后,才被释放出狱。

刘少奇被单独关押后,不许出门到后院,连剪刀、剃须刀都被抄走,皮带也被强行抽去。安眠药量不足,每天只能睡两三个小时,有时彻夜不眠。手臂受伤,穿衣困难。到饭厅吃饭,短短的30米距离,要"走"上50分钟,甚至更长。最后根本走不动了,只能由工作人员把饭打来吃,因身体极度虚弱,手颤抖得不听使唤,饭送不到嘴里,弄得满脸都是。满口只剩七颗残存的牙齿,嚼不动窝头、粗饭,又常吃剩菜馊饭,经常生病。每次看病前先开一阵批斗会,医生和护士一边检查病情还得一边大骂:"中国的赫鲁晓夫!"有的用听诊器狠狠敲打,用注射器使劲乱捅。看病就跟上刑一样。有一次,刘少奇实在忍受不了,抗议道:"你们给我看病是假,我的病你们越看越重。"不久,刘少奇服用多年的维生素和治糖尿病的药D860也停了。

1968年仲夏,由于高烧转成肺炎,又引起多种并发症,刘少奇随时都有死亡的危险。当时的中办负责人对医护、工作人员说:"现在快要开刘少奇的会了,不能让他死了,要让他活着看到被开除出党,给九大留活靶子!"会诊医生提出离开监护环境住院治疗,被拒绝了;医生请求摘掉卧室内挂满的标语、口号,以使病人精神不受刺激,也被拒绝了。刘少奇再也无力起身活动,只好躺在床上,衣服没人换洗,大、小便都在床上,双腿的肌肉渐渐萎缩,胳膊和腿由于常打针被扎烂了。在护士

---

① 黄峥:《刘少奇与"文化大革命"》,《党的文献》1988年第5期。

的记录上写着："全身没有一条好血管。"

1968年10月5日，悲愤交加的刘少奇终于不堪忍受长久的非人折磨和凌辱，两次放声大哭。这是一个真正的共产党员遭受极大的冤屈和病痛的折磨而无可奈何的辛酸控诉。不久，由于植物神经紊乱，刘少奇已不能下咽食物，只能靠鼻饲维持生命。由于病痛和窒息的痛苦，他常常紧攥着拳头，或者伸出十指乱抓、乱撕，一旦抓住东西就死死不放。工作人员和医护人员不忍此景，就把两个硬塑料瓶子塞在他手里，到刘少奇死的时候，塑料瓶已被攥成了两个小"葫芦"。

刘少奇当然不知道，他也不可能知道，1968年10月13日至31日在北京召开了党的八届十二中全会。当时，原八届中央委员和候补中央委员中，被诬陷为"叛徒"、"特务"、"反党分子"、"里通外国分子"的，占总数的52.7％，他们被剥夺了出席会议的权利。而被扩大吸收参加这次会议的中央文革小组成员、军委办事组成员、各省市自治区革委会和各大军区主要负责人等的总数达74人，占出席会议人员总数的55％以上。林彪、江青一伙在会上气焰极其嚣张，组织围攻参加过二月抗争的一些老同志。全会在党内生活极不正常的情况之下，没有经过核实和认真讨论，就批准了中央专案组九易其稿的《关于叛徒、内奸、工贼刘少奇罪行的审查报告》。并通过决议，宣布"把刘少奇永远开除出党，撤销其党内外的一切职务"，从而铸成了中国共产党历史上、也是共和国历史上最大的一桩冤案。

1968年11月24日，是刘少奇70岁的生日。这天早上。他突然听到八届十二中全会"把刘少奇永远开除出党"的决议，当时气愤至极，浑身颤抖，大汗淋漓，呼吸急促，大口呕吐，血压陡然升高至

260/130，体温升到40℃。把自己的一切都献给了党的刘少奇实在无法承受这最沉重的打击。

从此以后，刘少奇一句话不说了，连治病和生活用语也一句不说了，进行无言的抗议。有一天，刘少奇叫来以前的卫士小贾和小于，朝他们微微一笑，闭上眼睛不说话，向这两个在自己身边工作过几年的青年卫士作了无言的告别。

五

最后的日子

刘少奇的病情越来越严重，鼻子里插着鼻饲管，喉咙里通着吸痰器，身上扎着输液管。医生护士都认为："随时都可能发生突然死亡。"

1969年10月17日，根据林彪"一号手令"，决定将刘少奇秘密送往开封。

当晚7点多钟，赤着身子的刘少奇，被一条蒙着白色床单的粉红色缎面被子裹着，抬上一副担架，送往北京西郊机场。由专案组的人监护，让几名医护人员和老卫士长李太和陪着，乘飞机直飞开封。

9点30分，飞机到达开封机场，刘少奇被送到位于开封市革命委员会院内原"同和裕银号"旧址一座特别监狱。由于在路上着凉，他的肺炎复发，接连高烧，呕吐厉害。

11月8日，刘少奇刚一退烧，专案组就下令：凡北京陪同来的人，立即撤回，一个也不准留，连北京带来的药也不准留。临走之前，专案组的人特意到火化厂看了看，但又说："千万不要死在我们手里。"然后又向当地负责人训话："要激发对刘少奇的仇恨，保留活证据。"

11月10日晚，刘少奇又一次发高烧。

试体温表，5 个小时后才取出，体温 39.7℃，当时不能确诊是肺炎，但却按肺炎治疗，不让送医院抢救。到 11 日深夜，嘴唇发紫，两瞳光反应消失，体温 40.1℃。第二天 6 时 40 分，发出病危通报。5 分钟后，即 6 时 45 分，心脏停止跳动，2 分钟后，值班医生、护士才赶到现场。2 小时后，抢救人员赶到……

1969 年 11 月 12 日，刘少奇永远地离开了人世。由老卫士长李太和为躺在地下室过道地板上的刘少奇遗体剪去一尺多长的蓬乱的白发，刮去长而稀疏的胡子，穿上衣服和鞋子。当天深夜，遗体被抬上一辆吉普车。以一名"烈性传染病人"的名义秘密送往火化场火化。在由专案人员填写的火化单上，写着——姓名：刘卫黄；年龄：71；职业：无业；死因：病死。并冒充死者的儿子刘源签了名……这就是共和国一代元勋、国家主席的命运！这是那个时代的悲剧！

正如刘少奇所期望的那样，"历史是由人民写的！"几年以后，林彪、江青一伙接连垮台，真理和正义的旗帜又高高飘扬起来。1980 年 2 月 29 日，中共十一届五中全会一致通过《关于为刘少奇同志平反的决议》。党和人民为刘少奇恢复了名誉，为这起共和国的最大冤案平反昭雪。5 月 17 日，刘少奇追悼大会在北京人民大会堂隆重举行。2 天后，遵照刘少奇生前的遗言，他的骨灰撒在祖国的大海里。

林彪反革命集团的形成

林彪反革命集团是以个人野心为基础，在"文化大革命"开始后逐步结合而成的宗派集团。这个集团以林彪为核心，主要成员有黄永胜、吴法宪、叶群、李作鹏、邱会作等人。由于林彪在"文化大革命"初期居于"副统帅"地位，这个集团的权势发展很快，经过中共九大和九届一中全会达到高峰。

一

登龙有术

林彪是人民解放军历史上足智多谋、功勋卓著的战将。革命战争年代，他长期在毛泽东的直接领导下工作，为毛泽东所赏识，24 岁就出任中国工农红军第四军第一纵队司令员，27 岁时任中央苏区战斗力最强的红一军团军团长，31 岁时任八路军一一五师师长。1955 年被授予元帅军衔时，林彪才 49 岁，是中国人民解放军十大元帅中最年轻的一位。

中华人民共和国成立后，林彪一直小病大养，消极多年。1956 年 9 月，在中共八届一中全会上，林彪当选中共中央政治局委员，但当时他在党内的地位并不十分显赫，在他的前面排列着党中央主席毛泽东、副主席刘少奇、周恩来、朱德、陈云和中央书记处总书记邓小平。

1958 年 3 月，在中共中央成都会议上，毛泽东想借当时正在酝酿开展的全国经济建设"大跃进"运动，促一促军队工作，因此决定召开军委扩大会议，重点检查军委和各总部对工作的领导。这次军委扩大会议是林彪显示紧跟毛泽东，捞取政治资本的一次重要契机。他在参加成都会议回到北京后，听说解放军训练总监部四级干部会议上，对怎样认识和怎样反对教条主义有争论，便认定训练总监部副部长肖克、李达等是"反对反教条主义"的。4 月，他向毛泽东提出建议，将军委扩大会议的主题改为开展反教条主义的斗争。毛泽东此时正在推动搞"大跃进"，他号召全党"打倒奴隶思想，埋葬教条主义"，即主要是破除对苏联教条的迷信。林彪关于改动军委扩大会议主题的建议，很快得到毛泽东的同意。于是，1958 年 5 月至 7 月的军委扩大会议被弄成一场严重的"路线斗争"，会议的焦点对准了刘伯承、叶剑英以及肖克、李达等一些领导院校和军训工作的将帅们。林彪在掀起全军反对教条主义的斗争后，经毛泽东提名，在 1958 年 5 月 25 日召开的中共八届五中全会上，被增选为中央政治局常委、中共中央副主席，跻身中央核心领导成员之列。

1959 年 7、8 月，在庐山召开的中共中央政治局扩大会议和中共八届八中全会上，全党展开了一场批判彭德怀、黄克诚等人的所谓"右倾机会主义"的斗争，彭德怀被免去国防部长的职务，林彪被选中取代彭德怀。9 月 17 日，第二届全国人大第九次常委会议任命林彪兼任国防部长，26 日，中共中央军委发出《关于军委组成人员的通知》，明确林彪为中央军委副主席，并主持中央军委日常工作。

林彪上台伊始，便半真情半假意地迎合和颂扬毛泽东，在各种场合，不遗余力地推行对毛泽东的个人崇拜。借以猎取更高的权力地位，实现他早就伺机以待的政治野心。在 1959 年 9 月的中央军委扩大会议上，林彪以贬低马列的手段，制造个人崇拜。他提出：马克思、列宁的著作很多，"不一定要读他们的原著"；毛泽东著作是高级的，学习毛著是学习马列主义的"捷径"。可以"一本万利"。在 1960 年 2 月的广州军委扩大会议上，林彪在强调在军内进一步肃清所谓"彭、黄资产阶级军事路线"的影响的同时，把毛泽东 1939 年对中国人民抗日军政大学的题词，即"坚定正确的政治方向，艰苦朴素的工作作风，灵活机动的战略战术"三句话和"团结、紧张、严肃、活泼"八个字称为"三八作风"，还提出学习毛主席著作就是要背警句。"我们不要背那么多，要挑选最好的，背上那么几十句，就差不多了"。

1960 年 9 月 14 日至 10 月 24 日，林彪主持召开了军委扩大会议。会议前夕，他在军委常委会议上谈了"政治工作领域的四个关系（即人和武器的关系，各种工作和政治工作的关系，政治工作中事务性工作和思想性工作的关系，书本思想和活的思想的关系）问题"，提出了所谓"四个第一"（即人的因素第一，政治工作第一，思想工作第一，活的思想第一）的政治工作原则。根据"四个第一"的精神，这次军委扩大会议通过了《关于加强军队政治思想工作的决议》，对军队政治工作的基本任务作了一系列"左"的规定。决议强调：要"高高举起毛泽东思想的红旗，进一步用毛泽东思想武装全体指战员的头脑，坚持在一切工作中用毛泽东思想挂帅"。还号召全军指战员"读毛主席的书，听毛主席的话，照毛主席的指示办事，做毛主席的好战士"！这次军委扩大会议成为林彪制造对毛泽东的个人崇拜,捞取政治资本,发展个人野心进入一个重要阶段的开始。

1962年1月11日至2月7日,中共中央扩大的工作会议在北京举行。这次会议的主要任务是总结建国以来12年的工作,特别是"大跃进"以来的工作经验,纠正错误,扭转国民经济的困难局面。毛泽东在会上号召发扬民主,"开出气会",并主动提出:"凡中央犯的错误,直接的归我负责,间接的我也有份,因为我是中央主席。"中央其他领导刘少奇、周恩来、邓小平等代表党中央、国务院,对几年来工作中的缺点和错误,作了自我批评,承担了责任。参加会议的各省、市、自治区的主要负责人也都作了自我批评。在这次有7000人参加的会议上,林彪依然不忘对毛泽东的逢迎,他发表了与整个会议精神不相协调的别有用心的讲话。他说:"大跃进"以来"所发生的毛病,使我们在物质方面、工业生产、农业生产方面,减少了一些收入,可是我们在精神上却得到了很大的收入。我们有失的一方面,也有得的一方面。这种失的方面的作用,现在看得很清楚,而得的方面的作用,暂时还看不清楚。我们应该相信,我们所得到的经验,将要发挥很大很大的作用。""所以,我们要看到,我们付出一点学费是值得的。"他在谈到"大跃进"以来的错误产生的原因时说:现在的困难,"在某些方面,在某种程度上,恰恰是由于我们没有按照毛主席的指示、毛主席的警告、毛主席的思想去做。如果听毛主席的话,体会毛主席的精神,那么,弯路会少走得多,今天的困难会要小得多。""我感觉到,我们的同志对待许多问题,实际上经常出现三种思想:一种是毛主席的思想,一种是'左'的思想,一种是右的思想。当时和事后都证明,毛主席的思想总是正确的。可是我们有些

同志,不能够很好地体会毛主席的思想,把问题总是向'左'边拉,向'左'边偏,说是执行毛主席的指示,实际上是走了样。当然右的思想也是有的,党内、党外都是有的。"林彪还说:"我个人几十年来体会到,毛主席最突出的优点是实际,不脱离实际。""我深深地感觉到,我们的工作搞得好一些的时候,是毛主席的思想能够顺利贯彻的时候,毛主席的思想不受干扰的时候。如果毛主席的意见受不到尊重,或者受到很大的干扰的时候,事情就要出毛病。我们党几十年来的历史,就是这么一个历史。"林彪的这番讲话,突出了个人崇拜,对于纠正缺点错误和发扬党内民主起了消极作用。

林彪宣扬对毛泽东的个人崇拜,使得毛泽东自1958年以来日益严重起来的个人专断作风得到拥护。毛泽东对林彪的拥戴和吹捧表示出赞赏态度。听了林彪在"七千人大会"的发言后,毛泽东就对罗瑞卿说:林彪同志的讲话水平很高,这样的讲话你们作得出来吗?1963年11月16日,毛泽东给林彪等人的一封信中,充分肯定了林彪提出的"四个第一"和"三八作风",他说:"四个第一好,这是个创造。解放军的思想政治工作和军事工作,经林彪同志提出四个第一、三八作风之后,比较过去有了一个很大的发展,更具体化又更理论化了。"1964年2月,毛泽东在一次接见活动中再一次赞扬林彪说:"四个第一好。我们以前也未想到什么四个第一,这是个创造。谁说我们中国人没有发明创造?四个第一就是创造,是个发现。"毛泽东还流露出重用林彪的想法,说:"我们以前是靠解放军的,以后仍然要靠解放军。"

毛泽东的赞扬使林彪受到鼓舞,他更加起劲地煽动对毛泽东的个人崇拜。1964年5月,林彪授意解放军总政治部根

据《解放军报》刊载过的毛泽东语录,补充编纂成《毛主席语录》一书,在全军发行。他提出:"毛泽东思想是当代马克思列宁主义的顶峰,是最高最活的马克思列宁主义。""毛主席的书,是我们全军各项工作的最高指示。毛主席的话,水平最高,威信最高,威力最大,句句是真理,一句顶一万句。"1965 年 11 月 18 日,林彪又提出了"突出政治"的五项原则:第一,活学活用毛主席著作,特别要在"用"字上狠下工夫,把毛主席的书当成全军各项工作的"最高指示";第二,坚持"四个第一",大抓狠抓"活思想";第三,领导干部要深入基层;第四,大胆提拔"真正优秀"的指战员到关键岗位上;第五,苦练过硬的技术和近战、夜战战术。林彪强调:以上五项原则对各部门都是适用的。各个部门的业务不同,重点可以不同。可以根据总的要求有增有减,但是都必须突出政治,做好人的思想工作。"突出政治"的五项原则出炉后,军队和地方都受到了"政治冲击一切"的严重影响,给各项工作带来了很大的危害。

1966 年 5 月,"文化大革命"运动开始,林彪认为攀登权力顶峰的时机趋于成熟,他一方面继续更起劲地倡导和推进对毛泽东的个人崇拜;另一方面也在不停地窥探机会,寻找上升的台阶,向中国权力的顶峰攀登。

"文化大革命"初期,林彪狂热鼓吹对毛泽东的个人崇拜,其中有两次影响最大。一次是 1966 年 5 月 13 日在中央政治局扩大会议上的讲话。他说:"毛主席对辩证法运用自如,渗透一切,在每个问题上都体现了辩证唯物论的无产阶级哲学基础。毛主席全面地创造性地发展了马克思主义的辩证法。""毛主席所经历的事情,比马克思、恩格斯、列宁都多得多。……马克思活了 64 岁,恩格斯活了 75 岁。……列宁只活了 54 岁,十月革命胜利后六年就去世了。……中国人口比法国多十倍,比俄国多三倍,革命经验之丰富,没有哪一个能超过。毛主席在全国、在全世界有最高的威望,是最卓越、最伟大的人物。毛主席的言论、文章和革命实践都表现出他的伟大的无产阶级的天才。""十九世纪的天才是马克思、恩格斯,二十世纪的天才是列宁和毛泽东同志。""不承认这一点,我们就会犯大错误。看不到这一点,就不晓得把无产阶级最伟大的天才舵手选为我们的领袖。""毛主席活到哪一天,九十岁、一百多岁,都是我们党的最高领袖,他的话都是我们行动的准则。谁反对他,全党共诛之,全国共讨之。""毛主席的话,句句是真理,一句超过我们一万句。"另一次是 1966 年 8 月 13 日,中共中央召开中央工作会议,贯彻八届十一中全会精神,林彪在会上作了长篇讲话。他又一次阐述"天才论",说:"以主席为轴心,我们做磨盘,""相信主席的天才,相信主席的英明,相信主席的智慧。一切请示主席,一切照主席指示办事。"他还提出以个人崇拜来考察干部,"高不高举毛泽东思想红旗。反对毛泽东思想的,罢官"。"搞不搞政治思想工作。同政治思想工作捣乱的,同'文化大革命'捣乱的,罢官"。"有没有革命干劲。完全没有干劲的,罢官"。这样,在林彪等人的狂热煽动下,对毛泽东的个人迷信、个人崇拜渗透到了党的思想建设、组织建设、作风建设的各个方面,在全党、全军、全国人民中间形成了个人崇拜的狂热。

林彪对毛泽东个人崇拜的狂热鼓吹在 1966 年 8 月召开的中共八届十一中全会上被正式确认。全会公报充分发挥了林彪的"顶峰说"、"天才论"的精神,在评价毛泽东和毛泽东思想时,公报指出:"毛泽东同志是当代最伟大的马克思主义列宁主义者,毛泽东同志天才地、创造性地、全面地继承、捍卫和发展了马克思列宁主义,把马克思列宁主义提高到一个崭新的阶段。毛泽东思想是在帝国主义走向全面崩溃,社会主义走向全世界胜利的时代的马克思列宁主义。"公报还说,林彪号召学习毛泽东著作"为全党全国树立了光辉的榜样"。林彪通过制造个人崇拜,神化毛泽东,为自己搭起了通天的阶梯。

对于林彪露骨的吹捧,毛泽东并不是坦然接受的。1966年7月8日,他在一封信里写道:"他(指林彪)到北京5月会议上还是那样讲,报刊上讲得更凶,简直吹得神乎其神。这样,我只好上梁山了。我猜他们的本意,为了打鬼,借助钟馗。我就在20世纪60年代当了共产党的钟馗。"但是,毛泽东对长期拥戴和迎合自己的林彪是非常器重的。尤其在全面发动"文化大革命"需要军队的支持的时候,毛泽东更加看中了林彪。1966年8月,党的八届十一中全会对中央领导机构进行了改选。经毛泽东提名,林彪成为毛泽东的接班人。这次全会没有重选党中央主席和副主席。但是,刘少奇、周恩来、朱德、陈云的副主席职务,以后不再提及,而只提毛泽东主席和林彪副主席。林彪成为紧随毛泽东之后的唯一的"副统帅",高踞于"一人之下,万人之上",离权力的顶峰只有一步之遥了。

二

逆我者亡

林彪集团实现个人野心的过程,也是林彪和其同伙不断清除一切妨碍他们攀登权力高峰的障碍的过程。

1959年9月,林彪取代受批判的彭德怀就任国防部长,主持中央军委的工作后,抓住和利用党内已存在的严重的"左"倾思想,以贬低马列的手法,制造对毛泽东的个人崇拜,并将学习马列主义、毛泽东思想的活动和军队的政治工作引向庸俗化、简单化的歧路。对于林彪的一些提法和做法,在军内遭到了部分高级将领的抵制。

在1960年3—4月召开的全军政治工作会议上,解放军总政治部主任谭政提出,对毛泽东思想"不能庸俗化",强调要"加强马列主义的系统的理论政治宣传和教育工作"。要求组织全军学习科学文化知识。会议对林彪提出的"三八作风"和学毛著、背警句的一套说法没有给予吹捧和传达。林彪怀恨在心,蓄谋打击报复。在1960年9—10月召开的中央军委扩大会议上,林彪以讨论政治思想工作为名,以他提出的"四个第一"为棍棒,指责谭政和总政治部不紧跟他,没有及时传达、吹捧和贯彻他的指示,"政治工作方向偏",在会上发起了一场以谭政和总政治部部分领导干部为对象的新的斗争。经过20余天的斗争,并经过总政治部党委扩大会议作结论,谭政被扣上一系列莫须有的罪名,说:"谭政同志反党反毛主席","他自己不打毛泽东思想的旗帜,也不准别人打毛泽东思想旗帜",他"反对以毛泽东思想为指针","政治上一贯右倾,在历次政治运动中,常常拒不执行中央和毛主席的指示,坚决执行了彭德怀的资产阶级军事路线,并在反彭、黄后抗拒新军委和林彪同志的领导",而"抵制新军委和林彪同志,实质上就是抵制党中央和毛主席。"并说谭政"为了执行彭黄路线","与总政组织部长刘其人、宣传部长姜思毅、秘书长白文华、解放军报社总编辑欧阳文一起,进行反党宗派活动","结成反党宗派集团,把持总政领导"。1961年2月,谭政被撤销军委常委、军委办公会议成员职务,降职为总政副主任。后来在1962年9月的党的八届七中全会上,谭政又被撤销了中共中央书记处书记职务,然后被调离军队。林彪在1960年军委扩大会议上,以谭政为打击对象,达到了震慑他人,全面地把持军队领导大权的目的。

20世纪60年代上半叶,林彪以高度评价毛泽东为名竭力制造个人崇拜,邓小平同罗荣桓等人一起,对林彪割裂毛泽东思想,把毛泽东思想庸俗化、教条化的做法进行了斗争。1961年4月下旬,罗荣桓在军委常委会议上,当面向林彪提出:"带着问题学"毛选,这句话有毛病。林彪反问:"那你说应该怎么学呀?"罗荣桓坦率地说:应当是学习毛主席著作的精神实质。学习毛主席著作一定要从根本上学,融会贯通,要学习立场、观点、方法,紧密联系实际。林彪不等罗荣桓把话说完,便粗暴打断了他的话,起身拂袖而去。罗荣桓见对待这样一个重大原则问题,林彪听不进不同意见,只好向中央书记处总书记邓小平报告,请他向中央反映。邓小平是不同意庸俗化和割裂毛泽东思想的。他在1960年3月就曾发表正确宣传毛泽东思想的讲话,指出:对待毛泽东思想是一个很严肃的原则性的问题,不要庸俗化,庸俗化对我们不利,对国际共产主义运动也不利。一定要把毛泽东思想这个旗帜掌握好。光讲毛泽东思想,不提马克思列宁主义,看起来好像是把毛泽东思想抬高了,实际上是把毛泽东思想的作用降低了。邓小平接到罗荣桓的报告后,感到罗所反映的问题十分重要,便拿到中央书记处会议上讨论,书记处表示赞成罗荣桓的意见。

由于罗荣桓挺身而出,反对林彪把毛泽东神化、把毛泽东思想庸俗化、教条化的那一套,而由邓小平主持的中央书记处又明确表示支持罗荣桓的主张,林彪深知这将成为他攀登权力高峰的极大障碍。因此,他对罗荣桓、邓小平耿耿于怀,恨之入骨。林彪找军内一些干部谈话,给罗荣桓扣上"反党"的帽子,还说罗荣桓反对"带着问题学"就是反对毛主席。但林彪慑于罗荣桓在党内的崇高威望,怕整罗荣桓非但不会得到毛泽东的支持,弄不好还可能搬起石头砸自己的脚。因此,他特别关照这些干部,不要将自己对罗荣桓的诬陷告诉任何人。"文化大革命"开始的时候,虽然罗荣桓逝世已近三年,林彪仍要报复。他指使叶群等人把黑手伸向罗荣桓的夫人林月琴。1966年8月25日,叶群让空军司令吴法宪带头给林月琴写了一张大字报,以林喜欢钓鱼为由给她扣上"意志颓废"的帽子。接着,林彪办公室支部贴出大字报表示支持吴的革命行动。12月,在叶群授意下,有些人在总参谋部的一个批判会上无中生有地说林月琴组织了一个"寡妇集团"。于是林月琴被软禁。1967年2月,叶群亲自出台,在京西宾馆召开的总政治部一次会议上指名攻击罗荣桓"反党""反毛主席";并通过全军"文化大革命"工作人员之口在向群众解答问题时,把罗荣桓和谭政指责为总政工作做得较少、较差的主任。接着,罗荣桓长期领导的总政治部被林彪一伙打成了"阎王殿"而被"彻底砸烂"。邓小平更不能幸免。"文化大革命"开始,邓小平被打倒,罪名很多,其中重要的一项,就是反对林彪等制造个人崇拜,把毛泽东思想庸俗化、教条化。

为了实现政治野心,林彪对妨碍自己

向上爬的障碍，都会想方设法加以排除。1965年底，他一手策划了对当时担任中央军委秘书长、解放军总参谋长的罗瑞卿的政治诬陷。罗瑞卿是于1959年"反对彭德怀、黄克诚资产阶级军事路线"斗争后，由林彪向中共中央提名，从国家公安部长职位调任总参谋长的。起初，林、罗工作上相处尚好。几年后，林彪对罗瑞卿因工作关系经常与罗荣桓、贺龙、叶剑英等老帅接触，以及他抵制林彪在军内推行的所谓"突出政治"、"活学活用"、"顶峰论"等深感不满。尤其是1964年，罗瑞卿协助叶剑英元帅，总结推广郭兴福军事教学法，组织了全军大比武，使部队建设逐渐摆脱空头政治的影响，在正规化、现代化方面有了起色，并受到毛泽东、刘少奇、周恩来、朱德等中央领导人的称赞。这就使一心想向上钻营的林彪心生忌恨，遂决意要把罗瑞卿打下去。

1965年11月，林彪授意李作鹏、吴法宪等人编写诬陷罗瑞卿的材料，并让叶群带着这些材料和他的亲笔信到上海向毛泽东告发罗瑞卿的所谓反对毛泽东思想、不突出政治、搞大比武以及要"抢林彪的班，夺林彪的权"等问题。毛泽东听信了林彪、叶群的诬告，于12月8日至15日，在上海主持召开了中央政治局常委扩大会议，由林彪、叶群、吴法宪、李作鹏对罗瑞卿进行背靠背的揭发批判。其中，叶群作了三次揭发发言。林彪的告状信和呈送给毛泽东的诬陷材料均作为会议文件印发。会开到第三天，正在西南边境视察的罗瑞卿也被接到上海，予以隔离。林彪一伙对罗瑞卿的诬陷主要集中在两个问题上：一是说罗瑞卿反对突出政治，如在1964年组织大比武、修改林彪关于突出政治的指示等。二是说罗瑞卿反林彪，要夺林彪的军权。叶群声称：罗瑞卿曾授意刘

亚楼向林彪提出不要林彪再干涉军队工作，应放手让罗瑞卿工作等要求；罗瑞卿本人也在1964年当面对林彪大喊，要林彪这个"病号"不要干扰，不要挡路。叶群等的揭发活灵活现，但刘亚楼已经在此之前去世，无法对证。被用来对证的却是吴法宪、李作鹏在林彪授意下写的诬陷材料。会议最后作出《关于罗瑞卿同志错误问题的报告》。罗瑞卿被横加上"敌视和反对毛泽东思想，诽谤和攻击毛泽东同志"、"推行资产阶级军事路线，反对毛主席军事路线，擅自决定全军大比武，反对突出政治"、"搞独立王国"、"公开向党伸手，逼迫林彪同志'让贤'、'让权'，进行篡军反党的阴谋活动"等罪名，说他"妄图夺取兵权，达到篡军反党的罪恶目的"，是"打着红旗造反"的"埋藏在我们党内军内的'定时炸弹'"。会后，罗瑞卿被解除了总参谋长职务，调离军委的领导岗位，并在1966年5月的中央政治局扩大会议上与彭真、陆定一、杨尚昆被打成"反党集团"，受到进一步的政治迫害。打倒罗瑞卿后，林彪独揽了军内的一切权力。这时，毛泽东已经决心全面发动"文化大革命"，清洗所谓"混入党内的资产阶级代表人物"，他需要借助军队的力量，因而林彪地位迅速上升。罗瑞卿被迫下台，为林彪后来成为党的唯一副主席、毛泽东的接班人铺垫了道路。

"文化大革命"开始后，林彪排除异己，诬陷和迫害他人的活动达到登峰造极、令人发指的程度。他勾结江青、康生等人，利用各种名义，无视党纪国法，诬陷和迫害党政军领导人以及广大干部、指战员和群众，尤其对那些过去和他有矛盾、在他看来可能反对他的，以及一切妨碍他夺取最高权力的人，更是采取"残酷斗争、无情打击"，一一清除干净。在林彪直接

制造或参与制造的冤案中被迫害致死的党政军主要领导人就有刘少奇、彭德怀、贺龙、陶铸等。据统计，党的八届中央政治局委员、候补委员33人中，除3人去世外，遭林彪、江青一伙诬陷迫害的有23人，占总数的76.6%；中央书记处17人中，遭诬陷迫害的有14人，占82.4%；军委副主席7人中，有6人遭诬陷迫害，占85.7%；三届人大常委会委员长、副委员长中是中共中央委员的10人，遭诬陷迫害的7人，占70%；国务院副总理15人中，遭诬陷迫害的有13人，占86.7%；各中央局书记6人中，除一人逝世外，遭诬陷迫害的有4人，占80%；八届中央委员、候补委员194人中，除有病、逝世的31人外，遭诬陷迫害的96人，占58.9%。在"文化大革命"中，林彪伙同江青等人，导演了一场惨绝人寰的大迫害，其狰狞面目暴露无遗。

三

拉帮结派

随着地位的上升，林彪的野心急剧膨胀，他在处心积虑清除所有妨碍他篡夺最高权力的对手的同时，开始拉帮结派，网罗亲信。黄永胜、吴法宪、李作鹏、邱会作，连同他的妻子叶群，都成了他结党营私的中坚分子。

黄永胜、吴法宪、李作鹏、邱会作同林彪的历史关系都比较深。解放战争时期，林彪担任中共中央东北局书记、东北野战军（后改为中国人民解放军第四野战军）司令员。其间，黄永胜担任东北野战军第八纵队司令员；吴法宪担任第四野战军第十三兵团副政委；李作鹏担任东北野战军第六纵队司令员；邱会作担任东北野战军第八纵队政委。他们都参加了辽沈战役

和平津战役，可谓林彪麾下的战将。1955年颁授军衔时，黄永胜授上将军衔，吴法宪授空军中将，李作鹏授海军中将，邱会作为中将。此后，他们在各自的工作岗位上不断晋升。

黄、吴、李、邱都是林彪的老部下，但这并不足以成为他们由人民解放军高级将领蜕变为林彪死党的理由。唯一的原因，吴法宪在沦为阶下囚时作了坦白。他说："我犯罪的根本原因，是我有野心。"林彪为获取更高的地位和更大的权力需要拉帮结派，而黄、吴、李、邱要往上爬，要为自己寻找靠山，正是这种野心和贪欲，使他们抱作了一团。

诬陷和迫害罗瑞卿是林彪集团成员集结的开始。1964年，李作鹏出任海军司令员；1965年，吴法宪出任空军司令员，这其中不能不说或许有林彪的关照。这个时期，担任总后勤部长的邱会作因腐化堕落问题受到总后党委常委会的"帮助"，是林彪亲自出面将他保了下来。对此，他们三人都对林彪心怀感激之情，林彪也自然把他们列入了自己心腹之列。1965年底，当林彪开始其迫害罗瑞卿的活动时，自然启用他们三人充作打手。11月27日，林彪授意李作鹏写一份所谓近年来海军思想斗争的材料，并特别叮嘱要在每个问题上说明罗瑞卿的表现。林彪尤恐对李作鹏的工作做得还不够，又叫叶群亲自打电话督促，李作鹏立即表态："决不会做出对不起林总的事情。"李作鹏立即召集海军第二政委王宏坤、政治部主任张秀川密谋策划，编造了一份7000余字的材料，诬陷罗瑞卿对海军"怀有巨大的阴谋"，"有不可告人的秘密"，"是想占领海军这个阵地"，为林彪提供了攻击罗瑞卿的炮弹。

在陷害罗瑞卿的阴谋中，吴法宪扮演了重要角色。1965年底和1966年初，叶

群两次召见吴法宪，向他口授并书写了所谓罗瑞卿要前空军司令员刘亚楼转告叶群的"四条意见"，即：①林彪早晚要出政治舞台的。不出也要出，现在不出，将来也要出政治舞台的；②要好好保护林总身体；③今后林彪不要多管军队的事情了，由罗总长去管好了；④一切由罗去管，要放手叫他去管。吴法宪在 1965 年底到 1966 年 3 月中央和中央军委连续召开的批判罗瑞卿的会议上，两次发言并写了一封信，肯定罗瑞卿讲了"四条意见"，并以此"充分说明罗瑞卿向党伸手和夺取军权的野心"。吴法宪制造假证，向林彪表示了忠心。

邱会作对罗瑞卿早有怨恨。1965 年 5 月，邱会作腐化问题被揭发后，当时任军委秘书长的罗瑞卿批准总后召开党委常委和监委联席会议，对邱进行批评，邱会作在林彪那里寻求到了庇护。因此在对罗瑞卿的围攻中，邱会作显得格外卖力。12 月召开的所谓揭发罗瑞卿问题的中央政治局常委扩大会议上，邱会作连续四次发言，恶毒攻击罗瑞卿，说他要"在军队造一个罗家天下"。

黄永胜没有参加揭批罗瑞卿的会议。他写信给叶群表明态度，攻击罗瑞卿"手段十分毒辣，打着红旗反红旗"。

通过对罗瑞卿的诬陷活动，林彪得到了黄、吴、李、邱的配合和支持，他把黄、吴、李、邱视为心腹，黄、吴、李、邱把他当做靠山，林彪集团就在个人野心和宗派主义的基础上，逐渐形成。

"文化大革命"开始后，黄、吴、李、邱都受到程度不同的冲击，林彪亲自出面保他们过关。1966 年 7 月至 8 月间，海军内部召开多次会议，对李作鹏大整海军材料的阴谋活动进行揭发批判。在李作鹏处境狼狈的时候，林彪出来为他撑腰了。他称赞"李作鹏反对罗瑞卿是有功的"，"是突出政治的"，是"高举毛泽东思想伟大红旗的"。林彪甚至声称："我活着不准反李作鹏，我死后也不准反李作鹏。"邱会作生活腐化，名声很臭。"文化大革命"开始后，即成为造反派的首要批斗对象，被当做"花花太岁"，遭到关押批斗。1967 年 1 月，邱会作写信向林彪求救，林彪签署手令"立即将邱会作放出来，不得自由拘留"。叶群持此手令到总后大院，将邱会作救了出来。吴法宪在空军党委三届十一次全会上遭到批判，也是林彪封其为"正确路线的代表"，保护他过关的。黄永胜时任广州军区司令员。在广州受到冲击。林彪亦出面保护，让他由广州躲到北京。在京西宾馆住了将近一年，以后又保荐他当了广东省革命委员会主任。

林彪的救援，使黄、吴、李、邱感到，只有紧紧追随林彪，才能稳住阵脚，保住权位。他们从此把全部政治赌注押到林彪身上。为了卖身投靠，他们紧随林彪，陷害无辜，排斥异己，作恶多端。黄永胜在总参直接指挥制造冤假错案 792 起，受害者 839 人，其中军以上干部 52 人。1969 年 3 月，吴法宪批准空军司令部上报的一份名单中，被定为敌我矛盾的就有 64 人，其中包括空军副司令员成钧、刘震、张廷发和副参谋长何廷一等高级干部。在海军中，经李作鹏点名批准遭迫害的就有 107 人，其中 3 人被迫害致死。在林彪集团中，邱会作直接参与制造的暴行最多，他在总后私设监狱，刑讯逼供，直接迫害干部群众 462 人。在林彪陷害军队老帅的罪恶活动中，黄、吴、李、邱充当得力打手。彭德怀、贺龙、陈毅、聂荣臻、徐向前、叶剑英都遭到他们直接的诬陷和迫害，彭德怀、贺龙被迫害致死。

由于黄、吴、李、邱在林彪打击异己、

攫取权力、诬陷迫害他人的阴谋活动中，立下了汗马功劳，林彪想方设法要为他们谋取更高的权势，来加强自己的政治势力。1967年5月13日，为了纪念毛泽东《在延安文艺座谈会上的讲话》发表25周年，海陆空三军部队文艺工作者举行联合演出，他们得到了吴法宪、李作鹏、邱会作的支持，另一部分部队文艺工作者则联合地方群众对这一演出进行冲击，两派发生严重武斗，酿成"五一三事件"。事件发生后，林彪立即表态，支持吴、李、邱一派，并于6月9日观看了吴、李、邱率领的所谓"三军无产阶级革命派"文艺团体的演出，新华社为此专门发了消息，这一派就成为"林副主席所支持的三军无产阶级革命派"，吴法宪、李作鹏、邱会作就成为"三军无产阶级革命派的领袖"。此后，"三军无产阶级革命派"消灭了它的对立面组织。解放军总政治部、总后勤部、空军、海军先后为吴法宪、李作鹏、邱会作所牢牢掌握。8月9日，林彪再次讲话支持吴、李、邱，这次讲话还被中共中央批转各省、市、自治区和各大军区。受到林彪有意"栽培"的吴、李、邱，对林彪更加感激涕零，他们都先后向林彪表示了"同生死，共命运"的决心。"五一三事件"标志着一个以君臣、父子为信条，以忠于林彪一人为准则的反革命集团初步形成。

"五一三事件"不久，武汉"七二〇事件"发生。林彪、江青在北京举行支持武汉造反派的群众大会，公然支持冲击军队。并在报刊上提出了"打倒军内一小撮走资本主义道路的当权派"的口号，林彪还煽动彻底砸烂总政阎王殿，全国掀起了"揪军内一小撮"的狂风恶浪。解放军的一大批高级将领和一般干部被清洗，为林彪一伙势力的恶性扩张提供了方便。1967年8月17日，中共中央、中央文革小组决定成立中央军委办事组，负责处理军队系统驻京机关"文化大革命"方面的工作，办事组成员为吴法宪、叶群、邱会作、张秀川，由吴法宪负责。9月24日，中央指定解放军代总参谋长杨成武担任办事组组长，吴法宪任副组长。

林彪的提携使吴、李、邱不断高升，但军队内部对吴、李、邱的抵制仍然非常明显。为了巩固和加强自己的势力，1968年3月林彪勾结江青制造了所谓的"杨（成武）、余（立金）、傅（崇碧）事件"。林彪指责杨成武为"二月逆流"翻案，吴法宪诬告余立金要夺他的权，江青诬陷傅崇碧"武装冲击中央文革"。22日，中共中央、国务院、中央军委、中央文革小组发出命令，撤销杨成武代总参谋长、军委常委等职务；撤销余立金空军政委等职务；撤销傅崇碧的北京卫戍区司令员职务。随后杨、余、傅被关押审查。同日，任命黄永胜为解放军总参谋长，温玉成兼任北京卫戍区司令员。25日，改组军委办事组，黄永胜任组长，吴法宪任副组长，叶群、李作鹏、邱会作为成员。此后，中央军委常委被迫停止活动。军委办事组实际上取代了中央军委常委，林彪反革命集团进一步控制了中央军委很大一部分权力。同一时期内，林彪的亲信纷纷取代大批领导干部掌握了军队的一些高级机关的大权，吴法宪在空军、李作鹏在海军、邱会作在总后勤部也都大大巩固了自己的地位。从此，军队的大权基本上操纵在以林彪为首，以黄、吴、叶、李、邱等为骨干，以中央军委办事组和空军一些部门为主要活动阵地的林彪集团之手。林彪反革命集团正式形成。

1969年4月，中共第九次全国代表大会召开。大会通过的新党章，肯定了"文化大革命"，总纲上还写上了："林彪同志一贯高举毛泽东思想伟大红旗，最忠诚、最坚定地执行和捍卫毛泽东同志的无产阶级革命路线。林彪同志是毛泽东同志的亲密战友和接班人。"在大会选举的第九届中央委员会中,林彪集团的不少追随者当选为中央委员和候补中央委员。在九届一中全会选举新的中央领导成员时,林彪集团的主要成员黄永胜、吴法宪、叶群、李作鹏、邱会作都进入了中央政治局。林彪反革命集团发展到了权势的顶点。

林彪反革命集团的覆灭

一

庐山发难

中国共产党第九次全国代表大会后,毛泽东认为党的重建问题已经初步解决,转而把考虑的重点放在政府的重建方面。1970年3月8日,毛泽东提出召开四届全国人大和修改宪法的意见,同时建议改变国家体制、不设国家主席。此后,中共中央开始了修改宪法的准备工作。

林彪集团在中共九大上掌握了党和军队的许多重要权力。他们认为篡党夺权的条件已经成熟,阴谋利用召开四届全国人大和修改宪法的机会首先争得国家主席职位,继而待机夺取党中央主席职位。1970年4月11日,林彪别有用心地提出设国家主席,并建议毛泽东担任国家主席。其目的,正如叶群所说:如果不设

国家主席,林彪怎么办,往哪里摆?

与此同时,林彪、江青两个集团的矛盾开始表面化。在1970年8月13日的宪法工作小组会上和8月14日的中央政治局会议上,吴法宪坚持要在宪法中表述毛泽东发展了马克思主义的句子中加上"天才地、全面地、创造性地"三个副词,但遭到康生和张春桥的反对。双方为此发生了激烈的争论。从表面上看,这只是文字之争,实际上是一场大的斗争的前奏。

8月22日,中共中央政治局召开常委会,为九届二中全会作准备。毛泽东提出要把全会开成一个团结的、胜利的会,不要开成分裂的、失败的会。会上,林彪、陈伯达再次提出设国家主席和请毛泽东担任国家主席的问题,遭到毛泽东的反对。

8月23日,九届二中全会在江西庐山开幕。周恩来宣布了全会的议程:①讨论修改宪法问题;②讨论国民经济第四个五年计划问题;③讨论加强战备问题。林彪在开幕会上讲话,大谈"天才"问题。他说:这次我研究了这个宪法,表现出这样的一种情况的特点,一个是毛主席的伟大领袖、国家元首、最高统帅的这种地位,毛泽东思想作为全国人民的指导思想,这一点非常重要,非常重要。他还说:我们说毛主席是天才的,我还是坚持这个观点。毛主席个人的这种天分、学问、经验能创造出新的东西来。

林彪讲话以后,叶群到处散布这个讲话是毛泽东事先同意的,并要吴法宪告诉李作鹏、邱会作:要在各组发言,如果你们不发言,林彪讲话就没有根据了;林彪讲话没有点名,你们发言也不要指名;串连空军、海军、总后的一些中央委员、候补中央委员在会上发言。于是,吴法宪便在当晚中央政治局讨论国民经济计划的会议上建议全会第二天听林彪讲话的录音、学

习林彪讲话,得到政治局同意。与此同时,陈伯达自拟了宪法"国家主席"一节的条文,又与叶群连夜选编称天才的语录。

8月24日上午,全会听了两遍林彪的讲话录音,下午开始讨论。陈伯达、吴法宪、叶群、李作鹏、邱会作等按事先密谋,分别在华北组、中南组、西南组、西北组发言,宣讲经林彪审定的《恩格斯、列宁、毛主席关于称天才的几段语录》的材料,不指名地向江青等人进攻。陈伯达在华北组说:"有人利用毛主席的谦虚,妄图贬低毛泽东思想。""'文化大革命'取得了伟大胜利以后,有的人居然怀疑十一中全会关于无产阶级文化大革命的公报,这是不是想搞历史的翻案?""有的反革命分子听说毛主席不当国家主席,欢喜得跳了起来。"叶群在中南组说:"林彪同志在很多会议上都讲了毛主席是最伟大的天才,说毛主席比马克思、列宁知道得多、懂得多。难道这些都要收回吗?坚决不收回,刀搁在脖子上也不收回。"吴法宪在西南组说:"这次讨论修改宪法中,有人竟说毛主席天才地、创造性地、全面地继承、捍卫和发展了马克思列宁主义'是个讽刺'。我听了气得发抖。这是党的八届十一中全会就肯定下来的,林副主席《再版前言》中肯定下来的,怎么能不写?不承认,就是推翻了八届十一中全会的决议,推翻了林副主席的《再版前言》。"李作鹏在西南组说:"有人在宪法上反对提林副主席。所以党内有股风,是什么风?是反马列主义的风,是反毛主席的风,是反林副主席的风。"邱会作在西北组说:"对毛主席思想态度问题,林副主席说'毛主席是天才,思想是全面继承、捍卫……'这次说仍然坚持这样的观点。为什么在文化革命胜利、二中全会上还讲这问题,一定有人反对这种说法,有人说天才、创造性发展……是

一种讽刺,就是把矛头指向毛主席、林副主席。"当晚,华北组发出集中反映这些发言内容的第二号简报(全会第六号简报),赞扬林彪讲话"非常重要、非常好,语重心长","代表了全党的心愿"。简报说:我们党内竟有人妄图否认伟大领袖毛主席是当代最伟大的天才。有这种思想的人,是野心家、阴谋家,是极端的反动分子,是地地道道的反革命修正主义分子,是刘少奇反动路线的代理人,是帝、修、反的走狗,是坏蛋,是反革命分子,应该揪出来示众,应该开除党籍,应该斗倒批臭,应该千刀万剐,全党共诛之,全国共讨之。简报还说:大家赞成在宪法第二条中增加"毛主席是国家主席,林彪是国家副主席"和"宪法要恢复国家主席一章"的建议。

8月25日,江青向毛泽东反映了分组会议的情况。毛泽东也看到了华北组第二号简报,对林彪等人为争权夺利而进行的宗派活动有所察觉。他于当日主持召开中央政治局常委扩大会议,决定立即停止讨论林彪的讲话,收回华北组第二号简报,责令陈伯达检讨。毛泽东还说:不要揪人,要按九大精神团结起来。你们继续这样,我就下山,让你们闹。设国家主席问题,不要再提了,要我早点死,就让我当国家主席,谁坚持设,谁就当,反正我不当。并劝林彪说,你也不要当。会后,各组组长立即传达了会议决定和毛泽东的讲话,刹住了要设国家主席、要揪人这股风。8月26、27日,周恩来、康生连续找吴法宪、李作鹏、邱会作谈话,责成他们向党中央作检讨。

发难不成,林彪立即组织退却。他极力为他的心腹干将开脱,说"我和陈伯达过去没有接触","军队的几个同志也没有同陈伯达共过事","他们都是炮筒子,说话走了火"。叶群做贼心虚,偷偷收回了

她在中南组发言的记录稿。刚上山的黄永胜见势不妙，也赶紧销毁了早已准备好的发言稿。林彪集团发动的这场突然袭击，由于受到毛泽东的严厉批评而迅速偃旗息鼓了。

8月31日，毛泽东写了《我的一点意见》，印发全会，揭穿"称天才"的骗局，批判陈伯达的唯心史观。他说，陈伯达"采取突然袭击，煽风点火，唯恐天下不乱，大有炸平庐山，停止地球转动之势"。又说："是英雄创造历史，还是奴隶们创造历史，人的知识（才能也属于知识范畴）是先天就有的，还是后天才有的，是唯心论的先验论，还是唯物论的反映论，我们只能站在马列主义的立场上，而决不能跟陈伯达的谣言和诡辩混在一起。"最后，他"希望同志们同我们一道采取这种态度，团结起来，争取更大的胜利，不要上号称懂得马克思，而实际上根本不懂马克思那样一些人的当"。全会根据毛泽东的意见，对陈伯达展开了揭发批判。

9月6日，全会在基本通过《中华人民共和国宪法草案》、决定向全国人大常委会建议在适当的时候召开四届人大、批准国务院关于全国计划会议和1970年国民经济计划的报告、批准中央军委关于加强战备工作的报告之后，宣告闭幕。在闭幕会上，毛泽东讲话，对党的路线教育、高级干部的学习、党内外团结等问题发表了重要意见。

中共九届二中全会揪出了陈伯达，打击了林彪集团的夺权阴谋。在江青和林彪两个反革命集团之间争夺最高权力的斗争中，江青集团占了上风。但是，林彪并不甘心自己的失败。他在庐山时对吴法宪说：我们这些人搞不过他们，搞文的不行，搞武的行。其子林立果也对江腾蛟、王维国、陈励耘说：看来这个斗争还很

长，"我们要抓军队，准备干"。会后，林彪集团加紧了活动，密谋发动反革命武装政变。

政变未遂

中共九届二中全会以后，全党开展了批陈整风运动。1970年11月16日，中共中央发出《关于传达陈伯达反党问题的指示》，同时转发了毛泽东的《我的一点意见》并附关于"称天才"的几段语录，供党内讨论。此后，各地陆续举办批陈整风学习班，深入揭发陈伯达的反党活动。

与此同时，中共中央、毛泽东对林彪、黄永胜、吴法宪、叶群、李作鹏、邱会作等进行批评教育和挽救工作，并采取了一些重大措施，削弱林彪集团的势力。

1970年10月14日，毛泽东在吴法宪的书面检讨上批示："作为一个共产党人，为什么这样缺乏正大光明的气概。由几个人发难，企图蒙骗二百多个中央委员，有党以来从来没有见过。"10月15日，毛泽东又在叶群的书面检讨上作了批示。当叶群虚伪地说她犯了"路线性"错误时，毛泽东指出："思想上政治上的路线正确与否是决定一切的。"批评叶群"爱吹不爱批，爱听小道消息，禁不起风浪"；"九大胜利了，当上了中央委员不得了了，要上天了，把九大路线抛到九霄云外"。当叶群说到他们一伙搞天才语录问题时，毛泽东指出："多年来不赞成读马列的同志们为何这时又向马列求救，题目又是所谓论天才，不是在九大论过了吗？为何健忘若此？"针对叶群说她与陈伯达斗争不力的谎言，毛泽东批示："斗争过吗？在思想上政治上听他的话，怎么会去同他斗争？"这

些批示,指出了吴、叶等人的问题,并向他们发出了警告。随后,即被作为中央文件下发,组织高级干部学习。

1970年12月22日,根据毛泽东的建议,周恩来主持召开华北会议,检查"是何原因陈伯达成了北京军区及华北地区的太上皇"? 会议以揭发批判陈伯达为主,同时株连到李雪峰(北京军区政委兼河北省革委会主任)、郑维山(北京军区司令员)。1971年1月24日,周恩来代表中共中央在会上作了重要讲话,宣布了中央关于改组北京军区的决定:"将李、郑两同志调离原职,继续进行检查学习,接受群众教育,待有成效后,再由中央另行分配工作。"这一措施,在当时被认为是"捣烂了林陈反党集团经营多年的那个山头主义的窝子,挖了他们的墙脚"。

1971年1月9日,中央军委召开座谈会。在座谈会期间,黄永胜、吴法宪、叶群、李作鹏、邱会作秉承林彪旨意,既不批陈,也不作检讨。2月19日,毛泽东批示:请告各地同志,开展批陈整风运动时,重点在批陈,其次才是整风。不要学军委座谈会,开了一个月,还根本不批陈。更不要学华北前期,批陈不痛不痒,如李、郑主持时期那样。2月20日,军委办事组对毛泽东批评军委座谈会不批陈的问题,写了检查报告。毛泽东在这个报告上批示:你们几个同志,在批陈问题上为什么老是被动,不推一下,就动不起来。这个问题应该好好想一想,采取步骤,变被动为主动。4月7日,毛泽东、党中央决定对黄永胜、吴法宪把持的军委办事组"掺沙子",派纪登奎、张才千参加军委办事组。

4月15日,中共中央召开"批陈整风汇报会"。总结交流各地批陈整风的经验,讨论黄、吴、叶、李、邱的书面检讨,进一步揭发批判陈伯达。29日,周恩来代表党中央作了总结讲话,指出黄、吴、叶、李、邱在政治上犯了方向性的错误,在组织上犯了宗派主义的错误,希望他们按照自己的申明,认真改正错误。

毛泽东、党中央对庐山出现的问题"抓住不放",虽未触及林彪集团的主帅,但仍使他们感受到了巨大的压力。他们一方面以假检讨应付党中央,另一方面准备铤而走险,发动反革命政变。

1971年3月,林立果奉林彪之命,在上海召集周宇驰、于新野、李伟信开会,研究制定反革命武装政变计划。林立果按"武装起义"一词谐音,将此计划定名为《"571工程"纪要》。纪要认为,毛泽东对林彪不放心,"林彪接班可能落空"。提出"在军事上要先发制人","夺取全国政权"或"制造割据局面"。纪要把我国人民民主政权诬蔑为"封建王朝",把毛泽东蔑称为"B52",提出"打倒当代的秦始皇——B52","推翻挂社会主义招牌的封建王朝"。并强调在必要时"不管准备好和未准备好",都要"破釜沉舟",杀害毛泽东,谋杀手段是"利用上层集会一网打尽",或是"利用特种手段,如轰炸、车祸、暗杀、绑架、城市游击小分队等"。纪要还要求其党羽发扬"江田岛精神",即法西斯武士道精神。"不成功便成仁"。

为了实施《"571工程"纪要》,林立果又于1971年3月31日在上海召集南京部队空军政委江腾蛟、七三四一部队政委王维国、七三五〇部队政委陈励耘和南京部队空军司令员周建屏等秘密开会,即所谓"三国四方会议"("三国"指上海、浙江、南京,"四方"指上述三方负责人和北京的江腾蛟)。会议确定了发动反革命武装政变的领导班子,指定了江腾蛟为南京、上海、杭州进行三点联系、配合协同作战的负责人。

1971年4月,中共中央召开"批陈整风汇报会"。林彪集团决定"根据斗争形势,准备加快、提前实行反革命政变计划。为此,进行了多方面的准备。

早在1970年10月,在林彪指使下,以空军司令部办公室"调研小组"成员林立果、周宇驰、于新野为核心,组成了所谓"联合舰队"。同时,又在上海、广州等地建立了一些所谓"左派组织"。1971年3月在广州成立了"战斗小分队",4月在上海成立了"教导队"。此外,还在北京、上海、广州、北戴河等地设立了十多个反革命秘密据点。林立果、周宇驰等组织人马,在据点里进行"步兵动作、打靶、刺杀、捕俘、格斗"等训练。他们还利用这些据点,储存大量枪支弹药、各种从事特务活动的器材装备及许多党和国家的机密文件。在建立反革命组织和据点的同时,林彪集团还派人到全国各地游说,在大小"舰队"所控制的一些单位大搞所谓"路线交底"。他们散布"现在形势很紧张","有人要夺林副主席的权",说什么"特别要注意九、十两个月,九月要开三中全会,十月要开四届人大,这是权力再分配的斗争,斗争的实质是保卫接班人的问题",甚至要求其党羽用"枪杆子保卫接班人"。与此同时,他们继续狂热吹捧林彪,说什么林彪是军队的"统帅",是"一贯正确的领导者";在全国许多地方建立林彪纪念馆,大量印发关于林彪的回忆录,为林彪树碑立传。不仅如此,他们还大肆宣传林立果"是第三代接班人","是群众的最好领袖",等等,为建立林家王朝作舆论准备。

正当林彪集团加紧策划反革命政变之时,1971年8月14日,毛泽东离开北京,前往南方各地巡视。在武汉、长沙、南昌、杭州、上海,他分别同湖北、湖南、广西、广东、福建、江西、浙江、江苏、上海等

省、市负责人谈话,对林彪集团进行了揭露和批判。毛泽东对各地负责人说:"希望你们要搞马克思主义,不要搞修正主义;要团结,不要分裂;要光明正大,不要搞阴谋诡计。"他批评林彪在九届二中全会上的讲话是带头"发难",同陈伯达、黄永胜、吴法宪、叶群、李作鹏、邱会作等人搞"突然袭击,地下活动,是有计划、有组织、有纲领的。纲领就是设国家主席,就是'天才',就是反对'九大'路线,推翻九届二中全会的三项议程。有人急于想当国家主席,要分裂党,急于夺权"。"林彪同志那个讲话,没有同我商量,也没有给我看。""这次庐山会议,又是两个司令部的斗争。""这次保护林副主席,没有作个人结论。他当然要负一些责任。对这些人怎么办?还是教育的方针,就是'惩前毖后,治病救人'。对林还是要保……犯了大的原则的错误,犯了路线、方向错误,为首的,改也难。""什么'顶峰'啦,'一句顶一万句'啦,你说过头了嘛。一句就是一句,怎么能顶一万句。不设国家主席,我不当国家主席,我讲了六次,一次就算一万句吧,就是六万句,他们都不听嘛,半句都不听,等于零。陈伯达的话对他们才是一句顶一万句。什么'大树特树',名曰树我,不知树谁人,说穿了是树他自己。还有什么人民解放军是我缔造和领导的,林亲自指挥的,缔造的就不能指挥呀!缔造的也不是我一个人嘛。""庐山这件事,还没有完,还没有解决","陈伯达后面还有人"。毛泽东还说:"我就是不相信我们军队会造反,我就不相信你黄永胜能够指挥解放军造反!军下面还有师、团,还有司、政、后机关,你调动军队来搞坏事,听你的?"

林彪集团对毛泽东南巡活动十分疑惧。他们四处活动,千方百计探听毛泽东

在各地谈话的内容。8月下旬，吴法宪把毛泽东到长沙、南昌后派飞机接一些负责人去谈话的情况，密报叶群。8月26日，毛泽东刚刚结束在武汉的视察，"联合舰队"就召开了一次会议，决定"由明争转入暗斗"，"酝酿新'战争'"，"思想、组织、行动上加强'战备'"。毛泽东严禁将他的谈话外传，而广州部队空军参谋长顾同舟却于9月5日深夜在广州把毛泽东接见一些负责人时的谈话内容密报北京的于新野。于新野作了15页记录。次日，于驾驶直升飞机到北戴河，把记录稿送交林彪。9月6日凌晨，原武汉军区政委刘丰把毛泽东在武汉同一些负责人谈话的内容密告陪外宾去武汉的李作鹏。李作鹏很快形成三点认识：一是庐山的问题还没有完；二是上纲比以前更高；三是矛头似乎指向林彪。他当日即返回北京，面告黄永胜、邱会作。黄永胜连夜电告在北戴河的叶群。

林彪等人获悉毛泽东谈话内容后，十分紧张。9月6日、7日，经过紧张策划，他们决心"破釜沉舟"，立即发动反革命政变。

9月7日，林彪授意林立果向"联合舰队"下达了一级战备命令。9月8日，又亲自发出武装政变手令："盼照立果、宇驰同志传达的命令办。"当晚，林立果即带着林彪的手令和叶群给黄永胜的信从北戴河潜回北京。9月8日夜至11日晚，林立果在北京西郊机场和空军学院等据点召开多次会议，向其同党传达林彪手令，决定乘毛泽东南巡之机，在上海地区谋杀毛泽东，同时在北京发动政变，然后林彪以接班人身份，夺取党和国家最高权力。他们还具体策划了谋害毛泽东的种种办法，如用火焰喷射器和四○火箭筒打毛泽东专列，炸毁专列在上海停车地点的油库乘乱谋杀，或由王维国乘毛泽东接见时动手；

用炸药炸毁苏州附近的硕放铁路桥，制造第二个皇姑屯事件，等等。

此时，南巡中的毛泽东也了解到林彪集团骨干成员的一些反常举动，提高了警惕，并采取了一些应变措施。9月8日深夜，毛泽东突然密令立即将他乘坐的专列从笕桥机场的专线上转移到绍兴。9月10日下午3时，毛泽东突然离开杭州，下午6时到达上海。他不下专列，在车上接见了当地党政军负责人。9月11日下午，在接见了许世友、王洪文之后，毛泽东突然下令发车，直驶北京。9月12日下午3时，车抵丰台，毛泽东在车上召见了北京党政军负责人，询问了北京情况。当日黄昏，安全抵达北京。由于毛泽东机智果断地采取行动，打乱了林彪集团的反革命部署，"联合舰队"的谋杀计划未能得逞。

折戟沉沙

林彪集团在策划谋害毛泽东的同时，也为自己安排了后路，即一旦失败，或南逃广州另立中央，或叛国外逃。自1971年9月6日起，叶群等人便进行了叛逃的准备，如：9月7日，叶群索要俄华字典、英汉字典、俄语和英语会话书籍；9月8日，周宇驰索要一本苏联航班地图；9月8日，叶群要有关中美关系的文件，周宇驰要东北、华北、西北地区雷达兵部署和可作导航用的周围国家广播电台频率表。

9月12日，林彪等人得知毛泽东离沪返京的消息后，立即作出了9月13日南逃广州的决定，企图造成南北割据局面。根据林彪手令，空军司令部副参谋长胡萍安排了南逃广州的飞机8架。同时，又把256号三叉戟专机秘密调往山海关机场，以供在北戴河的林彪使用。

9月12日晚,正在北京人民大会堂福建厅主持讨论将在四届全国人大会上作的《政府工作报告》草案的周恩来,接到驻北戴河的八三四一警卫部队所转林立衡(林彪之女)的报告:叶群、林立果要带林彪坐飞机逃跑,北戴河住处出现了一些不正常的情况。不久,周恩来又接到转来的林立衡的第二个报告:有一架三叉戟飞机在山海关机场,是下午林立果坐着来的。周恩来立即追查256号专机的行动,并下达指示:256号专机必须有周恩来、黄永胜、吴法宪、李作鹏4人一起下达的命令才能飞行。叶群、林立果得知周恩来查问飞机,知道南逃阴谋可能被党中央察觉。

当夜11点多,叶群打电话给周恩来,说林彪想动一动,空中动,需要调几架飞机。周恩来问:你们调了飞机没有?叶群答:还没有调,林彪让报告总理后再调。周恩来说:今晚夜航不安全,调飞机的事,我和吴法宪商量一下,看看情况再说。周恩来的机智回答,使叶群更加恐慌,决定改南逃为北叛,投靠苏联。

9月13日零点左右,林彪、叶群、林立果、刘沛丰等人不顾警卫部队的阻拦,乘车从北戴河逃往山海关机场,没等副驾驶员、领航员、报务员登上飞机,就强令起飞,仓皇出逃。周恩来获悉后,立即报告毛泽东。在256号飞机强行起飞后不久,毛泽东、周恩来断然发布全国禁空令:任何飞机都不准来北京;没有毛泽东、周恩来、黄永胜、吴法宪、李作鹏的联合命令,任何飞机都不准起飞。当雷达发现256号飞机向蒙古方向飞行时,吴法宪请示:飞机可能飞出国境,要不要拦截。周恩来请示毛泽东,毛泽东说:天要下雨,娘要嫁人,都是没有办法的事,由他去吧!

林立果在叛逃前,打电话给北京的周宇驰,告以南逃不成,迅速北上。9月13日凌晨3点多钟,周宇驰、于新野、李伟信从北京沙河机场乘直升机向蒙古方向逃跑。周恩来等下令派战斗机拦截,绝不能让它飞出国境。上午,周宇驰等人乘坐的直升机被迫降在怀柔县境内,周宇驰、于新野自杀,李伟信被擒。

9月14日,蒙古政府外交部紧急召见中国驻蒙大使许文益,通知中国方面:9月13日凌晨2时多,在蒙古温都尔汗附近肯特省贝尔赫矿区南十公里处,一架中国喷气式飞机坠毁;蒙古方面就中国飞机进入蒙古领空一事提出口头抗议。9月15日,中国驻蒙大使和使馆人员在蒙方有关人员陪同下,查看了飞机坠毁现场,拍摄了大量现场照片。现场共有九具尸体,他们是:林彪、叶群、林立果、刘沛丰、驾驶员潘景寅、汽车司机一人和机组机械员三人。有关专家对现场拍摄的大量照片进行了鉴定分析,认为这架飞机是在油料即将耗尽的情况下,进行野外迫降没有成功,而造成破碎、烧毁的,并不是空中爆炸或被击落的,也找不出在飞机上发生格斗的痕迹。

9月18日,经毛泽东批示"同意",中共中央发出《关于林彪叛逃出国的通知》,通知说:"林彪于1971年9月13日仓皇出逃,狼狈投敌,叛党叛国,自取灭亡。""现有的种种物证人证业已充分证明:林彪出逃的罪恶目的,是投降苏修社会帝国主义。"中央号召全党同志首先是高级干部同林彪划清界限。按照规定,这个通知第一步只传达到省、市、自治区党委常委以上的党组织。

9月29日,中共中央发出《关于黄永胜、吴法宪、李作鹏、邱会作离职反省的通知》。通知说:"中央鉴于黄永胜、吴法宪、李作鹏、邱会作四同志参加林、陈反党集团的宗派活动,陷入很深,实难继续现任工作,已令他们离职反省,彻底交待。"

10 月 3 日,经毛泽东批准,中共中央决定撤销军委办事组,成立军委办公会议,由军委副主席叶剑英主持,负责军委日常工作。同日,成立以周恩来为首的十人中央专案组,彻底审查、弄清林、陈反党集团的问题。

12 月 11 日,经毛泽东批示同意,中共中央将中央专案组整理的《批判林陈反党集团反革命政变的斗争(材料之一)》下发讨论。1972 年 1 月 13 日、7 月 2 日,又下发了"材料之二"、"材料之三"。"材料之一"揭露了林彪集团在中共九届二中全会前后的阴谋活动;"材料之二"公布了林彪集团反革命武装政变的纲领《"571 工程"纪要》,并列举了林彪集团为反革命武装政变所作的各种准备;"材料之三"登载了林彪集团策动反革命武装暴乱的各种罪证。结合这三批材料的传达,全国展开了批林整风运动。

1973 年 8 月 27 日,中共中央批准中央专案组《关于林彪反党集团反革命罪行的审查报告》,决定永远开除林彪、叶群的党籍,永远开除林彪集团主要成员陈伯达、黄永胜、吴法宪、李作鹏、邱会作等人的党籍。至此,林彪反党集团被彻底粉碎。

1972 年前后周恩来领导批判极"左"思潮的斗争

极左思潮与"文化大革命"十年内乱有着不解之缘。"文化大革命"中,林彪、江青两个反革命集团正是凭借手中的权力,煽动极"左"思潮来挑起派性,制造事端,搅乱全国,进而打倒一大批党政军领导人,妄图篡党夺权。1971 年林彪自我爆炸后,在毛泽东的支持下,周恩来主持中央日常工作,其间,提出了批判极左思潮的正确意见,并将这一主张付诸实践。

动乱初期纠"左"的努力

"九一三"事件之前,处境艰难的周恩来一直在为纠正"文化大革命"中的错误,减少林彪、江青反革命集团的破坏进行坚持不懈的努力。早在"文化大革命"初期,周恩来就在力所能及的范围内为保护干部、恢复生产、制止武斗做了大量工作,倾注了大量心血。

1966 年,红卫兵运动高潮时,他最早觉察到青年学生中的无政府主义倾向,为此亲自主持起草了《有关红卫兵的几点意见》,试图对刚产生的各种不良现象加以约束。1967 年各地掀起夺权浪潮,全国陷入全面内战。这时,周恩来又多次以"极左倾向"、"极左行动"、"极端民主化"和

"反动的社会思潮"等语批评造反派的种种极端言行，并将这一思潮集中概括为："实际上是无政府主义，就是不相信领导，否认一切领导，怀疑一切，打倒一切。"1968年，他正式提出要"反对极左思潮"，并认为这已是全国的"普遍现象"，将其与资产阶级派性、反革命破坏行动等联系在一起加以批判。

中共九大以后，周恩来反对和批判极左的锋芒开始指向某些领导、某些单位在政策和制度上的偏差，他指出：一些领导人之所以在对敌斗争中屡犯"扩大化错误"，"都由于估计形势错误犯了政策上极左错误而来"；我们的工业企业建国20年来成绩是"主要的"，否定和砸烂一切规章制度是"极左思潮"。此后，在诸多场合，周恩来一直坚持这个观点。

对"文化大革命"中老干部挨整、造反派掌权的这种极不正常的情况，周恩来更是忧心忡忡。他曾对身边的工作人员说：经过一个革命时期和不经过一个革命时期是不一样的，现在一次造反就成了响当当的革命派，而革命近半个世纪的一大批老干部倒成了"走资派"，这符合历史唯物主义吗？革命的历史传统是属于一代人的，保护老一代，就是保护革命的历史和传统。周恩来把保护广大老干部作为自己义不容辞的责任，用实际行动抵制和纠正"打倒一切"的极端做法。

1970年9月，中共九届二中全会揭露、批判了陈伯达。在随即开展的批陈整风运动中，周恩来根据毛泽东的提议，先后主持召开华北会议和批陈整风汇报会，对陈伯达进行了揭发、批判，对黄永胜等人进行了批评、教育，进而在一定范围内批判了林彪、江青一伙及其煽动的极左思潮，成为周恩来大力纠正"文化大革命"中错误的重要起点。

随后，掌握了纠"左"主动权的周恩来开始把目标转向一些"敏感"单位和部门：1970年9月，他在同文化部门负责人的谈话中，针对"文化大革命"期间因人废文、没有书看的情况，提出"要有点辩证法"，以便克服"形而上学、片面性"，"不要一听封建主义、资本主义就气炸了"。与此同时，他还亲自部署外事部门批判极左思潮的工作，批评外事部门"批判极左思潮总是不得力"，一再指示：我驻外使馆中"如有极左分子应迅速调回"；告诫对外宣传上"不能把无产阶级文化大革命输出，否则要犯大国沙文主义的错误"，"有时抽象地用毛主席的一两句语录来搞（宣传），反而有破坏性"。

1971年上半年，周恩来在相继召开的全国一系列专业会议上，更多次强调要反对极左思潮，几乎是逢会必讲。1971年2月初，在第十五次全国公安会议上，他根据毛泽东关于"对公安工作要一分为二"的指示，明确宣布：在公安战线上，17年里毛主席的革命路线占主导地位，"不能说文化大革命以前是黑线统治着，这种说法简直是不可想象，等于否认毛主席的领导，否定毛主席的革命路线"，"全国不能这样讲，一个省不能这样讲，一个公安厅也不能这样讲"。

之后，在全国出版工作座谈会期间，周恩来几次接见与会代表，一再指出：现在书店里中国和外国的历史书都没有，知识面越来越窄，这不行。不能不讲历史、割断历史。"否定一切，不一分为二，这是极左思潮"，"是思想垄断，不是社会主义民主"。

4、5月间，周恩来又分别在国家旅游、援外会议和全国外事工作会议上作重要报告，系统阐述党的对外方针政策，批评极左思潮在外事工作中的种种表现。他说:在"无产阶级文化大革命"中,我们同许多国家几乎中断了来往,许多方面的活动停止了,现在,是应该开门的时候了。他还表示不同意那种认为"文化大革命"前17年的外交路线是"修正主义路线"的说法,不赞成把"帝、修、反"的口号到处搬用。

在6月召开的中央工作会议上,周恩来再次就有关部门批极左不力提出批评:"一直到现在我们总说批判极左思潮不彻底,不敢大胆批评,包括我们中央许多部门,一直到现在还有。你不把极左思潮肃清,你怎么能掌握正确政策呢?"

7月6日,周恩来在接见全国教育工作会议领导小组成员时,针对会议上关于17年教育工作估计的争论,指出:"毛主席的红线也是照耀了教育战线的","知识分子的大多数是接受共产党领导的,是为社会主义服务的","对教师队伍和解放后培养的学生要作具体分析,要辩证地看问题"。会议期间,周恩来还向各地、各部门主管教育工作的负责人作了一次党的历史问题的报告,详细叙述党在民主革命时期所犯的几次"左"倾错误,提出党长期以来吃了"左"的大亏,并含意深刻地指出:现在世界上有一股极左思潮,借以提醒人们警惕"左"的错误。

应当指出,以上周恩来在处境很困难的情况下对批判极左思潮所进行的一系列努力,是与毛泽东这一时期的一些认识分不开的。毛泽东早于1967年就提出要警惕"极左派",要反对、制止其错误观点和破坏行为,并根据周恩来等的意见,果断处理了中央文革小组重要成员王、关、戚的问题。1968年以后,他又多次强调对内对外宣传都应实事求是,不要强加于人。在耳闻目睹全国一片混乱的局面之后,毛泽东一方面抽象地肯定"形势大

好",另一方面,又开始在若干具体问题上着重纠"左"。如他提出要正确地对待干部,"要扩大教育面,缩小打击面";告诫造反派和红卫兵"现在正是他们有可能犯错误的时候"等等。中共九大期间,他又提出当前主要问题是一种倾向掩盖着另一种倾向,即存在打击面宽和扩大化问题,并一再表示"文化大革命"已进入收尾阶段,要一个单位一个单位地完成"斗、批、改"任务。之后,毛泽东即开始考虑恢复党的组织,召开人大和建立政府机构等方面的问题。1970年8月,在毛泽东领导下,中共九届二中全会挫败了林彪集团的抢班阴谋,更为周恩来进一步纠"左"创造了条件。正是在这些背景下,周恩来不断提出了反对极左思潮的正确意见。

总之,周恩来在"九一三"事件以前对极左思潮的批判,虽因林彪、江青集团的干扰破坏而收效不大,但毕竟已开始造成一种纠"左"的舆论。特别是中共九届二中全会后,在毛泽东的支持下,周恩来初步掌握了纠"左"主动权,从批判陈伯达、王、关、戚等入手,将批判极左思潮逐步推广至各条战线、各个领域,在党内外产生了重大影响,成为林彪事件后党和人民进一步斗争的准备和先声。

不失时机推动斗争深入开展

1971年底至1972年上半年,随着批林整风运动的深入,批判极左思潮的斗争开始全面展开。这一阶段的斗争,集中表现在落实党的经济政策和干部政策方面。周恩来自"文化大革命"发动以来所致力于发展生产、保护干部的一贯努力,正逐步转变为党的具体政策,并开始在实际工

作中实施、生效。

1970年中共九届二中全会以来,周恩来就多次提出:要全面贯彻"抓革命,促生产"的方针,努力完成和超额完成国家计划。林彪事件之后,各地各条战线都把加强企业管理,恢复和建立合理的规章制度,理直气壮地抓生产、学业务、钻技术,作为联系实际、批判林彪一伙所散布的谬论的具体步骤,着重批判了空头政治的反动观点。

1971年12月至翌年2月召开的全国计划会议,是联系经济工作实际、批判林彪一伙干扰破坏的一次重要会议。会前,周恩来在听取国家计委汇报时指出:现在我们的企业乱得很,要整顿,由此首次提出整顿的意见。根据周恩来的指示精神和与会同志的要求,国务院主持起草了《1972年全国计划会议纪要》,提出了整顿企业的若干措施。这个会议纪要,虽然后来被张春桥以种种借口加以否定,但其中贯穿的整顿的指导思想却在实际工作中得到体现,成为落实党的各项经济政策的未成文的"依据"。

1971年底至翌年5月,周恩来进一步从产品质量入手,解决企业无人负责、无章可循的混乱局面。1971年12月26日,他同叶剑英、李先念等一起听取了有关航空工业产品质量问题的汇报,明确提出质量问题是个路线问题,要恢复合理的规章制度,批判无政府主义和极左思潮。之后,周恩来又对飞机和汽车生产质量问题多次批示,一再告诫对质量问题必须"提高警惕",要"放在议事日程来解决"。

1972年4、5月间,周恩来连续抓了出口罐头、衬衣、照相机等日用工业品和广交会展品的质量问题,指出:现在,"我们出口数量不大,质量却这么差!""现在是不敢管,无政府主义泛滥,领导机关不敢管

讲话"。

"文化大革命"中,极左思潮也严重地影响了农村经济的发展,广大农民生产的积极性受到极大挫伤。为此,中共九届二中全会后,国务院曾先后召开北方地区农业会议,全国棉花、油料、糖料生产会议和全国林业会议,根据周恩来的多次讲话精神,决定适当放宽农村经济政策,在保证集体经济"占绝对优势"的前提下,允许农民个人经营少量自留地和家庭副业,允许生产队拥有因地制宜种植的灵活性。这实际上是对长期以来农村搞的"一平二调"、"割资本主义尾巴"等"左"的做法的初步纠正。

1971年12月,在进一步批判林彪、陈伯达一伙极左谬论的基础上,中共中央又作出关于农村人民公社分配问题的指示,重申农村人民公社分配必须兼顾国家、集体和个人三者利益,坚持各尽所能、按劳分配的原则;同时,指示还要求各地不要硬搬照套大寨经验,要全面发展。不能把党的政策允许的多种经营当做资本主义去批判。这就在许多问题上纠正了过去"左"的错误,受到广大农民的欢迎。

在"文化大革命"中,林彪、江青集团煽起的"怀疑一切、打倒一切"的极端做法,使得各级领导干部普遍被打倒、挨斗,许多老同志遭到非法监禁、隔离。

就在"九一三"事件发生后不久,周恩来即指示公安部对监狱情况作一次全面检查,并亲自审阅公安部关于检查情况的报告。对在看管人员中存在的宁"左"勿右等错误思想认识,周恩来提出了严肃的批评,要求他们切实改正。与此同时,在毛泽东的过问下,周恩来想方设法,使相当一批老同志解除了囚禁,得到及时治疗和妥善安置。1971年11月间,他亲自派人在贵州找到薛明,要她将贺龙遭林彪一

伙迫害致死的情况及早报告中央,为贺龙平反作好准备。

1972 年 1 月陈毅逝世。出于对老战友的悼念以及对所谓"二月逆流"表示公开否定,毛泽东亲自参加追悼会,并慰问了陈毅的家属和子女。毛泽东此举可以说是要对一些在"文化大革命"中被打倒的党和国家领导人、老同志重新评价的信号。这一信号,也正是周恩来为进一步保护和解放更多老干部所急待看到的。例如,就在这次追悼会上,周恩来曾暗示陈毅的亲属将毛泽东关于邓小平是属于人民内部矛盾的评价传出,以扩大影响,广造舆论。

这一时期,在周恩来的推动下,有关报刊相继发表文章,对党的干部政策作出专门论述,在党内外产生了广泛影响,对加速解放和使用广大老干部起到了扫除思想障碍的作用。此后越来越多的老同志出来重新工作,有的重新担任了中央和地方的领导职务,成为不断纠正"左"的错误的重要力量。

在着重落实党的经济政策和干部政策的同时,周恩来还亲自指导文化、卫生、体育等战线加紧肃清极左思潮的影响,他联系这些部门在"文化大革命"中遭林彪一伙严重破坏的事实,反复强调:过去,林彪造成了极左思潮、形式主义,只搞那个"突出政治",不搞业务,不抓训练;现在要提倡为革命刻苦钻研业务技术,提高质量,勇于攻关。周恩来的这些指示,有力地推动了各条战线批判极左思潮斗争的开展。

1972 年下半年,是批判极左思潮斗争深入发展的时期,也是党和人民同江青集团斗争异常激烈的时期。此前,批判极左思潮的斗争虽然取得了一定成效,但对于经历了五年"文化大革命"动乱的党内外

广大干部群众来说,思想认识中的顾虑和障碍是不可能在短期内得到解决的。正是在这种情况下,周恩来提出了要进一步批判极左思潮的意见。

1972 年 8 月 1 日、2 日,周恩来连续两天在人民大会堂向回国述职大使和外事单位负责人发表长篇讲话,其中贯穿了"要批透极左思潮"这一鲜明主题。他说:"极左思潮是有世界性的。中国也有极左思潮,在我们的鼻子下面也有嘛,外交部也有,驻外使领馆也有。""实际上各单位的极左思潮都是林彪放纵起来的","就是空洞、极端,形式主义、空喊无产阶级政治挂帅,很抽象,这是违反毛泽东思想的"。"关于这个问题,如果我们不好好做工作,还要犯错误。极左思潮不批透,右倾又会起来"。

在推动各条战线深入批判极左思潮的同时,周恩来还不畏险阻,亲自从"文化大革命"中的重灾区教育界、科技界入手,具体帮助广大干部和知识分子排除干扰,解决思想认识问题,尽快恢复教育界、科技界的正常工作。

1972 年 7 月 14 日,根据美籍科学家杨振宁的建议,周恩来当面叮嘱北京大学副校长周培源要认真清理教育科研工作中的极左思潮,提高基础理论水平,把综合大学的理科办好。并强调:"有什么障碍要拔除,有什么钉子要拔掉。"7 月 23日,周恩来就周培源来信写给国务院科教组和中科院负责人的批语中又提出,要将此问题"在科教组和科学院好好议一下,并要认真实施,不要如浮云一样,过了就忘了"。

9 月 5 日,周恩来在接见巴基斯坦总统科学顾问萨拉姆时,再次强调了开展自然科学理论研究的重要性,指出:现在在理论方面我们做得很差,不仅在原子能方

面,就是一般科学也是如此,一句话,许多经验,没有理论,忽视理论,这是我最不满意的。9月11日,他又写信给张文裕和朱光亚,对二机部某所十八位科学工作者来信中提到的发展高能物理研究的建议表示"很高兴",并提醒"这件事不能再延迟了","科学院必须把基础科学和理论抓起来,同时又要把理论研究与科学实验结合起来"。

10月6日,根据周恩来一系列指示精神,周培源在《光明日报》上发表题为《对综合大学理科教育革命的一些看法》一文,文章提出:"工和理、应用和理论都必须受到重视,不能偏废";"要批判'理论无用'的错误思想","充分认识到科学实验和自然科学理论的重大意义"。这篇冲破江青集团设置的重重阻力的文章的发表,公开表明了这一时期教育界、科技界清除极左思潮的强烈愿望,使得在"两个估计"禁锢下备受压抑的广大知识分子受到极大鼓舞和启发。

在教育界、科技界认真贯彻落实周恩来的指示,努力扫除思想障碍,加强基础理论研究工作之际,《人民日报》根据周恩来关于对极左思潮要批透的讲话精神,组织了一版批判无政府主义的文章,其锋芒对准了极左思潮的最突出表现——无政府主义,成为自"九一三"事件以来在党报上首次发表的集中批判极左思潮的文章。如在署名龙岩的批判无政府主义的文章中,以少见的犀利语言,极其尖锐地批判了"文化大革命"中所盛行的"打倒一切"、"砸烂一切"以及"群众运动天然合理"等反动观点,可谓是对"文化大革命"理论和实践的一种变相否定。特别是文章告诫人们要警惕现存的极左思潮的"重新表现",不能不说是击中了江青集团的要害。

周培源的文章发表后,张春桥、姚文元等公然宣称:"不管周培源来头多大",都要追查、反击。随后,张、姚等还指使《文汇报》连续发表文章,对周培源的文章进行围攻,把矛头指向周恩来。

《人民日报》发表的批判无政府主义的几篇文章,更是触到了江青一伙的痛处,他们决意下大力量"刹住"这个"1972年下半年出现的修正主义回潮"。姚文元看了龙岩等的文章后即提出:"当前要警惕的是右倾思潮抬头。"江青更是画龙点睛地说:"这个版就是要在全国转移斗争大方向。"与此同时,江青一伙还一再查问龙岩等文章的"背景"。在张春桥、姚文元的授意下,这一年11月间,《文汇报》内部刊物《文汇情况》连续两期登载批驳龙岩等的文章,江青集团借机在《人民日报》大搞所谓"反右倾回潮"运动。由此,在坚持批极左与反对批极左问题上,以周恩来为代表的党内健康力量同江青集团之间的对立开始变得明朗化、公开化。

11月28日,中联部、外交部在关于召开外事会议写给周恩来的请示报告中提出:鉴于林彪反党集团煽动的极左思潮在外事部门还没有得到彻底的批判和肃清,拟召开一次全国外事工作会议,彻底批判林彪反党集团煽动的极左思潮和无政府主义。11月30日,周恩来即对报告作出"拟同意"的批示。然而,次日张春桥却在送"总理再阅"的批语中明确表示反对批极左,提出:"当前的主要问题是否仍然是极左思潮?批林是否就是批极左和无政府主义?我正在考虑。"12月2日,江青在对报告的批语中更进一步提出,应批林彪卖国贼的"极右","同时也应着重讲一下无产阶级文化大革命的胜利"。

当斗争处于胶着状态之际,《人民日报》一位负责人出于对江青集团大反"右倾回潮"、把矛头对准周恩来的一系列做法的不满,于 12 月 5 日写信给毛泽东,表示"很同意"周恩来关于《人民日报》等单位要批透极左思潮的意见,认为批极左不仅适合机关内部的实际情况,在舆论宣传方面也同样适用。该信中还反映了张春桥、姚文元反对批极左的情况。

但是,在指导思想上仍坚持"文化大革命"错误的毛泽东,此时是不可能赞同批极左的意见的。12 月 17 日,他在对张春桥、姚文元的谈话中明确表示反对批极左思潮,认为来信中的观点不对,当前应当批林彪的修正主义、分裂、阴谋诡计、叛党叛国的"极右"。毛泽东这次谈话后,早就对周恩来心怀不满的江青一伙,这时更是有恃无恐,开始公开向周恩来发难。此后,批判极左思潮的提法便从各种宣传中消失了,取而代之的是批判林彪的"反革命的修正主义路线"、"极右实质"等。1973 年"两报一刊"元旦社论更明确提出,要严格区分两类不同性质的矛盾,始终把批判的矛头对准林彪一伙,"牢牢掌握这个斗争的大方向"。尽管形势发生了根本性变化,但却没有改变周恩来继续批判极左思潮的决心。1973 年,在周恩来的领导下,批判极左思潮的斗争采取含蓄、迂回的方式(即不公开使用"批极左"一词),仍在继续进行。

1973 年 2 月,周恩来在听取国家计委汇报时,历数无政府主义在企业中的种种表现,再度尖锐批判了"文化大革命"中给国民经济带来破坏性后果的极左思潮,指出:"林彪一伙破坏经济所造成的恶果这两年表现出来了"。国民经济"现在根本没有比例",在计划工作上也"没有'王法'了","一定要批透,把破坏性后果消除掉"。他同时还强调,要把"整顿的方针"写清楚,要实行按劳分配和必要的奖励制度。

根据周恩来的指示,在同年年初召开的计划会议上,讨论了国家计委起草的《关于坚持统一计划,加强经济管理的规定》。这个文件同 1972 年计划会议纪要相似,仍以纠正生产管理中存在的极左思潮和反对无政府主义倾向作为指导思想,并重申了政治挂帅要挂到业务上的观点。这一文件的起草和讨论,表明了周恩来实事求是、坚持在经济工作中继续纠正"文化大革命"错误、努力消除其破坏性后果的果敢精神。在文件讨论过程中,全国 28 个省市均对文件表示赞成。但张春桥宣称:这是"拿多数压我们,我坚决反对,我们是光荣的孤立",并强令把文件收回。

与此同时,在全国外事工作会议上,与会的外事干部学习了毛泽东、周恩来几年来有关对外宣传的一系列指示(主要是批评"以我为核心"、"强加于人"等极端做法),排除江青一伙的干扰,批判了林彪一伙煽动的极左思潮和无政府主义及其给对外工作造成的恶劣影响和破坏。这在实际上支持和贯彻了周恩来批准同意的批判极左思潮的主张,否定了江青、张春桥一伙的谬论。

3 月初,周恩来在召集一些外事单位负责人的谈话中,针对不少单位在对待外国专家方面仍存在的排外主义、民族歧视等错误倾向提出批评,指出:"林彪、陈伯达、王、关、戚干扰破坏正确方针政策落实,引起专家对我不满、隔阂,不能与中国人交朋友","一定要批判这些错误,自我批判后,我们就主动";"要向外国专家公开承认错误,不要怕这样做又要犯右的错误"。几天后,他又当着各国专家及其家属的面率先作出自我批评,他说:"这个责任我们要负,我作为政府的负责人,我应该负更多的责任。"同时,他还代表我党和政府宣布:欢迎过去离开中国的外国专家重回中国工作,以弥补当时未照顾好他们的过失。周恩来这一光明磊落之举,使在场的外国专家们深为感动。

在解放干部和平反冤假错案方面,周恩来同样进行着不懈的努力。1972年12月18日,即毛泽东否定批极左意见的次日,周恩来就明确提出:谭震林"是好同志,应该让他回来";同时,对当时"大闹怀仁堂"一事解释为"是林彪故意造成打倒一批老同志的局势所激成的",意在说明事实真相,以保护谭。对已经解放的老干部,他则提出应让他们参加领导班子,以调动他们的积极性,发挥他们应有的作用。1973年3月10日,周恩来致信毛泽东,建议抓紧做好解放干部和平反冤假错案的工作,并具体提出先易后难的方案,送政治局讨论。待中组部提出了一个三百多人的名单后,他又亲自主持政治局会议逐一研究、通过。同时,根据毛泽东批示,党中央决定恢复邓小平党的组织生活和国务院副总理职务,成为周恩来继续领导的这场斗争中的一个重要事件,对后来党和人民的斗争产生了意义深远的影响。

斗争最后遭到挫折

自1971年底以来,周恩来领导的这场持续纠正"左"的错误的斗争,由于符合全党和广大人民群众的心愿,因而得到了绝大多数人的支持、拥护,但同时也遭到江青集团的愈来愈凶猛的反扑。1973年下半年起,江青一伙又从教育界开刀,连续制造了交白卷典型、批《园丁之歌》、批"师道尊严"、突袭考教授、马振抚公社中学等事件,在全国掀起一股股批所谓修正主义"回潮"、"复辟"的恶浪,其矛头无一

不是对准周恩来及其代表的党内健康力量。对此,周恩来等虽然坚持斗争,但毕竟已力不从心。

这一年8月间在中共十大,势力得到加强的江青集团,此时向周恩来等进行反扑的一个最有代表性的事件,就是迟群一伙在清华大学搞的所谓"三个月运动"。为发动这场运动,迟群连续发表讲话,把广大教职员工对"文化大革命"的不满和对"教育革命"、"两个估计"的抵制,统统说成是在教育界"出现了一股翻案风",是"搞反攻倒算";提出知识分子队伍中"暴露了一小撮右派",要"毫不留情地揭露批判"、进行"反击",等等。由此,从10月至12月,清华园内出现了上揪"资产阶级复辟势力代表人物"、下扫"复辟势力的社会基础"的"反回潮"运动。运动中,迟群一伙为进一步对广大知识分子进行打击迫害,派人进驻学校教研组和一些"重点单位",大搞所谓"揭盖子"、"夺权"和"占领阵地"。这场运动,严重地影响到北京和外省市的许多院校。

在"反回潮"运动的基础上,经毛泽东批准,江青一伙于1974年初发起全国性的批林批孔运动,对周恩来进行极其露骨的诬蔑、中伤。周恩来陷于更加困难的境地。

周恩来领导的1972年前后批判极左思潮的斗争,虽然最终遭到挫折,但它对于当时以及后来的政治、经济形势,都产生了深刻的影响,成为党和人民在十年"文化大革命"中所进行的艰难的曲折斗争的一个不可分割的组成部分。

打开外交新局面

一

中美关系缓和

进入20世纪70年代，国际形势经第二次世界大战后20余年的发展，发生了巨大变化。毛泽东、周恩来审时度势，适应形势变化的需要，及时作出了富有远见和胆略的重大外交决策，采取灵活机动的措施，开拓了外交工作的新局面。这种局势转变的关键性一环，即是中国同美国关系的缓和。

20世纪60年代后期，随着中苏关系的破裂，中国作为一支独立的重要力量登上国际政治舞台，促成了世界战略格局中、苏、美三角关系的形成。由于苏联趁美国陷入越战困境，需要从亚洲收缩力量之机，加强军备，加紧向外扩张，与美争霸，攻势逼人，不仅使中国，也使美国开始认为苏联是对世界和平及对自身安全的最大威胁。共同的国家安全利益为中美联合抗衡苏联提供了基础和前提，中美关系由此出现了缓和的转机。中国对外交政策的调整，以及改善对外关系的努力，又为打破中美"20年长期交恶"的僵局准备了条件。

1969年1月，尼克松就任美国总统，

他在就职演说中提出："经历了一个对抗的时期之后，我们正在进入谈判的时代。"并针对中美关系问题说道："我们谋求建立一个开放的世界"，"大小国家的人民都不会怒气冲冲地处于与世隔绝的地位。"①3月，美国国务卿罗杰斯在参议院外交委员会发表了期待与中国缓和紧张关系，欢迎恢复同中国之间会谈的讲话，这被视为尼克松政府有关对华政策的第一个声明。随后，美国政府作出了放宽公民到中国旅行、部分取消对中国贸易禁运、减少美第7舰队在台湾海峡的活动等松动美中关系的姿态。美参议院民主党领袖曼斯菲尔德还给周恩来写信要求访华，尼克松也利用访亚、欧国家之机，托巴基斯坦总统叶海亚和罗马尼亚总统齐奥塞斯库向中国领导人转达美国愿意同中国建立良好关系等意图。9月9日，为进一步打开对华关系的僵局，尼克松破例接见美驻波兰大使斯托塞尔，要求他秘密接触中国驻波使馆官员，建立联系，以便尽快恢复华沙中美大使级会谈。中国驻波代办雷阳急速向国内报告了美方的接触意图。12月11日，根据周恩来指示，雷阳邀请斯托塞尔到中国驻波大使馆做客。斯托塞尔代表美方提出了正式恢复两国间大使级会谈的建议。中美双方代表在中美大使级会谈中断两年后进行了首次会晤。

对于美国发出的种种缓和信号，中国不失时机地作出了积极的反应。《人民日报》转载了尼克松总统的就职演说，向全国披露了美国出现的调整对华政策的苗头。与此同时，周恩来指示有关部门摸清美国的战略意图，探讨双方接触的可能性。中共九大以后，陈毅等四元帅接受毛泽东交给的战略务虚任务，于1969年6月

---

① 《人民日报》1969年1月28日。

至 10 月多次座谈国际形势,提出了从战略上打美国牌等问题,并写出书面报告,供中央参考。陈毅还提出了打开中美关系的设想。7 月和 12 月,中国相继释放了 4 名乘游艇误入中国领海被拘捕的美国游客。9 月 11 日,周恩来与柯西金的机场会谈,使尼克松进一步感到了改善美中关系的紧迫性,加速了两国缓和的进程。

1970 年 1 月 8 日,雷阳会见斯托塞尔,表示奉命原则上同意恢复中美华沙大使级会谈。1 月 20 日和 22 日,雷阳与斯托塞尔先后进行了第 135 次和 136 次大使级会谈。会谈中,美方首次默认台湾问题由中国人自己用任何和平方式加以解决。中方则表示放弃台湾问题不解决其他问题一概不谈的"一揽子"解决方案,打破了在此问题上持续了 15 年之久的僵局。此后由于美国入侵柬埔寨,毛泽东发表著名的《五二〇声明》,支持西哈努克亲王反对美帝及其走狗的斗争精神,中美接触暂时中断。但不久双方又开始进行新的缓和试探。7 月,尼克松在非正式回答美国记者提出的问题时,赞同美中建立正常外交关系。中国则提前释放了以间谍罪被判处 20 年徒刑的美国詹姆斯·华理柱主教。10 月 1 日,毛泽东在天安门城楼接见了美国作家埃德加·斯诺,让他站在身边,一起检阅了国庆游行队伍。次日,《人民日报》还发表了斯诺与毛泽东在一起的巨幅照片,发出了缓和的信息。10 月末以后,尼克松利用叶海亚和齐奥塞斯库访美之机,建立了美中进行秘密联系的"巴基斯坦渠道"和"罗马尼亚渠道",双方通过这两个渠道互通信息。美方表达了与中国进行高级会谈的愿望,中国则表示欢迎美总统派特使来北京商谈。12 月 18 日,毛泽东在会见斯诺时说:"如果尼克松愿意来,我愿意和他谈,谈得成也行,谈不成也

行","总而言之都行"。明确表示欢迎尼克松来访。这是中国最高领导人 20 余年来第一次表明欢迎一位美国总统访华的立场,标志着中国对美政策的重大转变。

1971 年 2 月,美国配合南越傀儡部队侵犯老挝九号公路,轰炸"胡志明小道"。中国外交部发表声明,予以严厉谴责。中美关系再度受挫。当美方寻求缓和气氛之时,4 月,周恩来根据毛泽东的决定,指示有关部门邀请在日本参加第 31 届世乒赛的美国乒乓球队访华,并亲自接见了美国运动员和记者。"乒乓外交攻势"以民间往来形式走出了松动中美双方关系的第一步,"小球转动了大球"。4 月 21 日,中国抓住时机向美国政府发出口信,重申愿意公开接待美总统特使如基辛格博士或国务卿甚至总统本人来北京进行直接晤谈。美国连续 3 次向中国发回口信,尼克松表示准备访问北京,并提议由基辛格同周恩来或另一位适当的高级官员举行一次秘密的预备会议。5 月 26 日,中共中央政治局召开会议,讨论预定于 6 月中旬举行的中美预备会议,确定了要掌握和坚持的方针,即美一切武装力量和专用军事设施应规定期限从中国台湾省和台湾海峡地区撤走等 8 项原则。5 月 29 日经毛泽东批准,以周恩来名义向美发出了欢迎尼克松访华,欢迎基辛格作为中美预备会议美方代表提前来京的口信。尼克松和基辛格接信后即将基辛格此行代号定为"波罗行动",以与 13 世纪意大利旅行家马可·波罗来华"探险"的行动相比拟。

1971 年 7 月 9 日至 11 日,基辛格秘密访问中国,与周恩来先后会谈了 17 个小时,会谈中,双方着重讨论了台湾问题。周恩来坚持美国必须承认台湾是中国的一个省,台湾问题是中国的内政,不容外人干预;美国必须确定撤走驻台美军的期

限,并废除美蒋《共同防御条约》等立场。基辛格则表示:一、承认台湾属于中国,希望台湾问题和平解决;二、美国不再与中国为敌。不再孤立中国,在联合国内将支持恢复中国的席位,但不支持驱逐蒋介石集团和代表;美国承认中华人民共和国政府为中国唯一合法政府的问题,留到尼克松总统第二届任期去解决;三、美国准备在印度支那战争结束后一个规定的短时期内撤走其驻台美军的2/3;至于美蒋《共同防御条约》,美国认为历史可以解决这个问题。基辛格的上述谈话尽管仍存在严重缺陷和保留,但毕竟表明尼克松政府愿意在改善中美关系问题上向前迈进一步。中美双方迅速就尼克松总统访华一事达成了协议。7月16日(美国时间15日),中美双方同时发表公告,宣布中国政府邀请美国总统尼克松在1972年5月以前的适当时间访华,尼克松总统愉快地接受了这一邀请。中美公告的发表成为"20世纪最出人意外的外交新闻之一",震惊了全世界。根据双方达成的协议,自1971年7月起开始启用"巴黎渠道"作为中美直接联系的新途径,由中国驻法大使黄镇与美驻法使馆武官沃尔斯特担当这项秘密使命。中美双方频繁利用此渠道商讨中美苏三角关系问题,并为尼克松访华作准备。

10月20日至26日,美国实施"波罗二号"行动计划,基辛格再次访华,与周恩来举行会谈,为尼克松访华进行了具体安排,并就中美联合公报的主要内容达成了协议。与此同时,中国在联合国的合法席位得到恢复,这为中国广泛开展国际交往创造了更为有利的条件。11月30日,中美双方发表公告,宣布中美两国政府商定,美国总统尼克松将于1972年2月21日开始访问中国。

1972年新年伊始,美国方面派出以国家安全事务副助理黑格准将为首的先遣组来华作总统来访的保安、电视转播、新闻发布程序等技术性安排。2月21日上午11时40分,美国总统尼克松抵达北京,周恩来亲自在机场迎接。当天下午,毛泽东会见了这位新中国成立后第一位来访的美国总统,在长达一个多小时的会见中,就中美关系等问题坦率地交换了意见。当晚,周恩来在人民大会堂举行了欢迎尼克松的宴会。周恩来与尼克松在京举行了4次会谈,而后移至上海会谈一次。与此同时,中国外交部长姬鹏飞与美国国务卿罗杰斯举行了5次双边关系会谈。2月28日,中美双方经反复磋商,在上海正式签订并发表了《中美联合公报》(又称《上海公报》)。

《上海公报》确认:(一)各国都应根据和平共处五项原则处理国与国之间的关系;(二)双方声明,任何一方都不应在亚洲—太平洋地区谋求霸权,任何一方都反对任何其他国家或国家集团建立这种霸权的努力;(三)美国认识到,在台湾海峡两边的所有中国人都认为只有一个中国,台湾是中国的一部分。美国政府对这一立场不提出异议,并确认从台湾撤出全部美国武装力量和军事设施的最终目标;(四)双方同意通过不同渠道保持接触,包括不定期派遣美国高级代表来北京,等等。《上海公报》的发表,是开拓中国外交工作新局面的重要一步,它作为中美关系史上的里程碑,标志着中美关系正常化进程的开始,相互隔绝20余年的两国关系从此进入了一个新的阶段。中美接近引起了世界巨大反响,使整个亚太地区因美国长期封锁中国而造成的紧张局势得到了缓解。

此后,中美双方都采取积极态度,加

快两国关系正常化的进程。1972 年 3 月，中美双方驻法大使在巴黎开始定期举行正式会晤。1973 年 2 月，基辛格第 5 次访华，与周恩来商定各自在对方首都建立联络处。2 月 17 日，毛泽东在会见基辛格时说到要搞一条横线，就是纬线，美国、日本、中国、巴基斯坦、伊朗、土耳其、欧洲，实际提出了他正在形成的，建立重点反对苏联霸权主义国际统一战线的战略构想。中美关系在联合抗衡苏联威胁的基础上进一步发展。5 月 1 日，中美双方互设的联络处正式开始工作，双方的联络处主任黄镇和布鲁斯分别到达华盛顿和北京任所。两国共同朝着正式建立外交关系的方向迈进了一大步。

1973 年 11 月 10 日，基辛格第一次以国务卿身份访华，与周恩来举行了会谈。12 日，毛泽东再次接见基辛格。14 日，中美两国就基辛格第 6 次访问的结果发表公报，进一步提出：双方都不在亚太地区或世界任何其他地区谋求霸权，都反对其他国家或国家集团建立霸权的努力。这实际明确宣告，中美双方将共同反对苏联或苏联集团向世界范围的扩张。公报还在台湾问题上强调了"一个中国"的原则。双方表示将在《上海公报》的基础上，为促进中美关系正常化而继续努力。

1974 年 4 月，邓小平副总理在赴美出席联合国大会第 6 届特别会议期间，与基辛格谈到中美关系正常化问题。基辛格说，美国正在研究如何实现"一个中国"的设想，但尚未想出办法来。邓小平表示，中国希望这个问题能较快解决，但也不着急。此后，美国统治集团内部矛盾斗争尖锐化，发生了"水门事件"，尼克松被迫辞职。

同年 8 月福特就任美国总统后，于办公的第一天就会见中国驻美联络处主任黄镇，重申美国将继续遵循《上海公报》的原则，追求与中华人民共和国关系正常化的目标。11 月，美国务卿基辛格第 7 次访华，中美双方进行了会谈。但尽管福特和基辛格一再强调同中国改善关系的重要性，进入 1975 年以后，中美关系还是明显趋于冷淡。1975 年 12 月 1 日，福特总统访华，与毛泽东就国际问题进行了谈话，并与邓小平副总理进行了会谈。12 月 7 日，福特在夏威夷大学东西方中心发表讲话，提出了被称之为"新太平洋主义"的美国对亚太地区的 6 点政策纲领，强调了同中国关系正常化的重要性，并重申在亚太地区及世界任何其他地区反对霸权主义的立场，从而在一定程度上缓和了毛泽东等中国领导人关于美国对苏联搞"绥靖主义"的批评。但是 1976 年中国国内开始"批邓"，以及周恩来、毛泽东相继去世，福特也在同年 11 月的总统竞选中失利，中美关系处在原地踏步的状态，延至 1979 年元旦才正式建交。

中美敌对状态的结束，对中国同日本、西欧国家的关系产生了积极的影响。20 世纪 70 年代初，中国与西欧国家出现了建交高潮。1969 年前只有瑞典、丹麦、瑞士、芬兰、挪威、法国等 6 个国家与中国建立了大使级外交关系，英国和荷兰与中国仅有代办级外交关系。而至 70 年代末，除安道尔等 4 个国家外，中国已与西、北、南欧所有国家建立了外交关系，包括与英、荷关系从代办级升为大使级，同圣马力诺建立总领事外交关系。1975 年中国还与欧洲共同体建立了正式关系，与加拿大、澳大利亚、新西兰等国也于 70 年代初先后建交。

中华人民共和国恢复
在联合国的合法席位

中国是联合国的创始会员国和安全理事会五个常任理事国之一。1949 年 10 月新中国成立后,中国在联合国及其所属组织的席位,理应由中国的唯一合法代表中华人民共和国所占有。但由于美国采取敌视新中国的政策,在 20 世纪 50 年代操纵表决机器,实施搁置恢复中国在联合国合法权利问题的"拖延讨论"手法,并从 1961 年起操纵表决机器,把恢复中国在联合国合法权利这样一个简单程序性问题,说成是需要 2/3 多数通过的"重要问题",中华人民共和国被长期无理地拒绝于联合国之外。但是,随着亚非拉一些新独立国家不断加入联合国,至 60 年代末,联合国 127 个会员国中亚非拉前殖民地国家即占有 92 个,其中 58 个是第二次世界大战后新独立国家。亚非拉国家在联合国席位的增加,增强了对美国控制联合国进行牵制的力量,也增加了中国恢复在联合国席位的有利因素。

1970 年,在第 25 届联合国大会上,阿尔巴尼亚、阿尔及利亚等 18 国提出的恢复中国在联合国的一切合法权利并驱逐蒋介石集团的提案,在讨论表决时获得简单多数票。这是多年来联大表决恢复中国合法席位问题时赞成票首次超过反对票。当时会场上掌声四起,持续良久。表明了美国阻挠中国行使在联合国合法权利的行为实际已告失败。

1971 年初,随中美关系的逐步解冻,美国政府为避免招致国内一些势力的强烈反对,提出了既接纳中华人民共和国进入联合国、又保留台湾当局席位的双重代表权方案。4 月 28 日,美国国务院发言人布雷两次发表谈话,提出台湾和澎湖列岛的主权是一个未决的问题,应由"两个中国政府"通过谈判解决,试图在联合国奠定"两个中国"的法律基础。对此,《人民日报》5 月 4 日发表评论,谴责美国政府干涉中国内政。

1971 年 7 月 15 日,阿尔巴尼亚、阿尔及利亚等 18 国致函联合国秘书长吴丹,要求将恢复中华人民共和国合法权利问题作为紧急问题列入第 26 届联大议程,并向联合国大会提出决议草案,要求恢复中华人民共和国在联合国的一切合法权利,承认中华人民共和国的代表是中国驻联合国唯一合法代表,承认中华人民共和国是安理会五个常任理事国之一,立即把蒋介石集团的代表从联合国及其所属一切机构中驱逐出去。但美国继续坚持其立场,8 月 17 日,美驻联合国首席代表乔治·布什根据国务卿罗杰斯于 8 月 2 日发表的《关于中国在联合国的代表权问题的声明》,向联合国秘书长递交了一封信和一份备忘录,正式要求把关于中华人民共和国应当有代表权,同时应规定不剥夺中华民国代表权的"中国在联合国的代表权问题"的议题,列入联大第 26 届会议议程。对此,8 月 20 日中国外交部发表声明予以严厉驳斥,坚决反对"两个中国"、"一中一台"的主张,反对"台湾独立"的阴谋。

1971 年 10 月 18 日至 25 日,联合国大会第 26 届会议就恢复中华人民共和国在联合国的合法权利提案进行专题辩论,提案参加国由 18 个增至 23 个,约 80 个会员国代表发言。美国邀集日本等国于 9 月 22 日向大会提出的"重要问题"和"双重代表权"两个提案愈来愈不得人心。虽然美日代表四处活动,美还指使某些国家出面要求推迟表决,但不仅推迟表决的动议为大会所拒绝,而且"重要问题"提案也以 55 票赞成(包括台湾当局一票)、59 票反对、15 票弃权而被大会否决。美国代表布什提出的删去阿尔巴尼亚等 23 国提案中关于立即驱逐蒋介石集团代表出联合国一节的要求,经大会主席马利克裁决予以否定之后,台湾当局"外交部长"周书楷被迫宣布"中华民国"退出联合国组织,并率"代表团"离开了会场。接着 23 国提案以 75 票赞成、35 票反对、17 票弃权的压倒多数获得通过。"双重代表权"提案随之未付诸表决即已成为废案。美国驻联合国代表也不得不承认:"任何人都不能回避这样一个事实——刚刚投票的结果实际上确实代表着大多数联合国会员国的看法。"①

1971 年 11 月 15 日,以乔冠华为团长、黄华为副团长的中华人民共和国代表团出席联合国大会第 26 届会议全体会议,受到极为热烈的欢迎。乔冠华登上联大讲坛,发表重要讲话,向联合国全体会员国全面阐述了中国的外交政策,指出:中国反对帝国主义、殖民主义、霸权主义和种族主义,反对大国欺侮小国,强国欺侮弱国;国家不论大小应一律平等,和平共处五项原则应该成为国与国关系的准则,任何一个国家的事要由这个国家的人民自己来管,联合国的事要由参加联合国的所有国家共同来管。他宣布:中国支持一切被压迫国家争取自由独立、反对外来干涉、掌握自己命运的正义斗争,支持亚非拉国家维护民族权益、反对外来经济掠夺的斗争;中国要求裁军,特别是核裁军。11 月 23 日,中国常驻安理会代表黄华出席了安理会会议,开始履行中国作为安理会五个常任理事国之一的职责。黄华表示:中国将同一切爱好和平、主持正义的国家和人民一道,为维护各国的民族独立和国家主权,维护国际和平、促进人类进步事业而共同努力。乔冠华和黄华的发言,阐明了中国以后参加联合国各项工作所要坚持的基本立场。从此始,中华人民共和国代表团出席了历届联合国会议,与广大会员国一道,为贯彻执行联合国宪章的宗旨和原则,作出了不懈的努力。

中国在联合国合法席位的恢复是开拓中国外交工作新局面的一个重要方面。它反映了新中国国际地位的提高,反映了世界各国要求同中国发展友好关系的大势,对世界和平与进步事业具有极为重要的意义。

中日建交

"文化大革命"前,中日官方关系由于日本政府追随美国敌视中国的政策,一直没有出现根本性好转。1964 年 11 月,佐藤荣作内阁上台后,双方关系反而有所后退。1966 年 3 月,佐藤政府公开承认日本加入美国"遏制中国"的核战略体系,日本官员还宣传要在亚洲"发挥领导能力",与中国对抗。7 月,日本政府无理拒绝参加第 12 届禁止原子弹氢弹世界大会的中国代表团团长入境;11 月,又纵容右翼团体的暴徒冲入中国在名古屋举行的经贸展览会广场捣乱破坏。1967 年 9 月更发生了日方出动警察、特务,打伤廖承志办事处驻日人员多人的恶性事件。1969 年 11 月佐藤访美,美日双方发表的联合公报声称,台湾是"日本安

---

① 引自《当代中国外交》,社会科学出版社 1988 年,第 322 页。

全的一个极重要因素"，日本要在印度支那地区发挥"作用"。1970年6月22日，美日两国政府又发表声明，宣布当日期满的日美《安全条约》"自动延长"。对此，《人民日报》6月23日发表社论《坚决粉碎侵略性的美日军事同盟》，强烈谴责美日加紧复活日本军国主义，扩大对亚洲的侵略的阴谋。佐藤政府在反华的道路上越走越远，中日关系进一步恶化。

在日本政府强化敌视中国的政策时，中日民间交往和贸易关系仍继续发展。1970年8月，负责筹备在名古屋举行的第31届世界乒乓球锦标赛的日本乒协会长后藤钾二开始为中国参赛进行活动。1971年11月25日，后藤应中方邀请抵京与中国乒协会谈，并受到周恩来接见。2月1日，中日双方签署了中国乒协、中国对外友协与日本乒协、日中文化交流协会《会谈纪要》，日方表示遵循不参加制造"两个中国"的阴谋等中日关系政治三原则，中方表示将接受邀请派队参赛。3月，毛泽东批准中国代表团参加第31届世乒赛，继之又对美展开了"乒乓外交"攻势，不仅直接导致了中美关系的突破性进展，也使日本政府产生了改善对华关系的紧迫感。此后7月，中美同时发表尼克松应邀访华的公报，10月，中国在联合国合法席位得到恢复，1972年2月，尼克松访问中国，中美关系解冻，直接推进了中日建交的行程。

国际形势的这些变化，使日本佐藤政府也开始在对华政策上出现松动。1971年，佐藤在国会表示考虑派遣相当于内阁成员级别的官员访华，并在议会明确宣布中国政府是代表中国人民的政府，台湾问题是中国的内政。中国在联合国的合法席位恢复后，12月，中日两国备忘录贸易办事处代表即发表了会谈公报，日方代表表示完全赞同中方代表提出的中日复交三原则：中华人民共和国政府是代表中国的唯一合法政府；台湾是中华人民共和国领土不可分割的一部分；日台条约是非法的，无效的，应予废除。1972年4月5日，佐藤又托人转递信件给周恩来，再次表示会谈的愿望。6月18日，中转人接到转来的周恩来回函，表示可以在北京与佐藤见面，商谈中日问题。但是尼克松抛开伙伴日本秘密地直接同中国发展关系的"越顶外交"，极大地冲击了日本政府，导致了6月17日佐藤的辞职下台。佐藤在自己任职内打开恢复日中邦交缺口的愿望因而未能实现。

1972年7月7日，田中内阁成立伊始即把实现日中邦交正常化作为自己的首要任务，采取了许多实际步骤谋求解决日中两国关系问题。对此，中国政府也及时作出了积极响应。7月9日，周恩来总理在欢迎也门民主人民共和国政府代表团宴会上的讲话中表示：田中内阁"在外交方面声明要加紧实现中日邦交正常化，这是值得欢迎的"。7月16日，周恩来会见日本社会党前委员长佐佐木更三时又进一步指出：恢复中日邦交是两国人民的长期愿望，是历史发展的必然趋势；田中政府采取向前看的政策，反映了广大人民的愿望；如果日本现任首相、外相或其他大臣来谈恢复邦交问题，北京机场准备向他们开放，欢迎田中本人来。7月18日，田中内阁通过了对在野党国会议员提出的中日关系问题所作出的答复，表示充分理解中方提出的恢复日中邦交三原则。8月11日，日本外相大平正芳在与中国上海舞剧团团长孙平化和中日备忘录贸易办事处驻东京联络处首席代表肖向前会晤时正式转告说：田中首相要为谈判实现日中邦交正常化问题访问中国。9月14日，以小坂善太郎为首的自民党访华团来京,同周恩来等举行了会谈。9月21日,中日两国政府同时发表了关于日本首相田中角荣访华的公告。

1972年9月25日至30日,田中首相应周恩来邀请访华。27日,毛泽东会见了田中首相,双方进行了认真友好的谈话。29日,中日双方签署并发表了两国政府联合声明,宣布自1972年9月29日起建立外交关系。声明指出,日方对过去由于战争给中国人民造成的重大损害,表示深刻的反省。日本政府承认中华人民共和国政府是中国的唯一合法政府,并对中国政府关于台湾是中华人民共和国领土不可分割的一部分的立场,表示理解和尊重。声明还提出,两国任何一方都不应在亚太地区谋求霸权,都反对任何其他国家或国家集团建立这种霸权的努力。这实际表明,双方要在反对苏联霸权主义方面相互支持。随后,日本与台湾当局断绝"外交关系",并于1973年初与中国互设大使馆,互派大使。1974年,中日双方签订了贸易、航空、航海三协定。1975年,双方又签订了渔业协定,并开始进行缔结和平友好条约的谈判。两国间政治、经济、文化方面的关系不断发展。

中日建交是中国外交工作新局面的又一开拓,它打开了两国和平友好关系发展的历史新篇章,对于反对霸权主义,缓和亚洲紧张局势,维护世界和平具有重要影响。

四

同第三世界国家 友好合作关系的发展

加强和发展同第三世界国家的团结合作是中国外交工作的一个基本立足点。随着周恩来和毛泽东对外交工作中"左"倾偏差的纠正,20世纪70年代中国同第三世界国家友好关系的发展又迈上了一个新台阶,不但同一些国家的关系有了明显修复,至1972年2月止,同尼泊尔、缅甸、肯尼亚、突尼斯、布隆迪、锡兰和加纳等国恢复并发展了关系,而且出现了一个大范围的建交高潮。

1.与亚洲国家。在1972年2月后新建交的国家中,东南亚和南亚地区有马来西亚、菲律宾、泰国、孟加拉、马尔代夫5国,为加强中国同周边国家的睦邻友好关系创造了有利条件;西亚地区有科威特、土耳其、伊朗等7国,使中国在具有重要战略地位和经济潜力的中东地区有了更多的朋友。与此同时,中国与亚洲国家的贸易关系也不断得到发展。贸易总额由1966年的20.1174亿美元增至1976年的69.3956亿美元,最高时的1975年,达到377.3606亿美元。

2.与非洲国家。中国一贯真诚地援助非洲人民争取民族独立和反对外来干涉的斗争。经"文化大革命"初期中非关系的倒退、恶化,1970—1976年,中国与非洲国家关系已进入逐步恢复与好转阶段。特别是毛泽东"三个世界划分"的观点是在同赞比亚总统卡翁达会见时提出的,这对于相当一部分非洲国家,产生了极为重要的影响。过去与中国关系恶化的国家,如布隆迪、肯尼亚、达荷美(贝宁)、加纳、突尼斯,于1971年和1972年全部同中国复交或改善关系。新建交的国家有毛里求斯、多哥、加尔加什、扎伊尔等22个国家。1976年8月,中国同中非共和国在断交10年之后也恢复了大使级外交关系。到1976年底,在当时非洲48个独立国家中,同中国交往的国家达41个。这一时期,访问中国的非洲国家首脑达 25 位,1974 年一年就有 8 国领导人访华。与此同时,非洲国家在政治上给予中国的支持也很显著。1971 年 10 月联大第 26 届会议投票表决恢复中国在联合国的合法席位时,非洲有 26 个国家投了赞成票,占赞成票总数(76 票)的 1/3 强。可以说,非洲国家的态度在表决中起了决定性作用。此外,中国与非洲国家的经济技术合作关系也有很大发展。中非贸易总额则从 1970 年的 1.7721 亿美元增加到 1975 年的 6.7126 亿美元。1975 年 10 月中国对非洲国家最大的援建项目坦赞铁路建成通车,1976 年的 7 月正式移交营运。这条铁路的建成不仅对沟通东南部非洲国家间的货物流通和旅客往来,对坦、赞经济的发展,具有十分重要的作用,而且对中非关系的发展产生了重大影响。

3. 与拉丁美洲国家。20 世纪 70 年代,中国与拉丁美洲国家的关系有了突破性进展。在此以前,中国与拉美国家建有外交关系的仅古巴(1960 年建交)一国,1970 年中国与智利建交后,又与秘鲁(1971)、墨西哥(1972)、阿根廷(1972)、圭亚那(1972)、牙买加(1972)、特立尼达和多巴哥(1974)、委内瑞拉(1974)、巴西(1974)、苏里南(1976)等国建立了外交关系。中国与拉美国家的贸易也有了显著增长,从 1969 年的 1.3064 亿美元增至 1976 年的 3.1181 亿美元,最高时的 1975 年达 4.7568 亿美元。

中国同亚非拉第三世界国家友好合作关系的发展,成为中国外交工作新局面开拓的又一重要方面,它进一步巩固了中国外交战略中拟定的反对霸权主义的国

际统一战线,加强了中国在发展中国家的政治地位。

毛泽东"三个世界划分"的战略思想

一

毛泽东"三个世界划分"战略思想的提出

"三个世界"术语的明确提出,始于 20 世纪五六十年代。其中"第三世界"一词,由法国人口统计学家和经济史学家艾尔弗雷德·索维于 1952 年首次使用,其含义为"第三等级",指一种"被忽略、待开发、具有革命潜力"的力量[1],后又成为"第三种力量"的同义语,意指五六十年代国际舞台上以法国为首的独立于美国、苏联两大力量之外的第三种政治势力。1966 年,美国华盛顿大学社会学教授欧文·路易斯·霍罗维茨在他的《发展中的三个世界》一书第一次明确指出:第三世界即指"不结盟国家和非卫星国",它包括非洲、亚洲和拉丁美洲的一些国家,从经济角度划分,包括阿尔及利亚和南斯拉夫,从政体角度划分,包括印度和中国[2]。"第三世界"一词的提出与界定,是第二次世界大

---

[1] Leslie Wolf-phillips, *"Why 'Third world'? Origin, definition and nusage"*, Third World Quarterly, 1979. 1.

[2] Irving Louis Horowitz, *"Three Worlds of development"*, New York Oxford Univ. Pr. , 1966; Znd ed. , 1972.

战后殖民地两次民族独立高潮为东西方关系注入南北矛盾新因素,世界两极政治开始向多极政治过渡的历史现实在国际关系理论上的必然反映。

与此同时,霍罗维茨还在上述著作中对"第一世界"和"第二世界"的定义、范围作了确定。他提出:第一世界是"由美国,包括其西欧联盟和拉丁美洲及其他地区的卫星国所控制的世界",这个世界经济发达,不仅是资本主义者,而且还是殖民主义者;第二世界是"由苏联,包括其东欧联盟和亚洲部分地区的卫星国所控制的世界",这个世界建立的是社会主义经济体制,政治上实行民主制。这种确定实际是对第二次世界大战后美苏两极对峙的世界格局的一种认同,是世界对抗着的东西两股政治势力、两大阵营的另一种表现形式,其随社会主义阵营的解体而逐步失去意义。

毛泽东作为一个伟大的政治家和战略家,则于1964年初提出了中间地带有两部分和两个第三世界的观点:一个中间地带即第一个第三世界是亚、非、拉经济落后的国家,另一个中间地带即第二个第三世界是以欧洲为代表的帝国主义和发达资本主义国家。这是毛泽东第一次使用"第三世界"这一概念。而当中国在20世纪70年代初打开中美、中日外交大门,面向世界制定外交战略时,毛泽东根据中苏关系的变化和国际政治力量格局的发展趋势,也把注意力集中到了"三个世界划分"的问题上。

1970年6、7月间,毛泽东在几次接见外宾的谈话中都谈到三个世界的概念和含义问题,并且首次明确表示,中国属于亚非拉第三世界。在这些谈话中,毛泽东开始留意第一、第二世界的提法,注重从策略的角度提出问题,针对"超级大国"的

提法,提出了"中等国家"的概念,实际强调了美苏两个大国对世界构成的威胁。10月,毛泽东指出,"第一中间势力是第三世界",要争取英国、法国、联邦德国等"第二中间势力",认为"这对我们有利"。1971年6月,毛泽东又对外宾表达了自己对"超级大国"概念的理解:原子弹多,霸占地方多,可以控制别国。在1973年几次接见外宾的谈话中,毛泽东对关于三个世界的划分及其含义有了比较明确的表达。3月,他指出,亚非拉都叫第三世界,但日本除外。6月,他说,我们都是第三世界,就是叫做发展中国家。7月,他把苏联同全世界帝国主义并列作为压迫第三世界的国家,并再次指出日本不属于第三世界。10月和11月的谈话也都反复强调了世界不安宁,苏联对欧、亚、非的野心。

1974年2月22日,毛泽东在会见赞比亚总统卡翁达时最终借用世界上早已有之的第一、二、三世界的术语,完整而准确地表明了自己对三个世界划分的看法,提出:"我看美国、苏联是第一世界。中间派,日本、欧洲、加拿大,是第二世界。咱们是'第三世界'。""美国、苏联原子弹多,也比较富。第二世界,欧洲、日本、澳大利亚、加拿大,原子弹没有那么多,也没有那么富,但是比较第三世界要富。""第三世界人口很多。亚洲除了日本,都是第三世界。整个非洲都是第三世界,拉丁美洲是第三世界。"2月25日,毛泽东又在会见阿尔及利亚革命委员会主席布迈丁时,进一步补充这一观点说:"中国属于第三世界。因为政治、经济各方面,中国不能跟富国、大国比,只能跟一些比较穷的国家在一起。"

同年4月10日,经毛泽东审阅批准,邓小平在联大第6届特别会议上第一次向全世界阐释了毛泽东关于"三个世界划分"的思想,指出:"从国际关系的变化看,

现在的世界实际上存在着互相联系又互相矛盾着的三个方面、三个世界。美国、苏联是第一世界,亚非拉发展中国家和其他地区的发展中国家,是第三世界。处于这两者之间的发达国家是第二世界。""中国属于第三世界"。第三世界国家和人民加强团结,并联合一切可以联合的力量,就一定能取得反对殖民主义、帝国主义、霸权主义斗争的新胜利。"中国现在不是,将来也不做超级大国"。"在欺负人方面,打着社会主义旗号的超级大国尤为恶劣"。如果中国有朝一日"变成一个超级大国",也在世界上称王称霸,到处欺负人家",侵略、剥削人家,"世界人民就应当给中国戴上一顶社会帝国主义的帽子","同中国人民一道,打倒它"。

1975年1月,周恩来在全国人大四届一次会议所作的政府工作报告中也阐述了毛泽东"三个世界划分"的观点,谴责美帝和苏修"是当今世界上最大的剥削者和压迫者",重申"要联合世界上一切可以联合的力量,反对殖民主义、帝国主义和超级大国的霸权主义"。四届人大通过的新宪法还加入了"反对帝国主义和社会帝国主义的侵略政策和战争,反对超级大国的霸权主义"等内容,进而赋予毛泽东划分三个世界,建立重点反对苏联霸权主义的国际反霸统一战线思想以国家根本大法的形式,使之发展成为一种国策。

二

"三个世界划分"战略思想
形成的过程与背景

"三个世界划分"思想的提出,是毛泽东对其20世纪60年代初以来形成的反修反霸外交战略指导思想作出的重大战略策略性调整,标明了中国的外交立场从对苏"一边倒"到团结一切国际力量打倒苏联霸权主义的重大转变。

第二次世界大战后,毛泽东根据世界两极格局的形成和民族解放运动的兴起等一系列国际形势的新变化,对世界各种基本矛盾进行了全面分析,于1946年8月与美国记者安娜·路易斯·斯特朗的谈话中提出了"中间地带"的思想。将世界政治力量划分为美国、苏联,以及欧亚非资本主义和殖民地半殖民地国家三种。认为美帝国主义侵略与全世界人民反侵略的斗争是当时世界的主要矛盾;世界革命力量与反革命力量在"中间地带"国家的激烈争夺是现实国际斗争的焦点;这一地区的人民革命运动是反对帝国主义侵略、保卫世界和平的第一线主要力量。次年12月,毛泽东改变了提法,在中共中央会议的报告中指出:美帝国主义分子"组成帝国主义和反民主的阵营","而以苏联为首的反帝国主义阵营,已经形成"①。接受了苏联关于"帝国主义阵营和社会主义阵营"两大阵营的论断,排除了"中间地带",将世界政治力量又归为两大类,中国"和全世界民主力量一道",属于民主阵营。此后至1949年6月,毛泽东发表《论人民民主专政》一文,公开宣布了新中国倒向苏联阵营的"一边倒"方针。

20世纪50年代,随着中苏分歧的产生并扩大,以及毛泽东对独立自主、自力更生原则的坚持,中国开始对苏联表现出来的大国沙文主义倾向进行抵制。1954年7月,毛泽东提出了广交朋友的方针,强调与不同类型的国家发展关系,重点放在

---

① 《目前形势和我们的任务》,《毛泽东选集》第四卷,人民出版社1960年版,第1259页。

亚非拉,指出,和平共处五项原则是中国的"一个长期的方针",预示了毛泽东在初步改变将世界划分为两大阵营、两种政治力量的绝对提法。1956 年 2 月,苏共二十大召开,中苏分歧公开发展为意识形态方面的矛盾。11 月,中国发表《中华人民共和国政府关于苏联政府 1956 年 10 月 30 日宣言的声明》,明确宣布:和平共处五项原则"应该成为世界各国建立和发展相互关系的准则",结束了对苏的"一边倒"。此后,1957 年 1 月,毛泽东在分析苏伊士运河事件时认为:在那里冲突的,有帝国主义与帝国主义和帝国主义与被压迫民族之间的"两类矛盾",以及最大的帝国主义美国、二等帝国主义英法和被压迫民族的"三种力量"。开始对帝国主义阵营的国家加以区分。1958 年,毛泽东提出世界存有帝国主义、民族独立和社会主义"三种国家"及共产主义、帝国主义和民族主义"三个主义"①,认为民族主义占据着亚非拉非常广大的地区。明确将民族独立国家、民族主义力量作为独立于帝国主义和社会主义力量之外的一种政治力量提了出来。

20 世纪 60 年代初中苏关系破裂,国际政治力量经历了大动荡、大分化、大改组,毛泽东根据国际形势的这种新变化,将世界政治力量再次重新划分为革命力量与反革命联盟两种,认为前者中存在着反帝和反修两条统一战线,后者中则存在着帝国主义、修正主义和各国反动派"三种坏人"②,基于其苏联统治集团已背叛了社会主义的认识,将帝国主义与修正主义即苏联划分到了同一营垒之中,提出了反帝之外还要反修的另一战略任务。1964

年 1 月、7 月,毛泽东又提出和明确了"两个中间地带"的看法:在美帝和以苏联为首的社会主义阵营之间,亚非拉国家是第一中间地带,欧洲、北美、大洋洲国家和日本是第二中间地带。毛泽东同时还强调了两个中间地带反对美国控制及东欧各国反对苏联控制的问题,并认为第二中间地带是反帝的"间接同盟军"。在毛泽东看来,美苏虽然仍处于中间地带两极的对立位置上,但就其与世界各国的控制和反控制的矛盾而言,它们实际已汇合为矛盾的同一面,成为一极。至此,毛泽东独立自主、反修反霸外交战略指导思想已趋向形成。这是一种两个拳头出击的战略,反修实质就是反苏修。反霸实质是反对苏联的大国沙文主义和美帝国主义的侵略扩张行为。

1963 年 9 月至 1964 年 7 月《人民日报》《红旗》杂志连续发表 9 篇编辑部文章评苏共中央的公开信,点名批判"赫鲁晓夫修正主义",开始了中苏之间一场规模空前的大论战。1964 年 10 月,赫鲁晓夫下台后,中苏关系仍未得到改善。1965 年 3 月中共拒绝参加在莫斯科召开的各国共产党和工人党会议,11 月《人民日报》《红旗》杂志又发表编辑部文章,批判苏共新领导与美帝企图联合主宰世界,不点名地将"苏共修正主义领导集团"指斥为社会帝国主义,提出了与苏共从政治上和组织上"划清界限"的任务。毛泽东还在同月与外宾的谈话中指出,帝国主义、修正主义,各国反动派都是可以打倒的,随后为防止赫鲁晓夫修正主义在中国的重演,发动了"文化大革命"。1966 年 3 月毛泽东

---

① 迟爱萍:《毛泽东对新中国外交工作的战略指导》,《党的文献》1992 年第 1 期;《建国以来毛泽东文稿》第 7 册,中央文献出版社,1992 年版,第 370、371、384 页。

② 迟爱萍:《毛泽东对新中国外交工作的战略指导》,《党的文献》1992 年第 1 期。

决定不派代表团出席苏共二十三大,中苏两党关系彻底中断。毛泽东反修、反霸外交战略指导思想最终确立。这一战略指导思想的基点在于,认为国际共产主义运动最迫切的任务是团结一切可以团结的力量,反对美帝和各国反动派,而国际共运的主要危险却是现代修正主义。为了顺利完成上述任务,巩固和扩大反美统一战线,就必须最大限度地把帝国主义和反动派的帮凶现代修正主义者孤立起来,把反对赫鲁晓夫修正主义的斗争进行到底。这虽然仍是两个拳头出击,但突出了作为"帮凶"的"苏修领导集团",把反苏修与反美帝紧密地联系到一起,反对前者并且成为反对后者的前提、基础。用当时的口号来说,就是"反帝必反修"。

20世纪60年代末70年代初,苏联趁美国陷入越战泥潭之机,扩张势力,转守为攻,在国际事务中愈益奉行霸权主义政策;同时,向中苏边境不断增兵并在中蒙边境派驻重兵。中苏边境武装冲突不断升级。特别是1968年苏联出兵捷克斯洛伐克,以及1969年3月的珍宝岛事件,使毛泽东更深刻地感觉到苏联给中国安全造成的严重威胁,"两个中间地带"等思想已不利于主动集约各种力量反对美苏两霸,特别是对抗苏联的军事威胁。由此,毛泽东开始进行调整战略指导思想的探索。

1968年8月,《人民日报》发表文章评述苏联入侵捷克斯洛伐克事件,明确地给"苏修叛徒集团"戴上了"社会帝国主义"的帽子。而9月7日周恩来在越南驻华大使馆举行的国庆招待会上的讲话①则实际宣告了社会主义阵营已不复存在,明确了美帝国主义和苏联社会帝国主义两霸的地位,它们是世界人民的头号敌人。9月17日毛泽东致霍查的电文指出:"一个反对美帝、苏修的历史新时期已经开始。"②10月,中共八届十二中全会公报及全会通过的新党章草案即事实上将反苏修方针确定为党和国家长期对内、对外政策的基础。

1969年3月珍宝岛事件后,4月1日,林彪在中共九大政治报告中谴责苏修"新沙皇",强调决不可忽视美帝、苏修发动大规模侵略战争的危险性,号召"所有受到美帝、苏修侵略、控制、干涉和欺负的国家和人民联合起来,结成最广泛的统一战线,打倒我们共同的敌人"!而九大通过的新党章也把"打倒以美帝为首的帝国主义,打倒以苏修叛徒集团为中心的现代修正主义"作为一项历史任务写入了总纲之中。4月28日,毛泽东在九届一中全会上讲话,继续强调"我们要准备打仗",并针对苏联说,他进来了,我看比较有利,使他陷在人民包围中间。至于什么坦克、装甲车之类,现在到处有经验证明,可以对付。这即进一步突出了苏联这个"敌人",因为美帝已"越来越走下坡路",而"新沙皇""苏修叛徒集团"却在"变本加厉地"侵犯中国主权。③ 九大闭幕后,中国政府的正式文件和宣传报道不再提美苏"争夺",而是重点揭露他们之间的"勾结",特别是他们勾结起来共同反华的行径,继续从舆论宣传上为突出苏联的威胁作铺垫。毛泽东还交给当时赋闲的陈毅、叶剑英、徐向前、聂荣臻四位元帅一项战略务虚的任务,并作出了打开中美关系僵局的决策。

① 《人民日报》1968年9月3日。

② 《人民日报》1968年9月19日。

③ 林彪在中共九大的政治报告。

1972 年中美关系解冻,中日建交,中美联合公报和中日联合声明都加入了反对霸权主义的内容,实际向全世界明确宣告,中美、中日双方将共同反对苏联在亚太地区谋求霸权的尝试。这时期两报一刊发表的文章则指出,苏联与老牌帝国主义国家相比,"具有更大的欺骗性,因而具有更大的危险性"①,《红旗》杂志发表的文章中反对和孤立苏霸的观点②也已显露出毛泽东"三个世界划分"思想的影子。1973 年 2 月,毛泽东与基辛格谈到中美要共同对付苏联,要搞一条横线,事实上初步提出了建立以反对苏联霸权主义为重点的统一战线的战略构想。此后至 1974 年 2 月,毛泽东最终以"三个世界划分"的提法表述了他的这种战略构想。

如果说 20 世纪 60 年代初毛泽东在其反修反霸战略指导思想的形成中,仍然把美帝国主义当做是"第一号帝国主义","世界人民的最主要的敌人"③,那么到 60 年代末 70 年代初,在毛泽东看来,苏联社会帝国主义已取代了美帝国主义的位置,成为中国及全世界各国的头号敌人。毛泽东重新划分世界政治力量,对他的反修反霸战略指导思想作出了重大的战略策略性调整,两个拳头完全攥成了一个拳头,集中力量对抗苏联。

"三个世界划分"
战略思想的主旨与意义

划分三个世界的主旨就在于联合世界一切可以联合的政治力量,建立最广泛

的国际反霸战线。首要是反对苏联霸权主义的统一战线。这实际是毛泽东抗战时期统一战线思想在新的国际反霸斗争中新运用的结果,目的即在于通过依靠第三世界力量,联合第三世界力量,争取第一世界的美国,将苏联社会帝国主义最大限度地孤立起来。此时仍将美苏两霸并提,实质已只是一个形式,一种为号召民族国家的策略、宣传上的需要,美帝在其中仅起陪衬作用。即如毛泽东对基辛格所说的,中美要共同对付苏联,有时我们也要批你们一回,说"帝国主义去你的吧!"不讲不行呢。在毛泽东的心中,美国、欧洲、日本已不威胁中国了,而苏联威胁中国,也威胁世界。

此外,这种将世界政治力量一分为三,在识别与区分的基础上确定何者为依靠力量,何者为争取的对象,何者为主要敌人,对敌我友三者关系的新处理,使划分三个世界,建立重点反苏霸的国际反霸统一战线的战略构想,同时带有明显的策略性质。从另一个角度而言,它又是一种局部的、当前的、灵活的策略手段,是对过去"以美画线"、"以苏画线"方针的策略性纠正。

毛泽东"三个世界划分"战略思想的提出,对我国对外关系的发展产生了积极的影响,对世界人民反对帝国主义、霸权主义的斗争具有重要的意义。

其一,它表明毛泽东等中国领导人已基本摆脱了以社会制度、意识形态为标准处理国家关系的旧模式,使中国的外交事务逐步走上了正常化道路。中美关系缓和,中日建交,扩大同第二世界的西方发

① 两报一刊社论《夺取新的胜利》,《红旗》1972 年第 10 期。
② 史军:《了解一些民族解放运动的历史》,华志海:《学一点地理》,《红旗》1972 年 11 期。
③ 《驳苏共新领导的所谓"联合行动"》,《红旗》1965 年第 12 期。

达资本主义国家的联系,增进与第三世界国家的友好合作关系,提高中国在第三世界中的威信,使中国彻底摆脱了一度在国际上比较孤立的处境,成为遏制霸权主义、强权政治的主要力量。

其二,将美苏划为第一世界并突出苏联霸权主义对中国和世界人民的威胁,就确定了美苏两个超级大国在国际战略格局中的位置,明确了世界不安宁的根源,指明了当时国际斗争的大方向,明确了中国人民和世界人民所承担的反对美苏称霸,维护世界和平的历史任务,从而有利于国际反霸斗争的发展。

其三,将第二世界的发达资本主义国家与美苏两个超级大国区别开来,承认这些国家具有两重性,它们一方面与第三世界国家之间存在着剥削、控制和反剥削、反控制的矛盾斗争,一方面又与第一世界之间存在着反美苏两霸控制与干涉的矛盾斗争,在不同程度上具有摆脱两霸的奴役或控制,维护国家独立和主权完整的要求,从而把它们确定为可以争取和联合的中间力量,就在最大限度上孤立了世界各国的主要敌人,促成了最广泛的国际反霸统一战线的形成。

其四,根据反帝、反殖、反霸的斗争主要存在于前殖民地半殖民地发展中国家的历史现实,把第三世界作为反帝、反殖、反霸斗争的主力军。强调第三世界在世界反霸斗争中的重要作用,强调中国属于第三世界,突出被压迫民族和发展中的社会主义国家在国际斗争中的重要地位,就发展和充实了第三世界的内涵,进一步增强了第三世界国家的凝聚力,极大地鼓舞了第三世界国家和人民维护国家和民族独立、维护主权和领土完整、维护世界和平的斗志。

"批林批孔"运动

一

"批林批孔"运动的发起

林彪事件发生以后,毛泽东首先发动了"批林整风"运动,对林彪集团进行揭发批判。江青一伙在林彪住处查到了一些林彪肯定孔丘、孟轲某些言论的材料,并报给了毛泽东。1973年春,毛泽东在一首诗中批评郭沫若尊孔。5月中央工作会议又传达了毛泽东关于要批孔的意见。7月4日,毛泽东在与王洪文、张春桥谈话时说:"郭老在《十批判》里头自称人本主义,即人民本位主义,孔夫子也是人本主义,跟他一样,郭老不仅是尊孔,而且是反法。尊孔反法,国民党也是一样啊!林彪也是啊!我赞成郭老的历史分期,奴隶制以春秋战国之间为界,但不能大骂秦始皇。"这次谈话,毛泽东还批评了周恩来主管的外交部。"结论是四句话:大事不讨论,小事天天送。此调不改动,势必出修正。"8月7日,《人民日报》发表了毛泽东批发的广州中山大学教授杨荣国的文章《孔子——顽固地维护奴隶制的思想家》。9月23日,毛泽东在会见埃及副总统沙菲时又说:"秦始皇是中国封建社会第一个有名的皇帝,我也是秦始皇,林彪骂我是秦始皇,中国历来分两派,一派讲秦始皇好,一派讲秦始皇坏。我赞成秦始皇,不赞成孔夫子。"毛泽东提出"批孔"并把它和"批林"结合起来,认为只有"批孔"才能批透林彪的思想根源。1974年元旦,《人民日报》、《红旗》杂志、《解放军报》发表社论《元旦献词》社论说:要继续开展对尊孔反法思想的批判,在批判中建设马克思主义的队伍,中外反动派和历次机会主义路线的头子都是尊孔的,批孔是批林的一个组成部分。1974年1月18日,中共中央发出《关于转发〈林彪与孔孟之道〉(材料之一)的通知》,通知说:林彪是一个地地道道的孔老二的信徒。他和历代行将灭亡的反动派一样,尊孔反法,攻击秦始皇,把孔孟之道作为阴谋篡党夺权、复辟资本主义的反动思想武器。要求深入批判林彪,开展对尊孔反法思想的批判。此后,"批林批孔"作为一场政治运动在全国展开。

毛泽东批准发动"批林批孔"运动,目的是通过"批林批孔"解决对待"文化大革命"的态度问题,即进一步肯定"文化大革命"的理论和实践,防止"右倾翻案",防止出修正主义。在"文化大革命"后期,毛泽东虽然希望结束动乱局面,恢复安定团结,发展国民经济,但又在全局上肯定"文化大革命",认为"文化大革命"是为巩固无产阶级专政所必需的。因此,如何巩固和发展"文化大革命"的"成果",防止否定"文化大革命",就成为毛泽东所关注的首要问题。当时,毛泽东之所以同意"批孔",不仅因为林彪在私下里推崇过孔孟之道,而且他认为这对"反修防修"有普遍的意义。"批林批孔"的核心是批判"克己复礼",亦即批判"复辟资本主义"。《人民日报》《红旗》杂志曾连续发表社论、评论指出:"首先集中批判林彪效法孔老二'克己复礼',妄图复辟资本主义的罪行。""批林批孔,才能进一步认清林彪修正主义路线的极右实质……也才能进一步认识无

产阶级文化大革命的必要性,以巩固和发展无产阶级文化大革命的伟大成果。"然而毛泽东发起的"批林批孔"运动却被江青集团所利用。他们打着毛泽东的旗号,一方面积极推动"批林批孔"运动;另一方面将矛头指向周恩来,进行"反周"的阴谋活动。妄图利用这场运动打倒周恩来等一批中央领导人,实现其"组阁"篡权的野心。因此,"批林批孔"运动实际上成了批判周恩来等国家领导人的活动,主要批周恩来。

二

"批林批孔批周公"

江青、张春桥、姚文元、王洪文之所以在批林批孔运动中搞阴谋诡计是因为他们与"文化大革命"休戚相关,"文化大革命"是他们的"命根子"。"文化大革命"中他们出尽了风头,成为举国注视的人物,党的"十大"加强了他们在中央政治局中的势力。然而,他们在国家机构中还没有掌握很多实权。恰在此时,正在酝酿召开四届人大,酝酿国家机构人事安排问题,江青企图由她来"组阁",夺取权力。妨碍他们"组阁"的主要人物就是周恩来。所以,他们想利用"批林批孔"运动来打垮周恩来。他们的指导思想是搞乱全国,乱中夺权。姚文元1974年1月14日在上海对上海市委写作组的头头说:"中国近代史上詹大悲说:'大乱者,治中国之良药也。'大乱是大好事。"为此,他们进行了一系列活动:

1. 三箭齐发

1974年1月25日,江青等人在北京工人体育馆召开在京中央直属机关和国家机关"批林批孔"动员大会。他们在没

有预先通知周恩来的情况下,让周恩来参加会议。会上,迟群、谢静宜按照事先商定的内容,发表了煽动性的长篇讲话。江青、姚文元不时插话,对周恩来进行含沙射影的攻击。当周恩来征询会议主持人意见宣布散会时,迟群、谢静宜突然跳出来提出"走后门"问题。他们借1974年1月18日《人民日报》刊登的南京大学政治系哲学专业工农兵学员钟志民违抗父母安排,要求退学、退伍一事,大批"走后门",把矛头指向周恩来和一大批老干部。江青一伙的讲话是别有用心的。会上迟群批判的纪录片《中国》是由意大利共产党员安东尼奥拍摄,由周恩来批准来华的。他拍摄的《中国》并无错误。他们利用人们对"走后门"等不正之风的不满,提出"走后门"问题,故意混淆两类不同性质的矛盾,用此来攻击周恩来,攻击中央、地方和军队的一些干部,煽动人心。会后,迟群等人修改、整理了讲稿,准备下发,被毛泽东制止。毛泽东2月15日在叶剑英1月3日信上写了批语,其中说道:"开后门来的也有好人,从前门来的也有坏人。"又针对江青等人的言论说:"现在,形而上学猖獗,片面性、批林批孔,又夹着走后门,有可能冲淡批林批孔。"表示了对批林批孔的支持。毛泽东对"走后门"问题的批语,虽然遏制了江青一伙借批"走后门"整老干部的企图,却为由"文化大革命"兴起的"走后门"之风开了绿灯。后来,毛泽东把"批林批孔"又夹着批"走后门"叫做"三箭齐发。"

2. 蜗牛事件

为了发展我国的彩电工业,1973年,四机部向中央建议,从国外引进彩色显像管生产线,中央批准了这个建议。年底,四机部派人赴美考察,美国康宁公司赠给代表团成员每人一件玻璃制的蜗牛礼品

作为纪念。1974年"批林批孔"运动一开始,四机部第十设计院的许文彬便写信给江青,诬告赴美彩色显像管生产线考察团接受美国康宁公司玻璃蜗牛礼品一事。2月10日清晨,江青突然乘车到四机部找许文彬,并给他写了一封信,一口咬定美方送蜗牛礼品"是骂我们,侮辱我们,说我们爬行",说引进彩色显像管生产线是"屈服于帝国主义的压力",是"崇洋媚外"。在四机部,她还叫道:"那个蜗牛在哪里?!拿来给我看,中央要它做展览!"并责令四机部把"蜗牛"退到美国驻华联络处去,提出抗议,还说:"美国这条生产线,我们不要它的了。"企图制造国际事件,给周恩来施加压力。为此,周恩来当即指示外事部门查清真相。经调查,蜗牛在美国是一种工艺品,常作送礼和陈设之用,康宁公司送蜗牛并无恶意。在周恩来的主持下,中央政治局决定,江青在四机部的讲话不印发、不下传,已印发的收回。江青后来又悄悄地把她拿去的那只玻璃蜗牛退了回去,把给许文彬的原信要了回去。然而,江青亲自去四机部制造的蜗牛事件已在群众中散布开来,它在事实上仍起了给周恩来施加压力的作用。

3. 插手军队

1974年1月24日,江青等人在北京召开了在京部队单位"批林批孔"动员大会。同时,又以个人名义给海军、空军、南京部队、广州部队等领导机关写信,送材料,煽动军队参与"批林批孔"运动。1974年1月3日,江青把迟群、谢静宜等人找去谈话,说"现在就把你们当炮弹放出去,去放炮"。派他们分别到军委总部、海军、空军等单位"点火放炮"。3月5日,江青召集总政文化部副部长陈亚丁等人开会,江青说:"今天我是斗胆,不敢得罪军队?今天把你陈亚丁也请来了,就是要整一整军

队。""看来要夺权,陈亚丁你去把权夺过来嘛!我看军队的文化工作还是让陈亚丁管起来。""放火烧荒,你们去三个人,去放火嘛。"鼓动他们到部队"放火烧荒"。早在这次会议以前,王洪文、张春桥就曾攻击总参领导"右倾手软,右得不能再右了",总政"可以夺权",总后"垮得越彻底越好"。3月6日,王洪文听取总参谋部汇报时说:"揭总政领导问题,这次我们要下个决心,一定要揭开,揭不开就砸,砸不开就用炸弹炸。"3月13日,张春桥在听取总后勤部汇报时说:"不要怕派性,打内战也可以,有些问题要靠打内部才能解决。"同时,他们还组织对《解放军报》的围攻。1月17日,《解放军报》刊登了短文《既要讲批评又要讲谅解》。这篇文章符合毛泽东《党委会的工作方法》一文的精神,是根据周恩来1973年4月在接见空军党委第五次全会代表时的讲话精神写的。这令"四人帮"大为不满。组织了围攻,3月1日,中央政治局命令军报停止编发稿件,迫使军报变相停刊178天。

江青一伙之所以插手军队,在军队问题上大做文章是因为林彪事件后,经过周恩来、叶剑英同志的艰苦工作,军队建设逐步好转,这与"四人帮"想大乱天下,乱中夺权的目的相违背,他们企图让军队参与"批林批孔"运动来搞乱军队,掀起反对周恩来、反对叶剑英的恶浪。

4. 破坏国家体委工作

周总理历来十分关心我国体育事业的发展,关心国家体育运动委员会的工作,国家体委的主要负责人王猛是周恩来提名的。《体育报》也是他亲自批准复刊的。"批林批孔"运动开始后,周恩来于3月5日就体委如何开展运动作了指示。体委有人为了讨好江青,立即把周恩来的指示密告了江青,江青指出:总理以后有什

么指示,都要"记下来","告诉我们"。3月7日,江青又授意道:"他们有他们的人马,你也要组织你的人马","核心小组要分化出几个,不能他方势力大,和老将谈谈,站到我们一边,能争取多少,争取多少,争取中立也好"。同时,江青恶意攻击王猛"一点也不懂体育",诬蔑王猛是"林彪线上的人"、"林彪余党"、"法西斯",并说:"你猛不了了,天马行空,独往不能独来!"还攻击《体育报》,要轰它停刊。江青还插手其他单位的"批林批孔"运动,3月10日,她以个人名义给中国科学院化学感光材料研究室写信,信中要他们"学柳下跖的办法回敬你院孔老二的徒子徒孙们"。

5."黑画"展览

1974年3月,周恩来病情有反复,住院检查。3月15日,周恩来刚出院,江青就要他17日去看所谓的"黑画"展览。江青一伙所指的"黑画"就是宾馆布置画和外贸出口画,而这个工作正是周恩来亲自过问并亲自抓的,1971—1973年间,周恩来多次指示,宾馆布置画的美术作品,要有民族风格和时代风格,要能体现我们国家的艺术水平;工艺美术品只要不是反动的、丑恶的、黄色的东西,都可以组织生产和出口。这些,江青一伙不仅知道,而且也表示过赞同。待到他们想把"画"作为"箭"去射周恩来时,他们便不遗余力地要把"画"与"批林批孔"连在一起。1974年春节,江青在文化部的亲信秉呈主子的旨意,钻进北京饭店,花了两个晚上的时间,逐幅看布置画,边看边骂:"这是克己复礼!""这是翻案复辟!""文艺黑线又回潮了!"……还含沙射影地叫道:"是谁开的绿灯?必须坚决反击!"姚文元则抓住一本外贸部审查同意的《中国画》大做文章,说这是"地地道道的克己复礼"。在北京,文化部的几个负责人就"黑画"又是组织

开会又是忙着作批示,说:"这股翻案风有吹喇叭的,抬轿子的,后面还有支持撑腰的!""有的人就是打着为毛主席革命外交路线服务的旗号,搞了这么一批不三不四的东西"。并责问:"这是一条什么外交路线?!"根据江青指示,文化部把北京饭店的几百幅布置画收集起来,举办了一个所谓的"黑画展览",在画展的前言里有意写道:"这些黑画的产生是得到某些人公开鼓励和支持的",并组织数万人参加批判。江青邀周恩来3月17日参观画展,用心昭然若揭。在北京点着火后,文化部又派人去上海串连。接着,上海开始大批"黑画",3月6日,上海抛出了批判《中国画》的"指示"。上海《文汇报》《解放日报》以通栏标题抛出了一篇题为《一本地地道道"复礼"翻案的画册——评〈中国画〉》并在上海等办了"黑画展",形成了对周恩来的巨大包围,妄图从精神上和体力上摧垮周恩来。

6. 影射史学

从1974年2月起,江青、姚文元等人直接控制的北大、清华两校大批判组,上海市委写作组,由康生指挥的中央党校写作组和他们主管的《红旗》杂志、《人民日报》写作班子,分别以梁效、罗思鼎、康立、唐晓文、池恒、柏青等几十个化名发表了大量的"批孔"文章,如《柳下跖痛骂孔老二》《略论秦始皇的暴力》《孔子和林彪都是政治骗子》《孔丘其人》《评〈吕氏春秋〉》《从〈乡党〉篇看孔老二》《论〈盐铁论〉》《论秦汉之际的阶级斗争》《有作为的女政治家武则天》《赵高篡权与秦王朝的灭亡》《坚持古为今用研究儒法斗争》等。这些文章一方面假借"批孔",大批"周公""宰相""宰相儒",含沙射影,攻击以周恩来为代表的中央领导及老干部,另一方面以评价法家进步作用为幌子,吹

捧"四人帮",吹捧江青,为她"组阁"制造舆论。为了达到此目的,他们采取了编造、歪曲、阉割历史等种种卑劣手段。如:4月1日,《红旗》杂志发表江青、姚文元审定的《孔丘其人》,文章通篇不批林彪,却说"孔老二这个家伙却是'述而不作',根本写不出什么东西",甚至把鲁国当时根本没有的"宰相"职务硬加在孔丘头上,文章的矛头分明指向周恩来。4月1日,《红旗》杂志发表署名罗思鼎的《评〈吕氏春秋〉》,文中说:"历史现象常常会有相似之处。《吕氏春秋》这种以折衷主义形式表现出的反动思潮在今天还可以看到。""他们常常摆出一副平正、公允的面孔,用似是而非模棱两可的态度来掩盖自己的极右本质,表面上不偏不袒,实质上千方百计保护反动派,对革命派则是力图置之死地而后快。"6月14日,江青在人民大会堂召开的"战士批林批孔汇报会"上,大讲所谓"儒法斗争史",要求写文章批"现代的儒"。江青说:"现在文章很少提到现代的儒。""难道我们现在没有儒了吗?没有,为什么反对孔老二?现在有没有儒?有很大的儒。"她的亲信暗示:"注意这个大儒不是刘少奇,也不是林彪,陈伯达。"暗示周恩来就是他们所说的现代大儒。

7. 风庆轮事件

江青一伙虽然进行了大量的活动,但他们非常清楚在全国人民心中,周恩来的地位是不可动摇的,江青一伙认为,仅借古喻今,用批"现代大儒"来攻击周恩来还远远不够,为此,他们有意借风庆轮事件,对正在医院住院治疗的周恩来进行用心狠毒的诽谤。风庆轮是我国自行设计制造,全部用国产设备装备起来的万吨级远洋货轮。我国有数十年制造万吨级货轮的历史,为了迅速发展我国远洋运输事业,1964年,周恩来作出造船和买船同时

并进的决定,并得到了毛泽东的同意。1970 年,周恩来又指示,力争在几年内基本结束主要依靠租用外国轮船的局面,把立足点放在国内造船上。在国内造船一时不能适应需要时,适当买进一些船舶,把远洋运输的主动权掌握在我们手中。这是自力更生发展我国远洋运输事业卓有成效的措施。风庆轮也正是这种指导思想的产物。1974 年初,风庆轮完成组装,开始试航。5 月 4 日,风庆轮正式由上海港启航远洋。江青一伙便有意借题发挥,批判"洋奴哲学"、"崇洋卖国"。9 月 30 日,风庆轮完成远航任务,胜利抵达吴淞口锚地。姚文元有意将风庆轮的宣传安排在国庆之后统一进行,使宣传像放排炮一样。10 月 12 日,上海的《文汇报》和《解放日报》同时在头版头条,以通栏标题发表对风庆轮的长篇报道,并分别发表评论员文章。《文汇报》的题目是《红灯指航向 踏平万层浪——欢呼风庆号万吨轮远航归来》,《解放日报》的题目是《乘风破浪胜利前进——从风庆轮首航远洋归来赞自力更生方针的伟大胜利》。文中,把造船同向外国买船对立起来,影射周恩来执行的是一条"孔孟之徒卖国主义路线","儒家卖国主义路线",说"我国近代造船工业发展史,是一部充满尊孔崇洋与反孔爱国斗争的历史","翻一翻中国造船工业发展史,就可以清楚看到近代尊孔派的头子都直接插手造船工业"。1974 年 10 月 17 日晚的政治局会议上,"四人帮"一伙借风庆轮事件向以周恩来为首的国务院发难,逼迫政治局成员当场表态。作为副总理的邓小平,当面与之展开了针锋相对的斗争。"四人帮"大闹政治局并未占上风,于是他们就风庆轮问题继续大做文章。1974 年 11 月 1 日出版的《红旗》杂志第 11 期上,同时刊出两篇文章《论北宋时期爱国主义和卖国主义的斗争》和《扬眉吐气的三万二千里》,姚文元还特地为《扬眉吐气的三万二千里》一文写了"编者按"说:"这篇振奋革命精神的文章,很值得一读",它"对于洋奴哲学、爬行主义之类的地主买办资产阶级思想,是一个有力的批判。它的意义决不限于造船业和海洋运输业"。从 1974 年 10 月中旬到 11 月中旬的一个多月时间里,报刊上发表了几十万字有关风庆轮的文章。同时,以新闻、通讯、评论、诗歌、散文、小说、故事、说唱、电视、电影、报告会、组织上船参观等各种宣传形式大肆进行宣传。他们的目的十分清楚,用上海的一个"四人帮"走卒的话说,就是"不搞掉周总理这个儒家,老的不去掉,新的起不来"。就全国而言,从 1974 年下半年开始,"批林批孔"的声势越造越大。

8. 反"复辟回潮"

在"批林批孔"运动中,江青一伙制造所谓"复辟回潮"的典型和"反潮流"的典型,为攻击周恩来等人提供"现实根据"。1973 年 10 月至 1974 年 11 月,迟群、谢静宜在清华大学发动了三个月的"反右倾回潮"运动,上揪"代表人物",下扫"社会基础"。全校有 64 人受到立案审查和重点批判,403 人受到批判,一批干部被撤销工作。1973 年 12 月,迟群、谢静宜发现一个小学生对教师不满的日记以后,说:"你反映的问题,不是你和老师之间的关系问题,这是两个阶级、两条路线斗争的问题。"《北京日报》接着连续登载了几十篇文章的报道,把这个小学生吹捧为"反潮流典型",掀起了批"师道尊严"、"反右倾回潮"的浪潮。江青一伙还炮制"马振扶公社中学事件",以此事作为教育路线"复辟"、"回潮"的典型。把 1974 年 1 月,河南唐河县马振扶中学一名女学生,因未答完考卷而自杀的事件,说成"修正主义教育路线进行复辟的严重恶果",把"考试"视为修正主义教育路线的"具体表现"。在教育战线上开展了对所谓"复辟"、"回潮"的批判,对广大老师和教育工作者展开批判,进一步搞乱了学校的秩序,在全国掀起"反复辟"浪潮。在文艺方面,开展了对晋剧《三上桃峰》、湘剧《园丁之歌》的批判。把《三上桃峰》说成是"为刘少奇招魂","文艺黑线回潮"。把宣传教师应作"园丁"说成是"修正主义教育路线的旧调重弹",都斥之为对"文化大革命"的"反攻倒算"。

对"批林批孔"运动的抵制

"批林批孔"运动造成了全国范围内的混乱,随着它的声势越来越浩大,也就引起了越来越多人的不理解和痛恨。1974年11月,广州市北京路上出现了署名"李一哲"的《关于社会主义的民主与法制》的大字报便是其中最为突出的表现之一。大字报对"在我们中国出现了曾经并且至今还为许多人很不理解的无产阶级文化大革命"提出了质疑;对"林彪体系"进行了比较透彻的分析,用"与林彪体系你中有我,我中有你的那些人"的说法,含蓄地批评了江青及其一伙;用辛辣的语言对江青一伙利用"批林批孔"掀起的"反复辟回潮"、"反潮流运动"进行了讥讽;提出"解决民主与法制问题,对于中国和中国人民来说都是十分重要的"。大字报虽被广东省委宣传部定为"反动大字报",但它却在全国产生了广泛的社会影响。人们争相传看大字报的抄本、油印本。与此同时,受到江青点名批判的著名学者梁漱溟,写了一篇长达30000字的专文《我们今天应该如何评价孔子》,对孔子在中国文化上的地位大胆提出公正评价,梁老毫不含糊地在文中提出:"目前批林批孔运动一般流行意见,我多半不能同意。"他说:"孔子在中国四五千年文化史上为承先启后的关键性人物,孔子的功罪或成绩如何,应视中国文化在世界上表现出的成功失败而定……"梁老敢于写出当时一般人不敢写的话:"时下批孔运动是由批林引起的。因'克己复礼',是林彪念念在心的大事,时论便集中批判孔子'克己复礼',认为孔子是要复周礼,林彪要复辟资本主义。其实林贼念念在心者不过是搞政变夺权,'克己复礼'是其私下一句暗号隐语;他何尝有爱于资本主义而立志为资本主义复辟。林贼搞复辟不搞复辟不足论,误以为孔子怀抱复古倒退思想则不容不辩。"梁老自知他的文章谁也不敢发表,在写完后特别在文末注明:"1974年6月25日改写稿,1974年11月8日立冬撰写完成不发表。"梁老在政协学习会上也表明了他的立场。虽然这些对"四人帮"的阴谋活动都起了抵制作用,但在当时的情况下,群众中任何反对"批林批孔"的力量,都无法影响运动的继续进行,更无法挽回它所造成的严重损失。

"批林批孔"运动的严重后果

由于毛泽东指导思想的错误,更由于江青集团利用"批林批孔"为其反革命政治目的服务,在全国造成了政治上、思想上、理论上的严重混乱。

首先是历史的本来面目被歪曲。为了适应政治斗争的需要,把中国的历史歪曲为"儒法两条路线斗争史",把一切历史的进步都说成法家的功劳,一切历史的反动都说成儒家的罪过。"批林批孔"中荒谬地描述了中国几千年文明史：法家进步，儒家反动；法家坚持变革，儒家复古守旧；法家坚持团结和统一，儒家搞分裂；法家爱国、抗战，儒家卖国投降；法家总是适应历史发展的潮流，而儒家总是逆历史潮流而动。其次，以正确评价法家的历史进步作用为名，广为宣传封建主义的政治思想。对一些封建皇帝、王侯将相和士大夫，用现代的语言任意夸大和一味歌颂他们的"历史功绩"。毫无批判地赞扬封建专制主义，甚至把皇帝专权的中央集权制加以理想化。赞扬和肯定封建主义的统治经验和权术。宣扬所谓"法、术、势"（封建统治阶级的刑法、权术、权势）。借口评价秦始皇、曹操的历史作用，公开为他们的暴戾、残忍和滥施暴力作辩护。第三，在社会伦理道德方面造成破坏。"批林批孔"不仅否定了我国优秀的伦理道德传统，而且使社会主义社会建立起来的新的伦理道德规范也受到了严重的破坏。批判"师道尊严"，造成了师生之间的对立。批判"宽厚"、"忠恕"、"中庸之道"，鼓吹"斗争哲学"不仅使社会主义人和人的关系准则受到很大破坏，而且培养了一些人的极端好斗情绪。社会主义社会父子、母女、夫妻、兄弟、同志、朋友、领导与被领导之间的正常关系遭到践踏，素称礼仪之邦的中国的伦理道德水平大大下降。第四，所谓"反潮流"的歪风在全国蔓延。凡是造领导反的就是"反潮流"。学校里，正常的教学秩序和教育制度被搞乱。社会上，一些地区又出现了联络站、上访团、汇报团一类组织。一些人不上班，进行跨行业、跨地区的串连，闹派性、拉山头、打内战。一些领导干部或被打倒或躺倒不干，或支一派压一派。

"批林批孔"运动的另一个严重恶果表现在经济上。"九一三"以后经过几年艰苦努力渐渐走上正轨的局面再一次被打乱。国民经济急转直下，特别是工业生产急剧下降，运输阻塞，财政困难，市场紧张，人民生活受到影响。具体表现在以下几方面：①煤炭、钢铁和化肥减产。1974年1—5月，累计全国重点煤矿欠产385万吨，比上年同期下降6.2%；钢欠产188万吨，比上年同期下降9.4%；化肥欠产185万吨，比上年同期下降3.7%。煤炭的减产，影响了整个工业生产和市场供应，造成了不少企业停产和半停产。②铁路运输受阻。由于很多路段发生动乱，路段不畅通，所通过的列车比正常情况少1/3左右。铁路货运量1—5月欠运2100万吨，比上年同期下降2.5%，由于铁路干线运输受阻，致使山西、河南的煤炭和其他物资不能及时外运。当时，上海煤炭告急，只好把大同、开滦煤绕道由大连上船运往上海，造成一些大中城市、工业基地和市场用煤告急。③港口压船严重。由于"批林批孔"运动的冲击，许多港口不敢再抓装卸和疏运吨位指标，劳动效率下降，船舶停港时间延长。从1月份以来，全国在港船舶数量经常保持在240艘—250艘。仅1月份外贸租船等待泊位一项就损失租金186万英镑，不仅造成重大的经济损失，而且产生很坏的政治影响。④财政出现赤字。1—5月，全国财政收入比上年同期减少5亿元，财政支出比上年同期增加25亿元，出现财政赤字5亿元，而上年同期是收入大于支出27.4亿元。此外，由于工业生产下降，日用消费品不仅品种大为减少，而且数量也不能满足需要，影响了广大人民群众的生活。

毛泽东虽然支持"批林批孔"运动，但又不愿意看到社会重新出现大动乱。为了制止这种混乱局面的发展，1974年2月

20 日，中共中央发出《关于"走后门"问题的通知》，要求把这个问题放到运动后期妥善解决。4 月 10 日，中共中央又发出《关于批林批孔运动几个问题的通知》，规定"批林批孔"运动在党委统一领导下进行，不要成立战斗队一类群众组织，也不要搞跨行业、跨地区一类的串连。5 月 18 日，又发出了《关于批林批孔运动几个政策问题的通知》，强调批判、清查林彪集团不要扩大化，坚持正面教育。7 月 1 日，中共中央又发出《关于抓革命，促生产的通知》，批判"不为错误路线生产"等错误口号，并指出要揭发、批判停工停产的幕后操纵者。1975 年初，报上虽然还提出继续"批林批孔"，但已不摆在突出的位置上了。2 月 18 日，中共中央发出《关于学习毛主席关于理论问题的重要指示的通知》，要求把这个学习和批林批孔紧密结合起来。以后基本上不再单独提"批林批孔"了。这样，轰轰烈烈的"批林批孔"运动也就不了了之。

第四届全国人民代表大会

一

四届人大工作概况

在经历了 8 年多的动乱之后，人民迫切希望安定，要求结束混乱不堪的局面。1975 年 1 月，人们盼望已久的第四届全国人大一次会议终于召开了。这次会议的召开表明，尽管我国的人民代表大会制度在"文化大革命"中遭受了严重的破坏，但它的根基仍然存在。中共中央举行九大以后，1970 年上半年，局势相对稳定，各级党政领导体制逐渐恢复正常，开始酝酿、筹备召开第四届全国人民代表大会。但这次大会却是在 4 年多之后才召开，原因在于从 1970 年到 1975 年，我们国家经历了激烈复杂的斗争，先是林彪反革命集团妄图发动政变，继而江青反革命集团妄图组阁。这两个反革命集团都把召开四届全国人大看做是"权力再分配"，加紧进行篡夺最高权力的斗争。

1970 年 3 月 8 日，毛泽东提出召开四届全国人大和修改宪法的意见，同时建议改变国家体制，不设国家主席。3 月 9 日，中央政治局遵照毛泽东的意见，开始了修改宪法的准备工作。3 月 16 日，中央政治局就修改宪法的指导思想和修改宪法中的一些原则性问题，向毛泽东写了《关于修改宪法问题的请示》，毛泽东批阅了这个请示。3 月 17 日至 20 日，中央召开工作会议，讨论了召开四届全国人大和修改宪法的问题，到会大多数人赞同毛泽东提出的不设国家主席的建议。4 月 11 日，林彪提出设国家主席的意见，并建议毛泽东当国家主席。4 月 12 日，毛泽东在中央政治局关于林彪的意见的报告上批示："我不能再作此事，此议不妥。"4 月下旬，毛泽东在中央政治局会议上第三次提出他不当国家主席，不设国家主席。7 月中旬，在中央修改宪法起草委员会开会期间，毛泽东第四次提出不设国家主席，他提出设国家主席，那是形式，不要因人设事。而林彪则坚持设国家主席，并要吴法宪、李作鹏在宪法工作小组会上提出写上"国家主席"一章。设不设国家主席，本来是可以讨论的一个问题,但当时这个问题成为争论的焦点,有着深刻的原因。毛泽东提出不设国家主席,是与错误地打倒国家主席刘少奇相联系,与错误地得出"大权旁落"的教训相联系。林彪等人提出设国家主席,则在于把四届全国人大看成是"权力再分配"的会议,阴谋乘此机会由林彪当国家主席。江青一伙是赞成不设国家主席的,认为这样做对他们有利,因为林、江两个反革命集团争夺权力的斗争在"九大"之后正式激化起来。以1970年3月中央工作会议为起点的关于是否设国家主席的争论,为以后的斗争埋下了隐患。

1970年8月23日至9月6日,中国共产党九届二中全会在庐山举行。围绕设不设国家主席的问题,终于明枪暗箭地争斗起来。这次全会的一项议程是讨论修改宪法的问题。林彪在开幕会上说:"这次我研究了这个宪法,表现出这样的一种情况的特点,一个是毛主席的伟大领袖、国家元首、最高统帅的这种地位,毛泽东思想作为全国人民的指导思想,这一点非常重要,非常重要。"林彪在讲话中已经把"国家元首"即国家主席强加给毛泽东。林彪一伙在会上非常活跃,拥护林彪讲话,借此来打击江青、张春桥一伙。陈伯达还于8月23日自拟了"国家主席"的宪法条文。与会的许多人也表示衷心赞成在宪法第二条中增加"毛主席是国家主席,林副主席是国家副主席"和"宪法要恢复国家主席一章"的意见。毛泽东提出不设国家主席,显然是自己不当国家主席,也不同意由林彪当国家主席。毛泽东对叶群、陈伯达等人十分不满,写了《我的一点意见》,在全会散发,批判了陈伯达。在这之后,毛泽东在外地视察期间又多次讲,"庐山这件事还没有完,还没有解决","陈伯达的后面还有人","他们是有计划、

有组织、有纲领的","有人急于想当国家主席,急于夺权"。九届二中全会虽然在9月6日的闭幕会上基本上通过了《中华人民共和国宪法修改草案》和向全国人大常委会的建议,进行必要的筹备工作,在适当的时候召开四届全国人大,但由于这次会议后不久,在全党全国进行"批陈整风"和以后的"批林批孔"运动,四届全国人大的召开被推迟。

1974年10月11日,中共中央发出《关于准备召开第四届全国人民代表大会》的通知。四届全国人大召开在即,在酝酿国家机构人事安排期间,江青一伙加紧活动,妄图由她来组阁。在毛泽东的支持下,周恩来带病主持国家人事安排工作。1975年1月8日至10日,中共十届二中全会召开。会议讨论了四届全国人大的准备工作,决定将《中华人民共和国宪法修改草案》、《关于修改宪法的报告》、《政府工作报告》和全国人大常委会、国务院成员的候选名单,提请全国人民代表大会讨论,会议还选举邓小平为中共中央副主席、中央政治局常委。

1975年1月13日,第四届全国人民代表大会第一次会议在北京召开。四届全国人大只召开了这一次大会。由它产生的常委会只召开过4次会议,国家的重大问题根本不提请全国人大及其常委会讨论决定,甚至连1976年4月任命华国锋为总理、免去邓小平的副总理职务,也没有经过全国人大。这一期间,中共中央直接向全国人大常委会提出议案,代替国家机关行使职权。依照1975年宪法和1954年全国人大组织法的规定,中共中央除有权提出国务院总理和国务院其他组成人员人选的建议外,不能向全国人大及其常委会提出议案。但是,中共中央在第四届全国人大常委会第三、第四次会议上分别

提出邓颖超为第四届全国人大常委会副委员长人选和关于提前召开第五届全国人大的"议案"。在全国人大常委会通过关于召开第五届全国人大第一次会议的决定之前，中共中央就发出《关于召开第五届全国人大的通知》。中共中央还没有通过全国人大及其常委会履行任何法律手续便直接作出决定：第五届全国人大代表名额为3500人。在这期间，全国人大代表没有开展过活动，基本上没有发挥人大代表的作用。可见，四届全国人大所起的作用是很有限的。

四届人大一次会议

1975年1月13日至17日，第四届全国人民代表大会第一次会议在北京召开。大会举行了7天预备会议，正式会议只举行了5天（创正式会议时间最短的记录），第一天大会开幕，最后一天大会闭幕，中间三天分组讨论。

在大会正式召开之前，1月12日晚，王洪文主持召开代表团团长会议，吴德（内定大会秘书长）介绍了会议议程，强调在会议中加强党的领导和发挥党员作用。张春桥说，党员代表按个人意志投票在这次人民代表大会会议上是不允许的。在人大会议上要保证党的决议的执行。

出席这次会议的代表，不是选举产生的，而是采取"民主协商"的方式，由各省、市、自治区革命委员会和军队等方面推选的，有的是指定或者特邀。四届全国人大代表共有2885名，其中：中共党员占76.3%，民主党派、无党派人士占8.3%。工人占28.2%，农民占22.9%，干部占11.2%，解放军占16.85%，知识分子占

11.99%，归国华侨占1.03%，少数民族占9.4%，妇女占22.63%。中共党员和工农代表所占代表总数的比例大大高于前三届。毛泽东提出他不当代表，也不参加会议，中共中央政治局同意他的意见。

这次会议是在极端严格的保密措施下秘密召开的，直到闭会后才发布了新闻公报。大会的议程有：修改宪法；审议政府工作报告；选举和任命国家工作人员。四届全国人大一次会议的重要议程是修改宪法。在1月13日的开幕式上，张春桥受中共中央委托，作了《关于修改宪法的报告》。在1月17日的闭幕会上，代表们一致通过了这个报告和修改后的《中华人民共和国宪法》（即1975年宪法）。这部宪法是由中共中央提请大会审议的，而不是像1954年宪法那样由宪法起草委员会提请大会审议的。这次修改宪法的工作进行了将近5年，1970年7月21日，成立了以毛泽东为主任、林彪为副主任的中共中央修改宪法起草委员会。7月20日，中共中央发出通知，要求各省、市、自治区革委会和中央军委认真动员各厂矿、公社、军队、机关、学校、企业事业单位、街道组织的革命群众，广泛讨论修改宪法，提出修改意见。此后，中共中央政治局起草委员会详细研究了全国工农兵和人民群众对1954年宪法的修改意见，提出了《中华人民共和国宪法修改草案》，并于8月23日提交九届二中全会审查。康生在会上报告了毛主席历次对修改宪法的意见和修改宪法的过程。9月6日，全会基本通过了这个宪法修改草案，并决定动员全国人民进行讨论和修改。在9月12日，中共中央发出的通知中说："这个宪法修改草案，对于伟大领袖毛主席和他的亲密战友林副主席的领导地位，对于中国共产党对国家的领导，对于马克思主义、列宁主义、毛

泽东思想是指导我们思想的理论基础,是全国一切工作的指导方针,对于社会主义社会的阶级、阶级矛盾、阶级斗争、无产阶级专政和无产阶级专政下继续革命,对于人民群众和人民军队的巨大作用,都作了明确的规定。它力求简明扼要,通俗易懂,便于群众学习和运用。在全国人民讨论修改和四届人大通过之后,它将成为动员和团结全国人民夺取新胜利的战斗纲领。"以后,由于林彪反革命集团的垮台,宪法草案的内容不得不又作了一些修改。1975年1月上旬举行的中共十届二中全会重新讨论决定,将宪法草案提请全国人大讨论。

四届全国人大一次会议通过了张春桥作的关于修改宪法的报告和修改后的宪法草案。这次修宪的指导思想是毛泽东提出的无产阶级专政下继续革命的理论和党在整个社会主义历史阶段的基本路线。同时,也肯定了1954年宪法是正确的,继承了其中的许多内容。修改后的宪法,即1975年宪法,序言是新写的,条文从1954年宪法的106条缩减为30条,还不及1954年宪法的1/3。总的来说,这部宪法是在特定历史条件下,在错误的指导思想下产生的。但这部宪法仍是一部社会主义性质的宪法。1975年宪法与1954年宪法相比,存在着严重的缺陷和问题,主要表现在:①在"序言"和"总纲"中,肯定了"无产阶级专政下继续革命"的理论与实践,特别是"文化大革命";把"大鸣、大放、大字报、大辩论"作为"人民群众创造的社会主义革命的新形式"写入宪法。这就把党在当时指导思想上的严重错误以国家根本大法的形式肯定下来。②在经济制度上,忽视发展生产力这项极为重要的任务,离开生产力的状况强调生产关系的变革和上层建筑领域的变革。取消农业个体经济,对非农业个体劳动者经济和农村人民公社社员的自留地和家庭副业予以极大限制。③在国家政体上,削弱了国家政权机关的职权,用在"文化大革命"中通过夺权建立起来的革命委员会代替了地方各级人民委员会;肯定了人民公社"政社合一"的体制;取消了国家主席的建制;取消了1954年宪法规定的"人民法院独立进行审判,只服从法律"的制度,以及公开审判、被告人有权获得辩护的制度;取消了人民检察院。这部宪法还把1954年宪法规定的国务院"统一领导全国地方各级行政机关的工作",修改为国务院"统一领导"、"全国地方各级国家机关的工作",搞乱了国家机构的系统和分工。这部宪法还进一步发展和肯定了党政不分、政企不分、以党代政、以政代企的弊端。④这部宪法在人民代表大会的会期、职权和代表的产生等的规定上,都比1954年宪法退了一步。大会规定"各级人民代表大会代表,由民主协商选举产生","可以特邀若干爱国人士参加";将1954年宪法规定的全国人大会议每年举行一次改为"全国人民代表大会会议每年举行一次。在必要的时候,可以提前或者延长",增加了开会的随意性。对全国人大及其常委会的职权的规定,大幅度地取消和限制,如取消了监督宪法的实施和监督行政、审判、检察机关的工作等重要职权。⑤在公民的权利和义务上,缩小了公民基本权利和自由的范围,取消了"公民在法律上一律平等"的规定,取消了国家公民享受经济、政治、文化等方面的权利和自由,并为这些权利和自由的实现提供物质保障的规定。⑥在宪法形式上也很不完备。如篇幅过于窄小,规范不够明确,有些规定是口号式和形象化的语言,使许多重要问题无章可循、无法可依。

周恩来抱病出席大会并代表国务院作了《政府工作报告》。他在报告中，重申了1965年初全国人大三届一次会议提出的发展我国国民经济的两步设想，即第一步，在1980年以前，建成一个独立的比较完整的工业体系和国民经济体系；第二步，在本世纪内，全面实现农业、工业、国防和科学技术的现代化，使我国国民经济走在世界的前列。这一号召，极大地鼓舞了全国各族人民建设社会主义的信心。

会议选举朱德为全国人大常委会委员长，董必武、宋庆龄等22人为副委员长；根据中共中央的提议，任命周恩来为国务院总理，邓小平等12人为副总理，从而确定了以周恩来、邓小平为核心的国务院领导机构。

大会提出，全国人民要继续普及、深入、持久地开展"批林批孔"运动，刻苦攻读马列著作和毛主席著作，建立一支宏大的马克思主义理论队伍，用马克思主义占领整个上层建筑领域。要在党的一元化领导下，加强各级革命委员会的建设。要贯彻执行抓革命、促生产、促工作、促战备的方针，独立自立，自力更生，艰苦奋斗，勤俭建国，争取提前完成国民经济计划，为把我国建设成为社会主义的现代化强国而努力。大会号召全国各族人民在毛主席为首的党中央领导下，更加紧密地团结起来，坚持党的基本路线，认真执行和勇敢捍卫新的宪法，努力实现大会提出的各项战斗任务，进一步发展大好形势，巩固和加强无产阶级专政，争取社会主义革命和社会主义建设的新胜利。

邓小平主持中央日常工作和领导全面整顿

邓小平1973年复出，四届人大后便开始大刀阔斧地进行整顿。1975年邓小平主持中央日常工作，继续指导各个领域、各个部门果断有力地开展全面整顿，取得明显成效，成为20世纪80年代改革开放的先声。这个整顿最初得到毛泽东的支持。

邓小平复出

邓小平在"文化大革命"中作为第二号"党内走资本主义道路的当权派"而被打倒。但同被"永远开除党籍"的刘少奇相比，境遇要好一些，毛泽东保留了他的党籍。林彪事件以后，毛泽东对"文化大革命"的政策进行了有限度的修正。1972年1月，毛泽东参加了陈毅的追悼会，肯定了陈毅的历史贡献，毛泽东说："要是林彪的阴谋搞成了，是要把我们这些老人都搞掉的。"肯定了自己与老干部们的政治联系。

毛泽东还提到了邓小平。8月，毛泽东在给邓小平的信上写了批语："邓小平同志所犯错误是严重的。但应与刘少奇加以区别。（一）他在中央苏区是挨整的，即邓、毛、谢、古四个罪人之一，是所谓毛派的头子。整他的材料见《两条路线》、《六大以来》两书。出面整他的人是张闻天。（二）他没有历史问题，即没有投降过敌人。(三)他协助刘伯承同志打仗是得力的,有战功。除此之外,进城以后,也不是一件好事都没有做的。例如率领代表团到莫斯科谈判,他没有屈服于苏联。这些事我过去讲过多次,现在再说一遍。"

1973年2月,在江西居住了三年多的邓小平接到中央要他回京的通知。离别之际,68岁的邓小平留下一句话:"我还可以干二十年!"①3月9日,周恩来立即将草拟的根据毛泽东的意见作出的《中共中央关于恢复邓小平同志党的组织生活和国务院副总理的职务的决定(送审稿)》报送毛泽东,并写道:"关于恢复邓小平同志的国务院副总理职务问题,政治局会议几次讨论过,并在主席处开会报告过。现在邓小平同志已回北京。为在全国树立这样一个高级标兵,政治局认为需要中央作出一个决定,一直发到县团级党委。"这样做,是为了在全国范围内恢复邓小平的声誉,便于他复出后重新工作。当天,毛泽东阅示:"同意"。周恩来立刻将批件和附件送给邓小平,征求他本人意见。10日,中共中央正式发出这个决定。

3月28日,周恩来偕李先念等在北京玉泉山同邓小平会面。第二天,周恩来写信给毛泽东,说:他(指邓小平)的精神、身体都好。等候主席通知到主席处开政治局会,到时当约小平同志见主席。29日下午,在周恩来陪同下,毛泽东在中南海住地会见邓小平。毛泽东对邓小平讲了八个字:"努力工作,保护身体。"这是他们六年多后的再次会面②。当天晚上,周恩来主持中央政治局会议商定:邓小平正式参加国务院业务组工作,并以副总理身份参

加对外活动;有关重要政策问题,小平同志列席政治局会议参加讨论。4月1日下午,周恩来召集中央国家机关各部委负责人开会,宣布中央政治局的决定,并说:今天这个会是毛主席催促要开的,再不传达就失职了。墨西哥总统来访,邓小平同志参加接待。

墨西哥总统埃切维里亚定于4月19日访华。4月12日,柬埔寨国家元首西哈努克亲王由柬埔寨解放区返回北京,周恩来主持盛大国宴为亲王接风。这个新安排的活动,使得邓小平公开露面提前了一个星期。这一天,人民大会堂宴会厅里的晚宴一如往常,却因一个人的出现"引起了很大的轰动"③,一个外国记者记录了当时的场景:

"只身孤影,缄默无声。"

"他那对大而近似欧洲人的眼睛,正扫视着所有在场的人,似乎这孤独丝毫没有使他感到难堪和不安。""这天晚上,宴会未散就抢先急匆匆地走下楼梯的不是外交官,而是各国的新闻记者。他们直奔近处的邮政总局,向世界传播一件重大新闻:'邓小平复出。'"④

邓小平复出,对中国的历史走向发生了深刻的影响。这一点在以后的实践中得到证实。

林彪事件以后,毛泽东在党和政府的日常事务上更多地依靠周恩来。但是,对于周恩来的温和与务实的政治倾向,毛泽东并不那么放心,而周恩来在"批林"中的批极左思潮的政治态度和措施,更是毛泽东非常不满意的。因此,毛泽东急切需要

① 《回忆邓小平》(下),中央文献出版社1998年版,第199页。

② 逄先知、金冲及主编:《毛泽东传》,中央文献出版社2003年版,第1652页。

③ 法新社北京1973年4月12日电。

④ [匈]巴拉奇·代什内:《邓小平》,解放军出版社1988年版,第1、2页。

一位可以信赖的、并且在老干部包括军队干部中具有影响力的政治人物发挥作用。这样的政治机遇落到了邓小平的头上。

邓小平在1973年8月的中共十大上被选为中共中央委员。几个月后，邓小平的地位有了突出的变化。

"批林批孔"运动实际上是与周恩来有关的。1973年5月，毛泽东批评周恩来主管的外交部。11月，毛泽东批评周恩来，接着政治局开会批评周恩来。12月，毛泽东又批评了周恩来和叶剑英，说"政治局不议政，军委不议军、不议政"。这样高密度地批评主持中央工作的周恩来，实在是不寻常的。在这个背景下，毛泽东提出了邓小平的新的职务问题。

12月12日，毛泽东在中央政治局会议上说："我和剑英同志请邓小平同志参加军委，当委员。是不是当政治局委员，以后开二中全会报告追认。"

14日，毛泽东在同政治局有关成员的谈话中说："现在，请了一个军师，叫邓小平。发个通知，当政治局委员，军委委员。政治局是管全部的，党政军民学，东西南北中。我想政治局添一个秘书长吧，你不要这个名义，那就当个参谋长吧。"

25日，毛泽东在同政治局有关成员和北京、沈阳、济南、武汉军区负责人谈话时，向他们介绍邓小平说："我们现在请了一位总参谋长。他呢，有人怕他，但是办事比较果断。他一生大概是三七开。你们的老上司，我请回来了，政治局请回来了，不是我一个人请回来的。"

毛泽东又对邓小平说："你呢，人家有点怕你，我送你两句话，柔中寓刚，绵里藏针。外面和气一点，内部是钢铁公司。过去的缺点，慢慢地改一改吧。"在这样短的时间内对邓小平作出这样高密度的评论，这也是不寻常的。

12月22日，中共中央发出通知：遵照毛主席的提议，中央决定：邓小平为中央政治局委员，参加中央领导工作，待十届二中全会开会时追认；邓小平为中央军委委员，参加军委领导工作。

江青集团组阁阴谋失败

中共第十次全国代表大会以后，江青、王洪文、张春桥、姚文元进入中央政治局，王洪文、张春桥还成为政治局常委。他们在政治局里结成"四人帮"，企图篡夺党和国家的最高领导权。1974年10月4日，毛泽东提议邓小平任国务院第一副总理，江青等人就极为不满。1974年10月11日，中共中央发出通知，决定在最近期间召开第四届全国人民代表大会。通知还转达了毛泽东的意见。毛泽东同志指出，无产阶级文化大革命，已经经历了八年，现在，还是以安定为好，并要求全党全军要团结。召开四届人大，必然要讨论和决定国家领导人的安排和调整。"四人帮"认为这是他们篡夺更多权力的机会，不顾毛泽东的意见，加紧了阴谋活动。

风庆轮，是我国自行设计制造、全部用国产设备装备起来的一艘万吨级远洋货轮。我国有数十年制造万吨级远洋货轮的历史。解放后，早在50年代，就制造出了万吨级货轮。为了加速发展我国的远洋运输事业，1964年，周恩来作出造船和买船同时并进的决定，并得到毛泽东的同意。1970年，周恩来又指示：力争在几年内基本结束主要依靠租用外国轮船的局面，把立足点放在国内造船上。在国内造船一时不能适应需要时，适当买进一些船舶，把远洋运输的主动权掌握在我们手中。这是自力更生发展我国远洋运输事业卓有成效的措施，风庆轮，也正是这种指导思想的产物。1974年初，风庆轮完成组装，开始试航。1974年5月4日，风庆轮正式由上海港起航远洋。中国远洋运输总公司组织处副处长李国堂和宣传干事顾广文，被派遣到风庆轮上协助首次远航欧洲的工作，李任政委，顾为政治干事。风庆轮开船后不久，在"四人帮"授意下的一些人，便要李、顾批判在造船买船问题上的"崇洋媚外"、"卖国主义"。还说什么正是因为修正主义路线造成的种种阻力，致使万吨级轮没有及早远航。李、顾予以拒绝，并指出：国务院和交通部一向支持国内造船工业，但在目前国内造船业尚不能满足远洋运输的情况下，利用一些有利条件，从国外适当买进一批船只，是完全必要的。这既有利于加快发展我国独立的远洋船队，也可以尽快地改变由于船只不够每年要用大量外汇租用外轮的局面。并指出，在这个问题上借题发挥，矛头是直接指向国务院和周恩来总理的。他们还在船员中议论了"样板戏"。"四人帮"在上海的亲信据此写了一封一万多字的信，诬蔑李、顾是"假洋鬼子"，代表了一条修正主义的路线。1974年4月27日，上海《朝霞》月刊上又发表了署名罗思鼎的文章《李鸿章出洋》，指桑骂槐地针对周恩来。7月17日，毛泽东批评"四人帮"后，他们一伙不但不服气，而且气焰更加嚣张。8月13日，风庆轮已在返航途中。张春桥指示：风庆轮是个路线问题，要好好宣传。9月30日，风庆轮完成远航任务，胜利抵达吴淞口锚地。当天深夜12点，"四人帮"在上海的走卒，就用交通艇把二十多名记者送上了风庆轮。李、顾两人被扣在上海批判。"李、顾事件"被定为"反动的政治事件"。10月12日，上海《文汇报》和《解放日报》同时在头版头条，以通栏标题发表对风庆轮的长篇报道，并分别发表评论员文章。文中，把造船同向外国买船对立起来，影射周恩来决定向外国买船执行的是一条"孔孟之徒卖国主义路线"，"儒家卖国主义路线"，还说我国近代造船工业的发展史，是一部充满尊孔崇洋与反孔爱国斗争的历史。并以曾国藩、李鸿章、袁世凯、蒋介石、刘少奇、林彪为例，说他们都奉行造船不如买船，买船不如租船的洋奴哲学，推行的是卖国主义路线，对正在医院住院治疗的周恩来进行用心狠毒的诽谤。江青在看了10月13日《国内动态清样》有关风庆轮的报道后，写了一封信给中央政治局，要政治局对这个问题表态，而且要采取必要的措施。王、张、姚也跟着附和。1974年10月17日晚的政治局会议上，"四人帮"有预谋地提出风庆轮事件，向以周恩来为首的国务院发难，逼迫政治局成员当场表态，并对邓小平发动突然袭击，要他立即表态。当邓小平表示对这个问题还要调查时，江青等人就大肆攻击邓小平。邓小平在忍无可忍的情况下反驳几句，张春桥就说：我知道你要跳出来，果然跳出来了。邓小平蔑视他们，离开了会场。政治局会议不能继续开下去，无果而散。

1974年10月17日夜，也就是中央政治局会议的当天夜晚，江青把王洪文、张春桥、姚文元召集到钓鱼台17号楼紧急策划，决定派王洪文到长沙向毛泽东诬告周恩来、邓小平和其他领导人。18日，王洪文背着中央政治局多数成员飞抵长沙。在毛泽东面前，王洪文危言耸听地说他是冒着生命危险来的。他把周恩来、邓小平等比做九届二中全会上的林彪、陈伯达一伙，说什么北京大有庐山会议的味道。还说：周总理虽然有病，但昼夜都忙着找人谈话，经常去总理家的有邓小平、叶剑英、李先念等，他们这些人这时来往得这样频繁和四届人大的人事安排有关。王洪文在汇报中还大肆吹捧张春桥怎样有能力，姚文元怎样爱读书，江青如何高明等。其目的显然是想阻挠邓小平出任第一副总理，并把周恩来撇在一边，而由"四人帮"出来组阁。毛泽东当即批评了王洪文，并告诫他：有意见当面谈，这么背后说人坏话不好。并要他注意江青，不要同江青搞在一起。还要王洪文回到北京后找周总理和叶剑英同志谈谈。王洪文被迫作了自我批评。"四人帮"为了达到目的，10月18日白天，江青把经常陪毛泽东接见外宾的外交部的翻译王海容和唐闻生找到钓鱼台17号楼，告诉她们10月17日政治局开会，在谈到风庆轮问题时，邓小平同她发生争吵，然后扬长而去，致使政治局的会没法开下去。还说国务院的领导经常借谈工作搞串联，周总理是后台。晚上，再次把王海容和唐闻生叫到钓鱼台17号楼，江青先让张春桥介绍所谓形势问题，张春桥把当时国家财政困难说成是国务院领导"崇洋媚外"造成的，并诬蔑邓小平在风庆轮问题上跳出来不是偶然的。要王海容和唐闻生利用陪外宾见到毛泽东的机会，再次向毛泽东告状。因为王海容和唐闻生对"四人帮"一伙，尤其是对江青还是有所了解的，她们感觉到可能是江青一伙要在四届人大开会前闹事，便拒绝了江青等人的要求，但江青却一再坚持要她们去向毛泽东告状。由于事关重大，王、唐二人于19日赶到医院向周恩来作了报告。周恩来说：他已经知道了政治局会议的情况，不像江青等人说的那样，是江青他们四个人事先就计划好了向邓小平发难。他们已经多次这样整邓小平，邓小平已忍了很久。10月20日，王海容和唐闻生根据周恩来的意见把情况向毛泽东作了报告。毛泽东听后非常生气，并指出：风庆轮的问题本来是一件小事情，而且已

经在解决，江青等人还这么闹。要王海容和唐闻生转告王洪文、张春桥、姚文元，要他们不要跟在江青后面作批示。同时，毛泽东还要王海容和唐闻生转告周总理和王洪文，说：总理还是总理，四届人大的筹备工作和人事安排问题，由总理和王洪文一起管。毛泽东对邓小平针锋相对地与江青一伙作斗争表示赞扬。王洪文的长沙之行没有达到预期的效果，江青等人的诬告也没有得逞，反而受到了毛泽东的批评。但是，江青等人仍然不肯罢休。

在四届人大筹备工作期间，江青一伙，一面明目张胆地向周恩来、邓小平等一批老同志进攻，一面向毛泽东要官、要权。他们为了增加自己在四届人大中的比例，利用在全国各地的爪牙争当四届人大代表。到1974年冬，像李庆霖、朱克家、张铁生等人都被指定为四届人大代表，"四人帮"的许多得力心腹，也几乎统统塞进四届人大代表中。1974年11月12日，江青给毛泽东写信时提出：谢静宜任全国人大副委员长、迟群当教育部长、乔冠华当副总理，毛远新、迟群、谢静宜、金祖敏列席政治局，作为"接班人"来培养。当天，毛泽东就在江青的信上批示：叫她不要多露面，不要批文件；不要想自己组阁，充当后台老板，并告诫她，她已经积怨很多，要她团结大多数同志，同时要她有一点自知之明，不要太自以为是。江青在受到毛泽东批评后，在11月19日，给毛泽东回了一封信，在信中，一面假惺惺地作了一番自我检讨，更重要的是开始伸手向毛泽东要职、要权。她说：自从党的九大以来，她没有分配到什么工作，基本上是个闲人，现在更是这样。这封要职、要权的信，引起了毛泽东的警觉。毛泽东回答她：她的工作就是研究国内外动态，这是一项大任务，不能说她没有工作可干。江

青对毛泽东的劝告置若罔闻,见直接提出不行,就转而要王海容和唐闻生利用见到毛泽东的机会,向毛泽东转达她的意见,要求由王洪文任副委员长,排在朱德和董必武之后。毛泽东对王海容和唐闻生一针见血地揭穿了江青的阴谋,江青有野心,她是想叫王洪文当委员长,她自己当党的主席。1974年12月,王洪文再次到长沙见毛泽东,又提出要权的问题。毛泽东再次告诫他:不要搞"四人帮",不要搞宗派,搞宗派要摔跤。在毛泽东的支持下,周恩来带病主持国家人事安排工作。1974年12月23日,周恩来不顾病痛的折磨,同王洪文一起乘飞机到长沙会见毛泽东,向毛泽东汇报工作。毛泽东在23日至27日,同他们进行了四次谈话。毛泽东再次告诫王洪文:不要搞"四人帮",要同政治局的其他同志团结起来,四个人搞在一起不好!并再次指出:江青有野心。说她在批刘批林问题上是对的,说总理的错误是第十一次路线错误就不对了。江青认为批林批孔是第二次文化大革命也是不对的,通过对邓小平前一段工作的考察,毛泽东还得出邓小平人才难得,政治思想强的结论。再次提出由邓小平担任中共中央军委副主席、第一副总理兼中国人民解放军总参谋长三项职务,并提名陈锡联为副总理。1975年1月5日,根据毛泽东的提议,中共中央发出文件,任命邓小平为中共中央军委副主席兼中国人民解放军总参谋长,同时任命张春桥为中国人民解放军总政治部主任,并委托周恩来筹备四届人大的各项准备工作。1975年1月8日至10日,在周恩来的主持下,中共十届二中全会在北京召开。会议讨论了四届人大的准备工作,决定将《中华人民共和国宪法修改草案》、《关于修改宪法的报告》、《政府工作报告》和全国人大常委会、国务院成员的候选人名单,提请四届人大讨论。《政府工作报告》中关于实现农业、工业、国防和科学技术的现代化目标,在当时,对于引导人民积极从事社会主义建设是有积极意义的。全会提请四届人大讨论的政府人选名单基本上也是正确的。会议选举邓小平为中共中央副主席、中共中央政治局常委;批准李德生免除他所担任的中共中央副主席、中央政治局常委的请求。在会议期间,毛泽东还一再强调:要保持安定团结,要把国民经济搞上去。中共十届二中全会,使江青等人的组阁阴谋成了泡影。"四人帮"是不会甘心他们的失败的,就在十届二中全会结束的当天晚上,江青便窜到北京卫戍区某部六连"看望"指战员,在谈话中,她歌颂吕后,并不无感慨地吟咏唐朝诗人李商隐的诗《贾生》:宣室求贤访逐臣,贾生才调更无伦,可怜夜半虚前席,不问苍生问鬼神。借指责汉文帝没有重用贾谊,来比喻自己在十届二中全会中未被重用。1975年1月13日至17日,第四届全国人民代表大会第一次会议在北京举行。会议由朱德主持,张春桥受中共中央委托作了《关于修改宪法的报告》、周恩来代表国务院作《政府工作报告》。会议还选举和任命了国家领导工作人员,选出了以朱德为委员长的全国人大常务委员会,决定周恩来继续担任国务院总理,邓小平等任国务院副总理。会后,由于周恩来病重住院,在毛泽东的支持下,由邓小平代理主持国务院工作,并在实际上主持中央日常工作。四届人大的顺利召开,以周恩来、邓小平为核心的国务院领导人的确立,彻底挫败了江青一伙的组阁阴谋。对于这一次组阁的失败,江青气急败坏,于是,她又把王海容和唐闻生找去,当着她们俩的面,把几乎所有的政治局委员都大骂了一遍,还一定要王海容和唐闻生把她的意见报告毛泽东。唐、王报告毛泽东后，毛泽东指出：江青看得起的人，只有她自己。并预言将来江青会跟所有的人闹翻，现在大家只是在敷衍她。历史的发展，后来果然验证了毛泽东的预言。

三

毛泽东批评"四人帮"

　　1974年年初，中国的政治形势就呈现出紧张的特点。江青等控制下的"两报一刊"发表的元旦社论，引人注目地提出："要继续开展对尊孔反法思想的批判"，"中外反动派和历次机会主义路线的头子都是尊孔的，批孔是批林的一个重要组成部分"。1月25日，农历正月初三下午，江青在北京召开有一万多人参加的党中央直属机关和国务院各部门"批林批孔"动员大会上，提出"批林批孔"，所联系的实际之一，就是"走后门"问题。有意将到会的周恩来、叶剑英等置于受指责的地位，年迈多病的郭沫若也被江青当场点名。

　　随着"批林批孔"运动的开展，北京及全国各地的局势也再次动荡起来。经济立刻出现严重滑坡，几乎停滞不前。这种状况的发生，是毛泽东原来没有想到的。尽管对"批林批孔"运动，毛泽东很少发表具体意见①，但他仍然觉察到问题的严重性，对江青提出尖锐的批评。

　　叶剑英在1月30日致信毛泽东，以"检讨"方式反映江青的所作所为。周恩来也向毛泽东反映有关情况，提出：在"批林批孔"中，如果"只研究'走后门'一个问

题，这又太狭窄了，不正之风绝不止此；而'走后门'又要分析，区别对待"。毛泽东在给叶剑英回信中表示明确反对江青的作为。周恩来把毛泽东这封信印发给在京的中央委员和候补中央委员。江青本来还气势汹汹地质问周恩来，在看到毛泽东的批示后，立刻哑口无言。迫于压力，江青向毛泽东写了检查，称："我做蠢事，对不起主席！""今后当努力学习，克服形而上学、片面性。"

　　2月20日，毛泽东再次致信江青："不见还好些。过去多年同你谈的，你有好些不执行，多见何益？有马列书在，有我的书在，你就是不研究。我重病在身，八十一了，也不体谅。你有特权，我死了，看你怎么办？你也是个大事不讨论，小事天天送的人。请你考虑。"②

　　7月中旬，身患多种疾病的毛泽东准备到南方易地休养，他预感到这次外出时间不会短，行前需要向政治局作出一些重要交待。17日，毛泽东召集在京的中央政治局成员来中南海游泳池他的住地开会。会上，毛泽东用严肃的口吻批评江青及王洪文、张春桥、姚文元，说："江青同志，你要注意呢！别人对你有意见，又不好当面对你讲，你也不知道。不要设两个工厂，一个叫钢铁工厂，一个叫帽子工厂，动不动就给人戴大帽子，不好呢，要注意呢。"又说："你也是难改呢。"他指着江青向在场的政治局委员表示："她算上海帮呢！你们（指江、王、张、姚四人——引者注）要注意呢，不要搞成四人小宗派呢！"由于江青常常以毛泽东的代言人姿态出现，一般人很难区分她所说的话哪些是毛泽东的意见，哪些是她本人的意见，毛泽东在会

---

①　逄先知、金冲及主编：《毛泽东传》，第1692页。
②　同上，第1686—1687页。

上两次郑重宣布："她并不代表我，她代表她自己。""总而言之，她代表她自己。"①这是毛泽东第一次在中央政治局会议上点名批评江青，并且点出了"四人小宗派"的问题。但毛泽东还留有余地，在主要批评她的同时，在会上还说了："对她也要一分为二，一部分是好的，一部分不大好呢！"

1974年12月23日，周恩来抱病和王洪文到长沙，就四届人大的人事安排向毛泽东汇报。毛泽东在谈话中再次警告王洪文，说"四人帮"不要搞了，说他们"在批林批孔中立了功，但不要搞宗派，搞宗派要摔跤的"，"不要搞'四人帮'，团结起来，四个人搞在一起不好"。这是毛泽东第一次提出"四人帮"这个概念。毛泽东批评江青说："江青有野心，你们看有没有？我看是有的……对江青当然要一分为二，她在批刘批林问题上是对的，说总理的错误是第十一次路线错误就不对了……批林批孔，批走后门，成了第三个主题，就搞乱了。搞乱了，也不告诉我……说批林批孔是第二次文化大革命是不对的。"同时，毛泽东再次提出邓小平的任用问题，高度评价邓小平，说邓小平"人才难得"，"政治思想强"，"我看邓小平做个军委副主席、第一副总理兼总参谋长"。毛泽东同时也表示，张春桥有才干，并提名陈锡联为国务院副总理。毛泽东在这个时期考虑较多的是国家和社会的团结稳定问题，他多次说："无产阶级文化大革命，已经八年。现在，以安定团结为好。全党全军要团结……还是安定团结为好。"毛泽东将团结和稳定的希望主要寄托在老干部身上，这也许就是毛泽东对周恩来、邓小平表示某种宽容和支持的原因。这一点是江青集团事先没有充分预料到的。

周恩来回到北京，亲自整理出毛泽东的谈话要点，分别在中央政治局常委会议和政治局会议上作了传达。江青组阁失败，非常恼怒，大骂政治局的许多委员。毛泽东则在批示中表示："她看得起的没有几个，只有一个，就是她自己……我死了以后，她会闹事。将来她要跟所有的人闹翻，现在人家是敷衍她。"

1975年1月5日，中共中央发出一号文件，任命邓小平为中央军委副主席兼中国人民解放军总参谋长，同时任命张春桥为中国人民解放军总政治部主任。

"四人帮"集团组阁失败，又加紧了政治理论上的进攻。他们利用"学习无产阶级专政理论"的运动，企图达到自己的政治目的。

1974年12月26日晚上，毛泽东同周恩来作了一次单独长谈，直到次日凌晨。长谈的全部内容，据权威的《毛泽东传》的作者称"已无人知晓"。周恩来解释说，谈话涉及两个问题，一个是人事安排，一个是理论问题。周恩来整理毛泽东理论问题的谈话，后来将其称为"毛主席关于理论问题的重要指示"。毛泽东发动这场运动的目的，仍然是解决如何更好地维护"文化大革命"的理论和实践的问题。但是，毛泽东并不希望看到出现新的社会动荡，而倾向于理论上的、意识形态上的根本解决，一方面借重周恩来、邓小平等维持稳定的局面，另一方面由江青、张春桥、姚文元等加强理论和意识形态的控制。在学习理论运动中，江青等人超出毛泽东指定的范围，鼓吹"经验主义是当前的主要危险"，提出批判经验主义的任务。

1975年3月1日，张春桥在解放军各大单位政治部主任座谈会上讲话，在介绍

---

① 逄先知、金冲及主编：《毛泽东传》，第1693页。

毛泽东关于学习问题的指示时,着重介绍了毛泽东在 1959 年庐山会议上印发的《经验主义还是马克思列宁主义》一书中批判经验主义的言论:"为了从理论上批判经验主义,我们必须学哲学。理论上我们过去批判了教条主义,但是没有批判经验主义,现在的主要危险是经验主义。"张春桥说:"据我看,主席的话现在仍然有效","在延安整风当中,主要批教条主义。全国解放后,也批教条主义,对经验主义没有注意批过","对经验主义的危险,恐怕还是要警惕"。张春桥为了点明反"经验主义"的现实意义,特别提出:"四届人大提出了一个很宏伟的目标,在本世纪内,也就是本世纪末,要把我们的国家建设得很强大,走在世界各国的前列,无非就是搞几千亿斤粮食,几千万吨钢。但是如果我们把理论问题搞不清楚,就会重复斯大林的错误",因此应当警惕"卫星上天,斯大林红旗落地"①。

江青在 4 月 4 日、5 日的两次指示中,都反复强调:现在的主要危险"不是教条主义,而是经验主义","经验主义是修正主义的帮凶,是当前的大敌。共产党员要很好地学习马列主义、毛泽东思想,提高识别经验主义的鉴别力,否则就会变修"。

在江青等人的指示下,各大报刊如《人民日报》、《红旗》杂志、《解放日报》、《光明日报》、《文汇报》等连续发表了一批"四人帮"的写作班子批"经验主义"的文章。《历史的经验值得注意》说:"他们轻视理论学习,醉心于无原则的实际主义,满足于没有远见的事务主义,以自己的局部经验,指挥一切,而不肯听取别人的意见。恰恰是这些同志,自觉或不自觉地成

了王明教条主义的合作者。"②

很显然,其锋芒是指向周恩来。邓小平对此进行了坚决的斗争。邓小平就此向毛泽东作了汇报,并提出了自己的看法。为维持政治的平衡,毛泽东对江青等人超出范围对周恩来等老干部的政治攻击表示反对,对邓小平表示明确的支持,并且批评了"四人帮"。这是一个对于当时邓小平主持的全面整顿和后来的政治走向有重大影响的插曲。

4 月 14 日,毛泽东结束了他将近 10 个月的南方之行,回到北京。4 月 23 日,毛泽东在姚文元送来的新华社《关于报导学习无产阶级专政理论问题的请示报告》上作了批示,指出:"提法似应提反对修正主义,包括反对经验主义和教条主义,二者都是修正马列主义的,不要只提一项,放过另一项。各地情况不同,都是由于马列水平不高而来的。不论何者都应教育,应以多年时间逐渐提高马列为好。我党真懂马列的不多,有些人自以为懂了,其实不大懂。自以为是,动不动就训人,这也是不懂马列的一种表现。"

毛泽东要求政治局对此"议一议"。毛泽东的批评使江青等人的气焰顿受打击。4 月 27 日,中央政治局召开会议,邓小平在会上对"四人帮"反对"经验主义"的做法进行了有力的批评。

5 月 3 日,毛泽东在中南海召集在京政治局委员开会,周恩来抱病出席会议。毛泽东同周恩来、叶剑英、邓小平、陈锡联、江青、王洪文、张春桥等一一握手。接着,毛泽东便开始了他那段批"四人帮"的著名谈话。毛泽东强调了要搞马克思主义,不要搞修正主义;要团结,不要分裂;

---

① 1975 年 3 月 1 日张春桥在解放军各大单位政治部主任座谈会上的讲话。
② 《解放日报》,1975 年 4 月 7 日。

要光明正大,不要搞阴谋诡计的"三要三不要"原则。他批评了江青等人搞"四人帮",说:不要搞"四人帮",你们不要搞了,为什么照样搞呀?为什么不和二百多个中央委员搞团结?搞少数人不好,历来不好。我看批判经验主义的人,自己就是经验主义,马列主义不多。我看江青就是一个小小的经验主义者。毛泽东告诫江青:不要随便,要有纪律,要谨慎,不要个人自做主张,要跟政治局讨论,有意见要在政治局讨论,印成文件发下去,要以中央的名义,不要用个人的名义,比如不要以我的名义。

毛泽东在重申"三要三不要"之后说:我看问题不大,不要小题大做,但有问题要讲明白,上半年解决不了,下半年解决;今年解决不了,明年解决;明年解决不了,后年解决。其他的事你们去议,治病救人,不处分任何人,一次会议解决不了。我的意见,我的看法,有的同志不信这三条,也不听我的,这三条都忘记了。九大、十大讲过这三条,这三条要大家再议一下。

毛泽东决定:邓小平主持中央日常工作,主持政治局会议,对江青等人进行批评。

据记载,这是毛泽东生前最后一次主持中央政治局会议。

5月27日,邓小平主持召开了政治局会议。会议一开始,邓小平就针对江青等人搞所谓"第十一次路线斗争"、"批林批孔又批走后门"、"反对经验主义"三件事,提出质问和批评。邓小平说:你们批周总理,批叶帅,无限上纲,提到对马列的背叛,当面点了那么多人的名,来势相当猛。别的事不那么雷厉风行,这件事就那么雷厉风行?面对邓小平的质问和批评,江青反驳说这是搞"围攻",搞"突然袭击"。邓小平毫不相让,拍着桌子,严厉驳斥。他

反复申明,这次会议是根据主席指示和讲话精神召开的。主席问我们讨论得怎样,有没有结果,要我们好好讨论。主席强调"三要三不要",我们政治局的同志要首先做到。有的同志认为我4月27日的讲话过头了,是"突然袭击",其实,百分之四十也没讲到,有没有百分之二十也难讲,谈不上突然袭击和过头。李先念接着发言说,我认为4月27日会议没有过分,没有越轨。主席谈到"四人帮"不要搞,但有人还要搞。

6月3日,政治局再次开会批评江青等人。会上,叶剑英作了长篇发言,主要讲了三个问题:第一,要学马列。这个问题很重要,马列弄懂很难。主席批评有的人自以为是,动不动就训人,是不懂马列的一种表现。这是很尖锐的。我们一定要学好,中央要带头学。第二,要团结,不要分裂。过去一个时期不正常,如果保持非法的小组织存在,搞"四人帮",就有害团结,分裂党。第三,要请示报告,严守纪律。他指名道姓地批评,你们搞所谓"十一次路线斗争",事先不请示;"批走后门",也不请示;"反经验主义",又不请示,要主席来纠正。今后凡重大问题,都要交政治局讨论。过去的错误,要引起严重注意,不要再事先不请示,事后来纠正。

会上,王洪文被迫作了检讨,说江青与邓小平的争论,偏听了一方,没有听小平的意见,错误主要是他的。4月27日多数同志的发言是好的,对他的批评是难得的,但不能认为"形势一塌糊涂",总的讲还是好的。去年11月批总理的会,不能因为批评江青就否定会议的大方向。

几天后,邓小平陪同外宾会见毛泽东,向他汇报中央政治局会议情况,反映了江青等人的表现。毛泽东高兴地说:"我看有成绩,把问题摆开了。"又说:"他

们几个现在不行了,反总理、反你、反叶帅。现在政治局的风向快要转了。"最后毛泽东对邓小平说:"你要把工作干起来!"邓小平回答:"在这方面,我还有决心就是了。反对的人总有,一定会有。"毛泽东笑道:"木秀于林,风必摧之。"邓小平主持中央工作后,毛泽东又同他进行了一次谈话。邓小平汇报:全国生产形势不错。钢没有完全达到指标,但是有希望。今年农业,夏粮是丰收了,秋粮还不错。接着,他又谈了解放干部问题、文艺政策问题。最后,他说:都说我两次讲话叫复辟,说是刘少奇的班底又起来了,有人不高兴。毛泽东说:"再过两三年就好一些了。"邓小平说:"有人讲点,有好处,没坏处。"毛泽东说:"是啊,无非是挨骂。我历来就是挨骂的。"①

6月28日,江青向毛泽东和中央政治局交了一份书面检查:"主席、在京的政治局各位同志:我在4月27日政治局会议的自我批评是不够的,经几次政治局会议上同志们的批评、帮助,思想触动很大,但是思想上一时转不过来,经过思想斗争,我认为会议基本上开得好,政治局比过去团结了。当我认识到'四人帮'是个客观存在,我才认识到有发展成分裂党中央的宗派主义的可能,我才认识到为什么主席从去年讲到今年,达三四次之多。原来是一个重大的原则问题,主席在原则上是从不让步的。"

在毛泽东的支持下,周恩来、邓小平、叶剑英等再次取得同"四人帮"斗争的胜利。由于当时特殊的历史条件,批评主要集中在江青"四人帮"越出毛泽东设想的运动的目标和范围另搞一套的做法,对于理论和实践的根本错误不可能直接地予以否定。尽管如此,邓小平、叶剑英与江青等人面对面的激烈交锋,并迫使他们作出检讨,这在"文化大革命"中,是唯一的一次。这有力地保证了全面整顿的继续顺利进行。

四

全面整顿,各条战线出现转机

四届人大第一次会议闭幕后,周恩来的病情更加沉重。在毛泽东的支持下,邓小平代总理主持国务院工作并在实际上主持中央日常工作。当时,由于"批林批孔"运动的影响,"四人帮"的干扰破坏,全国工业、农业、交通运输、科学技术等各方面都陷于严重混乱状态。邓小平不顾刚刚出来工作的困难处境,按照四届人大确定的把我国建设成为社会主义现代化强国的目标,根据毛泽东提出的学习理论、安定团结、把国民经济搞上去的指示,从整顿领导班子、批判和消除帮派入手,大刀阔斧地对各方面工作进行了整顿。

由于"四人帮"及其爪牙的破坏,造成徐州、南京、南昌等铁路局的运输长期阻塞,阻碍津浦、京广、陇海、浙赣四条铁路大干线的畅通,并影响其他铁路干线的运输,严重危及工业生产和人民的生活,因此工交战线上的整顿就从铁路开始。1975年2月25日至3月8日,中共中央召开了全国各省、市、自治区主管工业的书记会议,邓小平在会上作了题为《全党讲大局,把国民经济搞上去》的重要讲话。他指出:现在的大局就是发展我国国民经济的两步设想:第一步,到1980年建成一个独立的比较完整的工业体系和国民经济体系;第二步,到20世纪

---

①　逄先知、金冲及主编:《毛泽东传》,第1739页。

末,把我国建设成为具有现代工业、农业、国防和科学技术现代化的社会主义强国。当前的薄弱环节是铁路。铁路运输问题不解决,生产部署统统打乱,整个计划都会落空。解决铁路问题的办法是加强集中统一,建立必要的规章制度,增强组织纪律性。3月9日,中共中央发出了《关于加强铁路工作的决定》,规定全国铁路由铁道部统一管理;恢复铁路系统的各项规章制度;增强纪律性,反对派性,调整充实各级领导班子,逮捕一小撮破坏铁路运输的坏头头。会后,全国铁路系统大张旗鼓地宣传了这个决定。铁道部部长万里率领工作组,会同有关省、市、自治区党委,对一些问题严重的路局进行了重点整顿,使铁路运输状况迅速好转。至4月份,全国20个铁路局,除南昌局外,都超额完成计划:日装车平均达53700多车,比2月份多装1万多车;煤炭日装车达到7800多车,是5年来第一次完成计划。

接着,中共中央又大力抓了钢铁工业的整顿。1975年5月29日,在钢铁工业座谈会上,邓小平指出:钢铁工业要解决四个问题:第一,必须建立一个坚强的领导班子;第二,必须坚决同派性作斗争;第三,必须认真落实政策;第四,必须建立必要的规章制度。6月4日,中共中央发出《关于努力完成今年钢铁生产计划的批示》。钢铁工业的整顿立见成效,6月份,钢的平均日产量达到72400吨,超过全年计划平均日产水平,开始补还欠产。

为了系统地解决工业整顿的问题,国务院指示国家计委起草一份文件。8月18日,在国务院讨论该文件的会议上,邓小平就工业发展的有关问题,提出了一系列重要意见。9月2日,形成了《关于加快工业发展的若干问题》草稿。这份文件规定对企业领导班子要坚决整顿,要把坏人篡夺了的权力夺回来。但这份文件由于"四

人帮"的阻挠未能作为正式文件下发。与此同时,国务院各有关部门也先后起草了企业管理、基本建设管理、物资管理、财政管理、物价管理、劳动管理等条例,都由于同样原因未能发出。经过几个月的整顿,原油、发电量、原煤、化肥等5、6月份创造了历史上月产的最高水平。生产状况迅速好转,反映了工交企业整顿工作是卓有成效的。

军队的整顿是全面整顿的一个重要方面。1975年6月24日至7月15日,中央军委召开了扩大会议。会议的主要议程是讨论解决军队的整顿问题,即改正不正之风和压缩军队定额、调整编制体制、安排超编干部的问题。邓小平于7月14日在会上作了重要讲话。他分析了军队的状况,指出军队要解决肿、散、骄、奢、惰的问题,要抓编制、抓装备,还要抓战略。还说:战略要研究的问题,不仅是作战问题,还包括训练。要把训练放在战略问题的一个重要位置上。叶剑英在总结讲话中也指出:要调整和改组那些怕字当头的软班子,干劲不足的懒班子,闹不团结的散班子。对那些搞资产阶级派性的,要限期改正;不改的,要坚决调离。这次会议,对于解决"文化大革命"给部队建设带来的各种问题,消除林彪的恶劣影响,抵制"四人帮"插手军队,有着十分重要的作用。

科学技术是实现四个现代化的先导,为了摆脱科学技术落后有可能拉整个国民经济后腿的趋势,邓小平反复强调要注意发挥知识分子的作用,重视知识重视科学技术。为了使中国科学院从派性纠缠中解放出来,使之成为科学技术发展的带头单位,1975年7月初,邓小平选派了曾担任过团中央第一书记的胡耀邦到科学院工作。胡耀邦在科学院,通过广泛的调查研究,于1975年8月11日作了一个《关

于科学技术工作的几个问题》的汇报提纲,并于9月26日向国务院作了汇报。汇报提纲讲了6个问题:第一,关于肯定科技战线上的成绩问题;第二,关于科技工作的组织领导问题;第三,关于科技战线的具体路线问题;第四,关于科技战线知识分子政策问题;第五,关于科技十年规划轮廓的初步设想问题;第六,关于院部和直属单位的整顿问题。汇报提纲特别强调了红与专的关系,指出:对科技部门一定要做到既有坚强的政治领导,又有切实具体的业务领导。科学技术也是生产力,科研应走在前面。邓小平基本肯定了这个汇报提纲,并指出:要选党性好、组织能力强的人搞后勤,解决科研人员生活中的困难,给他们创造良好的科研工作的条件。对于那些一不懂行,二不热心,三有派性的人不能再待在领导班子里。同时,邓小平还强调学校应以学为主,要使科技事业后继有人,中心是办好教育。他还尖锐地指出:我们的危机,可能发生在教育部门,把整个现代化水平拉住了。这个汇报提纲当时也未能正式下发。

"文化大革命"中,由于江青一伙把持,文艺的贫乏使全国人民共同忍受着精神上的饥渴。面对着必须整顿的中国文艺,1975年7月,邓小平就此问题与毛泽东进行了磋谈。为此,毛泽东在1975年7月14日对于文艺问题作了批示:党的文艺政策应当调整一下,一年、二年、三年,逐步扩大文艺节目。缺少诗歌、缺少小说,缺少散文,缺少文艺评论。对于作家,要惩前毖后,治病救人,如果不是暗藏的有严重反革命行为的反革命分子,就要帮助。在毛泽东讲话精神的鼓舞下,电影《创业》的作者张天民,就有关影片问题于7月18日写信,请邓小平转呈毛泽东。7月25日,毛泽东对张天民的来信作了批

示:建议通过发行此片。不要求全责备,这样不利于调整党内的文艺政策。毛泽东关于《创业》的批示,在群众中不胫而走,四处流传。人们希望通过文艺调整,使被"文化大革命"窒息了的文艺有所复苏,使文艺园地百花齐放。

对农业的整顿却表现出另一番景象。1975年9月15日至10月19日,中共中央先后在昔阳、北京召开了全国农业学大寨会议。邓小平在开幕式上作了重要讲话,他提出要注意中国农业的落后状况,整顿农业就是发展农业生产,表现于切切实实的农业增产上,并提出要落实农村干部政策等问题。国务院副总理、原大寨大队党支部书记陈永贵致开幕词,他把大寨的根本经验说成是坚持党的基本路线,大批修正主义,大批资本主义,大干社会主义。这就把原来以艰苦奋斗为特色的农业先进典型,变成了执行"左"倾方针的典型。华国锋作了题为《全党动员,苦战五年,为普及大寨县而奋斗》的总结报告。要求到1980年全国有1/3的县建成大寨县,全国基本上实现农业机械化。9月19日,中共中央批转了华国锋的报告,全国掀起了农业学大寨高潮,使得很多地区出现了在生产上脱离当地实际,片面追求粮食产量;在分配上抛弃按劳分配,采用政治工分;在生产关系上急于向大队核算过渡等问题,使农业经济进一步受到破坏。会议提出五年基本实现农业机械化的要求,完全是不切实际的空想。

邓小平主持对各方面工作进行整顿,并在短期内显出成绩,给广大干部和群众以重新获得安定的生活带来了希望。毛泽东对邓小平的整顿工作虽然持支持态度,但当各条战线的整顿进一步深化,事实上已触及纠正"文化大革命"给全国带来的混乱局面时,毛泽东感到不能容忍邓

小平这样系统地纠正"文化大革命"的错误了。随着他提出的限制"资产阶级法权"理论问题和评论《水浒传》的开展，整顿工作遇到了种种难以克服的障碍。

1975 年 2 月 9 日，《人民日报》发表了《学好无产阶级专政的理论》的社论，传达了毛泽东关于理论问题的谈话内容。18 日，中共中央发出通知，将毛主席关于理论问题的重要指示发到全国，在全国掀起了学习无产阶级专政理论的运动。22 日，《人民日报》发表了张春桥、姚文元主持选编的《马克思、恩格斯、列宁论无产阶级专政》。他们断章取义地摘编这些语录是为了使毛泽东的"左"倾观点进一步发挥，再次为"文化大革命"的错误辩护，并趁机塞进自己的私货，把"左"倾观点推向极端。1975 年 3 月，姚文元发表了《论林彪反党集团的社会基础》；4 月，张春桥发表了《论对资产阶级的全面专政》。鼓吹经验主义是当前的主要危险，叫嚷要全部地打掉资产阶级的一切土围子。江青也授意报刊发表大量类似的文章。他们把邓小平主持中央工作提出的各种整顿措施诬蔑为"经验主义"，借以攻击周恩来、邓小平等具有丰富经验的党和国家领导人。他们提出打土围子，是要把那些反对"左"倾错误的干部、知识分子和群众比做过去民主革命时期在土围子中的敌人，要对之实行全面专政。毛泽东批准了姚文元、张春桥的文章，但不同意他们反经验主义的观点。1975 年 4 月 23 日，毛泽东在新华社的一个报告上批示：反修正主义，包括反对经验主义和教条主义，不要只提一项，放过另一项。毛泽东还批评江青等人：我党真懂马列的不多，有些人自以为懂了，其实不大懂，自以为是，动不动就训人，这也是不懂马列的一种表现。根据毛泽东的意见，1975 年 4 月 27 日，中共中央政治

局召开会议，批评了江青等人反对经验主义的错误。5 月 3 日，毛泽东亲自召集在京的中央政治局委员开会，再次批评了反经验主义。他针对江青等人指出他们只恨经验主义，不恨教条主义，强调指出：要搞马列主义，不要搞修正主义；要团结，不要分裂；要光明正大，不要搞阴谋诡计。不要搞四人帮。并进一步指出：我看批经验主义的人，自己就是经验主义，马列主义不多。我看江青就是一个小小的经验主义者。他告诫江青：不要随便，要有纪律，要谨慎。但又说：我看问题不大，不要小题大做，但有问题要讲明白。毛泽东的批评，使江青等人稍有收敛。会后，根据毛泽东的提议，中央政治局在邓小平主持下，于 1975 年 5 月 27 日和 6 月 3 日两次召开会议，对江青等人进行批评。江青、王洪文不得不在会上作了检讨。这在一段时间内对整顿工作是有利的。

但是，"四人帮"的野心是不可遏制的，他们仍然寻找机会，攻击周恩来、邓小平等领导人。早在 1973 年 12 月 21 日，毛泽东在接见中央军委会议代表的讲话中就评过《水浒传》。毛泽东说《水浒传》只反贪官，不反皇帝，后来接受了招安。但毛泽东这次评《水浒传》未引起关注。1975 年 8 月 14 日，毛泽东在同北京大学中文系教师芦荻谈论如何评价中国古典小说《水浒传》时说：《水浒传》这部书，好就好在投降，做反面教材，使人民都知道投降派。《水浒传》只反贪官，不反皇帝。屏晁盖于 108 人之外。宋江投降，搞修正主义，把晁盖的聚义厅改为忠义堂，让人招安了。宋江同高俅的斗争，是地主阶级内部这一派反对那一派的斗争。宋江投降了，就去打方腊。这支农民起义队伍的领袖不好，投降。李逵、吴用、阮小二、阮小五、阮小七是好的，不愿意投降。当天，

"四人帮"就得到毛泽东的这份谈话记录便企图加以利用。姚文元当即给毛泽东去信说:关于《水浒传》的评论这个问题很重要,对于中国共产党人、中国无产阶级、贫下中农中一切革命群众在现在和将来,在本世纪和下世纪坚持马克思主义,反对修正主义,把毛主席的革命路线坚持下去,都有重大的、深远的意义,应当充分发挥这部"反面教材"的作用。他建议广泛印发这次谈话和他的这封信,并组织评论文章。毛泽东同意了这一要求。中共中央办公厅立即发出文件,转发毛泽东关于《水浒传》的谈话和姚文元的信。1975年8月28日,《红旗》杂志第9期发表短评《重视对〈水浒传〉的评论》,8月31日,《人民日报》转载了此文。9月4日,《人民日报》发表社论《开展对〈水浒传〉的评论》并正式公布了毛泽东对《水浒传》的评论。社论指出:评《水浒传》是我国政治思想战线上的又一次重大斗争,是贯彻执行毛主席关于学习理论,反修防修重要指示的组成部分。要求广大工农兵理论骨干、专业理论工作者、广大干部和群众积极参加这个讨论。此后,在全国掀起了评《水浒传》运动。不久前受到毛泽东批评的江青,借评《水浒传》之机又活跃起来。1975年8月下旬,江青召集文化部部长于会泳等人时说:主席对《水浒传》的批示有现实意义。评论《水浒传》的要害是架空晁盖,现在政治局有些人要架空主席。9月12日,江青在全国农业学大寨会议上又说:不要认为评《水浒传》只是一个文艺评论,不单纯是文艺评论,也不单纯是对历史,对当前也有现实意义。因为我们党内有10次路线错误。今天还会有的。现在我们评《水浒传》,看看宋江如何排斥晁盖、架空晁盖。9月17日,江青在大寨召集文艺界、新闻界100多人谈话时又反复讲:宋江架空晁盖,现在有人要架空主席。并要求大会印发她的讲话稿,向全国播放她的讲话录音。毛泽东得知后,严厉批评江青的讲话是放屁,文不对题。明确指示:稿子不要发,录音不要放,讲话不要印。"四人帮"的嚣张气焰,又一次受到打击。在评《水浒传》运动中,"四人帮"利用他们控制的舆论工具假借评《水浒传》,影射、攻击正在纠正"文化大革命"错误,实行全面整顿的周恩来、邓小平等人,成为稍后发动的"批邓、反击右倾翻案风"的前奏。

邓小平主持中央日常工作期间,对各方面工作进行了卓有成效的整顿,反映了广大人民的要求和期望。与此同时,在"四人帮"把持下进行的学习"无产阶级专政理论",评论《水浒传》运动,给整顿工作带来了严重障碍。由于有以邓小平为代表的中央政治局和国务院许多同志的努力和斗争,也由于毛泽东对邓小平工作的支持和对"四人帮"的某些批评,更由于广大干部和群众积极工作,努力生产,1975年的形势有了明显的好转。一些地区的武斗受到抑制,大部分地区社会秩序趋于稳定,国民经济由停滞、下降迅速转向回升。工农业总产值达到4504亿元,比1974年增加了480亿元,增长了11.9%,其中工业总产值增长15.1%,农业总产值增长4.6%。1975年是"文化大革命"期间经济发展比较好的一年。

五

争取《论十大关系》发表
和准备三个指导性文件

邓小平主持中央和国务院工作以后,为建立自己的理论研究机构和顾问班子,在1975年6月成立了国务院政治研究室。

国务院政治研究室直接对邓小平负责，负责人为胡乔木、吴冷西、胡绳、熊复、于光远、邓力群和李鑫。这个研究室的主要工作，一个是整理毛泽东的演讲记录和文稿，准备出版《毛泽东选集》第五卷；另一个就是为全面整顿进行理论文件的起草工作。在当时的三个指导性文件中，《论全党全国各项工作的总纲》由研究室直接负责起草。研究室还参与了《关于加快工业发展的若干文件》和《科学院工作汇报提纲》的起草工作。①

1975 年夏天，是"文化大革命"中"广大干部和人民群众少有的扬眉吐气的季节"②。人们发现，惯于颐指气使、唯我独尊的江青有很长时间没有公开露面。"中央开会批评江青"的说法也在社会上不胫而走。在这样的环境里，邓小平领导的全面整顿出现了新的高潮。

邓小平领导全面整顿，是在"三项指示为纲"的旗帜下展开的。他第一次提出这个说法，是在 5 月 29 日钢铁工业座谈会上。他说："毛主席最近有三条指示，一是关于理论问题的，要反修防修，再一条是关于安定团结的，还有一条是要把国民经济搞上去。这三条重要指示，就是我们今后一个时期各项工作的纲。这三条是互相联系的，不能分割的，一条都不能忘记。""三项指示为纲"是邓小平在特定历史条件下根据毛泽东几次讲话精神归纳出来的，它的着重点在"要把国民经济搞上去"，成为同"四人帮"及其帮派势力斗争的有力武器。

另一方面在毛泽东的其他文稿中寻找支持全面整顿和抓经济建设的理论依据。在新中国成立以后毛泽东的文稿中最系统论述社会主义经济建设和从经济工作的各个方面来论述调动各种积极因素问题的，是 1956 年的《论十大关系》。正如薄一波所说，这"是毛主席关于社会主义建设问题的代表作"③。这篇文稿最初是 1956 年 4 月和 5 月毛泽东在政治局扩大会议和最高国务会议上的两次讲话的记录，1965 年在刘少奇的建议下，曾经整理并作为党内文件下发至县团级以上党委。国务院政治研究室成立后，邓小平建议，由胡乔木主持，重新整理了《论十大关系》。1975 年 7 月 13 日，邓小平将经过整理的《论十大关系》送毛泽东审阅。邓小平在给毛泽东的报告中说："我们在读改时，一致觉得这篇东西太重要了，对当前和以后，都有很大的针对性和理论指导意义，对国际（特别是第三世界）的作用也很大，所以，我们有这样的想法：希望早日定稿，定稿后即予公开发表，并作为全国学理论的重要文献。此点，请考虑。"④

《论十大关系》是探索中国自己的社会主义建设道路的重要的初步成果。"调动一切积极因素，为社会主义建设服务；以苏为鉴，总结自己的经验，探索适合中国情况的社会主义建设道路，这是《论十大关系》的基本指导思想。"⑤《论十大关系》作为以经济建设为重点的全面整顿的理论基础，是非常合适的。毛泽东的文章具有最高的权威性，这对于整顿工作具有重要的指导意义，对于当时的政治斗争，也会起到特殊的作用。不仅如此，如果

① 于光远：《"文革"中的我》，上海远东出版社 1995 年版，第 106 页。
② 逄先知、金冲及主编：《毛泽东传》，第 1739 页。
③ 薄一波：《若干重大决策与事件的回顾》上，中共中央党校出版社，1991 年版，第 491 页。
④ 冷溶、汪作玲主编：《邓小平年谱 1975－1997》上，中央文献出版社，第 68 页。
⑤ 薄一波：《若干重大决策与事件的回顾》，第 471 页。

《论十大关系》成为邓小平所说的"全国学理论的重要文献",势必从根本上将"无产阶级专政的理论"的基本内容和主导思想改变过来,这是具有极其重大的意义的。

然而,毛泽东早就改变了八大关于国内主要矛盾是人民日益增长的物质文化的需要同当前经济文化不能满足人民需要的矛盾的提法。他晚年坚持的是"无产阶级专政下继续革命"的理论,坚持的是在这个理论指导下的"文化大革命"的实践,与《论十大关系》的基本思想是根本不同的,毛泽东对此当然很清楚。因此,对于经过整理的自己的《论十大关系》文稿,毛泽东的态度相当微妙,他在整理稿上作了这样的批语:"同意。可以印发政治局同志阅。暂时不要公开,可以印发全党讨论,不登报,将来出选集再公开。"①

在争取将《论十大关系》正式发表的同时,邓小平在全面整顿期间,抓紧形成了三个重要文件,以阐明全面整顿的指导思想和具体政策,这就是国务院政治研究室邓力群主持起草的《论全党全国各项工作的总纲》、国家计委起草的《关于加快工业发展的若干文件》和中国科学院胡耀邦主持起草的《科学院工作汇报提纲》。后两个文件都有国务院政治研究室的参与。

由于党的指导思想仍然坚持"文化大革命"的理论和维护"文化大革命"的实践,文件在阐述政治观点上是很困难的。一方面要表明对占主导地位的指导思想的态度和立场,另一方面又力图在可能的范围内对"左"的问题进行批判和纠正,论述自己的思想和观点。这是政治斗争胶着状态下的理论文章的特殊形式,这些文章,既需要坚定的理论勇气,又需要高超的政治智慧。

《论全党全国各项工作的总纲》是论述全面整顿指导思想的理论文章,文章在阐述毛泽东的学习无产阶级专政理论、安定团结和把国民经济搞上去这三项指示时,实际上强调当前党和国家的工作重点是发展生产、把国民经济搞上去,这就从社会主义的本质问题上改变了"文化大革命"的"左"的基本理论。文章提出:

无产阶级专政的目的,正像毛主席所指出的:"是为了保卫全体人民进行和平劳动,将我国建设成为一个具有现代工业、现代农业和现代科学文化的社会主义国家。"要"辩证地理解政治和经济的对立统一关系,既要认识政治的统帅作用,又要认识政治工作是完成经济工作的保证,是为经济基础服务的。可是我们一些同志至今还是用形而上学来对待政治和经济、革命和生产的关系,总是把政治和经济互相割裂开来,把革命和生产互相割裂开来,只讲政治,不讲经济,只讲革命,不讲生产,一听到要抓好生产,搞好经济建设,就给人家戴上'唯生产力论'的帽子,说人家搞修正主义。这种观点是根本站不住脚的"。文章强调:"革命就是解放生产力,革命就是促进生产力的发展。我们中国共产党人,要对革命负责,也要对生产负责。"文章引用列宁和毛泽东的话进行论证,列宁说过:"政治教育的成果,只有用经济状况的改善来衡量。"毛主席也说过:"中国一切政党的政策及其实践在中国人民中所表现的作用的好坏、大小,归根到底,看它是束缚生产力的,还是解放生产力的。"区别真马克思主义和假马克思主义,区别正确路线和错误路线,区别真干革命和假干革命,区别干部所做的成绩是坏是好,是大是小,归根到底,只能也应按照列宁和毛主席所提出的这个标准来衡量。一

---

① 冷溶、汪作玲主编:《邓小平年谱1975—1997》上,中央文献出版社,第68页。

个地方、一个单位的生产搞得很坏,而硬说革命搞得很好,那是骗人的鬼话。那种认为抓好革命,生产自然会上去,用不着花力气去抓生产的看法,只有沉醉在点石成金一类童话中的人才会相信。

这篇文章正面论述了发展生产的重要意义,这虽然是马克思主义的基本常识,但是在"左"的错误思想指导下,阐述这个马克思主义的基本常识也到了需要冒风险的地步。文章还对"四人帮"集团所坚持的"文化大革命"的理论和实践在最大可能的限度内进行了尖锐的批评,强调维护全党的团结和维护全国人民的团结的重要性,指出:

那些顽固地搞资产阶级派性的头头,把无产阶级同资产阶级之间你死我活的斗争撇在一边,把这个主要矛盾撇在一边。他们对向社会主义猖狂进攻的阶级敌人没有仇恨,对社会主义生产建设受到损失毫不痛心,对社会主义制度遭到破坏无动于衷。他们热衷于拉山头,打派仗,长期纠缠于所谓这一派和那一派的斗争,所谓造反派和保守派的斗争,所谓新干部和老干部的斗争,所谓"儒家"和"法家"的斗争,有的甚至为了达到资产阶级极端个人主义的目的,不惜同那些反马克思主义的阶级敌人同流合污,串通一气。在他们脑子里,马克思主义不见了,毛泽东思想不见了,共产党不见了,社会主义不见了,甚至爱国主义也不见了。现在是到了向这些同志(我们现在还叫他们同志)大喝一声的时候了:应该悬崖勒马,立即回头!……林彪垮台了,现在有些地方,有些单位,假马克思主义政治骗子又在袭用林彪的老谱。但是,正如毛主席早就指出的:"以伪装出现的反革命分子,他们给人以假象,而将真相隐蔽着。但是他们既要反革命,就不可能将其真相隐蔽得十分彻底。"只要我们牢记同林彪反革命阴谋集团斗争的经验教训,牢记列宁和毛主席的教导,就不难识破林彪一类的鬼蜮伎俩。他们的垮台,同林彪一样是不可避免的。

《论全党全国各项工作的总纲》虽然不可避免地引用了一些"文化大革命"的理论概念,但是其基本思想则是完全不同的,可以说,这是"文化大革命"期间一份重要的马克思主义的文件。

国家计委起草的《关于加快工业发展的若干文件》和中国科学院胡耀邦主持起草的《科学院工作汇报提纲》,是邓小平直接布置的,这是在工业和科技领域系统提出纠正"左"的错误、恢复和建立正确政策的重要文件。《关于加快工业发展的若干问题》是在 60 年代初的经济调整时期的"工业 70 条"的基础上形成的。文件对工作总纲、党的领导、依靠工人阶级、整顿企业管理、两个积极性、统一计划、以农业为基础、大打矿山之战、挖潜革新改造、基本建设要打歼灭战、采用先进技术、增加工矿产品出口、各尽所能按劳分配、关心职工生活、又红又专、纪律、工作方法和工作作风、思想方法等18个方面作了规定。文件重点强调的是:

(一)学习理论必须促进安定团结,促进生产发展。"没有社会生产力的强大发展,社会主义制度是不能充分巩固的,决不能把革命统帅下搞好生产,当作'唯生产力论'和'业务挂帅'来批判。"

(二)加强党的领导。整顿企业,首先必须整顿党的领导,"调整那些没有改造好的小知识分子和'勇敢分子'当权的领导班子,把坏人篡夺了的权力夺回来,使领导权掌握在真正马克思主义者和工人群众手中",改变"软"、"散"、"懒"的状况,建立精干有力的和能打硬仗的领导班子。

(三)依靠工人阶级反对派性。对于

"造反派"、"反潮流"的政治口号和行为都要作具体分析,"要特别警惕少数坏人利用'造反'和'反潮流'的名义,搞破坏活动。领导干部任何时候都要坚持原则,决不可随风倒,决不能为漂亮的词句所迷惑,为吓人的帽子所压倒,解除思想武装,甚至把权让给人家"。"要坚决同资产阶级派性作斗争,针锋相对,寸步不让。现在还在搞资产阶级派性,就是搞修正主义,搞资本主义,屡教不改的,要严肃处理。党员决不允许搞派别活动,坚持不改的,要开除党籍"。落实党的政策,凡是被戴上"保守派"、"站错队"的帽子的工人、技术人员和干部,一律摘帽,团结百分之九十五以上的干部和群众,"充分发挥工人群众的干劲、智慧和创造性"。

(四)整顿企业管理,严格规章制度。要求所有企业建立强有力的生产管理指挥系统,建立以岗位责任制为核心的生产管理制度,加强纪律性,同一切违反政策、制度、统一计划和违反财经与劳动纪律的现象斗争,全面完成经济技术指标。

(五)坚持按劳分配的原则。"各尽所能、按劳分配,不劳动者不得食,是社会主义的原则。在现阶段,它是基本适合生产力的发展要求的,必须坚决实行。不分劳动轻重,能力强弱,贡献大小,在分配上都一样,不利于调动广大群众的社会主义积极性"。"限制资产阶级法权,绝不能脱离现阶段的物质条件和精神条件,否定按劳分配,不承认必要的差别,搞平均主义。平均主义不仅现在不行,将来也是行不通的"。

(六)关心群众生活,注意劳逸结合。要保护环境,有计划地解决污染的问题。坚持学习与独创相结合的方针,学习外国一切先进的优良的东西,有计划有重点地引进国外的先进技术,以加快国民经济的发展速度。

(七)社会主义现代化建设需要大批政治觉悟高而又精通技术、精通业务的人才,干部、工人和科技人员都要走又红又专的道路。

胡耀邦负责起草的《科学院工作汇报提纲》,是在科学院整顿的过程中形成的文件。1975年7月中旬,中央派胡耀邦、李昌等到中国科学院进行整顿工作。胡耀邦等人到科学院工作时,分管科学院工作的国务院副总理华国锋传达了邓小平对科学院工作的指示。胡耀邦等人到科学院后,同"文化大革命"中爬起来的帮派分子进行斗争,废除了造反派头头列席核心组织会议的制度,整顿了领导班子,强调科学技术的重要性,强调重视人才,落实知识分子政策。胡耀邦还在整顿中提出了"实现四个现代化是新的长征"的口号,影响很大。①

胡耀邦在科学院的整顿过程中,在调查研究的基础上,集中力量准备《科学院工作汇报提纲》。这个汇报提纲是在他的主持下起草的,主要精神是贯彻落实知识分子政策,调动广大知识分子的积极性,发展科学技术,重视和加强基础理论的研究工作,加强学术活动、开展学术交流。提纲重点强调要正确处理如下问题:

正确处理政治与业务的关系。"抓科技工作,一定要政治统帅业务,抓革命,促科研。"

正确处理生产和科学的关系。"科学来源于生产,又指导生产、促进生产。怎么才能多快好省发展生产?决定的因素是人,一靠人们的高度政治觉悟、革命干劲,二靠掌握先进的科学技术。科学技术

---

① 李昌:《在邓小平领导下整顿科学院》,《我经历过的政治运动》,中央编译出版社1998年版,第406页。

也是生产力。科研要走在前面,推动生产向前发展。""没有现代化的科学技术,也就不可能有工业、农业、国防的现代化。"

正确处理专业队伍与群众运动的关系。"正确的方针是专业队伍同群众运动相结合。专业队伍要向工农群众学习,向生产实践学习。这种结合并不是要降低专业队伍的作用,而是要更好地发挥专业队伍在群众性科学实验中的骨干作用。""国家还有许多重大的科学技术课题,也必须集中一批专业队伍来搞。""科学实验也是一种社会实践,生产斗争是不能代替它的。……决不能否定和取消实验室的研究工作。不能不加区别地要求任何科学研究工作都要实行'以工厂、农村为基地'的三结合。不宜笼统地提'开门办科研'这样的口号。"

正确处理自力更生和学习外国长处的关系。"我们的科学技术同世界先进水平相比,还有不小的差距","为了争取时间,争取速度,我们有必要从国外引进一些先进技术、先进设备"。

正确处理理论研究和应用研究的关系。"在搞好大量应用研究的同时,要重视和加强理论研究工作。不能把理论研究同'三脱离'等同起来。"要实行百花齐放、百家争鸣的方针。"在科技战线要大力加强学术活动,广泛开展学术交流,鼓励学术上的争鸣和讨论,改变学术空气不浓和简单地以行政方法处理学术问题的状况","不能把资本主义国家、修正主义国家的科学家的学术观点都说成是资产阶级的、修正主义的,随意加以否定"。

值得注意的是,汇报提纲明确提出了"科学是生产力"的观点,这是具有重大意义的。邓小平对此非常重视,于9月26日主持国务院会议,听取科学院工作的汇报和讨论汇报提纲。因此,这个文件是作为

国家的科技政策予以考虑的。据李昌回忆,邓小平在这个会上多次插话,表明他对于科技领域整顿的明确态度。最后邓小平说,科技是一件大事,要好好议一下。你们讲第一讲应用科学,应用科学也要有理论。科技大大削弱了,接不上了;靠老的,也靠年轻的,他们灵活,记忆强。大学毕业25岁,经过10年,35岁,真正来说,30多点应是出成果的年龄。这一段他们没有工作,看电影,打派仗,搞得很少,少数人秘密搞,像犯罪一样。陈景润是秘密搞的,这些人还有点成绩。陈景润究竟算红专还是白专?中国有1000人就了不得。在世界上公认他是有水平的,他会数学。应该爱护、赞扬。是个代表。邓小平说,毛泽东思想是理论,马列主义是理论,学习这些也叫"刮理论风"?对理论有恢复名誉的问题。邓小平认为,整顿的关键在领导班子。他说:思想整顿的关键是5000(指科技队伍),不是45000,是班子。领导班子要真正执行主席科技路线。广大科技人员,实在想搞研究啊!闹派性的是少数,能转过来。组织整顿、思想整顿,不就是这些人嘛。邓小平又说:一不懂行,二不热心,三有派性,为什么留着?科技人员中有水平有知识的为什么不能当所长?邓小平提出,要搞好后勤工作,为科技工作者创造条件。他说:"白专"只要对中华人民共和国有好处,比占着茅房不拉屎的,比闹派性、拉后腿的人好得多。邓小平还强调了教育问题。他说:后继要有人,中心是教育部门,究竟大学起什么作用?培养什么?好些学院是中等技术学校水平,这何必办大学?上海机床厂七二一职工大学是一种形式,但不能代替其他大学。科学院要把科技大学办好,选数、理、化好的高中毕业生,不照顾干部子弟。要犯错误,我首先检讨。一点外语知识也

没有,数、理、化也没有,还攀什么高峰,中峰也不行,低峰还是问题。我们有个问题,可能发生在教育部门,把整个现代化水平拉住了。教师要提高地位,只挨骂,几百万教员,怎么调动积极性呢?①

由于政治局势的变化,这三个重要文件都未能定稿下发,但是在文件的起草和讨论过程,以及后来对"四人帮"集团的批判过程中,其主要的精神得以传播,并且产生了重要的社会影响。

邓小平领导的全面整顿,实质上是系统纠正"文化大革命"以来的种种"左"的错误理论和错误实践,进一步落实党的正确政策,进而使党和国家的工作逐步走上正轨,它也成为全面改革的先声。虽然全面整顿被"批邓、反击右倾翻案风"运动打断了,但是这个整顿使广大的群众和广大的干部看到了中国问题的症结,看到了解决这个问题的方向。可以说,全面整顿为后来的解决"四人帮"问题和后来的伟大历史转变准备了重要的思想的和政治的基础。

"四五运动"

1975 年至 1976 年 4 月发生的整顿、"反击右倾翻案风"和伟大的"四五运动",是"文化大革命"后期以邓小平为代表的党内正确思想和人民群众与"四人帮"进行的一场公开的大规模政治斗争。这场斗争虽然由于毛泽东的错误判断,以邓小平被撤职、"四五运动"被镇压而暂告结束,但它却唤醒了广大的党员和人民,为最终粉碎"四人帮"反革命集团,结束"文化大革命"作了必要的思想准备和舆论准备。

一

"批邓、反击右倾翻案风"

1971 年 9 月,林彪反革命集团被粉碎以后,周恩来在毛泽东的支持下主持中央日常工作,他正确地提出要批判极"左"思想,并尽可能地纠正"文革"造成的混乱局面,使各方面的工作有了转机。1974 年底,周恩来病重。毛泽东根据自己对邓小平的了解和判断,提出由邓小平出来主持中央的日常工作,建议邓小平任党的副主席、第一副总理、军委副主席兼总参谋长。邓小平出来协助周恩来主持日常工作后,针对当时存在的严重左倾错误思想及其造成的恶果,进行了大刀阔斧的整顿,从 1975 年 2 月到 10 月,邓小平先后主持召开了解决全国铁路问题的工业书记会议、钢铁工业座谈会、国防工业重点企业会议、军委扩大会议、南方十二省书记会议和部分地委书记会议等一系列会议,提出了全面整顿的思想。根据这一思想,国家计委、科学院和国务院政治研究室分别起

---

① 李昌:《在邓小平领导下整顿科学院》,《我经历过的政治运动》,第 414 页。关于"科学技术是生产力"的提法,于光远回忆:"如果我记得不错的话,科学是生产力这个命题就是起草这个汇报提纲的同志从马克思的《政治经济学批判(手稿)》中找出并写到文件里去的。小平同志赞成这个提法,一直发展到后来,他说'科技是第一生产力'"(于光远:《"文革"中的我》,第 111 页);李昌回忆说,正是因为"科学技术是生产力"这个命题,毛泽东不批准《汇报提纲》(李昌:《在邓小平领导下整顿科学院》,《我经历过的政治运动》,第 417—418 页)。

草了《关于加快工业发展的若干问题》、《科学院工作汇报提纲》、《论全党全国各项工作的总纲》三个文件（后来被"四人帮"诬为"三株大毒草"）。

邓小平对"文化大革命""左"倾错误的全面纠正取得了较好的效果，但是遭到"四人帮"的阻挠和仇恨，"四人帮"利用毛泽东的"左"倾错误思想和他不能容忍邓小平全面否定"文化大革命"的心态，在1975年邓小平进行全面整顿的同时，掀起了一场全国性的大规模学习"无产阶级专政理论"的运动。在此期间，姚文元发表了《论林彪反党集团的社会基础》，张春桥发表了《论对资产阶级的全面专政》等文章，将"左"倾错误思想推到了顶点。

但是由于"文化大革命"造成的严重后果已经深刻地教育了全党和全国人民，"四人帮"发动的舆论攻势已经不能再迷惑人民和阻挡邓小平的整顿工作。因此，"四人帮"开始通过不正当的手段在毛泽东面前诋毁邓小平和整顿工作，企图利用毛泽东来阻止邓小平的全面整顿。

1975年9月底到11月初，毛泽东的联络员毛远新几次向毛泽东汇报说：

"今年以来，在省里工作，感觉到一股风，主要是针对'文化大革命'。'文化大革命'怎么看？主流、支流，十个指头，三七还是倒三七，肯定还是否定。批林批孔运动怎么看，主流、支流、似乎迟群、小谢讲了走后门的错误干扰，就不讲批林批孔的成绩了。口头上也说两句，但阴暗面讲得一大堆。刘少奇、林彪的路线还需不需要继续批，刘少奇的路线似乎也不大提了。"

"对'文化大革命'，有股风，似乎比七二年批极左还凶些。"

"我很注意小平同志的讲话，我感到一个问题，他很少讲'文化大革命'的成绩，很少提批刘少奇的修正主义路线。"

"三项指示为纲"，"其实只剩下一项指示，即生产上去了"。

"担心中央，怕出反复"。

毛远新的这些话，对于防范否定"文化大革命"的毛泽东，产生了很大的震动和影响。毛泽东认为，这种态度，"一是对'文化大革命'不满意，二是要算账，算'文化大革命'的账"。他要毛远新找邓小平、汪东兴、陈锡联开会，把他的意见讲出来。

此时，清华大学党委副书记刘冰等给毛泽东写信揭露迟群、谢静宜。本来党员写信向中央及中央主席毛泽东反映问题是正常的，但毛泽东却说："清华大学刘冰等人来信告迟群和小谢。我看信的动机不纯，想打倒迟群和小谢。他们信中的矛头是对着我的。我在北京，写信为什么不直接写给我，还要经小平转。小平偏袒刘冰。清华大学所涉及的问题不是孤立的，是当前两条路线斗争的反映。"1975年11月初以传达毛泽东的上述批示为起点，全国开展了所谓"反击右倾翻案风"运动。

11月下旬，中央政治局根据毛泽东的指示，在北京召开有130多位党政军机关负责同志参加的打招呼会议，宣读了毛泽东批准的《打招呼讲话的要点》。讲话要点转达了毛泽东的上述讲话后，说："中央认为，毛主席的指示非常重要。清华大学出现的问题绝不是孤立的，是当前两个阶级，两条道路，两条路线斗争的反映。这是一股右倾翻案风。尽管党的九大、十大对无产阶级'文化大革命'已经作了总结，有些人总是对这次'文化大革命'不满意，总是要算'文化大革命'的账，总是要翻案。"对此展开辩论"是完全必要的"。11月26日，中共中央又向省、市、自治区及各部委及各兵种党委转发了《打招呼讲话的要点》。12月14日，中共中央又转发了

《清华大学关于教育革命大辩论的情况报告》,报告说:"今年七、八、九三个月,社会上政治谣言四起,攻击和分裂以毛主席为首的党中央,否定无产阶级文化大革命,翻'文化大革命'的案,算'文化大革命'的账,这是一股右倾翻案风。"这场斗争"是无产阶级文化大革命的深入和发展"。

"反击右倾翻案风"标志着"四人帮"与以邓小平为代表的要纠正"文化大革命"错误的人民之间的斗争更尖锐了。

周恩来逝世和"四人帮"的倒行逆施

正当上述否定"文化大革命"与维护"文化大革命"的斗争趋于尖锐化之际,周恩来于1976年1月8日不幸逝世。周恩来的逝世不仅对全党和全国人民是一个巨大损失,而且也使当时的政治天平倒向了"四人帮"一方。这种现实更加剧了人民群众的悲痛心情。

但是"四人帮"仍竭力鼓吹"反击右倾翻案风"。1月14日,即举行周恩来追悼会的前一日,《人民日报》仍在头版头条发表《大辩论带来大变化——清华大学教育革命和各项工作出现新面貌》,把内部打招呼的精神捅向社会,使"反击右倾翻案风"公开化。周恩来逝世后,中央实行所谓"丧仪改革",即丧仪从简。江青一伙又千方百计地限制人们对周恩来的悼念,引起人民群众的极度不满,自发地进行了各种形式的悼念活动,以寄托对周恩来的哀思和对极左思潮代表人物倒行逆施的抵制。

2月5日,中央通知将《打招呼讲话的要点》扩大传达到党内外群众。2月25日,中共中央又召集各省、市、自治区和各大军区负责人会议,会上传达了《毛主席重要指示》,即由毛远新整理,毛泽东审阅批准的毛泽东自1975年10月至1976年1月多次关于"批邓、反击右倾翻案风"的谈话。《毛主席重要指示》说:

> 一些同志,主要是老同志思想还停止在资产阶级民主革命阶段,对社会主义不理解,有抵触,甚至反对。对"文化大革命"两种态度,一是不满意,二是要算账。

> 做了大官了,要保护大官们的利益。他们有了好房子,有汽车,薪水高,还有服务员,比资本家还厉害。社会主义革命革到自己头上了,合作化时党内就有人反对,批资产阶级法权他们有反感。搞社会主义革命,不知道资产阶级在哪里,就在共产党内,党内走资本主义道路的当权派。走资派还在走。

毛泽东的上述指示反映出他仍然坚持和维护自己的"左"的错误思想,不容许邓小平纠正"义化大革命"的错误。

毛泽东的上述错误思想和决策立即被"四人帮"集团所利用,妄图趁机打倒邓小平和党内大批坚持正确思想的老干部,夺取党和国家的最高领导权。在1976年2月中央召开的打招呼会议期间,张春桥多次攻击邓小平是"垄断资产阶级"、"买办资产阶级"、"对内搞修正主义,对外搞投降主义"。3月2日,江青擅自召集十一省、区会议并发表长篇讲话,猛烈诬蔑攻击邓小平。

"四人帮"利用手中控制的宣传舆论工具,大造舆论。自1976年1月至4月初发表了大批文章。如1月15日《人民日报》发表的《教育革命与无产阶级》,2月1日出版的《红旗》杂志发表的《回击科技界的右倾翻案风》、《不许为修正主义教育路线翻案》,2月6日《人民日报》发表的《无产阶级文化大革命的继续和深入》,2月29日《人民日报》发表的《评"三项指示为纲"》,3月1日出版的《红旗》杂志发表的《坚持文艺革命,反击右倾翻案风》,4月1日出版的《红旗》杂志发表的《反击卫生战线的右倾翻案风》、《一个复辟资本主义的总纲——〈论全党全国各项工作的总纲〉剖析》。上述文章把邓小平主持的各条战线的整顿都诬蔑为"右倾翻案风",鼓动在各个方面开展所谓"反击右倾翻案风"。

"批邓、反击右倾翻案风",不仅破坏了1975年经过各个方面的整顿刚刚出现的稳定局势,而且"四人帮"还借机大搞反革命夺权活动。一批坚决执行邓小平正确思想和政策的领导干部受到打击,而在整顿中被撤职或调离的派性严重的人和造反派头头又被重用。在"四人帮"权力所及的地区和部门,他们大搞"突击入党"、"突击提干",塞进党政军各级领导班子。工业完不成计划,农村"割资本主义尾巴",一些地区停工停产,有的单位连工资都发不出来,一些铁路枢纽陷入瘫痪,交通堵塞,列车晚点,全国再度陷入混乱。这一切都加剧了人民群众对竭力推行"反击右倾翻案风"的"四人帮"的愤恨,"四人帮"的上述倒行逆施行为已经使他们彻底失去了民心。人民群众反对"四人帮"的自发斗争只是缺乏导火索的时机问题了。

三

"四五运动"的爆发及被镇压

毛泽东发动"批邓、反击右倾翻案风",完全违背了全党和全国绝大多数人的愿望,而"四人帮"利用这一错误,妄图重新打倒许多老干部,使全国陷入混乱,人们心中长期积蓄和迅速发展的怀疑、不满和愤恨情绪,终于在1976年清明节前后,形成了以"天安门事件"为代表的悼念周恩来、反对"四人帮"的强大抗议运动,这就是著名的"四五运动"。

周恩来逝世以后,由于"四人帮"害怕全国自发形成的悼念周恩来活动不利于他们的"反击右倾翻案风"和抢班夺权活动,因此千方百计压制人民悼念周恩来活动。

周恩来1月8日逝世,1月9日,于会泳一伙就通知文化部各单位在悼念期间不准戴黑纱,不准设灵堂,不准送花圈,并且要求文艺团体照常进行文艺演出活动。同日,新华社向姚文元反映首都新闻单位和许多地方报社提出怎样组织亿万人民悼念周恩来的宣传报道,姚文元的回答却是:"悼词尚未发表,现在不组织。悼词发表后是不是组织反应,仍应再请示。"根据治丧委员会的规定,全国的悼念活动都是在追悼大会以前举行的。"现在不组织"人民悼念活动的报道,实际上就是不报道。在姚文元的禁令下,从1月9日到15日追悼大会以前的6天当中,《人民日报》总共发表了党和国家领导人以及首都各界群众代表同周恩来遗体告别和举行吊唁的两条消息。除此以外,首都和全国各地悼念周恩来情况的报道就完全没有了。新华社1月11日所发的十里长街,近百万首都人民自发为周恩来送行的报道,尽管已经压缩得很短,但是仍然被姚文元亲自砍掉,只字不留。

1月16日追悼大会开过后,姚文元立即下令:"治丧报道要立即结束!"新华社原定16日要发布的全国人民群众沉痛悼念周恩来的综合报道,也被姚文元一刀砍掉了。2月13日,《光明日报》头版刊登梁效写的《孔丘之忧》,大批"忧"字,把悼念周恩来的人民诬蔑为"哭丧妇"。文章恶毒地写道:"让旧制度的'哭丧妇'抱着孔丘的骷髅去忧心如焚,呼天号地吧。"

"四人帮"千方百计压制人民悼念周恩来的活动,激起了人民群众的义愤。2月23日,福建省刘宗利在福州市贴出大字报《"阿斗"的呼声》,历数"四人帮"罪状,震动了福州。随后,在福州、武汉、贵阳、三明、北京、哈尔滨、杭州、重庆、厦门等几十个城市和地区,都出现了悼念周恩来、声讨"四人帮"的大字报、标语和传单。其中影响最大的是"南京事件"。

1976年3月25日,《文汇报》刊登新华社一篇关于纪念雷锋、学习雷锋的新闻稿,故意将周恩来给雷锋的四句题词全部删去。同日,《文汇报》发表《走资派还在走,我们就要同他斗》的文章,竟然说:"党内那个走资派要把被打倒的至今不肯改悔的走资派扶上台。"明目张胆地攻击周恩来和邓小平。《文汇报》的这两件事激起了人民的极大愤怒。数日之内,各地向《文汇报》发去的抗议信、抗议电达427件,抗议电话达1000多个。

3月24日,南京江苏新医学院师生员工抬着献给周总理的花圈到雨花台,隆重举行悼念活动。3月28日上午,南京大学数学系400余人抬着周恩来的巨幅遗像和大花圈,绕道新街口到梅园新村。沿途许多群众纷纷加入,成为南京市民反对"四人帮"的第一次大规模示威。3月29日,南京大学数学系学生又贴出大标语,指出要警惕野心家、阴谋家篡夺党和国家的最高领导权,要用鲜血来保卫红色江山。下午,南京大学的300多名学生又分成20多个小组,在全市主要街道张贴大标语,当

晚去火车站,把大标语刷在过往南京的火车上。3月30日,学生在车站工作人员的帮助下,用柏油和油漆在车厢上刷写了"揪出《文汇报》的黑后台!""谁反对周总理就打倒谁!"等大字标语。

"南京事件"引起"四人帮"的恐慌,3月30日,王洪文对《人民日报》的鲁瑛说:"南京事件的性质是对着中央的。""那些贴大字报的是为反革命复辟制造舆论。"4月1日,中央政治局召开会议讨论南京和各地出现的悼念活动问题,当天中央向各地发出关于"南京事件"的电话通知,错误地认为:"最近几天,南京出现了矛头指向中央领导同志的大字报、大标语。这是分裂以毛主席为首的党中央、扭转批邓大方向的政治事件。"要求各地立即采取有效措施"全部覆盖"、"要警惕别有用心的人"借机扩大事态,要追查这次事件的"幕后策划人"和"谣言制造者"。

在北京,自3月下旬以来,也陆续形成了自发悼念周恩来的群众浪潮。3月19日朝阳区牛场小学向天安门广场英雄纪念碑敬献了第一个花圈,短短十余天纪念碑下就汇成花圈的海洋。此外,3月30日北京市总工会工人理论组曹志杰等29人在纪念碑南侧贴出了第一张悼念周恩来、声讨"四人帮"的悼词,一下子引发出各种类型的悼念周恩来、声讨"四人帮"的悼词、诗词、标语、小字报。其中最著名的是山西太原坞城路三局机电队王立山贴在纪念碑上的"欲悲闻鬼叫,我哭豺狼笑。洒泪祭雄杰,扬眉剑出鞘"(曾被列为"○○一号反革命案件"重点追查)。

4月2日,北京市传达了关于"南京事件的电话通知",说什么"南京事件是反革命事件","天安门有反革命捣乱",清明节送花圈是旧习惯,应当"破四旧",要求人民不要去天安门广场,不要送花圈。与此

同时,首都民兵、警察、卫戍部队还成立了"联合指挥部",设在天安门广场东南角的三层小灰楼内,随时准备镇压群众。但是人民并没有理睬"四人帮"的威胁,4月2日和3日,到天安门广场送花圈的人仍络绎不绝。4月4日是清明节,又是星期天。这一天,到天安门广场的群众达200万人次以上,广场上人潮涌动,天安门前和纪念碑下花圈如山,悲壮肃穆的气氛感天动地,人民群众压抑已久的感情像火山一样喷发了。

针对上述情况,"四人帮"积极部署镇压行动。4月4日晚,中央政治局开会,讨论天安门广场群众活动问题。会议在江青等人的左右下,错误地认为天安门广场悼念周恩来的活动是反革命事件,"是反革命煽动群众借此反对主席、反对中央,干扰、破坏斗争的大方向"。江青提出:清明已过,要连夜把花圈移走,要抓发表"反革命"演说的人。会议决定:在全国揭露敌人的阴谋,发动群众追查政治谣言,在"五一"前搞一次大的反击;立即清理天安门广场的花圈和标语,抓"反革命";调民兵和公安人员在广场周围,阻止群众送花圈和集会;调动卫戍部队在二线待命。毛远新向毛泽东报告了政治局会议的看法和决定,得到了毛泽东的批准。

4月5日凌晨1至2时,天安门广场上的花圈惨遭洗劫,北京卫戍区和汽车运输公司奉命出动200辆汽车将花圈运往八宝山销毁,小部分放在中山公园留下作为"罪证"。在清理广场时,57名在场群众均遭审查,其中7人因抄诗或"可疑"被捕。5点10分,王洪文又到联合指挥部面授机宜。通往广场的路口还派人把守,不准送花圈的群众进入,还设了劝阻站。纪念碑由军队、警察和首都民兵组成封锁线层层围住。

4月5日天亮以后,人们仍冲破封锁来到天安门广场,当看到花圈被收走,听说有人因此被逮捕,几十万愤怒的群众在人民大会堂东门口高呼"还我花圈,还我战友",并同首都民兵和警卫战士发生冲突。中午,群众包围了联合指挥部,派出4名代表向指挥部交涉,提出归还花圈、释放被捕群众、保障群众有悼念周总理的权利三项要求,由于指挥部毫无诚意,谈判无结果。12时58分,愤怒的群众点着了指挥部的一辆轿车。下午3时许,又烧了指挥部的一辆面包车和两辆吉普车,5点零4分指挥部的所在地小灰楼又被群众点燃起火,指挥部搬到中山公园并研究部署"反击",这一天,张春桥等人躲在人民大会堂里注视着广场的事态。

4月5日下午6点25分,天安门广场的高音喇叭开始播放北京市委书记吴德的讲话。吴德在讲话中说:"极少数别有用心的坏人利用清明节,蓄意制造政治事件,把矛头直接指向毛主席,指向党中央,妄图扭转批判不肯改悔的走资派邓小平的修正主义路线,反击右倾翻案风的大方向。我们要认清这一政治事件的反动性,戳穿他们的阴谋诡计,提高革命警惕,不要上当。""今天,在天安门广场有坏人进行破坏捣乱,进行反革命破坏活动,革命群众应立即离开广场,不要受他们的蒙蔽。"

晚上7时许,首都民兵10000人,公安干警3000人,卫戍部队5个营分别在天安门广场四周集结待命。21点35分,广场灯火通明。民兵、公安干警、卫戍部队带着木棍包围了广场,对广场尚未撤出的群众进行驱赶毒打,并逮捕38人(前3天已逮捕39人),投入监狱。

4月6日凌晨,部分在京中央政治局委员开会,听取北京市公安局、北京卫戍区关于天安门事件的汇报,认为群众的上述行动是"反革命暴乱性质",指出:"不要以为事情完了,天安门前大表演是在造舆论,下一步是不是在广场不一定";"公安局要侧重侦察线索,找到地下司令部";"中央应尽快通报全国";"准备更大的事件发生"。会议决定组织30000名民兵集中在天安门广场附近待命,派出9个营的部队在市区内随时机动。毛远新向毛泽东汇报了政治局会议情况,11时,毛泽东批示:"士气大振,好,好,好。"

4月7日,北京市各单位传达市革委会于4月5日发出的《紧急通知》,指出"天安门广场事件"是"解放以来前所未有的最大的反革命事件"。北京市公安局长、"四人帮"爪牙刘传新在公安局会议上狂叫:"已抓到的还不是大鲨鱼,要深下去,捞一大批","重点在党政军,党内走资派"。市公安局电话通知各分局、县局,在照相馆查到凡有涉及天安门事件的胶卷和照片,要没收并登记姓名、住址或工作单位。

4月7日,毛泽东在听取毛远新的汇报时,指出要公开发表《人民日报》记者现场报道("四人帮"组织人写的)和吴德的广播讲话,并据此解除邓小平的一切职务,保留党籍,以观后效。毛泽东又说:中央政治局作决议,登报。这次,一、首都,二、天安门,三、烧、打,这三件好。性质变了。毛泽东还提出华国锋任总理,一起登报。下午,毛泽东又补充说,华国锋任党的第一副主席,并写在决议上。当晚,中央政治局开会,宣读并通过了《关于华国锋任中国共产党中央委员会第一副主席,中华人民共和国国务院总理的决议》和《关于撤销邓小平党内外一切职务的决议》。一个小时后,中央人民广播电台向全国广播了这两个决议。

4月8日,《人民日报》公布了上述两个决议,发表了吴德的广播讲话和《天安门广场的反革命政治事件》的报道。从4月8日至10日,各省市自治区,解放军各部队,奉中共中央之命,集会游行,表态拥护两个决议,谴责邓小平,向中央打电报表示支持两个决议及对天安门事件的处理。北京和各地又根据中共中央的要求,追查所谓"政治谣言",搜捕天安门事件和类似活动的参加者和"幕后策划者",形成白色恐怖,人们道路以目。

至6月17日,北京市公安局共搜缴悼文、诗词原件及照片近11万件;立案追查1984起;拘捕群众388人;至于以隔离,办学习班,谈话等方式审查的人数就更多了,全北京市被触及的群众数以万计。同时期,全国其他地区的悼念周恩来、反对"四人帮"的群众运动也被镇压下去了。

以"天安门事件"为中心的全国性的抗议运动虽然被镇压下去了,但是它却为后来粉碎"四人帮"反革命集团奠定了伟大的群众基础。半年以后,"四人帮"即被押上历史审判台,两年以后,中共中央正式为"四五运动"平反,推翻了以前的结论,肯定它为革命行动,并为邓小平恢复了名誉。北京市公安部门也宣布:1976年因参加天安门事件而被捕的300多名干部、群众中,没有一个是反革命。

粉碎"四人帮"

1976年10月粉碎"四人帮"的胜利,是当代中国历史上的重大事件。它既是"文化大革命"十年内乱结束的标志,又为拨乱反正,改弦更张创造了必要的政治前提。无论在中国共产党的历史上还是在中华人民共和国史上,都具有重大而深远的意义。《中国共产党关于建国以来党的若干历史问题的决议》充分肯定了粉碎"四人帮"的历史意义,它指出:"中央政治局执行党和人民的意志,毅然粉碎了江青反革命集团,结束了'文化大革命'这场灾难。这是全党、全军和全国各族人民长期斗争取得的伟大胜利。在粉碎江青反革命集团的斗争中,华国锋、叶剑英、李先念等同志起了重要作用","粉碎江青反革命集团的胜利,从危难中挽救了党,挽救了革命,使我们的国家进入了新的历史发展时期"。实践证明,历史决议的基本结论是站得住脚的,具有不容动摇的科学权威和组织权威。

一

毛泽东逝世

1976 年 9 月 9 日 0 点 10 分,毛泽东主席逝世。毛泽东是伟大的马克思主义者,是伟大的无产阶级革命家、战略家和理论家,是中国共产党和中国人民公认的伟大领袖。毛泽东的逝世,是中国共产党和中国人民的巨大损失。

毛泽东病重已经数年。林彪事件后,毛泽东的身体状况急剧恶化。1972 年 1 月,毛泽东因肺心病以及严重缺氧导致休克,此后身体越来越衰弱。1974 年又发现患老年性白内障,1975 年 8 月进行了开刀手术。1975 年 12 月 26 日,毛泽东生命中的最后一个生日是在病床上度过的。卧室里,只有医生、护士出出进进,送药、测脉搏、试体温。这天,毛泽东的精神比平时好一些。这天,他又重复了平常说的一句话:七十三、八十四,阎王不叫自己去。

1976 年 1 月 8 日,周恩来逝世,毛泽东已非常虚弱。当工作人员张玉凤问他是否参加周恩来的追悼会时,毛泽东痛苦地说:我也走不动了。春节是中国人的传统节日,无论路程多么遥远,人们总要阖家团聚,辞旧迎新。而这一年,中国的最高领袖毛泽东的春节是非常孤单而寂寞的。在中南海游泳池的住处,没有自己的家人,也没有客人,身边只有几个工作人员,陪伴毛泽东度过了他生命中的最后一个春节。毛泽东听到远处传来爆竹声,便对工作人员说:放点爆竹吧,你们这些年轻人也该过过节。

毛泽东一生酷爱读书。晚年的毛泽东,身体衰老,视力减退,但读书的嗜好丝毫未减。1973 年,毛泽东在大病恢复之后不久,还同美籍物理学家杨振宁谈论物理学的哲学问题。1975 年,他的视力有所恢复后,又重读《二十四史》,重读鲁迅的一些杂文。他认真阅读《考古学报》、《历史研究》、《自然辩证法》等杂志,并且提出给他印大字本《化石》杂志和《动物学杂志》。到 1976 年,他还要了英国人李约瑟著的《中国科学技术史》(1—3 卷)。根据当时管理图书的徐中远回忆,毛泽东要的最后一本书是 1976 年 8 月 26 日要的《容斋随笔》。这位伟大的革命家和思想家,一生中从未间断他的读书生活。

1976 年 5、6 月间,毛泽东的健康状况开始明显恶化。5 月 27 日,毛泽东会见了访华的巴基斯坦总统布托。此时的毛泽东面容憔悴,表情木然,双目微睁,行动不便。布托离开中国之后,中国政府对外发布公告,宣布毛泽东主席今后不再在外交场合露面。6 月初,毛泽东突然患心肌梗死,幸亏抢救及时,得以脱离危险。

1976 年 7 月 6 日,德高望重的中华人民共和国全国人民代表大会常务委员会委员长朱德逝世。毛泽东同朱德在井冈山时期就开始了密切的合作。毛泽东曾多次讲过，朱毛、朱毛，朱毛是连在一起的，不能分离。虽然后来关系有些变化，但是，朱德的辞世，同样给毛泽东带来了无尽的悲哀。

1976 年 8 月，毛泽东病危。8 月 14 日，毛泽东在病榻上与中央政治局委员一一诀别。毛泽东对于身后事充满了忧虑。毛泽东曾经对华国锋、王洪文、张春桥等政治局委员感叹：人生七十古来稀，我八十多岁了，人老总想后事，中国有句古语叫盖棺论定，我虽未盖棺，也快了，总可以定论了吧！我一生干了两件事。一是与蒋介石斗了那么几十年，把他赶到那么几个海岛上去了。抗战八年，把日本人请回老家去了。打进北京，总算进了紫禁城。对这些事持异议的人不多，只有那么几个人，在我耳边唧唧喳喳，无非是让我及早收回那几个海岛罢了。另一件事你们都知道，就是发动"文化大革命"。这事拥护的人不多，反对的人不少。这两件事没有完，这笔遗产要交给下一代。怎么交？和平交不成就动荡中交，搞得不好，后代怎么办，就得血雨腥风了。你们怎么办，只有天知道。①

9 月 5 日，毛泽东病情转重，叶剑英和其他中央领导人非常着急，准备安排后事。晚上，中央紧急通知 9 月 3 日乘专列去大寨的江青火速回京。

9 月 8 日，毛泽东已经进入弥留状态。他额面青紫，血压上升。医护人员立即进行了抢救。医生发出了最后的病情通报。政治局委员们守候在毛泽东的卧室，他们分组排着队走到病榻前，同毛泽东进行最后诀别。

吴德与叶剑英、李先念是一组，他记述了叶剑英与毛泽东最后诀别的情形，这对于后来的政治局势的发展有直接的影响：毛主席当时还有意识，我们报上自己的名字时他还知道。我记得毛主席的手还在动，好像要找什么东西。向毛主席告别后，我们刚退身到门口，毛主席又让叶帅回去一下，我和李先念同志也没有再往外走，就站在门口了。我看见叶帅到毛主席身边和毛主席握手，毛主席好像要说什么话，但已经说不出来。②《叶剑英年谱》的记载是："叶剑英同毛泽东告了别，这时，意识仍然清醒的毛泽东睁大眼睛，并动了动手臂，想与叶说话。叶剑英一时没有察觉，缓步走向房门。这时，毛泽东又吃力地以手示意，招呼叶回来。当护士把叶叫回到床前时，毛泽东用一只手握住叶的手，眼睛盯着他，嘴唇微微张合，想对他有所交代，但已说不出话来。"③"叶剑英握着他逐渐变冷的右手，又急又悲，淌着眼泪，断断续续地说：'主席，您多保重啊！……您会好起来的！……'他在床边伫立良久，觉得毛泽东的右手在用力握自己的手，还想用力抽出左手来，那平静的面孔，因为用力涨得发紫，那宽阔的额头下面紧锁着双眉，吃力地转动着双眼，那眼神虽然已经失去往日的光彩，但依然发出异样的光芒。看到毛泽东如此激动，叶剑英不好再待下去了，他依依不舍地移动着沉重的脚步，蹒跚离开病房。回到休息室，大家围过来，探询病情。叶剑英一言不发，陷入了沉思：主席的心脏还没有停止跳动，头脑还在思考。为什么特意招呼

① 范硕：《叶剑英在 1976》，中共中央党校出版社，1990 年版，第 179—180 页。
② 吴德：《关于粉碎"四人帮"的斗争》，《当代中国史研究》，2000 年第 5 期。
③ 中国人民解放军军事科学院编：《叶剑英年谱（1897－1986）》（下），中央文献出版社 2007 年版，第 1109—1110 页。

我呢？要说什么呢？还有什么嘱托？……他的心情十分沉痛,感到肩上的担子更重了。"①

几个小时后,1976年9月9日0点10分,毛泽东在北京逝世。中央政治局在8月接到毛泽东病危的通知后,即责成姚文元和纪登奎准备悼词与讣告。应当说,对于毛泽东的逝世,中央高层是有所准备的。虽然如此,当这位掌握一切的政治巨人的辞世成为事实时,人们还是感到惶恐和震动。毛泽东逝世后不到两小时,在京的中央政治局委员和候补委员全部赶到中南海的毛泽东住所游泳池举行政治局会议。在充满哀伤的会上,华国锋宣读了毛泽东医疗小组起草的死亡报告,同时通过了《告全党全军全国人民书》,讨论了治丧委员会名单和举行各种悼念仪式的公告,通过了中央军委发布的陆、海、空三军立即进入一级战备状态的命令和中共中央给各省、市、自治区党委的紧急电报。会议决定,中央人民广播电台于当天下午公布毛泽东逝世的讣告和《告全党全军全国人民书》。江青在会上提出,要开除邓小平的党籍,但是未获通过。江青还提出追查毛泽东的死因,亦未得到支持。

1976年9月9日下午,中央人民广播电台公布毛泽东逝世的讣告和《告全党全军全国人民书》。这个消息迅速传遍全国,立即引起全国人民的极大震惊。亿万人民为失去自己的伟大领袖而陷入深切的哀痛之中。中共中央决定:9月11日到9月17日在人民大会堂举行吊唁活动,毛泽东的遗体移送到人民大会堂,供党政军各方面的负责人和各方面代表瞻仰。党和国家领导人轮流守灵。举国上下举行隆重的追悼活动。

9月18日下午3时,在北京天安门广场举行了极其隆重的追悼大会,参加大会的党和国家领导人有华国锋、王洪文、叶剑英、张春桥、宋庆龄、江青、姚文元、李先念、陈锡联、纪登奎、汪东兴、吴德、许世友、韦国清、李德生、陈永贵、吴桂贤、苏振华、倪志福、赛福鼎、郭沫若、徐向前、聂荣臻、陈云、谭震林、李井泉、张鼎丞、蔡畅、乌兰夫、阿沛·阿旺晋美、周建人、许德珩、胡厥文、李素文、姚连蔚、王震、余秋里、谷牧、孙健,中央军委常委粟裕、全国政协副主席沈雁冰、帕巴拉·格列朗杰和最高人民法院院长江华也参加了大会。②

这个名单的排序首先是第一副主席、副主席、政治局常委,随后是具有象征意义的国家代主席宋庆龄,其后政治局委员以姓氏笔画为序排列,江青因此排在前面。但在当时确实给人以江青地位特殊的印象。

王洪文以中共中央副主席的身份主持了大会。中共中央第一副主席华国锋致悼词。悼词高度评价了毛泽东的伟大历史功绩,同时也无条件地肯定了毛泽东晚年"文化大革命"的理论和实践。

北京追悼大会由中央人民广播电台实况转播,在全国各地,县以上的党政机构按照规定也举行当地的追悼大会。广大群众被尽一切可能地组织起来,参加规模不等的追悼会,收听北京追悼大会的实况。

"四人帮"加紧夺取党和国家最高领导权

毛泽东逝世后,在各种宣传媒介大规

---

① 中国人民解放军军事科学院编:《叶剑英年谱(1897—1986)》(下),中央文献出版社2007年版,第182页。

② 新华社1976年9月18日讯。

模地宣传报道毛泽东的伟大历史功绩和各种追悼活动的时候,中央上层的斗争也到了白热化的程度。在毛泽东逝世后,"四人帮"集团进一步加快了篡夺党和国家最高权力的活动,在政治局内,党内正确力量与代表"文化大革命"的错误理论和实践的江青反革命集团的斗争空前激烈。

1976年4月上任的中共中央第一副主席兼国务院总理华国锋在毛泽东逝世后自然接掌了党和国家的最高权力。毛泽东为了选定接班人,曾经耗费过很大精力。自然规律无法抗拒。早在50年代末期,接班人的问题就被不断地提出来。毛泽东对此有所考虑。但由于党的一系列基本的原则遭到严重破坏,党的最高领导人的选择,变成了毛泽东对其接班人的选择,这就使党的最高领导人的选择带有浓厚的传统色彩。

到"文化大革命"后期,毛泽东对于自己的政治接班人的选择已经力不从心了。林彪事件给毛泽东以很大打击,此后毛泽东的身体每况愈下。为保证"文化大革命"理论和政策的延续,他选择了上海的造反派领袖王洪文,但是,王洪文的表现并不令他满意。在周恩来生病住院后,王洪文只是在很短的时间内主持工作,到1975年,党和国家日常工作由邓小平主持。由于邓小平在重新工作后坚持对"文化大革命"以来的各项政策实行"全面整顿",毛泽东认为这危及到他特别看重的"文化大革命"的基本理论和实践,因而发动"批邓、反击右倾翻案风"运动,重新将邓小平打了下去。

这样,不仅接班人问题需要解决,中央日常工作的主持人也需要解决。毛泽东已经对邓小平作了否定,但是对于"四人帮"集团也未必那么满意。对于张春桥、江青等人在政治上坚持"文化大革命"的理论与实践,毛泽东是信任的,但是对于他们在党内的地位和影响,毛泽东也有较为清楚的认识,由"四人帮"集团接班,必然带来新的不满,从而导致政治的动荡,这是毛泽东不愿见到的。

选择华国锋为接班人,的确出乎很多人的意料,而对于毛泽东,则不失为一个明智之举。华国锋既算得上较有资历的干部,又是在"文化大革命"中地位得到迅速提升的政治人物。毛泽东选择华国锋,除了相信华国锋能够坚持其晚年的政治主张外,大约还希望华国锋能够成为老干部与"文化大革命"中新崛起的政治势力调和的象征。

华国锋是山西交城人,抗日战争时期参加革命。解放战争后期已担任交城县委书记兼武装大队政委。全国解放前夕,中央命令山西抽调部分地方干部随军南下工作,华国锋先到湖南湘阴县担任县委书记,后任湘潭县委书记和湘潭地委书记。在农业合作化运动的1955年,华国锋写了《克服右倾思想,积极迎接农业合作化运动高潮的到来》、《在合作化运动中必须坚决依靠贫农》等三篇文章,引起了毛泽东的注意。毛泽东路过湖南时,特意接见了华国锋。在中共七届六中全会扩大会议上,毛泽东特邀华国锋作为列席代表,在会上介绍湘潭地区合作化运动的经验。毛泽东称他为"父母官",认为他是个"老实人"。1959年夏,华国锋还安排并陪同了毛泽东的回故乡韶山之行。1963年秋,华国锋和李瑞山到广东参观学习后,写了《关于参观广东农业生产情况的报告》,毛泽东读后很有感触,写了很长的一段批示,号召全党克服骄傲自满、固步自封、夜郎自大的错误思想。

"文化大革命"中,华国锋因为受到毛泽东的信任,未受大的冲击,被"三结合"

进入湖南省革命委员会任副主任,后来担任中共湖南省委第一书记、广州部队政委、湖南军区第一政委等职。党的九大上当选为中央委员。林彪事件后,华国锋调中央工作,担任公安部长。党的十大上当选为中央政治局委员。1976年1月,毛泽东提名,华国锋任国务院代总理,并主持中央政治局工作。

华国锋的任命,对觊觎最高权力的"四人帮"集团是重大的打击。张春桥怨恨至极,写下了《二月三日有感》:

又是一个一号文件。

去年发了一个一号文件。

真是得志更猖狂。

来得快、来得凶,垮得也快。

在天安门事件后,毛泽东又提名华国锋担任中共中央第一副主席和国务院总理。"第一副主席"的职务,在中国共产党的历史上是不曾有过的。4月30日,毛泽东接见新西兰总理马尔登后,华国锋向毛泽东汇报工作。毛泽东说:国际上的事,大局已定,问题不大。国内的事,要注意。此时毛泽东说话已经不清楚了,华国锋听不明白。毛泽东又讲了一遍,在毛泽东身边的张玉凤也听不清楚,于是,毛泽东在纸上写下三句话:

慢慢来,不要着急。

照过去方针办!

你办事,我放心!

对这三句话怎么看?张玉凤认为:"当时主席写这三句话是答复华国锋汇报的几个问题的意见。后来传说'照过去方针办'是临终遗嘱,'你办事,我放心'是指定接班人,这是不符合事实的。"[①]

为篡夺党和国家的最高权力,江青反革命集团继续制造和宣传打击老干部的舆论。迟群在清华大学宣布毛泽东逝世消息时就说,要特别"警惕国内外阶级敌人的破坏活动,警惕还在走的走资派的破坏和捣乱"。"四人帮"集团除了加强政治舆论的宣传外,还连续制造一系列重大事件,企图达到篡夺党的最高权力的目的。

其一是档案事件。作为党的最高领袖,毛泽东亲自保存了一批党内的绝密档案。这批档案很容易被人用来作为毛泽东之后政治斗争的重要武器。一方面,作为中国政治的长期的绝对权威,毛泽东的只言片语,都可以成为在毛泽东之后的有效政治法宝。在个人崇拜的极左年代里,掌握了毛泽东的文字档案,就如同得到了毛泽东的政治委托,可以随时用毛泽东的名义发布政治意见,或者以此打击政敌。这在权力继承和政治合法性上的意义是极其重大的。

1974年12月,与"四人帮"集团关系很深的康生,为迎合毛泽东对"四人帮"的批评,曾经向毛泽东报告江青、张春桥的历史问题。因此,历史问题始终是江青等人的一块心病。于是,在毛泽东病危时,对他的文字和档案的争夺就开始了。9月6日,江青就到毛泽东卧室,试图打开毛泽东的档案保险柜,但是中央办公厅主任汪东兴已先行将保险柜封存。9月9日晚,江青又闯进毛泽东卧室,以"借看"为名,拿走两份文件。为防止事态进一步发展,在华国锋的支持下,政治局会议决定,毛泽东的文件由中央办公厅负责,并由汪东兴封存,要求江青将文件退回,由此就将毛泽东的文字和档案控制起来。

"四人帮"集团并不甘心。9月19日,

---

① 张玉凤:《回忆毛主席去世前的一些情况》,未刊稿,转引自逄先知、金冲及主编:《毛泽东传》,第1778—1779页。

江青要求华国锋召开政治局紧急常委会。会上,江青提出由她整理毛泽东文件和手稿的问题。江青的无理要求被华国锋拒绝。华国锋坚持毛泽东的一切文件、材料和书籍由汪东兴负责,暂时封存。9月21日,中央办公厅清查文件时,发现江青"借走"的两份文件仍未退还,于是再向江青追讨,江青无法,只得退回。

其二是毛泽东遗体保存事件。毛泽东逝世后,中央即决定永久保存毛泽东的遗体,以供世世代代瞻仰。9月11日,在中央政治局会议上,张春桥突然发难,提出毛泽东的遗体未及时作防腐处理,不能再作永久保存,意在追究主持中央工作的华国锋的责任。在个人崇拜盛极一时的"文化大革命"中,任何对毛泽东有所损害的过错或过失,都是弥天大罪。这个罪名一旦成立,华国锋等人就可能立即被打入十八层地狱。于是,华国锋亲自负责,组织中外专家全力攻关,采用最先进的防腐技术,成功地保护了毛泽东的遗体。"四人帮"集团的政治企图又一次失败。

其三是热线电话事件。毛泽东的逝世,是中国社会和政治的重大事件,国家立即进入非常状态。为控制中央与地方的联系,王洪文指示秘书以中央办公厅的名义发出通知,要求各省、市、自治区直接与他联系。王洪文的这个行动,是"四人帮"集团控制中央最高政治权力的重要步骤。华国锋及时得知此情况,命汪东兴通知各省、市、自治区,恢复与中央办公厅的直接联系。

其四是毛泽东"临终嘱咐"事件。毛泽东逝世后,人们最为关心的问题是这位始终掌握政治权力的最高领袖的身后安排。为了篡夺党和国家的最高权力,"四人帮"企图利用毛泽东的言论,作为他们篡权的合法依据。为此,他们伪造了一个"按既定方针办"的所谓"毛主席临终嘱咐",并且大肆宣扬,使之成为攻击诬陷华国锋等中央领导人和篡党夺权的宣传武器。9月16日,"四人帮"集团控制的两报一刊发表的重要社论《毛主席永远活在我们心中》,首先提出"毛主席嘱咐我们'按既定方针办'"的提法。这篇社论是经过姚文元审定的,而姚文元不仅听过华国锋在政治局传达的毛泽东的三句话,而且看过毛泽东的亲笔批示。"四人帮"集团制造一个子虚乌有的毛泽东的政治遗嘱,目的是以此作为政治斗争的工具。①

9月17日以后,姚文元多次打电话给新华社,强调宣传所谓毛泽东的"临终嘱咐"。在"四人帮"集团的控制下,宣传舆论机构不断宣传所谓"按既定方针办"的"临终嘱咐"。9月17日,新华社在《内部参考》中,将"按既定方针办"说成是毛泽东的"临终教导"、"生命的最后一刻"的嘱咐,"永别前发出的伟大号召"。

从9月17日到9月30日,新华社《内部参考》、《人民日报》、《红旗》杂志、《光明日报》、《文汇报》、《解放日报》、《学习与批判》等影响全国舆论的报刊,以大量的篇幅突出宣传"按既定方针办"。

"四人帮"制造并且大肆宣传"按既定方针办",目的在于借用毛泽东的旗帜,抓住对毛泽东的"政治遗嘱"的控制权,标榜自己是得了毛泽东真传的继承人,制造自己是毛泽东选定的接班人的假象,以此来打击党的其他领导人,并且作为继续坚持

---

① 王洪文在1980年7月9日交代:"在我的印象中,'按既定方针办'这句话可能是张春桥加的。因为在这之前,他曾对我说过,他最后一次见到主席时,主席拉着他的手说:'按既定方针办。'到底有没有这回事,我也不清楚。"

"文化大革命"的理论和实践的依据。

"四人帮"在"按既定方针办"六个字上大做文章,将它解释为"就是按毛主席的革命路线和各项政策办",解释成"坚持以阶级斗争为纲","坚持斗争哲学","坚持同党内资产阶级斗争","坚持认真学习,深入批邓",等等,以便为"四人帮"制造和发挥的极左理论制造新的合法依据,为他们上台制造舆论。

由于毛泽东的崇高威望和巨大的政治影响力,"四人帮"集团制造并且"掌握"的所谓"临终嘱咐"确实可能造成混乱,华国锋不得不进行有力的反击。10月2日,外交部部长乔冠华将联合国大会发言稿送交华国锋审阅,华国锋删去了原稿中"按既定方针办"的字样,并且作了批注:"剑英、洪文、春桥同志,此件我已阅过,主要观点是准确的,只是文中引用毛主席的嘱咐,我查对了一下,与毛主席亲笔写的错了三个字。毛主席写的和我在政治局传达的都是'照过去方针办',为了避免再错传下去,我把它删去了。建议此事在政治局作一说明。"

三个字的差别,成为政治斗争的焦点,这是"文化大革命"最后时期很有意思的政治现象。华国锋也好,"四人帮"集团也好,对于这几个字的差别都极其重视,因为这是政治角逐中的重要砝码。相比之下,华国锋有毛泽东的亲笔批示,证据凿凿,"四人帮"集团则根本拿不出有力的根据。

华国锋对"临终嘱咐"问题是非常重视的,据耿飚回忆:

国庆节过后,10月2日晚上,华国锋同志突然打电话要我去商量事情。我到他那里时,外交部的两位副部长韩念龙、刘振华已经先到。华国锋让我们坐下来,开门见山地说:"你们都来了,好!想和你们商量解决一个问题。乔冠华(外长)在联合国大会的发言稿上,提到了'毛主席的临终嘱咐'——'按既定方针办'。我昨天见到这个送审稿时,在稿子上批了几句话。我说发言稿中引用毛主席的话,经我查对,与毛主席亲笔写的错了三个字。毛主席写的和我在政治局传达的都是'照过去方针办'。为了避免再错传下去,我把它删去了。但是,乔冠华9月30日已去联合国,10月4日要发言,他带去的稿子上并未删去那句话;你们看用什么办法把他的发言稿上'按既定方针办'那句话去掉,时间还来不来得及?"研究结果,由韩念龙、刘振华回外交部去打电话,通知乔冠华在发言稿中删去这句话。

韩、刘两位走后,我就问华国锋,从字面上看,"照过去方针办"和"按既定方针办"差别并不大,为什么要去掉这句话。华国锋说:毛主席没有什么"临终嘱咐",不应该这么说。4月30日晚上,毛主席会见外宾,等外宾走后,我向他汇报了各省的情况。当时毛主席讲话发音已不太清楚,他怕我听不清,就用铅笔写了几张字条给我看,其中有一张写的是"照过去方针办"。这根本不是什么临终时的嘱咐,而是针对我汇报的具体问题,对我个人的指示。现在他们把六个字改了三个,把对我讲的变成了"毛主席的临终嘱咐"。他们这样做,就可以把他们干的许多毛主席不同意的事情,都说成是"按毛主席的既定方针办"了。他们就有了大政治资本了嘛!

临走时,华国锋同志对我说:"近日有事要找你,你在家里等着。"①

华国锋严肃地指出这个问题后,姚文元在 10 月 3 日找《人民日报》总编鲁瑛商议,一方面布置在报上逐步减少对"按既定方针办"的宣传,另一方面寻找机会反扑。

10 月 4 日,《光明日报》在头版以通栏标题发表"四人帮"集团的写作班子梁效的重要文章《永远按毛主席的既定方针办》,继续论述"按既定方针办"的"临终嘱咐",并且指责有人篡改毛泽东的政治遗嘱。文章说:"'按既定方针办',就是按毛主席的无产阶级革命路线和各项方针政策办,坚持以阶级斗争为纲,坚持党的基本路线,坚持无产阶级专政下的继续革命,坚持无产阶级国际主义,永远沿着毛主席指引的道路走下去,走到底。这是保证我们党永不变修,我们的国家永不变色的战略措施。篡改毛主席的既定方针,就是背叛马克思主义、背叛社会主义、背叛无产阶级专政下继续革命的伟大学说。""'走资派还在走'。这个'走'的基本内容,就是反对党在整个社会主义历史时期的基本路线,颠覆无产阶级专政,复辟资本主义,也就是篡改毛主席的既定方针。""任何修正主义头子胆敢篡改毛主席的既定方针,是绝然没有好下场的。"②

梁效的文章可以看成是"四人帮"集团利用自己制造的毛泽东"临终嘱咐"发出的夺取党和国家最高政治权力的危险信号。

被"四人帮"控制的北大、清华也都有活动。姚文元、迟群还动员很多人向江青表决心、写劝进信。当时甚至传出风声,说有些地方在准备庆祝,会有大喜事等。③

华国锋、叶剑英、李先念、汪东兴等在历史关头

"四人帮"集团的步步进逼,华国锋的处境已经很困难,工作不下去了,种种迹象表明"四人帮"篡党夺权的行动已经是箭在弦上,只有及时采取果断措施,才能挽救危急。

"批邓、反击右倾翻案风"运动后,叶剑英移住西山。叶剑英虽然远避政治中心,但仍是把握中国政治的重要力量。叶剑英心中记着毛泽东几次对"四人帮"的批评,特别是 1975 年 5 月 3 日毛泽东在政治局会议上关于对"四人帮"问题"上半年解决不了,下半年解决;今年解决不了,明年解决;明年解决不了,后年解决"的讲话记录稿,他时时都带在身边。他也记着周恩来病逝前对他的嘱咐:要注意斗争方法,无论如何不能让权落到"他们"(指"四人帮"——笔者注)手里。在叶剑英看来,毛泽东的讲话就是武器,是"尚方宝剑",周恩来的嘱咐是战略和策略,是对他的政治交代和期望。他反复思考:怎样才能阻止"四人帮"的阴谋和野心,阻止其在毛泽东主席去世后篡夺党和国家的最高领导权。这一紧迫而严重的问题同样困扰着当时党内、军内的其他许多领导人和老同志,困扰着共和国的将帅们。王震、聂荣

① 耿飚:《耿飚回忆录(1949—1992)》,江苏人民出版社 1998 年版,第 287—288 页。
② 梁效:《永远按毛主席的既定方针办》,《光明日报》,1976 年 10 月 4 日。
③ 吴德:《关于粉碎"四人帮"的斗争》,《当代中国史研究》,2000 年第 5 期。

臻、肖劲光、粟裕、宋时轮、杨成武、苏振华等军队的高级将领们都先后来到叶剑英住处，向他反映情况，表达对"四人帮"的不满，有的则明确讲应该把"四人帮"抓起来。在中央最高领导层中，叶剑英成为中央政治局常委中资历最深、威望最高的成员。邓小平、陈云、李先念、乌兰夫、谭震林、邓颖超、康克清以及军队一大批领导干部都先后找叶剑英交谈，献计献策，对他抱殷切期望。王震、陈云、聂荣臻、邓颖超等都到叶剑英处，提出对于中国政治的见解和建议。当王震提出干脆将"四人帮"几个人"弄起来"时——叶剑英还是不动声色。停了一会儿，只见他做了一个打哑谜式的手势：先伸出右手，握紧拳头，竖起大拇指，向上晃两晃，然后把大拇指倒过来，往下按了按。王震愕住了。这是什么意思？叶剑英又向他点了点头。王震想了想，终于明白了：大拇指是指的毛主席。他老人家还在世，不宜轻举妄动，等去世以后再说，要等待时机。① 毛泽东临终召唤，虽未能说什么，但是可以认为，毛泽东对于叶剑英，可能是有政治"托孤"的意思的。叶剑英也认为毛泽东对他有意政治"托孤"，这更促使叶剑英挺身而出，主动与华国锋和时任中央办公厅主任、中央警卫局局长的汪东兴沟通，统一对"四人帮"斗争的认识。

在党内的政治关系中，叶剑英认为华国锋与"四人帮"集团是有区别的。1976年8月，中共中央在关于毛泽东病情的通报上发生分歧。一份经"四人帮"集团之手的党内通报说，毛泽东健康好转，不久可以恢复工作。叶剑英表示坚决反对，认为这不是事实，在主席健康问题上应持郑重的态度。政治局中汪东兴等支持叶剑英，而江青、张春桥坚持通报按原样发出。在争论中，华国锋虽然未表示态度，但在会后按叶剑英的意见删去了"健康好转，可以恢复工作"的字样，实际上站在叶剑英等的一边。但是，叶剑英又不能不稳重从事。7、8月间，叶剑英到中南海看望了病重中的毛泽东以后，回家途中，曾绕到北京东四史家胡同华国锋住地，第一次登门拜访了他。看到70多岁高龄的老帅来访，华国锋感到很高兴，叶剑英以"有的人要成立全国民兵指挥部，把民兵搞成第二武装"这一话题试探华的态度。华当然知道"有的人"是指王洪文他们。他对这种做法也不赞成。这一试探，使叶剑英心中多少有了一点儿底。毛泽东去世以后，叶剑英从分析时局入手，慢慢同华国锋交谈。在开始几次交谈中，当谈到"四人帮"问题时，华国锋总是不明确表态。关于这种情况，据汪东兴解释："叶帅与我和华国锋谈这个问题（指解决'四人帮'），一开始不是直截了当地提出来，而是比较含蓄的，逐步试探。""华国锋对'四人帮'问题一开始态度不明朗，他的办法就是不做声。"比如，在粉碎"四人帮"之后的一次"打招呼"会议上，华国锋讲了这样一句话：如果他们（指"四人帮"——作者注）搞马列主义，我们也可以在他们的领导下工作。又比如，毛泽东去世后，遗体转移到人民大会堂供群众吊唁之前，华国锋同王洪文、张春桥、江青、姚文元，外加毛远新，专门在毛泽东遗体旁站成一排，摄影留念。这个镜头，有照片为证。这传递的是一种什么信息呢？叶剑英一心想做华的工作，一而再、再而三地找华国锋谈。他仔细地给华分析当时的党内党外、国内国

① 范硕：《叶剑英在1976》，中共中央党校出版社1990年版，第129页。

外局势,希望他能站出来,负起斗争的责任①。据华国锋自己讲,叶剑英为了商议解决"四人帮"的问题,曾两次到他家里。②

华国锋在这样一个历史关头,一举一动自然也要格外谨慎。毛泽东治丧期间的一天,在国务院后边的会议室里,华国锋对大家说:"毛主席提出的'四人帮'的问题,怎么解决?"当时在场的有李先念、陈锡联、纪登奎、吴德。纪登奎说,对这些人恐怕还是要区别对待。其他人都没有说什么,"没再往下深谈"。显然,华国锋在试探和了解他们的态度。9月10日,即毛泽东逝世的第二天,王洪文不经中央授权,便指示秘书米士奇以中办名义通知各省、市、自治区发生的重大问题,要及时报告;重要问题不好解决的,要及时请示;凡报告和请示,均与米士奇直接联系。此事给予华国锋触动极大,于是他立即委托李先念联系叶剑英。③9月11日,华国锋借口身体不好,要到医院去检查。华国锋离开治丧的地方给李先念同志打了电话,说:"我到你那里,只谈五分钟。"华国锋来到西皇城根9号李先念临时住处,一进门就很紧张地说:"我可能已被跟踪,不能多停留,说句话就走。现在'四人帮'问题已到了不解决不行的时候了。如果不抓紧解决,就要亡党、亡国、亡头。请你速找叶帅商量此事。"李问:"你下决心了吗?"华答:"下了,现在不能再等待了。问题是什么时候解决好,采用什么方式好,请你考虑。如果你同意,请你代表我去见叶帅,征求他的意见,采取什么方式、什么时间解决'四人帮'的问题。"④9月24日,李先念以游香山为名,前往西山同叶剑英会面。李先念转达了华国锋的意见。叶剑英对李说:"我们同他们的斗争是你死我活的斗争,只有你死,才能我活,没有调和的余地。"⑤

9月11日,华国锋还找了汪东兴商量此事,汪的态度很明确,坚决支持华解决"四人帮"问题。

汪东兴是赣东北弋阳人,早年参加方志敏领导的赣东北的革命斗争。在第四次反"围剿"的斗争中,中央苏区与闽浙赣苏区胜利打通,赣东北的红十军调往中央苏区,汪东兴也就随军参加中央苏区的斗争,第五次反"围剿"失败后,汪东兴参加了长征。汪东兴长期负责毛泽东的保卫工作。在政治上汪东兴表现出的最大特点是忠实,因此深得毛泽东的信任。当时汪东兴担任中共中央政治局委员、中央办公厅主任、中央警卫局局长、八三四一部队政委,掌管着中央机关特别是中央领导人的安全,其作用远不是一般的政治局成员能够比拟的;而且汪是毛泽东信赖的人,在中央领导层地位相当高。粉碎"四人帮"这样的重大政治行动,倘若没有汪

① 丁家琪:《粉碎"四人帮"斗争中的将帅们》,《国防》,2005年第2期。

② 吴德:《关于粉碎"四人帮"的斗争》,《当代中国史研究》,2000年第5期。

③ 武健华:《粉碎"四人帮"的策划过程》,《中华儿女》,2001年第10期;邬吉成:《红色警卫——中央警卫局原副局长邬吉成回忆录》,当代中国出版社2003年版,第383页。

④ 吴德:《关于粉碎"四人帮"的斗争》,《当代中国史研究》,2000年第5期;程振声:《李先念与粉碎"四人帮"》,《中共党史研究》,2002年第1期。

⑤ 《叶剑英年谱》,第1111页。据耿飚回忆:"关于华国锋与叶帅联系之事,现在流行着种种说法,有些说法与事实有出入。据后来华国锋同志告诉我,他请李先念同志去拜访叶帅,商谈如何解决'四人帮'问题,但是叶帅当时并未深谈。隔天,叶帅亲自来拜访华国锋,首先解释了未与李先念深谈的原因,然后两人进行长谈,详细讨论了对'四人帮'及其主要爪牙实行隔离审查的时间和措施,还研究了向政治局其他成员通报的步骤以及接管重要新闻机构的人选。"《耿飚回忆录(1949—1992)》,江苏人民出版社1998年版,第287页。

的赞成和支持，几乎不能成功。从已经披露的史实看，从一开始酝酿直到正式采取行动，汪东兴参与了事情的全过程，而且是整个事件的核心人物之一。

叶剑英考虑过三个方案：一、按照正常的组织程序，立即召开政治局会议或扩大会议，作出决定，正式罢免"四人帮"；二、"先斩后奏"，先由少数中央领导人商量决定，对"四人帮"进行果断处置，再召开政治局会议正式通过；三、采取突然手段，执行军委领导职权，下令逮捕，再依法处理。这些方案经过了反复的考虑，并且秘密征求过王震等人的意见。叶剑英还对处理的范围进行了反复考虑。"根据几个人不同的情况，设想了各种不同的方法，既想过'一起解决'，也想过'个别处置'；既想过采取紧急措施，从'隔离审查'到公然逮捕，也想过采取过渡办法，把他们分别调离中央，到外省，再视情况，慢慢处理。最后倾向于还是'一网打尽'。"①

在叶剑英同其他老革命家之间，王震起了联络的作用。王震按叶剑英的意思，就叶剑英的考虑向陈云请教。陈云认为，只好如此，下不为例，并请叶剑英快下决心，以稳妥为上策。叶剑英非常尊重陈云的意见，他对于政治行动的赞成和行动的合法性的要求，对于粉碎"四人帮"的决策是有影响的，可以认为陈云是间接参与决策的重要人物。②

在"四人帮"的步步进逼之下，9月16日，华国锋召集李先念、吴德、陈锡联、纪登奎、陈永贵等人在国务院会议厅开会。"九一六"会议的历史意义在于，以华国锋为首的反对"四人帮"的政治联盟已初步形成。在第二天即9月17日中央政治局

常委扩大会议上，华国锋、叶剑英联手迎击，汪东兴配合默契，在绝大多数政治局委员的支持下，在关于毛泽东手稿如何处理的问题上和关于毛远新要不要回辽宁的问题上，"四人帮"的阴谋再次受挫。为了争取更多的同盟者，华国锋曾先后4次与政治局委员、代叶帅主持军委工作的陈锡联上将商谈解决"四人帮"的问题；华国锋还同政治局候补委员苏振华上将商谈过解决"四人帮"的问题。这两位上将均表示支持华国锋的意见。华国锋亲自出面做工作，收到了很好的成效，争取到了政治局的多数同志。所以，华国锋后来回忆说：在政治局委员中，除"四人帮"外，大都是反对他们的。

9月26日晚，国务院小礼堂电影放完后，华国锋留下李先念和吴德，商量解决"四人帮"的最佳实施方案。反复掂量，"采取隔离审查的办法才是上策"。华国锋、李先念、吴德三人还讨论了什么时候解决"四人帮"的时间问题。华国锋提出了"早比晚好，越早越好"的行动方针，李先念、吴德均表示赞同。③ 考虑到毛泽东主席的治丧活动刚刚结束，全国人民的悲痛情绪还未调整过来，三人初步议定：国庆节后，准备10天，然后再动手。在粉碎"四人帮"的斗争中，9月26日的小型会议最终确定了粉碎"四人帮"的解决方案和初步确定了粉碎"四人帮"的解决时间。

9月30日晚，中央在天安门城楼上举行首都各界人士国庆座谈会。会后，华国锋、李先念、吴德等人到国务院小礼堂看了一场电影。看完电影，三人又在小礼堂旁边的小会议室再次商谈了解决"四人

---

① 范硕：《叶剑英在 1976》，第 254 页。

② 同上。

③ 吴德：《关于粉碎"四人帮"的斗争》，《当代中国史研究》，2000 年第 5 期。

帮"的时间和可能发生的问题。10月2日当晚,汪东兴来到华国锋在东交民巷的住地。华要求汪赶快拿出一个具体执行措施。据吴德回忆:也是在10月2日这天,华国锋来到吴德住处。华国锋要求北京市委积极配合中央解决"四人帮"的行动,吴德提出"四人帮"在北京市的爪牙如迟群、谢静宜、金祖敏等人也应隔离,华国锋表示同意。要彻底粉碎"四人帮",还必须保证中央警卫团和北京卫戍区这两支武装力量掌握在正义一方。这直接牵涉到两个关键人物,一是中央警卫团团长汪东兴,二是北京卫戍区司令吴忠。在华国锋看来,汪东兴绝对可靠。于是,华国锋秘密召见了吴忠,并向他进行了政治交底,吴忠当即表示:绝对听从党中央、华总理指挥,赴汤蹈火,在所不辞。10月4日下午,华国锋要吴德到他住处,两人再一次全面检查了准备工作以及哪些环节尚未完善需要补救等等。当日下午5时,吴德离开华国锋家,谁知吴德刚到自家,华国锋来电话又要他再去。吴德急忙赶去,见汪东兴也在华国锋家。三人商定:由华国锋、叶剑英坐镇中南海怀仁堂指挥,以召开政治局常委会研究《毛泽东选集》第五卷出版问题的名义,通知王洪文、张春桥、姚文元到会,届时由汪东兴负责抓捕"四人帮";同时,由吴德和吴忠负责抓捕迟群、谢静宜、金祖敏等人,并派卫戍区部队迅即控制《人民日报》、新华社、中央人民广播电台等媒体以及中央机关、北大、清华等单位和学校,坚决杜绝一切意外发生。① 10月4日这天,《光明日报》发表了梁效的文章《永远按毛主席的既定方针办》。"四人帮"的狼子野心已是迫不及待,昭然若揭。陈锡联后来回忆说:10月5

日下午3时,正在唐山指挥抗震的他突然接到华国锋要他立即回京的电话。他匆匆回到家里,然后直奔离他家不远的华国锋家。华告诉他:"四人帮"已经发出了篡党夺权的信号,因此他们也要赶紧动手。华还说他已决定明天晚上行动,改变原定国庆节后准备10天再动手的时间,提前到6日晚8时采取果断措施,对"四人帮"进行隔离审查。与陈谈完话后,细心的华国锋又在汪东兴的陪同下,于当日下午亲自来到预备关押"四人帮"的地下工程视察,重点检查了几个隔离点的准备情况。看着一切准备就绪,华国锋说:经过5天的准备,如果不出意外,成功是有把握的。

就在此时,"四人帮"集团的行动也在加速进行。9月21日,张春桥接见上海市委书记徐景贤。徐景贤向张春桥汇报了丁盛同上海市委的谈话和上海向民兵发枪的问题。张春桥表示支持,并对上海方面作了布置。

毛泽东逝世后,叶剑英在政治上的活动增加了。9月27日,叶剑英以军委副主席和国防部长的身份会见美国前国防部长施莱辛格,参加会见的还有代总参谋长杨成武。这是1976年中央1号文件后叶剑英的引人注目的公开活动,它表明叶剑英对于军事事务的不可动摇的领导权,这是一个重要的政治象征。

也就在9月27日这一天,张春桥给上海作了三点指示:一、要警惕中央出修正主义;二、今后中央搞集体领导;三、《毛泽东选集》五卷不出了,可出单行本,先出接班人五项条件。从张春桥的三点来看,政治针对性是很强的。当晚,张春桥与王洪文的秘书肖木在钓鱼台9号楼的住处进行了长时间的谈话。次日肖木回到上海,向

---

① 吴德:《关于粉碎"四人帮"的斗争》,《当代中国史研究》,2000年第5期。

上海市委常委传话,中心的意思是要求上海准备紧急应变,要打仗。

9月29日,中央召开政治局会议。会上,华国锋同"四人帮"集团的斗争表面化和白热化了。会议一开始,气氛就很紧张。主持人华国锋想通过会议解决"四人帮"连日来吵吵闹闹提出的问题,要压一压他们的嚣张气焰。"四人帮"经过充分准备,决心大闹一场,企图把党的最高领导权夺到手。江青对此很有信心,她气哼哼地首先发难,劈头提出:"毛主席逝世了,党中央的领导怎么办?"放肆地攻击华国锋处理所谓"保定问题"优柔寡断,没有能力。王洪文、张春桥一唱一和,要求加强集体领导,安排江青的工作。他们所谓"安排工作",就是让江青当党中央主席。这是毛主席逝世后,他们酝酿已久,迫不及待要解决的第一个大问题。"四人帮"心里明白,只有打出江青这面旗帜,才能压倒华国锋。华国锋坐在那里,对江青问题不好表态,但他心里很明白,江青早已有工作,何须再安排? 她的意思就是要夺权。"四人帮"打出江青旗号,无理取闹,理所当然地遭到叶剑英、李先念等多数委员的反对和否决。会上还讨论了毛远新的工作问题,华国锋主张同意毛远新回辽宁,江青、张春桥等坚持毛远新留下不动。陷入僵局的会议已进行到深夜,与会人员疲惫不堪。叶剑英等起身退席后,江青又提出要毛远新留下来讨论起草三中全会报告,这实际上就是直接向华国锋的地位挑战。华国锋无路可退,于是以会议主持人的身份表示:"会议开到这里,不要再争吵了。我认为毛远新应该回辽宁去,这是政治局多数同志的决定。"他还强调,由于叶剑英副主席和其他一些委员不在场,关于三中全会的问题不能讨论,"即使三中全会要作政治报告,也应该由我来作,也应该由我来准备,至于党中央的人事安排,应该由政治局讨论决定"。说完就宣布散会。

这次会议是党内高层的又一次激烈的冲突,双方的阵营清楚,底牌尽出。这次会议能够作出的决定是国庆节活动的安排。在此期间,"四人帮"曾提议在毛泽东逝世后的第一个国庆节中央领导分头到工厂与工人共同学习和座谈。叶剑英被安排到长辛店二七机车车辆厂。叶剑英对此非常警惕,认为这是个阴谋,于是马上给汪东兴打电话,要求更改计划。后来北京市又要求叶剑英到工厂同工人见面,并说是张春桥的意见,叶剑英同样拒绝了。

政治局会议关于国庆活动的决定是,9月30日晚照例的国庆宴会取消了,改在天安门城楼举行国庆座谈会。按照这个决定,9月30日晚19时,活动开始。党和国家领导人华国锋、王洪文、叶剑英、张春桥等出席了座谈会。华国锋在会上的讲话极为简短:

> 同志们,今天,在伟大的领袖和导师毛主席创建的中华人民共和国成立27周年的前夕,我们参加首都工农兵学商代表举行的座谈会。我们向同志们学习,向同志们致敬。在庆祝中华人民共和国成立27周年的时候,我们更加怀念伟大的领袖和导师毛泽东主席。我们要化悲痛为力量,继承毛主席的遗志,把毛主席开创的无产阶级革命事业进行到底。毛主席永远活在我们心中! 马克思主义、列宁主义、毛泽东思想万岁! 中国共产党万岁! 中华人民共和国万岁!

人们注意到,华国锋的讲话不仅简

短,而且比较低调,当时流行的"以阶级斗争为纲"、"无产阶级专政下继续革命"和"批邓、反击右倾翻案风"等极"左"的政治口号都没有出现。这也是一个重要的政治迹象。

重要的政治迹象还有次日的报道。在"四人帮"的指使下,《人民日报》对座谈会的报道中,华国锋和他代表党中央的讲话被放到非常次要的位置,华国锋的讲话没有照片,报纸刊登的是政治局全体与会成员的照片,其中江青被摆在中央位置。报道中还引人注目地再次提出毛泽东的所谓"临终嘱咐":"按既定方针办"。许多迹象表明,"四人帮"集团篡党夺权的阴谋活动在加紧进行:

10月1日,江青到清华大学讲话,说要开除邓小平党籍,表示"一定要锻炼好身体,和他们斗"。

10月2日,王洪文要新华社记者给他照标准像。

10月3日,王洪文跑到平谷县,大讲修正主义的危险,"不只是邓小平搞修正主义,出(修正主义)是可能的,不出是奇怪的","中央出了修正主义,你们怎么办?打倒!"迟群催促"梁效"写作班子加紧整理一批党政军领导人的黑材料。

10月4日,迟群在清华大学布置给江青写效忠信;《光明日报》发表《永远按毛主席的既定方针办》的文章。

张春桥写了如下政治提纲:历史与现实。如今。时代。革命与专政。怎么革。怎样巩固政权。杀人。

在此紧要关头,彻底解决"四人帮"的斗争准备也到了最后阶段。叶剑英与华国锋进入问题讨论的核心,这就是最后解决"四人帮"的方式。

华国锋曾经考虑过以政治局会议的形式解决。但9月29日的会议表明,召开政治局会议来解决的方式不可能成功。而中央全会的方式也被否定。叶剑英认为,"四人帮"集团是长期在中央政治局公开结合的反革命阴谋集团,他们在中央人数虽然不多,但是能量很大。我们同"四人帮"的斗争是你死我活的斗争,已经超出党内斗争的范围,已经不宜采取党内斗争的形式来解决。一方面不能采取正常的党内斗争的方法,另一方面也不能采取公开动武的方法。江青、张春桥、王洪文和姚文元有合法的政治地位,而江青还有特殊的政治身份,公开动武既不合法,又可能引发政治动乱。叶剑英认为:"兵法讲究'上兵伐谋',只能智取。我们要给后人留下一个好的榜样,注意斗争的合法性。无论如何,要避免动乱,一定要稳定首都和全国的局势。"叶剑英参考林彪事件后处置黄永胜等人的办法,主张以召开会议的形式,请他们到会,宣布对他们实行隔离审查,然后立即召开政治局会议讨论决定。华国锋与叶剑英商定,以讨论《毛泽东选集》第五卷的名义,在怀仁堂召开政治局常委会,吸收姚文元参加,华国锋主持会议,叶剑英坐镇指挥,对张春桥、王洪文和姚文元进行处置,江青等则另行处置。他们还决定,具体事宜由汪东兴负责。

叶剑英还就行动计划同汪东兴进行了商谈。汪东兴表示,坚决拥护华、叶两位副主席,叶剑英和汪东兴研究了具体的行动部署。

在组织上处理"四人帮"的同时,还需要立即掌握国家的宣传机构,这是稳定局势的又一个关键。叶剑英选择中共中央联络部部长耿飚担负占领中央人民广播电台的重任。10月5日,华国锋打电话召见耿飚。耿飚回忆说:"(华国锋)郑重地说:'中央决定,有一项任务要交给你去完成,是叶帅提名的。'我听他这么说,一方面已意识到这个任务十分重大,另一方面出于一个革命军人的习惯，所以不由自主地站了起来，回答说：'坚决完成任务！'"①华国锋要求耿飚在家等电话命令，并且叮嘱，一定要确认是华国锋本人的声音，其他任何方式都不能相信。被选择负责接管人民日报社的是北京军区副政委迟浩田。

10月5日，叶剑英再次请华国锋、汪东兴到玉泉山，三人对行动方案作了进一步的仔细考虑。叶剑英说："这是一步险棋，是关系党和国家命运的决战。行动要果断，更要周密，必须万无一失。"汪东兴提出要绝对保密，行动越快越好，时间拖得越久，越危险。经过紧张商议，决定次日行动。

四

抓捕"四人帮"

1976年10月6日下午1点，按照计划，中共中央办公厅发出召开政治局常委会的通知。晚上8点是通知会议开始的时间。华国锋和叶剑英提前到了怀仁堂。具体负责行动的汪东兴确认了"四人帮"集团主要成员的位置和活动，并对亲自挑选的行动小组成员进行了动员。可以说，中国共产党的组织原则保证了这次行动的成功实施。

"10月6日下午8时，在怀仁堂正厅开政治局常委会。当时，华国锋、叶剑英同志就坐在那里。事先已写好一个对他们进行'隔离审查'的决定，由华国锋宣布，汪东兴负责组织执行。张春桥先到，宣布决定就顺利解决了。接着来的是王洪文，他有一点挣扎，当行动组的几个卫

士在走廊里把他扭住时，他一边大声喊叫："我是来开会的，你们要干什么？"一边拳打脚踢，拼命反抗。但很快就被行动小组的同志制服了，扭着双臂押到大厅里。华国锋同志把决定又念了一遍。还没等念完，王洪文突然大吼一声，挣脱警卫人员扭缚，像头发怒的狮子伸开双手，由五六米远的地方向叶帅猛扑过去，企图卡住叶帅的脖子。因为双方距离太近，汪东兴也不能开枪。就在他离叶帅一两米远时，警卫猛冲上去把他扑倒，死死地摁住，给他带上手铐。随后，几个人连揪带架把他抬出门，塞进汽车拉走了。……姚文元也来了。汪东兴怕再发生意外，经请示华国锋和叶帅同意，没有让他进正厅，只让人把他领到东廊的大休息室，由警卫团一位副团长向他宣读了中央的决定。他听完后好像很镇静，没有争辩，也没有反抗，只说了声走吧，就随行动小组的几名卫士出了门。……与此同时，李鑫、张耀祠、武健华几位同志在江青、毛远新的住处采取行动，把这两个人也抓起来了。他们都没有抵抗。这次行动从八点开始，到九点半以前就全部结束了。抓江青不是在官园，是在中南海游泳池附近的万字廊201号。当毛泽东病危时，她以照顾病人为名，搬回中南海。而毛远新当时在毛泽东旧居丰泽园里的颐年堂。

与此同时，华国锋命耿飚、邱巍高（北京卫戍区副司令员）到中央广播事业局去，迅速控制住电台和电视台。在耿飚等接管中央人民广播电台的同时，迟浩田也顺利接管了人民日报社。这样，党和国家的宣传机构的核心已被党的正确力量重新掌握。

抓捕"四人帮"当夜，政治局在玉泉山

① 耿飚：《耿飚回忆录（1949—1992）》，江苏人民出版社1998年版，第291页。

召开紧急会议,晚9时15分左右,汪东兴亲自用保密机打电话到时任中共中央保密局局长周启才办公室,说:"那'四个人'(即'四人帮')的事,今晚已经解决了,进行得很顺利。中央决定,今晚10时在玉泉山九号楼叶帅住地召开中央政治局紧急会议。"出席这次中央政治局紧急会议的有华国锋、叶剑英、李先念、汪东兴、吴德、陈锡联、纪登奎、陈永贵、苏振华、倪志福、吴桂贤共11人。李鑫和周启才列席了会议。会上,华国锋宣布:"四人帮"已被拘捕。出席政治局紧急会议的成员表示完全同意中央常委的果断决策,一致通过了对王洪文、张春桥、江青、姚文元实行隔离审查的决定。会议对党中央主席人选进行讨论和确定,与会政治局成员完全赞成叶帅的意见,一致通过了由华国锋担任党中央主席、中央军委主席,待召开中央全会时予以追认。接着,会议讨论并原则通过了关于建立毛泽东主席纪念堂的决定、关于出版《毛泽东选集》和筹备出版《毛泽东全集》的决定。这两个决定在10月8日的政治局会议上定稿,9日见报。这次中央政治局紧急会议从10月6日晚10时开到10月7日清晨4时多,历时6个多小时顺利结束。

中央政治局紧急会议散会后,迅速召集上海市委书记马天水及徐景贤、王秀珍到京,解决上海问题。"四人帮"在上海的余党阴谋策划反革命武装暴乱,"四人帮"被抓起来之后,上海的党羽们找不到"首长",立刻变成了热锅上的蚂蚁。经过多方刺探终于得到了确信:"我娘心肌梗塞了。"这是他们商量的暗语,就是说江青等遭到危险。于是,徐景贤、王秀珍等立即召开紧急会议,实行紧急动员,准备"拉出民兵来,打一个礼拜不行,打五天、三天也好,让全世界都知道"。正当这一小撮"四人帮"上海余党,紧锣密鼓,加紧策划反革命武装叛乱的时候,中共中央及时作出果断有力的决策。其一,把"四人帮"在上海的余党的头目马天水、徐景贤、王秀珍先后召到北京,使叛乱分子陷于群魔无首的困境。其二,调集人民解放军陆、海、空军部队,在江苏、浙江和吴淞口海面,做好准备,严阵以待,既形成对叛乱分子的强大压力,又随时可以采取实际军事行动,平息叛乱。其三,派遣一批富有政治和军事斗争经验的干部去上海主持工作,稳定局面,控制事态的发展。上海问题的解决,标志着粉碎"四人帮"的胜利结束。

从10月7日到14日,中央政治局在北京连续分批召开中央党、政、军机关,各省、市、自治区,各大军区负责人参加的打招呼会议,通报了王、张、江、姚反党集团的事件,提出了既要解决问题,又要稳定局势的方针,并且采取了一系列必要的行动。

上海是"四人帮"集团多年经营的地盘,上海市委班子主要是"四人帮"集团的帮派成员,不仅如此,上海还有由"四人帮"集团所控制的相当规模的民兵武装。上海局势的发展,对全国局面的稳定有重要的意义。为此,叶剑英和华国锋进行了周密的部署。

10月7日,按华国锋与叶剑英的决策,中央办公厅通知上海市委书记马天水和上海警备区政委周纯麟到中央开会,实施调虎离山之计。同时,命令驻守无锡、苏州一线的第60军和东海舰队从水陆两面扼制上海,严防暴乱。

马天水得到通知后,打电话与张春桥联系,又与王洪文和姚文元联系,均找不到。他觉得情况有异,即向徐景贤、王秀珍通报。多方联系,才打通了人民日报社鲁瑛的电话。鲁瑛言语支吾,更使马天水感到反常。他决定到北京搞清情况后立即电话通知上海。

10月8日,徐景贤等探知"四人帮"被抓的情况。当晚,徐景贤、王秀珍和市委常委冯国柱、王少庸、张敬标,市委写作组负责人朱永嘉和张春桥、王洪文的秘书何秀文、廖祖康、肖木等在市委办公室召开紧急会议。朱永嘉提议孤注一掷,发动武装叛乱,他说:我们要干,要拉出民兵来,打一个礼拜不行,打三天、五天也好,让全世界都知道,像巴黎公社那样。我们要发《告全市人民书》《告世界人民书》。徐景贤写下命令:请民兵指挥部加强战备,2500人集中,2.1万民兵待命(即晚上集中值班)。请民兵指挥部立即派人加强对电台、报社的保卫。他们决定设立两个秘密指挥点:丁香花园为一号指挥点,有徐景贤、王少庸、朱永嘉等,负责抓总和武装叛乱的舆论准备;东湖路招待所为二号指挥点,有王秀珍、冯国柱、李彬山、廖祖康等,直接指挥武装叛乱。

当日深夜,王秀珍又带着徐景贤的手令,与冯国柱、廖祖康、李彬山、陈阿大等在市民兵指挥部召开紧急会议。王秀珍宣布了两套指挥班子名单,批准了李彬山等策划的武装叛乱方案。市民兵指挥部还召集了作战组、特种兵组、后勤组负责人会议,决定架设电台,拟订了通讯呼频和联络暗语,确定江南造船厂为基本指挥所,中国纺织机械厂为预备指挥所。

10月9日,市民兵指挥部召开10个区和5个直属民兵师负责人会议,以"战备"为名,紧急部署武装叛乱。当天下午,市民兵指挥部宣布,调集民兵进入"紧急战备"状态。上海的反革命叛乱一触即发。

在北京,马天水与周纯麟参加了中央的打招呼会议。9日晚上,经周纯麟做工作,马天水配合了中央,打电话给上海市委,说"四人帮"身体很好,工作很忙,中央

正在筹备一个重要会议,将徐景贤等稳住。马天水还转达了中央的通知,要徐景贤、王秀珍到北京开会。这个釜底抽薪的举措,使上海的帮派分子处于群龙无首的境地,这对于牵制上海的局势起了重要的作用。中央军委同时通知上海警备区,一切行动听从中央军委的指挥。

10月10日,徐景贤和王秀珍到达北京,马天水、周纯麟遵照中央指示传达了中央隔离审查"四人帮"的决定。10月11日,政治局成员接见了马天水、周纯麟、徐景贤和王秀珍。在强大的政治攻势和组织力量面前,上海市的"四人帮"帮派成员不得不表示服从,并表示回去做工作。

10月12日晚上,已经获知"四人帮"被粉碎消息的上海"四人帮"帮派分子冯国柱、王少庸、张敬标、黄涛、陈阿大、朱永嘉、廖祖康、肖木、何秀文等,在康平路市委办公室开会,他们疯狂地叫嚷要大干、坚决干。陈阿大提出,要用一条旧万吨轮在吴淞口沉船封航,拉钢锭堵塞机场跑道,要停水、停电、停产,把上海搅得天翻地覆。朱永嘉写下"民气可用,决一死战"8个字。他们指定叶昌明拟订反革命标语口号,准备发表《告全市、全国人民书》。最后决定积极做好干的准备,等马天水、徐景贤和王秀珍回来统一行动。

在江南造船厂指挥点,市民兵指挥部钟定栋等制定了反革命武装叛乱的"捍一"、"方二"方案。"捍一"方案的主要内容是:控制首脑机关、报社、广播电台、桥梁、车站、码头、机场和交通要道;确定指挥核心人员名单;开设指挥所;兵力部署;重点支援地域和反空降;口令、暗令、标记;弹药补给和武器修理;加强社会面的控制等。"方二"方案的主要内容是:从上海外围到市中心区设立三道控制圈;在上海和江苏、浙江交界处设6个控制点,为第

一控制圈；市区设两道控制圈；规定各区、县的任务和预备队的组成。①

然而，"青山遮不住，毕竟东流去"，上海"四人帮"帮派分子的疯狂反扑，只不过是螳臂当车。10 月 13 日，马天水等回到上海，召开市委扩大会议，传达了中央打招呼会议的精神。会上，有人哭叫，有人谩骂，有人乱闹，但是，"四人帮"的大势已去，余党们纷纷作鸟兽散。上海的武装叛乱阴谋被迅速瓦解。

为进一步稳定上海局势，中央派苏振华、倪志福和彭冲到上海主持工作。10 月 27 日，中共上海市委召开党员大会，苏振华宣读了中共中央的决定：撤销张春桥、姚文元和王洪文在上海的一切职务；任命苏振华兼任中共上海市委第一书记、市革委会主任，倪志福兼任中共上海市委第二书记、市革委会第一副主任，彭冲任中共上海市委第三书记、革委会第二副主任。决定迅速传达到上海的广大干部群众。

粉碎"四人帮"的伟大胜利，阻止了"四人帮"篡党夺权的企图，挽救了党、挽救了社会主义国家。更重要的是，粉碎"四人帮"的政治行动，扫除了坚持和利用"文化大革命"错误的政治力量，为党在指导思想上结束"左"的错误的长期统治，奠定了重要的组织上的基础。它的历史意义是非常重大的。

"四人帮"的被粉碎，标志着"文化大革命"的基本结束。实践证明，从 1966 年 5 月到 1976 年 10 月的"文化大革命"，是一场由领导者错误发动、被反革命集团利用，给党、国家和人民带来严重灾难的内乱。

为什么粉碎"四人帮"
斗争一举成功

粉碎"四人帮"为什么能取得成功？邓小平有过这样一个总结。1980 年 8 月，意大利记者奥琳埃娜·法拉奇在与邓小平谈话时，就曾问道："到底是谁组织、是谁提出把'四人帮'抓起来的？"邓小平回答说："这是集体的力量。我认为首先有四五运动的群众基础。'四人帮'这个词是毛主席在逝世一两年前提出来的。一九七四年、一九七五年，我们同'四人帮'进行了两年的斗争。'四人帮'的面貌，人们已看得很清楚。尽管毛主席指定了接班人，但'四人帮'是不服的。毛主席去世以后，'四人帮'利用这个机会拼命抢权，形势逼人。'四人帮'那时很厉害，要打倒新的领导。在这样的情况下，政治局大多数同志一致的意见是要对付'四人帮'。要干这件事，一个人、两个人的力量是办不到的。"②

从历史发展看，毛泽东点出"四人帮"的问题是起因。毛泽东选定了华国锋为第一副主席，并多次对"四人帮"进行批评，深刻提出要解决这几个人的问题，对其表现、性质和解决时间都有明确的指

---

① 曹章、徐绍昌、邵观光、张维新：《民心不可欺——"四人帮"策动上海武装叛乱始末》，《工人日报》，1980 年 12 月 13 日。

② 邓小平：《答意大利记者奥琳埃娜·法拉奇问》，《邓小平文选》第二卷，解放军出版社 1994 年 10 月第二版，第 349—350 页。

示。由此观之,毛泽东可谓发起和提出解决"四人帮"第一人。

邓小平与"四人帮"针锋相对可谓先锋。邓小平从第二次复出开始,就同"四人帮"进行了针锋相对的斗争。邓小平主持召开两次政治局会议,把批评"四人帮"作为中心议题,使之接受中央政治局委员们的当面质问和批评,这不仅是"四人帮"进入政治局以来没有过的事情,也是"文化大革命"九年来前所未有的事情。会议是以邓小平为核心的健康力量对"四人帮"倒行逆施的反击。无疑,邓小平担任了反击先锋。

华国锋、叶剑英和李先念起了主导作用,前文已经详细叙述。

陈云等老一辈领导人的见解起了推动作用。就在毛泽东去世不久,陈云同邓颖超一起来到西山。当叶剑英再次问陈云怎么办时,陈云表了态:"这场斗争不可避免。"在粉碎"四人帮"前夕,老一辈领导人纷纷向华国锋、叶剑英、李先念和有关核心人员积极建议,通报情况的人员也很多。老一辈革命家们坚定了华国锋、叶剑英和李先念等人带头与"四人帮"斗争的信心,推动了中央采取坚定果断的行动。

汪东兴成为抓捕"四人帮"行动的关键。汪东兴始终密切关注着斗争的动向和进程,基本上保持着与华国锋的经常性联络和对"四人帮"的全程监控。10月2日晚9时,汪东兴去了华国锋在东交民巷的住地。华国锋说刚和叶帅商议过,决定由汪先提出一个执行办法来。根据武健华的回忆,在汪东兴去华国锋住地之前,叶帅和他已经讨论了一下午如何解决"四人帮"的问题。送走叶帅后,汪让值班秘书高成堂通知中央办公厅副主任张耀祠和时任中央警卫局副局长、8341部队政委的武健华等人到中南海南楼汪东兴办公

室开会。汪让他们先琢磨出一个行动方案,他从华国锋那回来后,再详细讨论行动方案。关于这个方案,汪东兴开始考虑的是三项工作:一是以什么理由和形式抓捕;二是派哪些人负责抓捕和抓捕后放在何处;三是抓捕之后以什么形式、方式昭告天下。经过讨论,汪东兴等提出在中南海怀仁堂正厅召开中央政治局常委会议,内容为:一、《毛泽东选集》第五卷出版问题;二、建造毛主席纪念堂选址问题。在这个方案中确定,解决"四人帮"的顺序是:在怀仁堂解决王洪文和张春桥两个人的问题之后,再依次分别处置江青和姚文元的问题。毛远新与"四人帮"区别对待,对他采取的处理方法是就地监护审查。在这个行动方案中,还对行动时间,力量的组织,隔离地点,保密措施,战备预案以及同北京卫戍区的分工和配合问题,都提出了具体明确的实施细则。这一方案得到华国锋、叶剑英、李先念的肯定。此后,汪东兴具体负责了抓捕"四人帮"的各项具体环节。

陈锡联、吴德代表大多数政治局委员。1976年10月初,临近抓捕"四人帮"的日子。从表面看,主要是政治局主要领导在忙;实际上,在京的大多数政治局委员都已参与,都在忙碌。吴德作为北京市委第一书记,也加入了策划之中。吴德参与进来是在华、叶、李、汪几个主要人物确定大方向之后,特别是华、叶决定采取行动之后。时间在9月底,吴德记得是29日或30日。那天,华国锋约李先念、吴德在国务院小礼堂看电影。接着,便在后面小会议室开始密谈。华国锋开始就给吴德交了底:"'四人帮'的问题要解决,到解决的时候了。"华同李、吴一直谈到凌晨5点,最后的意见还是隔离审查好。国庆节后,华国锋找吴德更频繁了,因为他们俩住得

很近,只有200米,同时华也知道必须依靠北京市才能万无一失。第一次,华找吴谈,主要是谈汪东兴。"汪东兴是反'四人帮'的!"吴德把他所了解的情况向华作了介绍,进一步坚定了华依靠汪的决心。接着,华又与吴谈了北京卫戍区司令员吴忠,吴德对吴忠很了解,也坚定了华对吴忠的信任。不久,华国锋又让吴德与主持军委工作的陈锡联联系,将北京卫戍区交给北京市统一指挥。接下来的日子,吴德便从北京市的稳定来思考一切,同时还做出了在抓捕"四人帮"之后,抓捕"四人帮"的几个小卒迟群、谢静宜等人的方案。抓捕前夕,吴德还从事一项特殊工作,陪同和监视"四人帮"在北京市的活动。10月6日下午,吴德刚从华国锋处回来,便又接到华的电话,告知其晚上行动。吴德坐镇指挥,迅速组织卫戍区将"四人帮"干将迟群、谢静宜和王洪文的秘书金祖敏抓获。

毛泽东去世后,作为军队工作的主持者,陈锡联做的第一件事就是命令部队进入战备状态。随着情况的复杂变化,军队越来越处于风浪中心。陈锡联痛恨"四人帮",他支持解决"四人帮"。随着事态发展,陈锡联根据叶剑英的指示,开始向部队领导打招呼,不同程度地通报情况,指示各级领导掌握好部队,听从以华国锋为首的党中央的指挥。10月5日,华国锋告诉陈锡联将卫戍区交给北京市统一指挥。陈锡联把吴忠叫到家中,特事特办,先交指挥权,再补手续,当面将卫戍区的调动权交给吴德。不仅如此,在抓捕"四人帮"之后,陈又协助中央调动部队对上海的"第二武装"进行了威慑,保证了上海权力的和平交接。更难能可贵的是,在"四人帮"被粉碎前后,陈锡联给予邓小平特殊的关照,并将病中的邓小平接到三〇一医院进行了必要的保护。

除在京的政治局候补委员之外,其他在外的军队政治局委员也不同程度参与了这一行动。许世友与"四人帮"之间,用他的话讲,叫"不是一条道上跑的车"。李德生是上一届中央副主席,他虽然被江青一伙挤出北京,但却早已从叶剑英和其他军队领导处获得解决"四人帮"的信息。回到东北,他坐镇毛远新发迹之地沈阳,密切关注着黑土地上的动向。毛远新私调部队进京之时,他马上将情况报告给中央军委和老帅。同时,根据老帅指示,让这支部队原地待令。之后,他又及时掌握毛远新一伙在东北的行动,及时将地方情况报告给中央。韦国清是邓小平的老部下,一直对"四人帮"保持着警惕;政治局候补委员苏振华一直同叶剑英保持着密切联系;政治局候补委员倪志福是工人阶级的代表,对毛泽东、周恩来充满感情,在会议上多次与"四人帮"展开斗争;陈永贵一向听毛泽东的指示,拥护毛泽东选定的接班人。还有纪登奎和政治局候补委员赛福鼎也受"四人帮"的打击,对中央主要领导与"四人帮"作斗争从内心拥护。可以说,绝大多数政治局委员的态度,决定了此次行动向着胜利发展!

中央办公厅的有关同志功不可没。汪东兴事后回忆:在具体组织行动时,我们靠的是张耀祠、李鑫、武健华三位同志。张耀祠、武健华和李鑫是汪东兴长期的助手,张、李是中办副主任,武是警卫局副局长,都是汪东兴信得过的人。10月3日深夜,李鑫在家接到武建华电话要他去汪东兴家。从10月3日到6日,李鑫就在汪家"关"了三天三夜,赶着起草关于隔离审查"四人帮"的决定,关于出版《毛泽东选集》五卷的决定,关于建立毛主席纪念堂的决定的文件,参与商议行动方案的细节。越是临近行动的日子,工作也就显得越来细。特别是诱捕的理由很关键,李鑫在这一点所出的主意特别重要:"现在张春桥、姚文元抓毛选,要毛选五卷的材料要得很急。因此,用中央常委讨论毛选五卷名义在中南海怀仁堂召开会议,调他们来开会,他们一定会来。过去中央讨论毛选,都是在中南海怀仁堂开的,他们肯定不会怀疑,一定会上钩的!"汪东兴、李鑫和武健华抓住这个环节进行了思考和推敲,在反复比较中,均认为这个方案可信、合乎逻辑、符合预定的方向,便由汪东兴报告给华国锋和叶剑英,最后获得批准。汪东兴的另两位助手,张耀祠和武健华进入行动岗位要比李鑫早一天。他们两人都同李鑫一样,多次向汪表明态度、反映情况和交换意见,在思想上为解决"四人帮"问题做了充分准备。

10月2日深夜,汪东兴让值班秘书高成堂叫起张耀祠、武健华,当即命令:"要动手!你们先琢磨一个行动方案!"在汪家,张耀祠和武健华原地思考方案,就方案中涉及到的地点、形式、人员进行了讨论。最后确定了在中南海怀仁堂正厅召开政治局常委会议,内容:一、《毛泽东选集》第五卷出版问题;二、建造毛主席纪念堂选址问题。涉及中南海内部解决与外部协调问题:一是首都的安全,由北京卫戍区负责,八三四一部队仍负责原来任务;二是姚文元可能不参加会议,也可以由卫戍区配合到其住处解决;三是警卫局只负责解决"四人帮"和毛远新,其他人由北京市负责。他们还议论了北京以外的情况,建议中央掌握好军队。这个方案一直从前一天晚上研究到第二天凌晨4点多。报华国锋和叶剑英,得到了认可。10月3日至6日,中间仅有3天时间,张耀祠和武健华进行了紧急准备。10月4日,武健华随汪东兴及其他四人以检查一线战备的名义,检查了设在地下工程的隔离点。同时,准备了一个行动人员方案。10月6日下午3点,汪东兴向两位助手发出命令:照计划当晚行动。很快,张耀祠和武健华来到汪东兴在中南海的办公室。他们分别领命,张耀祠带一个行动组先解决毛远新,武健华准备三个组配合汪东兴解决王洪文、张春桥和姚文元。然后,张、武一同解决江青。一切都在计划之中,未出现一点纰漏。

负责抓捕现场外围警备的除了中央警卫局副局长邬吉成外,还有处长孙凤山、副大队长毕方治等。现场抓捕人员是汪东兴、张耀祠、武健华从中央警卫局机关和警卫团部队中精心挑选的67名得力官兵。他们是:

第一组,负责解决王洪文。组长李广银,队员吴兴禄、霍际龙、王志民;

第二组,负责解决张春桥。组长纪和富,队员蒋廷贵、徐金升、任子超;

第三组,负责解决江青。组长高云江,队员黄介元、马盼秋、马晓先(女);

第四组,负责解决姚文元。组长滕和松,队员康海群、张云生、高凤利;

现场担任警戒的有:丁志友、东方、叶桂新、赵汝信。

在这次行动中,还有几个未列入行动人员名单的人也在现场,他们是华国锋的秘书曹万贵、叶剑英的警卫参谋马锡金和汪东兴的秘书孙守明等人。除了怀仁堂现场的一班人马外,还有一支队伍。这支队伍就是为关押"四人帮"做准备、警卫和服务的人员。从中央领导人接见八三四一部队参加粉碎"四人帮"的照片上,除领导同志外,共67人。

粉碎"四人帮"的伟大斗争在集体的共同努力下取得了彻底的胜利,中华人民共和国的历史由此翻开了新的一页。

第三个五年计划

1966 年开始的发展国民经济第三个五年计划(简称"三五"计划),是中华人民共和国经济建设史上的一个有特殊意义的计划。一方面,它的制定和执行,标志着中华人民共和国从 1953 年开始的按五年计划进行的计划经济建设,在六十年代初期由于出现严重经济困难局面被迫中断三年后,又重新走上了轨道。另一方面,在制订过程中,"三五"计划指导思想经历了由"解决吃穿用"到以三线建设为中心的变化,标志着中国经济建设实行了一个重大战略转变,其所奠立的指导方针一直影响到 1971 年至 1975 年的"四五"计划。

一

"三五"计划的初步
设想及其急剧转变

(一)"抓吃穿用"的"三五"计划初步设想

1958 年至 1960 年,中国经历了大跃进运动。由于其违背经济发展的客观规律和中国国情,导致国民经济比例关系严重失调,国民经济陷入困境,人民生活困难,社会主义经济建设遭到重大挫折。为了纠正"左"的错误,1960 年中共中央决定改变原定计划部署,对国民经济进行调整。1961年 1 月召开的八届九中全会,正式批准了对国民经济实行"调整、巩固、充实、提高"的八字方针。从此之后,八字方针代替"大跃进"成为国民经济的指导方针。国民经济进入调整阶段。由于措施比较符合实际,全党全国同心同德,艰苦努力,经济调整工作取得了明显效果。1962 年底工农业生产开始回升,1964 年全面好转,到 1965 年,原定的各项调整任务全部完成。国民经济进入新的发展时期,制定和执行新的五年计划被提到日程上来。

1963 年初,由李富春、李先念、谭震林、薄一波等 8 人组成中央计划领导小组,研究编制长远国民经济计划和"三五"计划问题。

1964 年 1 月,国务院召开全国工交工作会议,以扭转长期以来过分强调工业的倾向,特别是"大跃进"期间"以钢为纲"造成的思维定势。

1964 年 2、3 月,国务院召开了工交和农业长期规划会议,讨论了"三五"计划的中心任务。4 月下旬,国家计委在两个会议意见基础上,提出了《第三个五年计划(1966－1970)的初步设想(汇报提纲)》(简称"三五初步设想"),规定这一计划的基本任务是:

一、大力发展农业,基本上解决人民的吃穿用问题;二、适当加强国防建设,努力突破尖端技术;三、与支援农业和加强国防相适应,加强基础工业,继续提高产品质量,增加产品品种,增加产量,使我国国民经济建设进一步建立在自力更生的基础上。相应地发展交通运输业、商业、文化、教育、科学研究事业,使国民经济有重点、按比例地向前发展。①

这个计划用简单的一句话说,就是一

---

① 国家计委档案:《第三个五年计划(1966－1970)的初步设想(汇报提纲)》第二部分。

农业,二国防,三基础工业。农业投资提高到总投资额的 20%,大大高于前两个五年计划的 7.1% 和 11.3%。当然,以农轻重为序并不意味着农业投资在比例上要超过重工业,而是指在制订计划时要先把农业生产及需要安排好,然后根据农业提供的原料和市场需要,安排好轻工业的生产,最后根据农、轻工业的速度和规模,决定重工业的速度和规模。重工业投资在绝对数字和相对比例上仍然大大超过农业和轻工业。主要指标设想是:到 1970 年要实现粮食 4300 亿斤—4600 亿斤;棉花 3850 万担—4200 万担;棉纱 780 万件—850 万件;钢 1600 万吨—1800 万吨;煤炭 2.85 亿吨—2.95 亿吨。货运量为 17 亿吨左右,其中铁路货运量 6.4 亿吨—6.6 亿吨。1970 年工农业总产值 2440 亿元—2610 亿元,每年平均增长 8.1%—9.5%。其中,农业总产值平均每年增长 4.5%—5.9%;工业总产值平均每年增长 9.7%—11.2%。财政收入五年合计为 2800 亿元左右。五年基本建设投资 1000 亿元左右。1970 年按 8 亿人口计算,主要消费品人均消费量:粮食 425 斤,食油 4.2 斤,猪肉 15 斤,糖 3.2 斤,棉布及化纤织品 22 尺。

(二)国际风云变化使毛泽东改变计划指导思想

毛泽东从存在着战争严重威胁的估计出发,提出:在原子弹时期,没有后方不行。"三五"计划要考虑解决全国工业布局不平衡的问题,要搞一、二、三线的战略布局,加强三线建设,防备敌人的入侵。①

1964 年 4 月 25 日,总参谋部作战部根据副总参谋长杨成武的指示进行调查研究后写出一份报告,报告②中说:我们对国家经济建设如何防备敌人突然袭击问题专门进行了调查研究,从我们接触到的几个方面来看,问题是很多的,有些情况还相当严重。

显然,根据报告,战争一旦爆发,存在的问题是严重的。

可以这样说,1964 年改变"三五"计划指导思想时,毛泽东和中共中央确定的可能侵略中国的主要假想敌,是美国,包括其控制的台湾蒋介石集团及日本、韩国。

改变"三五"计划的另一个几乎不被人知晓的重要依据是,1964 年,美国制定了突然袭击中国核基地的计划。

1964 年 8 月 12 日,毛泽东将总参谋部作战部关于对国家经济建设如何防备敌人突然袭击问题的专门报告退回给罗瑞卿、杨成武,批示说:"此件很好,要精心研究,逐步实施。"他还关切地问道:"国务院组织专案小组,已经成立,开始工作没有?"

8 月 19 日,李富春、薄一波、罗瑞卿联名向毛泽东和中央提出了《关于国家经济建设如何防备敌人突然袭击的报告》,报告将各项工作进行了分工,参加专案小组的各个部门负责人负责相应的工业、国防、农业、教育、铁道、城市等方面,提出具体方案,纳入明年计划和"三五"计划。③ 8 月 30 日,邓小平批示将报告印发中央工作会议,以后又发给各中央局、部委、省委执行。从时间和内容看,这份报告可以说是"三五"计划确立以三线建设为重点的第一份。

---

① 毛泽东在中央工作会议期间的讲话记录,1964 年 5 月 27 日。引自金冲及主编:《周恩来传》第四册,中央文献出版社 1998 年版,第 1768 页。

② 《六十年代三线建设决策文献选载》,《党的文献》1995 年第 3 期。

③ 同上。

首先,报告确立了今后不在一线,而是转入三线、二线建设的战略方针。其次,报告制定了一线的重要工厂、学校、机关向三线迁移的重大措施。最后,报告提出了三线建设"靠山、分散、隐蔽"的选址原则。

9月5日,中央书记处作出关于计划工作的指示,主要内容是:三线建设要落实。铁路建设队伍要在9月底到达工地,计委、经委成立落实小组,楼堂馆所要利用起来为三线建设服务。三线的调整要立即行动。留下的企业进行技术改造,保证提高产量。基本建设投资,首先要保证三线建设的需要,其他方面有多少钱办多少事。

以上这些指示表现出,中央书记处已经彻底放弃了6月试图将抓"吃穿用"和三线建设并重的最后努力,不遗余力、急如星火地把"三五"计划重点转移到三线建设上来了。

二

编制以三线建设为中心的新"三五"计划

(一)改组国家计委和设立"小计委"

三线建设成为"三五"计划的中心任务,重新编制"三五"计划的工作也必须随之进行,但是,身为计委主任和专案小组组长的李富春,却失去了主持这一工作的权力。

毛泽东对国家计委不满意,从表面上看,在于"三五"计划指导思想向三线建设转变的不力,其实不尽然,还有更深层的原因——"大跃进"失败后他与刘少奇、周

恩来、邓小平等一线领导人对经济形势、经济调整步骤的认识分歧。

1964年9月21日至10月19日,全国计划会议在北戴河举行,着重讨论了计划工作如何"革命化"的问题,承认主要错误是教条主义、分散主义和官僚主义,提出了彻底改变计划工作的十条意见。

10月下旬,李富春和薄一波风尘仆仆地奔赴西南地区,考察和制定"三五"计划的总体规划。回到北京,11月26日,李富春向中央常委汇报。没想到,毛泽东又严厉批评李富春和国家计委抓小不抓大。①

随后李富春拟订的《关于编制长期计划的程序问题》提交中央讨论后,又受到毛泽东的批评。

从两次批示可以看出,毛泽东对国家计委的工作意见甚大,另立机构已经不可避免。

1964年底,毛泽东决定成立一个专门制定计划的新班子。后来实际组成时主要有余秋里、李人俊、林乎加、贾庭三,加上陈伯达。这个机构通常称为"小计委",超越于国家计委之外。毛泽东要求小计委直接在周恩来的领导下,不受其他副总理干预,摆脱繁琐的日常工作,专门研究战略问题。他还逐件审阅了小计委在编制计划工作过程中报送中央的简报,称赞了他们拟订的"三五"计划方针任务。后来李富春提出,为了工作的方便,请小计委的同志都担任国家计委副主任,余秋里担任第一副主任、党组书记,过渡一个阶段后接替他的国家计委主任工作。经毛泽东、周恩来批准,小计委正式主持国家计委的工作,进行"三五"计划的编制、修订工作。

"三五"计划,从指导思想到起草机构

---

① 国家计委会议纪要,引自房维中、金冲及主编:《李富春传》,中央文献出版社2001年11月版,第643页。

上完成了向以三线建设为中心全面转变的准备。

（二）新"三五"计划草案及其指导思想

在毛泽东、周恩来的直接领导下，由余秋里主持的"小计委"开始拟定新的"三五"计划。

1965 年 3 月 12 日，周恩来向中央书记处汇报了"三五"计划设想原则。他指出："必须从应付战争出发，争取时间，着重解决以下四个基本问题：

第一，立足于打仗，抢时间，改变布局，加快三线建设，首先是国防建设（包括国防工业和同国防有关的基础工业、交通运输和小三线的建设）。

第二，大力发展农业，大体解决吃穿用，重点是抓粮、棉、油、盐，争取在三年左右做到粮食进出口平衡。

第三，加快建设以钢铁和机械为中心的基础工业，把屁股坐稳，做到既能支援国防和农业，又能为第四个五年更大的发展做好准备。

第四，猛攻科学技术关，有目标、有重点地掌握六十年代的新技术，保证第四个五年计划能够在新的技术基础上加快前进。"

这四条，是年初他在第三届全国人民代表大会上《政府工作报告》中提出的"四个现代化"的解释。在顺序上由代表长期目标的"工业、农业、国防、科技"变换为近期安排不同的"国防、农业、工业、科技"。三线建设实际已将"国防、工业、科技"从空间上集中在一起。

1965 年 6 月 16 日，周恩来带着余秋里赶到杭州，向毛泽东汇报新起草的"三五"计划设想；7 月 22 日至 26 日，余秋里和小计委负责人连续五个上午向周恩来汇报了调整修改后的"三五"计划设想《汇报提纲》（简称"7 月汇报提纲"）和 1966 年年度计划。9 月 14 日，国家计委向中共中央和毛泽东报送《关于第三个五年计划安排情况的汇报提纲（草稿）》（简称《汇报提纲》）。

9 月 18 日至 10 月 12 日，中共中央工作会议在北京召开，讨论这个《汇报提纲》。《汇报提纲》共分十个问题。首先提出的"方针、任务"是：第三个五年计划必须立足于战争，从准备大打、早打出发，积极备战，把国防建设放在第一位，加快三线建设，逐步改变工业布局；发展农业生产，相应地发展轻工业，逐步改善人民生活；加强基础工业和交通运输的建设；充分发挥一、二线的生产潜力；积极地、有目标、有重点地发展新技术，努力赶上和超过世界先进技术水平。

关于三线建设，《汇报提纲》特别指出：这是关系着第三个五年计划的全局、关系国家安危、关系世界人民革命运动的一个大问题，也是解决长远和当前战略任务的一个根本问题。我们在第三个五年计划期间，一定要把建设重点放在三线，在这个问题上如果不采取坚定的态度，那么，就会犯方针性的错误。

与 1965 年 5 月提交中央工作会议讨论的"吃穿用计划"（即"三五初步设想"）相比，这个《汇报提纲》是一个"战备计划"。其主要变化是：指导思想由解决吃穿用转变为加强国防战备建设，安排顺序由农轻重转变为重农轻。原来 1964 年 5 月提交的"初步设想"里没有重点安排的大项目如攀枝花、酒泉钢铁工业基地，成昆、湘黔铁路，都成为重点项目，要求在 1970 年以前基本建成。原定 1972 年建成的国防工业体系提前到 1970 年。而原定的 4.5 亿亩稳产高产农田目标被留置到"四五"计划考虑。

《汇报提纲》显示，三线地区的建设在计划中确实得到了前所未有的重视。横向相比，西南地区投资预算几乎占全国的1/4。四川是三线的中心，1966年该省的基本建设投资几乎接近全国的1/6。纵向上与四川、西南地区中华人民共和国成立以来其他时期历史投资情况相比，更可以知道其分量之大。四川省在三线建设以前，年投资完成额最高的是1960年的23.26亿元，三线建设前一年的1964年只有7.6亿元，而1966年则猛增到33.19亿元，分别相当于1960年的1.7倍和1964年的4.36倍。"二五"计划时东部、中部、西部地区基本建设投资比重是1：0.89：0.57，而"三五"计划时期则变为1：1.11：1.30。[①]

中央工作会议批准了这个《汇报提纲》。由于第二年"文化大革命"的突如其来，《汇报提纲》始终是草案形式，没有来得及形成正式"三五"计划，也没有付诸全国人大批准，而且在实施中项目等多有变化，但以后几个年度计划都是据其方针安排的。因而我们今天仍然将其习惯性地称为"三五"计划。

"三五"计划《汇报提纲》和《1966年国民经济计划纲要》，以后虽然因为政治和经济情况的变化而不断修改，但可以说奠定了后十年建设的基本骨架。

在编制和执行"三五"计划时，毛泽东和中共中央形成了一系列重要指导思想。首先，是"备战备荒为人民"的思想。其次，是从国力出发，不能搞得太紧张的思想。最后，是提出了农业机械化的长期规划设想。应该说，这些思想是建立在符合中国当时国情和农业情况基础上的重要

探索经验总结。

"文化大革命"的爆发及其对经济建设的干扰

（一）"三五"计划的良好起步与"文化大革命"的突然发动

1966年4月17日，余秋里主持国家计委党组会议，经过对"三五"计划前建设情况进行调查统计，向中央提出了一个鼓舞人心的《关于修改第三个五年计划草案的设想汇报提纲》。

面对大好形势，国家计委向中央提出修改"三五"计划草案的补充设想：一个是大幅度增加钢铁、煤炭、有色金属、电力、石油、铁路的生产建设指标，"到1970年，三线的钢铁生产能力将接近现在东北的水平，煤、电、有色金属将超过现在东北的水平。这样，三线就比较硬了"。另一个就是大抓农业，解决南粮北调和吃进口粮问题，把农业机械化搞上去，努力增加集体经济的积累来源，扶持社队工业，提高农民生活水平。

就在国家计委提出报告一个月后，中央政治局扩大会议通过了"五一六通知"。

如果说"文化大革命"发动前毛泽东还没有想到这场运动会出现"全面内战"，最后令他自己也无法驾驭的话，那么他至少应该考虑到主要方向的转移会影响"三五"计划的进行。事实上在动乱最严重的三年中经济建设已经陷于停顿和倒退，导致原有的计划无法完成，造成了巨大的经济损失。

---

①　国家统计局编：《中国固定资产投资统计年鉴(1950—1995)》，中国统计出版社1997年版，第80、138页。

毛泽东为什么要突然发动"文化大革命"？对这个问题，"文化大革命"结束以后各种分析原因的论著极多，但很少从经济方面分析。从目前的材料看，大致有三个因素的作用：

第一个因素是毛泽东从"大跃进"后的分歧得出结论——要进行经济大革命，必须先进行政治大革命。第二个因素是国际形势发生了微妙变化。第三个因素是"三五"计划的战备建设取得初步成就。

（二）"文化大革命"前三年对计划工作的严重冲击和破坏

1966年5月中共中央政治局会议通过《五一六通知》，"文化大革命"正式发动，工农业生产开始受到严重的冲击和影响。

从8月18日到11月26日，毛泽东先后在北京接见1300万红卫兵和学校师生，各地学生纷纷到北京和其他城市进行串联。据估计，10月份全国在路上奔波串联的人数将近3000万人，等于一个中等国家的人口举国迁移。"大串联"给交通运输造成了巨大压力。铁路运输到年底估计有1000万吨物资被积压待运。欠运的物资，主要是煤炭、木材、水泥、钢铁、矿山建筑材料、食盐、农副产品等，大部分是江南地区和三线建设需要的。

1966年11月17日，全国计划、工业交通会议在北京召开。会议由谷牧主持，原定举行5天，参加者有国务院冶金、化工、水电、铁道、机械部和北京、上海、天津、沈阳等7个大城市及各大区的负责人。围绕工业交通企业如何进行"文化大革命"及"抓革命、促生产"，与会者与中央文革小组展开了激烈的争论。

12月14日，国家计委党组向中央提出《关于1967年国民经济计划情况的汇报提纲》（简称《汇报提纲》），指出：大三线和小三线"建设的进度都大大超过了原来的设想，许多重要工程的建设工期比过去缩短了一半左右，新的重工业和国防工业基地正在形成"。文件仍然怀有信心地认为："现在，可以有把握地说，原来设想的第三个五年计划的主要指标，能够提前两年或者三年实现。"

然而，"文化大革命"却使形势进一步恶化。1967年1月，在上海"一月夺权"的带动下，全国都掀起了夺权浪潮。各级政府、党组织陷于瘫痪，生产建设处于混乱状态，武斗和停工停产现象普遍发生。毛泽东不得不命令军队介入地方的"文化大革命"，实行"三支两军"（支左、支工、支农、军训、军管）。但是，全国局势仍然像脱缰之马一样迅速失控，年度计划的编制和执行也陷于瘫痪。

1967年8、9、10三个月，全国陷入了"全面内战"的极度混乱状态。

交通运输特别是铁路运输遭到严重冲击。"三五"计划的必保重点——三线建设也受到了严重冲击。

1967年11月3日，国家计委、国家建委、国防工业办公室联合提出了《关于小三线当前建设情况和后三年补充规划的报告》[1]，指出当前的严重问题是：有些工厂的建设或生产处于停顿状态。1月至9月份地方军工建设仅完成全年投资的30％，生产任务也没有完成计划。

到1967年底应完成的小三线前三年规划的700多个项目，只有70％基本建成，中央投资21亿元，到1967年底国家拨

---

① 《当代中国的计划工作》办公室编：《中华人民共和国国民经济和社会发展计划大事辑要》(1949—1985)》，红旗出版社1987年版，第265页。

款 19 亿元,预计只能完成 14 亿元。其中地方军工厂 202 个,投资 9.4 亿元,只基本建成 120 个。化工项目 26 个只有 7 个基本建成投产。战略公路 10200 公里只建成 6200 公里,占 58%。报告认为:"看来三年规划要延至明年才能完成。"

按照原来"三五"计划国防工业三线建设的部署,到 1970 年要新建 29 个生产基地,400 个工厂。实际到 1968 年下半年,正在建设的只有 20 个基地,其中已开工的只有 116 个工厂。原来预计在 1968 年可以通车的成昆铁路,从 1967 年下半年开始,沿线工地发生武斗,各级指挥机构被夺权,施工人员大量外流,工程陷于基本停顿状态,建设工期被一拖再拖,损失资金 7.3 亿元。本应该在 1970 年全部完成(有的可以提前一至二年完成)的这些"三五"计划三线建设项目,因为"文化大革命"的前三年动乱,被迫推迟到"四五"计划期间,失去了宝贵的两年以上时间。

严重的局势终于使毛泽东下决心改变原来的支持群众造反夺权方针,采取了一系列控制局势的强制性措施。他在南巡中呼吁各派群众组织要实现大联合,要抓革命、促生产、促工作、促战备,还下令逮捕了煽动动乱的中央文革小组成员王力、关锋、戚本禹等人。根据他的指示,中共中央多次发出解散跨行业、跨系统的群众组织,严禁武斗、抢夺枪支、破坏国家财产的通令、布告,并出动军队强制执行。直到 1968 年 8 月工人、解放军宣传队进驻各基层单位,随后 9 月全国各省市都建立了革命委员会,全面动乱的局面才得到缓和。

"文化大革命"对计划工作的破坏,还表现在"砸烂"和批判计划管理规章制度,使无政府主义、用革命压制生产等极左思潮严重泛滥。

以 1967 年夏季为高潮,掀起了针对经济管理制度包括计划制度的大批判。6 月 5 日,《人民日报》发表题为《发展社会主义,还是复辟资本主义?——评"工业七十条"》的长篇文章,把 1961 年邓小平主持制订的《国营工业企业工作条例(草案)》说成是"瓦解社会主义经济、复辟资本主义的黑纲领"。并罗列了大批罪名:规定企业是经济组织,任务是生产,这是抹煞阶级斗争,鼓吹生产第一。规定党委领导下的厂长负责制和总工程师对技术工作的总负责,是取消党的领导,推行资产阶级专政。强调按劳分配,是钞票挂帅。强调经济核算、增加赢利,是利润挂帅。建立严格的规章制度,是大搞资产阶级"管卡压"。提倡学习外国先进经验,是"崇洋媚外"。8 月 25 日,《文汇报》《解放日报》联名发表文章《两条根本对立的经济建设路线》,比较全面地对新中国成立以来的经济建设基本方针进行否定。这一时期,还发表了针对计划工作等的许多专门批判文章。其后果,是为"砸烂"合理规章制度、鼓吹停工停产的无政府主义动乱提供了理论依据。

四

"三五"计划后两年经济建设和计划执行情况

(一)"三五"计划在战备中掀起高潮并得到勉强完成

1969 年 2 月 16 日至 3 月 24 日,因"文化大革命"而一直中断的全国计划会议以座谈会形式在北京召开,讨论 1968 年 12 月经周恩来指示,由军代表、干部和群众组织代表参加的 10 余人计划小组草拟的《1969 年国民经济计划纲要(草案)》。

会议期间的 3 月上旬，中苏两国在珍宝岛发生大规模边界武装流血冲突，在严峻的战争威胁面前，4 月 28 日，毛泽东在中共九届一中全会上号召："要准备打仗。"由此全国掀起了大规模战备高潮，珍宝岛传来的枪炮声，无疑给计划座谈会形成了一种巨大压力。因"文化大革命"而停顿半停顿的以战备为主要任务的"三五"计划建设迅速得到恢复、扩大。参加会议的粟裕，因会议不允许外出，就在 13 天内给有关部门写了 9 封信，对工厂向三线搬迁调整的工作提出了紧急意见。可见形势之急迫，有如 1964 年三线决策提出之初。会议在讨论 1969 年计划工作主要任务时，强调要"大力加强国防工业、基础工业和内地工业的建设"，重申了"文化大革命"前"三五"计划对三线建设的部署。

会议通过的纲要对 1969 年主要生产指标的安排是：工业总产值比上年增长 15%，粮食比上年增长 6%左右，棉花增长 10%左右，钢产量 1600 万吨—1650 万吨，煤炭 2.75 亿吨—2.8 亿吨，发电量 980 亿度—1000 亿度，棉纱 1000 万件—1050 万件，棉布 85 亿米—87 亿米，铁路货运量 5.8 亿吨。基本建设投资安排 193 亿元，施工的大中型建设项目 1100 多个，安排全部建成投产的项目约 260 个，部分建成投产的约 130 个。财政收支初步安排各为 570 亿元，计划新增工人 150 万人，社会商品零售额约 770 亿元。①

另一方面，毛泽东认为，经过三年"文化大革命"，以"大乱"改变原有社会政治状况的目的已初步达到，现在应该走向"大治"。为了证实"文化大革命"对经济的"促进"作用，也必须改变两年来经济停滞、倒退的状况。因此，他在中共九大期间强调在各个领域都要落实政策。尽管这种落实是十分有限的，而且带有肯定"大乱"的强烈色彩，但较之以前公开号召"造反"、"夺权"，对恢复经济建设是有利的。

这一时期，为了适应战备的需要，中共中央和国务院采取了果断措施，推动"三五"计划建设重新在全国大规模铺开。第一，发布各种通令，整顿生产秩序，恢复和加强全国各地区的经济计划领导班子，对仍然发生动乱的地区进行强力整顿。第二，针对一批被停顿的"三五"计划重点工程，连续批发几个要求加快进度的文件，召开相关会议，组织军队参与接管，严令限期完成。

于是，在国际和国内形势的推动下，1969 年中共九大召开之后，国家政治局势稍趋稳定，掀起了一次经济建设高潮，使国民经济有了缓慢的复苏。

1969 年，国民经济扭转了 1967、1968 年连续两年出现倒退的趋势，计划完成较好，经济有了较大的恢复。1970 年，工农业生产取得了大幅度的增长，各项主要经济指标大部完成或超额完成了年度计划和"三五"计划。"三五"计划在 1970 年的高投入下得到了完成。因"文化大革命"干扰而未能完成的一批计划工程，多数都是在这一时期开工或建成的。

（二）"斗批改"运动中的经济管理体制大变动

1969 年至 1972 年，我国经济管理体制发生了一场大变动，主要反映在精简国家机构、下放企业和管理权；下放财政、物资、基建投资权；简化税收、信贷、劳动工

① 引自国家统计局编：《奋进的 40 年》，中国统计出版社 1989 年版。《中国统计年鉴》，中国统计出版社 1991 年版。《全国各省、自治区、直辖市历史统计资料汇编》，中国统计出版社 1990 年版。

资制度等三方面。造成这场大变动的原因,既有复杂的历史根源,又有现实的政治需要。

50年代末期,我国经济管理体制曾进行过一场以经济管理权力下放为主要内容的大变动。由于"大跃进"的失败和自然灾害带来的严重困难,在其后的调整中,不得不更多地强调集中统一,收回下放的权力。原有体制中高度集权的现象又趋严重。1957年国务院各部所属企事业单位共计9300多个,其工业产值占工业总产值的39.7%;1958年下放后,减少到1200多个,工业产值所占比例降低为13.8%。1965年国务院各部直属企事业单位又达到10533个,超过了1957年的数目。

1969年,全国进入"斗批改"阶段,在"改革不合理的规章制度"口号推动下,经济体制大变动又被推上了前台。除了试图改变中央统得过多、过死的状况的原有动机以外,战备形势是一个新的促进因素。

经济体制大变动的第一项内容,是下放企业、精简机构。

1969年2月,全国计划会议提出,企业要以地方管理为主,中央直属企业可以分为地方、中央和双重管理三种形式。1970年3月5日,国务院拟定《关于国务院工业交通各部直属企业下放地方管理的通知(草案)》。大庆油田、长春汽车制造厂等2600多个中央企事业单位下放地方。经过1970年的下放,包括1968年先行下放的22个矿务局,中央各部属企业事业单位只剩下500家,比1965年减少86.5%,工业产值只占国营工业总产值的8%。一些下放到省、市、自治区的企业被继续下放到地区甚至县、市。

与下放同时,国务院各直属部委机构也进行了精简、归并、撤销。1970年6月22日,中共中央同意国务院报告,将各部委由原来的80多个精简为27个。人员编制仅占原来的18%。

经济体制大变动的第二项内容是下放财政收支、物资分配、基建投资权力,实行地方大包干。这一办法调动了地方积极性,促进地方小工业又掀起一次大发展。但是,因为缺乏整体规划和统一监督,也助长地方纷纷上马基建项目,带来严重的损失和浪费。

经济体制大变动的第三项内容,是简化税收、信贷、劳动工资体制。

这场经济管理体制大变动造成了长久的影响,其中有些措施在1972年以后的调整中恢复原状,有的则一直沿用下去。

毛泽东肯定了以下放为主的这场大变动。1970年12月,他在与美国友好人士斯诺的谈话中说:"中央的积极性和地方的积极性,就是要有这两个积极性,让他自己去搞,中央不要包办。""讲了十几年了,就是不听,有什么办法,现在听了"[1]。

这场经济体制大变动的目的在于改变原有计划管理体制中的弊病,也调动了地方的一些积极性,有利于发展地方工业。但是,由于违反经济规律和缺乏稳定的政治环境,也带来了严重的消极后果。原有的弊病不仅没有得到实质改善,反而又增加了乱与散的新问题。事实证明,在缺乏市场机制调节作用的情况下,从"左"的方面否定原有的中央计划经济体制,必然造成无政府主义经济状态。

---

① 毛泽东与美国作家斯诺的谈话,1970年12月18日。

第四个五年计划

1970 年开始编制、1971 年至 1975 年执行的第四个五年计划（简称"四五"计划）前两年，在国际紧张形势和国内极左思潮的影响下，盲目追求高速度和高指标，导致 70 年代初期国民经济出现了"三个突破"的严重失控现象。1971 年林彪事件发生以后，周恩来主持两年经济调整，对极"左"思潮进行了批判，结合逐步缓和的国际形势，1973 年中共中央以修改"四五"计划指标的方式，逐步调整了继续以三线建设为中心的经济战略，开始强调发挥经济效益，注意沿海和三线地区并重，大规模的三线建设进入收尾阶段。经过 1975 年邓小平主持的整顿工作，"四五"计划得到了基本完成。

一

"四五"计划的制订与调整

（一）战备高潮中的"四五"计划高指标

1970 年 2 月 15 日至 3 月 21 日，全国计划会议召开。各地区、各部门以及 11 个大军区的代表参加了会议。会议的主要任务，是讨论、拟订《1970 年计划和第四个五年国民经济计划纲要（草案）》（简称《"四五"纲要（草案）》），还专题座谈了军工、劳动工资、基本建设、体制改革等问题，继续批判所谓"条条专政"，要求加快企业下放的步伐。

《"四五"纲要（草案）》提出，第四个五年计划期间国民经济发展的任务是：狠抓备战，集中力量建设大三线强大的战略后方，改善布局；大力发展农业、加速农业机械化的进程；狠抓钢铁、军工、基础工业和交通运输的建设；加强协作，大搞综合利用，积极发展轻纺工业；建立经济协作区和各有特点、不同水平的经济体系，做到各自为战、大力协同；大力发展新技术，赶超世界先进水平；初步建成我国独立的、比较完善的工业体系和国民经济体系，促进国民经济新飞跃。

与"三五"计划相比，《"四五"纲要（草案）》中的安排表现出以下三个新特点：

1. 依靠高投资盲目追求高速度、高指标

《"四五"纲要（草案）》规定的工业年平均增长速度高达 12.8%。提出的各项经济指标是：1975 年工业总产值达到 3800 亿元—4000 亿元，钢 3500 万吨—3800 万吨，原煤 4 亿吨—4.3 亿吨，铁路货运量 9 亿吨—10 亿吨，粮食 6000 亿斤—6500 亿斤，棉花 6500 万担—7000 万担；五年合计基建投资 1200 亿元—1300 亿元，大大超过"三五"计划的 850 亿元规模。《"四五"纲要（草案）》还提出，在"四五"期间内，各省、市、自治区要在最短时间内，力争实现《全国农业发展纲要》提出的要求；按农业人口平均每人一亩旱涝保收、稳产高产田，做到粮食、油料自给有余；耕作机械化程度达到 40%—50%。要大力发展地方"五小"工业，要在全国形成大中小相结合、星罗棋布、各自为战的钢铁工业布局；力争在一、二年内，把每个县的农机修造厂建起来。一般轻纺产品逐步做到自给，力争在 1972 年扭转北煤南运的局面。

2. 战备压倒一切，试图用军事工业带

动整个国家的工业化

拟定"四五"计划的 1970 年全国计划会议要求"坚决贯彻林副主席的指示，以战备的观点，观察一切，检查一切，落实一切"。应该说，从第一次、第二次世界大战时期的历史看，军事工业的高速发展和军事尖端技术的突破，确实能够在短时期和一定程度上对国家其他工业和科技尖端产品的产生起到强刺激作用。因此，周恩来在全国计划会议上根据备战的需要，提出了军工第一、三线第一的口号后，又用心良苦地在其后增加了配套第一、质量第一的要求，力求综合平衡，防止片面地、泛滥地发展军事工业。

3. 暴露出地区布局的严重不平衡矛盾

《"四五"纲要（草案）》强调，1970 年和第四个五年计划国家建设的重点是大三线战略后方，这是坚定不移的方针。要求争取在 1972 年把战略基地基本上建设起来，"到 1975 年，大三线地区将建成一个部门比较齐全、各有特点、工业和农业直辖市发展的强大的战略后方"。因此，1970 年计划用于大三线的建设投资和大中型建设项目均占全国计划内投资和大中型项目的一半以上。"四五"计划期间，三线地区国防科技工业的投资每年达到 25 亿元，比"三五"计划期间的年均投资增加了 48%。为了适应备战的需要，《纲要（草案）》还提出，在全国划分西南、西北、中原、华南、华东、华北、东北、山东、闽赣、新疆十个经济协作区，尽快地建立各有特点、不同水平、工业和农业协调发展的经济体系，各省、市、自治区要在最短时间内，做到粮食、油料自给有余，一般轻纺产品逐步自给。这种基本从战争而不是区域经济和行政区划出发的考虑，加剧了各地区经济发展相对封闭、片面强调自给、

缺乏协作配合的状态。

1971 年 4 月 1 日，中共中央转发了余秋里起草、周恩来批准的《1971 年全国计划会议纪要》和作为附件的"四五"计划指标。

从《"四五"纲要（草案）》执行的第一年——1971 年看，主要经济指标都得到完成。工农业总产值 3520 亿元（均按 1957 年不变价格计算），为计划的 105%，比上年增长 12%。其中，农业增长 3%、工业增长 14.9%。粮食产量 5003 亿斤，为计划的 104%—98%；棉花 4210 万担，只完成计划的 86.7%—84.2%。钢 2132 万吨，原煤 3.9 亿吨，原油 3941 万吨，发电量 1384 亿度，均超额完成计划。铁路货运量比上年增加 12%。

但是，这一年盲目追求高指标使国民经济结构比例失调的问题，不仅暴露出来，而且进一步恶化，导致了全国性的严重后果。

（二）极"左"思潮和林彪集团对"四五"计划的干扰破坏

在 1969 年 4 月中共九大上，林彪作为毛泽东的接班人，被正式写进新党章。全国成立的 29 个省市区革命委员会，有 20 个以上的主任都是现职军人，国务院各部委的主要负责人也都是军队将领出任的军代表。

1969 年 12 月，林彪在他控制的中央军委办事组之下，设置了中央军委国防工业领导小组，下设航空、电子、兵器、造船四个小组，组长分别由邱会作、吴法宪、李作鹏兼任。这样一来，林彪集团实际上将原来由国务院领导的国防科技工业领导权掌握到他们手中，也相应分割了以周恩来为首的国务院业务组对其他部门经济建设的领导权。

另一方面，当时对国际形势估计过于

严重,以为世界大战、核战争一触即发,这种"左"倾思想促使战备工作压倒一切,由军人组成的林彪集团也借此控制了更多的权力。

过度紧张的战备使林彪集团的权力急剧膨胀起来。他们直接插手国务院部委工作,大肆发布战争迫在眉睫的指示,对这一时期的经济计划产生了严重的影响。

这两方面的原因,使"四五"计划初期的编制和执行工作受到严重冲击和干扰。一方面军事工业作为压倒一切的主要任务冲击了其他经济领域,另一方面军事工业自身也因为打乱原有计划、盲目上马而成为被冲击的主要对象,造成了恶劣的后果。

(三)周恩来主持经济调整与降低"四五"计划高指标

1971年9月林彪集团出逃的"九一三"事件发生后,周恩来主持中央工作,经济建设领导权又重新回到了周恩来、李先念、余秋里等国务院领导同志手中。针对前一个时期因"文化大革命"动乱和过分强调战争威胁造成的问题,以批判林彪极"左"思潮的形式,进行了经济调整,主要是加强统一领导,健全规章制度。与此同时,国际形势的变化也提出了改变原来以战备为中心战略的要求。

在这种有利的形势下,周恩来开始了对国民经济的两年调整。从批判极"左"思潮入手,恢复制订计划管理规章制度,加强国家的宏观控制。逐步改变以战备和三线建设为中心的战略,降低"四五"计划的高指标。

从1972年到1974年,国家开始修改"四五"计划指导思想和指标,对前一时期严重不合理的国民经济结构进行了多次调整。

两年的经济调整,取得了显著成效。

首先,庞大的基建规模被压缩,国民经济各部门失调的比例关系得到调整。1972年工业基建投资已比1971年降低了21.24亿元,减少国防工业和国防科研投资11.37亿元,1973年再次予以减少,本年大中型建设项目1280个,比上年施工项目减少280个。工业投资的比重由1971年的61.5%,降低为53.8%。在工业内部,轻工业投资由3.7%提高到6%左右。同时,加强了对农业的支援,1973年对农业的财政投资和支农工业投资,比上年增长19%。

其次,1973年国民经济计划完成较好,安排也大体符合实际,是"一五"计划以来经济增长最快的一年。工农业总产值达3967亿元,完成计划的102.8%;其中工业总产值2789亿元,完成计划的102.3%,比上年增长9.5%;农业总产值1179亿元,完成计划的103.9%,比上年增长8.4%。经济效益也有了提高,全民工业劳动生产率在连续两年下降后,比上年提高3.3%,固定资产交付使用率也比上年提高13%。工业产品质量严重下降的情况有了改变。由于农业丰收,1973年国家粮食库存比上年增加93.5亿斤,为以后的经济发展打下了物质基础。

二

邓小平主持1975年整顿
与"四五"计划的完成

(一)邓小平主持的1975年经济整顿

正在经济形势有所好转之时,江青集团利用毛泽东的错误决定,发动了"批林批孔"运动。本来,1973年7、8月间,国家计委同有关部门一起研究,已经提出了1974年国民经济计划设想,10月作了调整和修改。由于"批林批孔"运动的冲击，全国计划会议迟迟不能召开。

1974年，是"四五"计划期间国民经济计划遭受干扰破坏极为严重的一年。国家政治形势再度出现的动乱，使林彪事件后因周恩来主持两年调整得到好转的国民经济，再度走向动荡。许多企业处于半瘫痪状态，交通堵塞，国家计划大部分指标未能完成，一部分主要产品产量比上年还有下降。

1974年10月，毛泽东再次提出召开第四届全国人大，并且指示"把国民经济搞上去"。年底，由于林彪、江青两个集团破坏，四次提出而三次被中断、拖延五年之久的第四届全国人大筹备工作终于完成。1975年1月，中共十届二中全会举行，讨论了全国人大和国务院负责人的人选。根据毛泽东的提议，全会选举邓小平为中共中央副主席、中央政治局常委，实际上奠定了邓小平在四届人大以后的主持工作地位。

四届人大结束不久，经毛泽东批准，邓小平开始主持国务院工作，着手进行以经济领域为主的整顿。

首当其冲整顿的是国民经济的命脉——铁路。当时，铁路部门问题极为严重，整顿工作的关键一仗就在这里打响。

钢铁工业是另一个"老大难"的行业，事故频出不穷，5月29日，邓小平在全国钢铁工业座谈会上作了重要讲话。6月，已初见成效，全国每天的钢产量超过了全年计划水平。

8月3日，邓小平又在国防工业重点企业会议上作了重要讲话，工业战线整顿全面铺开。

农业整顿从全国农业学大寨会议开始。9月15日，邓小平在开幕会上讲话说：四个现代化，比较起来更加费劲的是农业现代化。如果农业搞得不好，很可能拉了我们国家的后腿。

到1975年9月底，在军队、工交、科技、国防领域已经见效，文艺、农业领域也揭开序幕，教育、财贸及党的整顿工作正在准备之中。

毛泽东虽然肯定了邓小平的工作，但他心中始终不能忘怀的是如何在经济基础上巩固"文化大革命"的成果、防止"资本主义复辟"。

1975年邓小平进行整顿后的大好形势立刻急转直下。11月2日，国务院召开全国计划会议，原定议程是研究和拟定1976年至1985年十年国民经济发展规划、拟定"五五"计划和1976年年度计划。但是，几天后全国便开始了中断邓小平整顿工作的所谓"反击右倾翻案风"运动。"四人帮"党羽在会议上大肆制造混乱，使会议拖到1976年1月23日才结束。会议原定要讨论的整顿经济工作和体制改革问题没有进行，为这两项议程准备的"工业二十条"和各有关条例，也被斥责为"大毒草"没有讨论。

（二）"四五"计划的完成与制定十年远景规划

1975年整顿工作，从3月展开到7、8、9月进入高潮，短短时间，就已取得了明显的成效。铁路运输基本上做到了"四通八达，畅通无阻"，到6月底，在一季度严重减产的情况下，上半年全路货运量仍比上年增长8.6%，煤炭、木材等重点物资运输实现一年时间过半，完成任务过半。1975年货运量比上年增长12.7%。1975年工农业总产值达4467亿元，比上年增长11.9%，其中工业总产值比上年增长15.1%，农业虽然部分地区遭受特大洪水，仍增长4.6%。这一年经济状况成为"文化大革命"以来最好的一年。

1975年又是"四五"计划的最后一年，主要由于整顿的作用，才使"四五"计划的多数指标基本上得以完成。因此，"四五"计划的完成，是很不容易的，说明了继续坚持"文化大革命"错误路线给经济建设造成的持续损失，也反映出从周恩来主持中央工作期间纠"左"、解决"三个突破"经济困难的第一次整顿，到邓小平主持国务院和中央工作期间大刀阔斧进行第二次整顿的艰辛努力。

为了实现四届人大提出的本世纪发展国民经济分两步走的设想，邓小平1975年近期抓的是整顿，远期抓的是制定长远规划工作。

1974年1月12日，国家计委已经向国务院提出关于拟定长远规划的报告，指出：为在本世纪内实现毛泽东主席提出的要用几个五年计划的时间赶上和超过世界水平的战略思想，国家计委设想拟定1976年至1985年十年远景规划，重点放在1976—1980年的五年计划。

8月7日，国家计委发出关于拟定十年规划的通知，要求今年提出十年规划的轮廓，包括任务、建设重点、布局、经济和技术政策，以及工农业生产和各项事业发展的主要指标；明年再具体化。四个现代化的战略目标最终取代了战备的目标。

1975年3月15日至4月25日，国家计委在京召集各部门主管计划工作的领导人，研究讨论了各部门十年规划和进一步改善经济管理体制的意见。11月2日，全国计划会议召开，讨论国家计委拟定的《发展国民经济十年规划要点》。

12月，经中央政治局和国务院多次讨论修改，形成了《发展国民经济十年规划纲要（草案）》。随着"三五"、"四五"计划的基本完成和国内外形势的变化，以战备为中心的经济建设指导思想得到全面调整并结束。

《十年规划纲要》反映了国家和人民实现四个现代化宏图的决心和步骤，但是，在当时国家所处的"文化大革命"动荡政治环境下，是无法贯彻实现的。

三

"三五"、"四五"时期的建设重点与特殊变化

（一）三线建设和国防科技的成就

1964年到1980年，即"三五"至"五五"计划时期，在中国中西部的13个省、自治区进行的以工业交通和国防科技基本建设为目标的三线建设，国家共投入资金2052亿元，人力高峰时达400多万，建成了1100个大中型企业和相关科研、院校事业单位。其中，绝大多数项目是在"三五"、"四五"计划时期开工和完成的，无疑是这两个计划的重中之重，在中国五年计划史上也具有深远的历史意义。

第一，建立了中国强大的西部国防工业基地，国防科技尖端技术得到突破，为国家的反侵略战争和祖国统一，提供了重要保障。第二，通过"三五"、"四五"时期大规模的三线建设，西部地区的经济水平与东部地区的差别得到缩小，初步改变了东西部经济发展不平衡的布局。

在计划经济时期，高投资就意味着促进经济发展。三线地区基本建设新增固定资产，在三个五年计划的15年中达到1145亿元，相当于1953年至1965年总和的2.22倍，其中四川、贵州、宁夏、湖北、湖南都接近或超过三倍。对三线地区的投资占全国的投资比例也从29.92%上升到33.58%，最高的"三五"计划时期达到36.48%。因而，在评价三线建设历史时，

受益多的西部地区与没有受益的东部地区褒贬不一,甚至大相径庭,是可以理解的。

从西部工业总产值在全国的地位看,1952年只占9.61%,重工业占9.56%,到三线建设进行了一年多后的1965年提高到11.92%,重工业占13.50%;经过全面三线建设,到1978年西部工业已经占全国的13.26%,重工业占14.76%。如果从中西部地区看,变化更为明显。1952年工业占全国的30.92%,重工业占32.91%;到1965年工业已占全国的39.21%,重工业占45.91%,到1978年中西部地区工业占全国的40.28%,是中华人民共和国成立以来的最高比例,重工业仍然保持在43.48%的水平。① 东部地区与西部地区工业、重工业总产值的比例,已经从1952年的约7∶3,变为1978年的约6∶4,其中西部重工业总产值在三线建设第一个高潮的1965年已经接近东部水平。可以说,三线建设初步改变了我国东西部工业布局的不平衡布局。

三线建设的另一个成就是在西部建成了一批新兴工业城市,带动了西部地区经济、文化和社会生活的初步繁荣,给内地以后的建设提供了发展机遇。

用经济学的资源配置观点来考察,"三五"、"四五"计划的这一战略实际上是中华人民共和国成立以来我国生产力布局从沿海到内地的一次战略性的大转移和大调整。对于改善我国生产力布局畸重沿海,工业布局与资源布局严重脱节的状况,对于改变西部地区的贫穷落后的面貌,增强全国各民族的团结,都具有深远的意义和作用。

(二)"农业学大寨"运动与社队企业、地方五小工业的崛起

经过1961年至1965年的五年经济调整,以制定新的五年计划为焦点,中央出现了是先发展农业还是先发展基础工业的认识分歧。由于对当时国际形势的变化估计过于严重,使得后者和国防工业通过抓三线建设的方式占据了经济战略主导地位,并一直影响到"五五"计划。农业不得不暂时让位。与此同时,毛泽东也提出了"农业学大寨"号召和"五七指示"蓝图,成为"三五"、"四五"计划时期发展农业的指导思想。

两个五年计划时期,"农业学大寨"的主体思路始终占据统治地位。本来,提倡学大寨带有符合中国国情的现实意义。不过单纯依靠投入多、产出少、缺少高附加值的农业,是不可能实现现代化的。因此,从1954年第一个五年计划开始,国家就制定了集中力量用三个五年计划初步建成有独立自主体系的工业基础的目标。与工业相比,农业不得不在投资等方面暂时得不到支持,农民的生活不得不长时期低于工人和城镇居民。

在"一五"计划时期,这种工农业差别是得到统筹兼顾的。但是"大跃进"冲垮了"二五"计划,60年代国家内部面临经济困难局面,外部又遭到封锁,资金积累不得不更多地依靠农产品出口,而这种出口换来的资金更多地要投入到发展工业中去。在这种情况下,如何发展农业?只有依靠自力更生的精神。毛泽东在制定"三五"计划时多次讲:农业投资不要太多,吃穿用每年略有增长就好,发展农业要靠大寨精神。"农业学大寨"成为"三五"计划特别是"四五"计划制定中必须考虑的条件和完成指标。

---

① 引自魏后凯主编:《21世纪中西部工业发展战略》,河南人民出版社2000年版,第51页表2—5。

"三五"、"四五"计划时期农业的另一个重要变化，是社队企业的崛起。"三五"计划时期，全国社办工业产值由1965年的5.3亿元增长到1971年的26.6亿元（按1957年不变价格计算）；"四五"计划时期，全国社办工业产值又由1971年的39.1亿元（按1970年不变价格计算）增长到1975年的86.8亿元。中央明确支持社队工业发展后，1976年增长更为迅速，达123.9亿元，在全国工业产值中的比重由0.4%上升到3.8%。① 到1976年底，全国社队工业已发展到111.5万个，工业总产值243.5亿元，其中社办工业产值比1971年增长216.8%。社队工业的发展为农业机械化、农田水利事业提供了有力的支持，还吸纳了大量农村剩余劳动力，使农民增加了收入，初步改变了农村的经济结构。更长远地看，客观上还为80年代乡镇企业的大发展准备了一定条件。

"三五"、"四五"计划时期，与社队工业的发展走过相似道路的，是地方五小工业（主要指地、县办的小钢铁、小机械、小化肥、小煤窑、小水泥工业等）。随着三线建设的开展，地方五小工业已经有了兴起的趋势，但由于动乱而未能发展。"三五"计划最后一年的1970年，全国就有近300个县、市兴建了小钢铁厂，90%的县建立了农机修造厂，20多个省、市、自治区建起手扶拖拉机厂、动力机械厂和农机具制造厂。这些地方五小工业，在国民经济建设中发挥了重要作用，大大促进了农业机械化和农业技术改造的进程。

但是，五小工业上得过猛、过多，也带来了不少问题。其一，确定项目和选址没有进行论证，缺乏规划，一哄而起。其二，片面强调土法上马，因陋就简，又用"大批判"开路，结果是消耗大、成本高、质量差。其三，新增职工过多，采取"人海"战术。1970年、1971年仅县办工业就新增职工2400万人，占全国新增数的40.7%。

尽管"三五"、"四五"计划时期的社队工业和地方五小工业，在"文化大革命"的艰难条件下发展十分有限，存在着种种问题，但它却为80年代以后改革开放时期的乡镇企业大发展，开创了探索的先河，提供了一定的物质基础和经验。

（三）"四五"计划时期的对外经济新开拓

60年代初期，中苏两国关系紧张后，毛泽东曾考虑扩大同资本主义国家的经济交往，引进先进技术设备。他甚至提出：在一定时候，可以让日本人来中国办工厂、开矿，向他们学技术。② 但是，由于以美国为首的国际敌对势力的持续封锁及"文化大革命"的发动，这个设想一直未能实施。

60年代后期至70年代初，世界经济形势发生了较大变化。西方资本主义国家面临着新的一轮经济危机，苏联、美国争夺世界霸权的活动遭到越来越多国家的抵制，原有的社会主义和资本主义阵营两大经济体系逐渐趋向解体，代之而起的是发达国家和发展中国家之间日益增多的经济往来。1973年，长达28年的以美元为中心的国际货币体系崩溃。另一方面，随着中美关系缓和，中国重返联合国，大批西方国家纷纷与中国建交，打破了国际敌对势力长期以来对中国的政治封锁。中国国内在林彪事件以后，开始批判和纠正部分的"文化大革命""左"倾错误。这

① 《中国统计年鉴(1983)》，中国统计出版社1983年版，第214、215页。
② 毛泽东听取工交会议情况汇报时的讲话，1964年1月7日。

些都为中国扩大对外经济交流创造了有利条件。

在1972年引进一系列项目的工作顺利进行的基础上，1973年1月5日，国家计委向国务院提交《关于增加设备进口、扩大经济交流的请示报告》，对前一阶段和今后的对外引进项目作出总结和统一规划。《报告》建议，利用西方处于经济危机、引进设备对我有利的时机，在今后三五年内引进43亿美元的成套设备。这个方案被通称为"四三方案"，是继50年代的156项引进项目后的第二次大规模引进计划，也是打破"文化大革命"时期经济贸易领域"闭关自守"局面的一个重大步骤。

在1972年和1973年相继恢复领导工作的陈云、邓小平，对"四三方案"的引进和建设给予了坚决的支持。"四三方案"的批准实施，带动了对外引进工作的全面开展。毛泽东、周恩来审时度势，在国务院领导人的积极努力下，又果断地进行了开拓整个对外经济工作新局面的部署。从1972年起，我国的外贸、金融及与之有关的其他经济领域，出现了中华人民共和国成立以来对外引进技术设备、开展经济交流的第二次高潮。

在引进国外先进技术设备方面，除"四三方案"的主要项目外，重要的引进项目还有：从美国引进彩色显像管成套生产技术项目；利用外汇贷款购买新旧船舶，组建远洋船队；购买英国三叉戟飞机，增强民航运输力量等。1972年9月，国家计委成立了进口技术设备领导小组，负责审查进口设备和综合平衡及长期计划衔接工作，还组织有关部委派出多个考察小组，到国外考察检查进口设备。同时，在国内恢复举办先进科技国家的技术贸易展览会，学习吸取国外先进技术。

在恢复建立国内出口生产基地、扩大出口贸易方面，按照周恩来制定的"外贸要立足于国内，要把生产、使用和科研结合起来，推动国内生产的发展"的方针，李先念等人积极恢复了"文化大革命"初期遭到严重破坏的出口生产工作。

这一时期，周恩来开始注意台湾设立经济特区、引进外资的做法。由于"文化大革命"极"左"路线占有统治地位，不能直接引进外国资金，"既无内债又无外债"成为"大好形势"的标准。周恩来的建立经济特区、引进外资和来料加工的设想不可能付诸实践，甚至在口头上也不能予以提倡。但是，他的这一思想对后来的中国经济开放产生了重要的探索作用。

在周恩来、李先念、陈云等人的领导和斗争下，我国对外经济工作取得了开拓性的进展，出现了一个新的局面。"三五"计划时期我国外贸部门进出口贸易总额只有214.5亿美元，"四五"计划时期已经达到514.5亿美元，增长了139.9％。"四五"计划时期年均贸易总额为102.9亿美元，相当于1950年至1970年21年间年均32.9亿美元的三倍。[①]

一方面，成套设备和先进技术的引进，促进了国内基础工业，尤其是冶金、化肥、石油化学工业的发展，为我国80年代经济建设的腾飞提供了必要的物质条件；另一方面，外贸出口创汇也得到迅速发展，有力地支持了国外成套设备的引进。

"文化大革命"时期对外经济工作的另一个特点，是中国对外援助的大幅度增加。其中额度最大的是支援越南人民的抗美救国战争，对亚洲、非洲等第三世界国家的援助，如援助坦桑尼亚、赞比亚修

① 《中国统计年鉴》(1983)》，中国统计出版社1983年版，第420页。

建坦赞铁路等,也在中国的援助计划中占有相当大的比例。这些援助不带任何附加条件,绝大部分是无偿的。从1971年至1978年,中国共帮助37个国家建成470个项目,超过1955年至1970年16年建成项目的总和;成套项目援助支出比前16年的总和增加109%。在此期间,我国对外经济援助的支出为1950年至1970年对外经济援助支出总和的159%。①

在当时的历史条件下,这些援助多数是必要的,起到了打破外国敌对势力孤立中国的阴谋、支援第三世界人民解放斗争的作用。但是,由于极"左"思潮的严重干扰,援外工作中也存在着较大的偏差。如单纯认为援助是支援世界革命,越多、越不讲条件就越革命。在国家经济力量和人民生活水平都很低的情况下,造成了超越国力的困难。整个"三五"、"四五"计划时期,对外援助占国家财政支出比例,由"一五"、"二五"计划时期的1.5%、1.0%,上升到4.3%、6.3%。

中央精简与地方扩权

1966年3月,毛泽东同志在中共中央政治局一次会上提出:中央还是虚君共和好。中央只管虚,只管政策方针,不管实,或少管点实。围绕毛泽东这一管理思想,酝酿着一次较大规模的经济改革。但是"文化大革命"的兴起,使经济暂时让位于政治。

1966年下半年,"文化大革命"运动进入政府的经济管理系统,运动的对象主要是各主管部门的领导干部,对基层企业触动不多。全国的综合性经济管理部门停止办公,国家计划委员会的工作也停顿下来。为了继续指挥工交企业的生产,管理国民经济工作,国务院成立业务组接替两委的工作。

1967年,"文化大革命"运动进入经济领域,上至国务院各部委,下至企业的生产指挥系统受到冲击,全国各级经济管理机构的领导干部绝大多数成为运动的对象,大量长期积累的经济技术档案和统计资料遗失或被销毁。此后一个时期,正常的生产秩序和工作秩序经常被打乱,整个国民经济处于时而有计划时而半计划的状态,工业生产几度下降,财政也出现了赤字。

1969年,国民经济走出低谷,开始有所回升,人们考虑到经济管理体制的调整。1970年在制订第四个五年计划时,以备战为纲,经济指标订得高,产量订得高,以适应战备要求建立自给自足的地方经济体系。为了实现上述规划,充分发挥地方积极性,体制改革的重点是下放企业,扩大地方各种权限。这次体制的变动,在运动中被作为"文化大革命"的组成部分"斗、批、改"的一部分着手进行的。

"文化大革命"时期经济方面的变动改革,就是在1970年2月的全国计划会议上被再次提出并开始着手展开的。这次变动改革的范围是相当广泛的,其中心除上述下放企业、扩大地方各种管理权限之外,还有简化税收、银行信贷和劳动工资制度,以及在生产资料所有制方面强化单一的公有制结构等。

---

① 《当代中国的对外经济合作》,中国社会科学出版社1989年版,第60—61页。

精简机构

根据"块块"为主的经济管理基本思路,在执行第四个五年计划中,精简机构被提到议事日程。1970年进行了一次机构大调整,也是"文化大革命"时期最突出的一次。这次机构调整被精简的中央、国家机关很多,其中有的被撤销,有的被合并。被撤销的有中共中央工业交通政治部;被保留的有冶金工业部;改名称的是原对外经济联络委员会;合二为一的有原一、八机部合为第一机械工业部,原财政部、中国人民银行合为财政部,原外贸部、国际贸易促进委员会合为对外贸易部;合三为一的有:原石油部、化工部、煤炭部合为燃料化学工业部,原铁道部、交通部、邮电部的邮政部分合为交通部,原纺织部、第一和第二轻工业部合为轻工业部;四合一的有:原国家建委、建筑工程部、建材部、中共中央基建政治部合为国家基本建设委员会,原商业部、粮食部、供销合作总社、中央工商行政管理局合为商业部;六合一的是:原农业部、林业部、农垦部、水产部、国务院农林办公室、中共中央农林政治部合并为农林部;九合一的单位是:原国家计委、经委、国务院工交办、全国物委、物资部、地质部、劳动部、统计局、中央安置办公室合并为国家计划委员会。这次精简机构将国务院的部、委、直属机构减少2/3,将90个机构调整到27个,缩减编制82%。

在以后的年份,由于形势需要,中央国家机关又陆续进行了调整。1972年恢复了调控基本建设投资的中国人民建设银行;1973年恢复邮电部;同年军委撤销国防工业领导小组,并由国务院成立国防

工业办公室,第三、四、五、六机械工业部也由军口转归国务院直接领导。

中央企业下放,扩大
地方管理企业权限

为了使各地方建立独立的工业体系,实现各省区煤炭、钢铁、电力、农机、轻工产品的自给自足,中央将原来直属各部的企业下放到地方。1969年,毛泽东同志批示把鞍山钢铁公司下放辽宁省。1970年3月5日,国务院根据《第四个五年计划纲要(草案)》精神,拟定《关于国务院工业交通各部直属企业下放地方管理的通知(草案)》,要求国务院工交各部的直属企业、事业单位绝大部分下放给地方管理;少数由中央部和地方双重领导,以地方为主;极少数大型或骨干企业,由中央部和地方双重领导,以中央部为主。正在施工的各直属基本建设项目也按上述精神分别下放地方管理。这项工作要求各单位在1970年内进行完毕。

在企业下放中,鞍山钢铁公司、大庆油田、长春第一汽车制造厂、开滦煤矿、吉林化学工业公司等关系国计民生的大型骨干企业被分别下放给辽宁、黑龙江、吉林、河北等省。陆续下放的中央直属企业、事业和建设单位2600多个,归各省管理后,有的又再下放到地、市、县。下放后的中央直属企事业单位还有1674个,其中民用部门的中央工业企业约占1/3。冶金工业部原有直属钢铁企业70个,除两个独立矿山外,包括鞍山、本溪、包头、太原、武汉、马鞍山等大型钢铁厂在内,全部下放到地方,或实行以地为主的双重领导。煤炭工业部原有72个直属矿务局,在1968

年和 1970 年两次下放中,全部交地方;部直属设计院、科研机构,仅有个别单位得以保留。第一机械工业部原有直属企业 310 个,企业下放一个都没保留。

在农口,1970 年初,国务院和中央军委决定将农垦部直属的云南、福建、广西和广东汕头橡胶垦区、广州军区生产建设兵团的海南、湛江橡胶垦区及其所属企业,分别下放给所在省、自治区或军区领导。1975 年,中央决定撤销新疆军区生产建设兵团领导机构,兵团所属单位和农场牧场划归地方管理和领导;同年对内蒙古生产建设兵团也作了相应的处理。

在财贸口,商业部将所属企业全部下放,一级批发站下放给省、自治区和直辖市,二级批发站下放到专区。外贸部所属企业也全部下放,实行双重领导,以地方为主。商业、外贸的部属高等院校全部交地方管理。

从新中国成立到 1965 年,中央直属企业累计 10533 个,其工业产值占全民所有制工业总产值的 46.9%,为全国工业总产值的 42.2%。1970 年企业下放以后,中央各民用工业部门的直属企事业单位 500 多个,其中工厂 142 个,中央直属企业的工业产值在全民所有制工业总产值中的比重在 8% 上下。

三

块块为主,条块结合的计划管理体制

1966 年至 1978 年这 12 年,我国经济发展和经济计划管理体制的变动,大体分为三个阶段,即第三个五年计划时期、第四个五年计划时期和第五个五年计划前三年。

在第一个阶段,由于"文化大革命"开始,第三个五年计划的头一年生产即受到影响,之后两年所受冲击最大,计划工作严重削弱,两年未编制年度计划,"三五"计划时期的最后两年经济回升、五年计划主要指标基本完成。但建设布局因考虑备战,从沿海转向内地,要求急、变动大,财力物力部分损失、浪费。

在第二阶段,运动继续进行,加之强调备战,经济建设受到更大影响。在计划管理上有两点重大改变,即计划上的高指标、追求高速度;体制上的管理权限下放且规模空前。《第四个五年计划纲要》规定,改变经济计划管理体制,要求实行在中央的统一领导下,自上而下,上下结合,"块块"为主,条块结合的办法。在地区和部门计划的基础上,制订全国统一计划,为此,体制上就要扩大地方的计划管理权限,准备恢复协作区建制并建立协作区工业体系。但是,由于大批大中型企业的产供销面向全国,经济联系面广、生产技术复杂,一些关系国民经济全局和产供销属全国平衡的大型骨干企业下放后,地方管理有困难,中央各部就继续负责它们的生产计划安排,即生产由各部代管、物资由各部"戴帽"直供、基本建设由各部与地方协商安排,财务归地方财政收入。至于恢复协作区的设想,也因大区体制的几起几落,加之政治运动,全国六个协作区始终没有建立起来。但是这一变动设想对经济建设布局却产生了很大影响。

与企业的管理权、财权、物权、投资权的下放地方相适应所提出的计划体制改革未能实现,计划管理上"条条为主"基本没有改变,以"块块为主"的局面并未形成。

第三阶段,即 1976 年至 1978 年,随着"文化大革命"宣告结束,国家进入新的历史发展时期,人们从事经济建设和改革的热情高涨。从 1977 年起,国家对经济体制作了一些局部调整。1977年和1978年，经济工作要求大干快上，急于求成，出现冒进，所提的口号和目标不切实际，工业生产追求高指标，基本建设摊子很大，引进的成套设备的规模超过了实际的需要和可能，因此加剧了国民经济的比例失调，使国家的财政经济状况更加困难。1978年年底，中央作出把党和国家的工作重点转移到社会主义现代化建设上来的战略决策，提出了要解决国民经济重大比例失调的要求。

四

财政收支、物资分配和基建投资"大包干"

新中国的经济管理体制的变动，很大程度上决定于企业隶属关系的调整。企业隶属关系的转变直接影响到计划的上报下达，资金的上解下拨，物资的集中分配和劳动力的调配安排。因此，"文化大革命"期间的《第四个五年计划纲要（草案）》确定下放企业的同时，就提出了在财政、物资和基本建设投资三个方面的"大包干"来扩大地方相应的权限。

1. 财政收支包干

"四五"计划纲要草案要求发展地方工业，这就需要相应的财力保障。因此，随着大规模交地方管理的部署，下放财权的问题提了出来。"四五"计划纲要草案规定：实行财政收支大包干。即在国家统一预算下，对省市区试行"定收定支、收支包干，保证上缴（或差额补贴），结余留用，一定一年"的办法。作为一种财政收支体制，它于1971年在全国施行。施行这一体制，国家财政收入除中央各部直接管理的企业收入和海关关税收入归中央外，其余

全部划归地方；国家财政支出除中央部门直接管理的基本建设、国防战备、对外援助、国家物资储备等支出归中央外，其余也全部划归地方，由地方统筹安排。各地方的预算收支经中央综合平衡，核定下达，收入大于支出的，按包干数额上缴中央财政；支出大于收入的，由中央财政按差额数量包干给予贴补。执行中，超收或结余都归地方支配使用，短收或超支由地方自求平衡。这样一种财政体制在大批中央企事业单位下放地方管理的条件下，对于地方是大大扩展了财政权限、增加了机动财力、调动了增收节支的积极性。执行中的问题有，收入打不准，不稳定，苦乐不均；超收归地方，短收不能保证上交，尚要国家补贴。

1970年后，围绕"大包干"原则，为优化中央和地方财权关系寻求改进。如为使地方有较稳定的机动财力且超收能分成，1973年修订财政体制，即财政收入按固定比例留成，超收另定分成比例，支出按指标包干。这种"财政收入固定比例留成"的办法虽然使地方能有较稳定的机动财力，但收支不挂钩、收入短少可支出仍按原定指标供应，机动财力照拿，出现花钱在地方、平衡在中央的问题，不利于调动增收节支的积极性，不利于财政收支平衡。这一办法仅在华北、东北地区和江苏省试行，未按原计划推广开去。为了使地方多收可以多支，少收少支，既能保证地方有较稳定的机动财力，也可以使收支挂钩，1976年再次修改财政体制，实行定收定支、收支挂钩、总额分成、一年一定的办法。这一办法的施行，地方机动财力大增。过去，全国各省每年的机动财力，大省约5000万元，小省仅2000万元；1976年全国各省平均亿元以上。为了调动地方增产增收的积极性，1978年，在部分省

市试行"收支挂钩、增收分成",即对地方机动财力的提取,按当年实际的收入比上年增长的部分和确定的增收分成比例进行分成。

在财政分级管理中,中央与地方的财权关系是经济体制改革中的一个重要问题。"文化大革命"期间实行的"大包干"财政体制,一方面,它扩大了地方的财权,调动了地方增收节支的积极性,方便了地方的统筹安排,但它并未从根本上解决财政分配吃"大锅饭"的问题。另一方面,它在某些方面造成财力分散,增加国家财政预算平衡的困难。

2. 物资分配包干

我国的物资流通体制,为保障重点生产建设的物资供给,对重要物资实行由中央统一分配、以部门管理为主的办法。"文化大革命"时,为扩大地方的物资管理权,并与企业隶属关系的变动相适应、相配套,1970 年,提出试行物资分配"大包干",即在国家统一计划下,实行地区平衡,差额调拨,品种调剂,保证上缴。首先,调整和减少国家统配和部门管理物资。1966 年,统配和部管物资 579 种;1972 年减至 217 种,减少了 60% 以上。其中统配物资从 326 种减为 49 种,部管物资从 253 种减为 168 种。1973 年,国统和部管物资又回升到 617 种,1978 年增至 639 种。其次,将下放企业的物资分配和供应工作移交地方管理。这项工作试点是1972 年在华北地区和江苏省开始进行的,有 400 多个下放企业的物资管理权限交给地方。1976 年,上海、湖北、广东、青海等省市又接管了 166 个下放企业的物资分配和供应工作。在下放物资管理权的过程中,遇到的问题是,许多下放企业的产品面向全国,生产计划仍需由中央各部安排,而中央各部制订计划时难以掌握地方

能给企业多少物资,地方分配物资时,又难以准确了解中央给企业安排多少生产任务,生产任务与物资供应的衔接发生困难。并且,这些企业多数是大型骨干企业,其所需的物资数量大、品种多、质量高,且协作面广,地方难以承担它们的物资供应任务,从而很大一部分单位的物资和供应关系没能放下去,仍由中央各部代管,称为"直供企业"。这部分企业由物资部门根据企业归口的中央部门下达的生产计划安排物资供应。直供企业为数2000。从 1976 年起,下放企业的物资分配供应工作不再移交地方管理了。再次,就是试行物资分配大包干,即在国家统一计划下,实行地区平衡、差额调拨、品种调剂、保证上缴的办法。试点工作从 1970 年第四季度开始,以水泥为首试物资,将原归国家统一分配的大中型水泥厂生产的水泥纳入地区的平衡分配计划。其具体安排是除了国防军工、铁道、交通、邮电几个部门和出口援外的水泥,暂不纳入地区平衡分配外,其他中央部门的直属单位和地方所属单位需用的水泥都由地方统一安排。各地小水泥厂生产的水泥仍由地方自主支配。在水泥之后,又对煤炭、木材、钢材、生铁、废钢铁、硫酸、烧碱、汽车、轮胎以及化工产品等共 12 种重要物资,在全国范围或部分地区进行试点。对下放重点企业的产品实行地方金额分成或固定上调量的办法。1972 年起,又在华北协作区和江苏省进行以地区为单位的"地区平衡、差额调拨",也就是"物资包干"的试点。实行这种办法,就是根据各地生产和需求平衡的情况,按不同产品分别确定调出调入量,然后由各地统筹安排,组织对本地区企业的物资分配供应。但由于生产建设计划仍为中央统一安排,物资归地方掌握,计划体制、物资体制和企业管理

体制不一致,相互脱节,难以协调;同时,中央与地方每年协商统配产品的计划调出量,困难很多,实际上物资包干办法未能全面贯彻执行,未能推广。

后来,中央确定恢复重要物资的集中统一管理。1978年国统部管物资增至689种,其中国统物资53种,部管物资636种;对实行"地区平衡、差额调拨"的统配煤矿、大中型水泥厂以及国家重点企业生产的重要物资,归由国家计划委员会统一平衡分配,国家物资总局统一调拨管理。

3. 基本建设投资包干

1970年,国家在拟订"四五"计划纲要草案的同时,为了支持地方发展"五小"企业,实现自足、自成体系,提出了"要试行基本建设投资大包干",即按照国家规定的建设任务,由地方负责包干建设。投资、设备、材料由地方统筹安排,调剂使用,结余归地方。对少数重点基本建设项目,实行中央地方双重领导。为了保证地方基建资金的来源,扩大地方投资权限,中央决定下放基本折旧基金、安排专项资金、调整中央与地方的投资分配比例。

1966年前,基本折旧基金全部上缴中央。1967年改为将地方企业基本折旧基金留给企业和主管部门。随着中央企业的大量下放,从1971年起,除了第二机械工业部、水电部的基本折旧基金仍上缴60%以外,其余企业上缴财政的折旧基金全部下放给地方,用于设备更新、技术改造和综合利用。这部分资金的数量越来越大,1975年达到100亿元。

为了发展各地"五小"企业,国家提出在"四五"计划期间提供80亿元专项资金,由省、市、自治区统一掌握、重点使用。

1974年,国家采用"四、三、三"制分配投资。即在国家投资总额中,40%由中央主管部门直接安排,30%由地方统筹安排,30%由中央各部与地方共同安排。改革后,由地方安排的投资在总投资中的比重大大提高。据统计,由地方安排的投资,1969年只占预算内投资的14%,1974年和1975年提高到27%左右。地方投资权限的扩大,促进了我国地方小型工业的又一次大发展。但由于缺乏科学的行业规划和配套的计划指导及责任约束措施,在地方工业的建设中既有积极合理的一面,也出现了很盲目的一面,造成损失和浪费。

简化税收、信贷和劳动工资制度

在整个经济体制变动中,税收制度、银行信贷管理制度以及劳动工资制度也有某种变更。改革的方向,除中央下放权限,扩大地方的管理权以外,再就是简化制度,包括简化税收制度、银行信贷制度和劳动工资制度。

1. 简化税收制度

1957年以前,与当时多种经济成分并存所有制结构相适应,我国实行多种税、多次征的复税制,比较有效地发挥了税收杠杆对经济的调节作用。1958年进行了新中国成立以来的第二次税制改革,简化了税收制度。"文化大革命"初期,打破旧税制,简并税种,改革的重点是工商统一税,其方法为多数地区采取合并税种、简并税目税率,少数地区实行税利合一。1970年,全国财政银行工作座谈会提出改变国营企业的工商税收制度,试行"行业税",即一个行业在保持原税负的基础上,各企业不分产品、税目,统一适用一个税率征税。1970年到1971年间以天津市为代表在部分地区进行试点。

1972年,财政部综合各地改革工商税

制试点经验,在试行的"行业税"基础上,制定了《中华人民共和国工商税条例(草案)》,上报国务院,并由国务院颁发全国,于1973年全面试行。作为建国以来我国工商税制第三次税制改革,其指导思想是:合并税种,简化征税办法,改革不合理的工商税收制度。改革的主要对象是工商统一税。改革的原则和方法是:基本上保持原税负,合并税种,简并税目税率,把企业原来交纳的工商统一税及附加、城市房地产税、车船使用牌照税、盐税和屠宰税等合并为一个新税种——工商税;把原工商统一税108个税目、141个税率,减并为44个税目、82个税率;同时,简化或废除了连续生产中间产品、委托工业企业加工产品等征税办法和手续。对税率的设计,除少数行业或产品适用的税率作了必要的调整外,大多数行业保持了原来的负担水平。改革后,国营企业只征收工商税一种税,集体所有制企业只征收工商税和工商所得税两种税,盐税仍单独征收。

工商税在试行中又进行了修正。1972年全国税制改革座谈会强调简化要服从政策,纠正一个企业只适用一个税率的征收办法,明确保留盐税税种,单独征税,同时,对其他准备简化废除掉的若干征收办法,作补充解释或规定。在简化的前提下,该恢复的恢复,该继续保留的继续保留,使工商税征收制度基本上恢复为原来工商统一税按产品征税为主的办法。

这次税制改革,除简化税种、税目、税率,还将部分税收管理权限下放地方。地方有权对当地新兴工业、"五小"企业、社队企业以及综合利用、协作生产等确定征税或减免税。以后,为加强税收管理,国务院于1977年作出规定,凡税收政策的改变,税法的颁布和实施,税种的开征和停征,税目的增减和税率的调整,权力都属于中央。

2. 简化信贷制度

在简化税收制度的同时,信贷管理制度也进行了简化措施,包括合并机构,下放权力,改变信贷方式,简化利率种类,调整利率水平等。

1969年秋,中国人民银行总行并入财政部,作为财政部机构的组成部分,为了照顾对外影响和对外往来,仍保留中国人民银行的牌子。1970年,根据财政部军管会和中国人民银行军代表的报告,国务院决定将中国建设银行并入中国人民银行。在1972年9月的全国银行分行行长会议上,国务院领导指出,要发挥银行的职能作用;保证银行一定的独立性;保持银行原来的各级系统;适当充实人员。这一年,为了加强对基本建设财务的管理和拨款的监督,恢复了中国人民建设银行独立建制及其在各地的分行。1977年,国务院发出《关于整顿和加强银行工作的几项规定》,指出,人民银行总行作为国务院部委的一级单位与财政分设,省、自治区、直辖市以下的银行机构亦应比照办理。至此,中国人民银行正式从财政部划分出来,成为国务院的组成部分。

1970年中央决定进一步扩大地方的权限时,银行计划管理权限的变化有两点。一是,1970年全国财政银行座谈会提出下放信贷管理权,实行农村信贷包干、一定一年的信贷管理办法。即除各省市自治区掌握的农贷指标可以继续周转使用外,以后每年农村存款新增部分,在保证存款提取的情况下,可以由各省市区统一安排使用。二是,1972年,人民银行总行制订了信贷、现金计划管理办法,实行中央统一计划、中央和省、市、自治区分级管理体制,中央管年度计划,省市区管季度计划,各项信贷指标分别掌握,不能调剂等。

"文化大革命"时期的利率是新中国成

立以来的最低点。1971年10月,全面调整了银行利率。调整原则是简化利率种类,降低利率水平。调整后,城镇集体经济和国营企业实行统一利率,存款月息由原来的1.8‰降为1.5‰,贷款月息由6.0‰降至4.2‰,贷款利率一般降低30%左右,存款利率一般降低20%左右。并规定国营企业由此少支付的利息,应作为利润上缴国家。与此同时,取消某些优待利率。

3. 简化劳动工资制度

新中国成立以来,我国已从多种就业方式和比较灵活的用工制度,逐步形成对城镇劳动力由国家"统包统配"和单一的固定工资制度。到"文化大革命"时,各地区、各部门大批临时工、合同工、轮换工要求转为正式工(即固定工)。1971年,在整个经济体制变动的同时,国务院作出决定,改革全民所有制企事业单位的临时工、轮换工制度。当时,全国共有临时工、轮换工900多万人,其中从事当年性生产的约650万人,从事临时性、季节性生产的约250万人。国务院1971年11月30日发出通知,指出:①过去实行的临时工、轮换工制度,有些是合理的,有些是不合理的。在临时性、季节性的生产岗位上使用临时工,是合理的。从保护工人身体健康出发,在矿山井下试用一部分亦工亦农轮换工也是必要的。②常年性的生产、工作岗位,应该使用固定工,不得再招用临时工。现在这种岗位上使用的临时工,凡是企事业单位生产、工作确实需要,本人政治历史清楚,现实表现好,年龄和健康状况又适合于继续工作的,可以转为固定工。③临时性、季节性的生产、工作岗位,仍使用临时工;矿山井下可以继续试用轮换工,并应在实践中总结经验逐步改进。这一改变,使临时工在职工总数中的比重,由1971年前的12%—14%,下降到

6%。国务院通知发出后,大批临时工包括企业的"家属工"纷纷转为固定工,多种用工形式并存的用工制度基本上不存在,而单一固定工制度则进一步强化。

在此期间,为扩大地方的劳动力配置权,还一度将增加临时工的权限下放给省市区,有的省再下放给专区市,以致一个时期职工人数的增加失去控制。劳动计划管理权的下放,在管理制度不健全的情况下,所造成的劳动力招收调配失控是严重的。仅1971年和1972年两年,全国新增职工就达988万多人,其中大部分是从农村招收来的。从1970年到1972年,全国全民所有制企业职工增加1200多万人,成为新中国成立以来第二次职工人数的大突破。"文化大革命"后期,当1700万上山下乡的城镇知识青年中大批回城要求安排工作时,人们所面临的就是城乡劳动力大对流所形成的中华人民共和国建国以来最严重的城镇待业就业问题。后来,中央收回了劳动计划管理权。

再就工资制度看,新中国成立后,于1952年至1955年全国进行了第一次工资改革,并逐步把供给制改为工资制;1956年至1957年全国进行了第二次工资改革,建立了全国统一的工资制度。1958年以后,职工工资制度没有大的改变,仅进行了局部调整和试点改革。"文化大革命"期间,工资制度上未作调整,工资等级制度也未作改革。在此期间,职工工资的调整进行了几次。由国家统一安排升级时间、统一规定升级条件和升级面的调资工作,自1959年全国统一计划安排以来,到1971年是第三次。这次升级的条件是考虑工作年限和低工资水平,以提高少数工资偏低的职工的生活待遇。1971年调资,升级条件分两种,1971年底前参加工作的一级工和1966年底前参加工作的二级工

都可提升一级；1971年底以前参加工作的其他职工（不含17级以上干部）可有40％升级，条件是工作多年、工资偏低，根据政治表现、劳动态度、贡献大小和技术高低，由群众评议，党委批准。1978年，为了鼓励职工努力学习技术，对国家多作贡献，决定对生产、工作成绩优异，贡献较大的和提职后表现较好而工资特别低的人员，进行一次考核升级，升级面控制在2％以内。"文革"期间，计件工资和奖金制度在全国范围内一度被取消。1969年将企业综合奖改为附加工资，相应地取消了原规定按计划完成情况提取奖励基金的制度，改为按职工标准工资总额的一定比例提取职工福利基金。与此同时，也在实际上取消了计件工资制度，这就使我国的工资制度进一步单一化。"文化大革命"结束后，于1978年5月国务院颁发《国务院关于实行奖励和计件工资制度的通知》，这使计件和奖励工资制得以恢复并逐步健全。国务院通知指出，要有条件、有计划地实行奖励和计件工资制度，要规定合理的奖励、计件工资办法，奖金要和职工的生产情况联系起来，要将附加工资改用于奖金和计件工资。这以后，计件工资和奖励制度逐渐推行开去，奖励制度实行的范围也相当广泛，且形式多样。

工业的整顿与发展

　　1966年开始的"文化大革命"使工业经济受政治运动的影响而出现了严重的挫折和损失。这一时期，国家工业建设中出现了盲目上项目、浪费大量资金，生产过程不注意经济核算、经济效益差；企业管理混乱、规章制度被废除，产品质量下降等一系列问题。但由于全党和全国人民的艰苦努力，特别是周恩来、邓小平等老一辈革命家，在非常困难的情况下，排除各种干扰和阻力，尽力减少政治运动对工业经济所造成的损失，使得我国社会主义工业建设在逆境中艰难地进行，并保持了一定的增长速度，工业经济取得了一定的进展。"文革"及"文革"结束后的两年中，全国主要工业品产量有了较大幅度的增长，见下表：

1966年—1978年主要工业品产量情况 ①

产品名称	1966 年	1976 年	1978 年
原煤（亿吨）	2.52	4.83	6.18
发电（亿度）	825	2031	2566
钢（万吨）	1532	2046	3178
原油（万吨）	1455	8716	10405
水泥（万吨）	3015	4670	6524
机床（万台）	5.49	15.7	18.32
汽车（万辆）	5.59	13.52	14.91
化纤（万吨）	7.58	14.61	28.46
棉纱（亿吨）	156.5	196	238.2
布（亿米）	73.1	84.2	110.3
自行车（万辆）	205.3	668.1	854
缝纫机（万架）	142.4	363.8	486.5
手表（万只）	128.9	911.4	1351.1
拖拉机（万台）	1.18	7.37	11.35
收音机（万部）	83.7	969.1	1167.7
电视机（万部）	0.51	18.45	51.73
照相机（万架）	2.79	22.5	17.89

---

① 摘自1984年统计年鉴。

同一时期我国还有计划地建成一批铁路,以适应经济发展的需要,例如成昆、湘黔、襄渝铁路等。值得一提的是成昆铁路的修建充分显示了中国筑路工人的风采。这条长 1099 公里的铁路穿越大小凉山、碧鸡山和横断山脉,修隧道 427 条,总长度为 341 公里;跨越大渡河、金沙江以及深沟大涧的大小桥梁有 991 座,总长度为 93 公里。这条线路地形险峻,地质复杂,施工难度之高,堪称中国铁路建设之首。

1968 年,横跨长江的又一座大桥——南京长江大桥胜利建成通车。这座由我国自行设计施工的双线双层铁路和公路大桥,全长 6700 米,长度是武汉长江大桥的 4 倍,它的建成大大缓解了我国华东交通紧张的矛盾。

到 1976 年,工业总产值为 3158 亿元,1978 年又达到了 4067 亿元,分别是 1966 年的 1.9 倍和 2.5 倍。

一

第一次工业整顿及挫折

1971 年 9 月"林彪事件"后,在毛泽东支持下,由周恩来主持党中央的日常工作。在极为艰难的情况下,周恩来排除各种干扰,采取有力措施,纠正 1970 年以来国民经济出现的问题;着力调整了《第四个五年计划纲要》的高指标,压缩了基本建设规模,基本解决了当时国民经济中出现的"三个突破"、"一个窟窿"问题。与此同时,针对"文化大革命"造成的工业企业生产、管理的严重混乱状态,开展批判极左思潮和无政府主义,统一思想,加强纪律,整顿工业企业。

在 1971 年底到 1972 年初的全国计划工作会议期间,周恩来听取了会议情况汇报后,指出现在我们的企业乱得很,要整顿。根据这一指示,这次会议明确规定要恢复和健全 7 项制度,即岗位责任制、考勤制、技术操作规程、质量检验、设备管理与维修、安全生产、经济核算制等。要求企业要抓 7 项指标,即产量、品种、质量、原材料燃料动力消耗、劳动生产率、成本、利润。也就是在这次会议的前后,周恩来针对援外飞机质量和汽车质量差的问题,指出将质量问题提到议事日程上来解决,1972 年,中央各工业部委根据这一精神,开始重视抓产品质量,制定出一系列相应的质量管理制度。这些措施实施后,扭转了产品质量下降的趋势。1972 年 10 月召开了加强经济核算扭转企业亏损会议,进一步拟定了整顿企业管理、扭亏增盈的具体措施,提出要改进国家对企业亏损的管理制度,对亏损企业要实行计划补贴,逐级负责,限期扭转,决不能亏多少补多少等。1973 年初,国家计委又起草了《关于坚持统一计划,加强经济管理的规定》,进一步重申要发展经济,调整产业结构,加强生产环节;强调要整顿产品质量;提出要落实各项经济政策,健全规章制度;认真贯彻按劳分配的原则,改进劳动工资制度等。这些措施尽管也遭到江青一伙人的阻挠破坏,以致有的文件未能下发,但对实际工作却产生了积极的影响,在一定程度上减轻了"文化大革命"对工业发展造成的危害。1972 年和 1973 年的工业经济形势有所好转,特别是 1973 年工业总产值比 1972 年增长 9.5%,超过计划增长速度 1.8%。全民所有制工业企业全员劳动生产率比 1972 年提高了 3.6%,固定资产交付使用率比 1972 年增长了 13%。

在周恩来主持中央日常工作期间,工业生产出现转机。当时"文化大革命"还在继续,江青一伙竭力反对旨在纠正"左"

的错误的一系列措施,坚持要批右,把当时《人民日报》发表的批判极左的文章说成是"大毒草",对周恩来领导开展批判极左思潮横加指责。毛泽东也认为当时的主要任务仍然是反右,否定了周恩来的正确意见。"四人帮"在1973年下半年趁机掀起批判所谓"黑线回潮",到1974年初又把"批林整风"篡改为"批林批孔",影射周恩来,再度把人们的思想搞乱,把经济战线搞乱,使刚刚趋于稳定的经济形势又陷入混乱之中,工业欠产,铁路堵塞,财政赤字,市场紧张,人民生活水平下降。到1974年底工业总产值仅完成计划的93.2%,同1973年相比,工业增长速度下降9.2%。

二

第二次工业整顿及挫折

"批林批孔"使1974年的工业经济再度陷入混乱,引起全国上下不满。1974年周恩来病重,同年10月,毛泽东提议邓小平出任国务院第一副总理。11月,毛泽东提出"要把国民经济搞上去"。1975年1月第四届全国人民代表大会上,周恩来在政府工作报告中重申了三届人大关于本世纪实现"四化"的宏伟设想:即在1980年以前,建成一个独立的比较完整的工业体系和国民经济体系;在本世纪内,全面实现农业、工业、国防和科学技术的现代化,使我国国民经济走在世界前列。这得到全国人民的热烈拥护。

四届人大以后,邓小平根据毛泽东"要把国民经济搞上去"的指示,同"四人帮"的干扰破坏进行了坚决的斗争,相继召开了铁路、冶金、国防工业等一系列重要会议,着手进行治理整顿。

1. 整顿铁路交通秩序

"批林批孔"运动以来,铁路秩序混乱,运输阻塞、货物积压,严重危及工业生产和一些城市的生活。邓小平首先抓住了问题最大的铁路运输问题进行整顿。1975年2月召开了全国工业书记会议,邓小平在会上发表了"全党讲大局,把国民经济搞上去"的重要讲话,指出全党都要讲实现四化这个大局,统一思想、集中精力,努力把国民经济搞上去。针对江青一伙人用所谓"革命"压生产的行径,邓小平尖锐地指出,现在有人只抓革命、不敢抓生产,这种思想是大错特错的。他强调中央下决心解决好铁路运输问题,并就集中统一、规章制度、反对派性等提出了具体要求。根据这次会议精神,中央于3月5日作出《关于加强铁路工作的决定》,明确全国铁路由铁道部统一管理,在铁路系统大力恢复和健全各项必要的规章制度,整顿铁路秩序。按照中央的指示精神,调整充实了铁路各级领导班子,严厉打击了破坏铁路运输的坏人,调离一批派性严重、不思悔改的派头头,恢复和健全了各项规章制度,使铁路运输状况迅速好转。到4月,堵塞严重的几个铁路局都疏通了。全国20个铁路局,有19个局超额完成了装车计划,列车安全正点率也大大提高。铁路运输的好转,给还处在动乱之中的全国人民以极大的鼓舞,为整个工业生产带来生机,1—4月份全国工业总产值比1974年同期增长19.4%。同时也推动了钢铁、煤炭、国防工业乃至整个工业战线的整顿。

2. 整顿钢铁工业生产秩序

1974年钢产量比1973年减少了410万吨,1975年初钢铁工业仍处于停滞下降的状态,1—4月份全国欠产钢195万吨。为了扭转这一局面,1975年5月中央召开了钢铁工业座谈会,邓小平发表了"当前钢铁工业必须解决的几个问题"的讲话,提出了四条整顿办法:建立一个坚强的领导班子;必须旗帜鲜明地反对派性;认真落实政策,调动老工人、技术骨干、劳模的生产积极性;建立健全必要的规章制度。按照中央的要求和钢铁工业座谈会的精神,冶金部对全系统普遍进行了整顿,生产下降的趋势被控制。到 6 月份,欠产严重的鞍钢、武钢、太钢等大企业都逐步好转,全国钢的平均日产量达到了 7.24 万吨,超过全年计划平均日产水平。

3. 着手整顿整个工业

铁路、钢铁战线的整顿工作卓有成效,带动了整个工业生产,原油、原煤、发电量、化肥、水泥、内燃机、纸制品等 5、6 两月份创造了历史上月产的最高水平。国务院在 6 月份召开了一次计划务虚会,对经济工作的路线、方针、政策问题,进行了比较全面的研究,涉及计划体制、企业管理体制、物资体制、财政体制等方面,特别指出当时经济工作的主要问题是乱、散,必须狠抓整顿,强调集中管理权限,要求所有企业要建立岗位责任制等生产管理的制度,并严格执行。

与此同时,为了解决工业发展方向不明、政策不清、无章可循、管理混乱的问题,国务院委托计委草拟了《关于加快工业发展的若干问题》,后结合邓小平的意见进行修改,形成"工业二十条"。由于江青一伙从中作梗,"工业二十条"未能形成正式文件,但对工业的生产和发展却产生了积极的影响。

经过 1975 年一年的全面整顿,工业战线的形势明显好转,工业总产值比上年增长 15.1%。主要工业产品产量明显提高。

邓小平抓整顿取得了成功,赢得了广大人民的拥护,但却遭到"四人帮"的竭力反对。他们百般阻挠、破坏邓小平的正确主张和所采取的措施。毛泽东开始是支持邓小平的,但他也不能容忍邓小平全面纠正"文化大革命"的错误。1975 年底,形势发生急剧变化,江青一伙利用他们篡夺的权力,大肆攻击四个现代化是"资本主义化"、是"卫星上天、红旗落地",把邓小平主持的各条战线的整顿说成是"右倾翻案风"。提出"老干部是民主派,民主派就是走资派"的反动公式,煽动层层揪"走资派",处处抓"还乡团"。他们是非混淆,人妖颠倒,在 1976 年 1 月 8 日周恩来逝世后,就发动批判邓小平的所谓修正主义路线,开展"批邓、反击右倾翻案风"的运动。1975 年出现的安定局面又消失了,工业整顿夭折,人心涣散,生产又处于停顿状态,大批工矿企业生产秩序再度混乱。生产水平大幅度下降,1976 年工业增长速度比低限计划还差 6.9%,比 1975 年下降 13.8%,主要工业产品基本上没有完成计划或者大幅度减少。

地方五小工业

发展地方五小工业,曾是我国工业经济的一个特点。

我国国土辽阔,资源丰富,但由于基础工业薄弱,交通不便利,资金又不富裕,国家很难大规模开发利用这些资源,因而客观上需要因地制宜,发展一些规模适度的小型工业企业,以充分利用各地资源,弥补大工业之不足。同时可以调动中央和地方办工业的两个积极性,加快我国工业经济发展的步伐。

"文化大革命"期间,我国经济建设在一个时期是以备战为中心环节的。在大上"三线"建设的同时，又在全国一、二线地区内划出若干个地方为"小三线"地区，并要求各地区经济与军事工业自成体系和自给自足。国家在当时突出强调各地区要大力发展地方的"五小工业"。所谓"五小工业"，是指我国一些地区和县在60年代初，依据自身的资源条件和需要，自力更生、因地制宜地发展起来的小钢铁、小机械、小化肥、小煤矿和小水泥等。以后五小工业逐渐成为泛指地、县两级兴办的小型工业。

1970年2—3月间，全国计划工作会议讨论并拟定1970年国民经济计划草案，提出要加快内地战略后方的建设；大力发展农业，加快农业现代化的进程；积极发展地方五小工业，尽快做到县县有农机修造厂；等等。根据这些要求，在相应采取的几项主要措施中，提出要加快地方五小工业的发展，要建立本地的小煤矿、小钢铁厂、小金属矿、小化肥厂、小水电站、小水泥厂和小机械厂，形成为农业服务的地方工业体系。国家还采取了一些相应的政策来支持各地发展五小工业。从1970年起，在五年内中央财政拨出80亿元专项资金，由各地方掌握、重点使用，以扶植五小工业的发展；对县级新创办的五小企业，在二三年内所得的利润60%可留给县里，继续用于地方五小工业的发展；对暂时亏损的五小企业，经省一级批准，可由财政给予一定补贴，或者在一定时期内减税免税；对资金确有困难的五小企业，银行或信用社都要给予贷款支持。

各地方对发展地方五小工业也表现出很大的积极性，原因在于五小工业企业规模小、投资少、资金好筹集，并且可以发挥各地原有工业的优势，利用各企业闲置设备；因地制宜，就地取材，就地生产销售，满足本地需要，支援农业生产；还可安排当地农业剩余劳动力，增加地方的财政收入。所以，除中央财政支持以外，各地也逐年增加投资发展五小工业。1970年为100万元，到1973年增到1.48亿元，1975年又增到2.79亿元。上海、东北等老工业基地为地方工业的发展也提供了大量设备，如1970年上海市在超额完成国家计划的同时，为各地制造了100多套小型化肥厂的关键设备。

1970年是1958年以后我国地方小型工业又一次大发展的一年。地方五小工业的发展，对整个国民经济起了很好的作用，成为这一时期工业发展的重要组成部分。在五小工业体系中尤以直接为农业服务的小机械、小化肥、小水泥发展最快，形成这一时期地方五小工业的骨干行业。例如：黑龙江省肇东县，县办工厂1970年比1965年增加了81%，能生产车床、电机、变压器、水泵、电线等上百种产品，其中有82%的工厂是直接为农业服务的。全县25个公社都办起工业，80%的大队有小工厂，基本形成县、社、队三级为农业服务的工业体系。到1970年，全国建成投产的小化肥厂150个，小水泥厂300个，小化纤厂65个；约300个县、市办起了小钢铁厂；有20多个省、市、自治区建起了手扶拖拉机厂和小型动力机械厂；有90%左右的县兴办了农机修造厂；在一些不发达的省区，还相继建立起一批纺织、榨糖、日用化工、小五金和小百货等轻工业工厂。到1975年，五小工业中的钢、原煤、水泥、化肥的产量，分别占当时全国总产量的6.8%、37.1%、58%和69%。

地方五小工业迅速发展也使中国工业结构发生了较大的变化。1966年以后工业企业数量大幅度增加，由1965年的15.77万个，增加到1976年的29.36万个，每年新增加1.24万个。这大多是由于小型企业的增加所致,其中包含了地方创办的五小工业。这一时期五小工业的大发展在一定程度上加速了我国农业机械化的进程,推动了农业生产的发展,从而促进了国民经济建设。但由于当时还处于"文化大革命"时期,"左"的思潮影响很大,盲目追求"小而全"的地方工业体系,大轰大上,在地方工业发展上也出现了不少问题。如重复建设、重复生产,阻碍了各地区优势的发挥;有些工厂建成投产后,产品没销路;一些企业经营管理不善,生产工艺落后,产品质量差,资源浪费严重。还有的企业出现同大企业争原料、争能源问题。针对五小工业存在的这些问题,1973年,周恩来总理曾强调要对现有五小工业进行整顿,并提出了发展地方工业的原则和解决问题的措施。但这些指示后来未能认真执行。

五小工业的兴起,是符合我国现阶段工业经济发展的要求的,是适应大、中、小企业多层次混成结构需要的,是有利于充分利用国土资源的。同时,它所存在的问题是:地方小工业铺摊过大,规模效益不理想,项目缺少经济技术论证,企业经济效益差。但总的来说,五小工业的兴起是中国地方工业成长的必由之路,它起到了应起的历史作用。

我国在"文化大革命"前17年建成了独立的工业体系,特别是60年代前期经济工作调整打下的良好基础所产生的"滞后效应",在"文革"期间逐步显现出来。我国农业十多年虽是发展缓慢,但粮食产量基本上是稳定增长,这无疑是对工业建设的一个支持。同时,地方五小工业的兴起,调动了地方办工业的积极性,加上中央政策的优惠,部分地区下放财权、物权,促进了地方工业建设,进而推动了国家工业经济的发展。再加之70年代我们从国外陆续引进了一些先进的成套设备或单机,增强了工业技术生产能力,有力地带动了石油、化工、轻工等行业的进一步发展。在这一时期,由于工业建设追求高指标,经济建设所取得的进展很大程度是靠紧缩人民的正常消费和动用国家储备。全国人民为此付出了极大的代价。

纵观这一时期我国工业经济的艰难曲折的发展历程,我们从中可得出以下几点认识:

第一,经济的发展认识要有政治的保证和稳定的环境。"文化大革命"的历史表明,政治上的安定团结是进行经济建设必不可少的基本条件。

第二,高积累、高速度必须创造更多的社会财富,使人民得到实惠。发展重工业,必须与发展轻工业相协调;保持工业内部的正常比例,国民经济才能顺利进行。军工项目建设,应注意做到平战结合,既能生产军用物资,又能转产民用品,适应形势变化和市场需求。

第三,我们应健全完善企业管理制度。现代化大生产要求各类企业单位具备科学完善的管理制度,并制定严格的组织纪律加以保障;否则,社会主义大生产就无法正常运行,经济生活就会陷入严重的混乱。

"农业学大寨"

"农业学大寨",是"文革"期间我国政治、经济生活中的一件重要事件,特别是对我国农业工作影响深远。从中吸收经验教训,是很有必要的。

一

大寨在"文革"中的演变

大寨,是坐落在太行山北头、虎头山脚下的一个六十来户的小村。60年代、70年代,它是山西省昔阳县大寨人民公社的一个生产大队。

解放后,50年代起大寨就是昔阳县的农业生产先进典型。特别是1963年,昔阳地区遭到了百年不遇的特大洪水灾害。大寨人自力更生,艰苦奋斗,战胜了自然灾害,取得了农业丰收,成为了全国农业生产先进典型。毛泽东向全国发出了"农业学大寨"的号召。

"文革"开始后,大寨受"左"的路线的影响,起了在我国农村推动"文化大革命"的作用。再加上林彪、江青一伙的有意破坏利用,大寨这个农业生产的先进典型逐步偏离了它的正确方向。

为了防止"文革"对农业生产的影响,在周恩来和主持农业工作的谭震林副总理的争取下,9月14日中共中央发出《中共中央关于县以下"文化大革命"的规定》,即"农村五条"。《规定》在肯定"文革"斗争方向的同时,力求把运动的方式限制在"四清"运动的范围之内,尽量减少对农村的冲击。12月15日,林彪主持召开中央政治局扩大会议,通过了《中共中央关于农村无产阶级文化大革命的指示(草案)》,即"农村十条",把原来坚持的"文革"纳入"四清"部署的规定,改为把"四清"纳入"文革"中去,并要求在农村建立和发展红卫兵,开展"四大"、"串联"等。这个文件打破了在农村开展"文革"的限制,酿成了全国农村的大乱。昔阳县不少

农村基层干部被揪、被斗。大寨也来了不少红卫兵串联,鼓动造反,还攻击大寨是假典型。在所谓"一月风暴"的影响下,为争取主动,以陈永贵为首的大寨干部也"造反"了。1967年2月11日,他们支持昔阳县机关的"造反派",夺了中共昔阳县委的权。3月5日,《人民日报》刊登陈永贵在昔阳支持造反夺权的通讯,从中央到地方大小电台同时广播。林彪、江青一伙看准这个时机,利用大寨这个毛泽东所肯定的农业先进典型,为在农村鼓动造反夺权和制造动乱推波助澜。

以陈永贵为首的大寨干部为什么支持造原中共昔阳县委的反?原因有三:一是他们认为1961年后的县委"否定三面红旗",执行了刘少奇在农村复辟资本主义路线;二是领导了1964年后的"四清"运动,执行了刘少奇的形左实右路线,使农村干部受到了迫害;三是领导了1966年"文革"初期的运动,使农村基层干部受到冲击。陈永贵夺权后,召开了白羊峪、刀把口等全县35个大队主要干部座谈会,学习当时中共中央《给全国农村人民公社贫下中农和各级干部的信》,按照中央的统一部署和当时报纸、电台的调子在全县掀起了大批判。在大批判中全盘否定了原中共昔阳县委1966年前的工作,认为原县委主要领导是否定三面红旗,执行了刘少奇复辟资本主义路线,这就促使陈永贵已经"左"倾的思想,进一步系统化。

1968年1月,为推动全国农村的"斗、批、改"运动,在大寨召开了全国学习大寨劳动管理经验现场会。除西藏外,全国各省、市、自治区都派代表参加了会议。会议形成的纪要,把大寨"一心为公劳动、自报公议工分"的劳动管理办法,说成是"毛泽东思想的产物,是管理社会主义集体经济的方向,是适合中国农村情况的好办

法";"不是一个简单的劳动管理方法问题，而是不让旧的剥削阶级复辟，不让新的剥削阶级产生，不让贫下中农变质，不让无产阶级江山变颜色"的问题。会议要求全国各地，彻底批判以"工分挂帅"、"物质刺激"为核心的修正主义管理制度。除大寨的这种新的劳动计酬办法外，大寨实行的大队核算、取消自留地和限制社员家庭副业的做法，也得到了肯定和宣传。这是第一次在大寨召开的专门学大寨的会议，是在大夺权、大批判的政治局势下召开的，对推行大寨一套过"左"的劳动管理办法起了重要作用。会后，全国各地陆续派出大批干部到大寨参观、学习，大寨的影响进一步扩大。

以后在"文革"的整个过程中，林彪、江青一伙更是抓紧了对大寨这个典型的利用。他们不断对大寨所谓"经验"进行挖掘、总结、提高，并广为宣传，为他们篡党夺权服务。在"文革"进入全面"斗、批、改"阶段后，《人民日报》1969年2月1日发表大寨大队的文章：《贫下中农要做斗批改的先锋》。文章总结大寨"斗批改"的经验是："高举一面旗（毛泽东思想伟大红旗），狠抓一条纲（阶级斗争），猛批一个修（刘少奇反革命修正主义路线），狠斗一个私，大立一个公。"在"批林批孔"运动中，又宣传大寨的根本经验，是坚持党的基本路线，普及、深入、持久地开展"批林批孔"运动，不断地批判修正主义、批判资本主义，用社会主义正气压倒资本主义邪气，坚定不移地走社会主义道路。在"批邓、反击右倾翻案风"运动中，又宣传大寨抵制批极"左"思潮，迎着逆风上，坚决与右倾翻案风进行斗争，反对复辟倒退。通过对大寨经验的不断总结和宣传，把大寨这个自力更生、艰苦奋斗建设山区的农业生产先进典型，变成了一个"无产阶级专政

条件下继续革命"的样板。在"文革"中，林彪、江青一伙需要什么材料，就从大寨总结出什么经验。在"文革"中，林彪、江青一伙每次挑动起一个事件后，为了表示人民的支持、拥护，并把事态进一步扩大，就马上让大寨表态。大寨远在北京千里之外，只能通过电话控制，有时秀才把文章写好，让大寨干部看看，或念给大寨干部听听，有时大寨干部还来不及看或听，只打个招呼，第二天就见报，通过电台广播到全国了。

在"文化大革命"中，大寨就是这样越陷越深，以致不能自拔。在某些方面，起到了给林彪、江青一伙帮忙的作用，变成了他们在农村推行极"左"路线的工具。但是，大寨的干部与林彪、江青一伙是不同的。林彪、江青一伙对当时党中央"抓革命、促生产"的方针，是阳奉阴违，攻击主持国家经济工作的周恩来等是"以生产，压革命"，他们是以所谓"革命"，来破坏生产。大寨干部是真心诚意执行中央"抓革命、促生产"的方针的，他们对大寨的农业生产抓得很紧，所以在"文革"期间，大寨的经济还是不断发展的。

从大寨大队到大寨县

陈永贵支持造反派夺权后，被选为"昔阳县革命造反总指挥部"的总指挥，掌握了昔阳县的大权。

1967年2月22日，中共中央迫于当时农村大乱的严重形势，发出了《致全国农村人民公社贫下中农和各级干部的公开信》，号召解脱各级干部，做好春耕生产。陈永贵利用这一时机，一方面动员煽风点火的红卫兵回校闹革命，一方面想法

解脱农村基层干部,稳定全县形势。他找人代笔,向中央写信,反映农村情况,要求保护农村干部,提出五条意见。1967年11月7日,中共中央、中央文革批转《陈永贵谈农村的文化大革命》一文到全国各地,直至生产大队。批文写:陈的谈话"具体地揭露了中国最大的走资派形'左'实右的资产阶级反动路线在山西晋中地区犯下的滔天罪行。所提出五条意见也是正确的,供同类情况的地方参考"。文件下达后,昔阳瘫痪了的基层组织迅速恢复,全县的局势很快就稳定下来了。局势稳定后,陈永贵即着手考虑把大寨的一套推广到全县。

首先,着手解决全县各级领导班子的问题。陈永贵认为,"学大寨,赶大寨,手中无权学不开"。为了把权力真正掌握在热心学大寨的人手中,开展了所谓清除"五种人"的运动,所谓"五种人",即"走资派"、"民主派"、"老好人"、"坏人"和"被阶级敌人拉下水的人"。从1967年冬开始,昔阳408个基层党支部中,三年内,被撤换不想学大寨或学大寨不力的党支部书记127人,占支部书记的31%。

第二,整顿机关工作作风。出身农民的陈永贵对坐机关的干部看不惯。他当了昔阳县革委会主任后,精简机构,把大批干部下放到县办牧场、农场、林场和"五七干校"。少数留下的干部规定,县级干部每年参加劳动100天、公社干部200天、大队干部300天。后来干部不够用,就从各村抽调部分农民干部充实机关,但不许他们把农业户口转为非农业户口。

第三,"大批促大干",解决人们的思想问题。在陈永贵当选为县革委会主任的大会上,通过了《将昔阳县改为大寨县的倡议》,并决定在大寨开办学大寨训练班,轮训全县四级干部,开展大批判,解决干部中学大寨的思想问题。不久,以陈永贵为首的县领导提出:在三五年内把昔阳建成大寨县的奋斗目标。在群众中,则开展斗私批修,实现思想革命化。陈永贵在昔阳境内发起了"两种世界观大辩论",在攻占"私"字的有形阵地口号下,全县彻底取消了社员自留地,关闭了所有农村集市贸易点,除国营商业和供销社外一切商品交换活动一概以资本主义自发倾向论处。

第四,大搞农田基本建设,重新安排昔阳山河。陈永贵上台后带着核心小组和革委会主要领导跑遍了全县20个公社400多个大队,进行调查研究,逐步形成了他的改变昔阳山河的战略思想:"昔阳搞农田水利基本建设,首先要抓河滩。打一条坝,就可以造成几十亩、几百亩平地,能机耕,能浇水,投工少,受益大。要先抓滩,后抓山,地下滩,树上山。"一年后,县各层领导班子大致顺手了,各项工作已理顺,陈永贵开始行动了。1968年8月24日,核心小组把全县783名社队干部召到大寨办学习班,解决这些干部"路线觉悟不高"和"为实现大寨县而奋斗的自觉性不高问题"。在强大的政治压力下,各级干部纷纷表决心,只要能把昔阳建成大寨县,刀山敢上,火海敢闯,"大寨办到的,我们也一定要办到"。首战县办界都河工程,一年干下来,垫出近千亩好地。干部、社员看到了自己的力量,被震惊了。之后又会战南河,随后又有赵壁川大会战、秦山水库大会战、水峪水库大会战,最后是全县社社有工程、队队有工程。五条大川的治理迅速见效。

从1967年至1969年,昔阳搞大中小农田基本建设工程1225处,造地3万亩,扩大水浇地3.1万亩,每个劳动力平均年投工110个。1969年,昔阳县粮食总产1.67亿斤,比1966年的0.8亿斤翻了一番。

为扭转我国南粮北调的被动局面，1966年3月7日，中共中央、国务院曾发出《关于成立北方八省（市、自治区）农业小组的通知》。周恩来总理亲自任组长，有关部门和省、市、区主要领导为成员，把山西、河北、山东、河南、陕西、辽宁、北京、内蒙古作为我国农业战线上的一个战略主攻方向来抓。但由于"文革"的发生，中央的这个战略部署被打乱了。这时九大已经开过，政治局势取得了暂时的稳定，周总理利用这个时机，重新提出扭转南粮北调的战略思想，经毛泽东同意于1970年8月25日至10月5日召开了北方地区农业会议。到会的有北方14省、市、自治区代表共1259人，先到大寨大队和昔阳参观，然后到北京开会。

在1969年4月召开的中共九大上，陈永贵已当选为中央委员，他清楚召开这次会议的重大意义。早在1970年7月31日，昔阳县委就编印了《昔阳县学大寨情况汇报》，总结了把"农业学大寨"运动与政治运动结合，积极开展"大批判"、"学毛著"、农田基本建设和干部参加劳动等方面的情况。8月9日，当时中央主管农业工作的纪登奎来昔阳调查，纪对昔阳的做法大加赞赏，在其帮助下，形成了《在北方农业会议上的汇报提纲》。代表们听了陈永贵的报告，参观了昔阳一个个农田水利工程，被昔阳学大寨的奋斗精神所感动，被昔阳县粮食产量三年翻一番的惊人成绩所震动。

1970年9月23日，《人民日报》发表两篇文章：一篇为《从大寨大队到昔阳县——关于昔阳县学大寨的调查报告》，宣告全国第一个大寨县已经建成；另一篇是《农业学大寨》社论，指出了昔阳县建成大寨县的意义："昔阳的经验之所以可贵，

就在于它提供了在一个县的范围，全面学大寨，用毛泽东思想武装人，以比较快的速度跨《纲要》的范例。"社论要求要把大寨经验在全国迅速推开，并指出："昔阳成为大寨式的县，向各县的领导同志提出了一个十分尖锐的问题：昔阳能办到，你们难道不行吗？一年不行，两年不行，三年行不行？四年、五年总可以了吧！关键在于有一个很大的干劲。"这就对全国各级干部加大了压力。

北方农业会议以后，全国20多个省、市、自治区先后召开了农业工作会议，贯彻北方地区农业会议精神，进一步开展农业学大寨群众运动，发扬大寨自力更生、艰苦奋斗精神，在全国掀起了农田基本建设的高潮。

按照周恩来总理的想法，是想通过这次会议把人们的注意力引导到抓经济建设上来。"文化大革命"开始后，林彪、江青一伙掀起的极左思潮对农村政策的冲击暴露了出来，农业生产受到严重破坏，所以会议讨论了如何正确执行党对农村的各项政策问题。会议重申"经过无产阶级文化大革命，情况有了新的发展。但是《六十条》中关于人民公社现阶段的基本政策，仍然适用，必须继续贯彻执行"。"农村人民公社现有的三级所有、队为基础的制度，关于自留地的制度，一般不要变动"。"在保证集体经济的发展占绝对优势的条件下，社员可以经营少量的自留地和家庭副业"。"要坚持按劳分配的原则，反对平均主义"。"在服从国家统一计划的前提下，要允许生产队因地制宜种植的灵活性"。"不许无偿地调用生产队劳动力、生产资料和其他物资，不得加重社员负担"。会议要求全面执行"抓革命、促生产"的方针，并对"用革命代替生产"的观点进行了抵制。这些是主要针对大寨、

昔阳中过"左"的东西来说的,怕会后对全国产生不良影响。会议明确,主要学习大寨"一贯坚持无产阶级政治挂帅、毛泽东思想领先的原则,自力更生、艰苦奋斗的精神,爱国家、爱集体的共产主义风格"。"至于大寨的经营管理、生产技术方面的一些具体办法,那是第二位的东西,绝不能不顾自己的条件,照抄照搬"。但是在当时全局"左"倾的影响下,在学习大寨经验中总是强调抓农村两个阶级、两条道路的斗争,极左的呼叫就压过了正义的呼声。

1974年11月,毛泽东在听取李先念等汇报1974年经济计划的执行情况时指出:明年要把国民经济搞上去。1975年1月13日至17日召开的四届人大会议上,在周恩来、邓小平等人的争取下,在时隔10年之后重新提出了实现四个现代化的宏伟目标。邓小平利用这个时机,大刀阔斧地抓各行各业的整顿。

随着对工交、军队、科技等各方面整顿的顺利开展,1975年下半年,邓小平又决定对在"文革"中遭到严重破坏的农业方面进行整顿,9月15日至10月19日先在昔阳,以后转到北京召开了第一次全国农业学大寨会议。当时党和国家的主要领导大都参加了在昔阳召开的开幕式。邓小平代表党中央和国务院讲话,着重强调了搞好农业的重要性,提出实现四化,更加费劲的是农业,如果农业搞得不好,很可能拉我们国家建设的后腿,现在已有拉后腿的现象。他还提出要配备好农村领导班子,落实农村干部政策的意见。在讲话中,邓小平明确地向全党、全国提出了进行各方面整顿的任务。对于农业学大寨,他强调要"真学,不要假学,不要半真半假。真学,就表现在学到了,回去就老老实实地干"。会议期间,大寨大队党支部书记郭凤莲作了《坚持反对资本主义,坚持大干社会主义》的发言,介绍大寨从合作化以来,坚持开展两条道路斗争,坚持大干社会主义,坚持发扬共产主义风格,坚持加强党支部的革命化建设的经验。昔阳县委副书记王金籽作了《学大寨不断革命,抓根本坚持斗争》的发言,介绍自1967年县革委会成立以来,昔阳县9年学大寨,大批资本主义,大干社会主义,使全县人变、地变、产量变、山变、沟变、河变、生产条件变的成绩和经验。另外,还有昔阳县的南垴大队等9个学大寨的先进典型代表发了言。

最后,国务院副总理华国锋作了《全党动员,大办农业,为普及大寨而奋斗》的总结报告。报告提出:农业学大寨、普及大寨县,是一个在无产阶级专政下继续革命、多快好省地建设社会主义农业的伟大革命群众运动。并提出了建成大寨县的六条标准:①有一个坚决执行党的路线和政策、团结战斗的县委领导核心;②树立了贫下中农的阶级优势,能够对资本主义活动进行坚决斗争,对阶级敌人实行有效的监督改造;③县、社、队三级干部都能向昔阳县那样坚持参加集体劳动;④在农田基本建设、农业机械化和科学种田方面,进展快,收效大;⑤集体经济不断壮大,穷社穷队的生产和收入,达到或超过当地中等社队现在的水平;⑥农林牧副渔各业全面发展,增产数量大,对国家贡献多,社员生活逐步有改善。他代表党中央、国务院要求:今后5年内,除了已有的300多个学大寨先进县必须继续巩固外,全国每年平均要新建成大寨县至少100个。

会议闭幕的第二天,即10月20日,《人民日报》发表社论《普及大寨县》,号召全国各地认真贯彻落实会议精神,掀起农业学大寨、普及大寨县的高潮。会后,省、市、自治区和地、县先后召开会议,贯彻落实第一次全国农业学大寨会议精神。全国各地很快抽调上百万干部到农村帮助社队进行整顿,全国各地掀起大抓农业、大搞农田建设的又一次新高潮。

在会议期间,即 9 月 27 日,根据会议中反映的情况,中央又召开了农村工作座谈会。会上讨论了陈永贵写给毛泽东的《对农村工作的几点建议》。否定了陈永贵关于"农业要大干快上,要缩小队与队之间差别,实行大队核算是势在必行"等急于过渡的意见。

由于受当时全局上"左"的错误的影响,华国锋在第一次全国农业学大寨会议上的总结报告也贯彻了某些过"左"的东西。但"四人帮"还嫌"左"得不够,江青说:"这个报告说轻一点是修正主义的。"姚文元不准此文在《红旗》杂志刊登,目录上已列,又被砍了下来。他们把报告中提的整顿基层组织和社队领导班子,批判为"整顿为纲"、"矛头向下"、"形而上学"。批判派工作队是"资反路线"、"桃园经验"。张春桥说:"反动路线把工作队赶了下去,不让人家回机关造反行吗?"为排除"四人帮"的干扰,国务院指示农林部在1976 年 5、6 月份召开了北方三夏生产现场会和南方水稻生产会,作为副总理的陈永贵到会讲话,重申贯彻第一次农业学大寨会议精神,被"四人帮"批为"唯生产力论"、"只知大干流汗,不知道路线"。打倒"四人帮"后,华国锋出任中共中央主席、国务院总理,提议再开一次全国农业学大寨会议,把"四人帮"干扰造成的损失补回来,并以此推动整个国民经济建设。

1976 年 12 月 10 日至 27 日,第二次全国农业学大寨会议在北京召开。会议组织学习了毛泽东《论十大关系》一文,要求贯彻在该文中毛泽东提出的"我们一定

要努力把党内外、国内外一切积极的因素,直接的、间接的积极因素,全部调动起来,把我国建设成为一个强大的社会主义国家"的基本方针。会议重申学习华国锋在第一次全国农业学大寨会议上的总结报告,贯彻此报告精神。在会议上陈永贵作了《彻底揭批"四人帮",掀起普及大寨县运动新高潮》的报告。华国锋在大会上又作了重要讲话。会议号召在全国广大农村,深入揭批"四人帮",进一步开展农业学大寨、普及大寨县的群众运动,把农业生产搞上去。要求发扬自力更生、艰苦奋斗精神,愚公移山,改造中国,重新安排山河。各县都要制定大搞农田基本建设的全面规划。要以改土、治水为中心,实行山、水、田、林、路综合治理。打倒"四人帮"后,全国农业战线上的广大干部、群众长期被压制的发展农业生产的积极性迸发了出来。这次会议充分反映了广大人民的这种愿望,促进了农业的恢复和发展。但这次会议没能对过去某些"左"的错误进行清理,反而在这次会议中又得以延续下来,并有所发展。如重申大寨、昔阳的某些不妥做法,强调基本核算单位由生产队向生产大队过渡,因而又助长了某些地区的共产风。强调"在农村深入进行基本路线教育"、"大批促大干",以致有的地方还把自留地、家庭副业、集市贸易等当资本主义倾向批。对建设大寨县、农业机械化、农田基本建设提出了某些脱离实际的过高要求,助长了形式主义、命令主义,造成了人力、物力、财力的浪费。

1977 年 7 月 6 日到 8 月 5 日,先在昔阳,后阶段又转到北京,召开了全国农田基本建设会议,把全国农业学大寨群众运动推向空前的高潮。第二次全国农业学大寨会议后,每年冬春全国有上百万干部、上亿农民进行农田基本建设。这次会

议总结了前几年开展农业学大寨、进行农田基本建设的经验，提出大干了还要大干，长年大干。这年年底又召开了"农业学大寨、普及大寨县"工作座谈会，12月19日中共中央将《普及大寨县工作座谈会向中央政治局的汇报》转发各地。这次会议布置了整顿农村领导班子问题，提出了解决社队增产不增收问题的办法，促进了农业生产发展。但会议再次肯定大寨、昔阳的某些不妥做法，如强调基本核算单位由生产队向生产大队过渡，坚持反对农村的所谓"资本主义倾向"等。由于陈永贵的反复呼吁，文件写上："今冬明春，可以再选择一部分条件已经成熟的大队，例如10％左右，先行过渡，进一步取得经验。"

"农业学大寨"中的
问题和教训

粉碎"四人帮"后，随着对江青一伙煽动起的极"左"路线的批判，拨乱反正工作的逐步深入，大寨、昔阳本身的问题开始暴露，在学大寨运动中对全国的不良影响也逐渐被人们所认识。在1978年12月18日至22日召开的中央十一届三中全会上通过的《中共中央关于加快农业发展问题的决定（草案）》中，只有一处提了一句学大寨，还说大寨要对自己一分为二。学大寨是大大降温了。相反，《决定》批评了穷过渡和平调风，强调了尊重生产队自主权、坚持按劳分配，批评了农村中普遍存在的阶级斗争扩大化，宣布不准把自留地、家庭副业和集体贸易当资本主义来批。这些都是针对大寨、昔阳的错误做法说的。

十一届三中全会后，山西和全国各地

报刊陆续发表不少文章，揭露大寨、昔阳本身存在的问题和农业学大寨运动中的错误。1980年8月，中共山西省委召开了几次常委扩大会议，认真回顾了山西省农业学大寨运动的历史，分析了山西省农业学大寨的经验教训。在此基础上，形成了《关于全省农业学大寨的经验教训的初步总结》，10月21日上报中共中央。11月23日，中共中央将此文转发全国，并作了批语。指示在各地召开的农村干部会议上传达、讨论，认真总结一下学大寨的经验教训，以利于进一步肃清农业战线上"左"倾路线的影响，更好地贯彻执行十一届三中全会以来中央制定的各项农村政策。于是，历时十几年的农业学大寨运动，就这样结束了。

"文革"中大寨、昔阳的经验集中为"大批修正主义、大批资本主义、大干社会主义"三条根本经验。这三条根本经验，归结到一点，即所谓坚持无产阶级专政下的继续革命。在"文革"中，大寨、昔阳的这些所谓经验通过广泛宣传和在全国各地农村的贯彻，对我国农业工作造成了很坏的影响。这些问题主要是：

第一，宣传以阶级斗争为纲，混淆了两类不同性质的矛盾，造成了阶级斗争扩大化。宣传大寨的斗争哲学、昔阳整"五种人"的经验，把各级干部当"反革命修正主义分子"批，把某些社员群众当"坏人"斗，甚至把不学大寨、假学大寨也看成了路线斗争、阶级斗争，把"学大寨"当成一个整人的棍子，特别是在山西地区造成了很坏影响。

第二，宣传不断变革生产关系，突破了"六十条"的规定，在昔阳及全国农村掀起了"过渡风"。大寨是个仅有几十户社员的小生产大队，实行以生产大队为基本的核算单位。在学大寨要"不走样"、"不掺假"的口号下,首先在大寨所在县——昔阳照搬。"文革"开始后,仅用一年多时间,全县 413 个生产大队实行了生产大队为基本核算单位。到 1968 年,全县所有的生产队都过渡到了生产大队为基本核算单位。以后在"农业学大寨、普及大寨县"的号召下,"过渡风"也就影响到了全国。全国不少地方,不顾当地条件,急于过渡,挫伤了农民的生产积极性,对农业经济造成严重影响。

第三,推行大寨"一心为公劳动,自报公议评工分"办法,助长了分配领域的平均主义,打击了社员的生产积极性。在"文革"中,大寨"以革命精神改进劳动管理",否定了定额管理制度,创造了以上办法。这种办法:一是缩小了劳动力之间的差别,群众称"大寨工"成了"大概工";二是把政治思想状况、道德观念、人际关系等都作为评分的依据,往往还把出身、思想摆在第一位,成了群众说的"政治工分"。全国各地农村基层干部管理水平不一,加上"文革"时的混乱,大寨的劳动管理办法,在全国推广以后,严重影响了农业生产。

第四,取消自留地,限制社员家庭副业。大寨取消自留地是在 1963 年。当时遭到特大洪灾,土地、包括社员自留地,很多连地基都被冲光了。大寨为了集中人力、物力救灾,保证剩下的庄稼取得好收成,决定自留地统一管理,按当年亩产补给社员。"文革"开始后,批判"三自一包",则为大寨取消自留地提供了理论根据。大寨干部在介绍经验时,把自留地与集体的矛盾说成是两条道路的斗争,给人造成一种印象,资本主义自发势力的根源就是自留地。所以全国不少地方也取消或减少了自留地,采取了某些限制社员家庭副业的措施。陈永贵当时有句名言,叫

"堵不住资本主义的路,就迈不开社会主义的步"。不只社员家庭副业,甚至正常的商业活动和集体发展工副业等,也被当作资本主义倾向批,所以限制了农村经济的全面发展。

第五,在进行农田基本建设,特别是水利建设中,大搞群众运动,没有很好勘察设计和进行可行性研究,就仓促上马。不注意工程经济效益和生态效益,搞了不少无效工程、半拉子工程,造成了很大经济损失。有的不顾当地条件,农田基本建设、水利建设搞得过多,摊子推得过大,战线拉得过长,要求过急,所提物资、资金和劳动积累太多,影响了社员当年生活。大搞群众运动,全面上马,没有正确处理好受益单位与非受益单位的关系,挫伤了部分干部、群众的积极性。

大寨本来是个很好的自力更生、艰苦奋斗进行农业生产建设的先进典型,在全国宣传后对推动全国农业的发展起了很大作用。但在"文革"中,大寨这个农业生产先进典型越来越走向自己的反面。这除了当时全局"左"倾的影响外,还有我们工作中的错误,特别是后者,这个教训必须吸取,作为以后培养、宣传农业先进典型的借鉴。

第一,不能把农业先进典型作为政治表态的工具。"文革"十几年来,每次政治变动后马上就让大寨表态。在电台、报纸上发表的文章,大都是秀才所写,念给大寨干部听听即可见报了。大寨远在北京千里之外,只能通过电话遥控,甚至有的文章大寨干部还没看,第二天就见报或广播到全国了。即使看了,限于他们的文化水平、政治思想水平和所处的偏远山沟的环境,也不可能看得那样清,那样准,这也是造成大寨悲剧的原因之一。这个教训应吸取。

第二,对农业生产先进典型必须实事求是、一分为二。一个农业先进典型与一个人一样,有长处也会有短处,有成绩也会有缺点,在宣传上必须实事求是,不可拔高。指出它们的缺点和不足之处,正是为了帮助先进典型健康成长。但在"文革"中对大寨却不同,大寨都是好的,各方面都是先进的,各行各业都要学大寨,不但要学大寨的今天,还要学大寨的明天。这样把大寨捧到了天上,就助长了大寨干部唯我独左、唯我独革的思想,逐步走上了自己的反面。听不得批评意见,稍有不同意见,就说人家反大寨。

第三,对农业先进典型不能搞特殊优待。大寨开始确实是个自力更生、艰苦奋斗的典型。在全国出名后,各方面的支援都来了,给予了大寨特殊优待。这种支援和优待一方面使大寨本身的"自力更生、艰苦奋斗"的精神越来越少,另一方面也失去了对别人的教育意义和说服力。

第四,宣传推广农业先进技术和经营管理经验,必须同农民的经济利益联系起来,重视经济效果,在农民自觉自愿接受的基础上,经过实际试验逐步推广,不能通过运动的方式强行推广,更不能乱扣政治帽子,采取行政压制手段。

第五,学习农业生产先进典型必须根据自己的实际来学习。我国地域辽阔,农村各地自然条件千差万别、经济发展水平不一,学习先进典型经验必须根据当地的实际情况学习,不能生搬硬套一些先进单位的具体做法。这正像学外国的先进技术和管理经验,必须结合我国的实际一样。"文革"中,在学习大寨"不走样"、"不掺假"的口号下,许多地方照搬大寨的个别做法:大寨是大队核算,有的也搞大队核算;大寨没有自留地,有的也取消自留地;大寨修水平梯田,有的平原也要搞梯田;大寨用两腿耧播种,其他队也要用两腿耧播种……脱离当地实际情况,就会严重破坏当地农业生产。

榜样的力量是无穷的。我国农民文化水平不高,比较注重实际,利用先进典型是推动农业工作的一种好办法。学习先进典型,看得见、摸得着,农民易于接受,必须坚持。我们汲取了以上经验教训,就可把这个工作做得更好。

三线建设

从1964年秋天到第五个五年计划结束,在中国腹地进行了规模庞大的备战性质的工业和军事工业建设,通称"三线建设"。

"三线"是相对于"一线"和"二线"而言。这一区域性划分具有军事意义和经济地理含义。"一线"是指沿海、沿陆疆的省、自治区和直辖市。"二线"是指一线与三线之间的省份。"三线"是指位于腹心之地的涉及13个省、自治区的全部和大部分地区。这一区域处于中国阶梯式地形地貌的第二级,当时划定的范围,是西北甘肃省乌鞘岭以东,华北山西省雁门关以南,东面京广铁路以西,南至广东省韶关以北的广大地区,包括:四川、贵州、云南、陕西、甘肃、青海、宁夏、河南、湖北、湖南、山西西部、广东北部和广西西北部。在这一范围内,高原、峻岭、山谷、丘陵、盆地交错,江河、湖泊纵横,距海岸线最近700公里以上,离西部陆疆上千公里,且有许多山脉形成天然屏障。在东南西北的顺次排列中,太行山、大别山、罗霄山在东,云贵高原居南,青藏高原卫西,贺兰山和吕梁山和万里长城守北,四川盆地、江汉平原和"八百里秦川"等富饶沃野卧于中部,是屯田养兵之地。这在中国历史上很早就被政治家、军事家所认识。综观历代王朝兴邦经验,多少年来,不同朝代的有关专家均对川、陕、豫等地的战略作用给予重视,并有详细记载。因此,从地理环境的角度考察,我们利用国土纵深位置、险峻地势和富饶沃野来建立自己的战略后方,屯田养兵、积聚力量,或御敌入侵,或拒敌深入,是可以达到成边保土,富民强国的。

三线区域不仅具备必需的地理环境,而且还有发展农业生产的自然条件。所谓"备战、备荒",这两者是紧密相联的。

在范围总面积为318万平方公里的国土上,有3.5亿多公顷的耕地和4.2亿的人口。这一区域气候跨越温带、暖温带和亚热带,雨量充沛,土壤肥沃,适宜农、林、牧、渔的发展,大多数省区还是农牧业生产基地。1964年,上述区域的农业总产值达到234.5亿元,占全国的43%;粮食总产量达到7319.7万吨,占全国的39%;棉花产量达69.4万吨,占全国的41.7%;油料作物产量114.3万吨,占全国的34%;生猪存栏7086.4万头,占全国的46.5%。这些发展农业的优越条件,为在这一区域确定为战略大后方奠定了基础。

除了必需的地理环境和发展农业生产的自然条件,这一区域还富有宝贵的水能和矿产资源。那里的水能资源总蕴藏量约3.4亿千瓦,占全国的65%。矿产资源的品种、储量当时虽未完全勘探清楚,但已探明了一些重要矿产品种及其开采价值。比如,贵州六盘水地区和陕西渭北地区的煤,四川西昌地区的钒钛磁铁矿,山西、贵州、河南的铝土矿,甘肃、云南、湖南的镍、铜、锡、锑、铅、锌矿,云南、贵州、湖北、四川的磷矿,青海的钾盐和银、碘资源等都有蕴藏规模和良好的开采条件。

多年来,国家在利用和发展沿海工业的同时,对内地的交通条件和基础工业,分别进行改善与建设。在新中国成立初期和第一个五年计划期间,新建成的成渝、天兰等铁路干线,初步打开了内地西南、西北与中南、华北和沿海的通道。宝成、黔桂铁路的开通使四川"蜀道难"和贵州的"飞鸟不通"的闭塞状况大为改观。交通先行给内地工业建设创造了条件。第一个五年计划期间,全国重点工业项目,156项的1/3建在三线区域,基本分布在成都、西安、兰州、洛阳、武汉、太原等大中城市郊区,并相继建成成都量具刃具总厂、西安电力机械设备制造公司、兰州石油化工机械厂、洛阳轴承厂、洛阳矿山机器厂、洛阳第一拖拉机制造厂、郑州第二砂轮厂、武汉重型机器厂、湘潭电机厂等等一批技术装备骨干企业。进入第二个五年计划时期,国家进一步调整工业建设布局,把内地的原材料、燃料、电力、重型机械制造工业和国防工业建设提到重要地位。这期间,国家加强了山西、河南的煤炭工业建设;新建了兰州和太原化工基地、青海冷湖炼油厂、宁夏青铜峡水电站、武汉钢铁公司、四川德阳第二重型机器厂;扩建了重庆钢铁公司、重庆特殊钢厂和云南、甘肃、湖南等省的有色金属工业企业,安排了大批中央和省区级工业建设项目,也发展了各地区的小型钢铁、煤炭、水泥、化肥、机械等"五小工业"。经过15年的建设,三线区域的交通塞闭状况初步改观,工业有了一定基础,区域内各项经济指标显示良好,综合经济效益看好。

一

国际政治环境与建设三线决策

三线建设是我国特定历史条件下的一项战略性决策。其基本点是：准备对付外敌入侵；改善国内生产力布局；借鉴苏联和其他国家的历史经验。

60年代初期，国际舞台上，美国和苏联竭力推行扩张政策，国际局势动荡不安。美国在朝鲜战争之后，又在亚洲的日本、南朝鲜、菲律宾、南越、泰国和我国领土台湾建立了数十个军事基地，对中国大陆构成"半月形"军事包围。1964年，美国加紧了对越南的侵略且侵略战争不断升级，它还支持柬埔寨内战，这直接威胁到中国的安全。

苏联曾是中国的盟友，50年代帮助中国在东北、西北、华北等地建设重要工业企业和国防设施，对中国的经济和国防比较了解。其当权者推行大国沙文主义以后，制造了一系列恶化中苏关系的事件，对中国采取战略包围的态势。苏联支持印度挑起中印边境冲突后，又在中国西部和北部的中苏边界从西到东进行军事集结，部署100万军队和全苏1/3的导弹，对中国安全构成严重威胁。

在美苏竭力推行扩张政策的同时，台湾当局积极进行"反攻大陆"的活动。中国的四周处于不太平状态，国际环境不利于和平经济建设，严重存在着外敌入侵的危险。当年，负责外交事务的国务院副总理陈毅曾形象地比喻当时的形势是"山雨欲来风满楼"。

面对严峻的国际形势，中国共产党和中华人民共和国的领导人曾有重要的讲话。党中央副主席、国家主席刘少奇曾指出：敌人方面有很多弱点，他们的困难不比我们少，而我们准备快一点、好一点，战争就可能推迟，他们就不容易来。如果我们准备得很好，甚至他就不敢来。我们要准备他来，争取他不来。党中央副主席、国务院总理周恩来指出：我们为什么要备战呢？因为战争有它自身的规律，如果它总是这样升级，我们不准备就不好了。如果我们准备好了，它也可能不敢来，真的来了，我们就有力量消灭它。党中央总书记、国务院副总理邓小平指出：什么事情总有一个重点，打与不打，我们要放在打的准备上。打不打原子弹，我们也做两手准备，重点放在打原子弹的准备上。迟打还是早打，我们要准备早打。

50年代末、60年代初，我国国民经济处于低谷状态并遇到了连续3年的自然灾害。经过全国人民的艰苦努力，经过1961—1963年的经济调整，国家基本建设得以压缩、农业和工业生产得到发展。财政收不抵支的状况也得以扭转。到1964年，国内经济状况逐步恢复并好转，国家着手制订第三个五年计划。

但是从1949—1964年的十多年中，三线区域内虽修建了几条铁路，崛起了一批骨干企业，有了初步的工业基础，但总体建设的底子还很薄、经济仍较为落后，全国生产力布局不合理的状况并未明显改善，特别是国防科技工业的布局问题令人担忧。因此，调整国防科技工业的布局，随着国际形势的恶化被作为一项刻不容缓的任务列上议事日程。1964年1月，周恩来总理主持的中央专门委员会在向中共中央和毛泽东主席的一份报告中提出：为了国家安全，应该尽快调整国防工业的战略布局。根据"靠山、分散、隐蔽"的方针，建设后方基地。国防科技工业是国民经济的重要组成部分，其技术和资金均较密集,综合配套性很强,是国家科技水平和经济实力的集中表现。国防科技工业的发展,必须要有能源、原材料、机械、化学、轻工业等许多行业的配合,还应有交通运输作保障。因此,在紧急备战的形势下,调整国防科技工业布局就成为改善整个工业布局的中心;扩大国防工业生产能力,增强国防实力,就成为三线建设的一个重要组成部分。

鉴于上述国内外形势,中国共产党中央委员会于1964年5月召开工作会议,着重讨论三线建设问题,并作出决策:集中力量,争取时间,建设三线,防备外敌入侵。会议期间,毛泽东主席作了重要讲话。

二

三线建设的总体布局

中共中央和国家领导人依据当时的国际国内实际情况作出调整一线、建设三线的战略决策,并对建设的指导思想、奋斗目标和总体布局有一系列重要指示。这些指示集中体现在1965年及以后的三个国民经济计划的指导思想以及对这些计划的实施安排上。1964年10月,国务院批准下达的1965年国民经济计划中指出:计划的指导思想是,争取时间,大力建设战略后方基地,防备外敌发动侵略战争。1965年11月,国务院批准的第三个五年计划草案提出,加快三线建设特别是国防工业建设,是"三五"计划的核心。要全面考虑备战、备荒、为人民三个因素,统筹安排,突出重点,集中力量,把西南和西北部分省区建设成为初具规模的战略大后方。1970年2月,国家计委在第四个五年计划纲要草案中提出,"四五"计划是一个备战计划,重点集中力量建设三线。改善工业布局,将三线建设成为一个工业部门比较齐全、工农业协调发展的强大的战略后方。1975年10月,国家计委关于《十年规划要点》中指出,第五个五年计划期间要继续建设三线,主要是充实和加强,而不是新铺摊子。同时要进一步发挥一、二线的作用。1976年1月,国务院副总理李先念在全国计划会议讲话中指出,要重视继续搞好三线建设,充分发挥已经建设起来的生产能力,把三线建设成硬三线。

按照上述指导思想和奋斗目标,国家计委对1965年和"三五"、"四五"、"五五"期间的建设项目、规模和投资分别作了安排。有关产业部门经过调查研究和综合规划,提出了三线地区建设项目布局的总体方案,经过批准,逐步实施。在交通运输方面,国家重点安排了从重庆到贵阳的川黔线、从贵阳至昆明的贵昆线、从成都至昆明的成昆线、从株洲至贵阳的湘黔线、从襄樊至重庆的襄渝线和青藏线西宁至格尔木段等10条铁路干线建设;同时,还安排新修和改造一批公路,并整治长江、金沙江等航道,改扩建了一些港口码头。在煤炭工业方面,国家重点安排了贵州六盘水和陕西渭北煤炭基地建设。同时新建和扩建四川渡口、宁夏不嘴山、河南平顶山、山西云岗和高阳等一批大中型煤矿。在电力工业方面,国家重点安排了四川龚咀和映秀湾、甘肃刘家峡、青海龙羊峡、湖北葛洲坝等水电站建设,同时新建和扩建四川豆坝、云南小龙潭、陕西秦岭等火电站以及相应的输变电设施。在石油工业方面,主要是加强油、气资源勘探,重点开发湖北的汉江油田、河南的南阳油田和陕甘宁地区的长庆油田。在钢铁工业方面,重点安排新建四川攀枝花钢铁基地,扩建重庆、昆明、武汉钢铁公司和重庆、贵阳、西宁特殊钢厂等。在有色金属工业方面,重点安排建设贵州、郑州、兰州和青铜峡铝工业基地,甘肃白银和云南东川铜冶炼厂,甘肃金川镍工业基地,湖南铅、锌、锑、钨冶炼厂等。在机械工业方面,重点安排新建湖北第二汽车制造厂、四川和陕西重型汽车制造厂;在成都、重庆、昆明、宝鸡、汉中、天水、西宁等地新建和扩建精密机床厂;在重庆、贵阳、甘肃等地新建仪表厂、轴承厂和磨料磨具厂;同时,在各省区新建和扩建一批农机厂和机床电器、配件、基础件等配套工厂。在化学工业方面,在四川、贵州、云南、湖北、四川建设大中型磷矿和磷化工厂,在青海建钾肥厂;同时,对三线地区的基本化工原料、医药和农药生产项目也作了相应的安排。在轻纺工业方面,重点安排了新建重庆、云南、湖南的维尼纶厂;新建和扩建一批造纸、制糖、钟表、轻纺机械工厂。以上这些建设项目安排,突出地要解决地区交通问题,着力加强能源、原材料等基础工业,展开国防科技工业的纵深布局,并相应安排与之配套协作的机械工业和化学工业。同时兼顾农机、化肥、农药等项目安排,力图使三线工业能够建立在农业稳步发展的基础之上。在工业建设项目的总体布局上,注意了近靠资源和原材料产地,大体沿铁路两侧和江河两岸布点,并注意把开发资源与扩大加工工业、军事工业和民用工业、生产与科研、中央工业和地方工业结合起来。

三

三线建设的基本方针与组织领导

为了实现三线建设规划,加快建设进度,党和国家制订了一系列方针、政策,这包括:把调整一线同建设三线结合起来;工业布点要"靠山、分散、隐蔽";"集中力量打歼灭战";生产设备力求先进,生活设施尽量从简;正确处理工农关系。

就正确处理工农关系这一政策而言,1965年9月,国家计委在"三五"计划纲要中提出,在加快三线工业建设的同时,注意发展农业生产,相应地发展轻工业,逐步改善人民生活,并要求三线地区的化肥生产先走一步。在三线建设展开后,围绕改善工农关系,各省区都采取了不少具体措施。四川在实践经验中总结出工厂"三不四要"和当地农民"四不三要",就是说,工厂做到"不占或尽量少占良田好土,不拆或少拆民房和不迁或少迁居民,不搞高标准非生产建筑;要支援农业用水,要安排农业用电,要给农民留泄水,要给农民积肥料"。另一方面,当地农民做到"不打扰现场施工,不拿工厂的东西,不抬高物价,不泄露国家机密;要保护工厂,要搞好工农团结,要支援国家建设"。这些经验推广后收到较好的效果。有些工厂还在这些经验的基础上,发展到工厂与农村社队结合,以厂带动农村社队。1965年的4月,经中共中央批准的《1965年工业交通工作要点》中指出,三线工厂要尽可能实行亦工亦农的劳动制度,采取固定工、临时工、合同工并存的办法,从当地招收新工人,壮大职工队伍,适应生产建设发展的需要。同时,这也解决了当地农村青年和城镇居民的职业培训和就业问题,增加了部分工农家庭的收入,也有利于改善工农关系。

党和国家对三线建设十分重视,上上下下,从中央、中央局、国务院有关部门到有关省、自治区、直辖市和市、地、县及建设单位,都先后建立了专门机构,具体组织指挥三线建设各方面的工作,把搞好三线建设作为关系国家安危的头等大事来抓。在中央，1964—1966年间，毛主席、周总理、邓小平和中央书记处、国务院，经常讨论三线建设的重大问题，亲自过问一些重大项目的规划布点，并由中央直接审查和批准。同时，中央决定由中央书记处书记、国务院副总理李富春主持三线建设的日常工作，薄一波、罗瑞卿协助。中央还决定由国家计委副主任余秋里负责组建"小计委"，对三线建设进行总体规划；并决定组建全国基本建设委员会，抓大、小三线建设计划的实施等工作。在三线地区，中央先后批准了西南、西北、中南三线建设委员会，分别由中共中央政治局委员兼西南局第一书记李井泉、中共中央西北局第一书记刘澜涛、中共中央中南局第一书记王任重担任各委员会主任。这三个委员会吸收了国务院有关部、委、办和有关省区的负责人为委员，具体负责本行业本地区三线建设的领导工作。在国务院有关部门和三线建设的重大项目实施中，根据工作需要，经中共中央和国务院批准，还分别成立了一些工作小组或指挥部，如三线建设支援和检查小组，由国家建委主任谷牧任组长，国家计委、经委的负责人任副组长。在地方，三线地区有关省和自治区以及建设项目较多的市、地、县，都成立了领导小组或办公室，由主要负责人牵头，组织有关部门，具体承担支援三线建设的工作。1968年的前后，由于政治运动的影响，三线建设主要由部队领导和管理。

三线建设于1965年全面展开，集中于与"文化大革命"并行的三、四两个五年计划期间进行，第五个五年计划期间是续建收尾。按建设计划安排、项目定点和开工先后，17个年头可分两个阶段，即1965—1970年为第一阶段，1971—1980年为第二阶段。第一阶段投入资金560多亿元，占同期全国基本建设总投资的48.5%；第二阶段投入资金1492亿元，占同期全国基建总投资的36.4%。"五五"以后基本上继续进行原来安排的一部分项目特别是第二阶段安排的一些项目建设。

人们对三线建设的规模、投入、动员、行动、职工积极性，分别用一字概括，即"大、多、广、快、高"。中央号召"好人好马上三线"，全国各地数以百万计的优秀建设者不讲条件、不计得失，从四面八方汇集三线。建设者中有从国家机关抽调的上千名领导干部，有从科研单位选调的上万名科技人员，有从沿海内迁的数万名职工，有从老工业基地和老企业调来包建的十几万工程、管理和生产骨干，还有成建制调来的数十万建筑安装队伍和解放军的铁道兵、工程兵指战员以及上百万民兵民工，总数超过400万的人力投入了三线的建设。大规模三线建设的展开，形成了数以百千计的施工现场，按照"集中力量打歼灭战"的方针，进行了艰苦卓绝的大会战。例如，在四川攀枝花钢铁基地，5万多名建设者在人烟稀少和山岭陡峭的金沙江两岸摆开了施工建设现场。交通部从北京、河北、河南、山东、安徽等省市抽调1500多辆汽车、几千名驾驶员，同四川、云南的运输队伍共同将数十万吨的建设物资及时运到工地，保证了攀钢一号高炉按时出铁。再例如，贵州六盘水地区的煤炭会战，10多万人在生活条件十分艰苦但斗志却非常高昂的情况下，按期完成了年产近1000万吨的矿井建设任务。再例如，40多万人在四川、湖北、河南等省参加寻找石油、天然气大会战。钻探井架在荒山野岭中一个又一个地竖起来，经过夜以继日的奋战，打出了一口又一口的高产气井，找到了江汉、南阳两大油田。再例如，遍布广大三线地区的铁路系列建设会战中,近20万铁路职工、铁道兵指战员和上百万民工队伍展开了英勇顽强的施工作业。在比较短的时间内,他们开挖土石方6亿多平方米,架构总长度420公里的3500座桥梁,打通了总长达1000多公里的1750个隧道。特别是成昆铁路,其工程量之大,技术难度之高,施工条件之险,在我国和世界铁路史上都是罕见的。

三线建设的全面展开,得到了全国人民的极大关注,从中央到地方,从沿海到内地,无论哪个方面都以高度的热情给予大力的支持。建设资金不足,财政及时拨款;物资供应紧张,优先予以保证;施工力量需要量大,各地各方调集,形成了全国支援三线、共同建设三线的良好局面。三线建设的成果,使中国有了可靠的战略后方基地。这里凝聚了几百万建设者们的聪明才智、辛勤劳动和无私奉献,也凝结着全国人民的心血。

四

三线建设的成就和问题

三线建设前后共经历了十几年的时间,并且主要是在工业基础薄弱、交通十分不便的地区进行的。国家先后投入三线地区建设资金近2000亿元,形成工业固定资产原值1400亿元,建成全民所有制企业29000个,其中仅大中型骨干企业和科研单位就近2000个,均占全国的1/3。回顾整个三线建设,主要成就有以下几点。

第一,从宏观上改变了我国工业布局长期不合理的状况,带动了内陆广大区域的开发建设和经济发展。沿海畸重,内地畸轻的不平衡态势有所好转。建成一批重要项目,如四川攀枝花钢铁厂、甘肃酒泉钢铁厂、成都无缝钢管厂、贵州铝厂、湖北十堰汽车厂、四川大足汽车厂、四川德阳第二重型机械厂、贵州六盘水等大型煤矿和刘家峡、丹江口等大型水力、火力发电厂等等。初步建成一个以重工业为主体、门类比较齐全的战略后方。

第二,形成各具特色的新兴工业中心。如西南机械工业基地,华中机械工业中心,汉中工业区,关中工业区,天水工业区,银川工业区,西宁工业区,攀枝花大型钢铁基地,黔西大型煤炭、电力基地以及西安、成都等新兴技术中心。

第三,带动了三线地区工农业生产的发展。三线工业是国防工业,属于技术密集型。三线企业建设得较晚,设备较新,技术人员与工人的比例,相当于沿海地区企业的3—4倍。雄厚的技术力量,使三线地区的工农业生产呈现繁荣局面。三线建设期间,三线地区又新建、扩建了20多个黑色、有色金属大中型企业。据1985年统计,三线地区的钢产量已占全国的30%,有色金属产量占全国的一半以上。

第四,西南地区的交通状况有了初步的好转。三线建设期间,先后集中力量修筑贯通了西南7条铁路干线,新增货运能力8000万吨,全长达4928公里,公路通车里程也增加到37万公里,大大改善了西南交通运输的条件。

在整个三线建设中,形成重大产品专业生产、科研基地45个,各具特色的新兴工业城市30个。

总之,经过大规模的全面建设,基本上实现了预定的目标,初步建成了以能源交通为基础、国防科技工业为重点、原材料工业与加工工业相配套、科研与生产相结合的国家战略后方基地。这对于保障国家国防安全,促进经济建设,特别是促进内地经济的开发,改善人民生活,推动我国社会主义现代化事业,都具有重要的战略意义和深远影响。

三线建设在取得巨大成就的同时,也存在着不少的问题,有的还比较严重。归纳起来有以下 5 条教训:建设规模过大,战线拉得太长;选点过于分散,布局不够合理;时间要求过急,违反基建程序;配套能力不够,综合能力较弱;生活设施不足,建筑标准过低。

就第一条来说,三线建设的项目,集中安排了两次。1964—1965 年开始建设时,计划安排的规模是比较合适的。但1969 年军委部分人搞了一个庞大的军工体系建设计划,使建设规模急剧膨胀,需要投入的资金越来越多,以至大大超过了国家财力、物力的可能。按这个计划,“四五”期间,三线地区国防科技工业的投资比“三五”期间的年平均投资增加了 48%。在这期间,各方面齐头并进,战线过长,超过了实际能力,导致不少项目中途作罢,造成大量的损失和浪费。1971 年 9 月,“林彪事件”后,周恩来、李先念针对三线建设中出现的盲目性和大军工建设计划,采取了压缩规模和停缓建措施进行调整。

就第二条来说,三线建设中在执行选址布局的“靠山、分散、隐蔽”方针时,出现了部分项目不顾客观条件、盲目钻山和进洞、过于分散布局的问题。有的项目被人为割裂开完整的生产流程,不仅在当时增加了基本建设投资,而且给以后组织生产带来了许多困难。有的项目由于选在地质条件很差、环境十分恶劣的山区,在建设过程中只能被迫弃点另建。还有的项目,不该进洞的进了洞,带来的问题就更多了。

就第三条来说,三线建设是在加紧备战的情况下进行的,时间紧、任务重,未能严格按照常规基本建设程序办事,带来了严重后果。有不少项目未经周密的地质勘探就定点建设了;有些项目前期准备工作不足就开始施工;有些项目强调“快和省”而简化设计,或者“边设计、边施工、边试制”,追求施工进度,忽视了工程质量,以至出现返工造成浪费并留下后遗症。针对种种情况,国家先后投资处理这些问题,但由于先天不足,即使再投入人、财、物也不易根治。

再说第四条,三线建设中的总体安排是重工业投入较多,农业、轻工业投入较少;加工工业比重大,原材料等基础工业比重较小,形成的产业结构有比例失衡的问题。在国防科技工业方面,由于时间紧或资金不足等原因,不配套状况较明显。在部分三线企业内部,生产车间建成后,配套的辅助设施和动力系统都尚薄弱;有的企业生产系统已初具规模,外部运输条件却未相应改善。这样,许多加工工业的工厂没能形成综合生产能力,难以充分发挥各自的作用。

第五条,三线建设时期,由于提倡“先生产、后生活”,建设中仅有一些简单生活设施,又要求“干打垒”,因而使艰苦奋斗的职工生活存在着许多困难。又由于“先生产、后生活”在十多年的建设中贯彻始终,以至职工必要的生活设施亦显严重不足。在集中建设的“三五”、“四五”期间,三线建设项目中的非生产性投资与“一五”期间的建设项目相比,陡降 50%。特别值得一提的是,由于资金不足,许多企业和科研单位的职工住宅严重不足,即使是“干打垒”的土坯房或席棚,也长时期一户一间,几代同堂。不少工厂地处深山野岭,无城镇可以依托,许多社会服务都由工厂企业承担,工厂企业面对这些问题和困难也无能为力。

上述五方面的问题,原因是多方面的,

需要进一步加以总结。目前,党和国家针对这些问题,已经采取调整改造的措施。可以相信,三线建设的经济潜力将会在社会主义市场经济新时期逐步发挥出来。

对外经济交往

一

技术引进与"蜗牛事件"

技术引进是对外经济往来中的重要方面。在商品、货币、劳务和技术四方面的对外经济交往中,国际间的商品交换是最主要的。它在国民经济发展中的地位和作用不容忽视,它是对外技术往来的基础。

"文化大革命"期间,国际贸易形势看好,但我国强调自力更生的方针,人们在认识上发生重大的分歧,致使实际工作徘徊不前甚至下降。在国际贸易空前转机,各国经济迅速增长的同时,我们的外贸增长落后,在世界市场份额趋小。

1967—1971年,随着政治运动的起伏和经济运行的滞缓,我国技术和设备的引进停滞,国家进口总额及机械设备进口额下降,且没有引进现代化的成套设备和具备高精尖技术的单机和零部件。这期间,我们与发达国家在科技方面的差距扩大。

我们是一个发展中的社会主义国家,生产力发展水平不高,经济和技术都比较落后,从国外引进适用的先进技术来改变我国工业落后的状况,推动我国经济和技术的发展,缩小同发达国家的差距,应该说是非常必要的,也是可行的。但由于1966年"文化大革命"的发动,在极"左"思潮的影响下,我国各地普遍发生了盲目排外,围攻和驱逐外国工程技术人员的事件,中断了我国同国外的经济技术合作关系。60年代中后期正是世界经济技术迅速发展之际,我国却未能利用这个有利时机,而是闭关锁国,扩大了我国与世界发展水平的差距。

1971年"林彪事件"以后,周恩来开始主持中央日常工作,他排除极"左"思潮的干扰,力主从国外引进先进的生产技术和装置,来推动和加快我国的经济建设步伐。同时,进入70年代后,我国外交战线取得了一系列重大进展,扩大了我国在国际上的影响,改善了我国的国际关系,也为我国开展对外经济技术合作与交流开辟了新的途径。

我国的钢铁工业一直不很发达,产品的规格、种类不能满足国内需要。为了增加钢材的品种和产量,尤其是满足国内对薄板钢材的需求,1972年党中央和国务院批准从西德、日本引进一米七热冷轧薄板轧机,建在武汉钢铁公司。这个项目引进费用高达人民币22.28亿元,折合外汇约6亿美元。它是建国以来引进的最大设备项目之一。

1973年初,国家计委向国务院提出报告,计划从国外引进国家急需的一批先进的生产技术设备和装置,总共要用外汇43亿美元,当时被称为"四三"方案。

"四三"方案,包括引进武钢一米七轧机、13套大化肥、4套大化纤、3套石油化工、1个烷基苯厂、43套综合采煤机组、3个大电站以及透平压缩机、燃汽轮机、工业汽轮机和斯贝发动机等项目。从这批引进的技术设备项目中,我们不难看出这个方案旨在加强中间产品的国内生产能力,从而节约外汇支出。(如当时我国每年要花10多亿美元,从国外进口各种规格、种类的薄钢板,若武钢一米七轧机建成,并能发挥正常的生产能力,就可为国家节省外汇7亿多美元。)同时它偏重引进化肥、化纤的成套设备。这主要是基于两个原因:一是我国的农业基础薄弱、水平较低,主要农产品供应长期处于紧张状态,轻工业的发展也相对缓慢,很不适应经济发展和改善人民生活的需要。二是我国的化肥产量1970年为243.5万吨,每亩耕地施用的化肥仅为7.3公斤,因而仍需从国外进口大量化肥,以弥补国内生产之不足。进入六七十年代,国际市场化肥、化纤的价格因石油紧缺一度迅速上涨,进口化肥、化纤很不合算。而我国石油产量迅速增长,实现了国内消费的原油及石油产品的全部自给。到1972年原油产量达到4567万吨,可为生产农业所需的化肥和人民生活所需的化纤提供充足的原料。这批引进的生产技术设备,大都集中在大型工程上,代表了国际70年代的技术水平,具有大机组、高速高效、自动控制等特点。

“四三”方案的确定和实施过程,因正值“文化大革命”而受到严重的干扰和破坏,“蜗牛事件”就是其中的一例。1974年,党中央、国务院决定从国外引进彩色显像管的生产技术和设备。这不仅有利于加强我国电视工业的基础,而且也符合广大人民群众发展电视工业的愿望。根据这一决定,当时的第四机械工业部派人出国参观考察,与美国康宁公司商谈引进彩色显像管的生产技术设备。该公司出于礼貌,向我国考察团赠送了一件玻璃蜗牛礼品,以示吉祥、和平、稳定之意。可当时的领导层中有人抓住这件事大做文章,制造了一起喧闹一时的所谓“蜗牛事件”,把当时的技术设备引进统统指斥为“洋奴买办”、“爬行主义”,认为外国人是在侮辱我们,骂我们爬行,并提出把“蜗牛”礼品退回,中止与该公司的谈判。“蜗牛事件”的风波,使得彩色显像管生产设备的引进被迫推迟,给我国刚刚恢复的对外经济技术合作交流带来不利的影响。

此外,受极“左”思潮影响,当时引进的一些项目缺乏科学的论证,国内基础设施不配套,造成工期拖延,投资回收慢,设备利用率低等问题。但是,还应看到这次大规模的技术设备引进,是在世界经济发展相对萧条的情况下,及时抓住了有利的时机,引进了比较先进又是我国急需的技术设备和装置,陆续建成投产或进入试生产,进一步扩大了农业和轻纺工业的生产能力。到1976年,我国化肥产量达到584.6万吨,是1970年的1.2倍。这些引进项目也提高了我国工业现代化的生产技术水平,缩短了与国外的差距,对弥补因“文化大革命”造成的损失,起了一定的作用。

上述“四三”方案及以后追加的引进项目计划,多数是集中在1973—1975年间实施的。70年代对外签订的220项合同,实际成交额接近38亿美元,完成“四三”方案总金额的约88%。

二

对外经济援助

中华人民共和国成立后,我们就开始了对外提供经济援助,发展国际间的经济技术合作。几十年来,中国共向世界上百个国家和地区开展对外经济援助,这包括援建成套项目,派出工程技术人员及培训外国实习生等等。广义地说这些援助包括了经济、政治、军事三个方面。在"文化大革命"期间,为了支持第三世界国家进行本国的民族解放运动和帮助他们发展经济,中国对外援助的数额是大的。其中,1967—1976 年的数额是 1950—1967年数额的 3 倍多。

1967 年,中国对外援助实际支出近 20亿,占国家财政支出的 4.5%。1968 年,援外实际支出 22.4 亿元,比上年增长12.3%。1969 年,外援实付 21.1 亿,占国家财政支出的 3.8%。这几年的援助对象,主要是支持巴勒斯坦人民的民族解放斗争和越南人民的民族解放斗争,帮助坦桑尼亚、赞比亚两国修建坦赞铁路,援助的贷款都是无息的。

进入 70 年代,第三世界国家的民族政治独立与民族经济发展形成高潮且遇到许多困难。中国在自己也还很穷的情况下,毅然承诺了新的援助计划。新签订的各种形式的援助协定总额达到 53.68 亿元。1970 年实际交付的外援 24.34 亿元,占国家财政支出的 3.5%。据美国国会联合经济委员会《对中国经济的重新估计》①分析,这一年,中国新承诺的经济援助约为前 14 年对第三世界经济援助累计额的2/3。

1971—1974 年,是我国外援猛增的几年。1971 年是第四个五年计划执行的第一年,按计划当年新承诺的外援任务74.25 亿元,比上年增加 20.57 亿元。这其中,对越金额达 36.14 亿元,约占协定总额的一半。这年实际交付 69.77 亿元,是中华人民共和国成立后对外援助任务最重的一年,外援支出占国家财政支出的

5.1%,比上年增长 45.7%。

1972 年,财政外援支出 51 亿元,占国家财政支出的 6.65%,比上年所占比重增长 30.4%;新签订援外协定金额 49 亿多元。

1973 年,外援协议额 40 亿元,实际承担 34 亿元,比上年减少 12 亿元。但由于以前签订且必须执行的援助数额较大,该年国家财政对外援助支出 57 亿元,占国家财政支出总额的 7.2%。这是中华人民共和国成立以来对外援助占国家财政支出总额比重最大的一年。这年 10 月的联合国认捐大会上,中国政府向联合国开发计划署投资开发基金和工业发展组织提供505 万美元的捐款。这大大增加了国内经济发展的负担。

1974 年,对外签订的援助协定和实际承担的援助额为 23 亿多元,但由于前几年签订的援协过多,国家财政外援总支出仍达 50 多亿元,占国家财政支出总额的比重仍高达 6.4%。

从 1970—1974 年,我国的援助对象主要是朝鲜、巴基斯坦、越南。

1975 年以后,我国对援外计划进行调整。4 月 23 日,中共中央通知,决定压缩和调整对外援助支出。通知指出,"一五"、"二五"时期,中国外援支出占国家财政支出的比例只有 1% 多,到 1972、1973、1974 年分别上升到 6.7%、7.2%、6.3%,超过国力所能负担的程度。故决定在第五个五年计划期间将援外支出占国家财政支出的比例,由"四五"计划时期预计的6.3%,降至 5% 以内。援外总额基本维持在"四五"时期水平,约每年 55 亿元。扣除结转因素,平均每年新提供 20 亿元—30亿元。根据中共中央的决定,1975 年压缩

①　美国国会联合经济委员会:《对中国经济的重新估计》下册,中国财经出版社 1977 年版,第 666 页。

援外协定,对外新签订的对外援助协议金额约 22.25 亿元,实际承担 20.33 亿元,比上年减少 3.1%。当年国家财政对外援助支出 48.89 亿元,比上年减少 9.28 亿元,援外支出占国家财政支出总额的比重为 5%,比上年降低 1.4%,下降幅度 21.9%。

1976 年,第五个五年计划时期开始了。这一年新签订的援外协定金额 11.15 亿元,援外支出 30 亿元,占国家财政支出总额的 3.7%强,比上年降低 1.3%。

我国在向第三世界国家提供成套设备方面,很长时期是通过无偿援助形式提供的。1973 年以后,我们开始部分地通过贸易形式出口。自 1975 年,随着援外支出的压缩,采用贸易形式向第三世界国家提供成套设备的做法逐渐增多。

"文化大革命"期间,我们的对外经济关系,中国在国际间救援赈济活动的相互往来中,基本上只是支援国。中国每年要派遣农业生产技术、医疗卫生等方面的援外队(组)赴受援国工作。中国对友好往来关系的国家和地区,如遇较大的天灾人祸,如战争伤亡、地震、水灾、旱情等等,中国红十字会要给予不同程度的资金与物质援助,少则 10 万元左右,多则几百万元。而我国如遇较大自然灾害,则谢绝他们的捐助。整个"文革"期间,我们在国际间救援赈济活动中基本上只是个支援国。

1967—1976 年的对外经济关系,经历了一个发展过程。1972 年以前,对外经济交往中,强调自力更生,没有十分注意引进外国先进技术和设备来增强自力更生的能力。1972 年以后,随着国际政治经济关系的改善,引进了一些先进的设备和技术,对外贸易也有所发展。

1977—1978 年,国际经济合作规模扩大,对外援助方式发生重大变化:中国开始与部分国家进行对外承包工程和劳务出口方面的合作。本着平等互利、讲求实效、形式多样、共同发展的原则,中国对第三世界的援助,在方式上有重大变化,由单纯援助为主,逐步转向多种形式的互利合作。由于中国对待第三世界国家,无论是互利合作,还是提供援助都严格尊重对方主权,不附带任何特权,因此,中国提供的援助获得了发展中国家人民的一致赞扬。

"文革"时期国民经济短期波动

在中国社会主义经济发展时期总量经济的周期波动趋势中,从 1950 年到 1990 年的 40 年中,新中国总量经济的增长经历了 10 次完整的短期波动。从 1966 年到 1978 年,在第 4—8 波序之间,波型变化从古典型转为两度增长型,再经过一个古典型又进入增长型。1966—1968 年,国民收入环比增长率分别为 17、—7.2、—6.5,呈古典波型,波序为第四,全波共 6 年,高潮 4 年,低潮 2 年。1966 年处在 4 个高潮年份中的最后位置;1967—1968 年都是低潮年。到第五波序(1969—1972 年),波型转为增长型,波长 4 年中的前 2 年是高潮、后 2 年为低潮;增长型的第六波序(1973—1974 年)和古典型的第七波序(1975—1976 年),均为 2 年的波长且前高后低;第八波处于 1977—1981 年间,呈增长型,5 年的波长仅 1 年高潮期。在 1950 年至 1990 年这 40 年中 10 次完整的短期波动中,有 3 次古典型波动,7 次增长型波动,波长最久 6 年,最短 2 年,平均长度 4.1 年。以各年平均增长率 8.1％为中值,41 个年头有 22 年高潮期、19 年低潮期。以 10 年为一个观察区间,增长势头最优的属 50 年代和 80 年代,其间高潮时间最长,分别为 7 年和 6 年。60 年代和 70 年代的经济增长则处于低谷状态,1967、1968、1976 年三个年份还出现了负增长,1966、1969—1970 年还出现了经济增长的大起大落。

用环比法测度的短期波动,是用每年的数值直接与上年的数值相比。为了观察一个较长时期的经济增长起落变动,用定基法来测度经济的周期波动,得到的结果是中波。

以 1950 年为 100,并把 1950、1951 年这两个高速增长的年份考虑进来,观察 1950—1990 年国民收入的波动情况,我国 40 年的国民收入的趋势周期或中波共出现 4 次。这包括 1950—1962 年、1963—1968 年、1969—1976 年、1977—1990 年诸期次。"文化大革命"时期的前后 13 年,经历了第二次中波 6 年中的 3 年,其中趋势性扩张 1 年、趋势性衰退 2 年;还经历了第三次中波 8 年中的趋势性扩张 7 年和趋势性衰退 1 年;并经历了第四次中波 13 年(均呈趋势性扩张)中的头 2 年。这其中第二、三次趋势周期表现为繁荣不足、衰退提前,周期长度分别只有 6 年和 8 年,低于平均周期时间(10 年)。这使在经济发展比较正常的时期,我国国民经济的运行系统中存在着的一种很强的内在扩张趋势受到抑制。

如果我们从经济增长的长期波动的角度着眼,中国社会主义经济增长过程已经历了一次历时 40 年的完整的长期波动,并进入了第二次长波的开始阶段。从国民收入和工业增长的趋势看,1949—1959 年为其中的一次扩张高潮时期;之后 20 年基本上处于衰退、停滞、徘徊状态,某些年份有所增长则为另些年份的衰退所抵消,呈趋势性增长低潮。尽管如此,我们还是应该看到,在产业结构的转换方面,1952 年工业对国民收入的贡献只占 19.52％,1978 年的贡献份额已接近 50％。从工业内部轻、重份额变动趋势看,1950 年至 1978 年表现为轻工业份额下降而重工业份额上升。再就工业基础和工业体系来说,经过前 30 年的发展,到 80 年代初,中国已基本建立起一个完整的、现代工业比重很大的新工业体系,走完了实现现代化的第一步。

以上是从短波、中波、长波三种视角,简述我国"文化大革命"时期的经济变动曲线背景的。

我们还应看到,1966 年至 1978 年这 13 年间,国际环境不利,西方发达国家对我国实行严密的经济技术封锁,苏联东欧国家与我们关系紧张,部分周边国家和地区对我们构成严重的军事威胁等等,这些迫使中国必须自力更生、艰苦奋斗并备战备荒。同时,我国国民经济在宏观微观上都受到政治运动的强烈影响,例如一段时期中央曾要求全党全军全国人民抓革命促生产促工作促战备,经济建设随政治运动的导向与波动而起伏,经济发展与经济增长起落不稳。

一

"首起首落"

国家第三个五年计划从 1964 年 5 月就开始了研究编制。1964 年,中共中央工作会议讨论了国家计委提出的"三五"计划的初步设想。当时,确定了这一计划的基本任务,即大力发展农业,基本上解决人民的吃穿用问题;适当加强国防建设,努力突破尖端技术;为支援农业和加强国防的需要,加强基础工业,继续提高产品质量,增加产品品种,增加产量,使我国国民经济建设进一步建立在自力更生的基础上;相应地发展交通运输、商业、文化、教育和科学研究事业,使国民经济有重点、按比例地向前发展。

由于美国在越南战争的升级,中共中央强调积极备战,要求把国防建设放在第一位。因而,国家计委又于1965年9月重新拟订"三五"计划草案。这一草案以备战为中心,强调加快内地建设,以占总数43%的基建投资规模,尽快地建立起内地的基础工业和交通运输业,使之成为国家的战略后方。

根据"三五"计划总部署,1965年10月至11月召开的全国计划会议,贯彻了积极备战、加快国防工业和内地建设的方针,讨论和安排了1966年国民经济计划,确定了钢铁、煤炭、电力、石油、机械、化学等项工业建设重点,规定了1966年年度主要经济指标。指标包括:全年基建投资155.7亿元,计划施工的大中型项目846个,计划迁建项目152个,其中继续迁建的61个,新迁建2091个;国家财政收支为510亿元;粮食产量3900亿斤—4000亿斤,棉花产量3900万担—4000万担,钢1300万吨,煤炭2.39亿吨,化肥1065万吨,发电量750亿度,原油1300万吨,林材3192万立方米,水泥1700万吨;工农业总产值2112亿元—2122亿元,比上年预计数增长10—10.5个百分点,其中农业总产值600亿元—610亿元,比上年预计数增长5.3—7个百分点,工业总产值1512亿元,比上年预计数增长12个百分点;社会商品零售总额709亿元;对外贸易出口总

额21.67亿美元,进口总额23.2亿美元。1965年11月20日,中共中央正式批准并下达了这项计划。

1966年,在党中央、国务院领导下,各级党政领导机构积极组织各行各业实施1966年度的国民经济计划。这年,国务院重点抓了计划生育控制人口增长和农业生产包括农业机械化两方面问题。到6月份,整个国民经济建设发展趋势良好。与上年同期相比,全国工业总产值增长20.3%,钢增长20.7%,原煤增长12.6%,原油增长28.4%,发电量增长20.3%,棉纱增长15.6%,化肥增长41.8%,社会商品零售额增长11.6%,财政收入增长15.6%,财政收入大于支出14亿元,基建投资和施工情况良好。下半年,由于教育方面先是停止考试招生,接着停课闹革命,工农业生产和其他各行各业受到冲击。8月至11月,一千多万大中小学师生在全国大串联,至使交通运输空前紧张且财政支出巨大,导致铁路、公路、水路运输超负荷运营,待运物资积压严重,到年底,仅铁路积压的物资就达千万吨。物资供应不足直接影响到部分工矿企业和施工单位,影响到各地生产建设。各大城市掀起的红卫兵运动,冲击了各行各业和社会生活各个方面。冬季,各省区主管业务部门的领导干部,忙于"文革"运动,不能集中精力于生产建设工作,一些工业企业的领导班子开始陷于瘫痪半瘫痪状态。总之,经济指挥系统已经出现失控,工农业生产和基本建设开始发生逆转。但是,毕竟冲击处于初始阶段,1966年全年的国民经济仍有相当的发展,完成和超额完成本年度的国民经济计划。全年工农业总产值2534亿元,完成计划的108%,比上年增长13.4%;农业超增2.2个百分点,工业超增23.8个百分点。工农业主要产品

产量普遍提高,粮食产量 4280 亿斤,完成计划的 107%,比上年增长 10%;棉花产量 4674 万担,完成计划的 116%,比上年增长 12%;钢产量 1532 万吨,完成计划的 117%,比上年增长 25.3%;原煤产量 2.52 亿吨,完成计划的 105.5%,比上年增长 8.6%;发电量 825 亿度,完成计划的 110%,比上年增长 22%。全国基建投资完成 191 亿元,完成计划的 122%,实际施工的大中型项目 1186 个,完成计划的 140%;全部建成投产项目 215 个。新增加的固定资产 170 亿元。全年的社会商品零售额 732.8 亿元,完成计划的 104%。这年的财政收入 558.7 亿元,收大于支。

总起来看,1966 年是经济上升的一年,是第三个五年计划的开门红,是"文化大革命"时期我国经济几起几落中的"首起"。

1967 年和 1968 年是"文化大革命"全面展开的两年。1966 年底,国家对 1967 年度国民经济作了安排,但未能贯彻执行。在 1966 年 11 月 17 日至 12 月 23 日举行的全国计划、工交会议上,会议拟定的 1967 年年度主要指标有:工业总产值 1955 亿元,棉纱 969 万件,钢 1700 万吨,煤 2.7 亿吨,原油 1700 万吨,发电量 950 亿度,木材 3550 万立方米,水泥 2180 万吨,化肥 1650 万吨,铁路货运量 43089 万吨,国家财政收入 419.4 亿元,基本建设预算投资 124.86 亿元。1967 年的国民经济年度计划,中央没能审批,各地各行业除上海市以外都没有布置安排。6 月,全国生产供应会议宣布,当年计划指标确实完不成,可顺延到次年。李富春副总理在报告中说:①夏粮丰收已成定局。工业总产值 1 月至 5 月比上年同期增长 7%,4 月下旬以来,由于许多地方坏人挑起武斗,冲击铁路枢纽,破坏生产和运输,使煤炭

和铁路没有完成计划。②调整 1967 年的工交计划。据上半年完成情况,要进行必要的调整,确实完不成的,可顺延一二个月或一个季度。③这次订货如确不能按原计划订货,则按落实后的数字订货。④当前要集中力量狠抓农业、煤炭和铁路运输。

为了使日常的生产调度和业务工作集中领导,1967 年 9 月,设立国务院工交办事组,下设值班室。10 月,国务院业务小组向中央汇报前三季度的经济情况,这年绝大部分省区农业丰收,工交滑坡。从 5 月份开始,工业生产和铁路运输出现较大幅度下降。第三季度全国工业生产平均水平只有原计划的 50% 左右。估计全年工业总产值可完成计划的 70%。国民经济的两个先行部门(交通和煤炭)出现严重问题。

交通运输,包括铁路、公路、水路,紧张以至阻塞。铁路运输 1 月份比计划少运煤炭 380 万吨,2 月份平均日装车数只有 3 万多车,到 7 月中旬为 2.9 万多车,9 月下降到 1.9 万车,为计划日装车数的 46%。运输完不成计划,特别是煤炭、石油、木材、粮食等重要物资的运输受阻,直接影响生产建设和人民生活。

煤炭的生产供应问题也很突出。1 月份,煤炭部直属各矿务局平均日产量 45 万吨,比计划日产量低 8 万吨,比上年同期日产量减少近 5 万吨。2 月上旬为 40.3 万吨,中旬仅 38.8 万吨;7 月上旬 36.5 万吨,中旬 34.8 万吨;8 月 15 日降至 22.8 万吨;到 12 月,日产水平只及正常标准的 50% 左右。生产下降造成供给紧张。煤炭分配计划难以保障,煤炭库存普遍下降到正常周转所需水平以下。冶金系统炼焦用煤存量,1 月底只够 9 天周转;11 月 30 多万吨,仅为一个大企业的月库存。电

力系统,部分发电厂的煤炭周转量,1月底降为10天以上;11月份,东北、华北电网库存仅够5—6天。城市煤库存亦十分紧张,12月份,市场用煤库存量1100万吨,为新中国历史最低线。总之,铁路运输和发电用煤,中央和地方工业用煤及冬季取暖用煤都大大紧缩了。煤炭的供应及运输问题,影响了钢铁、电力等基础工业部门,进而影响到机械、化工、纺织等其他部门。

农业生产稳中有降,全国主要农产品产量,粮食21782万吨,比上年多382万吨,增长1.8%;棉花235.4万吨,比上年多1.7万吨,增长0.073%;花生、油菜籽、芝麻三种油料349.2万吨,比上年少1.9万吨,减少0.054%;黄红麻39.8万吨,比上年多4.9万吨,增长14%;甘蔗1264万吨,比上年多123.2万吨,增长10.8%;甜菜260.1万吨,比上年少1.6万吨,减少0.61%;桑蚕茧8.5万吨,比上年多0.7万吨,增长9.2%;柞蚕茧3.8万吨,比上年少2.3万吨,减少37%;茶叶11.3万吨,比上年多0.7万吨,增长6.2%;烤烟56.7万吨,比上年少0.9万吨,减少1.58%。

工交情况比农业生产要差得多。1967年完成工业总产值1382亿元,为计划的70.7%,比上年减少15%;生产棉纱745万件,为计划的76.9%,比上年减少13.7%;生产钢1029万吨,为计划的60.5%,比上年减少32.8%;产煤2.06亿吨,为计划的76.3%,比上年减少18.25%;原油产量1388万吨,为计划的81.65%,比上年减少4.6%;发电量774亿度,为计划的81.5%,比上年减少6.2%;木材3250万立方米,为计划的91.55%,比上年减少22.5%;水泥1462万吨,为计划的67.06%,比上年减少27.4%;化肥164.1万吨,为计划的99.45%,比上年减少21.9%;铁路货运量

43089万吨,为计划的69.5%,比上年减少21.6%。

年终,国家财政收入419.4亿元,完成计划的68.75%,比上年减少25%。

这年没有召开全国计划会议,也未制订下年度经济计划,致使1968年成为建国以来破天荒未制订国民经济年度计划的年份。

1967年,是经济滑坡的一年,而1968年则成为"文化大革命"时期我国经济首起首落的低谷。从工农业总产值看,1967年为2306亿元,比上年下降9.6%;1968年为2213亿元,比上年再降4.2%,仅为1966年的87.3%。农业总产值,1967年比上年增长1.6%,1968年则比上年下降2.5%。工业总产值,1967年比上年下降13.5%,而1968年又比上年下降5%。工农业主要产品产量普遍减少,交通运输和基建大幅度下降。生产不景气影响了财政收支的平衡,1967年出现赤字22.5亿元。仅就国家财政收入而言,1968年在上年已经下跌的数值上,又减少13.9%,成为谷底值。

"二起二落"

从1969年至1973年经过几年的相对稳定,逐步上升之后,1974年出现回落。我们把这六年的起伏称为"文化大革命"时期国民经济的"二起二落"。

1968年底,周总理指示组织编制下年度国民经济计划。《1969年国民经济计划纲要(草稿)》拟订后,于1969年2月在全国计划工作座谈会会议上进行讨论,并把它交各地代表团带回、边执行、边讨论、边补充。这个草稿规定,1969年,工业总产

值比 1966 年增长 15%，钢产 1600 万吨，原煤 2.7 万吨—2.8 万吨，发电量 980 亿度—1000 亿度，棉纱 1000 万件—1050 万件，粮食、棉花分别比上年增长 6%、10%，铁路货运 5.8 亿吨，基本建设投资 193 亿元，社会商品零售总额 770 亿元，财政收支各为 570 亿元。

1969 年，工农业生产恢复好转，虽然回升的幅度不大，但基本上达到或超过 1966 年的水平。工农业总产值 2495.5 亿元，比上年增长 23.8%，比 1966 年增长 7.2%。农业总产值 642 亿元，比上年增长 1.1%，比 1966 年增长 0.2%。工业总产值 1853.5 亿元，比上年增长 34.3%，比 1966 年增长 9.9%。这年的主要工农业产品产量，除石油、煤炭、棉布、发电等以外的大部分产品产量没有达到 1966 年的水平；国家财政收支及基本建设投资虽然比上年有大幅度增长，但仍未达到 1966 年的规模。

1970 年，在上年经济恢复的基础上取得新的进展。工农业总产值达 3136.8 亿元，比上年增长 25.7%，超过 1966 年的水平；农业总产值 716 亿元，比上年增长 11.5%；工业总产值 2420.8 亿元，比上年增长 30.6%。工农业主要产品产量有较普遍较快的增长，粮食产量 4779.1 亿斤，棉花 4554 万担，钢 1779 万吨，原煤 3.54 亿吨，原油 3065 万吨，发电 1159 亿度；这些产品产量分别比上年增长 13.7%、9.5%、33.5%、33.1%、41%、23.3%，除棉花以外产量都超过了 1966 年的水平。

1970 年是第三个五年计划的最后一年，其国民经济实际水平达到或超过了 1965 年 9 月制订的"三五"计划指标。工农业总产值超过 16.2%—14.1%，农业产值超过低限指标 2.3%，工业总产值超额 21.0%。主要工农业产品产量完成的

计划百分比分别是：粮食 109.1%—100%，棉花 103.5%—94.9%，棉纱 125.7%，棉布 122%，钢 111.2%，原煤 122.1%，原油 165.7%，发电量 105.4%。总体来看，1970 年，我国经济发展进步比较明显。

1970 年初，国家开始编制第四个五年计划；同年底，根据第四个五年计划纲要（草案）精神，编制了下年度国民经济计划。1971 年的计划，继续突出重工业，突出基本建设，且指标高，基本建设规模安排大；计划用于内地的投资占全国预算内投资的 55%，整个计划的制订没有留足回旋的余地，有些物资供需不平衡，执行中的困难多且大。

经过努力，1971 年工农业总产值完成计划的 104%，比上年增长 12.2%。农业总产值完成计划的 98.4%，比上年增长 3.1%；工业总产值完成计划的 107%，比上年增长 14.9%。财政收入和国家预算内基本建设投资分别完成计划的 105.6% 和 97.5%。主要的农业产品产量指标中，农业生产 13 种主要产品指标有 4 项达到计划要求，工业生产大部分完成任务，如钢、原煤、原油、发电量、棉纱等等。这一年，国家部分地调整了职工工资。

由于"四五"计划目标和 1971 年计划指标过高过急，特别是政治因素的干扰，1971 年，我国经济发展中出现了三个方面的问题：即积累率过高（占国民收入的 34.1%），基本建设规模过大（投资总额 321 亿元），职工人数骤增（超计划 2 倍多，达 5318 万人），工资总额和粮食销量大大超过计划。这就形成了严重的"三个突破"，即职工人数突破 5000 万人，工资支出突破 300 亿元，粮食销量突破 800 亿斤。

次年，上述问题继续发展。职工人数再超计划增加 183 万人，年底职工人数达

5610万人,比1971年增加292万人;职工工资总额达340亿元,比1971年增加38亿元;粮食销量927亿斤,比1971年增加43亿斤。1972年,国家增加了粮食的净进口,还动用了粮食库存,这在当时被称为"一个窟窿"。

经过1972年和1973年两年的努力,有效控制了"三个突破",全民所有制职工人数增长速度逐年减慢;1973年全社会粮食收购968亿斤,粮食销售近956亿斤,达到国内粮食收支平衡。

1972年和1973年,工业生产逐年上升,国民经济形势好转。

1973年国民经济计划执行结果,各项主要指标或完成或超额完成计划。与上年相比,工农业总产值增长9.2%,农业总产值增长8.4%,工业总产值增长9.5%。与上年相比,工农业主要产品产量,粮食增长10.2%,棉花增长30.8%,钢增长7.9%,原油增长17.4%,原煤增长1.7%,发电量增长9.4%,棉纱增长4.3%,铁路货运量增长2.8%。社会商品零售总额1106亿元,比上年增长8.1%。对外贸易大幅度增长,进出口总额109.8亿美元,扣除美元贬值和国际市场价格变动因素后比上年增长34%,为第一个五年计划以来增长最快的年份。财政收入809.7亿元,比1972年增长5.6%,财政收支平衡。

至此,相对稳定的局面延续了五年。从1969年到1971年,我国经济恢复、回升;从1972年到1973年,国民经济取得显著成就,经济工作经过调整出现转机。这五年是"文化大革命"时期经济"二起二落"中的"二起"。

"二起二落"中的"落"是1974年。这一年,工业生产急剧下滑,煤炭欠产、铁路堵塞、港口压船、财政赤字、市场紧张。1月至5月,全国重点煤矿都未完成计划指标;钢、化肥、铁路货运也都未完成计划指标;财政收入比上年同期减少5亿元,财政支出比上年同期增加25亿元,收支不平衡,出现赤字5亿元。

1974年的国民经济计划规定的指标不高,但执行结果很差。大部分计划指标没能完成,一部分主要产品产量比上年下降。工农业总产值完成计划的95.6%,比上年增长1.4%;农业总产值完成计划的101.5%,比上年增长4.2%;工业总产值完成计划的93.2%,比上年增长0.3%。主要工农业产品产量中,农产品中仅粮食和黄红麻完成了计划;大部分轻重工业品未完成计划。与1973年相比,棉花减产3.9%,棉纱减产8.4%,钢减产16.3%,原煤减产1%,铁路货运量下降5.3%,新增固定资产交付使用率下降5.3%。前三季度国家外汇出现建国以来首次数额较大的收支逆差,全年外贸逆差6.7亿美元,财政赤字7.7亿元。国民经济又一次跌入低谷。

三

"三起三落"

第三次起落,是指1975年的全面整顿和1976年再度回落。

通过对铁路运输业、钢铁、煤炭、国防工业以至整个工业战线的整顿以及对农业的整顿,全国经济形势出现好转。1975年上半年,就工业生产而言,原油、原煤、发电、化肥、内燃机、水泥、纸及纸制品、铁路货运量等情况有好转,5月至6月份创造了历史上月产最高纪录。上半年完成全年计划的百分比:原油48.9%、原煤52%、钢42.2%、木材51.3%、铁路货运量48.9%、全国工业总产值47.4%、全国财政收入43%。全年国民经济计划执行结果,工农业总产值及其中的农业总产值、工业总产值分别比上年增长的百分点为:11.9、4.6、15.1。主要工农业产品产量,粮食5690亿斤、棉花4762万担、钢2390万吨、原煤4.82亿吨、原油7706万吨、发电1958亿度、棉纱1162万件、铁路货运量8.8亿吨;分别比上年增减:3.3%、—3.3%、13.1%、16.7%、18.8%、16%、16.9%、12.9%。国家预算内基本建设投资完成318亿元,加上地方自筹,总规模达392亿元。实际施工的大中型项目1539个,新增固定资产250亿元。社会商品零售额1271亿元,比上年增长9.2%。进出口贸易额147.5亿美元,为历史最高年份。财政收入815.6亿元,财政支出820.9亿元,财政赤字5.3亿元。总的看,这一年经济状况良好,国民经济摆脱停滞局面走向恢复发展。

作为第四个五年计划的最后一年,按照调整后的"四五"计划纲要(修正草案)检查计划执行情况,工农业总产值、农业总产值、工业总产值分别完成101.7%、104.5%、100.6%。计划表列51种主要经济指标,完成26种;表列30种主要重工业产品指标完成12种;表列11种轻工业产品指标完成7种。主要产品产量,粮食、棉花、钢、原煤、原油、发电量、棉纱、铁路货运量分别完成计划的百分比是:103.5、95.2、79.7、109.5、110.1、103.1、96.8、98.7。预算内基本建设投资完成下限的101.6%,财政收入完成98%。

新的七年规划包括第五、六个五年计划设想,以及全面整顿所取得的成效,给我国经济振兴带来新的希望。

但是,1976年是个多事之秋,1—5月份,钢欠产123万吨,化肥、棉纱等其他主要工业品也没有完成计划指标,影响市场商品供应14亿元、财政减收20亿元,原订

年度计划不可能完成。从全年计划执行情况看,1976年工农业总产值比上年增长1.7%,低于计划增长速度5个百分点。农业增长2.5%,比计划低1.5%;工业增长1.3%,比计划低6.9%—7.7%。粮食5726亿斤,比上年增长0.6%,完成计划的99%;棉花4111万担,比上年减少13.7%,完成计划的79%;钢2046万吨,比上年减少14.4%,完成计划的79%;原煤4.83亿吨,比上年增长0.2%,为计划的101%;原油87.6万吨,比上年增长13.1%,完成计划的低限指标;发电2031亿度,比上年增长3.7%,为计划的96.3%;棉纱1080万件,比上年减少7.1%,为计划的88%;铁路货运量8.4亿吨,比上年减少5.5%,为计划的93%。基本建设投资,国家预算内投资完成294亿元,加上地方自筹投资完成359.5亿元,比上年减少32.3亿元。固定资产交付使用率为58.9%,比上年下降5%。全部建成的大中型项目85个,比上年减少82个,成为新中国成立20多年来投资效益最差的年份之一。这一年,由于企业管理混乱,亏损严重,全年全国国营企业亏损总额达177亿元,比1965年增加2倍。这一年的财政收入776.6亿元,比上年减收39亿元,收支不平衡,赤字29.6亿元。这一年,整个国民经济的主要比例关系出现严重失调。

四

"三起三落"后的恢复与失误

1977年,我国国民经济出现生机,上半年,全国工业、交通状况开始初步恢复。全国工业总产值从3月起逐月增长,4月至6月各比上月增长4.4%、11.7%、10.5%,二季度比一季度增长36.9%;5月至6月全国

工业总产值创历史纪录。铁路平均装车数，2月至6月分别为4.3万车、5.1万车、5.5万车、5.7万车。财政收入好转，收支平衡，略有结余。1977年工农业总产值4978亿元，比1976年增长10.7%，国民收入2644亿元，比上年增长9%。

1978年，国民经济进一步好转，工农业总产值达5634亿元，比1977年增长12.3%；国民收入3010亿元，比上年增长13.8%。

1977年和1978年，自然灾害比较严重，但在这两年，农业以至整个国民经济却有较快的恢复和发展。

农业总产值，两年分别为1339亿元和1459亿元，分别比上年增长1.7%和0.9%。粮食产量从1976年的5726亿斤增长到1978年的6095亿斤。棉花产量从1976年的4111万担增长到1978年的4334万担。油料作物从1976年的8016万担增长到1978年的10436万担。1978年的粮食、棉花、油料产量分别比上年增长14%、19%、22%。两年来，全国农业机械拥有量、化肥施用量都有较大幅度的增长。

工业总产值，两年分别比上年增长14.3%和13.5%。在主要的工业产品中，钢产量已达3178万吨、原煤产量达6.18亿吨、原油产量达1.04亿吨、发电量达2566亿度、化肥869万吨、化纤28.5万吨；1978年与1976年相比，上述产品产量分别增长55.3%、28%、19.3%、26%、66%、95%。

同期，交通、邮电事业、商业、外贸都有相应的恢复和发展。国民收入有所增长，国民收入总额，1977年为2644亿元、1987年为3010亿元；人均国民收入两年分别为280元和310元。但同时在经济工作中又出现失误。失误表现在国民经济积累和消费的比例关系严重失调，表现在农、轻、重的比例严重失调，表现在经济效益的问题上。例如新增国民收入使用额用于积累的竟占62%。例如由高积累造成国民经济的总量严重失衡，也造成国民经济结构失衡，造成农、轻、重比例关系以及工业内部的燃料、动力、采掘比例关系的失调。再例如，前述重大比例关系失调，以及经济体制、经济工作中的问题，影响到生产与流通的经济效益。如全国重点企业主要产品的30项主要质量指标中，有21项未恢复到历史最好水平；国营工业企业每百元工业产值提供的利润比历史最好水平低1/3；独立核算的国营工业企业亏损面达24.3%，亏损额高达37亿元，等等。

1966—1978年这一时期的政治运动对国民经济的发展有着重大的影响。经济发展曲线从一个侧面也反映了政治运动的轨迹。因此，正确处理好政治与经济的关系至关重要，把握好政治的导向作用至关重要，它们直接关联着国家经济发展战略的制定与施行。

第五个五年计划

一

"五五"计划的制定

"五五"计划的制定开始于1974年。这个计划没有独立的文本，只是包含在《1976—1985年发展国民经济十年规划纲要》之中。由于受到"文革"结束前后的政治冲击和指导思想变化的影响,这个《规划纲要》在实施过程中不断修改,在实施了两年之后才被通过。

（一）在"全面整顿"中提出《1976－1985年发展国民经济十年规划纲要（草案）》

1974年初,国家计委于1月12日向国务院提出关于拟订长远计划的报告。报告提出,为在本世纪内实现毛泽东主席提出的要用几个五年计划的时间赶上和超过世界水平的战略思想,国家计委设想拟订1976年至1985年十年远景规划,重点放在1976年至1980年第五个五年计划上。1974年8月,经中共中央、国务院批准,国家计委向各省、市、自治区和国务院各部、委发出《关于拟定十年规划的通知》。《通知》提出,要在几十年内,努力改变我国经济和科学文化的落后状况,迅速达到世界先进水平。从第三个五年计划开始,国民经济的发展可以分两步来考虑:第一步,建立一个独立的比较完整的工业和国民经济体系;第二步,全面实现农业、工业、国防和科学技术的现代化,使我国经济走在世界前列。国家计委设想:1980年以前,建成我国独立的比较完整的工业和国民经济体系,有步骤地建设经济协作区,基本上实现农业机械化;到1985年,基本建成6个大区不同水平、各有特点、工农业协调发展的经济体系,并为在本世纪内全面实现农业、工业、国防和科学技术的现代化打下牢固的基础;随着生产的发展,逐步提高人民的物质和文化生活水平。

接受以往的教训,十年规划采用的是条块结合、块块为主、由下而上、上下结合的方法。先由各省、市、自治区和各部门提出地区规划（包括地方企业和中央企业）和部门规划,然后由国家计委会同有关部门和省、市、自治区,以大区为单位组织平衡,在此基础上进行全国平衡,提出十年规划轮廓。具体步骤为:1974年提出十年规划的轮廓,包括任务、建设重点、布局、经济和技术政策,以及工农业生产和各项事业发展的主要指标;1975年再具体化。从1974年8月起,国务院各部委和各省、市、自治区开始进行十年规划的编制工作。

1975年2月,邓小平开始主持国务院工作,全面整顿经济工作。

1975年3月16日至4月25日,国家计委根据国务院关于长远规划工作的部署,召开长远规划工作会议。会议召集各部门主管计划工作的领导人,研究讨论了各部门十年规划和进一步改善经济管理体制的意见。

这次长远规划工作会议还提出了经济管理体制改革的6点初步意见,内容集中于怎样处理中央和地方的关系方面,给地方以更多的自主权:①进一步搞好企业下放;②工业企业原则上实行省、市两级管理;③基建投资一小部分由国家安排,大部分由国家定任务,请地方统筹安排,包投资,包能力。④在物资分配上,有步骤地实行在国家统一计划下"地区平衡,差额调拨,品种调剂,保证上缴"的办法。⑤在财政收支方面,除地方仍固定留成比例和机动财力以外,对地方财政收支实行"经常费比例包干、五年一定"的办法,即由中央核定地方的年度收入任务和支出指标,并算出地方支出指标占收入指标的比例,在执行中由地方按这个比例提取收入,作为支出的资金来源。地方多收了可以多支,少收了就要少支。⑥为了开展体制改革,要尽快把6个大区的经济计划协作机构建立起来。

在邓小平对各项工作开展整顿的基础上，1975年10月26日至1976年1月26日，国务院召开全国计划会议，讨论发展国民经济的十年规划和1976年度计划。会议期间，12月27日、28日，中央政治局审议了国家计委草拟的《1976—1985年发展国民经济十年规划纲要》（草案），其中安排了"五五"计划，提出到1980年建立独立的比较完整的工业体系和国民经济体系。

（二）"五五计划"、"十年规划"草案未能如期修改

1976年是实施"五五计划"的第一年，又是"四人帮"对生产建设破坏极为严重的一年，也是党同"四人帮"进行生死搏斗并取得决定性胜利的一年。这一年，"四人帮"在全国大搞所谓"批邓、反击右倾翻案风"运动，严重地冲击了社会经济生活，再加上唐山地震灾害的重大影响，十年规划未能如1975年计划会议的要求进行修改。因此，第五个五年计划与十年规划均未公布。当年经济发展严重受挫，国民收入下降2.7%，国民经济遭到严重破坏。

3月，江青擅自召集12个省区会议，在会议上散布：没有听毛主席讲过把国民经济搞上去。从4月到10月，江青一伙在他们控制的报刊上，集中批判邓小平主持制定的整顿各项工作的三个重要文件：《论全党全国各项的总纲》（简称"论总纲"）、《关于科技工作的几个问题》（简称"汇报提纲"）和《关于加快工业发展的若干问题》（简称"条例"），使各项整顿工作全部停止，无法进行。直到10月6日，中共中央政治局华国锋、叶剑英、李先念等采取断然措施，逮捕了"四人帮"，才结束了"文化大革命"的灾难。

逮捕了"四人帮"后，中央于10月28日冻结了各单位的存款，压缩1976年基本建设拨款20亿元。11月，国家计委、建委、财政部、一机部在1976年7月召开的全国计划工作座谈会的基础上拟定了《关于1977年改革经济管理体制的报告》。主要意见包括：①进一步搞好企业下放工作。②以省、市、自治区为主制订计划。从1977年起，实行"统一计划，分级管理，条块结合，以块为主"的计划体制。③主要物资分配逐步实行地区平衡，差额调拨，品种调剂，保证上缴的办法。重点企业所需的主要原材料和配套产品，逐步实行定点供应办法。基本建设项目（包括中央部门直属项目）所需要的设备，实行三级成套：各省、市、自治区能够生产的设备，首先由省、市、自治区安排生产和供应；省、市、自治区安排不了的，在协作区范围内安排生产和供应；协作区范围内还安排不了的，再在全国范围内安排生产和供应。少数重要项目和经济薄弱地区的主要项目，由国家负责组织成套。④进一步扩大地方的财政权限。一是对地方财政实行上支包干。即：定收定支，收支包干，保证上缴（或者差额补贴），结余留用，一年一定。二是对地方财政实行比例包干，一定几年。

1976年工农业总产值完成4579亿元，比上年只增长1.7%，大大低于计划要求增长7%到7.5%的速度。基本建设投资，国家预算内安排部分完成294亿元，加上地方自筹共完成359.5亿元，比上年减少32.8亿多元，固定资产交付使用率仅为58.9%，全部建成的大中型项目85个，比上年少82个，建设项目投产率仅达5.7%，是历史上投资效果最差的年份之一。据估算，1974年到1976这三年，同正常情况相比，工业总产值损失了1000亿

元,钢少产了 2800 万吨,财政少收 400 亿元。①

在各项工作未走上正轨的情况下,修订十年规划与第五个五年计划的工作没有完成。

(三)《1976-1985 年发展国民经济十年规划纲要》的通过与颁布

1977 年、1978 年是我国国民经济与社会发展由乱向治的转折时期。1977 年 8 月,华国锋在中国共产党第十一次全国代表大会上正式宣布"文化大革命"结束。中国经济领域开始改变"文化大革命"造成的混乱,力图回归比较规范的计划经济秩序,并受惯性推动继续追求过高的经济指标。

为了明确 1977 年中国经济的发展目标和具体方案,国务院于 1977 年 3 月召开全国计划会议。会议的指导思想为:抓革命、促生产、促工作、促战备,备战、备荒、为人民,把"四人帮"干扰破坏所造成的损失夺回来;广泛、深入地开展工业学大庆、农业学大寨的群众运动。②

经过 1977 年一年的努力,中国的国民经济有了一定的发展。工业总产值 3728 亿元,比上年增长 14.4%。基本建设投资完成 330 亿元。工农业总产值达到 5055 亿元,超过计划 4.4%。但是农业没有完成计划,粮食产量 5655 亿斤,比上年减产 71 亿斤;棉花产量 4098 万担,比上年减产 13 万担。能源供应紧张,不少工厂开工不足;许多企业管理仍然很乱,大约有 70%—80% 的企业产品质量、燃料动力消耗指标没有达到历史最好水平,亏损企业大约占 30%;投资效果没有明显提高;积累率高达 32.3%;与人民生活关系密切的职工住宅、城市公用事业、商业服务等问题仍很突出。

为了继续研究中国的长远规划,1977 年 11 月 24 日,全国计划会议又一次在京召开。会议形成了《关于经济计划的汇报要点》。根据汇报要点的精神,国家计委提出了《发展国民经济十年(1976—1985 年)规划的纲要(修订草案)》。1977 年 12 月 1 日,中共中央、国务院批准并下发了这一草案。修订草案规定工农业生产十年平均增长速度为 8.7%,其中工业速度为 10%;财政收入十年合计为 12800 亿元;基本建设投资十年合计为 4580 亿元。在未经充分讨论和科学论证的情况下,1978 年 2 月,华国锋在第五届全国人民代表大会上所作的工作报告中,正式提出了这个新的"跃进"计划。3 月 5 日,全国人民代表大会五届一次会议正式通过了这个《修正草案》。

《十年规划纲要》忽视了经过十年"文化大革命"后国民经济中存在的严重问题,提出了一些不切实际的奋斗目标:到 1980 年,建成我国独立的比较完整的工业体系和国民经济体系;到 1985 年,进一步完善全国的经济体系,各个部门的主要生产环节基本掌握现代先进技术,基本建成西南、西北、中南、华东、华北、东北 6 个大区,不同水平、各有特点、各自为战,农、轻、重比较协调发展的经济体系;从 1977 年到 1985 年,工农业总产值计划平均每年增长 9.5%,其中农业总产值增长 4.7%,工业总产值增长 11%,等等。

由于 1978 年 3 月召开的全国人大五届一次会议重新提出"赶英超美"的口号,

---

① 《当代中国的计划工作》办公室编:《中华人民共和国国民经济和社会发展计划大事辑要(1949-1985)》,红旗出版社 1987 年 12 月版,第 376,377 页。

② 余秋里关于拟定 1977 年国民经济计划的讲话要点,1976 年 11 月 7 日。

并宣布"我国国民经济已走上稳步上升、健康发展的轨道","一个新的跃进形势已经来到了"。《十年规划纲要(草案)》对"五五"和"六五"的规划设想,同1975年拟定的十年规划纲要草案比较,不少指标进一步提高了。尽管这个纲要最终没有颁布和下达,但它仍然是当时指导经济建设的纲领性文件,并且在实际工作中产生了消极作用:一方面,它助长了脱离实际、急于求成的倾向;另一方面,它加剧了业已存在的国民经济比例失调的状况。

《十年规划纲要(草案)》规定的这样大的建设规模和增长速度,是建立在新的"跃进"的指导思想上的。① 由于经济建设指导思想急躁冒进,《十年规划纲要》规定的目标、任务严重脱离国情、国力,具体指标规定偏高,自1978年下半年开始,我国进一步扩大了基本建设投资规模,加剧了国民经济比例失调。

经济建设的新"跃进"

(一)急于求成的高指标和"按老路走"的指导思想

在"五五"计划实施的初期,不仅重犯盲目追求高速度、高指标的老毛病,而且在经济管理、经济运行上也不允许革新。1977年2月7日,《人民日报》、《红旗》杂志、《解放军报》发表社论《学好文件抓住纲》,其中提出,"凡是毛主席作出的决策,我们都要坚决拥护;凡是毛主席的批示,我们都始终不渝地遵循"。这种观点压制了思想解放,阻碍了经济领域拨乱反正工

作的深入。

按照长期以来形成的固有思路,发动新的"跃进"的思想,早在经济刚刚恢复时就出现了。1977年4月11日,《人民日报》社论《全面落实抓纲治国的战略决策》中提出,"一个新的"跃进"形势正在形成"。接着,在4月19日《人民日报》社论《抓纲治国推动国民经济新跃进》的社论中,进一步提出达到和赶超"三个水平"的口号,即"首先达到和超过本单位历史最高水平;再赶超全国同行业的最高水平;进而赶超世界先进水平"。

这种指导思想与长远规划中的高指标相结合,形成了脱离中国实际的经济建设的新"跃进"。典型的表现有以下三个方面:

1. 盲目加快农业机械化的进度。1974年在国家计委设想的1976年至1985年十年远景规划中,提出了1980年实现农业机械化的要求。这本来是不切实际的。1978年1月,中共中央将国务院《关于1980年基本上实现农业机械化的报告》转发各地区、各部门执行。《报告》坚持毛泽东过去的号召,要求1980年基本上实现农业机械化,使农、林、牧、副、渔主要作业的机械化水平,达到70%左右。1978年1月,国务院在北京召开了第三次全国农业机械化会议。会议强调指出:1980年基本上实现农业机械化。实际执行结果,到1980年底,大部分指标未达到预定的目标,并且在规划实施过程中,存在一些急躁冒进的情况,影响了农业机械化的质量。

2. 过大的积累比重与比例结构失调。在实施十年规划的过程中,求成过急的思

---

① 1977年底至1978年初,《人民日报》连续发表社论:《全面落实抓纲治国的战略决策》、《抓纲治国推动国民经济新跃进》、《速度问题是一个政治问题》等等,反映了当时中央领导人指导思想。

想直接影响了生产建设,导致过大的积累比重。1978年五届人大一次会议通过十年经济发展规划以后,1978年为了组织新的"跃进",不断加大建设规模,这一年财政收入增加200亿元,基建规模由年初的332亿元增加为415亿元,全年完成投资501亿元,比上年增加119亿元,增长31%。在建项目中5万元以上的达6.5万个(其中大中型项目1723个,比上年增加290个);全部建成投产99个,完成这些项目总投资需3700亿元。按当年投资项目的总规模与年度投资相比,今后不再上任何新项目,完成全部投资还需要8年时间。为支持如此巨大的建设规模,当年积累率达到36.5%,是自1953年开展大规模经济建设以来除1959年(43.8%)、1960年(39.6%)之外最高的年份。

在投资结构方面,重工业过重,农业、轻工业过轻的情况依旧。在十年规划中,生产性投资占82.6%,农业、轻工业、重工业的基本建设投资比例为10.6∶5.8∶48.7。

3. 引进项目规模过大,实施过急。为了实现十年规划的各项要求,在新"跃进"的指导思想下,加快了国外设备技术的引进。1977年国家计委向国务院提出的引进新技术和成套设备计划,本来是此后8年的任务,所需外汇为65亿美元,国内配套工程的基建投资为400亿美元。而在1978年国务院务虚会上,再次强调要用比原来设想更快的速度实现四个现代化,以致当年就确定从日本、美国和联邦德国等国家引进以钢铁、石油化工、化纤、化肥等为主要内容的22个大中型项目,引进总额为78亿美元,当年用汇需11.7亿美元。1978年,全国在建项目规模已经很大,再

加上如此巨大规模的引进项目,国家财政负荷过大。

此外,由于对引进要求过急,确定这些项目时,对国内外情况缺乏认真的调查研究,如能源供应的可能,设备分交的可能,建设新厂与改造老厂的关系等,有的项目未经充分论证就仓促上了马。

所有这些问题,都给国民经济造成了新的困难,加剧了原已长期存在的经济结构比例的失调。

(二)国民经济结构失调和效益低下的问题加剧

1978年,国民经济各方面关系非常紧张,国民经济重大比例关系失调的状况进一步加剧。积累与消费的比例进一步失调。由于国家安排的基本建设投资过多,农村中也强调农田基本建设,积累在国民收入使用额中所占比例不断升高,使人民生活难以改善,虽然1977年60%的职工增加了工资,但城乡居民收入水平也还是低的。

农轻重比例与重工业内部比例失调的问题又加深了。由于十年规划纲要追求以钢为中心的重工业生产的高指标,国家财力物力向重工业偏斜,使工业特别是重工业迅速增长。而农业则由于农村中继续贯彻"左"的政策,国家投入严重不足,恢复和发展迟缓。轻工业因资金、原材料、燃料动力和运输能力被重工业挤占而增长不快。这样,农轻重比例失调更加扩大,1978年与1976年相比,农、轻、重的比重,从1976年的30.4∶30.7∶38.9,到1978年改变为27.8∶31.1∶41.1。①

重工业内部发展不平衡问题也依然存在。另外,交通运输紧张的情况也没有缓和。严峻的现实使越来越多的人感到

---

① 《中国统计年鉴(1983)》,第20页。

老路子难以为继,必须认真总结正反两方面的经验教训,在指导思想上彻底作一番清理,实事求是地寻找一条适合我国国情的发展经济的新途径。

三

思想解放与工作重心的转移

"文化大革命"的深重灾难,使人们重新思考我国经济的发展道路问题。不少经济界和学术界人士不约而同地提出了如何估价市场在我国社会主义经济中的作用问题。经济理论界首先开展了澄清是非的讨论,党政领导则在1978年7月至9月间召开了国务院务虚会,讨论怎样加快现代化建设。思想解放与党和国家工作重心的转移,改变了"五五"计划后期的实施历程。

(一)经济理论的拨乱反正

在1977年冲破"两个凡是",解放思想的过程中,理论界通过揭批"四人帮"在经济理论上的谬论,开始逐步澄清"四人帮"散布的错误思想,恢复马克思主义的正确认识,辨明理论是非。这对于拨乱反正,对于十一届三中全会的召开,起了积极的作用。十一届三中全会前经济领域的思想解放,突出体现在4个理论问题上:商品经济问题、按劳分配问题、生产力问题和经济规律问题。

经济领域的思想解放在实质上动摇了"两个凡是"的根基。但是人们在思想上仍然有顾虑,对"文化大革命"心有余悸。

在思想解放的过程中,经济开始恢复

和发展,人民生活开始有所改善。改革和开放方面的尝试,不仅为十一届三中全会的工作重心转移作了思想准备,也为十一届三中全会后的大规模改革开放提供了很多有益的启示和借鉴。

(二)1978年7月至9月的国务院务虚会和全国计划会议

1978年7月至9月的国务院务虚会和全国计划会议是十一届三中全会之前的两次重要会议。国务院务虚会提出的改革开放思想和会议召开的形式,对十一届三中全会和理论工作务虚会都产生了直接的影响,对新"八字方针"的确立也有一定的关系。这次会议于1978年7月6日召开,9月11日会议结束。[①]这次务虚会主要研究怎样加快我国社会主义四个现代化建设的速度。

在国务院务虚会还未结束的9月6日,国务院又召开了全国计划会议,会议一直开到11月3日结束。这次会议侧重于改革问题,也是对务虚会基本精神的贯彻落实。全国计划会议的重要成果,是在安排1979年、1980年计划时,确定了在经济工作上,必须实行以下三个转变:一是从上到下都要把主要注意力转到生产斗争和技术革命上来。二是从那种不计经济效果、不讲工作效率的官僚主义的管理制度和管理方法,转到按照经济规律办事、把民主和集中很好地结合起来的科学管理的轨道上来。三是从那种不同资本主义国家进行经济技术交流的闭关自守或半闭关自守状态,转为积极地引进国外先进技术,利用国外资金,大胆地进入国际市场。

全国计划会议上的这些内容与国务

---

① 一般认为,在李先念9月9日《报告》后,务虚会即告结束,李正华在《改革开放的酝酿与起步》(当代中国出版社2002年版)中认为应该是9月11日结束。

院务虚会精神有明显的一脉相承关系,在十一届三中全会上被作为党的重要决策进一步明确,体现在十一届三中全会作出的以经济建设为中心、进行改革开放、加速社会主义现代化建设的伟大战略决策中。

(三)中共中央十一届三中全会的历史转折

长达十年的"文化大革命",遗留了大量的历史问题。其中的是非曲直如果得不到正确的判断,政治经济工作的一系列问题都得不到解决,党和国家各项工作的指导思想也不可能变化。

在为十一届三中全会作准备的中共中央工作会议上,陈云在会上率先提出解决历史遗留问题的意见,把会议引向了拨乱反正。

关于工作重点转移的指导思想,多数人赞同对建设时期的阶级斗争问题应当重新认识,澄清糊涂观念,是党指导现代化建设必须要解决的问题。今后除非发生战争,一定要把生产斗争和技术革命作为中心,不能有其他的中心。

随着思想路线的拨乱反正,对其他方面的讨论也不断摆脱"两个凡是"的束缚,贯彻实事求是的方针。

12月13日,邓小平在中央工作会议的闭幕式上发表题为《解放思想,实事求是,团结一致向前看》的重要讲话。这篇讲话提纲挈领地抓住了历史转折中最根本的问题,提出了党和国家继续前进的方向和指导思想,清晰地表达了作为新一代中央领导核心的邓小平的治国方略。它宣告了一个新的历史时期的到来。

这次中央工作会议关于解放思想、改革开放的讨论取得了成功。这就为随后召开的十一届三中全会正式作出具有历史转折意义的一系列决策做好了准备。

历时一个多月的中央工作会议结束后第三天,仅仅开了5天的十一届三中全会作出了一系列历史性的重大决定,确定了关系党和国家命运的改革开放的总方针和总任务。①关于工作重心转移的决定。否定了"以阶级斗争为纲"的提法,提出了将全党工作的着重点和全国人民的注意力转移到社会主义现代化建设上来的方针,有更强的生命力。②正式提出了改革开放的总方针和总政策。③今后任务是保护和发展生产力。

从此,全国上下同心同德,努力发展社会生产力,推动四个现代化建设的顺利进行,取得了举世瞩目的成就。

1979年,为了扭转被"文化大革命"破坏的经济关系,中国重提调整国民经济,出台的又是一个"八字方针",即"调整、改革、整顿、提高"。

为贯彻执行"八字方针"精神,在1979年和1980年的两年时间里,经济调整工作主要有以下方面:一是改善农轻重之间的比例关系。二是调整国民收入分配,改善积累与消费的比例。各种调整措施以及配合调整的改革措施的实行,推动了国民经济朝着协调的方向稳步发展。

"五五"计划的修改与实施

由于第五个五年计划实施期间,我国政治、经济与社会环境面临着中华人民共和国建立以来空前的巨大震荡与转折,因此,尽管每一个五年计划均有指标的调整,但是"五五"计划期间的调整内容尤为丰富,其不仅仅是经济指标的数字变化,而且包含着政治体制、经济体制、思想认识等多方面的深刻内涵。

（一）1977－1981 年的计划修订与实施

1977 年在北京召开的全国计划会议上，国家计委起草了《关于 1977 年国民经济计划几个问题的汇报提纲》。

会议认为，在 1977 年计划中，要认真解决的突出问题有三个：一是农业和轻工业不适应生产建设和改善人民生活的需要，这是当前国民经济中的主要问题；二是燃料动力工业和原材料工业的发展赶不上整个国民经济发展的需要；三是已经铺开的基本建设规模，超过了当前财力、物力。

在 1978 年 9 月 5 日国务院召开的全国计划会议上，要求：1979 年、1980 年，农业总产值平均每年增长 5%—6%，工业总产值平均每年增长 10%—12%，钢产量平均每年增加 300 万吨，原煤平均每年增加 4000 万吨，原油平均每年增加 600 万到 1000 万吨。1979 年国家直接安排的基本建设投资为 457 亿元，比投资规模急剧膨胀的 1978 年又增长 15.7%。

1979 年初，1 月 1 日、5 日，陈云对经济调整作了两次具体批示：1979 年有些物资还有缺口，我认为宁肯降低指标，宁可减少建设某些项目，不要留有缺口。"有物资缺口的，不是真正可靠的计划"。1 月 6 日，邓小平也指出："我们要从总方针来一个调整，先搞那些容易搞、上得快、能赚钱的，减少一些钢铁厂和一些大项目。引进的重点要放在见效快，赚钱多的项目上。今年有些指标要压缩一下，不然不踏实，不可靠。"根据国民经济现状和中央领导的指示精神，国家计委会同有关部门，着手研究和调整 1979 年国民经济计划。1979 年的计划从总盘子到具体政策、指标，都作了全面调整。

通过贯彻执行调整、改革、整顿、提高的"八字方针"，1979 年国民经济的一些重大比例关系开始朝着协调合理的方向发展，经济比过去活了，国民经济主要指标都完成和超额完成国家计划。

1979 年 11 月 20 日至 12 月 21 日，国务院召开全国计划会议，拟订了 1980 年的计划。按照这一计划安排：1980 年工农业总产值比上年预计增长 5.5%，其中农业总产值增长 3.8%，工业总产值增长 6%。这一年国民经济计划执行的总的情况为，在发展工农业生产、改善农轻重比例关系、控制基本建设规模和降低积累率等方面，取得了初步的成效，但是，农业未完成计划，基本建设规模仍然过大。

为了更好地贯彻国民经济调整方针，1980 年 11 月，国务院在北京召开了全国省长、市长、自治区主席会议和全国计划会议，确定调整 1981 年国民经济计划：工农业总产值由原来的 6955 亿元，减为 6800 亿元，比上年预计增加 3.7%。其中，农业总产值为 1690 亿元，比上年预计增长 5.6%；工业总产值为 5110 亿元，比上年预计增长 3%。

（二）第五个五年计划时期经济发展概况

第五个五年计划时期（1976—1980）的经济建设大体经历了两个阶段。第一阶段，从 1976 年粉碎"四人帮"到 1978 年 12 月党的十一届三中全会以前，经济建设处于恢复发展时期。第二阶段是党的十一届三中全会以后，国民经济处于调整时期。1977 年和 1978 年，工农业总产值平均每年增长 11.5%。其中农业总产值平均每年增长 5.3%，工业总产值平均每年增长 13.9%。粮食增加 1845 万吨，能源生产总量增长 24.7%，化肥产量增长 65.8%，化学纤维产量增长 94.8%，铁路货运量增长 30.9%，国家财政收入增长

44.4％。但是由于没有对经济工作中长期存在的"左"倾错误及时清理，对十年动乱所造成的严重后果估计不足，因此，在经济工作中仍然存在求成过急，盲目追求高速度、高指标的倾向。

"五五"时期，国民经济年平均增长7.84％，最高年增长11.7％，最低年增长1.7％；工农业总产值平均每年增长8.1％，农业总产值年均增长5.1％，工业总产值年均增长9.2％，其中轻工业为11％，重工业为7.8％，5年新增固定资产为1747.31亿元。到1980年底，粮食达到6411.1亿斤，棉花5414.4万担，钢3712万吨，原煤6.2亿吨，原油10595万吨。全民所有制单位职工平均实际工资增长了31.2％。1980年同1975年相比，全国国营工业固定资产原值增加1300多亿元，相当于前十年增加的总和。5年内城乡人民的平均消费水平提高了26.8％，而前十年只提高了24.1％。这期间经济体制也进行了多方面的改革，对于调动各方面的积极性、搞活经济，起了重要作用。

在经济好转的同时，也潜伏着一些问题。主要是1979年、1980年分别出现了170亿元和127.5亿元的财政赤字，货币发行过多，商品价格上涨。为消除这些危险因素，党和政府决定，1981年进一步进行调整，实现财政、信贷基本平衡。然后再用5年或更长一点时间，完成各项调整任务，实现经济结构和管理体制合理化，使国民经济走上健康发展的轨道。

"文化大革命"中的农村合作医疗

农村合作医疗在"文化大革命"中不可避免地带有"左"的因素，但对于解决农民的医疗保障问题仍然发挥着作用。

一

毛泽东的"六二六"指示

1964年，随着"四清"运动的深入，毛泽东将反对官僚主义，反修防修的问题看得越来越重。在他连续批评了文化、学术、教育等部门后，对北京医院仅为高级干部看病的情况甚为不满。6月，毛泽东在接见越南外宾时，批评北京医院高级干部保健脱离实际、脱离群众、助长生活特殊化的现象。8月10日，他又在卫生部党组关于改进高级干部保健工作报告的批语中写道："北京医院医生多，病人少，是个老爷医院，应当开放。"[①]在他的敦促下，中央决定在全国范围内撤销专为高级干部设立的保健机构，取消专职保健医生、保健护士的制度，并向群众开放专为高级干部看病的医院。1965年1月，在第三届

---

① 毛泽东：《对卫生部党组关于组织高级医务人员下农村和为农村培养医生问题的报告的批语》，《建国以来毛泽东文稿》第11册，中央文献出版社1996年版，第124页。

全国人大一次会议期间，毛泽东对卫生部的工作提出批评："卫生部想不想面向工农兵"，并指责医学教育学制太长，无法满足农村社队医务人员的需求。卫生部立即召开党组会议传达讨论毛泽东的指示，并在当月20日，向毛泽东呈送报告，决定在15所医学院中开办三年制的班，为农村培养医生。① 6月26日，毛泽东再次批评卫生部"不是人民的卫生部，改成城市卫生部、或老爷卫生部、或城市老爷卫生部好了。……现在医院的那套检查治疗方法，根本不符合农村。培养医生的方法，也是为了城市"。② 他批评卫生部门忽视了对农村群众医疗卫生的关心，医生们留在城市里，坐在医院中，戴起大口罩，隔断了与基层群众的联系，冷落了人民群众的感情。这一指示被称为"六二六"指示。毛泽东的批评令卫生部门的同志深感震动和困惑。③ 它似乎与中华人民共和国成立初期即确立的"面向工农兵"的卫生工作方针的事实不符，也与此时农村卫生面貌的巨大变化相悖。那么，是什么原因引发了毛泽东对卫生部如此严厉的批评呢？

第一，从医疗保健制度的覆盖范围上看，农村与城市极不平衡。

劳保医疗和公费医疗制度是随着新中国诞生而相继建立的，十多年中制度进一步完善，几乎将城镇各行业的职工和国家公职人员、大中专院校学生全部囊括在内。在医疗条件和医疗技术不断提高的保证下，城里人基本实现了病有所医的目标。然而农村尽管在合作化后农民自发地办起了合作医疗，"大跃进"中也曾有过积极推广，政府也对农村采取了很多医疗卫生优惠政策，但农村基本还在持续着农民自费医疗的境况。农村合作医疗与城镇医疗保健制度所提供的服务也无法相提并论。在城乡二元结构形成后，农民失去了流动的自由，身份带来了待遇的不平等，医疗保障成为了农村人羡慕城里人的重要一条。不仅如此，一些享受劳保医疗和公费医疗的少数人还滥用福利，浪费现象滋生蔓延，给国家并不富裕的经济造成了很大负担。尽管国家曾几次对这种情况提出批评，并要求各地卫生部门加强管理和检查，试图调整城乡医疗保健制度的不平等，但实际情况并没有根本改变。

第二，从医疗卫生资源的分布和投入上比较，农村与城市相差甚远。

1949年之前，我国城乡医疗卫生资源在分布上就极不平衡。1949年之后国家为农村医疗卫生建设投入很多，强调建立农村基层卫生组织，加强了直接为农村服务的中、初级医疗卫生人员的培养。到1965年时，农村医疗卫生保健网基本建成，卫生技术人员达88万人，其自身发展速度大大超过了城市。④ 但是在医疗卫生资源的配置上，农村与城市相比还有相当大的距离。

卫生部接到"六二六"指示便立即进行了深刻检查，在此后送给毛泽东和中央的报告中，更加清楚地反映出了在这方面工作上的失误。"由于卫生部领导长期把

---

① 毛泽东：《对卫生部党组关于组织高级医务人员下农村和为农村培养医生问题的报告的批语》，《建国以来毛泽东文稿》第11册，中央文献出版社1996年版，第318页。

② 曹普：《改革开放前中国农村合作医疗制度》，《中共党史资料》2006年第3期。

③ 张自宽：《"六二六指示"相关历史情况的回顾与评价》，《中国农村卫生事业管理》2006年第9期。

④ 以医院病床为例，1952年全国县医院的床位为3.9万张，城市为12.1万张；1957年，县医院为7.4万张，城市为22.1万张；1962年，县医院为25.3万张，城市为43.7万张；1965年，县医院为30.8万张，城市为45.8万张。参见中华人民共和国国家统计局编：《中国统计年鉴2003》，中国统计出版社2003年，第806页。

人力、物力、财力主要用在城市，以致农村缺医少药的问题迄今未能很好地解决。据 1964 年的统计：在卫生技术人员分布上，高级卫生技术人员 69% 在城市，31% 在农村，其中县以下仅占 10%。……农村中西医不仅按人口平均的比例大大低于城市，而且多数人的技术水平很低。在经费使用上，全国卫生事业费 9 亿 3 千余万元中，用于公费医疗的 2 亿 8 千余万元，占 30%，用于农村的 2 亿 5 千余万元，占 27%，其中用于县以下的仅占 16%。这就是说，用于 830 万享受公费医疗的人员的经费，比用于 5 亿农民的还多。"[①]通过这些数字的比较可以看出，先进的医疗设备和优秀的医务人员集中在大城市，农民患病难以就诊，得不到及时治疗，城乡医疗卫生条件差距过于悬殊。而造成差距的原因也是十分复杂的，其中有旧中国城乡医疗卫生发展不平衡和新中国经济、文化等各方面条件限制的客观历史原因，也有卫生部工作的失误和医务人员不愿离开城市等人为因素，更要看到医疗卫生工作重心深深受到了国家工业化建设目标的影响。

第三，从医疗卫生工作服务于国家经济建设重点的角度视之，农村与城市轻重有别。

医疗卫生为人民大众服务，为基层服务，这在"面向工农兵"这一卫生工作方针中得到了体现。无论是从党的一贯主张，还是从我国医疗卫生的实际情况来看，农村、农民都自然地成为了新中国医疗卫生服务的主要对象。而且在建国初期，也确实提出过了为巩固土改成果，解决农村医疗卫生的严峻形势，把卫生建设的重点放在农村的思想。然而，过渡时期总路线提出以工业化为主体，第一个五年计划又提出集中力量发展重工业，相应地发展交通运输业、轻工业、农业和商业。卫生工作重点随之发生了转移。1953 年 1 月，政务院文化教育委员会在制定本年度文教卫生工作计划会议上，明确了卫生工作为工业建设服务，"应着重加强和建立城市、工矿和交通线的医疗卫生机构"。[②] 10 月，卫生部党组向中央报告，认为今后卫生工作必须更好地为实现总路线服务，根据国家建设的需要和目前的实际情况，确定卫生工作的重点首先是要加强工矿卫生和城市医疗工作，使农村卫生工作和互助合作运动密切结合，并继续开展爱国卫生运动，防治对人民危害性最大的疾病。[③] 自此，围绕着基础工业、国防建设的国家经济重点，医疗卫生工作"重城市轻农村"的倾向逐步形成。尽管此后，在经济建设中，特别是在"大跃进""以钢为纲"后，"农业是国民经济的基础"被重新认识和强调，农业、重工业、轻工业的发展次序被调整，这才使得城市和农村医疗卫生的主次关系有了一些变化，提出了"城乡统筹兼顾"的思想。但是，工业化建设的艰巨任务和当时国家经济的严重困难，都决定了医疗卫生建设只能以城市、厂矿为主，农村医疗卫生的供给还只能处于低水平的发展状态。

"六二六"指示发出后，刘少奇、周恩来、陆定一等中央和卫生部的领导同志先后组织卫生部门的同志座谈，进一步了解

---

① 《关于把卫生工作重点放到农村的报告》，李长明主编：《农村卫生文件汇编(1951—2000)》，卫生部基层卫生与妇幼保健司 2001 年，第 27 页。

② 《政务院文化教育委员会召开会议，制订今年文教工作计划》，《人民日报》，1953 年 2 月 3 日。

③ 《第三届全国卫生行政会议在北京举行，确定今后卫生工作的方针和任务》，《人民日报》，1953 年 12 月 31 日。

情况,要求落实好"六二六"指示,加强农村医疗卫生工作。一年后"六二六"指示公开,极大地鼓舞了广大医务工作者投身农村建设的热情,激发了农村群众彻底改变疾病丛生的落后面貌的决心。在中央和地方,城市和农村医务工作者及人民群众的共同努力下,农村医疗卫生工作出现了较大发展。"把医疗卫生工作的重点放到农村去"成为医疗卫生工作方针中又一条重要内容。

1965年9月3日,卫生部党组向毛泽东和中央上报了《关于把卫生工作重点转向农村的报告》,一方面深刻检讨了卫生部的工作,进行了自我批评;另一方面制定了整改措施,积极贯彻和落实毛泽东的指示。《报告》提出的主要措施有:第一,组织城市医药卫生人员到农村去,特别是到山区和偏僻的地方去,为农民服务。抽调城市卫生人员,作为"种子",长期留在农村工作。第二,大力为农村培养医药卫生人员,争取在5年到10年内,为生产队和生产大队培养质量较好的不脱产的卫生人员,为公社卫生机构配备4到5名质量较好的医生。第三,整顿农村卫生组织。对县医院、防疫站、妇幼保健站等卫生机构适当调整合并。现有的公社卫生组织有三种形式:国家办,公社、大队办和医生集体办,其中医生集体办的占多数,问题也最多,以逐步走向社队办为宜。第四,大力生产和供应农村需要的大众化的药品,降低价格,成药应明码实价,宣传用

法,使广大农民能够用到质量好、疗效好的药。对看不起病、买不起药的农民继续实行减免的办法,由国家医药救济费解决。① 这些措施后来基本得到了落实,并发挥了积极作用。11月1日,周恩来在接见中华医学会第一届全国妇产科学术会议代表时指出,"我国农村人口约占总人口的87.8%,城市人口只不过占12.3%。如果我们的卫生工作不把重点放到农村,那怎么为劳动人民服务啊? 为绝大多数劳动人民服务的口号等于没有兑现嘛"。② 在"六二六"指示的推动下,卫生部逐步将卫生部门的人力、物力和财力的重点放到农村。以全国医疗卫生机构病床的分布为例,1965年农村只占40%,短短十年后,这个比重已提高到60%。③ 1975年,全国卫生经费65%以上用于农村。④ 而指示对农村巡回医疗和合作医疗的有力推动,更为改变农村医疗卫生面貌奠定了基础。

由于指示发出后不久就爆发了"文化大革命",在具体执行的过程中,出现了形式主义、盲目上纲上线等错误,给医疗卫生工作造成了一些不必要的损失。其突出表现在:"一是不从实际出发,片面强调下放,因而削弱了城市的医疗卫生力量和整个科研教育力量;二是有些专业技术人员不是根据需要被下放的,甚至是被认为有政治历史问题或是必须进行'改造'而被下放的,到下面没有对口的工作,无用武之地,给一些专业的发展带来了很大的损失。"⑤

① 《关于把卫生工作重点放到农村的报告》,李长明主编:《农村卫生文件汇编(1951—2000)》,卫生部基层卫生与妇幼保健司2001年,第26—33页。
② 周恩来:《农村卫生工作和计划生育问题》,《周恩来经济文选》,中央文献出版社1993年版,第567页。
③ 中华人民共和国国家统计局编:《中国统计年鉴2003》,中国统计出版社2003年版,第806页。
④ 《卫生部关于全国赤脚医生工作会议的报告(摘录)》,李长明主编:《农村卫生文件汇编(1951—2000)》,卫生部基层卫生与妇幼保健司2001年,第420页。
⑤ 黄树则、林士笑主编:《当代中国的卫生事业》(上),中国社会科学出版社1986年版,第18页。

二

政治动员下的合作医疗

"文化大革命"十年动乱,中国社会各个方面遭受重创,人民生活水平长期得不到提高。然而,这期间农村医疗卫生的成就却为世界所瞩目。农村合作医疗兴起大办的高潮,半农半医的赤脚医生队伍不断壮大,医疗卫生保健站遍布最偏远的山区海岛。合作医疗、赤脚医生、保健站被称为农村医疗卫生的"三大法宝",对改善农村医疗卫生状况发挥了重要作用。合作医疗以最低的成本获得了满足农民基本医疗需求的最高效益,被世界卫生组织誉为"是发展中国家群体解决卫生经费的唯一范例",并被作为"中国模式"在发展中国家推广。

（一）合作医疗

湖北省长阳土家族自治县乐园公社杜家村是一个偏僻的小山村,这里由于交通不便,医疗条件差,村民看病要翻山越岭,十分困难。一位叫覃祥官的年轻人立志要改变家乡缺医少药的落后面貌,1964年申请参加了赤脚医生学习班,成为了公社卫生院的医生。1966年8月,他辞去公社卫生院的"铁饭碗",回村办起了"乐园公社杜家村卫生室"。他利用当地的土方,自采、自种、自治、自用土药,组织大家共同参与合作医疗。他们的基本做法是,村里农民每人每年交1元合作医疗费,再从集体公益金每人平均提5角钱作为合作医疗基金,除了个别需要常年吃药的以外,群众每次看病只需交5分钱的挂号费,吃药就不要钱了。覃祥官不分日夜,不辞辛苦,送医送药到田间地头、农民的家中,被贫下中农称赞为"白求恩式的好医生"。

他的小卫生室初步解决了杜家村农民吃药看病的大问题。覃祥官发明的"三土"、"四自"创办合作医疗的工作方法,全心全意为人民群众服务的精神,不胫而走。1968年春,长阳县卫生局3位同志慕名而来,驻扎乐园20天后编写成调查报告《农村卫生战线上的一朵鲜花——记湖北乐园深受贫下中农欢迎的合作医疗制度》。报告层层上报,受到了中央文革小组的重视,并安排在北京黄村、良乡两个公社分别召开了座谈会。最终姚文元把这些材料送到了毛泽东的案头。阅后,毛泽东称赞"合作医疗好",批示发表。1968年12月4日晚中央人民广播电台广播了这篇报告。第二天,《人民日报》发表了题目为《深受贫下中农欢迎的合作医疗制度》和《黄村、良乡公社对乐园公社实行合作医疗制度的意见——贫下中农、农村基层干部、公社医务人员座谈会纪要》两篇文章。调查报告在编者按中写道:合作医疗制度是一件无产阶级文化大革命中出现的新事物。……当贫下中农管理学校已经开始在农村普遍实行的时候,我们提出农村医疗制度的讨论,一定会促进毛主席的无产阶级卫生路线的进一步贯彻执行。调查报告总结了合作医疗的4条好处:一、解决了贫下中农看不起病、吃不起药的困难,进一步体现了党和毛主席对贫下中农的亲切关怀;二、使"预防为主"的方针真正落实在行动上;三、进一步发挥了广大贫下中农的阶级友爱精神,调动了社员的积极性,促进了社会主义卫生事业的发展;四、防止了资产阶级思想泛滥,加速了医务人员思想革命化和工作革命化。一时间乐园成为全国合作医疗学习的典型,先后有5万多人到这里学习取经。覃祥官也因此成为红极一时的风云人物。他1974年出访日本,1975年当选第四届全国人大代表,1976 年以中国代表团副团长的身份出席了世界卫生组织太平洋委员会第 27 届会议、世界卫生组织太平洋基层卫生保健工作会议,用半天时间作了题为《中国农村基层卫生工作》的报告,并回答了世界各国卫生部长和记者们的提问,他所介绍的中国农村合作医疗的情况,令世界各国为之赞叹,他们认为"中国农村人口这么多,居然能够做到看病吃药不花钱,真是人间奇迹"。① 从菲律宾回国后他被任命为湖北省卫生厅副厅长、厅党委委员。正因于此,覃祥官被喻为"合作医疗之父"。1976 年,以乐园公社合作医疗的发展为主线,珠江电影制片厂拍摄了纪录片《合作医疗好》,覃祥官创办合作医疗、为群众送医送药的形象出现在银幕上,成为全国人民学习的楷模。覃祥官的命运深受那个不正常的年代的摆布。他是一个朴实能干,乐于助人的农民,在他的心中只想着为当地群众解除病痛,而做卫生厅厅长既不是他所长,也不是他所爱。上任 3 个多月后,覃祥官不告而别,离开了整天开会作报告的机关,回到杜家村卫生室继续进行他的合作医疗。

从乐园公社的调查报告开始,合作医疗被大力宣传,《人民日报》作为党的喉舌在其中充当了主要角色。从 1968 年 12 月 8 日开始,该报连续发表了"关于农村医疗卫生制度的讨论"的文章,一直持续到 1976 年 8 月 31 日,先后累计组织讨论 107 期。同时,《健康报》、《红旗》等多家报刊也连续发表宣传合作医疗的报道。在那个政治挂帅的年代,这些宣传报道只讲优点不讲不足,其形式主义,为政治运动服务的特点达到极致。正是借助如此强大

的政治动员力量,1969 年,继"大跃进"之后全国再次出现了大办合作医疗的热潮,而且干劲有过之无不及。在建立合作医疗的过程中采用人为的行政命令的方式,不顾地区间的差异和特点一哄而上,甚至将搞不搞合作医疗定位为是不是执行毛主席革命路线的高度。在那个政治高于一切的年代里,有谁敢冒天下之大不韪逆其道而行之呢?合作医疗风一吹,迅速红遍全国。

然而,事物的发展终究是有其自身规律的,违背规律办事自然不能持久。合作医疗利用政治运动揠苗助长,因此在推行过程中一波三折。到了 70 年代,全国各地合作医疗普遍出现了"春办秋黄"、起落曲折的情况。河北省三河县 1969 年时一哄而上搞合作医疗,全县 395 个大队中实行合作医疗的 367 个,占总数的 93%;到 1973 年 3 月底 367 个大队中就有 209 个停办,占合作医疗大队总数的 57%;其中埝头公社 13 个大队中停办 9 个,占总数的 70%;到 1973 年 10 月,停办大队增加到 240 个,占 65%。② 再如安徽省凤阳县 1969 年合作医疗开始试点,到 1971 年全县 342 个生产大队都实行了合作医疗。可不到两年时间,这一制度的推广就"出现了'一紧二松三垮台四重来'的局面。……截至 1973 年底,全县只有 2 个公社和 5 个大队在办,占大队总数的 15.8%"。③ 农村医疗卫生工作的老典型山西省高平县米山公社也出现了类似问题。1969 年春天,米山公社各大队陆续地办起了合作医疗,但到 1970 年底,有不少大队的合作医疗不能坚持下去,有的停办了。

---

① 胡振东:《"中国合作医疗之父"覃祥官的风雨人生》,《湖北档案》2000 年第 7 期。
② 陆学艺主编:《内发的村庄》,社会科学文献出版社 2001 年版,第 367 页。
③ 王耕今等编:《乡村三十年》(下),农村读物出版社 1989 年版,第 568 页。

为了巩固合作医疗,公社卫生院革委会采取"请进来,走出去"的办法,对全体医务人员进行思想和政治路线方面的教育。① 广西永福县苏桥公社各大队,1969年春实行了合作医疗制度,参加合作医疗的人数占全社应参加人数的80%。然而由于受"合作医疗的巩固工作由卫生部门去管就行了"的错误思想的影响,到1970年初参加合作医疗的人数减少一半。② 从全国来看,到1971年底,全国有74%的生产大队办起了合作医疗,1972年实行合作医疗的比例下降到62%,1973年上半年下降到最低点,尽管十大以后开始回升,但年底时也只有54%,减少了1/4。各地合作医疗发展也很不平衡,上海达到98%以上,广西、北京、山西在80%以上,云南、山东、黑龙江在50%以下,浙江不到30%,宁夏最低只有20.9%。而且在一个省内也不平衡,以山东为例,昌潍、烟台平均在86%以上,而临沂地区只有17%。为了探究造成合作医疗低落的原因,1974年3月21日至4月2日,卫生部根据部长刘湘屏的意见,邀请了10个省市主管农村卫生工作的同志来部里汇报情况。在听取汇报后,对于合作医疗出现回落的最主要原因得出如下结论:林彪反革命修正主义路线的干扰和阶级敌人猖狂作乱,使某些干部,特别是领导干部对此有错误认识,对合作医疗是什么路线还闹不清,甚至有某些错误的言论,破坏了合作医疗的持续发展。③ 然而,今天再回首那段历史,我们就会发现在合作医疗起伏变化现象的背后,隐藏着合作医疗制度自身的不完善和在推广合作医疗中采取强制命令等不合理的做法。

合作医疗作为"文化大革命"的新生事物,在当时看来,其价值不仅在于为农民群众提供医疗保障,更在于体现了贫下中农对医疗卫生领导权的掌握。因此,巩固合作医疗是具有重要的政治意义的。为此,针对合作医疗在推广和举办过程中出现反复、不够稳定的情况,中央和卫生部给予高度重视,为巩固合作医疗进行了不懈的努力。在卫生部的各类文件中都把巩固合作医疗当成了一件重要大事来抓。特别是在中共十大以后,卫生部部长刘湘屏对合作医疗的滑坡非常重视,把巩固合作医疗与新的政治运动相联系,以"反击修正主义回潮"和"批林批孔"运动为契机,加强了对合作医疗的创办和巩固。各地不断总结合作医疗经验,那些出现垮台情况的地区,重新复办,并且扩大了合作医疗的延伸地区,偏远的山区和边陲海岛也都创办了合作医疗,从而使合作医疗的覆盖率大大提高。《人民日报》、《红旗》杂志等报刊不断刊登介绍合作医疗优越性和各地怎样克服困难办好合作医疗的文章,利用典型示范的作用,鼓励群众与"错误路线"作斗争,想尽办法办好合作医疗。河北省遵化县鲁家峪公社卫生院,发扬当年王国藩领导贫下中农办合作社时的那种"穷棒子"精神,自力更生,艰苦奋斗,勤俭办医。短短4年多的时间,这个卫生院的面貌发生了巨大的变化。河北省南宫县1969年开始办合作医疗,到1970年有86%的大队都办起来了。但到1973年初,全县办合作医疗的大队数下降到占大队总数的31%。南宫县各级党委

---

① 《积极支持,具体帮助,共同前进——米山公社卫生院帮助大队巩固合作医疗的调查》,《人民日报》,1973年4月29日。
② 《认真抓好巩固合作医疗的工作》,《人民日报》,1973年4月3日。
③ 防治组:《关于邀请十省市同志座谈农村卫生革命的情况汇报》,中央档案馆,148—25—97卷。

对全县合作医疗普遍进行了整顿。1974年,全县451个大队,普遍办起了合作医疗,覆盖率达到100%。[①] 在合作医疗的实践过程中,各地人民群众从实际出发,因地制宜,无论在经费筹集、管理方式还是在报销范围上都取得了一些好的经验。

举办方式:最为普遍的方式是以生产大队为单位举办和管理。其次是社队联办,由公社进行统筹,以大队为基础,实行社队两级管理,一般是公社掌握基金的30%,大队掌握70%。再次是公社主办,大队所需药品由公社统一拨给,这种形式比较少。此外,在地广人稀的偏远山区,也有以生产小队为单位举办或小队联办的。

筹资金额:合作医疗筹集基金的金额各地相差悬殊。少的每人每年3—5角,多的3元以上,但大多数为每人每年1—2元。一般社员个人交50%—80%,从生产队公益金中支付20%—50%。也有的社员个人不交,全部由生产队从公益金中提取。个别地方也有全部由社员个人支付的。

报销办法:一般在大队卫生所看病全部报销;到公社卫生院看病的医药费,从20%—60%报销金额不等,也有100%报销的;有的规定慢性病不报,急性病或因公致伤致病的可以报销;有的规定报销金额在几十元以内,超过的由个人负担。[②]

正是由于政策上的强制,执行中又有灵活多样的应对措施,因此,虽然合作医疗在发展过程中间有过曲折波动,但最终这一制度被巩固下来。到1976年时,全国有90%以上的生产队建立了合作医疗,这确实是世界上绝无仅有的创举。

(二)巡回医疗

巡回医疗是我们党医疗卫生工作的传统。建国后,从防疫大队奔赴疫区,到医务人员去少数民族地区慰问,再到城市医疗力量支援农业生产、医务人员下乡劳动锻炼,巡回医疗作出了很多开创性的贡献。

在"大跃进"中,为了支援如火如荼的工农业生产,卫生部党组曾起草了《关于动员城市医疗力量和医药卫生院校师生支援工矿、农村卫生工作的报告》,对医疗队到农村的主要工作提出了明确要求:第一,协助人民公社改进公共食堂、托儿所等集体福利事业的卫生工作;结合生产开展以除四害讲卫生为中心的爱国卫生运动。第二,开办基层卫生人员训练班,协助培训初、中级卫生基层人员和积极分子,如炊事员、保育员、接生员、保健员等;训练方式应以短期、不脱产为宜,教育内容必须切合实际。第三,积极参加防治当地危害人民最严重的疾病,如血吸虫、鼠疫、疟疾、钩虫病、丝虫病等,并积极进行医疗救护工作,发现疫病或工伤中毒事故应即大力扑灭抢救,防止蔓延。第四,本身参加一定劳动生产,锻炼和改造思想。[③] 卫生部的报告得到了中央的肯定和支持,此后的巡回医疗工作一直坚持报告的精神。

"文化大革命"中,农村合作医疗的快速发展和缺医少药状况的改变同样离不开城市巡回医疗的有力支援。在这段时期里巡回医疗的力度最大,人数最多,覆盖面最广,效果最明显。通常医疗队下乡

---

① 《巩固和发展合作医疗》,《人民日报》,1974年5月23日。

② 《农村合作医疗的若干情况》,中央档案馆,148—24—19卷。

③ 《关于动员城市医疗力量和医药卫生院校师生支援厂矿、农村卫生工作的报告》,李长明主编:《农村卫生文件汇编(1951—2000)》,卫生部基层卫生与妇幼保健司2001年,第612页。

上山的工作方式有以下几种:从医院中分出一部分人员、设备,到农村建立基地;从医院中抽调一批医务人员充实农村基层,在农村安家落户;组织巡回医疗队或其他形式的流动性的医疗机构,到农村巡回医疗。

1965 年 1 月,毛泽东指示城市高级医务人员下农村,为农村培养卫生人员。紧接着,2 月 11 日,周恩来召集钱信忠等同志谈话,对卫生工作提出了八点要求。他指出,组织医疗队下乡是个好的开始,以后每年都要有 15%的城市卫生人员下去,除老弱有病者外,80%的人要在 5 年内轮流一次。这项工作要搞个计划,先行试点,并注意在工作方法和内容上总结经验。① 卫生部党组认真讨论了毛泽东的指示,并向中央、毛泽东分别作了组织巡回医疗队的报告,向各省、市、自治区卫生厅局下达了组织巡回医疗队下农村的通知,决定将城市卫生人员到农村开展巡回医疗作为一种制度,凡主治医师以上的医药卫生技术人员,除年老体弱多病者外,都要分期分批轮流参加。医疗队的任务是为农民群众特别是贫下中农治疗疾病,开展群众卫生运动,相应开展计划生育工作,为生产队培训不脱产的卫生员和接生员,参加社会主义教育运动,改造思想,改进作风,促进卫生人员革命化。毛泽东看过报告后批示"同意照办"。② 此后全国各地根据指示,大规模地动员和组织医务人员到农村参加巡回医疗。北京市率先行动,2 月初即组建成了医疗队,其中包括中国医学科学院、北京医学院、中医研究院、友谊医院和同仁医院等共 12 个队 112 人。外科专家黄家驷、吴英恺、曾宪九,内科专家张孝骞、钟惠澜、吴朝仁、王叔咸、刘士豪,妇产科专家林巧稚,儿科专家周华康,眼科专家张晓楼,耳鼻喉科专家徐荫祥,皮肤科专家胡传揆、李洪迥,公共卫生学专家叶恭绍,著名老中医朱彦、赵炳南等都参加了医疗队,卫生部钱信忠部长亲自到火车站送行。由此可见,卫生部门的领导和广大医务工作者对巡回医疗的重视和支持。到 1965 年"五一"节时,各地下农村的巡回医疗队已达 1520 多个,参加的医务人员有 1.86 万多人,卫生部为此向全国参加巡回医疗的医务人员发出了慰问信。5 个月后,毛泽东对农村医疗卫生工作发出"六二六"指示,促使巡回医疗更加轰轰烈烈地在全国开展起来。很多地区专门组织了"六二六"农村卫生工作队,带着毛泽东的指示精神到农村去为农民服务。为了进一步落实好指示,把农村巡回医疗工作做好,7 月,刘少奇、周恩来先后召集卫生部部长、副部长谈话,研究具体工作的进展。8 月 2 日,毛泽东、刘少奇、周恩来、朱德四位中央主要领导同志共同接见了钱信忠和两位卫生部副部长,"采取边听汇报、边问边答、边作指示的方式,研究了关于城市医疗队下乡,培训半农半医和不脱产的卫生员,整顿农村基层卫生组织,医学教育改革和医学研究工作,以及城乡兼顾,在把重点放到农村的同时也要搞好城市和工矿的医疗卫生服务等问题"。③ 中央领导的指示和关怀,指明了巡回医疗工作的方向,促进了巡回医疗工作的深入开展。

在巡回医疗中大批医务工作者下乡与农民同吃、同住、同劳动,深入农民家中

---

① 张自宽:《"六二六指示"发表的前前后后》,河南医师网(http://www.henanyishi.com),2006 年 6 月 26 日。

② 《建国以来毛泽东文稿》第 11 册,中央文献出版社 1996 年版,第 124 页。

③ 张自宽:《"六二六指示"发表的前前后后》,河南医师网(http://www.henanyishi.com),2006 年 6 月 26 日。

或田间地头看病治疗。很多知名的专家在为群众看病的同时，手把手地辅导农村卫生人员，提高他们的技术水平，培训出的"赤脚医生"很多成为了农村初级医疗服务的主要力量。当年带领北京专家到湖南巡回医疗的黄家驷总结说："四个半月来，我们治疗了三万多个病人，救治了不少危重病人。广大贫下中农普遍反映，农村来了巡回医疗队体现了党和毛主席对农民的极大关怀。……我们以几个大队为试点，为每个大队培养一名不脱离生产的卫生员，为每个大队培养一名不脱离生产的接生员。我们还在新泉的一个农业中学里举办了一个半农半医的医学班，接收贫下中农子弟，学制两年。"①1965年当年便有15万城市医药卫生人员响应号召参加农村巡回医疗队，其中有的留在农村安家落户。巡回医疗队在为农村送医送药、培养医务人员方面发挥了重要作用。他们的奉献精神受到了国家领导和人民群众的高度赞扬。

中国医学科学院第一批奔赴大西北的医疗队是在周恩来的关怀下组成的，1967年周恩来抱病接见了全体医疗队员。以后，每年医疗队轮换时，周恩来都要在百忙之中抽出时间亲自接见，询问他们的工作情况。他嘱咐医疗队员，要到地方病严重的地方去，到流行病高发的地方去，到灾区去，到疫区去，到艰苦的地方去。他曾经对医科院一位党委成员说，告诉医科院，要下去，不要满足于只派小分队，在城内高楼大厦搞不行，要下去总结农村防病治病的经验。他的亲切关怀给了医疗队员极大的鼓励。医疗队克服重重困难，在大西北极其艰苦的环境下，坚持巡回医疗十几年，为改变当地医疗卫生面貌作出了积极的贡献，赢得了当地群众的广泛称赞。②

1967年3月，为支援春耕，卫生部紧急指示各地卫生部门迅速组织农村巡回医疗队下乡，奔赴农村防病治病第一线，掀起支援农业生产的新高潮。城市医疗卫生机构，必须经常保持1/3的医疗卫生人员在农村工作。医疗队应深入到缺医少药的社队，深入到山区和边远地区，深入到有季节性传染病流行或地方病流行的地区。北京、上海、天津等大城市，除抓好本地区的农村医疗卫生工作外，应当组织医疗队支援其他省、区。1973年上海、江苏、湖南、湖北、河南、山东、辽宁、四川8个省、市组织了8个医疗队，共有440多名医务工作者，配备了较为先进的医疗设备先后出发去西藏。"文化大革命"中，北京先后有300多批、15000多人次的医务人员，到云南、西藏、甘肃、陕西、江西等省、自治区和北京市郊区广大农村巡回医疗。其中赴河西走廊的北京医疗队，每一批都坚持挨家挨户地访问贫下中农（牧），送医送药上门，这之中第七批医疗队成员共301人，一年之中就访问了13万户，平均每人走访400多户。③

如果说巡回医疗体现的是党和国家对农村医疗卫生的重视和关怀的话，那么城市医务人员扎根农村则表现了一种无私奉献的崇高精神。与巡回医疗一起开展的卫生支农工作是鼓励和动员城市医务人员到农村安家落户，扎根农村，为农民服务一辈子。1969年，北京医学院及其

---

① 黄家驷：《医生要下农村，医疗卫生工作要面向农村》，《人民日报》，1965年8月4日。
② 中国医学科学院：《伟大的人，伟大的精神》，《人民日报》，1977年1月9日。
③ 《遵照毛主席关于"把医疗卫生工作的重点放到农村去"的教导，首都医务人员踊跃参加农村巡回医疗》，《人民日报》，1976年6月27日。

附属医院的 500 多名医务人员,满怀革命豪情,到甘肃农村安家落户。① "文化大革命"中,仅天津市就先后有 5600 名医务人员到广西、内蒙古等 7 个省、区和本市郊区安家落户。② 曾经被毛泽东批评为"老爷医院"的北京医院,全院有 80 多名卫生战士到西北地区安家落户,先后组织了 25 批医疗队奔赴农村、牧区巡回医疗。③ 到1976 年 7 月时,全国有 110 多万人次城市的和人民解放军的医务工作者到农村巡回医疗,有十几万城市医务人员在农村安家落户。高等医药院校毕业生 70% 以上分配到农村。全国 5 万多个农村人民公社,基本上都建立起了卫生院。赤脚医生达到 150 万人。④ 巡回医疗制度一直延续至今。其间还先后出现了对口支援、文化科技卫生三下乡等形式,而前不久卫生部发起的"万名医师下农村"活动,则可以称为是巡回医疗的最新成果。

"赤脚医生"

(一)"赤脚医生"的由来

"赤脚医生"作为专有名词是指农村不脱离生产,半农半医的医务人员。"赤脚"形象地比喻这些医务人员来自农民群众,始终不脱离农业生产劳动,始终保持着农民阶级不怕苦、不怕累、不怕脏的劳动人民本色,全心全意为农民服务。依据

当年上海川沙县江镇人民公社医生黄钰祥的说法,"赤脚医生"是农民中间自行叫起来的。因当地以水田为主,下田劳动要打赤脚,所以,农民把那些不脱产的医务人员亲切地称为"赤脚医生"。"赤脚医生"作为合作医疗的主要实施者,曾经担当着农村卫生防疫和宣传,初级治疗、接生、计划生育、爱国卫生运动和采制药品等工作,为解决农民医疗保健,改善农村卫生环境,普及科学卫生知识,移风易俗等作出了巨大贡献。

尽管"赤脚医生"一词是"文化大革命"中出现的,但其内涵所指的特殊人群却早就存在了。中华人民共和国成立前在革命根据地和乡村建设运动的卫生实验区都曾有他们的身影。新中国建立后,为了改变农村卫生脏、乱、差的局面,国家在一些农村建立了卫生实验区,实验中一个比较成功的尝试就是培养不脱离生产的卫生员,由他们负责农村的卫生宣传、组织、消毒、防疫等基础性的卫生工作。1949 年 10 月初,卫生部派防疫医疗大队前往河北省涿县建立卫生实验区。经过 4个半月的努力,初步改善了当地卫生工作。期间他们训练了 784 名卫生员,主要教授普通卫生常识,传染病症状和预防方法等。回村后卫生员负责督促检查各村的卫生工作。⑤ 在 1950 年的农村卫生工作会议上,培训和设立卫生员作为农村基层卫生组织的重要环节被规定下来。同

① 《把医疗卫生工作的重点放到农村去,北医一批医务人员到甘肃农村安家落户》,《人民日报》,1969 年 11 月 28 日。
② 《深入开展医疗卫生革命 用实际行动批判邓小平》,《人民日报》,1976 年 6 月 25 日。
③ 《不许为"城市老爷卫生部"翻案 卫生部机关和直属单位深入批判邓小平反革命的修正主义路线》,《人民日报》,1976 年 5 月 20 日。
④ 《卫生部关于全国赤脚医生工作会议的报告(摘录)》,李长明主编:《农村卫生文件汇编(1951—2000)》,卫生部基层卫生与妇幼保健司 2001 年,第 420 页。
⑤ 《涿县卫生实验区获得改善 农村卫生工作的初步经验》,《人民日报》,1950 年 4 月 3 日、18 日。

时,在建立新的医学教育制度的过程中,与改造旧产婆一道,培养乡村初级卫生员也成为了一项迫切的任务。从1950年开始,医学院校和各级医疗机构陆续开办了初级卫生人员培训班,针对村卫生员的培训一般为3个月,目标是培养新的卫生普及工作者。到了1957年,生产小队基本上都有了不脱产的卫生员。每天社员下地,卫生员也背起药箱一块下地,社员们有了小病小伤就由卫生员给治疗,又省时间又不耽误生产。卫生员还负责组织除"四害"、检查个人和环境卫生、作疫情报告、轻病护理、重病护送以及卫生宣传和劳动保护等工作。他们是农村医疗卫生工作中的中坚力量。1960年6月15日,李德全部长在全国文教先进工作者代表大会上,在总结了建国11年来医疗卫生工作的伟大成绩后,指出未来工作重点之一是,采取多种多样的措施进一步培养大量的不脱产或半脱产的保健员、卫生员、红十字会员等群众卫生骨干,与专业卫生人员一起组成强大的医药卫生队伍。

1965年,钱信忠任卫生部部长,他更加强调农村要培养半农半医的卫生员,巡回医疗队要把医疗卫生技术的种子撒播在农村,使之在农村扎根,在广大农民群众中扎根。为此,同年8月,卫生部邀请来自山东、山西、江苏、安徽、辽宁、青海、广东等地农村不脱产卫生员,半农半医的医生,公社卫生院的院长、中医,县医院院长等基层卫生工作人员召开座谈会,讨论卫生工作如何面向农村,更好地为5亿农民服务,为农业生产服务的问题。与会人员纷纷发言指出,要把农村卫生工作搞好,除了城市医院要组织巡回医疗队下乡以

外,还必须培养大批政治思想好,劳动好,热心为社员群众服务的半农半医的农村医生、不脱产的卫生员和接生员,就地为社员服务。① 1965年开始的大规模巡回医疗工作,明确指出巡回医疗队的主要任务之一,就是为农村培养不脱产的卫生人员。在1965年全国卫生工作会议上,毛泽东称这种为农村迅速培养卫生人员的方式为"瓜菜代"。②

1968年9月3日,中央文革小组组员、上海市革委会副主任姚文元将一篇介绍上海郊区川沙县江镇人民公社培养赤脚医生经验的报告送给毛泽东审阅,毛泽东看后批示:这个从城里下到农村的医生证明,从旧学校培养的学生,多数或大多数是能够同工农兵结合的,有些人还有所发明、创造,不断改变旧思想。这样的知识分子,工农兵是欢迎的。不信,请看上海川沙县江镇公社的那个医生。毛泽东认为报告写得比较好,推荐发表在《红旗》杂志上,并将题目改为《从"赤脚医生"的成长看医学教育革命的方向》。9月10日,《红旗》杂志1968年第3期发表了这份调查报告。"赤脚医生"一词第一次正式公开出现,以其贴切的比喻和形象的表达,一经出现便为人们所认可和广为使用。但同时报告中所介绍的上海市培训不脱产的卫生员的历程也证明了赤脚医生并非"文化大革命"的新生事物。它开始于1958年"大跃进"时期,到1960年6月,上海全市10个县2500多个生产大队已有卫生员3900多名。但1961年8月这支农村卫生队伍只留下了300多人。在农村社会主义教育运动中,上海郊区又逐步重建和恢复保健网。大队卫生员从300多

---

① 《更好地为五亿农民服务为农业生产服务》,《人民日报》,1951年8月12日。
② 庞新华:《山东省赤脚医生社会群体的历史考察》,《国史研究参阅资料》2004年第21期。

人增加到 2300 多人。1965 年"六二六"指示后，上海郊区各县在巡回医疗队的配合下，全面整顿和培训半农半医的赤脚医生，总人数迅速发展到 4500 多人，平均每一个大队有 1.8 人；并由赤脚医生带训了 2.9 万多名生产队卫生员。至此，上海郊县保健网全面发展起来了。9 月 14 日《人民日报》全文转载了这篇报告，其中赞扬了公社医生黄钰祥扎根农村培养赤脚医生，以及赤脚医生王桂珍勤勤恳恳为农民服务的事迹。王桂珍也因此成为了赤脚医生第一人，红遍大江南北。她的命运与前面提到的覃祥官很相似，1969 年 10 月 1 日两人曾经一同参加国庆 20 周年庆典，登上天安门城楼，接受毛泽东的接见，又一同参加世界卫生组织大会。她也曾担任领导职务，成为 4 个月在北京、4 个月在川沙、4 个月在大队的卫生部"三三制"干部。1974 年，中央新闻纪录电影制片厂出品了纪录片《赤脚医生》，王桂珍身背药箱深夜出诊、赤脚下田参加劳动的形象为全国人民所熟悉和喜爱。

（二）"赤脚医生"的选拔与培训

赤脚医生来自农民群众，经过必要的培训，又回到生产和群众中，他们与患者之间的关系既是医患关系，又是同乡、亲戚关系，"文化大革命"中称赞赤脚医生是贫下中农"用得上、信得过、养得起、管得着"的贴心人。有学者认为赤脚医生的选拔真正解决了近代乡村卫生员的"在地化"问题，赤脚医生与病人的关系在很大程度上变成了传统的"医患关系"的再现。①

党和国家领导人对赤脚医生都很关心，很重视对赤脚医生的培养和教育。毛泽东一直是赤脚医生的支持者，一建国他就积极主张医学院要大力培养中、初级医务工作者。1965 年他再次强调医学教育要缩短学制，要把主要力量放在为 5 亿农民培养医生上，只留少部分人搞医学尖端就够了。他认为在广大农村最需要解决的是常见病、多发病、普遍存在的病，因而他提出用不着读太多的书，华佗、李时珍才读了几年的书？他批评只会读死书，不重视实践的人是"读书越多越蠢"。应该说毛泽东推崇实践的观点是没有错的，但在"文化大革命"中这种思想被误导，甚至变成了读书无用论。1970 年，毛泽东指示身边医务人员和有关单位组织一个医疗队去黑龙江，一面巡回医疗，一面了解情况。他专门指示，要带好药去，不要舍不得。还要医疗队的同志给人民群众讲生理卫生知识，带好徒弟，并强调广大农民的医疗卫生事业，光靠城市的医生护士是解决不了的。② 1971 年 2 月，在全国卫生工作会议上，周恩来在百忙中抽出时间接见了赤脚医生代表，谈了很长时间。1975 年华国锋接见了全国农村卫生工作会议代表，对赤脚医生进行了谆谆教导。中央领导的关怀都为赤脚医生的成长起到了极大的鼓舞作用。

在赤脚医生的选拔和培训条件中，出身好是排在第一位的，即所谓的根红苗正。其次是思想好，平时表现积极。再者才是有一定的文化基础，一般要求初中毕业以上的文化水平，但文化层次更低的人也有不少。选拔出来的赤脚医生一般要

---

① 杨念群：《再造"病人"——中西医冲突下的空间政治（1832—1985）》，中国人民大学出版社 2006 年版，第 389—394 页。

② 中共中央办公厅理论学习小组：《永远铭记毛主席的教导，坚持无产阶级专政下继续革命》，《人民日报》，1977 年 9 月 8 日。

经过 3 个月到半年的短期培训,此后基本是在实践中边干边学。各地为保证赤脚医生队伍的质量,都先后就赤脚医生的选拔和培训下达过有关文件,采取了多种办法。上海川沙镇曾提出了"兵教兵"的培训办法;有的是公社定期组织短训班;有的是县医院开门办医,因陋就简,为农村培养赤脚医生;一些军队医院和城市里的大医院,一方面派医生巡回医疗,深入农村,在实践中手把手地传、帮、带;另一方面也把赤脚医生招进来,承担起了培训赤脚医生的任务;各地医学院都办起了赤脚医生培训班,有的地方还办起了赤脚医生大学,专门负责培训和轮训赤脚医生的任务。此外,组织赤脚医生向群众学习,收集、发掘、整理民间单方、验方、偏方,也是赤脚医生的一个突出特点。1966 年 10月,河北省保定市卫生局对培训半农半医工作作了如下规定:

一、学员条件:要坚持阶级路线,必须保证成分好,家庭没有问题。积极学习毛主席著作,热心为贫下中农服务。热爱卫生工作,相当于初中文化水平的青年。由生产队提名,经贫协同意,公社选定入学。

二、教学方法和内容:要掌握少而精的原则,讲课要与实习穿插相互结合,采取边教边带的方法进行,分三片集中训练。教学当中,政治课以毛主席著作为主,业务课以内、外、妇、儿科常见病和传染病防治为主,要保证有充裕的毛主席著作和政治学习时间。

三、师资问题:由市抽调 12 名政治、业务条件好的人员义务担任,每片配备内、外、妇产科医生、卫生防疫人员各 1 名。

四、训练时间:定为 6 个月,争取 11 月中旬开始至明年麦收前结束。

五、经费问题:学员每人每日公杂费 1角 5 分(包括教材政治学习资料、办公用品、煤火费等)由卫生事业费开支。学员食宿问题由本人负责。

六、关于今后半农半医的巩固提高问题:只训练不抓巩固等于只做了少半工作,甚至会前功尽弃。因此巩固工作要做好以下几点:①突出政治,做好思想工作;②合理报酬,落实工资待遇;③解决常用药品和建立卫生室;④由区组织辅导站,定人、定点、定期组织半农半医上站学习、讨论、实习,争取 2 年左右把半农半医提高到中专以上水平。①

保定的规定虽是个案,但却基本反映了当时选拔和培养赤脚医生的普遍情况。

"林彪事件"后,周恩来把批判林彪反革命集团的罪行和批判极"左"思潮结合起来,对企业生产和经济管理进行整顿;对农村要求按照"农业六十条"解决普遍存在的平均主义等问题;对文化教育提出加强基础理论教育和研究,中学教育应"以课堂教学、学习书本知识为主"。在这样一种为知识分子恢复名誉和提倡文化课程学习的氛围下,各地加强了对赤脚医生文化和业务知识的培养和提高。1972年《人民日报》在 5、6 月间发表了多篇文章,提出赤脚医生要努力提高技术和水平,进行业务辅导的问题,并介绍了一些地方在培训赤脚医生方面的做法和经验。如广东省新兴县东成公社都村大队提出了在搜集、检验、运用民间验方的实践中,把向书本学习和刻苦实践结合起来,互教互学,共同提高的经验。江苏省高邮县则采用举办轮训班,分期分批培训赤脚医生,并有计划地输送有一定实践经验的赤脚医生到省和地区的医学院校学习的办

---

① 保定市卫生局:《关于培训半农半医的请示》,保定市档案,8—123 卷,第 1—4 页。

法,一年多的时间里全县有 2446 人次的赤脚医生参加各种形式的学习,平均每个赤脚医生学习过两次。① 四川医学院在1974 年至 1976 两年中,在各地举办了各种类型的短训班 83 期,为农村培训了赤脚医生和基层医务人员 7300 多人。② 这些报道都以为革命学习技术、又红又专为出发点,但在实际中起到了引导对赤脚医生进行培训和教育的作用。

(三)"穿鞋论"与两种思想的交锋

为了歌颂毛泽东的革命卫生路线,宣扬赤脚医生的伟大贡献,一部以上海川沙县江镇人民公社赤脚医生王桂珍为原型的电影《春苗》,于 1975 年 5 月由上海电影制片厂拍摄完成,8 月正式上映,一直到1976 年底,全国各地从城市电影院到农村露天电影,《春苗》被反复播放。女主角扮演者李秀明青春、靓丽、朴实、健康的形象,主题曲"一根银针治百病"优美、动听的旋律,不但为电影增添了艺术性和感染力,而且也使赤脚医生可亲、可敬的形象家喻户晓,深入人心,从而间接地推动了赤脚医生的成长和赤脚医生队伍的壮大。但影片的主题从最初剧本以歌颂赤脚医生为人民服务的精神为主,被"四人帮"上海的党羽修改成以反映阶级矛盾和阶级斗争为主,为"文化大革命"歌功颂德。电影为了衬托春苗的高大形象而有意丑化知识分子,带有明显的"左"的政治色彩。这在一定程度上破坏了电影的主题思想,也成为后来影片被禁演的主要原因。

与《春苗》将人物的塑造成"高、大、全"的形象相类似,为了政治需要,赤脚医生成了报纸、广播等媒体的主要宣传对象,很多报道言过其实,一味地吹捧"赤脚医生""会用中西两法,并能自己采、种、制中草药,不仅具有一定的技术水平,而且技术比较全面,有些被资产阶级专家、权威宣布为'不治之症'的疾病,却被赤脚医生治好了"③。赤脚医生成了反修防修,勇于同资产阶级作斗争的闯将。当然这都是不正常的年代人为的扭曲,而在现实生活中赤脚医生为人民服务、无私奉献的精神才是真正不能被历史所遗忘的。李月华是安徽泗县丁湖公社一名普通的赤脚医生,但她在平凡的岗位上一心想着群众,为了给群众看病她付出了一切,直至自己的生命。当年《人民日报》刊登的《人民的好医生李月华》不知感动和教育了多少人。浙江省浦江县周宅大队的周红灯、河北省沧州市丘县西倪宋大队邵丽英、陕西省凤翔县丁家河大队的巨光耀、宁夏灵武县杜木桥公社榆木桥大队的苏成喜、黑龙江省肇州县新福公社保安大队的杜亭芳、湖北省汉川县刁西公社朝霞大队的吕继明、山东省招远县城关公社张华张家大队的张焕才、辽宁省桓仁县二棚甸子公社四道岭子大队的崔振子,等等,正是这些数不尽的平凡英雄为赤脚医生赋予了特殊的含义,也以榜样的力量带动了赤脚医生整个队伍的提高。"文化大革命"后期赤脚医生与合作医疗一起达到了最好的发展状态。1976 年 6 月 15 日至 23 日,在上海川沙县江镇公社召开了全国赤脚医生工作会议,来自全国各地的赤脚医生、卫生员、接生员、计划生育宣传员、合作医疗的代表以及各级卫生部门和解放军的

① 《要对人民极端热忱,对技术精益求精,都村大队赤脚医生努力学习提高防治疾病本领的调查》,《人民日报》1972 年 5 月 11 日;《高邮县委采取多种形式积极培训"赤脚医生"》,《人民日报》,1972 年 8 月 5 日。
② 《四川医学院师生结合开门办学、巡回医疗,热情支持赤脚医生和合作医疗》,《人民日报》,1976 年 4 月 8 日。
③ 刘满盈:《为什么把我们捧上天?》,《人民日报》,1977 年 2 月 23 日。

同志共508人参加了会议。会议在江镇现场参观学习，又听取了老典型湖北长阳乐园公社、山西昔阳县大寨公社等关于赤脚医生、合作医疗、计划生育工作以及深入开展农村卫生革命的经验。会议不但以典范的力量感染和鼓舞各地做好合作医疗、赤脚医生的工作，而且还提出了充实提高的要求。

几乎与《春苗》热播同时，一场席卷全国的政治运动再次兴起。在"批邓、反击右倾翻案风"中，大批邓小平的"穿鞋论"，批判邓小平否定卫生革命，为刘少奇的修正主义卫生路线翻案。那么，所谓的"穿鞋论"是怎么来的呢？

1974年10月，邓小平在接见民主也门卫生代表团时，向客人介绍了赤脚医生。他说："赤脚医生是我们正在实验的制度。赤脚医生总比没有医生好哇。赤脚，表示一方面劳动，一方面治病。赤脚医生刚开始知识少，只能医疗一些常见病，过几年就穿起草鞋了，就是知识增多了，再过几年就穿起布鞋了。"[1]这里显然邓小平是用穿草鞋、穿布鞋来打比方，说明赤脚医生在实践中将会不断提高医疗技术水平，而且医疗技术水平会越来越高。邓小平对赤脚医生的评价是符合实际的，而且也肯定了赤脚医生这种做法。但正所谓欲加之罪何患无辞。"四人帮"要搞倒邓小平，就要颠倒黑白，歪曲事实，就要把所有的脏水都泼到他的身上。

1976年，《红旗》杂志第4期发表了署名为苗雨的文章，题目为"反击卫生战线的右倾翻案风"。文章不点名地批评邓小平攻击赤脚医生"水平低"，胡说什么赤脚医生以后要"穿草鞋"、"穿布鞋"、"穿皮鞋"。文章最后得出结论："鼓吹赤脚医生穿起鞋来，是修正主义者的一种骗术。赤脚医生，贵在'赤脚'。他们是亦农亦医、坚持参加农业集体生产劳动和集体分配的新型医生队伍。唯其'赤脚'，脚上有泥巴，肩上有药箱，他们心里才有贫下中农和其他社员群众，才能全心全意地为人民服务。试想赤脚医生都穿起'皮鞋'来，那还怎么为平常主要是在田间劳动的社员群众服务？手离开劳动，心也就离开了群众，久之就会滋长轻视劳动人民的资产阶级思想。说穿了，党内不肯改悔的走资派鼓吹赤脚医生穿鞋，就是妄图使他们背离毛主席的革命路线，穿修正主义的鞋，走资本主义的路。"[2]这篇文章是由姚文元授意炮制，并亲自3次审改的。文章发表后被《人民日报》转载。紧接着在《人民日报》上又发表了10多篇批判"穿鞋论"文章。北京市卫生局大批判组、广西隆安县连安大队合作医疗贫管会主任、首都医院大批判组、广东省龙门县革委会副主任、辽宁省卫生局大批判组等纷纷登场，他们列举邓小平的罪状有："赤脚医生穿鞋论"是地地道道的修正主义谬论；竭力强化和扩大资产阶级法权，疯狂反对社会主义新生事物；明目张胆地反对伟大领袖毛主席关于医疗卫生革命的指示，妄图为城市老爷卫生部翻案，要"穿修正主义的鞋，走资本主义的路"等等。合作医疗先进典型湖北省长阳县乐园公社、上海川沙县江镇公社等也在《人民日报》上发表文章，参加到了"批邓、反击右倾翻案风"的潮流中。当然，这些肆意的批判很多是被当时政治氛围所左右，并非发自真心，但在社会上所造成的影响却是十分恶劣的。

① 黄昌录：《赤脚医生需要提高》，《人民日报》，1978年6月9日。
② 苗雨：《反击卫生战线的右倾翻案风》，《红旗》1976年第4期。

1976 年是共和国历史上的多事之秋。"批邓、反击右倾翻案风"运动势头还正猛，9 月 9 日毛泽东去世，紧接着党中央一举粉碎"四人帮"，华国锋宣告"文化大革命"结束，很快被颠倒的事情又颠倒了回来。上海电影制片厂大批判组撰文揭露《春苗》是"四人帮"直接策划炮制的一株大毒草，"它的炮制和出笼过程，充分暴露了'四人帮'妄图打倒一大批中央和地方的党政军负责同志，篡夺党和国家最高权力的狼子野心"。① 卫生部在揭批"四人帮"罪行的同时，也对批判"穿鞋论"进行了批判。1977 年 11 月，《红旗》杂志发表了卫生部大批判组的一篇文章，为邓小平"穿鞋论"辩护。文章澄清了所谓"穿皮鞋"实属姚文元的恶意编造。在时间已经过去 20 多年后，一些经历这场斗争的老同志回忆起此事"至今仍痛感悲哀"，②越发理解了当年邓小平此番话的正确和精辟。

"文革"时期国家教育事业的破坏及纠"左"斗争

在十年动乱期间，教育战线是受害最深的领域之一。林彪、"四人帮"集团利用学生的幼稚，以"教育革命"的名义，对我国的教育事业进行了空前的摧残和破坏，耽误了整整一代年轻人。

"文革"之初对原有教育体制的否定与批判

如果说"文化大革命"的导火索是往学校派工作组，红卫兵是"文革"初期的主力军，那么教育领域则首当其冲地受到冲击。

早在 1966 年"文革"开始前，作为中共中央主席的毛泽东就对教育改革多次提出了自己的看法，并针对教育工作本身存在的具体问题提出改革意见，1966 年以后，他开始认为教育界领导权不是掌握在无产阶级手中，而是掌握在资产阶级、小资产阶级手里，"现在大、中、小学大部分都是被资产阶级、小资产阶级、地主富农阶级出身的知识分子垄断了"。③ 随后他又提出："学制要缩短，教育要革命，资产阶级知识分子统治我们学校的现象，再也不能继续下去了。"

毛泽东的上述看法自然也成为他发动"文化大革命"的重要原因之一。1966 年 8 月 8 日，中共八届十一中全会在毛泽东写了《炮打司令部——我的一张大字报》之后，作出"关于无产阶级文化大革命的决定"，其中指出："改革旧的教育制度，

---

① 上海电影制片厂大批判组：《这笔账一定要清算——从反党影片〈春苗〉的出笼看"四人帮"篡党夺权的罪恶阴谋》，《人民日报》，1977 年 6 月 25 日。

② 张自宽：《关于小平同志谈"赤脚医生"致卫生部党组的信》，载张自宽：《论医改导向：不能走全面推向市场之路》，中国协和医科大学出版社 2006 年版，第 161 页。

③ 毛泽东：《在政治局扩大会议上的讲话》，1966 年 3 月。

改革旧的教学方针和方法,是这场无产阶级文化大革命的一个极其重要的任务。在这场文化大革命中,必须彻底改变资产阶级知识分子统治我们学校的现象。"①

8月18日,毛泽东在天安门首次接见红卫兵,随后又7次接见红卫兵。8次共接见红卫兵、学生、教师等1100万人次,这对于推动广大学生投入"文化大革命"起了很大作用,特别是林彪在8月18日、31日、9月15日接见大会上的讲话,极力煽动学生起来造反。

"文化大革命"开始后,广大学生除了进行大串连和走向社会开展"文化大革命"外,首先在学校开展了大批判,批判所谓资产阶级、反动路线、封、资、修和反动学术权威,完全打乱了学校的正常秩序,学校的教学工作陷入瘫痪,1966年下半年和1967年初,全国大、中、小学校基本上是"停课闹革命"。

1967年1月22日,《人民日报》发表社论:《无产阶级革命派大联合,夺走资本主义道路当权派的权》。从1月19日起,北京大学聂元梓、北京师范大学谭厚兰等各自带领一批人到教育部夺权,拿走部印,占据部分办公室,劫走一批公文案卷,并挑起武斗,后来经周恩来制止而撤离。随后各地教育部门和学校也先后被夺权,在"夺权"过程中,出现了打砸抢抄抓和武斗等现象,使教育系统陷入严重混乱。

既然不能没有学校,就不能没有一套管理体制。为了解决"夺权"后出现的混乱和教学陷入瘫痪问题,2月4日,中共中央发出《关于小学无产阶级文化大革命的通知(草案)》,其中规定:春节后各地小学一律开学。在外地串连的小学教师和学生,应当返回本校。关于学校管理体制,

《通知》提出:小学的文化革命委员会、文化革命领导小组成员,由教师和高年级的学生民主选举产生。在"文化大革命"中,重点打击党内走资派,同时把教职员工中那些坚持反动立场的地、富、反、坏、右分子(不是指家庭出身)清除出去,由教育机关安排,就地劳动改造。小学生可组织红小兵。关于教学内容,《通知》则规定:五、六年级和1966年毕业的学生,结合"文化大革命",学习《毛主席语录》,"老三篇"和"三大纪律八项注意",学习"十六条",学唱革命歌曲。一、二、三、四年级学生学习《毛主席语录》,兼学识字,学唱革命歌曲,学习一些算术和科学常识。

对于中学,2月19日中共中央发出《关于中学无产阶级文化大革命的意见(供讨论和试行用)》。其中规定:从3月1日起,中学师生停止外出串连,一律返校,一边上课,一边闹革命,分期分批进行军政训练。上课学习毛主席著作,批判旧教材和教学制度,以必要时间复习数、理、化、外语和各种必要的常识;在农忙期间,师生下乡劳动。要在大联合的基础上,由革命学生、革命教职员和革命领导干部民主选举文化革命委员会成员,负责领导学校的"文化大革命"运动,并具体安排上课,搞好师生生活。一时不能选举者,协商成立一个临时领导班子。

对于大专院校,3月7日中共中央发出《关于大专院校当前无产阶级文化大革命的规定(草案)》,其中规定:下厂下乡和外出串连的师生,于3月20日前返校,分期分批进行短期军政训练,在校内批判斗争走资派和反动学术权威,着手研究改革旧的教育制度、教学方针和教学方法。关于学校管理机构,则规定:必须由革命学

① 《人民日报》,1966年8月9日。

生、教职员工和革命领导干部组成临时权力机构，领导"文化大革命"，行使本校的权力。红卫兵是"文化大革命"的先锋，应该在运动中整顿、巩固和发展。红卫兵应该以劳动人民家庭出身的革命学生为主体。

3月7日，毛泽东对《天津延安中学以教学班为基础实现全校大联合和整顿巩固发展红卫兵的体会》的材料作了批示，提出："军队应分期分批对大学、中学和小学高年级实行军训，并且参与关于开学、整顿组织、建立三结合领导机关和实行斗、批、改的工作。先作试点，取得经验，逐步推广。还要说服学生，实行马克思所说只有解放全人类才能最后解放无产阶级自己的教导，在军训时不要排斥犯错误的教师和干部。除老年和生病的以外，要让这些人参加，以利改造。所有这些，只要认真去做，问题并不难解决。"（这一批示当时简称为"三七指示"）。3月8日，中共中央转发毛泽东的上述批示及天津延安中学的材料，要求各地参照执行。

在此以后，各地大、中、小学的军训工作立即全面展开。军队所进入的学校，师生陆续返校，解散了为数众多的跨班级、跨部门、师生混合的群众组织，实行按教学班为基础的大联合。进而开展革命大批判，解放干部，建立学校的临时领导机构，即三结合的革命委员会，将学校教导、总务等机构，改为政工、教育革命、后勤等组。撤销教研室（组），取消班级建制和班主任制度，将师生统一按班、排、连、营建制编队，设连队委员会、政治指导员。兴起"早请示、晚汇报"、"天天读"、"讲用会"以及"活学活用毛主席著作"、"突出政治"等做法。

二

工宣队、军宣队进驻学校

1967年3月7日毛泽东的批示发布后军队虽参与学校的体制改革，但仍以执行军训为主，处于协助学校恢复秩序的地位。但是到了1968年夏，在几乎所有大、中学校极度混乱、武斗频繁的情况下，不得不派出工宣队、军宣队去接管和领导学校，这种状况一直到"文化大革命"结束。

1968年7月27日，中央首次向清华大学派出工宣队。当时清华大学是毛泽东亲自抓的"点"，为了制止清华大学两派之间的武斗，"工人毛泽东思想宣传队"几千人进驻清华大学，宣传制止武斗，收缴武器，拆除武斗工事。工宣队的进驻遭到蒯大富的武装抵抗，使工宣队5人被杀害，73人受伤。此事引起毛泽东震怒，7月28日，他严厉批评了蒯大富等学生领袖。毛泽东的批评和警告迅速传达下去，比较有力地保证了工宣队对学校的进驻和领导。此后，工宣队、军宣队（各地开展"三支两军"以后）源源派往各学校。

8月25日，中共中央、国务院、中央军委、中央文革小组发出《关于派工人宣传队进学校的通知》。《通知》说："以优秀的产业工人为主体，配合人民解放军战士，组成毛泽东思想宣传队，分批分期，进入各学校。""毛泽东思想宣传队进入学校后，要善于发现和团结那里面的学生、教师、工人中决心把无产阶级教育革命进行到底的积极分子，共同工作，推动教育革命。"8月26日，姚文元在《人民日报》上发表"工人阶级必须领导一切"一文，传达了毛泽东的指示："实现无产阶级教育革命，必须由工人阶级领导，必须有工人群众参加,配合解放军战士,同学校的学生、教员、工人中决心把无产阶级教育革命进行到底的积极分子实行革命的三结合。工人宣传队要在学校中长期留下去,参加学校中全部斗、批、改任务,并且永远领导学校。在农村,则应由工人阶级的最可靠的同盟者——贫下中农管理学校。"9月2日,中央军委、中央文革小组发出《关于工人进军事院校及尚未联合起来的军事院校实行军管的通知》。《通知》说:"伟大领袖毛主席批示:'如工人条件成熟,所有军事院校均应派工人随同军管人员进去。打破知识分子独霸的一统天下。'"

9月5日,中共中央、中央文革小组批转北京市革委会《关于选调和派遣工人毛泽东思想宣传队的几条规定》。6日,转发了北京市革委会、北京卫戍区《关于召开工人和解放军毛泽东思想宣传队负责人会议情况的报告》。10月7日,又转发上海市革委会《关于工人宣传队进入中小学的情况报告》。上述三个文件,对大中小学工宣队的配备、组成、队员的条件、工宣队的领导关系以及工宣队进校后的工作内容、部署方法等都作了规定。

根据中央的上述指示精神,从8月底开始,各地陆续向大专院校、中等专业学校和县、镇以上中小学派驻工宣队,领导学校的斗、批、改。在农村,则由当地社、队革委会派出贫宣队或贫协代表进驻中、小学,接管学校权力。

工宣队、军宣队进校后,接管了学校的领导权,并举办"毛泽东思想学习班",帮助对立的两派群众组织实现大联合。在一些学校,则拆除了武斗工事,收缴武器,制止武斗。进而领导开展革命大批判、清理阶级队伍、调整或建立革命委员会、整党和其他"斗、批、改"工作。工宣队、军宣队进驻学校并掌握领导权,对于

结束学校内的极度混乱局面、恢复秩序起到了一定作用。

教育制度的改革

教育制度的改革一直是毛泽东十分关注的问题,当学校的"夺权"问题解决、原有的教育体制被破坏后,从1967年下半年开始,大中小学校都开始转入建立新教学体制的探索。

在高等教育方面,1968年7月21日,毛泽东提出:"大学还是要办的,我这里主要说的是理工科大学还要办,但学制要缩短,教育要革命,要无产阶级政治挂帅,走上海机床厂从工人中培养技术人员的道路。要从有实践经验的工人农民中间选拔学生,到学校学几年以后,又回到生产实践中去。"(当时被称为"七二一指示")。7月28日,毛泽东在与蒯大富等人谈话中又指出:我说大学还要办。讲了理工科,但没有讲文科都不办。但旧的制度,旧的办法不行了。学制要缩短,教育要革命。

在此之前,中央文革小组组长陈伯达曾对教学改革问题发表看法。1967年3月,陈伯达在与北京大学师生代表座谈时提出:"教育制度要搞个大革命。""我们的教育制度是从清朝末年演变来的,后来又接受苏修一套东西。教育制度、教学内容、教学方法基本上是资本主义的……我们一定要大破大立。"以后,他在接见北京师范大学、北京航空学院、清华大学的师生时,每次都谈到要改变旧的教育制度,并要求学校师生拿出教改方案。

1967年11月3日,《人民日报》发表同济大学、北京林学院和北京师范大学的三个教育革命的初步方案。编者按语说:

发表这几个学校关于教育革命的设想,以期引起讨论,推动教育革命的发展。

同济大学教育改革的初步设想是:把学校改为"五七公社",即由学校、施工单位、设计单位联合组成教学、设计和施工三结合的统一体。北京林学院教学改革的设想是:取消各系教研室,按专业组成三结合的专业连队,领导教学和教改。北京师范大学教改组则提出了关于改革考试、升留级和招生的设想。

在此以后,在高等学校中提出了形形色色的"教育革命"方案,进行了名目繁多的"教育革命"试点。新中国成立以来形成的高等学校的教学组织,规章制度被全盘否定和抛弃了。

毛泽东的"七二一指示"发表后,各地大专院校的教学改革开始有了比较明确的方向。

1969年3月29日,《人民日报》发表驻复旦大学工人、解放军宣传队的文章《我们主张彻底革命》。文章把"文化大革命"前的高等学校称为"旧大学",提出"彻底批判旧综合性大学那一套学制、体制、课程、教材、教学方针和方法",培养"普通劳动者";"废除高考和统一分配制度"等等。《人民日报》借此开辟专栏讨论"社会主义大学应当如何办"。该讨论一直延续到1976年7月,专栏共出了78期,内容几乎涉及高校工作的所有矛盾。

1969年10月26日,中共中央发出《关于高等院校下放问题的通知》。下放的原则是:国务院各部门所属的高等院校,凡设在外地或迁往外地的,交由当地省、市、自治区领导;与厂矿综合办校的,交由厂矿领导。教育部所属的高等院校,全部交给所在省、市、自治区领导。学校的招生和毕业生的分配,都纳入国家计划。高等学校经下放和部分学校撤并后,

到1971年,全国原有的434所高等院校,继续办的还剩下328所。

1970年6月27日,中共中央批转《北京大学、清华大学关于招生(试点)的请示报告》。《报告》认为:经过三年来的"文化大革命",两校已具备了招生条件,计划本年度下半年开始招生。学制:根据各专业具体要求,分别为二至三年。另办一年左右的进修班。学习内容:设置"以毛主席著作为基本教材的政治课;实行教学、科研、生产三结合的业务课;以备战为内容的军事体育课"。各科学生都要参加生产劳动。招生条件:政治思想好、身体健康、具有三年以上实践经验、年龄在二十岁左右、有相当于初中以上文化程度的工人、贫下中农、解放军战士和青年干部。有丰富实践经验的工人、贫下中农,不受年龄和文化程度的限制。还要注意招收上山下乡和回乡知识青年。招生办法:实行群众推荐、领导批准和学校复审相结合的办法。10月15日,国务院电报通知各地:1970年高等学校招生工作,按中央批转的北京大学、清华大学上述报告提出的意见进行。

1971年4月15日至7月31日,国务院在北京召开了全国教育工作会议。8月13日,中共中央批转经姚文元修改、张春桥定稿的《全国教育工作会议纪要》。《纪要》对建国17年来的教育工作作了完全错误的"两个估计"(即17年教育战线是资产阶级专了无产阶级的政,知识分子的大多数世界观基本上是资产阶级的,是资产阶级知识分子)。《纪要》提出:要巩固工人阶级在教育阵地的领导权,坚持"五七指示"的道路,把转变学生的思想放在首位。"教育要同三大革命实践结合,以厂(社)校挂钩为主,多种形式,开门办学,建立教学、生产劳动、科学研究三结合的新体制;

文科要把整个社会作为自己的工厂,农业大学要统统搬到农村去,医药院校应坚定地把重点面向农村"。要建立"工农兵、革命技术人员和原有教师三结合"的无产阶级教师队伍。"要充分发挥工农兵学员上大学、管大学、用毛泽东思想改造大学的作用"。教材要彻底改革。学校实行党的一元化领导,在党委统一领导下充分发挥工宣队的政治作用。要推广厂办工人大学,农村的"五七大学"或"五七学校"。《纪要》还对高等学校的调整、管理体制、招生、学制、毕业生分配等问题作了规定。

8月至11月,各省、市、自治区先后召开教育工作会议,传达和贯彻《全国教育工作会议纪要》的精神。

在中、小学教学体制改革方面,影响最大的是1966年5月7日毛泽东在给林彪的信中提出的"学生也是这样,以学为主,兼学别样,即不但学文,也要学工、学农、学军,也要批判资产阶级。学制要缩短,教育要革命,资产阶级知识分子统治我们学校的现象,再也不能继续下去了"。(当时称为"五七指示",按照此指示去做称为走"五七道路"。)

1967年下半年,继中、小学实行"复课闹革命"之后,教改也提上日程。11月28日至12月5日,中央文革小组组长陈伯达先后到北京市草场地中学、二十三中、泄水湖小学和清华附中视察。视察中,他提出在复课闹革命中,要批判"旧的教育路线","提出新的教改方案","要搞些劳动,学做工、学做农",要补"阶级教育课";要让学生讲课,说"小孩子也会讲课","让学生教学生","要个个准备当先生,不能是一两个当先生"。他还提出"学制可以缩短","小学四年,中学四年,大学四年……多快好省"。

陈伯达的上述讲话发挥了毛泽东的

"五七指示",在当时产生很大影响,全国的中、小学普遍开展了学工、学农、学军活动,开展忆苦思甜教育。许多中小学据此提出"教改方案",改变学制,"小将上讲台"、工农兵上课等做法风行一时。

12月22日,中共中央、中央文革小组批转北京市香厂路小学取消少先队,建立红小兵的一份材料。这份材料反映:北京市香厂路小学于11月开始,在全校二至六年级的28个教学班中,以年级为单位,分别成立红小兵连(下设排、班),全校组成红小兵团。这份材料认为"少先队基本上是一个少年儿童的全民性组织,它抹煞了阶级和阶级斗争,根本不突出毛泽东思想,实际上已经失去了先锋战斗作用","红小兵团是少年儿童的一种很好的组织形式。它富于革命性,战斗性,有利于推动少年儿童的思想革命化"。自此,全国小学以红小兵取代少先队达11年之久。

1968年11月14日,《人民日报》发表农村小学教师侯振民、王庆余的一封信。信中"建议所有(农村)公办小学下放到大队来办,国家不再投资或少投资小学教育经费,教师国家不再发工资,改为大队记工分","教师都回本大队工作"(此建议当时简称"侯王建议")。《人民日报》在编者按语中号召就此建议展开讨论,并从15日起,以"关于公办小学下放到大队来办的讨论"为题开辟专栏,发表了大量拥护、支持、赞扬"侯王建议"的来信和文章,许多地方还立即付诸实施,将大批农村公办小学改为民办。12月2日,该报上述专栏又发表上海、天津、北京等地的读者来信,提出城市的中小学由工厂办、街道办的建议,同时开展"城市的小学及中学应当如何办"的讨论。随后,连续刊登了大量支持上述建议的文章、来信以及一些地方和学校的经验。在此以后,全国各地许多城镇中小学由工厂接办,或搞"定厂办学"。上海、北京等一些大中城市经过试点后,将小学改为由街道办事处领导管理。这个专栏一直延续到 1976 年 8 月 26 日,共出了 197 期。其内容不仅涉及中小学教育的各个方面,还包括了业余教育和农村扫盲工作等内容。

1969 年 4 月,中共九大发出号召:"按照毛主席 1966 年的'五七指示'",把"全国真正办成毛泽东思想大学校"。全国各级学校按照中共九大精神,在地方各级革委会的领导下,进行"落实政策"的工作。以"五七指示"为纲领,组织师生下厂、下乡参加劳动,与工厂、农村社队挂钩,许多中学还在校内办工厂、农场,建立校内外学工、学农基地,实行"开门办学"、"走出去,请进来"。

在教学方面,1969 年 5 月 12 日《人民日报》发表吉林省梨树县的《农村中小学大纲(草案)》,并要求全国讨论这个大纲。《大纲》规定:中小学实行九年一贯制,废除考试、留级等制度。中学采取推荐与选拔相结合的办法招生。推选贫下中农、革命干部和民兵做兼职教师或组成讲师团。小学设政治语文、算术、革命文艺、军事体育、劳动五门课;中学设毛泽东思想教育、农业基础、革命文艺、军事体育、劳动五门课。由于《人民日报》的编者按语说《大纲》为今后农村教育革命提出了方向,随后又发展了一批支持和拥护的文章和来信,因此全国各地农村的中小学开始仿行《大纲》的上述规定。

1973 年 9 月,国务院科教组在一个内部刊物上说,"文化大革命"以来,全国各地进行了中小学学制改革,其中有 14 个省、自治区实行 9 年制;7 个省、自治区实行 10 年制;9 个省、自治区农村学校实行 9 年制,城市学校试行 10 年制;西藏自治区

实行小学 5 年制和 6 年制并存,初中实行 3 年制。

四

教育系统的初步整顿和批判"修正主义教育路线回潮"

1971 年 9 月,林彪反革命集团被粉碎以后,周恩来主持工作并开始尽可能地纠正教育战线上的极"左"倾向。1972 年 5 月 16 日至 6 月 20 日,国务院科教组召开综合大学和外语院校教育革命座谈会。会议提出要落实党的干部政策和知识分子政策,加强基础理论教学,重视基础科学的发展和科研工作。9 月 25 日,国务院科教组印发了这次会议的总结。

1972 年 8 月 3 日,《人民日报》发表中共天津市教育局革命委员会的文章《切实加强党对教学领域革命的领导》,强调划清提高教学质量与"智育第一"的界限,调动教师积极性,加强基础知识教学和基本技能训练。在此前后,《人民日报》、《光明日报》等报刊还报道了各地教育行政部门和学校整顿教学秩序的情况。8 月 16 日,《人民日报》又发表长春市教育局的文章《充分发挥教师在教育革命中的作用》。该文介绍了长春市落实党的知识分子政策的经验。在此前后,《人民日报》还报道了一些地方和学校落实党的干部政策和知识分子政策的经验。1972 年,学校中的部分教师陆续被安排到教学和科研工作岗位上,一些原来的领导干部重新担任了校内的各级领导职务。

1973 年 4 月 3 日,针对 1972 年招收的工农兵大学生文化水平参差不齐、不少人文化基础太差的现象,国务院批转了科教组《关于高等学校 1973 年招生工作的意

见》。《意见》提出:"要重视文化考查,保证入学学生有相当于初中毕业以上的实际文化程度。"于是这一年大学招生实行了文化考查。

7月19日,《辽宁日报》以《一份发人深省的答卷》为题,刊登了兴城县白塔公社下乡知识青年,生产队队长张铁生的一封信。张的信原写在辽宁省高等学校入学文化考查的物理化学试卷背面。信中说:为了实现他上大学的"自幼理想","希望各级领导在这次入学考试中",能对他"这个小队长加以照顾"。中共辽宁省委书记毛远新得知这一情况后,将原信删改成指责考查的意思,并指令《辽宁日报》加按语发表。编者按语中说,张铁生"物理化学这门课的考试,似乎交了'白卷',然而对整个大学招生的路线,交了一份颇有见解、发人深省的答卷"。

8月10日,《人民日报》转载了《辽宁日报》的按语和张铁生的信,并再加按语,说张铁生的信"提出了教育战线两条路线、两种思想斗争的一个重要问题。确实发人深省"。随后,各地报刊加以转载。《文汇报》还发起了"选什么样的人上大学"的讨论,《红旗》杂志、《教育革命通讯》等还都以此为引子,将围绕着高校招生的文化考查诬蔑为"复辟"、"资产阶级向无产阶级的反扑",大加讨伐。"四人帮"还将张铁生捧为"反潮流"的英雄,加以提拔重用,为青年树立了一个"闹而优则仕"的典型,煽起了一股否定文化学习的歪风。

1973年11月28日,《光明日报》以《一所深受贫下中农欢迎的大学》为题,宣传朝阳农学院实行"社来社去"的经验。该经验后被称为"朝农经验"广为传播。

1973年10月至1974年1月,"四人帮"爪牙又在清华大学搞了三个月的"反右倾回潮运动"。他们上揪"资产阶级复辟势力代表人物",下扫"复辟势力的社会基础",全校有64人受到立案审查和重点批判,403人受到批判,还有很多人被点名指责或被迫作检查交待。

"四人帮"对中小学也不放过。7月28日,"四人帮"审查湘剧影片《园丁之歌》。《园丁之歌》描写青年女教师俞英耐心教育引导小学生陶利克服缺点,成为爱学习、守纪律的学生,同时也教育青年教师方觉认识了自己对学生的态度是错误的,树立起正确的教育思想。这本来是一部内容很好的影片,但是"四人帮"却别有用心,诬蔑此片是"反攻倒算",在"教育路线上有问题"。江青说:"没有文化怎能担起革命重担(剧中的一句台词),这句话问题更大,这句话简直是反攻倒算。"为此在全国范围以此剧为引子,展开了对"教育回潮"的批判。

12月10日,《北京日报》以《一个小学生的来信和日记摘抄》为题,发表北京市中关村第一小学五年级学生黄帅给该报的信和日记摘抄。黄帅的信是她和班主任老师之间产生了一些矛盾之后,家长让她写的,日记摘抄则是《北京日报》按反"师道尊严"的需要摘编的。《北京日报》编者按语说:"这个十二岁的小学生以反潮流的革命精神,提出了教育革命中的一个大问题,就是在教育战线上修正主义路线的流毒还远没有肃清,旧的传统观念还是很顽强的。"12月28日,《人民日报》全文转载《北京日报》发表的《一个小学生的来信和日记摘抄》及编者按语,又另加编者按语赞扬"黄帅敢于向修正主义教育路线开火",并提出"要注意抓现实的两个阶级、两条路线、两种思想的斗争"。随后,各地报刊、电台、电视台广为宣传。国务院科教组还用电话通知各省、市、自治区教育局,要求组织学校师生学习这些材料。

1974年1月31日,"四人帮"一伙将河南省唐河县马振扶公社中学一女学生因考英语交白卷受批判自杀(因在试卷背面写道:"我是中国的人,何必要学外文,不会 ABCD,也能当接班人,接好革命班,埋葬帝修反。"此事受到学校组织的讨论批判)一事,炮制出《河南省唐河县马振扶公社中学情况简报》,并以中共中央名义发出。

上述两件事导致全国各地的中小学掀起一股批判"师道尊严"、"横扫资产阶级复辟势力"、"批判修正主义教育路线回潮"的浪潮,鼓励学生"头上长角,身上长刺"、"敢于反潮流"。结果很多学校又陷入"干部管不了,教师教不了,学生学不了"的混乱局面,学校教学质量严重下降,学校公共财产遭到严重破坏。

五

1975年的整顿和
"教育革命大辩论"

1975年1月,经毛泽东提议,中共十届三中全会选举邓小平为中共中央副主席,随后四届人大一次会议又任命邓小平为国务院第一副总理。此后,邓小平主持中央日常工作。

邓小平主持中央工作后,即针对当时"文化大革命"造成的一片混乱和极"左"倾向,开展"全面整顿"。教育系统自然也不例外。1975年5月至8月,教育部部长周荣鑫按照毛泽东、周恩来、邓小平等中央领导的指示精神,积极着手整顿教育工作。他多次召开部内外干部、教师座谈会、汇报会,听取意见,了解情况,针对林彪反革命集团对教育的破坏,发表了一系

列重要谈话。他说:"一讲就讲两个,一个是十七年,一个是七二年回潮,就是不讲林彪路线的干扰。""不能一提知识分子就骂一通,这样符合不符合主席的方针?""根本不要文化,就讲培养有社会主义觉悟的劳动者,行吗?""贫下中农为革命种田,工人为革命做工,学校为什么就不能提为革命读书呢?""有知识的是私有,没有知识的就公有? 那不要学校好了!"

6月至10月,《教育革命通讯》连续发表《全面关怀青少年的成长》、《培养无产阶级革命接班人的正确道路》、《研究基础理论为社会主义建设服务》、《按照马克思主义认识论搞好基础理论研究》、《实用主义教育思想剖析》等文章和评论。上述文章和评论提出要使青少年努力学习科学文化知识,批评了那种认为努力学习文化就是搞智育第一、走回头路的错误认识;批判了"以干代学"的实用主义货色;并指出不引导青少年学习科学文化知识,"就势必拖四个现代化的后腿"。

7月11日,国务院副总理王震在援外工作会议上谈到国内教育工作情况时指出:"农学院都学'朝阳'(指朝阳农学院),我不那么赞成。"7月24日,周荣鑫向新华社记者转述了上述精神,此后,教育部和报刊曾一度停止宣传"朝农经验"。

8月23日至30日,教育部召开京、津、沪、粤四省市城市中小学教育座谈会。周荣鑫在会上作了几次讲话。他说:"最近我陆续讲了些问题,但传得很厉害。""我的有些话可能刺痛了那些好搞形而上学的人,他们有些不满。""要打倒,我也不怕,要做小平同志讲的那样不怕被打倒的人。"周荣鑫的大无畏精神反映出一批老干部坚决整顿教育的决心。

9月26日,邓小平在听取胡耀邦汇报科学院工作时指出:"后继要有人,中心是

教育部门,究竟大学起什么作用? 培养什么? 如钢铁学院是中等技术学校水平,这何必办大学? 上海机床厂'七二一'大学是一种形式,但不是唯一形式,不能代替大学。""不懂数理化、外语,还攀什么高峰?""我们有个危机,可能发生在教育部门。把整个现代化水平拉住了。"根据邓小平的意见,胡乔木等对《科学院工作汇报提纲》作了多次修改,并送交毛泽东,准备在他同意后再修改后下发全国。但是这一文件却由于毛泽东未表示同意而未能下发。

由于毛泽东不能容忍邓小平全面纠正"文化大革命"的"左"倾错误,1975 年 9 月底至 11 月初,毛泽东在听取了联络员毛远新的几次不实汇报后,对邓小平的整顿工作提出了批评。"四人帮"在教育部门的爪牙利用这个机会,开始了疯狂的反扑。

早在 1975 年 8 月 13 日和 10 月 13 日,原清华大学党委副书记刘冰等四人,曾两次给毛泽东写信,反映"四人帮"在教育部门的爪牙迟群、谢静宜在政治上、思想上、工作上和生活作风等方面的严重问题。10 月 25 日,在迟群的指使下,清华大学人事处负责人林钧万也给毛泽东写信,诬告教育部长周荣鑫"搞宗派",想把迟群搞臭挤走,并说周"千方百计地要否定科教组几年来的工作"。

对于上述两方面的来信,毛泽东对后者的来信批示:"先作调查,然后讨论一次。"而对于刘冰等人的信,11 月初,毛泽东则批示说:"清华大学刘冰等人来信告迟群和小谢。我看信的动机不纯,想打倒迟群和小谢。他们信中的矛头是对着我的。我在北京,写信为什么不直接写给我,还要经小平转。小平偏袒刘冰。清华大学所涉及的问题不是孤立的,是当前两条路线斗争的反映。"

"四人帮"及迟群、谢静宜获得毛泽东支持后,更加猖狂。11 月 3 日,清华大学党委召开常委扩大会议,传达毛泽东对刘冰信的批示,开展所谓"教育革命大辩论"。11 月 8 日,分管教育工作的副总理张春桥责令周荣鑫作检查。张春桥说:"我宁要一个没文化的劳动者,而不要一个有文化的剥削者、精神贵族。"

11 月 18 日,清华大学召开全校大会,传达毛泽东的批示,揭发批判刘冰。会后,清华大学贴出大批判大字报,北京大学也相继贴出大字报,公开点名批判刘冰和教育部长周荣鑫等。随后,教育部部内也公开点名批判周荣鑫及李琦。北京以及一些省、市还奉命组织人到清华、北大看大字报。两校的大字报迅速在许多学校传抄,不少学校也相继开展了"教育革命大辩论"。

12 月 2 日,《红旗》杂志发表北大、清华两校大批判组的文章《教育革命的方向不容篡改》,12 月 4 日,《人民日报》和其他报刊予以转载,由此在社会上掀起了一场批判教育界"右倾翻案风"的浪潮。12 月 14 日,中共中央又转发《清华大学关于教育革命大辩论的情况报告》。中共中央在批示中肯定了清华大学的经验,要求将《报告》发至全国大中小学的党支部。《报告》下发后,"教育革命大辩论"即推向全国。

1976 年 1 月以后,《人民日报》等连续登载坚持"教育革命"、批判所谓"复辟"、"翻案"的文章,完全否定了邓小平、周荣鑫等 1975 年对教育界的整顿工作。

4 月 7 日,毛泽东以"天安门事件"为由,撤销了邓小平党内外一切职务,4 月 12 日,周荣鑫被迫害致死。

1976 年 5 月 6 日至 6 月 23 日,教育

部分三批召开 29 个省、市、自治区高等学校招生工作座谈会,推广辽宁省 1975 年高等学校试行的"社来社去"、"厂来厂去"、"哪来哪去"(即"三来三去")的经验。

时隔不久,毛泽东逝世,"四人帮"也被"粉碎",历时十年的"教育革命"也随着"文革"的结束而结束,随后开展的批判"四人帮"和拨乱反正,使"文革"中这场"教育革命"的种种极"左"错误逐渐被纠正过来。

"文革"期间的科技事业

1966 年 5 月开始的"文化大革命",使得经过调整后刚蓬勃发展的科技事业遭到严重的干扰和破坏:许多管理机构和科研单位陷于瘫痪或半瘫痪状态,大批领导干部和科技专家受到冲击和摧残,一些行之有效的规章制度也被废弛,科研、生产无法正常进行,产品质量下降,研制周期拖长,计划难以完成。尽管如此,在长达十年的动乱中,由于赶超战略和国家安全的需要,毛泽东对尖端科研还是抓住不放的,同时以周恩来、邓小平为代表的老一辈无产阶级革命家和广大科技人员,力排干扰,采取各种措施,推动科技事业继续发展,尽量减少损失,并在极端困难的条件下,取得了许多重大科研成果。

一

"文革"对科技工作的严重摧残

1966 年 5 月开始的"文化大革命",不可能是一场文化革命。在批判所谓"资产阶级反动路线"和"夺权"的浪潮中,不仅广大的科研管理干部受到冲击,而且广大科技人员、专家、学者也横遭批判、斗争和迫害,科学技术事业受到严重摧残。

"文革"一开始,由江青反革命集团主要成员张春桥、姚文元把持的《解放日报》,就在 1966 年 5 月发表了《蔑视资产阶级技术权威》的社论,把学有专长的科技专家诬蔑为"死抱住洋框框不放,看不起群众,更看不起群众的实践经验,阻碍着科学技术发展的资产阶级技术权威","应该统统打倒"。并诬蔑解放以后到"文化大革命"前的 17 年,是黑线统治,教育战线上资产阶级专了无产阶级的政;诬蔑中国千百万知识分子都是资产阶级知识分子。

为了否定新中国建国 17 年中科学技术事业的成就,林彪和江青反革命集团批判国民经济调整时期制定的《科研工作十四条》是"典型的修正主义文件",是"复辟资本主义的黑纲领",诬蔑广州会议是"阶级投降",是"向党进攻"的黑会,"是复辟资本主义的重要步骤"。

"文革"期间,林彪和江青反革命集团利用手中掌握的权力,撤销科学管理部门,瓦解科学研究机构,否定基础理论研究,遣散科研人员,解散高等院校,毁弃仪器设备和情报资料。

1970 年,国家科委、国务院科技干部局并入中国科学院,中国科学院所属研究机构也大批被取消。到 1973 年,中国科学院的科研人员只有 1.3 万人,所属科研机构仅剩 53 个,到 1975 年又减少到 36 个,基础理论研究几乎全部停止,研究人员流散各地。

中国农业科学院几乎完全被拆散,高等院校数目锐减,学校校舍移作他用的达1000 万平方米,全国 300 多种科技刊物全部停刊,国际科技交流活动几乎中断,全国科学技术事业处于瘫痪状态。30 多万学有所长的科技人员被下放到"五七干校",在山区、牧场、农村长期从事繁重的体力劳动。还有很多知识分子被戴上"派遣特务"、"苏修间谍"、"现行反革命"等帽子,被关进变相监狱——"牛棚",遭受人格侮辱,听任"群众专政",身心备受摧残。对青年一代的培养和教育也同样可悲,在十年动乱中,不仅现有的科技人员没有发挥作用,而且起码少培养了 100 万名大学毕业生,使得科技人才出现断档和后继无人的局面。中国科学技术事业遭受的这种人力资本的破坏,是难以估量的,对那一代人来说,损失也是难以弥补的。

逆境中生存和发展的科技事业

面对"文革"中的极"左"思潮和林彪、江青反革命集团的干扰和破坏,科学技术事业受到了极大的破坏。但是中国共产党的领导地位毕竟没有改变,中国共产党和全国人民追求四个现代化的目标和迫切心情并没有改变,中国的国家安全离不开科技发展的支持这个道理没有被否定,因此,广大科学技术工作者采取各种方式继续坚持和开展科研工作,在逆境中排除干扰、克服困难,推动了科学技术事业继续前进。

例如,有一项涉及全国 27 个省市和上千个科研、生产单位的海军尖端科研项目,由于全国动乱、工厂停产、科研停顿、领导干部被揪斗而无法继续进行。聂荣臻在听取了这个项目的情况汇报之后,决定在北京召开有厂长、所长、党委书记和技术负责人数百人参加的协调会议,明确规定:凡是接到通知的都要到会,即使正在被批斗的也要来。到会人员深为聂帅甘冒风险推进科研工作的大无畏气概所感动,一致表示:只要一息尚存,就要排除阻力,战胜困难,完成任务。会议以后,全国各地的领导干部、科技人员和工人密切协作、共同奋斗,不但克服了工作本身的困难,而且战胜了人为制造的困难,终于以顽强拼搏的精神,高质量高速度地完成了研制任务,使人民海军的战斗力达到一个新的水平。在"文化大革命"期间,中国的科学技术队伍在动乱条件下,含辛茹苦,愤发图强,在崇山峻岭之间修筑了成昆铁路,在浩瀚江面上架起了南京长江大桥,成功地爆炸了中国自行研制的氢弹,完成了中国第一次远洋科学考察,发射了中国自己制造的人造地球卫星,并实现了人造卫星的回收,使中国在重大工程和尖端技术方面于动乱中求发展,创造了奇迹般的成就。

又如,以农业科学家袁隆平为首的研究小组不畏艰险,踏遍千山万水,1970 年冬天在海南岛发现雄性不育野生稻,为育成杂交水稻新品种打开了突破口。此后,科研人员互相支持,组织全国性的科研协作,终于培育成功籼型杂交水稻,产量大幅度提高,在农业科技战线上创造了一项重大成果。这项成果在 1978 年改革开放以后进一步发扬光大,不仅造福了中国人民,而且为全人类作出了重大贡献。

此外,中国著名数学家陈景润为了攻克哥德巴赫猜想,潜心钻研,不舍昼夜,却被定为"白专典型"、"修正主义苗子"而被"专政"。陈景润虽身处逆境，却没有停止过研究。他在不足 6 平方米的斗室里靠着煤油灯的微光，忍受着楼下锅炉的烟熏火烤，靠笔写手算的方式，完成了著名论文《大偶数表为一个素数以及一个不超过二个素数的乘积之和》，被国外专家誉为杰出的成就，并被命名为"陈氏定理"载入史册。

在动乱和逆境中拼搏的科学技术工作者不是孤立的。周恩来、邓小平等领导人，以丰富的革命斗争经验，抓住每一个时机，关心、支持、恢复和发展中国的科学技术事业。

1972 年国庆节，《人民日报》发表了社论《夺取新的胜利》，在号召加快社会主义建设步伐、落实各项政策时，特别提出要提倡又红又专，为革命学业务、学文化和学技术。

周恩来从科学技术事业的发展战略出发，高瞻远瞩地提出要重视基础理论的研究。他明确指出："科学院必须把基础科学和理论研究抓起来，同时又要把理论研究和科学实验结合起来，高能物理研究和高能加速器的预制研究应该成为科学院要抓的主要项目之一。"他指示周培源把北京大学理科办好，把基础理论水平提高，有什么障碍要扫除，有什么钉子要拔掉，还特别批示"要认真实践，不要像浮云一样，过了就忘了"。周培源按照周恩来的指示，写成了题为《对综合大学理科教育革命的看法》的论文，发表在 1972 年 10 月 6 日的《光明日报》上，这篇文章引起了广大从事科研和教育工作的知识分子的重视。此后不久，在北京香山召开了高能物理会议，对高能物理理论和相关基础理论的研究进行了全面的安排和部署，中国基础理论研究工作又开始迈出坚实的步伐。

1973 年初，经毛泽东、周恩来批准，决定用几十亿美元进口一批技术先进的成套设备和单机，即著名的"四三"方案。其中包括 13 套大化肥、4 套大化纤、3 套石油化工、1 个烷基苯厂、43 套综合采煤机组、3 个大电站、武钢 1.7 米轧机，以及透平压缩机、燃汽轮机、工业汽轮机制造工厂和斯贝发动机等项目。引进这些项目，不仅进一步扩大了中国工业的生产能力，而且有利于提高现代化生产技术水平。在引进国外先进技术的同时，中国又派出医学代表团和科学家代表团先后访问美国。代表团回国后，周恩来亲自安排他们向国内同行介绍情况。他指出："出国参观、考察，就是为了学习人家的长处。"这对于大搞空头政治、盲目排外的江青之流是一次有力的批判。

周恩来采取的一系列纠"左"的措施取得了明显的效果。国民经济一反连续多年万马齐喑、每况愈下的局面，在 1973 年实现了工农业总产值增长 9.3％的好成绩，技术进步的水平也恢复到接近 1966 年的记录。1975 年 1 月，周恩来抱病在第四届全国人民代表大会第一次会议作《政府工作报告》，重申"在本世纪内，全面实现农业、工业、国防和科学技术的现代化，使我国国民经济走在世界前列"的奋斗目标，给科学技术工作者以极大的鼓舞。此后，邓小平开始主持国务院日常工作，他按照四届人大确定的把中国建设成为社会主义现代化强国的目标，果断地采取一系列有力措施，着手解决"文化大革命"造成的混乱，实行治理整顿。

1975 年，邓小平先后召集了工业、农业、交通、军事和科学技术方面的一系列重要会议，在这些会议上，他反复强调实现四个现代化是大局，号召全国人民共同努力,把国民经济搞上去。他特别提出加强科学研究、搞好技术工作是重大的原则问题,强调"要发挥科技人员的积极性","要给他们创造比较好的条件,使他们能够专心致志地研究一些东西"。例如他在4月9日听取国防工业有关部门汇报有几个工厂还不稳定,希望调整这几个厂的领导班子时,即指出:"不能再等了。整个国家的利益、党的利益、人民的利益,不能就等那么少数几个人。决不能手软,手软了不行。"①

在国务院讨论国家计委起草的《关于加快工业发展的若干问题》时,邓小平指示说,要加强企业的科学研究工作,大厂要有自己独立的科研机构。他特别强调要"引进新技术、新设备,扩大进出口","加强工业技术改造,提高劳动生产率"。在农村工作座谈会上,邓小平指出"要解决科学技术方面的问题",解决"现在相当多的学校学生不读书"的问题等等。这些方针和措施的提出和贯彻,极大地鼓舞和调动了科学技术工作者和全国人民的工作积极性。

1975年7月,中共中央委派胡耀邦等同志到中国科学院主持工作。在邓小平和国务院负责人的支持下,中国科学院的领导人和科学工作者坚决贯彻整顿的方针,认真总结经验教训,制定了发展科学研究的《中国科学院工作汇报提纲》。9月26日,中共中央听取了科学院的工作汇报,肯定了《汇报提纲》中关于加强自然科学研究,整顿和加强研究所、室领导班子,切实解决科研人员工作和生活上的实际问题等意见。邓小平指出,科研必须走在国民经济的前面;对有水平的人要爱护和赞扬,并充分发挥他们的作用;要选党性

好、组织能力强的人给科技人员搞后勤;对一不懂行、二不热心、三有派性的人不能留。他还特别强调,要办好教育,选数理化好的高中生到中国科技大学学习,要注意调动教师的积极性。

经过全国各条战线大力合作,中国科学技术工作不但大有起色,而且在推动工农业生产和国民经济发展方面逐渐发挥越来越大的作用,取得了十分可喜的效果。交通运输和工业生产逐月好转,石油、原煤、发电、化肥、水泥、内燃机、纸和纸制品及铁路货运量都创造了历史上月产最高水平。1975年工业总产值比上年增长11.9%,劳动生产率提高7.4%,使得遭受长期动乱的中国又开始呈现勃勃生机。但是,不久"批邓和反击右倾翻案风"运动推向全国。在这个运动的冲击下,已经开始取得成效的整顿工作停下来,已经好转的生产秩序和科学技术工作又被打乱了。

第一颗人造卫星的成功发射

人造地球卫星,是现代尖端科学技术的重要标志之一。它的研制和发射,无论在经济上、军事上,还是在科学技术方面都有重要意义。根据我国的实际情况和运载火箭的可能,1965年8月,中央专门委员会原则批准了中国科学院《关于发展我国人造卫星工作规划方案建议》,确定:我国发展人造卫星的工作,采取由简到繁,由易到难,从低级到高级,循序渐进,逐步发展的方针;并确定整个卫星工程由国防科委负责组织协调,卫星本体和地面

① 中共中央文献研究室编:《邓小平年谱(1975—1997)》(上),中央文献出版社2004年版,第33页。

测控系统由中国科学院负责,运载火箭由七机部负责,卫星发射场由国防科委试验基地负责建设。根据这个新中国第一部空间规划,我国从1965年开始实施第一颗人造卫星的研制计划。

这项工程的整个研制工作,大部分是在"文化大革命"最动乱的年月里进行的。尽管当时处在不利的客观环境中,但在周恩来总理的关怀下,航天战线的广大科技人员、工人、干部和解放军指战员,不负祖国和人民的重托,依然顶着动乱,坚守岗位,顽强工作,终于在四年多的时间里,完成了这项宏大的工程。1970年4月24日,我国第一颗人造地球卫星"东方红一号"发射成功,揭开了我国航天活动的序幕,宣告了中华人民共和国进入航天时代。

"东方红一号"卫星工程由国防科委负责抓总。"东方红一号"卫星本体,先由中国科学院负责,后转到空间技术研究院研制;"长征一号"运载火箭,由七机部运载火箭研究院研制;卫星发射场和地面测控网由国防科委试验基地负责建设。电子、机械、冶金、化工、建材等工业部门承担了大量协作配套任务。

研制具有强大推力的运载火箭,是独立发射人造卫星的前提和基础。在确定发射我国第一颗人造卫星时,我国中远程液体燃料火箭已经有了一定的基础。"长征一号"火箭的第一、二级,采用了在中远程火箭基础上进行改装的方案,再加上新研制的第三级固体燃料火箭发动机,构成了三级运载火箭。突破多级火箭技术和研制第三级固体燃料火箭发动机,成为研制"长征一号"火箭的关键。

我国多级火箭技术,首先是通过研制中远程火箭取得突破的。1970年1月30日,中远程火箭飞行试验取得圆满成功,

为"长征一号"火箭的研制奠定了基础。

"长征一号"第三级火箭采用的发动机,由七机部固体燃料火箭发动机研究院负责研制,先后攻克了发动机壳体成型、药柱脱粘、氧化铝沉积等技术难关,并成功地进行了高空旋转试验,于1970年初达到了交付状态。

"东方红一号"卫星本体的研制,在中国科学院负责期间,已经有了较大的进展,某些部分完成了初样阶段的研制工作。1968年成立空间技术研究院之后,开始转入试样和正样研制阶段,并加快了研制的进程。"东方红一号"是我国研制的第一颗人造卫星,不仅需要解决卫星本身的一系列新技术,而且卫星上用的材料、元器件和仪器,要承受发射时力学环境的考验,要长时间在宇宙空间特殊环境下工作。所有这些技术问题,由于原来已有一定的预研成果,因此在四年多的研制中,全部得到了解决。

卫星发射场和地面测控网,是航天工程的重要组成部分。我国第一个卫星发射场,是在原来导弹发射试验场的基础上改建和扩建的。第一个卫星发射工位自1965年开始建设,1967年初完工。我国卫星地面测控网的第一期工程,是根据发射第一颗人造卫星的需要建设的,主要包括设在陕西的测控计算中心和设在有关地区的7个跟踪观测台站。为了保证各地台站建设正常进行,1966年底,这项任务由中国科学院调整到国防科委试验基地。根据中央专门委员会的指示,国家计委向各有关省、自治区发出通知,要求各地在材料供应、施工力量和交通运输等方面给予积极支持,以保证各台站建设按期完成。1970年初,各台站的建设基本完成,唯独测控计算中心的建设赶不上发射第一颗人造卫星的需要,其任务暂由卫星发

射场承担。至此,发射我国第一颗人造卫星的各项条件已经成熟。

1970年4月2日,周恩来召集会议,专门听取"东方红一号"人造卫星和"长征一号"运载火箭的情况汇报,对发射准备工作作了重要指示。4月14日,周恩来总理又主持专门会议,听取从发射场回京的钱学森、李福泽等人的汇报,批准卫星和火箭进入发射工位。4月20日,周恩来总理通过国防科委副主任罗舜初发出指示:第一颗人造卫星的发射要做到"安全可靠,万无一失,准确入轨,及时预报"。4月23日,卫星、火箭在发射场的检查测试工作全部结束,毛泽东批准了这次具有重大历史意义的发射。

1970年4月24日,我国第一颗人造卫星一举发射成功,中央人民广播电台向全世界转播了由"东方红一号"卫星播送的《东方红》乐曲。当天晚上,首都人民举行盛大游行,热烈欢庆我国航天活动的首次胜利,全国城乡人民怀着无比喜悦的心情,争相观看卫星,收听卫星播送的《东方红》乐曲。周恩来当天在审阅将要发表的《新闻公报》稿时,亲自加上了"坚持独立自主,自力更生"的字句,充分表达了我国人民在现代科学技术上赶超世界先进水平的意志和决心。一周后,在"五一"国际劳动节晚上,我国第一颗人造卫星飞经北京上空,毛泽东和周恩来在天安门城楼上高兴地接见了钱学森、任新民及其他参加第一颗卫星工程研制的代表。

我国第一颗人造卫星发射成功,全面考核和验证了卫星、火箭、发射场、地面测控网各大系统的有效性和协调性,这是我国航天技术发展史上一个大的突破,也是一个新的开端。我国第一颗人造卫星的发射,虽然比苏联发射世界上第一颗人造卫星晚了13年,但这毕竟是在我国这样一个经济技术比较落后的国家里,完全依靠自己的力量实现的,是来之不易的。它充分体现了党的"独立自主、自力更生"方针的胜利,显示了勤劳、勇敢的中国人民的智慧和力量。

1971年3月3日,我国以"长征一号"火箭为运载工具,成功地发射了第二颗人造卫星"实践一号"。这是我国研制的第一颗科学实验卫星,用于试验太阳能电池供电系统、温控系统、电子元器件等在空间长期工作的性能,同时用于测量空间环境的各种物理参数。"实践一号"卫星在太空正常工作达八年之久,为我国设计长寿命卫星提供了宝贵的经验。

1970年"长征一号"运载火箭研制成功后,运载火箭研究院的研制重点,开始转到远程和洲际火箭上来,并且得到北京市许多工厂的大力支援,加快了研制进度。1971年9月10日,我国第一枚洲际火箭首次进行飞行试验,获得基本成功,标志着我国液体燃料火箭技术又取得了一个新的突破。

20世纪70年代初期我国发射的第一、二颗人造卫星,集中地代表了我国航天活动初期的技术水平。在研制我国人造卫星的同时,我国航天工作者们就开始向更高的目标进军——研制比第一、二颗卫星重10倍、技术更复杂的返回式遥感卫星及其大型运载火箭。

研制返回式遥感卫星,需要解决一系列复杂的技术问题。从运载工具来说,要研制具有更大推力和精确制导的大型火箭,保证把卫星准确地送入预定轨道。从卫星来说,为了完成对地观测任务,需要研制技术要求很高的空间遥感仪器;卫星在运行中必须保持高精度的姿态,并按预定程序准确无误地工作。为了回收卫星,第一,要有制动(反推)火箭发动机,使卫星有脱离原运行轨道的动力；第二，要解决回收舱再入大气层的气动力和防热问题，研制耐高温材料；第三，要有安全可靠的回收系统，并在一定区域内部署空中、地面互相配合的回收队伍；第四，要在更长的运行弧段内对卫星进行跟踪、测量、控制，为此要建立更大范围的地面测控网。从卫星发射来说，必须建设能发射大型火箭、重型卫星的新发射工位。由此可见，发射和回收重型遥感卫星，所面临的工程研制和设施建设任务，是非常艰巨、繁重的。而且，在上述整个发射、运行、回收的过程中，火箭、卫星及地面所有仪器都必须准确无误地按预定程序工作，如某个仪器失灵或某项操作失误，都有可能造成全局的失败。有的科学技术发达的国家，也是经过多次试验失败，才掌握卫星回收技术的。在我国的具体条件下，要成功地回收卫星，面临的困难更大。

返回式遥感卫星由空间技术研究院负责技术抓总，直接参加卫星研制的有81个单位，分布在全国16个省、市、自治区。卫星的运载工具采用"长征二号"大型运载火箭，这是在我国研制的洲际液体燃料火箭的基础上改装的，由运载火箭研究院及在三线地区新建的火箭发动机基地共同承担。卫星上用的制动火箭发动机，由固体燃料火箭发动机研究院承担。在研制工作中，由于受到"文化大革命"的干扰，加上技术上遇到的困难，研制进度一再拖延，发射计划多次改变。直到1974年，才具备了发射返回式遥感卫星的条件。当年11月5日，返回式遥感卫星第一次发射，因运载火箭控制系统一根导线折断，造成整个试验失败，卫星本体未得到考验。

1975年，我国连续三次发射卫星成功，实现了"三星高照"。7月26日，上海地区研制的技术试验卫星和"风暴一号"火箭，首次发射成功。11月26日，我国第二次发射返回式遥感卫星获得成功。卫星在太空工作正常，运行三天后，按预定计划成功地返回地面。毛泽东对这次试验非常关心，多次审阅了有关的报告，观看了卫星获得的遥感资料。叶剑英也观看了这颗卫星获得的遥感资料，高兴地称赞这颗卫星有功。12月17日，"风暴一号"火箭再次发射卫星成功。这是我国航天战线多年未出现的好形势。1976年，航天战线的广大职工，坚决抵制所谓"反击右倾翻案风"运动，不顾江青反革命集团将1975年的连续三次发射卫星成功诬蔑为"卫星上天，红旗落地"，战胜了唐山地震带来的困难，继续推进航天工程的研制工作。8月30日，上海地区研制的技术试验卫星又一次发射成功。

遥感卫星发射、回收成功，是我国航天技术发展史上一个新的突破，它使我国航天工程各大系统都得到了锻炼和提高。卫星的技术水平较之第一、二颗卫星有了新的飞跃；"长征二号"运载火箭的运载能力和制导精度，较之"长征一号"有了大幅度的提高；地面测控系统在卫星的发射、运行、回收的过程中，圆满地完成了一系列复杂的跟踪、测量、控制任务。我国航天技术的这些新成就，是在国家处于动乱期间，社会主义建设遭到破坏的情况下取得的。它体现了我国航天工作者们在逆境中自强不息的奋斗精神，说明了我国航天事业具有快速发展的巨大潜力。

四

第一颗氢弹试爆成功和
国防科技的进展

"文革"期间,我国继 1964 年成功研制并爆炸了第一颗原子弹后,还于 1967 年成功地研制出氢弹。1967 年 6 月 17 日,在周恩来的亲自安排下,聂荣臻亲临现场指挥,成功地进行了我国第一颗氢弹爆炸试验,提前实现了毛泽东在 1958 年 6 月关于"搞一点原子弹、氢弹,我看有十年工夫完全可能"的预言。从第一颗原子弹试验到第一颗氢弹试验,美国用了七年零四个月,苏联用了四年,英国用了四年零七个月,法国用了八年零六个月,而我国只用了两年零八个月,发展速度是最快的;我国首次氢弹爆炸试验,赶在了法国的前边,在世界上引起了巨大反响,公认中国核技术已进入世界核先进国家的行列。

1971 年 9 月,我国自己建造的第一艘核潜艇安全下水。经海军试航考验,确认我国研制的第一艘核潜艇在总体设计、建造、动力系统、观通导航和主要武器系统方面基本上是成功的,性能是好的。核潜艇试航成功,为以后定型小批量生产打下了基础。我国自行设计的潜艇核动力陆上模式堆建成并投入试验运行和我国第一艘核潜艇下水试航成功,标志着我国已经掌握了核动力技术。这是继原子弹、氢弹试验成功后,我国核技术和核工业发展的又一突出的重大成就。它为增强我国海军力量、巩固国防作出了贡献,也为我国核电站的发展培养了人才,积累了经验。

无论是人造卫星还是原子弹、氢弹等武器,都需要运载工具,因此发展空间运载工具,就成为我国发展空间技术的关键内容,所谓"两弹一星"中的导弹也包括这方面的研究。1966 年,正当我国空间规划全面实施的时候,"文化大革命"爆发了。毫无例外,以国防为核心的运载工具的研究也在这场动乱中遭到了挫折和损失。

"文化大革命"一开始,经中共中央批准的"科研十四条"和国防部五院的建院方针,就被诬蔑为"修正主义"。接着,七机部各级机构普遍受到冲击并陷于瘫痪、半瘫痪状态,各级领导干部普遍受到批判斗争,广大科技人员受到压制和打击,群众队伍被分裂,科研生产陷于混乱。从 1967 年开始对七机部及所属单位实行的军事管制,虽然对稳定局势起了积极作用,但由于全国的动乱局面还在继续,特别是由于林彪、江青反革命集团在七机部进行的罪恶活动,使七机部长期处于动乱不止的状态。

由于林彪、江青反革命集团,批判所谓"唯生产力论",散布"卫星上天,红旗落地"的谬论,制造思想混乱,在所谓"占领上层建筑领域"、反对"管、卡、压"的口号下,正常的科研生产秩序被打乱,各种规章制度废弛,许多宝贵的图纸资料失散,仪器设备失修,文明生产遭到破坏,产品质量严重下降,各种事故不断发生,大型试验多次遭到失败。"四人帮"及其在上海的代理人,从其政治需要出发,不听技术人员的正确意见,片面强调进度,忽视产品质量,不重视发动机存在隐患的征兆,仓促发射"风暴一号"火箭,造成连续两次失败;"长征二号"火箭,也由于产品质量和可靠性得不到保证,造成了前面提到的那次发射失败。

在林彪反革命集团主要成员把持"军委办事组"期间,他们在国防尖端技术战线搞大计划、高指标、瞎指挥,违背科研规律，打乱"三步棋"的安排，破坏研制程序，削弱以至取消预先研究，对航天事业的发展造成了严重的危害。1970年，他们提出了"三年赶、两年超"的口号，要求尖端技术在"四五"计划期间（1971—1975），前三年赶上、后两年超过国际先进水平。在这个口号下，同年8月，制订了一个完全脱离实际的航天技术发展规划，提出在五年内要把14种航天器送上天，并投入使用。为此，平均每年要发射9颗卫星。显然，这是不可能办到的。但是，当时确实按照这个规划，组织了队伍，铺开了摊子，开展了研制工作。实际上，实施这样庞大的空间计划，超越了我国经济技术的客观可能，特别是在当时国民经济已经遭到巨大损失的情况下，是国力无法承受的。因此，后来一些型号工程和基本建设工程不得不中途下马，造成了相当大的损失。另外，在实施大计划的同时，对七机部的组织体制和有的研究院的方向、任务，也作了不适当的改变。1970年6月，承担战术导弹研制生产任务的单位划出七机部，打乱了原来的规划和布局及多年形成的配套协作关系，分散了研制力量，增加了重复建设，科研生产也受到影响。

在林彪和江青反革命集团不遗余力地干扰和破坏航天科技研究的同时，周恩来总理对航天事业给予了极大的关怀和支持，他在极度繁忙的情况下，先后接见七机部的领导和群众代表达30多次，亲自过问各项航天工程的研制工作，亲自做群众的团结工作。在当时老专家被打成"反动学术权威"，许多科技人员被说成"资产阶级知识分子"的情况下，周恩来总理为了保护我国这支航天科学技术队伍，1968年，他指示七机部军事管制委员会列出需要保护的专家名单并予以批准。为了保证我国第一颗人造卫星工程按计划进行，

他要求七机部上报承担这项任务的人员名单，并责成各级领导保证他们的工作不受运动的冲击。1969年春，"长征一号"火箭进入地面全箭系留试车阶段，周恩来总理多次明确指示：试车是关系国家荣誉的大事，任何人不得干扰。遵照这个指示，试验站的广大群众，排除了派性的干扰，连续工作8天，完成了试车任务。1972年9月，周恩来总理同党和国家其他领导人朱德、董必武、叶剑英、李先念等，来到七机部火箭总装厂，视察了"长征二号"火箭的研制工作，并在现场观看了返回式卫星产品。周恩来总理走到"长征二号"火箭旁，语重心长地对大家说：我们现在还是试验阶段，要想办法尽快结束这个试验阶段。针对当时极左思潮泛滥的情况，周恩来总理多次反复强调，要按照客观规律办事，坚持严格的科学态度；要加强管理，遵守各种必要的规章制度；要过细地做工作，切实保证产品质量。周恩来总理提出的"严肃认真，周到细致，稳妥可靠，万无一失"的要求，高度概括了航天工作者必须遵循的工作原则和必须具备的工作作风，对航天研制队伍的思想作风建设，提高发射试验的成功率，具有重要意义。因此，这十六字指示，成为以后历次大型地面试验和航天发射试验的座右铭，在整个航天工业战线深入人心。

1975年1月，第四届全国人大第一次会议，确定了以周恩来、邓小平同志为领导核心的国务院人选，挫败了"四人帮"企图组阁的阴谋。在周恩来总理病重期间，邓小平同志在毛泽东主席的支持下主持中央日常工作，着手对许多方面的工作进行整顿，使全国形势有了明显好转。在这期间，张爱萍同志出任国防科委主任，重点深入七机部所属工厂、研究所，调查研究，指导工作，努力纠正"文化大革命"的

错误。为了迅速改变七机部"老大难"的局面,1975年春,邓小平、叶剑英、李先念等中央领导同志,对七机部的工作作了多次重要指示。同年6月,中共中央下达了关于解决七机部问题的文件,调整、加强了七机部的领导班子,任命汪洋为七机部部长。广大干部群众,努力消除派性,增强团结,克服无政府主义。经过一系列整顿工作,七机部系统开始出现安定团结的局面,科研生产形势迅速好转。1975年我国又连续三次发射卫星成功。

但是,这来之不易的好形势,很快又被所谓"批邓反击右倾翻案风"运动所葬送。江青反革命集团在七机部掀起所谓"批判邓小平、张爱萍"的运动,迫害干部、群众,重新挑起分裂,使七机部再度陷于混乱。1976年4月,七机部系统广大群众,顶着压力,不畏风险,积极参加了以"天安门事件"为代表的悼念周总理、反对"四人帮"的强大抗议运动,表现了航天战线这支队伍高度的政治觉悟。

五

农业科技的进展和成就

"文革"期间,尽管全国开展了"农业学大寨"运动,并且不断地批判所谓"三自一包"(即60年代初期试行的自留地、自由市场、自负盈亏、包产到户),但是由于极"左"政策压抑了农民的积极性,农业生产始终不能过关,中国的吃饭问题也就始终解决不了。为了从科技方面来解决中国人民的吃饭问题,在十年动乱期间,在林彪、江青反革命集团对农业科技工作的严重干扰和破坏的背景下,在中国农业科学院和中国林业科学院被解散、大批人员和资料设备散失的情况下,广大的农业科技

人员仍然没有中断科研,努力克服种种不利条件,取得了许多重要科研成果。

在水稻方面,1966年至1976年间,农业科学技术工作者在动乱和逆境中拼搏,取得了许多重大成就。以农业科学家袁隆平为首的研究小组不畏艰险,踏遍千山万水,1970年11月在海南岛发现天然雄性不育野生稻,为育成杂交水稻新品种打开了突破口。此后,科研人员互相支持,组织全国性的科研协作,终于培育成功籼型杂交水稻,产量大幅度提高,在农业科技战线上创造了一项重大成果。1972年,中国农科院和湖南农业科学院牵头组织全国150多个单位,开展籼型杂交水稻科研大协作,突破保护系、同型不育系、恢复系等关键技术。1973年,初步实现三系配套。10月,袁隆平发表了题为《利用野败选育三系的进展》的论文,正式宣告我国籼型杂交水稻"三系"配套成功。1974年南优2号鉴定。籼型杂交水稻培育成功,此后又育出籼优2号。杂交稻比常规稻增产15%。我国杂交水稻研究的重大突破,不仅丰富了遗传育种理论与实践,为世界农业科学研究的发展作出了重大贡献,而且为1978年以后我国和世界的粮食增产和解决吃饭问题作出了重大贡献。1983年,袁隆平获得联合国第三世界科学发明奖,1985年,他又获得联合国知识产权组织发明创造金质奖章。1996年9月,国际天体命名委员会还将一颗1996年5月发现的行星,正式命名为"袁隆平星"。

在小麦方面,"文革"期间,农业科技工作者育成了异源八倍体小黑麦,并在西北和西南地区推广1万公顷,对解决贫困地区的口粮和饲料有重大作用。还育成了122个春小麦品种,实现了第三次品种更新换代。从1974年7月开始,中国各小麦产区大力推广优质品种。

在玉米方面,抗病育种取得突破,育成一批多抗性杂交种。中单2号是代表,达到世界先进水平。1971年10月中国农村培育杂交高粱和杂交玉米获得显著成效。1971年全国已种植6720多万亩,占全国玉米面积的三分之一。

在棉花方面,推广自育品种,面积达到棉田面积的80%以上,结束了美国品种的主导地位。

总之,"文革"期间正是世界上科学技术突飞猛进的10年,由于林彪和江青两个反革命集团的干扰和破坏,使得我国的科技事业受到严重挫折,尽管也取得了上述成就,但是就整体而言,特别是科技人才的培养而言,我国与世界发达国家的差距不是缩小而是拉大了。

"文革"时期军队建设的曲折历程

"文化大革命"是一场全国性的内乱,人民军队同样难逃厄运,尤其是林彪集团对军队的影响更直接,破坏更大。但人民解放军毕竟是一支富有光荣革命传统的队伍。这支军队毕竟有一大批久经考验、德高望重的元勋,他们为纠正极"左"思潮和排除各种干扰呕心沥血,从而形成了军队建设在"文化大革命"十年中的曲线发展。

一

林彪、江青阴谋搞乱军队

1966年6月,当"文化大革命"在全国迅速展开时,军队尚能保持水波不兴,各项工作依然照常进行。但10月以后,情况发生了变化。10月5日,中央军委和总政治部根据林彪的意见,发布了《关于军队院校无产阶级文化大革命的紧急指示》,强调"必须把那些束缚群众运动的条条框框取消",和地方院校一样,完全按照"十六条"的规定,开展大鸣、大放、大字报、大辩论,实行大串连。取消"军队院校的文化大革命在撤出工作组后由院校党委领导的规定"。这个文件在军队以至全国造成十分恶劣的影响,它在全国掀起了"踢开党委闹革命"的浪潮,在军队则开了动乱的先河。军队院校和部分高级军事机关起而响应,首先冲击了国防部。接着,在11月,江青一伙叫嚣"军内有资产阶级反动路线",全军文革小组组长刘志坚被撤职、揪斗,陈毅、叶剑英受冲击。1967年1月1日,《人民日报》、《红旗》杂志发表元旦社论,提出向党内走资本主义道路的当权派展开总攻击。在张春桥、姚文元的策划下,上海造反派篡夺上海市党政大权,全国各地立即仿效。在全国大气候下,军队院校造反组织也纷纷夺权,武斗接连发生,教学活动被迫停止。总部、军兵种和一些军区机关也成立了群众组织。

1月10日,中央文革小组成员关锋、王力等人起草了《关于解放军报宣传方针问题的建议》,提出"彻底揭穿军队一小撮走资本主义道路的当权派"。江青将此报告送林彪,林彪批示"完全同意"。"揪军内一小撮"的口号经《解放军报》公开发表,又经《人民日报》转载,在社会上广为流传,形成一股恶浪,军队高级干部纷纷被批斗、戴高帽、挂黑牌、遭打骂,正常的工作秩序和生活秩序被打乱,有的机关陷于瘫痪。

林彪、江青一伙在已经混乱的局面中继续推波助澜。1月19日,江青、陈伯达、叶群等在军委碰头会上,联合攻击总政治部主任肖华,说他"已经使我们的军队变成了修正主义的军队"。当晚,肖华家被抄。1月23日,林彪在军委碰头会上发表讲话,称"文化大革命"是"一场不拿枪的全国性的大内战",鼓吹"文化大革命""有各种各样的对象,有各种各样的程度,必须要有各种各样的斗争方式"。"有时动一下手,打一下威风,用一下也可以"。林彪还强调:"军队有特点,但主要是革命的共同性","军队文化大革命要有新姿态,要坚决站在群众一边,要敢字当头,不要怕字当头","对老干部有的要烧,不但烧,有的还要烧焦"。林彪还标榜自己:"不让院校串连,我来个大串连。他们规定院校和部队一样搞正面教育,10月5日发了个紧急指示。冲国防部,扣不扣学生,我说不扣。机关文化大革命要不要大开展,要开展,不怕。"

在林彪、江青一伙的煽动下,军队的动乱有增无减。1月23日,乌鲁木齐第二造反司令部、军区步校造反团等五六百人涌到新疆军区司令部,要开大会罢官夺权。1月25日,南京军区副司令员张才千被造反派抓走,一时下落不明,3个党委和政治部正副主任被罚跪,后勤部正副政委遭拳打脚踢,还有一些军区首长被撕掉帽徽、领章。1月26日和2月7日,福建接连发生了群众组织冲击军区的事件。林彪和江青、陈伯达、康生等人为排除异己、控制军队,把叶剑英、陈毅、徐向前、聂荣臻等整垮,公然提出"要抓带枪的刘(少

奇)、邓(小平)路线","文化大革命的重点已由地方转向军队","把军内一小撮也揪出来是文化大革命的新阶段"等等。4月17日,江青在北京人民大会堂接见军内造反派时说:"成都、武汉,那是问题比较严重的地方,可以冲一冲。"7月14日,谢富治、王力以中央代表团的名义到达武汉,他们违背周恩来关于中央代表团暂时不要公开露面的指示,四处活动,公开"支一派,压一派"。7月20日,受压的武汉"百万雄师"派群众上街游行,质问王力在武汉的阴谋活动,反对谢富治、王力。武汉三镇的交通中断,道路堵塞。这一大规模事件,被说成是武汉军区司令员陈再道搞的兵变。陈再道和军区政委钟汉华被撤职,武汉军区所辖独立师被打成叛军。7月25日,林彪在天安门城楼上对肖力(李讷)说:"要战斗!要突出!要砸烂总政阎王殿!"总政治部主任、副主任、部长和大批干部由此受到诬陷与迫害。7月27日,林彪、江青又以中共中央、国务院、中央军委、中央文革小组的名义,在《给武汉市革命群众和广大指战员的一封信》中,再次使用了"揪军内一小撮"的提法。在"揪军内一小撮"和"砸烂总政阎王殿"口号的煽动下,造反派冲击军事机关,抢夺枪支弹药事件更趋严重。

林彪、江青不仅煽风点火,制造军队内的动乱,而且阴谋趁乱夺权。早在1966年8月14日,林彪在中央工作会议上的讲话中就露骨地说:这次"文化大革命"就是"要罢一批人的官,升一批人的官,保一批人的官"。罢官、升官的标准当然是顺我者昌,逆我者亡。1967年1月8日,林彪在中央军委常委会上宣布中央文革小组成员关锋任总政治部主任。不过,这只是小试锋芒,他们还要把矛头对准当时在军内担任重要职务而在某些问题上坚持原

则,抵制极"左"错误的一些领导人。杨成武,时任解放军代总参谋长、总参党委第一书记、中央军委常委、军委副秘书长等要职。他在当时那种历史条件下,虽然也说过错话,做过错事,但后来逐渐看不惯江青等人的所作所为,常暗中掣肘。杨成武奉周恩来的密令到上海向毛泽东如实汇报王力、关锋、戚本禹四处活动,制造动乱的情况。他还随同毛泽东视察三大区,并把毛泽东在外地的谈话向几位老帅作了传达,没有告诉林彪。叶群多次追问毛泽东对林副主席怎样评价,杨成武也一直回避不答。加之杨成武被认为是晋察冀山头的,老领导是聂荣臻,非林彪系统。余立金,时任空军政委、空军党委第二书记。他曾是处理武汉问题的中央代表团成员之一,他在武汉遵照周恩来指示没有公开活动和"支一派,压一派"。1968 年 2 月 13 日,外交部 91 名司局长、大使在外交部张贴拥护陈毅的大字报,这篇大字报被诬为"2 月逆流翻案的代表作"。余立金曾在新四军工作过,是陈毅的老部下,这件事亦成为余立金的罪过。傅崇碧,时任北京卫戍区司令员。他在动乱中,遵照周恩来的指示,对徐向前以及李井泉、王任重、江渭清等 20 多位大区和省、市委负责同志采取一系列保护措施,他还如实报告了彭德怀被残酷批斗、打断肋骨的情况,为江青一伙所忌恨。傅崇碧同样有在晋察冀工作过的经历。1968 年 3 月,林彪、江青等诬陷余立金勾结杨成武搞"山头主义"、"两面派",余立金是"叛徒",傅崇碧"武装冲击中央文革"等,制造了所谓"杨、余、傅事件"。22 日,中共中央、国务院、中央军委、中央文革小组发布命令,撤销杨成武、余立金、傅崇碧的职务,任命黄永胜为解放军总参谋长。不久,吴法宪、李作鹏、邱会作又被任命为副总参谋长,并分别兼任

空军、海军、总后勤部领导人。以后,根据中共中央、中央军委决定,成立军委办事组,由吴法宪、叶群、邱会作、张秀川 4 人组成,后又增加了黄永胜、李作鹏、谢富治等人。军委办事组实际上取代了军委常委。为林彪所信任的人把持了军队领导权,使军队建设进一步受到破坏。

二

军事工作的削弱及损失

林彪担任国防部长以后,以"突出政治"为名,指责军事训练时间占得过多,"冲击了政治"。1966 年 2 月,他提出:政治教育和军事教育的时间比例现在是三七开,可考虑改为四六开,对半开,甚至倒三七开。8 月 16 日,根据林彪此议,中央军委作出《关于改革部队军政教育时间比例的决定(草案)》,规定政治教育时间一律占部队工作时间的 50%;军事训练时间,全训部队为 40%,半训部队半生产部队为 20%,生产部队为 10%。其他工作如果与政治教育发生矛盾,都要给政治教育让路。"文革"时期,"突出政治"的观点被推崇为部队全面建设的指导思想,凡是不赞成"政治可以冲击一切"的人,都被扣上"单纯军事观点"等各种政治帽子,致使军事干部不敢抓训练,战士不敢学技术,加上全军先后派出 280 万名干部、战士执行"三支两军"任务,部队长年得不到训练,出现了新中国成立以来全军军事训练的低谷,战斗力受到严重削弱。据 1969 年 5 月对 1 个军区中 18 名师长、92 名团长的调查,其中的半数不会组织本级战斗演习,2 个师的 109 名基层干部仅有 10%能组织本级训练,有的作训参谋不知道什么是"行军序列",营、连干部多数不会组织

行军、宿营和战场生活管理,有的连队干部甚至连军语也不懂。① 空军1968年平均每个飞行员仅飞行24个小时,训练内容也简化了,降低了飞行难度,致使高空课目越飞越低,低空课目越飞越高,复杂课目越飞越简单。全空军只有一个军事素质较高,能在比较复杂条件下执行任务的甲类团。

军队的管理教育同样受到严重干扰。动乱破坏了军队的集中统一领导和正常的工作生活秩序,不少军事机关曾陷于瘫痪。1949年以来逐渐形成和制订的行之有效的规章制度和条令、条例被极"左"思潮一概否定,管理工作无章可循,部队各种事故和不良倾向逐年增加。1969年,全军因行政责任事故造成的人员伤亡多达2436人,仅汽车事故一项就死亡1359人。受社会上无政府主义思潮泛滥的影响,部队优良的组织纪律、严明的作风严重涣散,一些单位的自由主义、无政府主义盛行,不守纪律、不讲军容,甚至公开对抗领导,违抗命令的现象时有发生。有的人把无理顶撞当成"反潮流",视把矛头指向领导干部为"大方向"。一些领导干部对违纪现象不敢管,不敢抓,极大地危害了部队的团结和稳定,削弱了战斗力,也影响了军队在人民群众中的威信。

另一方面,军队又存在着机构臃肿,兵员膨胀的不正常状况。为适应"文革"政治斗争的需要,各级领导机关都设立了各种名目的运动办公室,诸如专案组、审干组、大批判组、清查办公室、"三支两军"办公室等等。1966年以后,林彪等人鼓吹"需要就是编制",大量扩编部队,增加编制定额。副职领导干部成倍增加,一些

军、师、团和省军区、军分区的领导班子成员多达十几名甚至数十名。非战斗人员大幅度增加。造成部队组织编制混乱,比例失调,机构臃肿,干部严重超编。到1971年,全军总人数与1965年相比,增长20%多,同1958年相比,增加了1.53倍。② 大量军费用于人员开支,影响了武器装备的改善和部队现代化水平的提高。

"文化大革命"中,军队系统中有的科研机构被撤销,有些工厂处于停工半停工状态,武器装备的科研和生产受到严重干扰。1969年,军委办事组成员吴法宪、李作鹏、邱会作利用调整国防工业管理体制之机,各自抓权,把全军的装备计划管理、军工生产系统和科学研究机构,分为四摊,分别成立了以吴法宪为组长的航空工业领导小组;以李作鹏为组长的造船工业、科研领导小组和电信工业领导小组;以邱会作为组长的常规兵器工业领导小组。他们各自为政,自成系统,严重破坏了装备建设的统一计划、统一管理,也破坏了科研工作的协作与交流。这一时期生产的武器装备(包括飞机、舰艇、坦克、大炮、枪支、弹药、雷达、通讯设备等)存在的普遍问题是质量不好和不配套。如海军接收的五型主要舰艇,遗留的质量问题和关键性技术问题就达469项。全军1969年至1971年接收的700多架歼六型飞机,有50%缺少必要的配套器具。还有些产品生产出来后,因不配套无法装备部队。有些已经装备部队的产品,因质量达不到标准,发生严重事故,造成很大损失和恶劣影响。其后为了解决这些遗留问题,又耗费了大量的人力、物力。

军队院校如同地方院校一样是"文

① 《当代中国军队的军事工作》(下),中国社会科学出版社1989年6月版,第233页。
② 同上,第13页。

革"中的重灾区。林彪、江青等人全盘否定军事院校的作用和成绩，在他们的唆使下，全军院校从 1966 年 10 月开始搞"四大"，"踢开党委闹革命"，"停课闹革命"。数以万计的院校学员离开学校，走向社会，在全国各地串连。各种名目的群众组织陷入无休止的派系斗争。学校领导干部和教员遭到揪斗和迫害，教学活动完全停止。到 1969 年，全军院校由 125 所锐减为 43 所，①除军政大学和 1 所海军水面舰艇学校外，其余指挥院校和部分专业技术院校被撤销。经过十几年努力建立起来的指挥院校实行初、中、高三级制，专业技术院校实行中等和高等两级制的院校体系遭到破坏；一大批优秀教员被处理；长期积累的珍贵的教学资料和图书被销毁或散失，大量仪器设备损坏严重；校舍也都改作他用。

三

维护军队稳定的斗争

针对林彪、江青等人的倒行逆施，为维护军队的稳定，一批军队领导人进行了不同程度的抵制和斗争，采取了一些必要的措施。

最初的斗争是围绕军队要不要搞"四大"和维护军队的稳定展开的。动乱在 1966 年 10 月以后波及军队，立即引起军队老同志的忧虑，他们出于对国家的高度责任感，不顾政治形势之险恶，进行了理直气壮的抗争。这年 11 月 13 日，在北京工人体育场召开了 10 万人的军队院校和文化单位来京人员大会。陈毅发表讲话，说"人民解放军不能乱，一定要有秩序"，"今天陈老总

在体育场给你们泼冷水。泼冷水不好，有时热过了头，泼冷水擦一擦有好处"，"我 1927 年参军，当解放军 39 年了，还没见过解放军打解放军"，"在斗争中，我不赞成逐步升级。不是口号提得越高越好"。徐向前在讲话中指出："我们解放军、海军、陆军、空军，随时保持战斗状态，一声令下，就得开得动"，"一刻也不要忘记我们周围还存在着强大的敌人，我们必须经常保持高度的警惕，不容丝毫的松懈。"叶剑英强调："真理就是真理，跨过真理一步，就是错误，就变成了谬误"，"学习毛主席著作，要在'用'字上狠下工夫，不要当圣经念"，"允许人家犯错误，更要允许人家改正错误。有少数人，有的干部心脏病都发了，倒下了还要抓人家斗。对这少数人我很愤恨！"贺龙也在大会上讲了话。29 日，在工人体育场再次召开了有 10 万人参加的军队院校和文体单位来京人员大会。陈毅在会上讲话对"文化大革命"的错误做法提出了直截了当的看法，他说："凭主观空想干革命，就要犯错误"，"我的讲话是有意得罪人的，整天讲伟大、伟大，这有什么好处？这不好"。"一讲黑帮，所有的都是黑帮；一讲走资本主义道路的当权派，所有的都是走资本主义道路的当权派；一讲资产阶级反动路线，所有的都是资产阶级反动路线。这样打击面太宽、太大。"叶剑英则一针见血地指出："如果你们不改就是废品，将来不能用的。"这些正确意见，被江青诬为"是镇压群众"，唆使军内造反派批判陈毅、叶剑英。

进入 1967 年，运动在发展，动乱在升级，老同志的抵制和斗争也在继续。1 月 10 日，徐向前在江青送来的改组全军文革小组的通知和小组成员名单上提了 3 点意见，基本思想"就是部队的'文化大革命'

---

① 《当代中国军队的军事工作》(下)，中国社会科学出版社 1989 年 6 月版，第 116 页。

要有党的领导,要保持军队的稳定"。① 1月11日,叶剑英在中央政治局会议上专门就稳定军队作了专题发言,指出地方越乱,军队越要稳。不然,敌人乘虚而入怎么办?为此,1月14日,中共中央专门下达了《不许把斗争锋芒指向军队的通知》,规定:决不准在幕前或幕后煽动群众把斗争锋芒指向军事机关。1月19日、20日,在京西宾馆召开的军委碰头会上,叶剑英、徐向前、聂荣臻与江青、陈伯达、康生、叶群、姚文元针锋相对地争论起来,老帅们坚持军队是无产阶级专政的柱石,战备任务很重,和地方不同,不能搞"四大"。面对江青、叶群预先策划从总政治部打开缺口,搞乱军队的阴谋,老帅们表示了极大的愤怒,徐向前气得拍了桌子,茶杯盖都震到在地下。叶剑英拍桌子把手骨拍断。这就是所谓"二月逆流"中轰动一时的"大闹京西宾馆"事件。

1月23日,参加军委碰头会扩大会议的全体军队干部向毛泽东、林彪写了"请示报告",就军以上(不含军)领导机关的"文化大革命",提出6条建议。1月24日,徐向前首先提出,由叶剑英、聂荣臻、陈毅、杨成武、林彪等共同讨论,得到毛泽东、周恩来支持,②中央军委颁布《八条命令》,规定:"军内人员必须坚守岗位,不得擅离职守";"不允许无命令自由抓人,不允许任意抄家,不允许变相体罚";军队系统外出串连者"应迅速返回本地区、本单位进行文化大革命";"不准冲击军事机关和保密系统";军队内的文件、档案和资料"一律不得索取和抢劫";军以上机关分期分批进行文化大革命,"军、师、团、营、连

和军委指定的特殊单位,采取正面教育的方针",以利战备和国防;干部特别是高级干部要"严格管教子女"。2月11日,中央军委又发出《关于军以上领导机关文化大革命的几项规定》,提出:军以上机关的文化大革命,必须由党委领导,军队领导机关不宜成立各种文化革命战斗组织;要正确区分领导干部与"走资派",不要把干部一律打倒,领导干部要与群众一道闹革命,对犯有错误的干部,要区别不同性质的矛盾;要反对无政府主义、个人主义等不良倾向;陆、空军的军以下单位,海军的基地以下单位,海、空军的飞行学校,北京卫戍区,上海、天津、旅大警备区,以及军委指定的特殊单位,一律不搞"四大",坚持正面教育。不准任何人、任何组织以任何借口到这些单位进行串连;各级军事领导机关一律不允许自下而上的夺权,不允许对任何组织、任何人冲击。2月16日,中央军委作出《关于军队夺权范围的规定》,提出军队可以夺权的单位只限于学院学校、文艺团体、体工队、医院、军事工厂。在这些单位中,要不要夺权,要看党委领导存在问题的性质。夺权必须是由本单位真正的无产阶级革委会在大联合、"三结合"的基础上进行,必须经过上级批准。2月21日,中央军委又作出《关于五一研究所和机要密码工厂文化大革命的几项规定》,指出:"这些单位的文化大革命,一律进行正面教育,不搞四大","这些单位不允许自下而上的夺权,已夺了权的要立即交回"。

上述文件和所规定的措施,对稳定军队起了重要作用。

————————

① 徐向前:《历史的回顾》(下),第822页。

② 胡长水:《中央军委〈八条命令〉的产生》,《中共党史研究》,1991年第6期。

四

排除极"左"错误干扰的
整顿及其受挫

"九一三"事件后,中共中央决定撤销军委办事组,成立由中央军委副主席叶剑英主持的军委办公会议①,负责处理军委日常工作。毛泽东在接见军委办公会议成员时提出,林彪搞了11年,军队的问题不少。要整顿军队,肃清林彪的影响。要有破有立。对他们错误的东西要破,要立正确路线。四好运动搞了很多形式,要整顿。部队的作风也搞坏了,要改正过来。军事训练也有形式主义,军队要严格训练,严格要求,才能打仗。随后,全军开展了批林整风运动,清除林彪反革命集团在军队中的影响,恢复和加强以军事训练为中心的军队整顿。

叶剑英在广泛深入的调查研究基础上,提出了整顿军队的三方面内容。①整顿思想作风。坚持和发扬理论联系实际的革命学风,彻底纠正实用主义和形式主义的倾向;注重学习和运用马列主义、毛泽东思想的立场、观点和方法;贯彻党对军队的绝对领导;肃清林彪宗派主义的流毒,落实党的干部政策,领导干部要跟党,跟党的路线,不要跟人。②整顿编制、体制,改革部队装备。③大力加强军事训练,严格要求,纠正只搞文不搞武的倾向;加强军兵种协同训练;恢复必要的指挥院校和技术院校;建立健全各种规章制度,加强部队管理。

为了彻底扭转前一时期部队训练落后的局面,1972年4月19日,中央军委在叶剑英的积极倡导下,发出了《关于办好教导队加强轮训部队基层干部的指示》,提出军队的党组织要加强对训练的领导,干部要亲自抓,进行传、帮、带,要统筹安排,在两年内把基层干部轮训完,有实战经验的军、师、团领导干部要亲自任教。全军响应这一号召,军师以上部队迅速组建了900多个教导队。在军组织轮训的教导队中,军、师、团的干部分别当队长、排长和班长,营以下干部当兵;在师组织的教导队中,师、团、营的干部分别当队长、排长和班长,连以下干部当兵。到1973年底,全军有1.9万余名团以上干部到教导队任职任教,60%以上的军长、师长和政治委员任教导队的连、排长,80%以上的干部对所学主要科目会讲、会做、会教,全军共轮训干部31万余人。1974年,全军又轮训基层干部50余万人,大大推动了全军的训练,改变了基层干部组织指挥和管理教育能力不高的状况。

根据当时的国际形势和军队所面临的任务,叶剑英还要求军事训练中要强调打坦克训练的重要性,"把打坦克之风吹遍全军"。为此,中央军委专门下发了文件。各部队遵照叶剑英和中央军委的指示,普遍开展以打坦克为主的"三打"(打坦克、打飞机、打空降)、"三防"(防原子、防化学、防生物武器)训练。沈阳军区在1970年至1972年的3年中,仅培训骨干就达20余万名。各部队在训练中一是通过了解坦克、飞机的性能、特点及应用原则摸索和改进训练方法;二是发动群众研制各种打坦克器材。"三打"、"三防"训练的成绩是显著的。到1972年,许多部队达到每人有1件,每班有1套打坦克器材。沈阳、济南和北京军区95%的连队普及了

---

① 军委办公会议由叶剑英、谢富治、张春桥、李先念、李德生、纪登奎、汪东兴、陈士榘、张才千、刘贤权10人组成。

3 至 5 种打坦克、打飞机的手段,并摸索出了打空降的有效方法。同年秋天,总参谋部委托北京军区在张家口地区组织了打集群坦克的研究性演习,标志着全军的作战指导思想从以打敌步兵为主转到以打敌坦克为主,对加强现代化条件下反侵略战争准备具有重要意义。

与此同时,中央军委还抓了军队院校的恢复和重建工作。1973 年 12 月 8 日,经毛泽东批准,中央军委转发全军院校调整领导小组《关于全军恢复和增建四十一所院校的报告》。从 1974 年开始,各总部、军区和军兵种都认真落实这一部署,到 1975 年,全军院校发展到 84 所,其中指挥院校 38 所,技术院校 44 所,预备学校 2 所。编制员额占全军总人数的 2.7%。

正当上述整顿使军队工作出现转机之际,1974 年江青反革命集团发起"批林批孔"运动,他们对全军逐步出现的新气象表示不满,指责军队"不批林不批孔",不批"资产阶级军事路线",煽动全军学"儒法军事思想斗争史",把矛头指向周恩来、叶剑英,把军事训练热潮再次打了下去,军队院校刚刚恢复的正常教学秩序又受到严重冲击。

1975 年 1 月 5 日,邓小平就任中央军委副主席兼中国人民解放军总参谋长。邓小平同江青反革命集团进行针锋相对的斗争,狠抓军队各项工作的整顿。他在总参机关团以上干部会上指出:"从 1959 年林彪主管军队工作起,特别是在他主管的后期,军队被搞得相当乱","好多优良传统丢掉了,军队臃肿不堪"。2 月 5 日,中共中央发出通知,取消军委办公会议,成立中央军委常委会,①由叶剑英负责主持处理日常工作。在新组成的军委常委第一次会议上,

军委扩大会议的筹备工作就提上日程。邓小平指出军委扩大会议应集中解决军队的编制问题,以此达到整顿军队、加强战备、实现安定团结的目的。叶剑英强调,中心问题是解决人的问题,也就是编制问题、压缩军队定额问题、干部问题。

6 月 24 日至 7 月 15 日,中央军委扩大会议在北京召开。邓小平在《军队整顿的任务》讲话中尖锐地指出:军队建设要解决"肿"、"散"、"骄"、"奢"、"惰"5 个字,领导班子要解决"软"、"懒"、"散"的问题。为此,必须实行精简整编;要选好干部,整顿和健全各级领导班子,建立和健全有效的规章制度和编制体制。针对林彪、江青反革命集团分裂革命队伍、破坏团结和纪律的行径对军队产生的恶劣影响,他提出要加强政治工作,增强无产阶级党性、批判资产阶级派性,坚决执行三大纪律、八项注意,保持和发扬革命军队的优良传统和作风。针对林彪、江青反革命集团破坏军队现代化所造成的恶果,他提出要改善武器装备、搞好战备,把教育训练放在战略问题的一个重要位置上。叶剑英作了总结讲话,就军队整顿作了具体部署。邓小平、叶剑英的讲话为军队整顿指明了方向。这次会议还向部分军队高级干部传达了毛泽东对"四人帮"的多次批评,严肃指出,决不容许任何野心家插手军队,搞阴谋活动。这成为最终解决"四人帮"反革命集团问题的一个重要准备。

7 月 19 日,中共中央转发了中央军委关于这次会议情况的报告和邓小平、叶剑英的讲话,要求全军"认真传达学习,贯彻执行"。军队的整顿工作全面推开。

9 月 7 日,中央军委批转总参谋部根据会议精神拟制的《压缩军队定额调整编

---

① 常务委员有叶剑英、王洪文、邓小平、张春桥、刘伯承、陈锡联、汪东兴、苏振华、徐向前、聂荣臻、粟裕。

制体制的方案》。方案确定的精简调整原则是：大力精简机关，裁并重叠机构，减少保障部队，压缩普通兵员，淘汰陈旧设备；有些部队实行简编，保留技术骨干和技术装备；保持一定数量的齐装满员部队，有重点地加强特种兵部队的建设。方案规定全军总人数精简 26.2%，其中陆军精简 27.3%，海军精简 17%，空军精简 16.4%；各军区及其直属单位精简 38%，总部及其直属单位精简 16.6%。这次精简整编从 1975 年第四季度开始实施，到 1976 年全军总人数比 1975 年减少了 13.6%，初见成效。但由于受江青反革命集团的干扰破坏，精简整编任务没有完成就停了下来。

整顿的又一主要成果是对军队各大单位的班子迅速、果断地作了调整，同时落实干部政策，从而有效地稳定和巩固了军队。这一成果对于防止"四人帮"篡夺军队领导权是十分重要的。

在军队训练方面，1975 年 10 月成立了以副总参谋长李达为召集人，副总参谋长何正文、总政治部副主任徐立清、总后勤部部长张震和副部长李元参加的总部训练小组，加强训练工作的领导。当月，总参谋部组织全军 300 多名军师职干部，到河南临汝参观见习武汉军区组织的加强陆军师运动战检验性演习。11 月，又举办全军教导队长集训，副总参谋长何正文任集训队队长，总参谋部顾问孙毅任总教练，组织学员学习共同条令。与此同时，总参谋部重新颁布了训练大纲、条令、教材，逐步恢复了正规化训练的秩序。军事训练取得明显成绩，如工程兵组织的 5 个舟桥团在长江中游的架设浮桥合练，在长达 3 个月时间内先后成功架设了 62 式 50 吨加强型浮桥、2×50 吨双行道浮桥和 62 式与 74 式混合 50 吨浮桥 15 次，安全通过各种兵器、车辆、机械 2100

多台次。这一年各军区和军兵种还组织了 17 次军事演习。1976 年底，三总部召开全军训练会议，讨论通过了《一九七六年训练指示》。1976 年 1 月，中央军委转发这个指示，全军又迅速掀起以"三打"、"三防"为主的群众性练兵热潮。军事训练再度出现好的形势。

但是，在"批邓、反击右倾翻案风"中，江青等人把轰轰烈烈的训练热潮诬蔑为"单纯的军事观点抬头"、"资产阶级军事路线回潮"，邓小平受到公开批判，整顿工作被迫中断。

五

战备工作的成绩

20 世纪六七十年代，中国所面临的国际环境是复杂的。美国侵略越南、老挝，威胁中国安全；苏联陈兵百万于中苏、中蒙边境，多次对中国进行武装挑衅。对此，毛泽东保持了高度的警觉，多次强调要重视备战工作，发出"要准备打仗"的号召，同时采取一系列重大措施落实备战部署。因此，尽管军队建设在"文革"中受到削弱和破坏，但战备工作却始终得到加强并取得了不小的成绩。

从 60 年代中期开始，国家每年都投入大量资金加强主要方向和重点地区的设防工程建设，解放军抽调工程兵和步兵承担施工任务，这一工作基本上做到连续不辍。到 70 年代中期，设防阵地工程已初具规模。1974 年以后，主要精力转到阵地工程配套建设上，使主要方向的阵地工程更加完善。同时，还形成了设防工程与人民防空、城市防空工程相结合的预设战场战防体系。同一时期，战略、战役指挥工程建设也有很大进展。

各军兵种的战场建设,也成绩可观。海军扩建了数座大型驱逐舰码头,新建了核潜艇基地和一批导弹艇、潜艇和飞机的洞库以及一些综合性指挥工程。空军加强机场建设,新建、改建了一批地下指挥工程和仓库、油库,新建和改善了许多高炮、地空导弹、雷达技术阵地。第二炮兵根据毛泽东、周恩来和中央军委批准的战略导弹阵地工程建设规划,组织了工程建设。为了提高国防通讯网的抗毁性,增强通讯保障能力,还加强了地下电缆通信网建设。从1969年到1979年,埋设电缆线路数万公里,连通全国27个省、自治区、直辖市,形成地下通讯网。

尖端武器的研制一直受到高度重视。在动乱的形势下,周恩来采取了一系列有力措施,要求研制工作做到"严肃认真,周到细致,稳妥可靠,万无一失"。主持国防科技工作的军委副主席聂荣臻,关心和爱护科技人员,在最困难的条件下,尽最大努力保护国防科技战线不受动乱的冲击。他亲自到基地主持核试验。1966年10月,中国首次发射导弹核武器试验成功。1967年10月,又成功地爆炸了第一颗氢弹,使中国核武器的发展进入一个新阶段。1970年4月,第一颗人造卫星发射成功。从1970年到1978年,每年都进行一次核武器试验。1976年,"四人帮"兴风作浪,大搞"反击右倾翻案风"运动,广大干部、战士、科技人员,顶住干扰,坚守岗位,一年内进行了4次核武器试验,使中国的战略核武器日趋完善。与此同时,第二炮兵自1966年7月组建以后,装备逐步得到加强。陆续装备了中国自行设计、制造的中近程导弹、中程导弹,成为一个初具规模有作战能力的独立兵种。

人民解放军在保卫国家领土、领海和领空安全上也作出贡献。从1966年至

1968年,空军和海军航空兵部队在社会动乱中严守岗位,共击落击伤入侵的美国军用飞机21架,台湾国民党军用飞机5架。1969年3月2日,苏联边防军70余人,配以装甲车2辆,卡车和指挥车各1辆,悍然入侵中国黑龙江省虎林县境内的珍宝岛,首先开枪打死打伤中国人民解放军边防战士多人。人民解放军边防部队被迫自卫反击,给入侵者以歼灭性打击。3月4日至17日,苏军使用坦克、装甲车几十辆,出动步兵数百人,在飞机炮火的掩护下,多次向人民解放军边防部队发起攻击,中国边防部队和参战民兵奋起反击,粉碎了苏联边防军的连续入侵。1974年1月15日至19日,南越当局不顾中国政府的多次警告,出动海、空军入侵西沙群岛的永乐群岛海域,用军舰多次撞坏中国渔轮,并武装侵占中国金银、甘泉等岛屿。中国军民在忍无可忍的情况下,进行了自卫反击,给侵犯者以应有的惩罚。20日,收复了甘泉、珊瑚、金银三岛。

人民解放军还在十分困难的条件下支援越南、老挝人民的抗美救国战争。根据越南劳动党、政府的要求和中越两国政府的协议,从1965年6月至1973年8月,中国人民解放军先后派出32万余人,分批进入越南北方,担负防空作战,修建和维护铁路、公路,修建机场、通讯设施和国防工事以及沿海扫雷等任务。中国人民解放军还向越南军队无偿提供了足够200万人使用的武器装备和军事物资,帮助培训了军事指挥干部和专业技术人员。大量的人力、物力、技术援助,对越南人民取得抗美救国战争的胜利,起了重要作用。在老挝人民进行抗美战争期间,中国人民解放军根据老挝人民的要求和中老双方政府协议,从1961年至1974年,向老挝爱国军队提供了军事物资和军事技术援助。

从 1962 年 2 月起,先后派出防空、工程、地面警卫、后勤等部队 11 万余人,赴老挝修筑公路和防空作战。至 1978 年 5 月,无偿为老挝修建 800 多公里高标准公路。中国军队有力地支援了老挝人民的抗美救国战争。

文艺战线的浩劫与斗争

历时十年的“文化大革命”,使我国文艺事业受到一场空前的浩劫,林彪、“四人帮”利用毛泽东对文艺界的错误估计,不仅彻底否定了建国 17 年来的文艺路线和成就,而且否定了许多古今中外的优秀文化遗产,实行了骇人听闻的文化专制。但是,林彪、“四人帮”的倒行逆施和文化专制也遭到以周恩来、邓小平为代表的领导干部、许多文艺界人士以及广大人民群众的抵制和斗争,并最终形成了震惊中外、可歌可泣的“天安门诗歌运动”,使这场斗争达到了高潮。

一

“文化大革命”前夕
的“左”倾文艺思潮

“文化大革命”这场灾难和浩劫,顾名思义,是从文化界开始的。冰冻三尺,非一日之寒。早在“文化大革命”前夕,文艺界已是山雨欲来风满楼,开展了“批判修正主义”运动。文艺界的“批修”运动,是与毛泽东对建国以来文艺路线及成就的

错误估计分不开的。1963 年 12 月 12 日,毛泽东在关于文艺工作的一个批示中指出,“许多共产党人热心提倡封建主义和资本主义艺术,却不热心提倡社会主义艺术,岂非咄咄怪事”,并认为“许多部门至今还是‘死人’统治着”。在毛泽东的批示之后,从 1964 年 3 月开始,中国文联和各协会开始整风。同年 6 月 27 日,毛泽东又在中宣部关于中国文联和所属各协会整风情况报告的草稿上,写下第二个批示:“这些协会和他们所掌握的刊物的大多数(据说有少数几个好的),十五年来,基本上(不是一切人)不执行党的政策,做官当老爷,不去接近工农兵,不去反映社会主义的革命和建设,最近几年,竟然跌到了修正主义的边缘。如不认真改造,势必在将来的某一天,要变成匈牙利裴多菲俱乐部那样的团体。”于是,文联及各协会又据此进一步开展整风运动,并成为正在开展的城乡社会主义教育运动的一个重要组成部分。与此同时,《人民日报》、《文艺报》等报刊还点名批判了一系列有影响的作品和文艺理论观点,如对电影《红河激浪》、《北国江南》、《早春二月》、《林家铺子》、《不夜城》、《逆风千里》的批判;对戏曲《李慧娘》、《谢瑶环》的批判;对小说《归家》、《苦斗》、《陶渊明写〈挽歌〉》、《杜子美还家》的批判;对文艺思想中“有鬼无害论”、“中间人物论”、“时代精神汇合论”的批判等。

在上述“左”倾文艺思潮泛滥以及对若干文艺理论和作品的错误批判中,直接为政治所利用并成为“文化大革命”导火索的,是对新编历史剧《海瑞罢官》的批判。

1959 年初,毛泽东在中央工作会议上,对不敢讲实话、真话的不良思想作风提出批评,指出要学习魏征精神和海瑞精

神。历史学家吴晗积极响应,从 1959 年 6 月起陆续写了《海瑞骂皇帝》、《论海瑞》等文章。同年,吴晗又应著名京剧表演艺术家马连良的邀约,七易其稿,写成新编历史京剧《海瑞》,后改名为《海瑞罢官》。剧本发表和上演后,受到许多赞扬。但是毛泽东从批判小说《刘志丹》中总结出"利用小说反党是一大发明"的结论,加上江青的挑拨,毛泽东将《海瑞罢官》与 1959 年批判彭德怀的事连在了一起,怀疑有人借古讽今,为彭德怀鸣冤叫屈,因此,在毛泽东的同意下,江青开始组织人写批判《海瑞罢官》的文章。

1965 年 11 月 10 日,江青一伙炮制的《评新编历史剧〈海瑞罢官〉》由姚文元署名在上海《文汇报》上发表。该文一方面无视艺术创作的规律,把历史和艺术等同起来,指责剧中的海瑞违反历史的真实,是一个"编造出来的假海瑞","是一个用资产阶级观点改造过来的人物","属于'歪曲、臆造'和'借古讽今'的范围了";另一方面,文中又无中生有,对《海瑞罢官》进行歪曲,对作者进行人身攻击,说剧中的"退田"是要人民公社把田"退给地主",而"平冤狱"则是为阶级敌人"抱不平","为他们翻案,使他们再上台执政"。总之,文章认为,"《海瑞罢官》并不是芬芳的香花,而是一株毒草"。

姚文元的文章发表后,曾受到党内主管文艺工作同志的抵制,一些报刊还发表了不同意姚文元观点的文章。但是由于毛泽东的干预,不同意见受到粗暴压制,对《海瑞罢官》的批判迅速在全国范围内展开。

文艺界的浩劫

继对《海瑞罢官》进行了错误的批判之后,林彪、江青为了达到篡党夺权的罪恶目的,又将文艺界作为"突破口",继续进行阴谋活动。

1966 年 2 月 2 日至 20 日,江青勾结当时任国防部长的林彪,在上海召开"部队文艺工作座谈会"。会后,林彪、江青、陈伯达炮制了《林彪同志委托江青同志召开的部队文艺工作座谈会纪要》(简称《纪要》),1966 年 4 月 10 日,这个纪要经过毛泽东三次亲自修改后由中共中央转发。《纪要》制造了所谓的"文艺黑线专政论",声称建国以来文艺界"被一条与毛主席思想相对立的反党反社会主义的黑线专了我们的政","这条黑线就是资产阶级文艺思想、现代修正主义文艺思想和所谓 30 年代文艺的结合"。《纪要》还提出要批判"文艺黑线"的有代表性论点,即所谓的"黑八论":"写真实"论、"现实主义——广阔的道路"论、"现实主义深化"论、反"题材决定"论、"中间人物"论、"时代精神汇合"论、"离经叛道"论、反"火药味"论。《纪要》不仅全盘否定了建国以来党领导文艺的成就,而且在"破除迷信"和"彻底革命"的旗号下,全盘否定了五四以来特别是 30 年代文艺工作的成就,排斥中外一切文学艺术遗产,完全抛弃了"百花齐放、百家争鸣"的方针,设置了许多唯心主义的禁令。《纪要》的推行,给文艺界造成了空前的浩劫。

《纪要》发出之后,随着"文化大革命"的开展,文艺界也开展了"大批判"运动,林彪、四人帮对文艺界的摧残,主要表现在以下四个方面：

1. 打倒了文艺界的领导干部，造成全国文艺组织的瘫痪和解散。1966年11月28日，江青在首都文艺界无产阶级文化大革命大会上发表讲话（讲话稿经过毛泽东修改），一口气点了陆定一、周扬、林默涵和北京市委书记彭真等11人的名，诬蔑他们是"反革命修正主义分子"；并第一次在公开场合把所谓"旧中宣部"、"旧文化部"、"旧北京市委"连在一起加以攻击，成为后来文艺界所谓砸"三旧"的动员令。在林彪、江青、陈伯达等的指使下，"造反派"给文艺界的领导干部罗织了所谓"文艺黑线的总头目"、"祖师爷"、"走资派"等五花八门的罪名，进行批斗、罢官或关进"牛棚"，文艺界的原有领导机构和组织或陷入瘫痪，或被解散。

2. 挥舞"反党反社会主义毒草"这根大棒，大搞文字狱。林彪、"四人帮"把建国以来的许多优秀作品诬陷为"攻击毛主席革命路线"、"鼓吹叛徒哲学"、"丑化工农兵形象"、"制造战争恐怖"、"宣扬人性论"以及"帝王将相、才子佳人"、"封、资、修"等，加以批判和禁止，在很短的时间内，仅被报刊公开点名批判的文学作品就有《红旗谱》、《我的一家》、《三里湾》、《三家巷》、《苦菜花》、《红日》、《上海的早晨》、《野火春风斗古城》、《朝阳花》、《龙须沟》、《茶馆》等几十部之多。电影《燎原》、《红日》、《怒潮》和歌剧《洪湖赤卫队》等也受到无中生有的批判，牵连了很多人。至于前面提到的《海瑞罢官》，由于姚文元的文章发表后曾遭到许多人的反对和批驳（仅向《文汇报》投寄稿件信件，表示反对和进行批驳的就达3000人之多），这些人都受到株连。著名历史学家、剧作家吴晗一家均被迫害致死，饰演海瑞的著名艺术家马连良、周信芳和夫人也被迫害致死。

3. 对广大作家、艺术家进行残酷的迫害。在"文化大革命"期间，一大批卓有成就的作家、艺术家以及很有前途的青年艺术家在各种罪名下遭受迫害，有的被迫害致死，有的因迫害而病逝，更多的则是被关进"牛棚"，下放到"五七"干校或被迫改行。仅因迫害含冤饮恨而去的著名作家、艺术家就有：老舍、田汉、赵树理、杨朔、闻捷、冯雪峰、邵荃麟、傅雷、海默、巴人、侯金镜、以群、马连良、周信芳、应卫云、严凤英、蔡楚生、舒绣文、郑君里、盖叫天、焦菊隐、潘天寿、上官云珠等，这些人都是国家的瑰宝、文化的精英。

4. 以"封、资、修"的罪名，几乎查封了绝大部分古今中外的文艺作品。"文化大革命"初期，在"破四旧"和"大批判"的浪潮中，除鲁迅的作品、八个"样板戏"和极少数革命战争题材的作品（如《地道战》、《地雷战》等）外，绝大部分古今中外的文艺作品都被焚烧、查禁。整个"文化大革命"时期，图书馆里几乎无书可读，剧院、电影院里就是那几个剧目来回上演，我国几乎成为文艺的荒漠，当时被人讽为"八亿人八个样板戏"。

三

"四人帮"的文化专制

林彪、江青等的倒行逆施不仅在于彻底否定和批判了建国17年来的文艺路线和成就以及古今中外的文化遗产，还在于他们试图建立一套为其极"左"路线和文化专制服务的文艺理论及作品。

林彪、江青一伙为了禁锢作家、艺术家的思想，创作出为其政治服务，与文化专制相适应的文艺作品，提出了一套唯心的、专制的文艺理论和观点。这就是"根本任务论"、"三突出创作原则"和"主题先行论"。

"根本任务论"是"四人帮"反动文艺理论体系的核心观点。1966年2月，林彪委托江青炮制的《部队文艺工作座谈会纪要》提出："努力塑造工农兵的英雄人物，这是社会主义文艺的根本任务。"林彪、"四人帮"以此作为文艺创作的出发点和主要内容，排斥和否定了文学艺术内容上的多样性和艺术形式的多样性。这种单调唯心的创作理论无法真实反映丰富多彩的现实生活和满足人民的文化需要。"三突出创作原则"是"四人帮"文艺理论体系的重要组成部分，是他们从"根本任务论"出发制定的文艺创作模式。1968年5月23日，于会泳在《让文艺舞台永远成为宣传毛泽东思想的阵地》（发表在《文汇报》）中首次公开提出和阐述了这个论点。"三突出"就是"在所有的人物中要突出正面人物；在正面人物中要突出英雄人物；在英雄人物中要突出主要英雄人物"。"三突出创作原则"违背了艺术创作规律和"双百"方针，宣扬唯心史观和教条主义，使文艺创作走上了反现实主义的公式化道路。"主题先行论"也是"四人帮"反动文艺理论体系的重要组成部分，这种创作观点就是：文艺创作可以先有主题思想，然后再到生活中选择人物，寻找故事，表现既定的主题。这种创作理论违背了艺术创作规律，颠倒了作家、艺术家生活和创作的过程，其目的是使文艺为其政治需要服务。后来，他们又把"主题先行"具体化为"从路线出发"，写"与走资派作斗争"的作品。

江青在《部队文艺工作座谈会纪要》中曾提出要"搞好的样板"作品，但其志大才疏，迄无建树，于是就利用自己的特殊地位，无耻地窃取了1964年在周恩来亲切关怀指导下举办的京剧现代戏观摩演出大会的成果。其实，早在20世纪60年代初，不少文艺工作者就已经开始尝试排演革命现代京剧，像《红灯记》、《芦荡火种》、《智取威虎山》等，并已受到广大观众的欢迎和喜爱。"文化大革命"爆发前后，江青窃取了其他文艺工作者的劳动成果，别有用心地塞进自己的私货，钦定京剧《红灯记》、《沙家浜》、《智取威虎山》、《奇袭白虎团》、《海港》，芭蕾舞剧《红色娘子军》、《白毛女》，交响乐《沙家浜》为"样板戏"。随后，林彪、"四人帮"又利用手中掌握的舆论工具，连篇累牍地发表文章，制造谎言，将"样板戏"归功于江青，将其誉为"文艺革命"的旗手。1967年5月，为纪念毛泽东的《在延安文艺座谈会上的讲话》发表25周年，八个"样板戏"同时在首都舞台上演，历时37天，演出218场。6月18日，《人民日报》报道汇演结束，号召"把革命样板戏推向全国去"。随后，"样板戏"又被拍成电影，在全国城乡广为放映。各地的文艺团和人民群众也被要求"学唱样板戏，学做革命人"，一时，观看和学演学唱"样板戏"成为人民群众的主要文化活动。

在学演学唱"样板戏"的过程中，"四人帮"再次显示出文化专制的淫威。1969年9月30日，《红旗》杂志第10期发表《学习革命样板戏 保卫革命样板戏》的文章，声称"举起无产阶级专政的铁锤，坚决打击破坏革命样板戏的一小撮阶级敌人"。在这个口号下，演出"样板戏"，一句台词、一个动作、一束灯光、一个道具，甚至人物身上的一块补丁，都不能变动，否则就是"破坏革命样板戏"，就要受到"无产阶级专政"的惩罚。

1974年初，"四人帮"又制造了震骇全国的《三上桃峰》事件。晋剧《三上桃峰》取材于1965年7月25日《人民日报》上的通讯《一匹马》，写的是发生在河北省抚宁县的事。该剧赞扬了女主人公给因买了病马而蒙受损失的桃峰大队送去一匹马，以支援春耕的共产主义风格。"四人帮"则以捕风捉影、牵强附会的手法，诬陷该剧是为刘少奇翻案，下令对该剧进行批判。与此同时，"四人帮"还以为"修正主义教育路线"唱赞歌的罪名，对湘剧《园丁之歌》进行了讨伐批判，并对两个剧组的编导及演员进行人身迫害，以至文艺界人人自危。

在"文化大革命"期间，继八个"样板戏"之后，又改编推出了《龙江颂》《平原作战》《杜鹃山》等戏剧，这些戏剧虽然内容较好，但已有明显的"三突出"创作原则的印记。在"四人帮"的文化专制氛围下，文艺创作受到极大限制。当时在"四人帮"文艺思想指导下并产生一定影响的文学作品则有《征途》《虹南作战史》《艳阳天》的二、三、四卷，《金光大道》《向阳院的故事》等。

在电影艺术方面，由于"文化大革命"以前的故事片基本被否定，只有极少数革命战争题材的故事片，如《地道战》《地雷战》《南征北战》等反复上演，引起人民群众的不满，于是我国不得不从朝鲜、阿尔巴尼亚、罗马尼亚等国进口了少数"四人帮"能够容忍的故事片公映，如《摘苹果的时候》《看不见的战线》《卖花姑娘》《鲜花盛开的村庄》《宁死不屈》《创伤》《多瑙河之波》《海岸风雷》等，由于饥不择食，这些影片受到人民群众的喜爱。"文化大革命"后期，"四人帮"试图控制电影界，使电影这个重要的宣传和娱乐媒介为其篡党夺权的政治目的服务，除允许拍摄了《战洪图》《火红的年代》《青松岭》《难忘的战斗》等少数几部一般故事片外，还组织编排了一批为其篡党夺权制造舆论的影片，如《春苗》《决裂》《反击》《欢腾的小凉河》等，并对不合其心意和政治要求的影片《海霞》《创业》大加讨伐，禁止上演。

在美术方面，"四人帮"还对国画的传统内容横加指责和批判，并在"批林批孔"运动中开展了对所谓"黑画"的批判。1971年，周恩来遵照毛泽东提出的对外宣传中"不要强加于人"和"内外有别"的指示，在出口工艺美术及宾馆布置工作等方面，作出只要不是反动的、丑恶的、黄色的东西都可以组织生产和出口的安排，并明确指示宾馆布置要朴素大方，要能反映出我国有悠久的文化历史，要有民族风格和时代风格，要挂中国画，从古到今都要有些。有关部门根据周恩来的指示，组织美术工作者创作了一批美术作品。1974年初，"四人帮"以此为由，策划了一场声势浩大的"批黑画"闹剧，声称要反击所谓"美术领域黑线回潮的复辟逆流"。"四人帮"派人到全国十几个省、市和国际俱乐部、北京饭店、荣宝斋、文物商店、北京画院、美术学院等单位连骗带诈，搜罗宾馆画、出口画700多幅。1974年1月2日，姚文元在上海市委会议上，拿着外贸部门印刷的一本出口画样本《中国画》，指责其为"黑山黑水"、"复辟逆流"、"回潮"，说它是"迎合西方资产阶级和修正主义的货色，是一本地地道道的'克己复礼'画册"，下令要进行批判。根据姚文元的指示，"四人帮"在文化部的亲信们立即从上述700余幅作品中选了200余幅，在北京举办了一个"黑画展"，名曰"批林批孔联系美术战线实际"。他们还强令召开"座谈会"、"声讨会"，叫嚷要追"黑后台"；同时组织两路人马，分头到各省煽动"反击"。这次批"黑画"运动，造成了恶劣影响，反映出"四人帮"在文学艺术领域上的专横和野蛮,但是这场运动由于遭到广大美术工作者的抵制和人民群众的嘲弄,最后不得不草草收场。

四

党和人民群众反对"四人帮"文化专制的斗争

在林彪、"四人帮"否定建国17年文艺路线和成就,推行其反动文艺理论,实行文化专制的同时,以周恩来、邓小平为代表的党内正确力量和广大人民群众,也对林彪、"四人帮"制造文化沙漠、实行文化专制的反动行为展开了不屈不挠的斗争,产生了许多可歌可泣的事迹,创造了一批优秀作品。

"九一三事件"发生后,周恩来在毛泽东的支持下主持中央日常工作,纠正"左"倾错误,使各方面的工作有了转机。在文艺工作方面,1972年4月9日,周恩来在广州观看部队文艺演出时说:"极'左'思潮不肃清,破坏艺术质量的提高。"1973年元旦,周恩来针对文艺园地百花凋零的情况,当着"四人帮"的面,批评了国务院文化组的工作。

由于周恩来领导的对极"左"思潮的批判和各项工作有所转机,也由于周恩来的干预,部分文艺工作者先后恢复了工作,加上业余作者的努力,文艺创作出现了一点活力,产生了一些摆脱了"四人帮"的帮规帮法的戏剧和小说,如晋剧《三上桃峰》、湘剧《园丁之歌》、小说《生命》等。

四届人大以后,周恩来身患重病,邓小平代理主持国务院工作,并在实际上主持中央日常工作。于是,在此前后,文艺界在创作上和反对"四人帮"文化专制斗争方面都改变了前一阶段因批判《三上桃峰》和《园丁之歌》所形成的沉闷萧条空气。

1975年春节前,以海岛女民兵为主题的影片《海霞》拍成,周恩来对影片表示肯定和赞赏,而"四人帮"却追查"谁向周总理推荐《海霞》的?"江青还授意文化部的亲信以文化部的名义给北影写了三封公开信,诬蔑《海霞》是黑线回潮的代表作,号召全厂展开批判。此事后来一直闹到中央政治局。在周恩来、邓小平等人的支持下,作出同意《海霞》上映的决定。与此同时,另一部反映大庆石油工人艰苦创业的影片《创业》也拍摄完成,"四人帮"同样对其大加指责,并指使文化部于3月10日提出报告,给《创业》罗织了"在政治上,艺术上都有严重错误"的所谓十大罪状:①"没有把这一题材表现好";②"给刘少奇、薄一波之流涂脂抹粉";③"给什么人树碑立传";④"写活着的真人真事";⑤"革命乐观主义表现得较差";⑥"周挺杉这个人物形象是单薄的、有缺陷的,因而是不典型的";⑦"工程师章易之的转变,一号人物周挺杉实际上并没有起到作用";⑧"报告文学脉络十分清楚,影片让人看不懂";⑨影片"用了很大篇幅去写他(土铁人)的解放前,既造成浪费,又造成结构上的拖沓";⑩"人物的语言概念化"。要求停止发行上映,组织批判。7月18日,影片编导人张天民给毛泽东和邓小平写信申诉,对江青和文化部核心小组的上述结论提出不同意见,建议发行上映该片。7月24日,毛泽东在来信上批示:"此片无大错,建议通过发行。不要求全责备,而且罪名有十条之多,太过分了,不利调整党的文艺政策。"这样,"四人帮"阻挠《创业》上映的企图才被挫败。文艺界对"四人帮"的斗争取得了"文化大革命"以来的第一个胜利。

早在 7 月初,毛泽东同邓小平谈话时就指出:"样板戏太少,而且稍微有点差错就挨批。百花齐放都没有了。别人不能提意见,不好。"7 月 14 日,毛泽东又作了关于文艺问题的书面谈话,指出:"党的文艺政策应该调整一下,一年、两年、三年,逐步扩大文艺节目。缺少诗歌,缺少小说,缺少散文,缺少文艺评论。""对于作家,要惩前毖后、治病救人,如果不是暗藏的有严重反革命行为的反革命分子,就要帮助。"由此看出,毛泽东对"四人帮"文化专制造成的文艺萧条也是不满意并准备纠正的。

在此前后,有一批作家刊物和出版社冲破了"四人帮"的文化专制的控制,克服种种障碍和阻力,创作和出版了为数不多的好作品,如姚雪垠的长篇历史小说《李自成》(第二卷)、李心田的儿童文学作品《闪闪的红星》、克非的长篇小说《春潮急》、李云德的长篇小说《沸腾的群山》、黎汝青的长篇革命历史小说《万山红遍》;短篇小说则有蒋子龙的《机电局长的一天》、孙健忠的《山鹰展翅》、侯建冰的《路标》、张登魁的《带响的箭》等。

"文化大革命"期间,在林彪、"四人帮"文化专制主义的压迫下,除产生了一批如前所述的正式上演出版的好电影、戏剧、小说外,在民间还创作和流传着一大批人民群众喜闻乐见的较好的文艺作品,这就是以《第二次握手》为代表的小说创作、以"知青歌曲"为代表的歌曲创作,以"天安门诗歌运动"为高潮的诗歌创作。

在"文化大革命"期间,虽然"四人帮"严禁不符合其文艺理论的文艺创作和禁止古今中外大量优秀作品的公开传播,但是人民群众渴望真正的艺术、渴望精神食粮的愿望并不能被扼杀,而是以"地下文学"的方式创作和传播开来。在小说创作方面,当时流传的手抄本小说有《第二次握手》、《九级浪》、《逃亡》、《塔里的女人》等。其中以《第二次握手》为代表作。该小说的故事梗概为:青年男女苏冠兰与丁洁琼在海湾的一次风暴救助中相识、相爱。由于家庭反对,社会战乱和小人挑拨离间,两个人被迫离散。二十多年后,丁洁琼作为著名核物理学家不顾帝国主义阻挠,返回祖国效力,她却发现化学家苏冠兰已经与其干姐叶玉菡结婚。当丁洁琼悲伤地要离开北京时,周总理赶到机场做说服工作,丁洁琼决定留下来同大家一起工作。5 年后,中国成功地爆炸了第一颗原子弹。该书在 1979 年公开出版,立即成为畅销书,3 个月印刷了 3 次,仅第三次印数即为 50 万册,后又被搬上银幕,同样受到观众的喜爱。就是这样一部手抄本,在"文化大革命"中曾在"四人帮"的直接命令下,遭到查禁,作者也因此被逮捕,并拟判处死刑,后因"文化大革命"结束而幸免于难。另外,一些作家在逆境中仍然没有放下手中的笔,秘密进行创作,如《野火春风斗古城》的作者李英儒,在秦城监狱里,在《资本论》一书的天头地角空白处创作了《女游击队长》、《上一代人》两部长篇小说。

"文化大革命"中由于城市就业问题不能解决,政府曾将城镇的 1700 余万知识青年陆续下放到农村和边疆从事农业生产劳动,这些青年人在物质生活和精神生活上的巨大变化和真实感受,必然要以文学艺术的形式表现出来,其中流传广泛并深得知青普遍喜爱的是"知青歌曲"。其中影响较大的有《南京知青之歌》、《山西知青离乡歌》、《年轻的朋友你来自何方》、《广州知青歌》、《火车慢些走》、《四季歌》、《地角天边》、《精神病患者》、《松花江上》、《请你忘记我》、《伤心的泪》等。这些歌曲是知识青年在缺乏文化娱乐的寂寞岁月中,创作出来进行自娱和宣泄感情的,它们是知青上山下乡生活的真实写照。这些歌曲分为前后两个时期，即告别城市、父母初到农村时期创作的歌曲和在农村中深受生活重创后创作的歌曲。前期歌曲的主要内容为表达悲壮、凄婉的思乡情绪；后期则主要表现一种幻灭感。"知青歌曲"基本上是借曲填词，即多借用当地或较为广泛流传的民歌曲调来填上自己的词传唱，因此"知青歌曲"具有较为浓郁的民歌风格，易学易唱，声情并茂。

"文化大革命"期间，除了"样板戏"外，无论官方还是民间，最为兴盛的文艺形式当属诗歌创作。林彪、"四人帮"发动操纵的"革命大批判"诗歌、"小靳庄诗歌"等诗歌运动不说，就民间来说，由于诗歌易于抒发感情、短小精悍，遂成为地下文艺创作中运用最多的文艺形式。

"文化大革命"期间民间创作流传的诗歌，大致可以分为三个方面。一是反映"文化大革命"初期广大青年理想和激情的诗歌，这些诗歌的特点是充满了政治幻想、信念和热情，如《写在火红的战旗上——红卫兵诗选》《誓言》《献给第三次世界大战的勇士》《军队女儿》《相信未来》《考验我们吧，时间——和青年战友共祝新年》《大雁》等。二是一些作家、干部、青年经历了对毛泽东的"迷信"后产生怀疑和反思，并以诗歌形式表现出来。如"九一三事件"后广为传抄的《反听曲》，1972年1月陈毅逝世后广为流传的《陈毅诗词选集》及一批悼诗挽词（有的误传为毛泽东、朱德所作）、陶铸写的诗、李锐在秦城监狱写的诗（因用紫药水写成，后编为《龙胆紫集》）、流沙河的诗歌、郭小川的《团泊洼的秋天》《秋歌》等。三是以"天安门诗词"为代表的直接怒斥"四人帮"的诗歌创作。这方面的诗歌是"文化大革命"期间最为辉煌和有历史价值的文艺创作。1976年1月8日，正当"四人帮"篡党夺权十分猖獗的时候，周恩来不幸病逝，举国哀痛。但是人民群众怀着无比敬仰心情进行的各种悼念活动，却受到"四人帮"的阻挠和压制。在这种情况下，首都及外地的成千上万的人民群众忍无可忍，终于在清明节前后，汇集到天安门广场，他们献花圈、诵悼词、张贴散发诗篇，以无畏的革命精神，与"四人帮"及其极"左"路线展开了公开的斗争，这就是著名的"四五运动"。诗歌在"四五运动"中发挥了巨大的战斗作用。无数的工人、学生、干部、知青拿起笔，创作了一首首爱憎分明、感情激越的诗词，天安门广场成了人的海洋、花圈的海洋、诗歌的海洋，许多诗歌不胫而走，迅速传遍千家万户。在天安门诗歌创作中，悼念周恩来和声讨"四人帮"是其两个基本内容。其中最为著名的诗词有："人民的总理人民爱，人民的总理爱人民。总理和人民同甘苦，人民和总理心连心"，"欲悲闻鬼叫，我哭豺狼笑。洒泪祭雄杰，扬眉剑出鞘"，"京城处处皆白花，风吹热泪洒万家，从今岁岁断肠日，定是年年一月八"，"先烈血洒神州，我等后辈何求？红心永向领袖，擒妖甘献我头！"等。"四五运动"被镇压后，"天安门诗词"也受到严厉地追查，许多人因此而被捕或受到迫害，但是"天安门诗词"运动作为真实反映人民群众心声和历史潮流的文学创作，其历史功绩和审美价值却已载入史册。1977年，"童怀周"（北京第二外国语学院汉语教研室）收集编辑出版了《革命诗抄》，收录了"天安门诗词"794首，是目前笔者所见到的收入数量最多的诗集。在此前后，曾出版了许多版本的"天安门诗词"选集。"天安门诗词"选集大概是建国以来除毛泽东诗词选集以外，发行数量最多的现代诗歌选集。

"文化大革命"结束后的中国

1978 年,在当代中国历史上可谓不寻常的一年。说它不寻常,是因为这一年发生的一系列重大事件,特别是年底召开的中共十一届三中全会,纠正了此前 20 年来党在指导思想上的"左"倾错误,使中国的社会主义事业,在经历了二十年曲折、尤其是"文化大革命"十年内乱后,走上了健康发展的轨道。一个以改革开放和现代化建设为主要内容的历史新时期从此开始了。

1978 年的不寻常,不仅在于它的辉煌,还在于它在前进中的步履艰难。实事求是同"两个凡是"的尖锐对立和斗争,清晰地勾画出了从粉碎"四人帮"到党的十一届三中全会,特别是 1978 年这一年,党和国家历史发展的脉络。

一

"两个凡是"的提出及对其的抵制

1976 年 10 月,以"四人帮"的垮台为标志,长达十年之久的"文化大革命"终于在事实上结束了。"文化大革命"结束后,党和国家面临的首要任务,是摧毁"四人帮"的帮派体系,清除他们的影响,解决动乱遗留下的大量严重政治问题和社会问题,实现社会的安定团结,以便为加快国家各项建设的步伐奠定基础。这也是全国人民的迫切希望与要求。

因此,党中央很快发动了对"四人帮"的揭批运动。在揭批"四人帮"的运动中,广大群众纷纷要求纠正"文化大革命"中制造的大量冤假错案。这些要求又首先集中在两个影响极大的关键问题上:一是澄清"批邓、反击右倾翻案风"的是非,尽快让邓小平出来工作;二是为 1976 年清明节广大人民群众在天安门广场悼念周总理,反对"四人帮"而被诬为反革命的事件,即"天安门事件"平反。

粉碎"四人帮"后,叶剑英立即安排改善邓小平的处境,并且在中央政治局会议上提出建议,希望尽快让邓小平出来工作。这个建议得到李先念的支持。粉碎"四人帮"后的第六天,即 10 月 12 日,叶剑英又让儿子叶选宁去看望胡耀邦。人民日报社的同志还很快将"天安门事件"的真相,以及当时姚文元指使人歪曲事实、炮制关于"天安门事件"虚假报道的经过,整理成调查材料报送党中央。

"批邓、反击右倾翻案风"和"天安门事件",都是"四人帮"经过毛泽东同意和批准制造的。要解决这两件大事,就不能不涉及毛泽东晚年的错误,也不能不涉及对"文化大革命"的评价。在这个大是大非问题上,党内特别是党中央高层领导之间一开始就有不同意见,只不过在当时那种集中揭批"四人帮"的形势下,这些不同意见显得不那么突出和尖锐。

粉碎"四人帮"后,1976 年 10 月 7 日至 14 日,向各地、各部门负责人通报解决"四人帮"问题的会议,要求人们"对'文化大革命'要肯定",要做到"三个正确对待",即正确对待"文化大革命",正确对待群众,正确对待自己。还要求"继续批邓、反击右倾翻案风",强调"这是毛主席亲自发动的"。10 月 18 日,中共中央关于粉碎"四人帮"的通知传达了这一讲话精神。

10月26日,中央宣传部门负责人向华国锋汇报工作时提到,许多干部和群众要求邓小平出来工作,要求为"天安门事件"平反。华国锋当即作了四点指示:①要集中力量揭批"四人帮",连带批邓;②"四人帮"的路线是极右路线;③凡是毛主席讲过的,点过头的,不要去批;④"天安门事件"要避开不说。①

1977年1月8日,是周恩来同志逝世周年忌日。全国人民被压抑了一年之久的对周总理的怀念之情,又一次迸发出来。1977年新年刚过,纪念活动便在一些地方开始出现,人民群众通过花圈、诗词和标语、大字报,表达对周总理的怀念之情,同时也表达了要求为"天安门事件"平反、要求让邓小平出来工作的强烈愿望。不少地方和单位还将1976年"四五运动"中流传的诗词收集起来,编辑成册,在社会上广为散发,在北京、在全国都引起了震撼。

然而一个月后,由当时反映党中央声音的最权威方式——两报一刊发表的一篇社论,却提出了"两个凡是"的方针,使人民群众的这些要求受到了压制。

1977年2月7日,《人民日报》、《红旗》杂志和《解放军报》"两报一刊"发表了题为《学好文件抓住纲》的社论。社论公开提出:"凡是毛主席作出的决策,我们都坚决维护;凡是毛主席的指示,我们都始终不渝地遵循。"这就是后来被人们称为"两个凡是"的方针。

这个方针违背广大干部群众的意愿,为邓小平出来工作、为"天安门事件"平反设置了障碍,其实质就是要维护和坚持毛泽东晚年的"左"倾错误。正如邓小平后来讲的,"'两个凡是'的观点就是想原封

不动地把毛泽东同志晚年的错误思想坚持下去"。②

社论发表后,立即在党内受到抵制。中央负责宣传的耿飚看了社论后认为:登这篇文章,等于"四人帮"没有粉碎。如果按照社论去做,什么事也办不成了。同年4月,邓小平在同党中央负责同志谈话时明确指出,"两个凡是"不行,并有针对性地提出了"准确的完整的毛泽东思想"的概念。

1977年3月10日至22日,党中央召开工作会议。会前,叶剑英提出,讲话稿要对邓小平的提法写得好一点,以利于邓小平快一点出来工作。"天安门事件"是个冤案,不是反革命事件。但是,叶剑英的意见没有被采纳,会议开始时还要求大家在发言中不要触及邓小平出来工作和"天安门事件"这两个敏感问题。但是这毕竟是当时人们最为关注的问题,不触及是很难做到的。

3月13日,陈云在书面发言中表明了对这两个问题的态度,即他对"天安门事件"的看法为:①当时绝大多数群众是为了悼念周总理;②尤其关心周恩来同志逝世后党的接班人是谁;③至于混在群众中的坏人是极少数;④需要查一查"四人帮"是否插手,是否有诡计。因为"天安门事件"是群众关心的事,而且当时在全国也有类似事件。邓小平同志与"天安门事件"是无关的。为了中国革命和中国共产党的需要,听说中央有些同志提出让邓小平同志重新参加党中央的领导工作,是完全正确、完全必要的,我完全拥护。③ 王震在发言中更是直截了当地说:邓小平政治

① 中共中央党史研究室编:《中国共产党历史大事记(1919.5—1990.12)》,人民出版社1991年版,第323页。
② 《邓小平文选》第二卷,人民出版社1994年版,第298页。
③ 《陈云文选》第三卷,人民出版社1995年版,第230页。

思想强，人才难得，这是毛主席讲的，周总理传达的。他是同"四人帮"作斗争的先锋，所以"四人帮"千方百计地、卑鄙地陷害他。现在全党全军全国人民都热切地希望邓小平同志出来参加领导工作。"天安门事件"是我们民族的骄傲，谁不承认"天安门事件"的本质与主流，实际上就是替"四人帮"辩护。他们的发言道出了党内外大多数人的心声，得到获悉他们发言内容的许多同志的赞同。但是由于同"两个凡是"的方针相悖，这些发言未能刊登在会议简报上。

3月14日，华国锋在会上讲话。他仍然强调："凡是毛主席作出的决策，都必须维护；凡是损害毛主席形象的言行，都必须制止。"要充分认识"文化大革命"的"完全必要性"，"批邓、反击右倾翻案风，是伟大领袖毛主席决定的，批是必要的"。"要高举和坚决维护毛主席的伟大旗帜。离开这个立足点，就会引起思想混乱"。同时，他也提出，要在适当的时机让邓小平出来工作，"但是要有步骤，要有一个过程"。对"天安门事件"，他仍然讲是"反革命事件"，但是又说："在'四人帮'迫害敬爱的周总理，压制群众进行悼念活动的情况下，群众在清明节到天安门去表示自己对周恩来总理的悼念之情，是合乎情理的。"

4月15日，《毛泽东选集》第五卷出版发行。华国锋于5月1日为这一卷的出版而发表《把无产阶级专政下的继续革命进行到底》一文，把"无产阶级专政下继续革命的理论"说成是贯穿《毛泽东选集》第五卷的根本指导思想。于是把对《毛泽东选集》第五卷的学习和宣传集中到维护这个发动和指导"文化大革命"的错误理论上来。

"两个凡是"提出后，人们议论纷纷，不能不思考这样的问题：到底应该用什么样的态度来对待毛泽东思想，对待毛主席的决策和指示？许多同志表示不能赞同"两个凡是"的方针，尚未恢复工作的邓小平也向一些同志公开表示了自己的看法。1977年4月10日，他致信华国锋、叶剑英并转给党中央，不无针对性地提出："我们必须世世代代地用准确的完整的毛泽东思想来指导我们全党、全军和全国人民。"①5月3日，党中央向全党转发了这封信。随后，5月24日，邓小平在同王震、邓力群谈话时，又一次批评了"两个凡是"。针对3月中央工作会议上华国锋报告中既肯定"批邓是必要的"，又同意在时机成熟时"让邓小平出来工作"；既肯定"天安门事件"是"反革命事件"，又承认广大群众到天安门广场举行悼念活动是"合乎情理"的矛盾说法，邓小平指出："两个凡是"不行。按照"两个凡是"，就说不通为我平反的问题，也说不通肯定1976年广大群众在天安门广场的活动"合乎情理"的问题。毛泽东同志自己多次说过，他有些话讲错了。一个人讲的每句话都对，一个人绝对正确，没有这回事情。马克思、恩格斯没有说过"凡是"，列宁、斯大林没有说过"凡是"，毛泽东同志自己也没有说过"凡是"。我提出准确的完整的毛泽东思想，是经过反复考虑的。毛泽东思想是个思想体系。我们要高举旗帜，就是要学习和运用这个思想体系。②"准确的完整的毛泽东思想"的概念一经提出，立即引起很大反响，得到了党内外许多干部群众

① 冷溶、汪作玲主编：《邓小平年谱（1975—1997）》（上），中央文献出版社2004年版，第157页。
② 《邓小平文选》第二卷，人民出版社1994年版，第38—39页。

的拥护,成为抵制"两个凡是"的思想武器。

此后,思想理论界开始出现一些突破"两个凡是"、比较直接地批判某些重要"左"倾理论观点的文章。同时,广大干部群众继续以各种形式表达着自己的强烈愿望:让邓小平出来工作,为"天安门事件"平反。在党内外干部群众的强烈呼吁下,粉碎"四人帮"九个月之后,邓小平终于再次复出。

1977 年 7 月召开的中共十届三中全会,虽然没有正面回答"批邓、反击右倾翻案风"的是非,但是也没有再像 3 月中央工作会议那样重申"批邓"是正确的、必要的。更重要的是,全会决定全部恢复"批邓、反击右倾翻案风"时邓小平被撤销的职务,即中共中央委员、中央政治局委员、中央政治局常委、中央副主席、中央军委副主席、国务院副总理、解放军总参谋长。这本身就是对"两个凡是"的一次有力的突破和否定。邓小平重新走上党和国家领导岗位,对于纠正"文化大革命"及其以前的"左"倾错误,恢复党的马克思主义路线,使中国走上改革开放的新道路,具有决定性的意义。这一点已为后来历史发展所证实。

在这次全会的闭幕会上,邓小平作了复出后的第一次公开讲话。在谈到重新出来工作的心情时,他讲道:坦率地说,我自己也考虑了一下,出来工作,可以有两种态度,一个是做官,一个是做点工作。我想,谁叫你当共产党人呢。既然当了,就不能够做官,不能够有私心杂念,不能够有别的选择,应该老老实实地履行党员的责任,听从党的安排。这是我一种交心的话。接着,他着重讲了如何正确理解和坚持毛泽东思想的问题,再一次强调:我们要对毛泽东思想有一个完整的准确的认识,要善于学习、掌握和运用毛泽东思想的体系来指导我们各项工作,只有这样,才不至于割裂、歪曲毛泽东思想,损害毛泽东思想。要用毛泽东思想的体系来教育我们的党,来引导我们前进;毛泽东同志倡导的作风,群众路线和实事求是这两条是最根本的东西,对我们党的现状来说,我个人觉得,群众路线和实事求是特别重要。复出伊始,邓小平即倡导实事求是,其鲜明的针对性不言自明。

随着邓小平的复出,党内对实事求是的倡导也进一步加强。1977 年 9 月前后,在纪念毛泽东逝世一周年之际,陈云等党内一批德高望重的老同志纷纷撰写纪念文章,阐述党的实事求是的思想路线。

聂荣臻在《红旗》杂志第 9 期发表了题为《恢复和发扬党的优良作风》一文,《人民日报》于 9 月 5 日全文转载。文章结合中国革命斗争的历史实际,针对"两个凡是",提出要坚持用正确的态度对待马列主义、毛泽东思想,坚决反对把马克思列宁主义、毛泽东思想的一些词句当做脱离时间、地点和条件的教条。一切正确思想,归根结底,只能从实践中来,从实际经验中来,并且必须回到实践中去,通过实践经验的检验。

9 月 19 日,徐向前在《人民日报》上发表了题为《永远坚持党指挥枪的原则》一文。文章通过回顾党同张国焘、林彪、"四人帮"在军队问题上斗争的经验,提出要恢复和发扬党的实事求是的优良传统和作风,"完整地、准确地领会和掌握马克思列宁主义、毛泽东思想,提高识别真假马克思主义、分清路线是非的能力,绝不可以谁的权力大就跟谁跑"。

陈云在 9 月 28 日《人民日报》上发表的《坚持实事求是的革命作风》的文章中,从党的根本思想路线的高度论述了坚持实事求是的必要性,他说:实事求是,这不是一个普通的作风问题,这是马克思主义唯物主义的根本思想路线问题。我们要坚持马克思列宁主义,坚持毛泽东思想,就必须坚持实事求是。

老一辈革命家对实事求是的倡导,在党内外引起强烈共鸣。但是,长期的"左"倾错误给党和国家、给人们思想造成的影响,短期内难以完全消除。在当时,很多人还没有认识到,也不敢去触及毛泽东晚年的错误,"两个凡是"在党内和社会上还有一定的市场,这使得实事求是和"两个凡是"的斗争,还要在拨乱反正的问题上尖锐地表现出来。

二

揭批"四人帮"的种种努力

1976年10月6日晚,华国锋、叶剑英等代表中央政治局,执行党和人民的意志,采取果断措施,对江青、张春桥、姚文元、王洪文及其在北京的帮派骨干实行隔离审查,从而一举摧毁了以江青为首的"四人帮"集团,彻底粉碎了他们篡夺党和国家最高权力的阴谋。随后,当晚11时至次日凌晨4时,中央政治局在北京玉泉山召开紧急会议。在京的中央政治局委员华国锋、叶剑英、李先念、汪东兴、陈锡联、纪登奎、吴德、陈永贵,中央政治局候补委员吴桂贤、苏振华、倪志福等共11人全部出席会议。会议通报粉碎"四人帮"的情况,并通过了由华国锋任中共中央主席、中央军委主席的决议。后来举行的中共十届三中全会追认了这个决议。10月7日凌晨,会议决定向当时在外地的政治局委员李德生、韦国清、许世友、赛福鼎通报。

随后,中央政治局在北京分批召开了中央党、政、军机关和各省、市、自治区,各大军区负责人参加的打招呼会议,通报粉碎"四人帮"的情况。会议期间,中央作出决定:撤销王、张、姚在上海市的党内外一切职务,派苏振华、倪志福、彭冲去上海市主持工作,接管了被"四人帮"一伙长期控制的上海市的党政大权。10月14日,党中央向国内外公布了粉碎"四人帮"的消息。随后,中央决定成立专案组,审查王、张、江、姚反党集团的罪行,收集其罪行材料。11月15日至19日,党中央在北京召开全国宣传工作座谈会,对揭批"四人帮"的工作作了部署:决定放手发动群众,组织几个揭批战役,分别对"四人帮"的篡党夺权阴谋活动、罪恶历史和反革命理论,逐步深入地进行批判,打一场揭批"四人帮"的人民战争。按照上述部署,揭批"四人帮"运动分三个阶段,也称"三个战役",在全国展开。

1976年12月10日,党中央向全党转发《王洪文、张春桥、江青、姚文元反党集团罪证》,即"材料之一",首先公布了"四人帮"篡党夺权的阴谋,随即发动了以揭批"四人帮"篡党夺权为中心内容的第一个战役。这批材料主要是揭露和批判江青等人如何搞分裂党的宗派活动,组织反革命的帮派体系;公布了江青等人利用"文化大革命"之机,煽动"打倒一切、全面内战",以及陷害周恩来、朱德、邓小平、彭德怀、陶铸、贺龙、陈毅等老一辈革命家的罪行;公布了自1974年起,毛泽东在中央政治局及其他一些场合,批评江青等人搞"四人帮"的一些谈话,这些谈话是当时批判江青集团的主要思想武器。

1977年3月6日,党中央转发"四人帮"罪证"材料之二",即《"四人帮"的反革命面目及其罪恶历史》,公布了"四人帮"

在个人或家庭历史方面的罪证材料,随即开始了以揭批"四人帮"罪恶历史为主要内容的第二个战役。材料之二主要是说明江青、张春桥、姚文元向党组织长期隐瞒了历史上的政治问题,以及他们如何利用"文化大革命"之机,结党营私,进行篡夺最高权力的阴谋活动,给党和国家造成了严重危害。7月,在党的十届三中全会上,对江青集团作出了组织处理。全会通过了《关于王洪文、张春桥、江青、姚文元反党集团的决议》,决定永远开除王、张、江、姚四人的党籍,撤销他们的党内外一切职务。

上述两个材料公布后,全国迅速出现了揭批"四人帮"斗争的高潮。

同年9月23日,党中央又转发了"四人帮"罪证"材料之三",即《"四人帮"在各个领域散布的反动谬论》,公布了他们在理论上散布的种种谬论,并随之开始揭批"四人帮"的第三个战役。但是,这份"材料之三"虽名义上是在思想、理论、路线方面揭露"四人帮",实际上对"四人帮"散布的许多反动谬论却很少触及。

在揭批"四人帮"的同时,清查"四人帮"帮派体系的工作也开始在全国范围内开展起来。在"文化大革命"中,"四人帮"采取种种手段,在党内和社会上罗织起了一个有纲领、有路线、有组织的帮派体系。这个帮派体系的大多数成员及骨干分子,是在"文化大革命"中的所谓造反派。他们在相当一部分地区和部门,甚至在党和国家机关的某些重要部门中,已经篡夺了领导权。粉碎"四人帮"后,尽管党中央、国务院已经采取了一些必要的组织措施,清理了那些占据重要领导岗位的帮派骨干,但是,这个帮派体系并没有被彻底摧毁,有些地方的帮派势力盘根错节,活动还没完全停止。因此,清查他们的帮派体系,清查与他们篡党夺权有牵连的人和事,是揭批查"四人帮"斗争的重要组成部分,是稳定全国政治局势的必要措施。党中央要求,在揭批查工作中,对那些与"四人帮"篡党夺权阴谋活动有牵连的人和事,要一件件、一桩桩查清楚。这样做的目的,是为了揭露和摧毁"四人帮"的帮派体系。同时,也为了教育和挽救那些在斗争中犯有错误的人。

清查工作在各省、市、自治区和中央各部门的各级党委统一领导下进行。在清查工作中,还整顿了各级领导班子。经过两年的清查工作,基本上查清了同"四人帮"篡党夺权有牵连的人和事,摧毁了他们的帮派体系。在当时29个省、市、自治区的主要负责人中,查出同"四人帮"篡党夺权阴谋活动有牵连因而被撤换的有9人。同时,中央初步调整了中央机关和各省、市、自治区的领导班子,其中,调整面较大的有14个省、市、自治区和23个部、委、局。到1978年年底,全国绝大多数地区和单位的清查工作基本结束。

但是,揭批运动和清查工作都遇到了较大的阻力。这种阻力主要来自于"两个凡是"方针。由于"四人帮"的很多罪行不仅是利用"文化大革命"的动乱,而且常常和"文化大革命"和毛泽东晚年错误混在一起,所以,批判"四人帮"就难免触及"文化大革命"的是非和毛泽东晚年的错误。但是,这又同"两个凡是"的方针相矛盾。华国锋为粉碎"四人帮"作出了很大贡献,在领导揭批查斗争,在推动恢复国民经济等方面,都做了有益的工作,但是他在指导思想上却坚持"两个凡是"的方针,从而给揭批斗争和拨乱反正的深入进行设置了障碍。

肯定"文化大革命",是华国锋强调最多的问题之一。他反复要求党员干部要正确对待"文化大革命",正确对待群众，正确对待自己。在几乎所有重要场合的所有重要讲话中，他都要重申"文化大革命"的"完全必要性"，强调要坚持"以阶级斗争为纲"，坚持"无产阶级专政下继续革命的理论"。

于是，在一段时间里，报刊上的批判文章仍沿用"文化大革命"时期的语言，把"四人帮"说成是"党内资产阶级的典型代表"，粉碎"四人帮"是"无产阶级文化大革命的伟大胜利"、"无产阶级专政下继续革命理论的伟大胜利"等等。这些错误及其影响，一直到党的十一届三中全会以后才逐步得以纠正。

1977年1月，理论界提出要点名批判张春桥和姚文元的两篇文章，即《论林彪反党集团的社会基础》和《论对资产阶级的全面专政》。这是张春桥、姚文元全面阐发他们的极"左"理论的"代表作"。但是，中央当时主管宣传的负责人却作了这样的批示："这两篇文章是经过中央和伟大领袖和导师毛主席看过的，不能点名批判。"只能"不点名"地批判文章中的错误观点。这一批示随即被印发给各宣传部门和新闻单位，这就等于给揭批"四人帮"设置了一个大禁区，使许多批判文章难以发表。

但是，一纸批示最终并没有能够阻挡住拨乱反正的历史潮流。既然要从理论上批判"四人帮"，分清思想、理论和政治路线的是非，这两篇文章无论如何是绕不过去的。它们所阐述的错误理论观点，毫无疑问，应当予以批判，这样才能正本清源、拨乱反正。实际上，粉碎"四人帮"以后，理论界就已经对这两篇文章中的一些错误理论观点进行了批判。随着揭批运动的深入，党内外干部群众，特别是理论界对林彪、"四人帮"所推行的那一套极

"左"路线、所宣扬的那一套极"左"理论有了更加清楚的认识，而且逐步开始点名批判张、姚的"代表作"。只不过，当时只能在批判所谓"形左实右"的名义下，不提及这两篇文章，含糊其词地批判其中的某些谬论。

正是因为不能名正言顺地批判"四人帮"的最重要的错误理论观点，所以思想、理论和政治路线方面的拨乱反正工作在一段时间里阻力重重，难以真正深入。这就使得"四人帮"的许多荒谬理论在他们倒台后，又以某种形式被"两个凡是"论者以毛泽东的名义继承下来，用以指导党和国家的工作。例如，关于社会主义时期的阶级关系和阶级斗争的理论、关于"无产阶级专政下继续革命的理论"等等。指导思想和政治路线方面的这些问题，又导致了党和国家其他方面工作的拨乱反正也都步履蹒跚，徘徊难进。

这种状况，党内外广大干部群众当然是不满意的。这种不满意随着实事求是原则的提出，与日俱增、不断积累。

国民经济的复苏与新的冒进

在以经济建设为中心的今天，搞好生产，发展经济，提高人民生活水平，是党和国家理所当然的头等大事。但是，在那个"以阶级斗争为纲"和"宁要社会主义的草，不要资本主义的苗"的荒谬年代，抓生产、搞建设却会被戴上"唯生产力论"或"经济主义"的大帽子，从而横遭批判，甚至受到残酷迫害。

"四人帮"倒台，十年动乱结束，人们终于可以理直气壮地抓生产、搞建设了。"文化大革命"结束时，党和国家面临的一

项紧迫任务,就是尽快恢复和发展生产,把国民经济搞上去,改善人民的物质文化生活。在这方面,华国锋曾顺应了历史发展的要求和全国人民的愿望,他代表党中央重申了毛泽东、周恩来等老一辈革命家曾多次提出、全国人民向往已久的实现四个现代化的宏伟目标,强调要努力把国民经济搞上去。但是,他在经济工作的指导方针上仍然没有摆脱"无产阶级专政下继续革命理论"的束缚,并因此给国民经济的发展造成了新的困难。

粉碎"四人帮"后,党中央、国务院在稳定政治局势的同时,采取一系列措施恢复和发展工农业生产。从1976年底开始,党中央相继召开第二次全国农业学大寨会议和全国工业学大庆会议。这两个会议号召全国人民在揭批"四人帮"的同时,掀起一个"抓革命、促生产"的高潮,努力把国民经济搞上去。毛泽东《论十大关系》一文的公开发表和广泛学习,对调整经济关系、整顿经济秩序、发动广大干部群众努力搞好生产、为实现现代化建设的目标而奋斗起了重要的动员作用。

党中央、国务院在着手恢复国民经济的工作中,采取果断措施,首先抓了影响全局的铁路和煤炭运输的整顿。1975年,邓小平主持中央日常工作,进行各方面的整顿,也是首先拿当时最为混乱且关系全局的铁路运输"开刀",进而着手各条战线的整顿,并速见成效。但是,整顿后明显好转的铁路运输秩序,在"批邓、反击右倾翻案风"中再度急剧恶化,严重破坏了国民经济。1977年2月2日至15日,国务院召开全国铁路工作会议,明确指出,1975年中央《关于加强铁路工作的决定》(即1975年中央9号文件)是正确的,仍然

要贯彻执行。会议还下达了当前铁路运输的任务。随后,各省、市、自治区按照会议的要求对铁路运输进行了集中整顿。

经过这次整顿,铁路运输状况得到明显改善,全路日装车从年初的3.8万车,很快上升到3月份的5.1万车;二季度装车数持续上升,达到5.7万车。[①] 平均日卸车和煤炭运量也达到历史最高水平。铁路工作会议和铁路运输的整顿,带动了国民经济全局的好转。

针对当时经济领域存在的思想混乱状况,1977年3月3日至16日召开的全国计划会议就要不要抓好生产,要不要订规章制度,要不要社会主义积累,要不要实行按劳分配,要不要引进新技术等十个需要澄清的是非问题展开了讨论。同时,国务院还先后召开了一系列全国性的生产建设方面的专业性会议,揭发批判林彪、"四人帮"破坏生产的罪行,强调要狠抓企业整顿,恢复合理的规章制度,反对派性,加强职工队伍团结,健全和加强企业的领导班子,重建各级生产指挥系统,确保生产任务的完成。

经过各方面的整顿,经济战线的生产和工作秩序逐步得到恢复,一批企业陷于瘫痪半瘫痪的状况有所改进,生产上的混乱情况开始好转,工业生产有了较快的回升,国民经济长期停滞不前甚至下降的局面得以扭转。全国工业总产值从1977年3月份起逐月增加,到6月份,在当时的29个省、市、自治区中有24个超过上年同期水平;全国80种主要工业产品,到5、6月份已绝大多数高于上年同期水平。1977年全国工业总产值比1976年增长14.3%,财政收入也扭转了连续三年完不成国家计划、支大于收的状况。这一年,全国有

---

① 李际祥等主编:《当代中国的铁道事业》上册,中国社会科学出版社1990年版,第86—87页。

60％的职工十多年来第一次不同程度地增加了工资。整个国民经济初步摆脱了急剧滑坡的危险局面。在此基础上，1978年我国工农业生产进一步恢复，整个国民经济的状况进一步好转，人民生活也有所改善。

然而，这两年的经济增长带有明显的恢复性质，是多年停滞以后的回升。这种回升在一定程度上掩盖了国民经济中很多有待解决的问题，例如经济比例失调，经济管理体制僵化，经济结构不合理，整个社会经济发展水平较低，并且发展不平衡，人民生活还有许多困难。这些本来应该通过进一步的调整，理顺各种比例关系，使社会经济能够得到更好的恢复，使人民能够更好地休养生息，从而为国民经济更好地发展打好基础。但是，随着国内政治局面的安定和经济形势的好转，再加上对十年动乱给国民经济造成的后果估计不足，党内在经济建设问题上长期存在的急于求成的倾向再度出现了。当然，更为重要的原因，是由于党在指导思想上的"左"倾错误这时还未能进行清理和纠正。

经济建设的冒进倾向从粉碎"四人帮"后不久就开始了。1976年12月的第二次全国农业学大寨会议根据毛泽东1955年在《关于农业合作化问题》的报告中提出的用25年时间完成农业技术改造的设想，脱离实际地提出了到1980年要在全国基本实现农业机械化，要求到1980年，使农、林、牧、副、渔主要作业的机械化水平，达到70％左右，其中，拖拉机和手扶拖拉机的拥有量，分别从40万台和80万台，增加到65万台和150万台，并将全国1/3的县建成为大寨县。

会后，在普及大寨县的运动中，不少地方不顾农村生产力的实际状况，继续强调提高人民公社的公有化水平和机械化程度，推行所有制的"穷过渡"，不断强化那些脱离实际的高指标。

在农业学大寨会议之后召开的全国工业学大庆会议，发动了经济建设的"新跃进"。1977年4月18日，会议召开前夕，华国锋在没有掌握可靠地质资料的情况下，贸然提出："石油光有一个大庆不行，要有十来个大庆。"5月9日，在工业学大庆会议上，华国锋提出，"我国国民经济必将出现一个全面跃进的新局面"，并强调"建设速度问题，不是一个单纯的经济问题，而是一个政治问题"。7月30日，中共中央向各地转发国务院《关于1977年上半年工业生产情况的报告》。报告认为，"国民经济的新的跃进局面正在出现"。9月11日，华国锋在召集国务院领导和有关部委负责人研究加快经济建设速度问题时，批评国家计委制定的工业增长速度"太保守"，强调"今后工业部门要开足马力，挽起袖子大干"，"明年的积累要加快"。

根据上述精神，从工业学大庆会议的筹备和召开前后起，在全国各地的新闻媒体上，在中共中央、国务院的文件里，都不断地出现关于各行各业、各地各部门"跃进"的宣传。《人民日报》、《红旗》杂志、《解放军报》"两报一刊"接连发表社论，欢呼"革命和生产的形势越来越好，其进展速度，超出人们的意料，一个新的跃进形势正在形成"。一时间，"大跃进"又成了时髦的高频字眼。一种"争时间、抢速度"，"大干快上"的气氛开始弥漫。

应该说，在当时，这种气氛在很大程度上反映了十年动乱结束后，广大干部群众的强烈愿望。但是，这种过分强调高速度和搞群众运动的宣传鼓动，助长了经济建设中已经出现的急于求成的冒进倾向。正是在这种气氛中，各地各部门纷纷开始制定“跃进”计划和短期内赶超世界先进水平的高指标。

10月29日，煤炭工业部向中央提出：要在“拿下前所未有的高速度”的指导思想下，争取到1985年使煤炭总产量达到8.8亿吨；到1987年突破10亿吨，赶上美国；到本世纪末达到20亿吨。今后8年内要建成10个年产5000万吨和10个年产3000万吨的大型煤炭基地。

11月9日，冶金工业部向中央提出：钢产量，到1980年力争达到3800万吨；到1985年达到6000万吨，力争达到7000万吨；到1990年达到1亿吨。

11月24日至12月11日，全国计划会议在北京召开。会议经过讨论，由国家计委向中央政治局提出一个《关于经济计划的汇报要点》。1978年2月5日，中央政治局批准了《汇报要点》，并连同《1978年国民经济计划指标》一起下达。《汇报要点》提出：1978年至1980年，农业每年以4%—5%的速度，工业每年以10%以上的速度持续地大步前进。到1985年，粮食达到8000亿斤，钢产量达到6000万吨，原油达到2.5亿吨，煤炭达到9亿吨，发电量达到5000亿度。为实现这些高指标，《汇报要点》还相应地提出了一个庞大的基本建设计划，提出新建和续建120个大型项目，其中主要包括30个大电站、8个大型煤炭基地、10个大油气田、10个大钢铁基地、9个大有色金属基地、10个大化纤厂、10个大石油化工厂、十几个大化肥厂，以及新建续建6条铁路干线和几个大港口，等等。按照这个建设方案，基建投资将相当于过去28年的总和，到2000年以前，全面实现农业、工业、国防和科学技术的现代化。粮食总产量将要由1976年的5720多亿斤达到13000—15000亿斤（1997年是9883亿斤），钢产量将要由1976年的

2040万吨达到1.3亿吨—1.5亿吨；各个生产领域、各项经济技术指标，都要分别接近、赶上或超过当时的世界先进水平；农业生产的主要部分要自动化，农业将成为世界上第一个高产国家；许多省的工业水平将赶上和超过欧洲的某些工业发达国家，我国国民经济将走在世界的前列。

对这个《汇报要点》提出的指标，主管经济工作的中央领导人李先念曾表示，这些指标正在讨论中，还没有研究清楚，暂不要拿到人大会议上去通过。但是，1978年2月，五届全国人大一次会议还是予以通过，并形成了《1976年至1985年发展国民经济十年规划纲要（草案）》。尽管这个纲要最终没有公布和下达，但它仍然是当时指导经济建设的纲领性文件，并且在实际工作中助长了脱离实际、急于求成的倾向；加剧了业已存在的国民经济比例失调的状况。

在此期间，党中央、国务院还采取措施，进一步整顿工业企业。4月20日，中共中央作出《关于加快工业发展若干问题的决定（草案）》（简称“工业30条”），发到各工交企业试行。这是当时指导工交战线拨乱反正的重要文件，对企业整顿提出了明确的要求和具体的标准。它强调，通过整顿，企业要建立和健全以岗位责任制为核心的各项规章制度，切实搞好各项管理工作。通过整顿，一批“老大难”、关系国民经济全局的国家重点企业，如鞍钢、包钢、郑州铁路局、上海港等，比较快地改变了面貌，对促进经济的恢复与发展起到了一定的作用。但是，由于当时急于求成的指导思想，企业整顿不可能使整个经济发展摆脱冒进所造成的困境。

1978年9月，国务院召开全国计划会议，讨论1979年和1980年的计划安排。会议最后拟订的生产计划和基本建设计

划,都存在着过高过急的问题。例如,计划要求:1979 年和 1980 年,农业总产值平均每年增长 5％—6％;工业总产值平均每年增长 10％—12％;1979 年国家直接安排的基建投资为 457 亿元,比投资规模急剧膨胀的 1978 年又增长了 15.7％。由于生产和建设任务都安排得过大,物资、财政、外汇都留下了相当大的缺口。为了适应经济建设规模扩大和引进项目增加的需要,国务院不得不一再追加基建投资。1978 年国家预算内直接安排的基建投资总规模由年初的 332 亿元,追加到 415 亿元,实际完成了 501 亿元。[①] 基建投资规模的急速扩大,使 1978 年的积累率由 1977 年的 32.3％提高到 36.6％,国民经济比例关系失调的状况更加严重。

问题并不仅仅在于上述那些高指标能否实现,更重要的在于这些指标的形成,表明我们依然没有摆脱"大跃进"以来搞经济建设的那一套"左"的思路和办法。

1977 年和 1978 年的经济冒进,给我国经济发展造成的困难是严重的,它使我们不得不下很大的气力进行大规模经济调整。同时,也表明我们过去搞经济建设的那一套思路和办法,以至于我们的经济体制,都存在着弊病,需要改革。

拨乱反正取得突破性进展

一

教育领域推翻"两个估计"

1977 年 5 月 24 日,尚未复职的邓小平在那次批评"两个凡是"的谈话中,还特别谈道:"我们要实现现代化,关键是科学技术要能上去。发展科学技术,不抓教育不行。""没有知识,没有人才,怎么上得去?""一定要在党内造成一种空气:尊重知识,尊重人才。要反对不尊重知识分子的错误思想。"复职后的邓小平,主动要求分管教育和科技工作。他说:"我知道科学、教育是难搞的,但是我自告奋勇来抓。不抓科学、教育,四个现代化就没有希望,就成为一句空话。"[②]

粉碎"四人帮"后,面对"文化大革命"造成的百废待兴、百业待举的局面,长期"左"倾错误所造成的种种危害,在教育和科技战线造成的影响尤为深重。在教育战线进行拨乱反正,也具有不同一般的重

---

① 《当代中国经济》,中国社会科学出版社 1987 年版,第 393 页;《奋进的 40 年》,中国统计出版社 1989 年版,第 354 页。

② 《邓小平文选》第二卷,人民出版社 1994 年版,第 40、68 页。

要意义。但是，许多人面对"文化大革命"的禁区，依然心有余悸，不敢轻易越雷池一步。

1977年6月，教育部在山西太原召开粉碎"四人帮"后的第一次全国高等学校招生工作座谈会。与会者揭批了"四人帮"和他们制造的那个"白卷英雄"对教育的破坏、对知识分子的摧残，但是在讨论到会议的主要议题，即高等学校招生问题时又陷入了困境。问题的症结还是出在"两个凡是"上。此前，高等学校的招生一直是根据1971年的《全国教育工作会议纪要》所确定的政策，即取消招生考试，采取群众推荐、领导批准的办法，从工农兵中选拔学生，而这些政策又都是当年毛泽东亲自提倡或批示同意的。虽然大家都看到了它的危害，但是，否定现行的招生办法，就可能要承担"复辟17年资产阶级统治"、"反对毛主席教育革命路线"的政治风险。尽管如此，对于招生制度要不要改革与怎么改的问题，会上还是发生了激烈的争论。有人提出应按照1972年周恩来提出的从高中毕业生中招收大学生的意见，恢复高考录取制度，允许选拔一些高中生直接升大学。但是，由于不敢否定"两个凡是"，会议没有接受这些意见，最后还是决定维持现行的招生办法，在此基础上作一些小的修补，即根据周恩来1972年的有关指示精神招收占总人数2%—5%的应届高中毕业生。8月4日，教育部向国务院报送了《关于全国高等学校招生工作座谈会的情况报告》，在随报告附上的《关于1977年招生工作的意见》中，仍维持"自愿报名，群众推荐，领导批准，学校复审"的办法。关于文化考查，仍如往年一样要求"重视文化程度"，"采取口试、笔试等多种形式进行，提倡开卷考试，独立完成"，同时又认为，"不要凭一次考试决定弃取"。总之，太原会议没有完成拨乱反正的任务，走的还是"文化大革命"中"教育革命"的老路。

历史选择了邓小平，教育战线拨乱反正的任务落在了邓小平的肩上。1977年7月29日，恢复工作仅仅一周的邓小平，在同教育部几位负责人谈话时，针对当时教育战线存在的一些重要问题发表了自己的看法，他说：有几个问题要提出来考虑：第一，是否废除高中毕业生一定要劳动两年才能上大学的做法？第二，要坚持考试制度，重点学校一定要坚持不合格的要留级，对此要有鲜明的态度。第三，要搞个汇报提纲，提出方针、政策、措施。教育与科研两者关系很密切，要狠抓，要从教育抓起，要有具体措施。

两天后，8月1日，邓小平在听取有关方面负责人汇报教育工作时，再次就教育战线的问题谈道：现在比较急迫的是教材问题，还有教师队伍问题。编写教材，一定要吸收世界先进的东西，特别是自然科学方面。从最先进的东西教起，要充分调动知识分子的积极性，要提倡尊师爱生，现在要特别提倡尊师。[①]

紧接着，8月4日至8日，邓小平邀请33位科学家和教授，主持召开了科学和教育工作座谈会。他对与会者讲："这次召开科学和教育工作座谈会，主要是想听听大家的意见，向大家学习。外行管内行，总得学才行。我自告奋勇管科教方面的工作，中央也同意了。我们国家要赶上世界先进水平，从何着手呢？我想，要从科学和教育着手。"

与会的科学家、教授们立刻感受到多

---

① 冷溶、汪作玲主编：《邓小平年谱（1975—1997）》上，中央文献出版社2004年版，第169页。

年来未曾有过的信任，纷纷把心里话倾吐出来。座谈会集中谈了当时教育工作中几个亟待解决的问题，并且又特别集中在两个问题上，一个是"两个估计"问题，再一个是高校招生问题。

大家认为，"两个估计"对教育破坏极重，但至今是非没有澄清；高校取消考试，搞推荐上大学的做法弊病很大，为了早出人才，再也不能这样继续下去了，应立即恢复文化考试。

后来的中国科学院院士、武汉大学教授查全性（当时为武汉大学化学系副教授）在发言中说：招生是保证大学质量的第一关，它的作用好像工厂的原材料的检验一样，不合格的原材料，就不可能生产出合格的产品。当前新生质量没有保证，其原因之一是中小学的质量不高，二是招生制度有问题。主要矛盾还是招生制度。不是没有合格的人才可以招收，而是现行制度招不到合格的人才。还搞坏了社会风气，而且愈演愈烈。① 这一番话，立即引起在座的科学家、教授们的强烈共鸣，他们一致建议国务院下决心改革现行招生制度。邓小平就这个问题插话问道：今年是不是来不及改了？大家说：今年改还来得及，最多晚一点。邓小平当即拍板："既然大家要求，那就改过来。"②

经过 4 天的畅谈，8 月 8 日，邓小平在会上就科学和教育问题讲了几点意见。对高校招生的问题，他当场要求参加座谈会的教育部部长刘西尧，将教育部刚刚报送国务院的、维持原有推荐招生办法的报告追回来，并明确表示："今年就要下决心恢复从高中毕业生中直接招考学生，不要

再搞群众推荐。从高中直接招生，我看可能是早出人才、早出成果的一个好办法。"

他着重讲了广大知识分子最为关心的"两个估计"问题，明确肯定：建国后 17 年的教育战线，"主导方面是红线"；"我国的知识分子绝大多数是自觉自愿地为社会主义服务的"，"各条战线的骨干力量，大都是 1949 年以后我们自己培养的特别是前十几年培养出来的"；"如果对 17 年不作这样的估计，就无法解释我们所取得的一切成就了"。他还指出：无论是从事科研工作的，还是从事教育工作的，都是劳动者，因此，"要尊重劳动，尊重人才"，"知识分子的名誉要恢复"。③

针对大家提出要恢复过去 5/6 的时间搞科研的做法，邓小平说：要保证科研时间，使科研工作者能把最大的精力放到科研上去。大家提出一周要有 5/6 的时间搞科研，我加了"至少"两个字，你们又加上"必须"两个字。好！科学院文件下发时就加上这四个字。他还谈道，各级领导同志要常和科学家、教授们谈谈心，政治思想上帮助，不要求全责备，对一头钻到科研里面埋头苦干的人应当鼓励。这个讲话很快在教育界和科技界传开，广大知识分子深受鼓舞。但是"两个凡是"仍被不少地方和部门，也包括教育部的一些领导视为禁区。科教座谈会后，就在党的十一大开幕的第二天，1977 年 8 月 13 日，教育部根据邓小平的指示，在北京再次召开全国高等学校招生工作会议。中共十一大仍然坚持"两个凡是"的指导思想，不能不影响到招生工作会议，引起一些人的犹豫

---

① 钟岩：《中国新三级学人》，浙江人民出版社 1996 年版，第 5 页。

② 国家教委：《光辉的典范 历史的丰碑》，载中央文献研究室编：《回忆邓小平》中册，中央文献出版社 1998 年版，第 151 页。

③ 《邓小平文选》第二卷，人民出版社 1994 年版，第 48—58 页。

和动摇。但是，大多数与会者从心底里赞成邓小平的主张，更加强烈地呼吁恢复高考招生制度。

为了让中央领导更加了解大多数与会同志的要求，会议期间，9月3日，人民日报社邀请出席会议的6位省部级分管教育、科学的负责人进行座谈，回顾与分析了"两个估计"的出台背景。这6位同志参加了1971年全国教育工作会议、目睹了"两个估计"的出台经过。经过座谈，大家取得了共识："两个估计"严重挫伤了广大教育工作者的积极性，伤害了他们的感情，是教育工作发展的最大障碍，必须彻底否定；不推翻"两个估计"，这次招生工作会议也很难再前进一步。《人民日报》的同志还专门把1971年《全国教育工作会议纪要》的形成经过写成材料，由报社以《情况汇编·特刊》的形式报送中央。邓小平很快就看到了这份材料，他认为，"这份材料说明了问题的真相"。

根据这份材料提供的情况，9月19日，邓小平就教育战线的拨乱反正问题专门找教育部领导谈话，提出要彻底否定"两个估计"。他指出：《纪要》是姚文元修改、张春桥定稿的，是毛泽东同志画了圈的，"毛泽东同志画了圈，不等于说里面就没有是非问题了"。他明确指出："两个估计"是不符合实际的。怎么能把几百万、上千万知识分子一棍子打死呢？我们现在的人才，大部分还不是17年培养出来的？他还要求教育部的领导要大胆解放思想，不要还背着"两个估计"的包袱，拨乱反正，语言要明确，含糊其辞不行。

对于招生问题，邓小平又提出，主要抓两条：第一是本人表现好，第二是择优录取。

邓小平的这个谈话，促使招生工作会议迅速作出了恢复高考制度的决定，从而给参加招生工作会议的同志以极大鼓舞。这次会议竟开了44天，直到9月25日才结束。正是这个"马拉松"会议，使得随后77级大学生的入学比78级仅仅早半年。

10月5日，中央政治局讨论并通过了重新制定的招生工作文件。12日，国务院正式批转教育部根据邓小平指示精神制定的《关于1977年高等学校招生工作的意见》和《关于高等学校招收研究生的意见》两个文件，宣布恢复高考招生制度和招收研究生制度，并宣布当年立即恢复高考招生，考生要具有高中毕业或与之相当的文化水平，恢复统一考试。录取原则是德智体全面衡量，择优录取。

这对那些苦苦等待了十多年、成百上千万在"文化大革命"中被耽误了的整整一代青年来说，无疑是福音、是机遇。新的招生规定一经公布，立即受到社会各界的广泛欢迎。1977年冬天，570多万知识青年走进了已关闭11年之久的考场，参加高等学校的招生考试，其中有27.3万人被各大专院校录取。1978年，610万人报考，录取40.2万人。77级学生于1978年春天入学，78级学生秋天入学，两次招生仅隔半年。1979年，468万人报考，其中应届高中毕业生占66%以上，高校又录取27万人。这3年，全国高校共招生94.5万人，其中包括约6万余名走读生。此外，据不完全统计，1978年共有6.35万人报考研究生，210所高等学校和162所研究机构共录取1.07万名研究生。[1]

---

① 中央教育科学研究所编：《中华人民共和国教育大事记（1949—1982）》，教育科学出版社1984年版，第499、507、519、548页。

恢复高考制度是对"文化大革命"和"两个凡是"进行拨乱反正的一项重要举措，这不仅为被耽误的大批知识青年提供了通过考试、靠自己努力和平等竞争获得接受高等教育的机会，而且也改变了"文化大革命"以来轻视知识、歧视知识分子的社会偏见，从而在社会上和青年中激起了学习科学文化知识的热情。高考制度恢复后，整个教育界和社会风气随之改变。

招生制度改革后，"两个估计"还没有受到公开批判和否定，一些人仍顾虑重重。正当教育部门为公开否定"两个估计"而犯难的时候，有关方面从迟群的笔记本上找到了一份1971年全国教育工作会议期间毛泽东的一段谈话记录。根据记录，毛泽东说了这样的话：17年的估价不要讲得过分。在无产阶级专政下执行了错误路线的，不是大多数人，是一少部分人。多数知识分子还是拥护社会主义制度的，执行封、资、修路线的还是少数人。①

在"两个凡是"依然盛行的条件下，找到毛泽东的这个谈话记录还是很起作用的。据此来批判"四人帮"、否定"两个估计"，就使得那些因"两个凡是"而心存顾虑的人们也无话可说。

1977年11月18日，根据邓小平9月19日谈话精神，教育部以大批判组的名义，发表了题为《教育战线的一场大论战——批判"四人帮"炮制的"两个估计"》的文章，开始公开批判"两个估计"。这篇文章刊载于当天《人民日报》和1977年第12期《红旗》杂志。文章对"四人帮"炮制的"两个估计"及其对教育的破坏进行了系统的批判。教育战线的拨乱反正终于

有了突破性进展。

在此前后，11月6日，中共中央批转了教育部根据邓小平的意见所作的《关于工宣队问题的请示报告》，决定陆续从所有大中小学校撤出工宣队（农村中小学撤出贫宣队），恢复学校的正常教学秩序。1978年2月17日，国务院转发教育部《关于恢复和办好全国重点高等学校的报告》，决定恢复和办好重点高等学校，并确定第一批全国重点高校88所，其中恢复原有的60所，新增加28所。3月7日，国务院批转教育部《关于高等学校恢复和提升职务问题的请示报告》，在高等学校全面恢复教师职称评定工作。

在此基础上，1978年4月22日至5月16日，教育部在北京召开全国教育工作会议。邓小平在讲话中针对教育战线的拨乱反正面临的形势，强调提高教育质量，提高教师质量，提高教学水平，加强学校的教学秩序和纪律。他提出："我们要提高人民教师的政治地位和社会地位。不但学生应该尊重教师，整个社会都应该尊重教师。"②

教育战线拨乱反正的全面展开和深入发展，同其他各方面的拨乱反正一起，汇成了一股势不可挡的思想解放的潮流。这个思想解放的潮流又有力地推动着拨乱反正的进一步深入。

迎接科学的春天

在进行教育战线拨乱反正的同时，科技领域的拨乱反正，在邓小平的领导和推

① 《人民日报》，1977年11月18日。
② 《邓小平文选》第二卷，人民出版社1994年版，第109页。

动下也同步进行着。实际上,邓小平在每一次重要讲话中,凡是讲到知识分子、讲到教育,必定也讲到科学技术,并且常常是把科学和教育放在一起讲。

在"文化大革命"中,科技和教育战线同是遭受破坏严重的"重灾区"。1949 年后 17 年来的科学研究工作的路线、方针,都被说成是"修正主义"的或资产阶级的。许多重要工作,特别是基础理论研究遭到否定。新中国用了 17 年建立和培养起来的科技队伍遭受了极大的摧残,为社会主义建设作出巨大贡献,甚至赢得国际威望的科学家和大学教授们,成了被批斗、被侮辱的"资产阶级知识分子"、"臭老九",去接受所谓的劳动改造。科研工作被迫陷入停顿,刚要走向繁荣的新中国科学技术事业遭受了严重挫折。这也就决定了科技和教育领域的拨乱反正,面临着同样的问题,有同样的工作要做,即要清除"左"的错误的影响,肯定科学和教育的作用,恢复知识分子应有的地位。

早在 1975 年,邓小平主持中央工作,进行各方面的整顿时,科技战线就是整顿的重要方面。这一年 9 月下旬,邓小平主持国务院会议,听取了胡耀邦等人的汇报时,严厉地批评了科研工作。指出一些科研人员打派仗,不务正业,少务正业,搞科研的很少。现在连红专也不敢讲,实际上是不敢讲"专"字。他强调"科学研究是一件大事",科研工作要走在前面,否则,"就要拖整个国家建设的后腿";"科学技术叫生产力,科技人员就是劳动者"![1]

但是,在当时的形势下,对科技战线的整顿开始不久,就由于"四人帮"的破坏而被打断了。17 年的科技路线又被指责为修正主义路线,刚刚看到希望的科技工

作者和科研队伍再一次遭到了重创。

粉碎"四人帮"后,为整顿科技工作,加强党对科技工作的领导,1977 年 1 月,中共中央派方毅到中国科学院主持日常工作。在揭批"四人帮"的斗争中,科技战线同其他方面的工作一样,除了进行组织方面的清查外,在思想理论上对"四人帮"多年来在科技战线上散布的种种谬论进行系统的批判,澄清是非;在回收和重建因"文化大革命"而解散或被下放农村的科研院所、调回被下放农村的科技人员的同时,开始整顿科研院所的领导班子,平反冤假错案,落实知识分子政策,恢复各项规章制度,使科研工作逐步得到恢复。但是,科技战线的拨乱反正仍面临着严峻的形势,这主要是因为在"两个凡是"方针的束缚下,一些涉及科技战线、科研工作和知识分子问题的大政方针难以解决,整个工作仍在艰难中前进。

邓小平在未恢复工作之前,就明确指出了教育和科学技术工作的重要性。重新复出后,他主动提出要分管"难搞"的教育和科技工作,首先抓紧科技和教育战线的整顿。1977 年 8 月 4 日至 8 日,他主持召开了那次影响重大的科学和教育工作座谈会。在会上,他就许多亟待澄清和解决的问题发表了讲话,充分肯定了建国后 17 年,我国科技战线的主导方面是"红线",科技战线取得了很大成绩,知识分子是劳动者,他们中的绝大多数是自觉自愿为社会主义服务的。同时,他强调,我们国家要赶上世界先进水平,要从科学和教育着手。为了搞好科技工作的拨乱反正,他还提出:要重建国家科委,统一领导科技工作;要保证科研时间,使科研工作者能把最大的精力放到科研上去;科研工作

要培养好的学风,要坚持百家争鸣的方针,提倡学术交流,允许争论;科技和教育战线的后勤工作的任务,就是为科研和教育工作服务,为科研和教育工作者创造条件,使他们能够专心致志地从事科研、教育工作。这些意见对历经十年动乱的科技和教育工作者产生了极大的鼓舞。

1977年9月18日,中共中央发出《关于准备在1978年春召开全国科学大会的通知》。决定召开全国科学大会,这是粉碎"四人帮"后,党和国家为迅速发展我国科学技术事业的一个重大部署。中央的《通知》要求各地区、各部门抓紧落实党的知识分子政策,搞好各级领导班子的整顿,迅速恢复被撤掉的科研机构,恢复科研人员的技术职称,保证科研人员每周有5/6的科研工作时间,并发出了向科学进军的号召。同一天,中共中央还发出了《关于成立国家科学技术委员会的决定》,恢复建立这一统管科研工作的最高领导机构。恢复后的国家科委由方毅任主任。在此之前,1977年5月,国务院已决定将哲学社会科学学部从中国科学院划出,单独成立了中国社会科学院,以加强对社会科学研究的组织领导。中国科学院也对所属院所进行了调整,建立各级学术委员会,恢复了评定和提升学术职称的工作。随后,中国科学院开始恢复研究技术职务的评定制度,大胆晋升有真才实学的科技人员。首先晋升了在数学研究中有突出贡献的陈景润为研究员,杨乐、张广厚为副研究员。这在全国引起了极大反响。此后,一批有成就的科技人员得到了晋升。

中央《通知》发出后,全国科学大会的筹备工作开始进行。但是,由于"两个凡是"的影响依然不小,筹备工作中也出现了一些思想分歧,主要是在看待知识分子

问题上。在中央关于召开全国科学大会的通知中,以及华国锋在党的十一大报告和在五届全国人大一次会议的政府工作报告中,都重申了过去对知识分子的"团结、教育、改造"的方针,这就使一些人仍把知识分子看做"资产阶级的知识分子"。当一些科学家埋头科研的事迹报道后,一些人仍在议论是"红专"还是"白专";当科研单位开始落实业务人员每周5/6科研时间的规定时,有些人则担心会削弱思想政治工作。

这些都说明,落实知识分子政策,发展科技、教育事业,最根本的是要在指导思想上拨乱反正,分清是非。这其实正是全国科学大会需要解决的问题。

1978年3月18日至31日,全国科学大会在北京隆重举行。来自各省、市、自治区、中央和国家机关各部门,以及解放军和国防工业部门的5586名代表出席了大会。这是我国科技界的一次盛会。在十年动乱中,饱尝批判斗争与诬陷凌辱的科学技术人员和科技战线的领导人,应邀参加党中央召开的科学盛会,抚今追昔,激动不已。他们为自己受到信任与尊重而欣慰,也为十年动乱后的国家能召开这样的科学大会而感到鼓舞。

邓小平在开幕式上作了重要讲话。他在讲话中首先宣布:党中央召开这次全国科学大会,目的就是动员全党全国重视科学技术,加速我国科学技术的发展。他重申了要实现农业、工业、国防和科学技术现代化,把我国建设成为社会主义现代化强国的任务,并且强调:"四个现代化,关键在于实现科学技术现代化。没有现代科学技术,就不可能建设现代农业、现代工业、现代国防。没有科学技术的高速发展,也就不可能有国民经济的高速发展。"他针对长期没有弄清楚、在"反击右

倾翻案风"中又被"四人帮"弄得混乱不堪的几个重要问题,明确指出:

第一,科学技术是生产力,而且"正在成为越来越重要的生产力"。这是重申了1975年整顿时他提出的一个马克思主义的基本观点,并且作了进一步的发挥。他结合当代科学技术发展的实际,充分论述了马克思主义的这一基本观点。指出:现代科学技术正在经历着一场伟大的革命,迟早会给生产和技术带来极其巨大的进步,同样数量的劳动力,在同样的时间里,可以生产出比过去多几十倍几百倍的产品。劳动生产率有这样大幅度的提高,靠的是什么? 最主要的是科学的力量、技术的力量。这就为他后来进一步提出"科学技术是第一生产力"的思想奠定了基础。

第二,我国知识分子是工人阶级的一部分。长期以来,由于"左"的指导思想,特别是在"文化大革命"中,知识分子一直被戴着"资产阶级"的帽子,不承认他们是劳动者,甚至被贬称为"臭老九"。在1975年整顿时以及在粉碎"四人帮"后,邓小平已在许多场合的讲话中,提出要"重视知识、重视人才",强调知识分子的绝大多数是劳动人民的一部分。这次,在这样一个盛大和庄重的场合,邓小平代表党中央正式为知识分子"正名",肯定了我国知识分子的"绝大多数已经是工人阶级和劳动人民自己的知识分子","已经是工人阶级自己的一部分","是我们党的一支依靠的力量"。这就恢复了党在1956年和1962年对知识分子的正确判断,扭转了把知识分子一概看成是"资产阶级知识分子"的错误观念。

在上述两个重要论断的基础上,邓小平又讲了要建设一支庞大的"又红又专"的科学技术队伍,在科学技术部门的各个研究机构中实行党委领导下的所长负责制等问题。

关于科技队伍建设,他说:我们向科学技术现代化进军,要有一支浩浩荡荡的工人阶级的"又红又专"的科学技术大军,要有一大批世界第一流的科学家、工程技术专家。造就这样的队伍,是摆在我们面前的一个严重任务。这里,一个重要问题,是对"又红又专"要有正确的理解和合理的要求。"四人帮"胡说"知识越多越反动",对这种是非关系、敌我关系颠倒的谬论必须给予澄清。我们的绝大多数科技人员热爱党、热爱社会主义,努力同工农兵相结合,满腔热情地对待自己从事的科学技术工作,作出了成绩,这就是"又红又专"。他要求科技和教育战线的同志,要彻底肃清林彪、"四人帮"把科学家、教授、工程师诬蔑为资产阶级学术权威的流毒,把尽快地培养出一批具有世界第一流水平的科学技术专家,作为科学和教育战线的重要任务。

关于科研机构领导体制,他说:能不能把我国的科学技术尽快地搞上去,关键在于我们党是不是善于领导科学技术工作。我们的国家进入了新的发展时期,我们党的工作重点、工作作风都应该有相应的转变。科学研究机构要建立技术责任制,实行党委领导下的所长负责制。它既有利于加强党委的领导,又有利于充分发挥专家的作用。他还就党对科技部门的领导和科研工作的后勤保障等问题发表了意见,诚恳地向与会的科技工作者们表示了他在1975年整顿时就曾表达过的心情:"我愿意当大家的后勤部长,愿意同各级党委的领导同志一起,做好这方面的工作。"

邓小平在全国科学大会上的讲话,澄清了多年来由于"左"的错误所造成的在科学技术工作、在知识分子问题上的混乱,为我国科技工作的发展指明了方向。

华国锋在大会上发表了题为《提高整个中华民族的科学文化水平》的讲话。

国家科委主任方毅在会上作了《关于发展科学技术的规划和措施的报告》,他在报告中追述了自新中国成立以来,我国科学技术事业所走过的道路。特别谈到在"文化大革命"中,林彪、"四人帮"对科学研究工作肆意摧残与破坏,但是,广大干部和科技工作者,同他们进行了不懈的斗争,在最困难的条件下坚持了科学研究工作,为我国科技事业的发展作出了卓越贡献。

大会还讨论和通过了《1978—1985年全国科学技术发展规划纲要(草案)》,确定了今后一段时期内科技战线的工作任务,表彰了826个先进集体、1192名先进科技工作者和7657项优秀科技成果的完成单位和个人。

面对会议的盛况,年届86岁高龄、即将走完人生旅程的中国科学院院长郭沫若,激动不已,抱病参加大会,并以《科学的春天》为题发表讲话:春分刚刚过去,清明即将到来。"日出江花红胜火,春来江水绿如蓝"。这是革命的春天,这是人民的春天,这是科学的春天!让我们张开双臂,热烈地拥抱这个春天吧![①]

热情洋溢的话语不时为热烈的掌声所打断。一位参加科学大会的科学家回忆说,邓小平的讲话受到了最热烈的欢迎,鼓掌次数之多、时间之长都是多少年来所罕见的。对广大知识分子来说,这篇讲话有如一股清新的春风拂面而来,真的是春天来了!这是人们呼唤已久的科学的春天,知识分子的春天,社会主义现代化建设的春天。肯定科学技术是生产力,肯定知识分子是工人阶级的一部分,这两个问题的解决,无论是在当时,还是对后来,都有极重要的意义。在七年后的又一个艳阳春日里,邓小平曾愉快地回忆起这次科学大会,他说:七年前,也是三月份,开过一次科学大会,我讲过一篇话。主要讲两个意思,两句话,一句叫做科学技术是生产力,一句叫做中国的知识分子已经成为工人阶级的一部分。当时,所以要讲这两条,是因为有争论。七年过去了,争论已经解决了。结论是谁做的?是实践做的,群众做的。我很高兴,现在连山沟里的农民都知道科学技术是生产力。[②]

这次科学大会是我国科技发展史上的一个里程碑,是一个新阶段,它标志着科技战线的拨乱反正有了突破性进展,终于冲破了"两个凡是"在科技领域里设置的禁区。党的十五大提出"实施科教兴国战略",可以说,其源头就是1978年在科技和教育领域里开始的拨乱反正,也就是邓小平在全国科学大会上的讲话。

否定"文艺黑线专政"论

在教育和科技战线进行拨乱反正的带动下,文学艺术界也开始了对所谓"黑线专政"论的批判。"文艺黑线专政"论是在"文化大革命"发动阶段,林彪、江青等强加给文艺界的,他们认定1949年以来的文艺战线是"被一条与毛主席思想相对立的反党反社会主义的文艺黑线专了我们

---

①　《人民日报》,1978年4月1日。

②　国家科委党组:《高举邓小平理论旗帜推进科教兴国战略实施》,《回忆邓小平》中册,中央文献出版社1998年版,第174页。

的政"。长期以来,它成了套在文艺界和广大文艺工作者头上的"紧箍咒",严重阻碍了我国社会主义文艺事业的发展与繁荣。文化艺术领域同教育、科技战线一样,都是知识分子相对集中的地方,同样,在"文化大革命"中又都是首当其冲、受难深重的"重灾区"。

1965年11月10日,姚文元的一篇经过精心策划的文章——《评新编历史剧〈海瑞罢官〉》,借批判一个文学剧本,拉开了"文化大革命"的序幕。1966年2月,江青在林彪的支持下,到上海主持召开了所谓"部队文艺工作座谈会"。她宣称,在文艺方面,"有一条与毛主席思想相对立的反党反社会主义的黑线专了我们的政","现在该是我们专他们的政的时候了"。会议期间,江青又邀张春桥参加座谈。会后,由陈伯达、张春桥直接参加修改,搞出了一个《林彪同志委托江青同志召开的部队文艺工作座谈会纪要》。这个《纪要》后来经毛泽东亲自审阅、修改后定稿,于同年4月10日以中共中央文件的形式批转全党,从此,"文艺黑线专政"论正式提出。

《纪要》认为:1949年后16年来,文化战线上存在着尖锐的斗争,文艺界基本上没有执行毛主席的思想,"被一条与毛主席思想相对立的反党反社会主义的文艺黑线专了我们的政",因此,要"坚决进行一场文化战线上的社会主义大革命,彻底搞掉这条黑线"。

"文艺黑线专政"论的提出,使60年代开始的意识形态领域的"左"倾错误进一步升级,为全盘否定建国后17年的文艺工作,进而发动"文化大革命"提供了理论依据。

《纪要》出台后,在"文化大革命"期间,文艺界万马齐喑,一派萧条景象。一方面,建国后创作的大批优秀文艺作品,包括电影、戏剧、音乐、舞蹈、小说等等,受到严厉批判,被禁止上演和出版。另一方面,广大文艺工作者,特别是众多优秀的文化艺术界知名人士和全国广大知识分子同老干部一样,受到了残酷打击和迫害,许多知名的文化艺术家甚至被迫害致死。

粉碎"四人帮"后,在文艺领域拨乱反正,是揭批"四人帮"的斗争的重要内容,也是广大文艺工作者的强烈愿望。

1977年11月21日,《人民日报》编辑部邀请部分文艺界人士举行座谈会,揭发和批判江青一伙炮制"文艺黑线专政"论,扼杀"文化大革命"前的一切优秀文艺作品,残酷迫害优秀文艺工作者的罪行。与会同志在发言中都指出:"文化大革命"以前的17年,毛主席的革命文艺路线占主导地位,是任何人也否定不了的事实。江青诬蔑我国文艺界在"文化大革命"前的17年"是被一条反党反社会主义的黑线专了政",这完全是对我们文艺队伍的诬蔑和诽谤。其目的是以文艺界为突破口,全盘否定"文化大革命"前的各条战线,以便搞乱全国人民的思想,乱中夺权。因此,对这个谬论的流毒,决不可低估,一定要彻底打碎"文艺黑线专政"论的精神枷锁,肃清其流毒,恢复"百花齐放、百家争鸣"的方针,使社会主义的文艺创作重新繁荣起来。

然而,当主管宣传的中央领导人得知这次座谈会的情况后,立即批评《人民日报》:这个《纪要》是经过毛主席三次亲自修改的,怎么可以批判!并要求把批判"文艺黑线专政论"的文章送中央审查。在这种压力下,《人民日报》在刊登座谈会的报道时,又在"编者按"里指出:文艺战线在"文化大革命"前的17年,"受到过刘少奇的反革命修正主义路线的严重干扰和影响"，但"毛主席的红线一直照耀着社会主义文艺事业的进程"。①

此后，在一段时间里，文艺界都是在承认"文艺黑线"存在，并肯定毛泽东对于文艺工作的一系列批示的前提下，开展对于"文艺黑线专"政论的批判。不过，在广大文艺工作者努力下，这一批判仍在相当程度上推动了文艺界的拨乱反正。

1977 年年底，驻京部队的部分文艺工作者又召开座谈会，揭露江青勾结林彪炮制"文艺黑线专政"论的罪行。参加座谈会的同志列举大量事实，对"文艺黑线专政"论理直气壮地展开了揭发批判。他们指出：和全国的文艺战线一样，作为我军政治工作一个重要组成部分的部队文艺工作，建国以后所取得的成绩和发挥的作用都是巨大的，是任何人否定不了的。

1978 年 1 月 11 日，《人民日报》发表文化部大批判组的文章：《一场捍卫毛主席革命文艺路线的伟大胜利——批判"四人帮"的"文艺黑线专政"论》。1978 年 3 月 21 日，中央组织部、中央宣传部、文化部党组、全国文联筹备组召开文艺界落实党的知识分子政策座谈会，在 4 月 18 日的会议纪要中提出，"文化大革命"中，凡是因批判"文艺黑线专政"论、"30 年代文艺黑线"等而受到审查、批判和受株连的，一律平反昭雪，不留尾巴。在"文化大革命"前的历次运动中受到批判处理、被戴上各种政治帽子，经过复查，确实搞错了的，应坚决平反昭雪。

4 月 21 日，文化部在北京召开万人大会，宣布为受"四人帮"迫害的大批文艺工作者平反昭雪。在此之后不久，在"文化大革命"中被迫害致死的著名作家老舍、赵树理，电影剧作家海默，电影导演郑君

里，杰出京剧表演艺术家盖叫天等人，先后得到平反昭雪。

5 月 27 日至 6 月 5 日，中国文学艺术界联合会召开扩大会议，宣布曾被"四人帮"强行撤销的全国文联、作协、音协、剧协等文艺协会正式恢复工作；《文艺报》立即复刊，并号召全国的文艺界坚定地贯彻执行"百花齐放、百家争鸣"的方针，为繁荣社会主义文艺而努力奋斗。在此前后，一大批在"文化大革命"中曾被禁演的优秀剧目、电影、戏剧陆续重新上演，许多文艺工作者也重新开始了艺术创作活动。尽管由于"文艺黑线"仍被认定存在，建国后文艺界一系列过火的批判运动仍被肯定，广大文艺工作者仍然感到心有余悸，但经受了严重摧残的文艺事业终于开始有了新的生机。

在党的十一届三中全会前，文艺战线的拨乱反正问题，还不能说已经完成，许多冤案也还没有平反，这主要是因为"两个凡是"的影响还没有彻底消除。文艺领域彻底的拨乱反正，是在三中全会重新确定了党的实事求是的思想路线之后才完成的。

##

打开平反冤假错案的局面

"文化大革命"的十年内乱，以及"文化大革命"前的历次政治运动，严重伤害了大批的干部群众，造成了大量的冤假错案。据中央组织部在"文化大革命"结束后的不完全统计，仅在"文化大革命"时期，在全国约 1700 万脱产干部中，被立案

---

① 《人民日报》，1978 年 11 月 25 日。

审查的达 200 万人以上，约占干部总数的 17.5％。特别是中央、国家机关副部长级以上和地方副省长级以上的高级干部，被立案审查的更是高达这类干部总数的 75％。[1] 此外，在 50 年代中后期到"文化大革命"前的历次政治运动中，也还有相当数量的冤假错案。据不完全统计，因各类冤假错案而受到诬陷或迫害的干部、军队系统约有 8 万多人，其中 1100 多人被迫害致死；文化部所属单位有 2600 余人；教育部所属单位及 17 个省、市的教育部门约有 14.2 万余人；中国科学院直属单位及 17 个省、市的科学院、所约有 5.3 万余人。[2] 再加上在历次政治运动中被审查的基层干部、群众，以及波及到的他们的亲属等，冤假错案所涉及和牵连的大约有将近 1 亿人。

显然，平反冤假错案，是粉碎"四人帮"后，党和国家所面临的一项异常艰巨、复杂，而且又极为急迫的工作，是拨乱反正的重要内容。只有解决因长期"左"倾错误，特别是"文化大革命"所造成的大量冤假错案，才有可能真正实现全国的安定团结，从而调动全党全国人民建设社会主义现代化的积极性，顺利实现党的工作重点转移。

粉碎"四人帮"以后不久，从上到下都发出了平反冤假错案的强烈呼声。平反冤假错案的工作在一些地区和部门取得了一定进展。但是，在党的十一届三中全会召开之前，由于"两个凡是"的束缚和阻挠，这项工作进展得非常困难。

1976 年 12 月 5 日，中共中央发出通知规定："凡纯属反对'四人帮'的人，已拘捕的，应予释放；已立案的，应予销案；正

在审查的，解除审查；已判刑的，取消刑期予以释放；给予党籍团籍处分的，应予撤销。"但是，这个《通知》同时又规定："凡不是纯属反对'四人帮'，而有反对伟大领袖毛主席、反对党中央、反对无产阶级文化大革命或其他反革命罪行的人，绝不允许翻案。"按照这个《通知》的方针，虽然也释放了一些因反对"四人帮"而被关押的人，平反了一批冤假错案，但是，很明显，这个《通知》并不是一个全面平反冤假错案的文件，相反，它给刚刚起步的平反冤假错案工作划定了一个十分狭小的范围。因为，按照《通知》的规定，一遇到被认为是反对毛主席、反对党中央、"反对无产阶级文化大革命"的案子，一遇到是毛泽东批准的或圈阅过的案子，不管人们怎样呼吁，也不管事实如何清楚，是非如何被颠倒，都不在平反改正之列。

粉碎"四人帮"后，许多受冤屈、被迫害的老干部满怀希望地到当时的中央组织部去申诉、上访，结果是常常被拒之于中组部的大门之外，或受到种种冷遇。这些被拒之于门外的，很多是为建立新中国出生入死、为社会主义建设呕心沥血且又年事已高的老同志。例如，原中共中央东北局第一书记宋任穷的妻子钟月林、原中共四川省委书记廖志高、原中共山东省委第一书记和陕西省委书记舒同等等。

1977 年 2 月，"两个凡是"公开提出后，整个平反冤假错案、落实干部政策的工作更加困难。到 1977 年底，中央和国家机关的 53 个单位仍有约 6241 名干部等待落实政策，分配工作。此外，全国还有十几万名"右派"尚未摘帽。一些影响重大的错案，如刘少奇的冤案、"薄一波等六十

———————————

① 《〈关于建国以来党的若干历史问题的决议〉注释本（修订）》，人民出版社 1985 年版，第 494 页。

② 转引自汤应武：《1976 年以来的中国》，经济日报出版社 1997 年版，第 118 页。

一人叛徒集团"案,以及彭德怀、陶铸的冤案等等,没有被改正。

这种情况引起了党内外大多数人的强烈不满。党的十一大期间,一些老同志在会上又提出:有些干部被审查的时间拖得太久了,长期不分配工作,得不到组织的关怀,建议中央抓紧检查一下,以便解决这一问题,组织部门的工作要好好加以整顿。

为推动平反冤假错案工作,胡耀邦作出了很大的贡献。1977年3月,胡耀邦被任命为中央党校主持日常工作的常务副校长。在中央党校工作仅9个月的时间里,他不但平反了党校的冤假错案,更为重要的是利用中央党校这个重要的思想理论阵地,从思想上、舆论上为整个冤假错案的平反工作作了准备。这一年的10月7日,在粉碎"四人帮"一周年之际,《人民日报》以一个整版的篇幅,发表了在胡耀邦的组织和支持下,由中央党校的三位同志撰写的《把"四人帮"颠倒了的干部路线是非纠正过来》一文。文章批评了"有些负责干部工作的同志","由于受'四人帮'流毒的影响,在落实党的干部政策这个大是大非的问题面前,工作很不得力"。文章呼吁各级组织部门,"要敢于冲破阻力","一切强加给干部的诬蔑不实之词一定要推倒,颠倒的干部路线是非一定要纠正"。文章发表后的短短一个月时间里,《人民日报》就收到了一万多封信件和电报,支持和拥护文章的观点,强烈要求落实党的干部政策,平反冤假错案。

然而,一些省、市、自治区和中央部门对落实干部政策仍然在"顶牛"。当时的中央组织部部长得知该文后,也进行指责。这种态度激起了许多干部的义愤。中央组织部的几位老同志在机关里贴出大字报,质问中组部到底该不该解决冤假

错案的平反问题。他们还把广大干部对组织部门的批评意见,通过人民日报社向中央政治局常委作了反映。

与此同时,在胡耀邦的支持和组织下,11月27日,《人民日报》在头版头条又发表了题为《毛主席的干部政策必须认真落实》的本报评论员文章。文章有针对性地指出:抓紧落实党的干部政策,是建设社会主义现代化强国的一个关键问题。我们要按照毛主席的一贯教导,"有反必肃,有错必纠"。

接着,报刊上又接连发表有关平反冤假错案的文章。1978年1月10日,《人民日报》发表评论员文章,《切实整顿组织部门 落实党的干部政策》。1月19日,《人民日报》发表《切实清理干部积案 落实党的干部政策》的社论。2月18日,《人民日报》再次发表评论员文章《落实干部政策的一个重要问题》,强调在落实干部政策时,需尽快解决好干部子女受牵连的问题。

为加强和推进平反冤假错案工作,经叶剑英、邓小平的建议,并经中央政治局常委讨论决定,对中央组织部的领导作出调整,于1977年12月10日任命胡耀邦为中央组织部部长,免去郭玉峰的中央组织部部长职务。

胡耀邦没有辜负干部群众的信任和重托,一上任就竭尽全力推动平反冤假错案、落实干部政策的工作。面对"两个凡是"的压力和"积案如山"的局面,他勉励中组部的干部:"在目前形势下,我们不下油锅,谁下油锅?!"在中组部第一次全体工作人员大会上讲话时,他说:清理建国后和"文化大革命"中每一项冤假错案,落实被冤屈同志的政策,是党的组织部门责无旁贷的首要任务;对于建国前的历史遗留问题,不管由于当时的历史条件所限或

战争环境的影响，还是受康生等人的阻挠破坏而没有解决或解决得不彻底的，组织部门都要把这些问题的彻底解决当做自己义不容辞的责任。结论和事实不符，就要推翻，不管是 40 年代、50 年代、60 年代的。

1978 年 1 月，中组部专门成立了干部分配办公室，还分别成立了干部接待组、老干部生活组，负责落实干部政策。不久，又专门成立干部审查局，主要任务是落实干部政策，平反冤假错案和处理历史遗留问题。胡耀邦还特别要求组织部门的全体干部，恢复和发扬党的优良传统，把党的组织部门办成"党员之家"和"干部之家"。要一扫这些年来组织部门"门难进、脸难看、话难听、事难办"的官衙恶习，使每一位来访的党员、干部，不论党龄长短、资历深浅、职务高低，都能感到一视同仁的亲切温暖，无话不可谈、无事不可求。①

1 月 28 日，中组部召开中央、国家机关 26 个部委的副部长座谈会，研究解决待分配干部的落实政策和工作安排问题。胡耀邦在会上说：干部是我们党的宝贵财富，可以工作而没有分配工作的，要尽快分配工作；年老体弱不能工作的要妥善安排；少数干部需要作出审查结论的应尽快作出；对"文化大革命"中的案件，该复查的复查，该平反的平反，总的原则是实事求是。

从 2 月到 4 月的两个月内，中组部还分别找中央、国家机关 22 个部委及 28 个省、市、自治区党委主管干部工作的负责人，各召开了 3 次（共 6 次）疑难案件座谈会，共研究、解决疑难案件 192 件。胡耀邦

每次都到会参加讨论并讲话。他说：积案这么多，不解决对我们的事业不利。落实干部政策，绝不是可有可无、可做可不做的事，而是关系到我们党是不是实事求是、是不是能分清是非的问题。"对每一个人的审查，不能从条条出发，从哪一个首长讲的出发，而是要从事实出发。"他还归纳了落实干部政策的几项原则：一是没有结论的，应尽快作出结论；结论不正确的，要实事求是地改正过来，一切诬蔑不实之词应予推倒。二是没有分配工作的要分配适当工作，年老体弱不能坚持正常工作的，要妥善安排。三是已经去世的干部，要作出实事求是的结论，把善后工作做好。四是受株连的家属、子女、亲友及身边工作人员的问题要解决好。总的方针是实事求是，方法是群众路线。②

在胡耀邦的主持下，中组部直接办理和复查了 130 多名副省长、中央机关副部长以上干部的错案。在胡耀邦的带动下，中央和各地组织部门的许多同志打消了思想顾虑，开始对一些重大冤假错案抓紧复查。

在中央专案组不提供材料的情况下，中央组织部有关部门进行了大量艰苦细致的调查研究，终于使平反冤假错案、落实干部政策的工作打开了局面，取得了初步进展。到 1978 年 7 月，中组部已分配和安置了 5344 名干部，占中央和国家机关 53 个单位 6000 多名待分配的老干部总数的 87.2%。在已分配安置的干部中，有副部长级以上干部 16 人，司局级干部 537 人。③

在抓紧落实干部政策的同时，1978 年

① 戴煌：《胡耀邦与平反冤假错案》，中国文联出版公司、新华出版社 1998 年版，第 48 页。
② 何载：《冤假错案是这样平反的》，中共中央党校出版社 1999 年版，第 106—107 页。
③ 同上书，第 104 页。

6月,胡耀邦在中组部还创办了一个内部刊物《组工通讯》,以进一步加强思想理论和舆论宣传工作。《组工通讯》一问世,就以崭新的面目,明确的观点,简洁的文风,为平反冤假错案大声疾呼,宣传党的方针政策,介绍落实干部政策的经验,对推动整个冤假错案的平反工作起了重要作用。

1978年里,平反冤假错案中一个影响较大、涉及面又较广的工作是对错划右派的改正工作。这年4月4日,中央统战部、公安部向中共中央呈送了《关于全部摘掉右派分子的帽子的请示报告》。5日,中央批准了这一报告,决定全部摘掉右派分子的帽子。但是,当时提出的还只是“摘帽”,而不是“平反”或“改正”。

6月14日至22日,经中共中央批准,中央组织部、中央宣传部、中央统战部、公安部、民政部等五个部门,在山东烟台联合召开会议,讨论为右派分子全部摘帽的实施方案。会上出现两种意见:一种意见认为,全部摘掉“右派分子”的帽子,对他们进行适当安置,不再歧视,就可以了,不必搞甄别平反,只能对个别确实完全搞错了的才可以改正结论。另一种意见则主张,对待右派问题一定要实事求是,不能只对“个别完全搞错了的”才给予改正,而应该错多少,改多少。争执的结果,第一种意见,即只摘帽不平反的意见占了上风。烟台会议拟定的《贯彻中央关于全部摘掉右派分子帽子决定的实施方案》,是一个以“摘帽”为基调的方案。然而,持后一种意见的同志并没有就此罢休,他们的意见得到了胡耀邦的支持。经胡耀邦同意,并以中央组织部的名义直接向中央写了报告,要求重新审定此事。9月,根据中央组织部的要求,中央同意由参加6月烟台会议的五个部的负责人继续在北京开会,研究错划“右派”的改正问题。虽然会

上仍有两种不同的主张,但多数人认为应当“改正”,而不应仅限于“摘帽”。中央采纳了多数人的意见,并于9月17日批转《贯彻中央关于全部摘掉右派分子帽子决定的实施方案》,作为这一年的中央55号文件下发全党。这个文件明确指出:“对于过去错划了的人,要做好改正工作。有反必肃,有错必纠,这是我党的一贯方针。已经发现划错了的,尽管事隔多年,也应予以改正。”根据中央的部署,全国各地和各有关部门开始着手解决这一长达20余年、涉及50多万人政治生命的重大历史遗留问题。到11月中旬,全国右派“摘帽”工作全部完成。对错划右派的改正工作,则一直持续到1981年上半年才基本结束,共改正错划的右派54万多人,占全部被错划右派55万人的98%以上。同时,对受到株连的亲属,也都落实了政策。

对右派问题的复查改正工作,得到了全国人民的热烈拥护,在海内外也引起了强烈反响。它不仅解除了几十万人多年来的精神重负,而且调动了更加广大的人民群众的积极性,巩固和发展了安定团结的政治局面。

不过,由于“两个凡是”还没有被完全否定,平反冤假错案的工作仍然是阻力重重,特别是那些经毛泽东批准的重要错案,例如所谓“薄一波等六十一人叛徒集团”案等更是如此。

早在1975年,邓小平主持中央工作时就在一次中央政治局会议上提出过:“六十一人的问题必须解决。把那件事的责任归咎于他们是不公道的。”但是,由于“四人帮”从中作梗,当时解决这个问题的条件还不具备。粉碎“四人帮”后,薄一波等老同志及其亲属子女多次申诉要求平反,但都无结果。

胡耀邦来到中组部后,在邓小平、陈

云等老同志的支持下,开始组织人员对"六十一人"案进行复查。正当着手复查时,1978 年 6 月 25 日,邓小平在一份要求为此案平反的申诉信上批示:这个问题总得处理才行,这也是实事求是问题。陈云也在此前表示:这个问题我是了解的,我要向中央报告,要管这个事情。在这种情况下,7 月,华国锋也同意解决这个问题,并指示由中央组织部进行复查。此后,中央组织部不但加快了对"六十一人"案的复查,而且还以此为突破口,推动了整个平反冤假错案工作。

8 月初,叶剑英向胡耀邦提出:党的历史上的功过是非要"坚决不动摇地弄清楚,不论是什么时期,不论什么人,来一个彻底的唯物主义"。胡耀邦立即在中央组织部传达了叶剑英的意见。

9 月 20 日,胡耀邦在中央办公厅组织召开的全国信访工作会议上,再次明确指出:"落实干部政策的根据是事实,也就是干部过去的实践。经过对实际情况的调查核实,分析研究,凡是不实之词,凡是不正确的结论和处理,不管是什么时候,什么情况下搞的,不管是哪一级组织,什么人定的和批的,都要实事求是地改正过来。"①这段话后来被称为是针对"两个凡是"的"两个不管"。有人对这个鲜明的提法表示不满,坚持在会议文件中删掉这段话。但是,这段话却很快在组织部门传开来,增强了人们冲破"两个凡是"禁区的勇气。

随着平反冤假错案工作局面的打开,广大干部群众要求为"天安门事件"平反的呼声也愈加高涨。"文化大革命"开始后即被迫停刊达 12 年之久的《中国青年》杂志,于 1978 年 9 月复刊。复刊号上专门

刊登文章,介绍"天安门事件"中人民群众同"四人帮"作斗争的典型材料,发表了部分天安门诗抄,但因"不符合华主席对"天安门事件"的估计",被强令进行删改。但是,已先期发出的 4 万多份杂志在群众中产生了广泛影响。随后,10 月到 11 月,《人民日报》、《工人日报》、《中国青年》、《北京日报》等报刊也陆续刊登文章,介绍在"天安门事件"中,人民群众同"四人帮"作斗争的情况及部分诗文。一部反映"天安门事件"的话剧《于无声处》,这时也先后在上海和北京等地上演,引起了轰动,并受到社会各界的广泛称赞。面对广大干部群众的呼声,党中央已经不能不重新考虑天安门事件的问题了。

11 月 3 日,中央组织部完成了对"薄一波等六十一人叛徒集团"案的复查,并正式向中央提交报告,证明把薄一波等 61 人定为叛徒集团是不正确的。同时,对彭德怀、陶铸等一些同志的冤案,中央组织部也开始进行复查。这些案件随即于 11 月到 12 月召开的中央工作会议和党的十一届三中全会期间,再次引起党中央领导层大多数同志的关注。"两个凡是"给这项工作设置的禁区,实际上已经被冲开。

真理标准大讨论

各个领域的拨乱反正每前进一步,都要同"两个凡是"的禁锢发生冲突。这就使人们越来越强烈地感到:要彻底澄清林

---

① 中共中央党史研究室编:《中国共产党历史大事记(1919.5—1990.12)》,人民出版社 1991 年版,第 333 页。

彪、"四人帮"造成的思想混乱,纠正"文化大革命"中的错误,首先必须解决这样一个问题,即应当如何正确对待毛泽东的指示和决策,判定历史是非的标准到底是什么? 这就提出了真理的标准这样一个带有根本性的政治问题和理论问题,从而引发了是坚持实事求是还是坚持"两个凡是"的思想路线的争论。邓小平等老一辈革命家反复强调应当准确地、完整地理解毛泽东思想,强调实事求是是毛泽东思想的精髓,从而极大地启发和鼓舞了力图挣脱"两个凡是"枷锁的广大干部和理论工作者。在邓小平等一批老同志的支持和推动下,关于真理标准问题的大讨论,终于在1978年春夏冲破重重阻力,在全国蓬蓬勃勃地开展起来。

一

经济理论界的最初冲击

从粉碎"四人帮"后到真理标准讨论展开之前的一年多时间里,思想理论界、特别是经济学界在一些重大理论问题上深入批判"四人帮",澄清理论是非,实际上已经为这场大讨论积聚了力量。

在全国性的揭批运动中,理论界对"两个凡是"的最初突破来自经济界。自1977年初起,在揭批"四人帮"运动中,经济理论界对按劳分配问题和所谓"唯生产力论"问题展开了讨论。这两个理论问题,在"文化大革命"中,特别是在"批邓、反击右倾翻案风"中,被"四人帮"搞得混乱不堪。张春桥、姚文元的代表作《论对资产阶级的全面专政》和《论林彪反党集团的社会基础》,以及"四人帮"的写作班子所炮制的文章,都在这两个问题上散布了大量"左"倾错误理论观点。澄清这些

被搞乱了的理论是非,是深入揭批"四人帮"和在思想理论上拨乱反正的必然要求。

从"两个凡是"出台前后的1977年2月,到1978年11月的中央工作会议召开之前的近两年间,经济理论界先后召开了七次规模较大的、大多为全国性的理论讨论会。其中,在1977年内,召开了五次这样的理论讨论会,探讨按劳分配究竟是所谓的"资产阶级法权",还是社会主义的原则? 在社会主义社会,肯定生产力的决定作用,强调发展生产力、以经济建设为中心,是马克思主义的重要观点,还是所谓的"唯生产力论"? 参加讨论会的专家学者们,用马克思主义的基本理论作武器,澄清和批判"四人帮"否定按劳分配、批判"资产阶级法权"和"唯生产力论"等极"左"观点。

讨论按劳分配和"唯生产力论"问题,自然会涉及毛泽东晚年在这两个问题上的错误思想,以及由这两个问题而反映出的他晚年在中国建设社会主义问题上的错误理论和实践。无论当时的人们是否自觉地意识到了这一点,事实上,批判"四人帮"的错误观点,也就是清理毛泽东晚年的错误理论和实践。这样做,是不可避免的,是必须的。但是,理论界在讨论中,却不得不面对着"两个凡是"的巨大压力。

1977年春夏,反对与坚持"两个凡是"的斗争已逐渐展开。当经济理论界批判"四人帮"在按劳分配和所谓"资产阶级法权"、"唯生产力论"等问题上的极"左"观点时,正在起草中的党的十一大报告稿却依然按"文化大革命"中的提法,写进了这些内容。很明显,这对经济理论界的讨论是一种阻力。然而,经济理论界的大讨论得到了邓小平的支持。1977年7月刚刚复出的邓小平,同国务院政治研究室几位

负责人谈到经济学界的讨论,并说他已经看过一遍几位同志撰写的《批判"四人帮"对"唯生产力论"的批判》的书稿,肯定稿子是写得好的,是很重要的理论问题,可以出版;他还说,关于按劳分配的文章整个说来也不错,但感到还不满足,还没有大胆地讲,还有点吞吞吐吐。邓小平表示他不赞成十一大报告稿批判"唯生产力论",指出,"应该倒过来说",应该发展生产力。7月27日,邓小平同中国科学院负责人谈话时指出:说"唯生产力论"是修正主义的谬论,并以此为前提,这不行。8月3日,邓小平又同国务院政治研究室负责人谈话,再次肯定按劳分配的文章,并要求经过讨论修改一下。他还指出:应该有适当的物质奖励;少劳少得,多劳多得,说得清楚。

邓小平的支持,对经济学界解放思想起了很大的推动作用,这之后的讨论在规模和声势方面显然都超过了前一阶段。

1978年3月,国务院研究室按照邓小平的意见,起草了《贯彻执行按劳分配的社会主义原则》的文章并送邓小平审阅。他看过给予了充分肯定,认为"写得好"。他还明确指出:我们一定要坚持按劳分配的社会主义原则。按劳分配的性质是社会主义的,不是资本主义的。贯彻按劳分配原则有好多事情要做,有些制度要恢复起来,建立起来。要实行考核制度,要奖罚分明;奖金制度要恢复,稿费制度也要恢复,并要根据新的情况加以修订;在这方面,我们过去行之有效的各种措施都要恢复。[①]

这篇文章又经李先念审阅后,于5月5日以特约评论员的名义在《人民日报》发表。文章全面论证了按劳分配的社会主义性质,阐述了按劳分配的各种劳动报酬形式,系统清理了"四人帮"在按劳分配问题上制造的种种混乱。

1978年的下半年,经济学界又两次召开关于按劳分配的讨论会,其中8月份的那一次是专门讨论在农村中如何贯彻按劳分配的原则。这两次关于按劳分配问题的讨论会,与真理标准问题讨论展开之前的几次讨论相比,有着明显的不同,这主要是:参加者既有从事经济理论研究的同志,又有在中央和地方经济部门做实际工作的同志,甚至有一些在企业和农村工作的同志也参加了讨论会;与会同志既从理论上讨论了按劳分配的社会性质,又着重讨论了在实践中怎样体现按劳分配的原则等问题。不少人还根据社会调查写出报告,对体现按劳分配的各种劳动报酬形式,包括计件工资和奖金等,提供了有说服力的分析和论证。[②]

经济理论界的讨论不仅在理论上取得了重要成果,而且推动了实际工作部门的拨乱反正工作。同年5月,国务院发出关于有条件、有步骤地实行奖励和计件工资制度的通知;9月,国务院责成有关部门尽快拟定改革工资制度、奖励制度和劳保福利制度的具体方案。11月,财政部决定并经国务院批准,在国营企业试行企业基金制度,允许完成了国家计划的企业提取一定数量的利润作为企业基金,用于举办集体福利事业和作为职工奖励,把企业经营成果同企业和职工切身利益联系起来,以改变企业办好办坏一个样的现象。新华社讯:[③]在按劳分配问题讨论的推动下,

①　《邓小平文选》第二卷,人民出版社1994年版,第101—102页。

②　《人民日报》,1978年11月3日。

③　《国营企业试行提取和使用企业基金》,《人民日报》,1978年12月20日。

这一年的下半年,全国有不少企业和单位恢复了计件工资和奖金制度,有效地调动了职工的生产积极性。

二

《实践是检验真理的唯一标准》一文的形成与发表

在经济理论界和其他方面拨乱反正逐步推进的同时,一场以真理标准问题为内容的、冲击“两个凡是”的理论问题大讨论开始酝酿。

实践是检验真理的唯一标准,这不仅是一个十分简单的、马克思主义哲学中的常识问题,而且在人们的日常生活中也是一个常识问题。然而,在当时特定的历史条件下,讨论这个问题,却是社会前进和形势发展的一种客观需要,一种必然要求。适应这种需要和要求,走在拨乱反正斗争前列的一些干部和理论工作者,自然而然又不约而同地想到了一起、走到了一起,大致同时提出了真理标准的问题,并且酝酿和撰写了论述这个问题的文章,从而使真理标准的大讨论如燎原烈火,迅速兴起,成了冲决“两个凡是”禁区和思想解放的突破口。

1977 年 3 月,胡耀邦被任命为中央党校副校长,负责主持中央党校的日常工作。他就任后,很快就在党校形成了一个讲求实事求是的小环境。这个小环境对酝酿、组织和推动真理标准问题的讨论,冲破“两个凡是”的束缚,起了至关重要的作用。十多年之后,当胡耀邦去世时,中共中央在悼词中对他在这方面的重要作用作了这样的评价:“他按照实事求是、解

放思想的精神,组织和推动了关于真理问题的讨论,为冲破‘两个凡是’的严重束缚,重新确立党的马克思主义思想路线,作了理论准备。”

讲到中央党校的作用,首先应当提到的是,胡耀邦在中央党校创办的“一个起了重大作用的小刊物”,即 1977 年 7 月 15 日创刊的《理论动态》。这是一个思想理论的内部刊物,创办这个刊物的目的,就是要把被林彪、“四人帮”颠倒了的理论是非、思想是非、路线是非再颠倒过来,拨乱反正、正本清源。当时,这个刊物主要是给中央、地方和军队的高级领导干部以及理论部门的同志参阅的。胡耀邦对这个“小刊物”提出了三项要求:一是给中央领导同志起“耳目”作用;二是在理论研究方面起引导作用;三是函授学校的作用,“办好理论动态,等于再办一个中央党校”。①

这个刊物在胡耀邦的直接指导下,一般每期刊发一篇文章,每篇文章论述一个问题,陆续刊发了一批有见解、有思想深度的文章。这些文章所涉及的内容,大多是针对“文化大革命”中被搞得混乱不堪,而且又具有重要现实意义的理论问题,主要有如何完整、准确地理解马列主义、毛泽东思想,党和国家的工作应该以经济建设为中心,应当恢复和发扬党的实事求是、群众路线、批评与自我批评的优良传统和作风,等等。

随着所讨论的问题的深入和展开,辨别是非的标准问题自然而然地被提出来了。1977 年 8 月 25 日出刊的《理论动态》第 9 期,刊发了题为《理论工作必须恢复和发扬实事求是的作风》一文。文章批评了一些人“对待是非,不是以客观实际为准,而是以‘小道消息’为准,以某些‘权威’的

---

① 　孟凡:《反对“两个凡是”是伟大历史转折的开端》,《中国党政干部论坛》,1998 年第 5 期。

意见为准，以报纸刊物上的提法为准"。这里，已经提出了检验真理的标准问题，只是用语还不够明确。12月25日出刊的《理论动态》第31期，刊登了当时《解放军报》编辑邵华泽的文章，题目是《文风与认识路线》。文章指出，毛主席说："真理的标准只能是社会实践。"判断一个干部能力强不强看什么？看实践，看他工作的实际效果，看他的行动是否给人民带来什么好处以及这种好处的大小，绝不是根据他说得多么好听，多么头头是道。判断一个总结、一篇报道水平高不高看什么？看实践，看它是否深刻地反映了群众的实践，是否经得起客观实践的检验。判断一个单位工作好坏看什么？也是看实践，而不是看他们写出了多少经验，发表了多少报道。这是当时明确提出和阐述实践标准最早的一篇文章。但是，因为文章的主题是谈文风，没有从哲学的高度充分论述实践是检验真理的标准问题，并且所联系的实际也都比较具体，因而显得分量不够。

《理论动态》所发表的文章，在当时，都是由胡耀邦审阅定稿的，以上几篇文章当然也不例外。不仅如此，胡耀邦在同《理论动态》及中央党校理论研究室同志的谈话中，多次讲到对"文化大革命"的评价问题。评价的标准应该是什么呢？他认为，就是要看事实，看实践，而不是依据文件，也不是依据什么人的讲话。要完整准确地运用马列主义、毛泽东思想的思想体系。[①] 这些同"两个凡是"是明显对立的，也可以说，是直接对着"两个凡是"的。

但是在当时，"两个凡是"不仅仅在党的高层领导中有人坚持，而且在相当一部分干部群众中，也还有一定市场。长期"左"倾错误的影响，经过"文化大革命"十

年的强化，的确已"深入人心"，根深蒂固，不是一下子就能消除的。遇事以文件、本本、条条为准，或者以某某领导人、某某权威的语录、讲话为准的现象，在当时并不少见。在揭批"四人帮"的所谓"老干部是民主派，民主派就是走资派"错误观点，在推翻教育界的"两个估计"、文艺界的"文艺黑线专政"论，以及在经济理论的讨论中，一些人仍习惯于用毛主席的话作根据。只要报刊上发表一篇纠正这些错误观点的文章，总会收到一些不同意的来信，其理由则常常是搬出毛主席说过的某一句话。

诸如此类的问题，1978年年初，《人民日报》理论部的同志在工作中已初步有所感觉。究竟以什么作为检验真理的标准？是只有实践一个标准，还是另有其他的标准？领袖的语录是不是检验真理的标准？他们认为有必要说清楚这个问题。于是，经过酝酿，由理论部的张德成（署名张成）写了一篇1000多字的思想评论，题目是《标准只有一个》，发表在3月26日的《人民日报》上。文章一开头就强调："真理的标准，只有一个，就是社会实践。这个科学的结论，是人类经过几千年的摸索和探讨，才得到的。"文章还说：真理和检验真理的标准，是两个不同的概念。马克思主义是真理，但不是检验真理的标准。真理的标准只有一个，没有第二个。文章还有针对性地指出：有的同志不愿意承认或者不满足于马克思主义的这个科学结论，总想在实践之外，另找一个检验真理的标准。当他们要判断理论是非、思想是非时，不管社会实践结果如何，而是看书本上是怎样讲的。这篇千余字的短文，对问题没有能够展开论述，但是观点阐述得很

① 沈宝祥：《真理标准问题讨论始末》，中国青年出版社1997年版，第23—27页。

明确。尽管文章没有发表在重要版面,但发表后仍引起了人们的注意,一些人表示赞同文章的观点,但反对文章观点的人也不少。《人民日报》因此收到20多封读者来信,绝大部分来信对文章的观点持有异议。有的来信认为,关于标准只有一个的提法,会使不重视马列主义、毛泽东思想理论学习的风气更加严重,因而是不合时宜的。

面对这种情况,《人民日报》理论部的同志觉得有进一步讲清这个问题的必要,并决定组织一篇较有分量的文章。于是,他们将收到的读者来信,转给中国社会科学院哲学研究所副所长邢贲思,请他有针对性地撰写一篇论述真理标准问题的文章。这时,邢贲思在自己的理论研究中,实际上已经触及到这个问题。4月8日,他在《人民日报》发表的《哲学和宗教》一文中,讲的就是如何对待马列主义、毛泽东思想的问题。因此,他欣然接受了《人民日报》的约稿,这样就有了6月16日《关于真理的标准问题》一文的发表。

1977年9月,中央党校复校开学,八百多名高中级干部及宣传理论干部汇聚中央党校,学习的主要内容是集中研究"文化大革命"以来党的历史经验。这是按照党的十一大的要求和部署安排的。十一大的政治报告提出:"要认真组织力量研究党史,学习和总结党的历史经验,特别是第九次、第十次、第十一次路线斗争的经验。"所谓第九次、第十次、第十一次路线斗争,这是当时的理解和用语。第九次是指批判刘少奇,这是一个大冤案;第十次是批判林彪;第十一次是批判"四人帮"。实际上,研究这三次路线斗争,也就是要研究"文化大革命"。

讨论"文化大革命"以来的历史,遇到的一个突出问题,就是究竟以什么为标准来认识和判定历史是非。为此,在胡耀邦的指导下,中央党校的有关部门在同年12月酝酿、1978年1月写出初稿、4月形成第二稿的一个文件,即《关于研究第九次、第十次、第十一次路线斗争的若干问题》中明确提出这样两条指导原则:第一,应当完整地准确地运用马列主义、毛泽东思想基本原理的精神实质,来进行研究。第二,应当以实践为检验真理、辨别路线是非的标准,实事求是地进行研究。这个文件在讨论过程中,已经在学员中产生了很大影响。在上述两条原则的启发下,中央党校的教职员和学员的思想表现得相当活跃,大家对党和国家现实社会生活中的一些重大问题,展开了热烈的讨论。一些教员、学员开始对"文化大革命"中的一些重大事件和"无产阶级专政下继续革命的理论"提出质疑,但是,也有一些学员对实践标准提出了疑问。比如说,各人有各人不同的实践,究竟应该根据谁的实践来确定路线是非的正确与否?还有一些学员以为检验路线是非的标准有两个,一个是毛主席的指示,一个是实践。也有人仍然认为,评价"文化大革命",还是要依据党的九大、十大、十一大文件的精神。

1978年4月任《光明日报》总编辑的杨西光,此时正好在中央党校高级干部轮训班学习。中央党校的这种气氛,对他产生了深刻的启发和影响。学习期间,他不仅参加了对"三次路线斗争"问题和上述文件的讨论,而且还代表所在党支部,参加中央党校有关部门组织的小范围的讨论。在这次讨论中,他还就上述问题作了系统的发言,明确提出,对党的历史上的路线是非,哪些东西是正确的,哪些东西是不正确的,要用实践检验。

面对学员中的这些思想情况,中央党校的一些教员和理论工作者,也对检验路线是非和评价"文化大革命"的标准问题进行了讨论和研究，并开始酝酿撰写有关检验真理标准问题的文章，以澄清在这个问题上的种种不正确认识。

讲到真理标准问题讨论这一段历史，胡福明和他向《光明日报》投稿的文章是必须讲到的。胡福明当时是南京大学哲学系讲师、系副主任。据胡福明自己向记者介绍：1977年六七月份，他从马列和毛泽东的著作中，把论述实践是检验真理标准的内容都摘下来，一边看书，一边构思，四易其稿，写成了《实践是检验真理的标准》一文，并投给了《光明日报》。据我知道，为这篇文章作出贡献的有一批同志，这也是集体创作，都是一个共同的愿望，就是要批判唯心论、形而上学，冲破"两个凡是"的束缚，搞拨乱反正。①

这篇投稿，在经《光明日报》、中央党校的有关同志参与修改，并得到胡耀邦的支持后，成了引发真理标准问题大讨论的导火索。

关于胡福明的文章，《光明日报》的同志作了这样的说明：这篇文章，本是理论部的约稿。1977年8月，南京地区理论界召开拨乱反正讨论会。报社理论部哲学组组长王强华应邀参加，并相机组织稿件。在会上，王强华结识了胡福明，约他为报纸《哲学》专刊撰稿。两个月后，即1977年10月，胡福明那篇《实践是检验真理的标准》被理论部看中。文中明确提出了拨乱反正、检验真理的标准究竟是什么的问题，具有强烈的现实意义，因而决定编发。②

1978年4月，《光明日报》编辑部准备将他们半年来几经修改的这篇署名为胡福明、题目为《实践是检验一切真理的标准》的文章，在《光明日报》的哲学专刊上发表。但是，刚刚从中央党校结业即到该报任总编辑的杨西光，在审阅文章的清样时，认为文章提出的问题很重要，但联系当时的实际还不够有力，要进一步触及当时影响拨乱反正的一些思想障碍，要提出冲破禁区这样的现实问题；而且要说明真理标准问题不仅是一个理论问题，更重要的是一个思想路线问题，③为此，他决定将文章从哲学版撤下，待进一步修改提高后，作为重要文章在报纸的头版发表。

在报社编辑部和胡福明本人已经修改过几稿的基础上，杨西光决定把文章送到中央党校，委托中央党校理论研究室的同志再作进一步的修改提高。中央党校理论研究室收到稿子后进行了较大的修改，为了加强现实针对性，文章的标题改为《实践是检验真理的唯一标准》。文章由原来的三个部分增加为四个部分，并加写了小标题，增加了一些理论分析，最重要的是加重了联系实际的分量，对"两个凡是"的剖析更为深入和尖锐。

文章改出后，经胡耀邦审阅定稿。1978年5月10日，《实践是检验真理的唯一标准》一文，在中央党校内部刊物《理论动态》上发表；5月11日，《光明日报》以"本报特约评论员"的名义在头版发表；新华社当天发了通稿；第二天，《人民日报》、《解放军报》等中央级报纸，以及《解放日报》等地方报纸全文转载；13日，又有多家省级报纸转载。一场全国性的关于真理标准问题大讨论由此拉开序幕。

这篇文章重申了马克思主义认识论

① 张义德：《坚持实践标准，重新认识社会主义——访胡福明》，《光明日报》，1988年5月13日。

② 《光明日报》编辑部编：《实践是检验真理的唯一标准》，光明日报出版社1988年版，第327页。

③ 王强华：《杨西光与第一篇"真理标准"文章的发表》，《炎黄春秋》，1995年第5期。

的一个基本原理：社会实践不仅是检验真理的标准，而且是唯一的标准。凡是科学的理论，都不会害怕实践的检验。马克思主义理论并不是一堆僵死不变的教条，它要在实践中不断增加新的观点、新的结论，抛弃那些不再适合新情况的个别旧观点、旧结论。文章尖锐地指出：现在，"四人帮"强加在人们身上的精神枷锁，还远没有完全粉碎，"《圣经》上载了的才是对的"这种倾向依然存在。无论在理论上或实际工作中，"四人帮"设置的不少禁锢人们思想的禁区，还没有完全被打破。对于这些禁区，我们要敢于去触及，敢于去弄清是非。凡是有超越于实践并自奉为绝对禁区的地方，就没有科学，就没有真正的马列主义、毛泽东思想，而只有蒙昧主义、唯心主义、文化专制主义。共产党人不能躺在马列主义、毛泽东思想的现成条文上，甚至拿现成的公式去限制、宰割、剪裁无限丰富的、生动的、飞速发展的实际生活，应该勇于研究新的实践，提出新的问题。只有这样，才是对待马克思主义的正确态度。

显然，这绝不是一篇一般性的哲学理论文章，虽然文章主要是对"实践标准"这一马克思主义的基本常识作正面阐述，但实际上是旗帜鲜明地批判"两个凡是"的错误观点，并且触及了盛行多年的带有浓厚现代迷信色彩的个人崇拜。由于文章思想观点的鲜明和尖锐，以及文章发表时的形势和声势，它的发表犹如投石击水，立即在党内外激起轩然大波，引发了一场具有深远影响的真理标准大讨论。

三

一篇文章激起轩然大波

《实践是检验真理的唯一标准》公开发表后，立即引起强烈反响。一方面，首都主要报纸《人民日报》、《解放军报》以及地方许多报纸马上转载，多数同志都感到，这篇文章提出了一个意义重大的问题，应当展开讨论。到 5 月底，全国先后有 30 多家报纸转载了这篇文章。

另一方面，当天就有了强烈的反对意见。当时，指责此文的最严重的说法是：在实际上提倡怀疑一切、提倡不可知论、提倡相对主义，是要检验和修改马列主义、毛泽东思想，不符合党的十一大路线，"犯了方向性错误。理论上是错误的，政治上问题更大"。

5 月 18 日，中央分管宣传工作的领导人找《红旗》杂志社的两位领导谈话。他指责文章，"是针对着毛主席来的，不是中央的想法。《红旗》是党中央的刊物，在理论上要谨慎，把好关"。据此，作为党中央理论刊物的《红旗》杂志，确定了对真理标准问题讨论不表态、不卷入，即保持沉默的方针。这本身就是一种态度。同一天，当时的中央宣传部部长于当天晚上召集在北京参加教育工作会议的各省、市、自治区文教书记和宣传部长开了一个座谈会，向各地宣传部门的领导打招呼：不要以为《人民日报》转载了，新华社发表了，就成定论了，要拿鼻子嗅嗅，不要随风转。

与此同时，文章在广大的干部群众和理论工作者中也激起了强烈反响。有的人虽不反对文章的观点，却囿于多年来形成的思维习惯而看不清讨论这一问题的必要性，甚至担心开展这样的讨论会和中央的方针发生冲突,影响党内团结和社会安定,因此,也自觉或不自觉地附和了对于这篇文章的责难。

这种情况,使《人民日报》等许多报刊在继续刊登讨论真理标准问题的文章时,不能不面对着巨大的压力。有的本来积极支持开展真理标准讨论的同志,也因此产生了顾虑甚至动摇。

其实,实践是检验真理的唯一标准的观点,毛泽东本人在《实践论》《新民主主义论》中多次阐述过。1963年11月18日,毛泽东在修改审定以《人民日报》编辑部、《红旗》杂志编辑部的名义发表的《在战争与和平问题上的两条路线——五评苏共中央的公开信》一文时,特意加写了这样一句话:"社会实践是检验真理的唯一标准。"①

然而,当《实践是检验真理的唯一标准》一文针对"两个凡是",重申这一马克思主义认识论的基本观点时,却被某些人视为"大逆不道"。这样,一场关系到党的思想路线的原则分歧的争论,就必然要以更加尖锐的形式,在更为广泛的范围内展开。思想路线的拨乱反正到了一个十分关键的时刻。

正当真理标准问题的讨论刚刚开始就遇到很大压力时,邓小平、叶剑英、陈云、李先念、胡耀邦、聂荣臻、徐向前、罗瑞卿等一批老同志都表示了支持的态度。他们在不同场合强调实事求是的原则,强调要恢复党的优良传统,使这场讨论得以顶住压力,从思想理论界扩大到全国党、政、军各界,为社会普遍关注,成为具有广泛群众基础的一场大讨论。

4月下旬,全军政治工作会议在北京

召开。受"两个凡是"的影响,会上,有人强调,凡是毛主席、华主席说过的话,都不能改动。这种情况,以及由真理标准问题的提出所产生的意见分歧,引起了邓小平的注意。5月30日,他在听取全军政治工作会议情况汇报时,指出:照抄毛主席讲的,照抄华主席讲的,全部照抄才行,这不是一种孤立的现象,这是当前一种思潮的反映。毛泽东思想最根本的、最重要的东西就是实事求是。现在,连实践是检验真理的标准都成了问题,简直莫名其妙。因此,他表示,"我一定要讲话",而且"要着重讲关于真理标准问题"。②

6月2日,邓小平在全军政治工作会议上发表讲话,着重阐述了毛泽东关于实事求是的观点。他说:马列主义、毛泽东思想的基本原理,我们任何时候都不能违背,这是毫无疑义的。但是,"一定要和实际相结合,要分析研究实际情况,解决实际问题。按照实际情况决定工作方针,这是一切共产党员所必须牢牢记住的最基本的思想方法、工作方法"。"我们也有一些同志天天讲毛泽东思想,却往往忘记、抛弃甚至反对毛泽东同志的实事求是、一切从实际出发、理论与实践相结合这样一个马克思主义的根本观点,根本方法。不但如此,有的人还认为谁要是坚持实事求是,谁就犯了弥天大罪。他们的观点,实质上是主张只要照抄马克思、列宁、毛泽东同志的原话,照抄照搬就行了。"这个问题不是小问题,而是涉及怎么看待马列主义、毛泽东思想的问题。"实事求是,是毛泽东思想的出发点、根本点。"针对思想领域存在的认识混乱和僵化状况,邓小平号召全党:"我们一定要肃清林彪、'四人帮'

①　《建国以来毛泽东文稿》第10册,中央文献出版社1996年版,第414页。

②　冷溶、汪作玲主编:《邓小平年谱(1975—1997)》上,中央文献出版社2004年版,第320页。

的流毒,拨乱反正,打破精神枷锁,使我们的思想来个大解放。"①

邓小平的讲话,新华社当天就作了报道。6月3日,《人民日报》《解放军报》和首都其他主要报纸以及各地方的报纸都在头版头条位置作了报道。

这篇讲话,特别是关于解放思想的号召,使那些思想仍处于僵化状态的同志受到震动,也使要求解放思想、坚持实践标准的同志受到鼓舞,消除了顾虑,从而有力地支持和推动了真理标准问题的讨论。一些报刊继续组织讨论文章,一些单位开始筹备关于真理标准问题的讨论会。

但是,主管宣传的领导人仍在对这场讨论进行压制。在这种形势下,中央党校理论研究室的同志根据胡耀邦的意见,为回答《实践是检验真理的唯一标准》一文所遇到的责难而写的另一篇重要文章,也难以继续在《人民日报》《光明日报》上发表。关键时刻,又一位老同志——"文化大革命"中因长期遭受迫害而腿部留下残疾的、当时担任中央军委秘书长的罗瑞卿挺身而出,对胡耀邦组织撰写的这篇文章给予了有力的支持和精心的指导。他还反复叮嘱《解放军报》和中央党校的同志要共同将文章修改得无懈可击。

6月24日,《解放军报》以"特约评论员"的名义在头版头条发表了这篇题为《马克思主义的一个最基本的原则》的文章,《人民日报》《光明日报》同日全文转载。这是继《实践是检验真理的唯一标准》后的又一篇重头文章。这篇长达万余字的文章,以较大的篇幅和较为充分的论据,回答了一些人对"实践标准"的责难和怀疑,进一步阐明了理论与实践的关系,特别是理论要接受实践检验的道理,以及对待马列主义、毛泽东思想的正确态度。文章首先指出,理论与实践的统一,是马克思主义的一个最基本的原则,因此,思想上的拨乱反正,正本清源,澄清是非,不能不从这里开始。文章明确指出:马列主义、毛泽东思想本身要由实践来检验,其正确性要由实践来证明。思想不能证明自身。理论是实践的指南和实践是检验真理的标准,这是两个不同的问题,不能相互混淆。林彪、"四人帮"的唯心论和形而上学,非常突出地表现在他们的真理观上。长期以来,他们把真理说成是依人们的主观思想为转移的东西;把理论本身或权威人士的言论和看法,或文件上写了的,作为判断真理的标准,而独独讳言客观实践。其为害之烈,情节之恶劣,几乎每个人都有切身的感受。

同《实践是检验真理的唯一标准》一文相比,这篇文章的针对性更强,观点更鲜明,说理也更充分。正因为如此,它的发表有力地推动了真理标准问题讨论的深入开展。

针对讨论遇到的阻力,邓小平、叶剑英、李先念、陈云、胡耀邦等同志在不同场合多次发表谈话,批评"两个凡是"的错误,明确地肯定和支持了真理标准问题的讨论。

7月21日,邓小平同中央宣传部部长谈话,要求不要再下禁令,设禁区了,不要再把刚刚开始的生动活泼的政治局面向后拉。8月19日,邓小平在同文化部负责人谈话时,又一次谈到真理标准问题,他说,《实践是检验真理的唯一标准》,这篇文章是马克思主义的,是驳不倒的,我是同意这篇文章的观点的,实际上是强调实事求是,一切从实际出发,理论联系实际。

---

① 邓小平:《在全军政治工作会议上的讲话》,《邓小平文选》第二卷,人民出版社 1994 年版,第 114—119 页。

我在全军政治工作会议上讲了,同意这个文章的观点。但有人反对,说是反毛主席的,帽子可大啦。我说过要准确地完整地掌握毛泽东思想体系,有人反对。问题是从"两个凡是"来的。9月,邓小平在访朝归来视察东北三省时,沿途发表讲话,重点也是讲"两个凡是"和真理标准问题的讨论。这些讲话,对于推动真理标准问题讨论的深入进行,特别是促使各地党政军领导干部积极参与和支持这一讨论,起到了至关重要的作用。

与此同时,其他一些老同志也对真理标准讨论表示了支持。在这一年7月的中央政治局常委会讲到开展真理标准问题讨论时,叶剑英旗帜鲜明地支持邓小平的主张,表示"我不主张对讨论采取压制态度。对待毛泽东思想,不能采取教条主义态度"①。后来,他又提出建议,由中央召开一次理论务虚会,把不同意见摆出来,在充分发扬民主的基础上,统一认识,把这个问题好好解决一下。根据他的这一建议,党的十一届三中全会召开后不久,1979年年初,中央即召开了理论务虚会。

1978年9月9日,李先念在讨论经济问题的国务院务虚会上发表讲话时也说:实践是检验真理的唯一标准。凡是经过长期社会实践证明是符合客观规律、符合大多数人利益的事,就坚决地办、坚持到底。我们的一切政策、计划、措施是否正确,都要以能否为人民群众谋利益作为标准来检验。

早在8月,为纪念毛泽东诞辰85周年,《红旗》杂志约请谭震林写一篇回忆毛泽东领导井冈山斗争的文章。他在接受约稿时就说,要我写,我就要写实践是检验真理的唯一标准,说明毛泽东思想是从实践中来,又经过革命实践检验的科学真理。文章初稿写成后,编辑部负责人感到文章锋芒太尖锐,讲了实践是检验真理的唯一标准,与《红旗》的"不卷入"、"不表态"的方针相抵触,要求删掉有关真理标准问题的内容。谭震林听后坚决表示:文章中的材料可以动,文字可以改,观点不能动。他还请来约稿的同志转告《红旗》杂志的负责人,这样做丢不了党籍,住不了牛棚。有谁来辩论,找我好了。然而,《红旗》杂志还是不敢登,只好于11月16日将文章送中央政治局常委审定。

这时,真理标准问题的讨论正在全国各地如火如荼地进行着。各省、市、自治区,各大军区、各军兵种、军委各直属单位的负责人,已相继发表讲话或撰写文章,公开表明支持关于真理标准问题讨论的立场和态度,只有《红旗》杂志还在固守着"不卷入"、"不表态"的方针。看到谭震林的文章后,邓小平批示:我看这篇文章好,至少没有错误。如《红旗》不愿登,可转《人民日报》登。为什么《红旗》不卷入?应该卷入,可以发表不同观点的文章。看来不卷入的本身,可能就是卷入。李先念也作了批示:我看了这篇文章,谭震林讲的是历史事实,应该登,不登,《红旗》太被动了,《红旗》已经很被动了。② 几经周折,谭震林的这篇题为《井冈山斗争的实践与毛泽东思想的发展》一文,在当年第12期《红旗》杂志上发表了。文章开门见山就谈实践标准问题:以实践作为检验真理的标准呢,还是以思想、意识等精神方面的东西作为检验真理的标准呢?这是马克

---

①　范硕:《叶剑英与十一届三中全会》,见于光远等:《改变中国命运的41天——中央工作会议亲历记》,海天出版社1998年版,第28页。

②　《谭震林传》,浙江人民出版社1992年版,第381—382页。

思主义辩证唯物主义同形形色色的唯心主义、形而上学之间的一条分界线,也是是否真正高举毛泽东思想旗帜的根本标志。毛主席在《实践论》中指出:"真理的标准只能是社会的实践。"强调理论对实践的依赖关系,源于实践,指导实践,又在实践的检验中不断地丰富和发展,这个毛泽东思想的鲜明特点,在井冈山的斗争中,给人的感受是很深的。

这篇文章的发表,打破了《红旗》杂志在真理标准讨论中一直保持的"沉默"。

思想解放的潮流开始形成

正当邓小平等老一辈革命家为推动真理标准问题讨论的开展而大声疾呼、奋力斗争之时,我国理论界、科技界、新闻界以及地方党、政、军领导机关和领导干部,也积极行动起来,加入了大讨论的行列。他们顶住了来自"两个凡是"的巨大压力,不但继续发表讲话和文章,还组织了多次全国性的理论讨论会,把讨论逐步推向了高潮。

6月16日,《人民日报》发表了中国社会科学院哲学研究所邢贲思的文章《关于真理标准问题》。这篇文章是在《实践是检验真理的唯一标准》发表之前,应《人民日报》之约而写作的,目的是为了回答3月26日《人民日报》发表《标准只有一个》一文后的读者来信。但是,在《实践是检验真理的唯一标准》发表之后,再发表这篇文章,意义已大不一样。这篇文章针对在真理标准问题上的一些错误认识,例如,认为实践和马克思主义都是检验真理的标准等,着重于从理论上论述了为什么说只有实践才是检验真理的唯一标准。文

章指出,那种认为实践和马克思主义都是检验真理标准的观点,违反了辩证唯物主义的一元论,会造成理论上的混乱;马克思主义是真理,但是如同任何真理不能证明自己一样,马克思主义也不能自己证明自己,它本身需要由实践来证明;同时,马克思主义也不能作为检验别的真理的标准。这篇文章从理论上对实践标准问题作了进一步的论述,回答了在这个问题上的一些模糊认识。

真理标准讨论很快就在理论界,特别是在哲学界,得到了广泛的响应。6月20日、21日,中国社会科学院哲学研究所的《哲学研究》编辑部,邀请北京地区部分哲学工作者和一些部门做实际工作的同志,召开了真理标准问题座谈会。这是首都理论界召开的第一个真理标准问题座谈会。首都理论界、新闻界、科技界及国家有关部委、军队的60多位同志参加了座谈。与会同志都指出,检验真理的标准只能是社会实践。实践标准、实践第一的观点,是辩证唯物主义的认识论的基本观点。坚持实践的观点,就是坚持马克思主义的思想路线;背离实践观点,就是背离马克思主义的思想路线。实践是检验真理的标准,在自然科学领域本来并不成为问题。但是,当这场大讨论开始后,自然科学家们还是感受到了它的不同寻常,并旗帜鲜明地投入到讨论中。早在5月中旬,国家科委、中国科学院、中国科协党组,就在方毅的主持下召开了联席会议,并作出决定,支持这场讨论。

7月5日和10日,中国科学院理论组和中国自然辩证法研究会在北京组织了"理论与实践关系讨论会",300多位从事自然科学和社会科学的学者参加了讨论会。一些著名科学家和社会科学工作者在会上发言。与会者用自然科学史上的

大量事例说明了理论首先应该来源于实践，而后才能指导实践，并需要在实践中不断接受检验的道理。学者们纷纷表示，"在这个历史转折的重要时刻，迫切需要开展一个马克思主义的思想解放运动"。自然科学工作者要全力支持在这个既是常识性、又是关键性的问题上正本清源、拨乱反正。《人民日报》《光明日报》于7月10日，对这个会议作了报道。

7月17日至24日，中国社会科学院哲学研究所和《哲学研究》编辑部，联合召开了全国性的讨论会。会议邀请了中央和国家机关、军队以及全国29个省、市、自治区的党校、大专院校、科研部门、新闻出版单位的部分理论工作者和实际工作者共160余人，再次举行理论和实践关系问题讨论会。

《哲学研究》杂志1978年第8期，对这次讨论会作了较全面的报道。与会者联系实际，就真理标准问题及讨论这一问题的重要意义进行了热烈的讨论。大家一致认为，真理标准问题，不但具有重要理论意义，尤其具有重大的现实意义。只有解决了这个基本的理论问题，发挥理论的指导作用，我们的党和国家才能彻底清除林彪、"四人帮"的恶劣影响，顺利解决"文化大革命"所造成的大量积重难返的现实问题。会议还强调，科学是没有禁区的。如果给科学设置禁区，那就是扼杀科学，就是阻碍人类从必然王国向自由王国的飞跃。提倡科学无禁区，不会否定或削弱党对科学事业的领导，相反，正是体现了党对科学事业的正确领导。

值得一提的是，在这次讨论会的闭幕会上，周扬发表了讲话。他在讲话中，第一次明确提出了真理标准问题讨论的重大意义和性质，指出这个问题的讨论，不仅是一个理论问题，而且是一个关系到党的思想路线、政治路线，关系到党和国家前途命运的重大政治问题。因为，离开了实事求是，离开了理论和实践的统一，离开了千百万人民群众革命实践的检验，就是离开了辩证唯物主义的认识论，离开了马克思主义和毛泽东思想的轨道。他认为，现在这个常识问题之所以成了问题，就是有人不承认实践是检验真理的唯一标准。

周扬关于真理标准问题的讨论是一个关系到党和国家前途命运的政治问题的判断，在当时是有争议的，有一些人不赞同，但这个说法得到了大多数人的认同。以后，在讨论中以及在各地领导干部的表态讲话中，大家都这么说。

5个月后，邓小平在《解放思想，实事求是，团结一致向前看》这篇实际上成为十一届三中全会主题报告的讲话中，对真理标准问题的讨论，是个思想路线问题、政治问题，是关系到党和国家的前途和命运问题的论点，给予了充分的肯定和支持。

这次全国性的讨论会，在社会上产生了很大的影响，是整个真理标准问题讨论过程中的高潮之一，它对这场讨论在全国范围更为广泛地展开，起到了重要的推动作用。

除此之外，在当时，各地也纷纷召开各种理论讨论会，各新闻媒介对这些会议进行了大量、及时的报道，各地报刊都组织了大量有关实践是检验真理唯一标准的理论文章，从而在全国形成了一股强大的思想解放的潮流。

《人民日报》、《光明日报》、《解放军报》等在真理标准问题的讨论中，发挥着先锋和引导的作用。在讨论中，这些报刊不仅发表了大量的文章，而且能够根据讨论开展的情况及出现的主要思想、理论问题，及时给予积极的、有说服力的分析和回答。

据不完全统计,1978 年的下半年,全国从中央到地方,围绕真理标准问题召开的理论讨论会、座谈会,共有 70 多个,除中央单位外,包括了湖北、浙江、黑龙江、广东、四川、青海、辽宁、云南、河南、吉林、安徽、山西、江苏、上海、福建、西藏、陕西、北京、山东、江西、甘肃、天津、内蒙古,共 23 个省、市、自治区。这些座谈会、讨论会以理论界为主,涉及各个方面。① 同一时期,中央及省级报刊刊载的关于真理标准问题讨论的专题文章就有 650 篇。这样一种讨论的规模和热烈的程度,确是前所未有的。由于各方面力量的加入,真理标准问题的讨论,很快就形成了以理论界为主力,波及全国、影响各界、人人关注的讨论热潮。一个思想解放的潮流开始形成了。

在这场关系党和国家前途命运的大讨论中,尤为引人注目的是一大批党政军负责人的支持和参与。从 1978 年的下半年起,特别是 9 月邓小平在东北发表重要谈话后,全国绝大多数省、市、自治区的党政领导人和各大军区的军政负责人,先后发表讲话或撰写文章,公开支持实践是检验真理的唯一标准的观点,高度评价这场讨论的理论意义和现实政治意义。在党和共和国的历史上,省、市、自治区及大军区的党政领导机关及其主要负责人,对一个理论问题的讨论如此关注,纷纷表态,并见诸报端,是前所未有的。这足以说明,真理标准问题的讨论不仅仅是一个理论问题,也确实是全党全军和全国人民关心的重大现实政治问题。

杨易辰是带头公开表态支持真理标准讨论的地方党政领导人之一,他当时的职务是中共黑龙江省委第一书记。1978

年 8 月 4 日《人民日报》在头版头条以"黑龙江省委召开常委扩大会议联系实际敞开思想畅所欲言,讨论真理标准和民主集中制问题"的醒目标题,报道了这个省的情况。实际上,在新华社公开发表之前,1978 年 7 月 22 日出刊的《内部参考》,已经将黑龙江省委扩大会议的情况刊登出来了,而且内容比公开报道的要多,也更加放得开,问题也提得更尖锐,已经触及到对"文化大革命"的根本评价和对毛泽东晚年错误的评价。新华社的公开报道说,参加会议的同志经过讨论,思想上得到了很大的提高,有了三点重要的体会:一是坚持实践是检验真理的唯一标准,就可以辨别真伪,分清是非,找出林彪、"四人帮"对马列主义、毛泽东思想的篡改、歪曲和伪造,完整地准确地掌握毛主席的思想体系;二是坚持实践是检验真理的唯一标准,不仅不会贬低毛主席和毛泽东思想,而恰恰是继承毛主席的革命精神,捍卫毛泽东思想,使毛主席的伟大旗帜在中国高高飘扬;三是坚持真理是在实践中发展的,面对新时期、新情况、新问题,我们只有坚持实践第一的观点,在实践中检验真理、发展真理,才能使马列主义、毛泽东思想永葆革命之青春。

杨易辰则根据实践是检验真理的唯一标准的原理,推翻了"文化大革命"中对原省委作出的不符合实际的结论。他说,"文化大革命"前的黑龙江省委不是"黑"的,而是"红"的;那时省委虽然有缺点、错误,但不是主流。这个"红"、"黑"之分意味着什么呢? 这就表明"文化大革命"中的夺权没有根据,在夺权基础上建立的"革命委员会"自然就失去了依据。这实际上也就是否定了"文化大革命"。这在

---

① 沈宝祥:《真理标准问题讨论始末》,中国青年出版社 1997 年版,第 173、517 页。

当时,对"两个凡是"是一次勇敢的冲击和否定。同时,中共黑龙江省委扩大会议还通过一项决定,组织全省县团级以上干部学习真理标准问题和民主集中制问题,联系实际,认真开展大讨论。

在各地方党政军领导人中,第一个公开讲到真理标准问题的,应当说是时任中共甘肃省委第一书记的宋平。只不过当时只是《光明日报》和《甘肃日报》作了报道,新华社没有向国内外发通稿,《人民日报》也未作报道,因而没有更多地引起社会各界的注意。还在1978年6月,宋平在甘肃省委召开的全省理论工作座谈会上的讲话中,就明确讲到了真理标准问题。他说:"我们进入了新的时期,有许多新的事物、新的课题,需要我们遵照马列主义的基本原则,学习和运用马列主义的立场、观点和方法去研究,去解决。特别是在社会经济生活中提出了很多的问题需要我们去研究,去解决。""学习马列著作和毛主席著作,不能限于单纯的引证,更重要的是要在完整地、准确地理解马列主义、毛泽东思想体系上去下工夫。"因此,"对于重大的理论问题,要敢于研究,在马列主义、毛泽东思想的基础上,敢于提出自己的见解。要有勇气,敢于探索,要破除清规戒律,做思想上的前卫战士,不要这个是禁区,那个也是禁区,不敢去研究"。他明确指出:"路线是非是可知的。实践是检验真理的唯一标准。有些问题已经有了实践,有些问题还有待继续实践,真正通过实践有把握了,心里也就踏实了。"①

几乎与黑龙江省委同时表明态度的还有辽宁省委。中共辽宁省委书记任仲夷,在辽宁省委主办的《理论与实践》杂志1978年第8、9期的合刊上(9月12日出刊),发表了题为《理论上根本的拨乱反

正》一文,9月20日的《人民日报》全文予以转载。任仲夷的文章指出,中央报刊大力宣传实践是检验真理的唯一标准,这是理论上最根本的拨乱反正。文章认为,实事求是这个问题,确实太重要了;支持实事求是,必须承认实践高于认识,实践是检验真理的唯一标准。强调实践是检验真理的唯一标准,这不是贬低马列主义、毛泽东思想,正是捍卫了马列主义、毛泽东思想的根本观点。

继黑龙江、甘肃、辽宁等省委之后,从这一年的8月起,各省、市、自治区党委的主要领导人,都纷纷公开表态,支持实践是检验真理的唯一标准问题的讨论,强调坚持实践第一的观点,不赞成"两个凡是"。这些表态都由新华社和《人民日报》公开发表了。中央和国家机关各部、委、办的主要领导同志,也大都表示支持真理标准问题的讨论,只是没有一一公开报道。

与此同时,人民解放军各大军区、各大单位的负责人也纷纷公开表态,支持实践是检验真理的唯一标准的大讨论,强调坚持实践第一的观点。据《解放军报》报道,第一个公开表态支持这一讨论的是当时的沈阳军区司令员李德生。从10月到11月,全军11个大军区、5个兵种和3个军委直属大单位的主要负责人都已公开表示了自己的态度。除《解放军报》作了报道外,新华社和《人民日报》也都作了公开报道。这就表明,在党和国家政治生活中具有重要影响的军队高级领导干部,也完全拥护实践标准,大都与"两个凡是"划清了界限。

事实上,对这些党政军负责同志来说,对真理标准问题的态度,不仅是对一个理论问题的看法,而且是对一个重大的

---

① 《光明日报》,1978年6月28日。

政治原则问题的表态。他们的积极参与和支持,不仅壮大了讨论的声势,扩大了讨论的影响,加速了人们的思想解放,而且在政治上是对坚持拨乱反正的人的强有力的支持。同时,对于坚持"两个凡是"的人来说,这是一种明确的、警示的信号,表明"两个凡是"的禁锢正在日益失去人心,这就大大增强了坚持解放思想、实事求是的力量,从而使政治力量对比的天平,倒向了坚持实践标准的广大党员干部和群众的一边。

在当代中国历史上,1978年是不寻常的一年,1978年的秋季是个更加不寻常的季节。在这个金秋季节里,中国政治形势的一个最明显的特点,就是各地方和军队的主要领导人,纷纷对一个本来应当是理论问题的大讨论作政治上表态;这些表态又都由中国最权威的通讯社和各主要报刊,作为最重要的新闻发出,并且在最显著的位置刊登,其影响之大,足以让国内外的人们感受到:一个历史性的巨变正在酝酿着,即将来临了。

然而,事情并没有就此了结。面对这样一种大势所趋的历史潮流,党内还有相当部分同志并没有完全放弃"两个凡是"的主张。作为这场讨论的最后一个回合,使其结局最终明朗化的,是发生在不久之后的中央工作会议上的一场斗争,以及随后举行的具有历史转折意义的党的十一届三中全会。

十一届三中全会对历时半年多的真理标准问题的讨论,给予了充分的肯定和高度的评价,推翻了"两个凡是",确立了党的实事求是的思想路线。但是,这还不能说思想路线问题已经完全解决。正如邓小平在中央工作会议上的讲话中所说的那样,在干部特别是领导干部中,思想僵化半僵化的状态依然存在,解放思想的问题并没有完全解决。

那么,怎样打破这种僵化半僵化的状态? 还是要进一步开展真理标准问题的讨论,这就有了三中全会后真理标准问题讨论的"补课"。这是更大规模的、普及到各条战线、各个单位的真理标准问题大讨论。这个规模和声势更大、范围更广的真理标准问题大讨论,从党的十一届三中全会后即开始进行,直到1981年6月党的十一届六中全会作出《关于建国以来党的若干历史问题的决议》,基本完成指导思想上的拨乱反正,前后进行了两年多的时间才告结束。

作为当代中国历史上的一个大事件,真理标准问题的大讨论,对中国社会的发展所产生的影响是巨大而深远的,"这场讨论,冲破了'两个凡是'的严重束缚,推动了全国性的马克思主义思想解放运动,为具有划时代意义的党的十一届三中全会作了重要的思想准备,在党和国家的历史进程中产生了重大而深远的影响"①。

---

① 胡锦涛:《在纪念真理标准讨论20周年座谈会上的讲话》,《人民日报》,1998年5月11日。

港澳台地区概况

一

国民党"革新保台"
与权力核心的交替

1. 国民党第十次"全国"代表大会

1969 年前后,岛内外政治局面发生重大变化。一方面,国际形势对台湾已十分不利,美、日、意等国积极谋求同中华人民共和国的发展关系,联合国内驱蒋呼声日高,这些变局引起台湾当局的极大恐惧与不安,如何维持台湾政权的合法性成为台湾当局的关键。此时正是台湾经济高速发展时期,台湾社会经济结构发生深刻变化,而国民党政权的成分结构、年龄结构、知识结构与社会的变化脱节,矛盾日深。另一方面,中国大陆在 1966 年开始的"文化大革命"造成空前灾难以及 1969 年 3月发生的中苏珍宝岛冲突给台湾当局带来了幻想,认为是"反共复国"的绝好时机。台湾当局决定抓住这一时机,鼓吹"反攻大陆",并为蒋经国的接班铺平道路。

1969 年 3 月 29 日至 4 月 9 日,国民党在台北阳明山举行第十次"全国"代表大会。蒋介石主持大会并致开幕词,提出国民党的三大任务:①全面革新;②巩固复兴基地台湾;③联合一切力量反共,靠政治打开反攻局面以武力夺取最后胜利,重建"伦理、民主、科学三民主义的中国"。

国民党"十全"大会的中心议题是讨论和通过《中国国民党党章修正案》、《中国国民党政纲案》、《现阶段党的建设案》、《策进全面实施平均地权及贯彻实施耕者有其田纲领案》、《积极策进光复大陆案》、《现阶段社会建设纲领案》、《政治革新要项案》等重要决议。在这些议案中,国民党重申了蒋介石"七分政治,三分军事","七分敌后,三分敌前"的策略,主张发挥"不是敌人,便是同志"的所谓联合阵线策略,利用大陆"文化大革命"时机,实现光复目标。在"外交"上,力图摆脱困境,争取主动,以谋求巩固其在联合国的地位与维持其与各国的"外交"关系;在经济上,不仅要"继续贯彻耕者有其田的政策,更要策进平均地权,增进土地利用",发展城乡建设;在文化教育上,"今后更要充实九年义务教育,发展职业教育,尤其要致力于科学的研究发展"。

为了使国民党在台湾的政权得以维持和巩固,大会将重点也放在了国民党的改革上,不仅提出了全面革新的口号和纲领,还通过了《政治革新要项案》,将政治革新的内容确定为:刷新政风,厉行法治,健全机构,改进人事,加强科学研究。

国民党"十全"大会继续推举蒋介石为国民党总裁,通过蒋介石提名的宋美龄、孙科等 153 人为"中央"评议委员,选举严家淦、蒋经国等 99 人为"中央"委员,酆景福等 51 人为候补"中央"委员。在 4 月10 日召开的十届一中全会上,严家淦、蒋经国等 21 人被选为"中央"常委。

国民党"十全"大会是国民党对台统治面临新的困境时召开的一次重要会议,会议通过一系列稳定政局、缓和矛盾的基本政策,对于国民党摆脱困境,实行"革新保台",进而实现权力核心的交替有着重要的作用。

2. 蒋经国出掌"行政院"

70 年代初,随着蒋经国出掌"行政院",台湾实际进入了"蒋经国时代"。

蒋经国是蒋介石与元配毛福梅的长子。1910 年农历三月十八出生于浙江省奉化县溪口镇。1925 年 10 月赴苏联,入莫斯科中山大学学习,同年 12 月加入共产主义青年团,稍后又成为共产党预备党员。1927 年"四一二政变"后,他曾发表声明,谴责蒋介石。1930 年从红军军政学校毕业后,曾在苏联的多间工厂、农场工作和劳动过,并在苏联完婚。西安事变后,中苏关系解冻。在蒋介石的坚持下,1937 年 4 月,蒋经国携妻儿回国,次年加入国民党。

蒋经国步入政坛是在 1938 年 1 月,最初担任国民党江西省政府保安处少将副处长兼省政治讲习学院军训总队长一职。1939 年后,先后担任过江西第四区(赣南)行政督察专员兼保安司令、三青团中央干部学校教育长、青年军教育总监部政治工作部主任委员、训练班班主任和东北外交代表、经济管制办事处副主任级督导员等职。到台湾后,在蒋介石的精心筹划和铁腕支持下,先后担任国民党"中央"常委,出任"国防部总政治部主任"(任期满后调任"国防会议"副秘书长),并担任"总统府机要室资料组主任"和"中国青年反共救国团"主任,逐渐掌握了台湾的党(团)、军、特大权。

50 年代初,蒋经国因资历浅、羽翼未丰,基本处于幕后。在此期间,他以"三干一俄"(是指蒋经国在任赣南专员时培养的青年干部、三青团中央干部学校的学生、台湾政工干校的干部以及蒋经国留苏时的同学)为班底,积极发展自己的势力。1963 年,陈诚因肝病复发,辞去"行政院长"一职。12 月,经蒋介石提名,严家淦就任"行政院长",内阁改组。2 个月后,严家淦打破先例,呈请蒋介石钦定蒋经国为"政务委员"兼"国防部副部长"。1964 年,"国防部长"俞大维以身体不适提出辞呈,并力荐蒋经国为"国防部长",获蒋介石认可。1965 年 1 月 13 日,蒋介石发布内阁局部改组明令,特任蒋经国为"国防部长"。从此,蒋经国开始以主角的身份登上了公开的政治舞台,迈出了接班历程中最关键的一步。

1965 年 3 月 5 日,"副总统"陈诚去世,遗缺由严家淦继任(1966 年第四届)。1969 年 6 月,"行政院"局部改组,"副院长"黄少谷辞职,蒋经国接任"副院长"。此时,严家淦虽仍为"行政院长",但真正操纵"行政院"大权的是蒋经国。蒋经国借此机会主持"行政院财经会报"、"行政院经合会",逐渐把自己的势力渗透到经济领域,并以其"亲民"、"勤政"赢得社会赞许,特别是借助"全面革新",蒋经国不仅树立了权威,还为自己的接班打下了坚实的组织基础。

尽管此时的蒋经国已掌握实权,但毕竟只是"行政院"副院长,在名分上离权力顶峰尚有不少距离,必须尽快走向政治前台,方能顺理成章地接班。1972 年 3 月 21 日,第一届"国民大会"第五次会议再次选举蒋介石、严家淦连任"总统"、"副总统"。即位不久,严家淦提出辞呈,要求辞去"行政院长"兼职,并主动推荐蒋经国,称他"坚忍刚毅,有守有为",是"最理想之行政院长继任人选"。5 月 17 日,国民党"中常会"召开会议,讨论高层人事安排,决定接受严家淦的提案,提名蒋经国出任"行政院院长"。5 月 26 日,"立法院"就蒋经国出任"行政院长"进行投票,蒋经国以前所未有的 93.8% 的得票率,获"立法院"通过。6 月 1 日,蒋经国就任"行政院长",从而在实际上掌握了台湾的政局,台湾已悄然进入了"蒋经国时代",蒋经国终于走上了政治前台。

3. 蒋经国的"新人新政"、"革新保台"运动

蒋经国"主政"时的台湾局势,与蒋介石"复职"时相差无几。

在国际上,随着中美关系的改善、台湾当局被逐出联合国和中日建交,台湾的"对外"关系遭到巨大的冲击和连锁反应,大批国家与台湾断交,台湾的"外交部"成了"断交部",台湾成了"国际孤儿",国民党政权赖以生存的"法统"和"反共戡乱体制"开始出现危机。

此时中美尚未建交,但仅仅是时间问题而已。美台"蜜月"已经结束,美国对蒋介石越来越不感兴趣。为沟通与美国的联系,从1953年开始,蒋经国曾以各种身份4次"访问"过美国,但并未能与美国建立起亲密的关系。

此时的美国,从自己的国家利益出发,一方面与国共两党周旋,制造"两个中国";另一方面又极力扶持海外的"台独"势力,阴谋制造"一中一台"和"台湾独立"。其目的就是要使台湾从中国分离出去。在美国的支持和纵容下,国际上的"台独"势力也乘机兴风作浪。1970年1月,岛内著名"台独"分子彭明敏出逃美国,使散居在美国、加拿大和欧洲等地的"台独"分子顿时活跃起来。1月5日,各地"台独"组织建立以美国为"轴心",以日本为"前哨接应站"的跨洲组织——"全球台湾人争取独立联盟"(简称"台湾独立联盟"),蔡同荣任"主席";"台湾独立联盟"还决定在东京出版《台湾青年》,在纽约出版《独立的台湾》季刊,鼓吹"台独",并密谋在1970年4月蒋经国访美期间刺杀蒋经国。

与岛外的"台独"活动相呼应,岛内的"台独"活动也日益公开化。1971年12月29日,台湾基督教长老教会公开发表《对国是的声明与建议》,宣称"人权是上帝赐予,人民有权利决定他们自己的命运"。这是岛内最早出现关于"自决"的论调。翌年,该组织几个领导人赴美,成立"台湾人民自决协会"(即"台湾基督徒自决会"),发起所谓"台湾基督徒争取自决运动",鼓吹台湾"自立自决"。"台独"言论和行动是违背民族大义的,必然遭到主张"一个中国"的蒋氏父子的强烈反对。但是,这种有美国背景的"台独"活动也必然会给蒋经国的政权带来不利的影响。

在岛内,随着台湾经济的恢复和发展,大批台籍人士的经济实力增强,但他们在蒋介石的独裁和防范下,并未获取相应的政治地位。这一反差引起台湾民众对国民党的强权政治日益不满,民众要求自主的呼声日盛。一些"党外"人士已开始以各种方式向国民党挑战。就是国民党内部,也有一批台籍人士和新生代对国民党的传统政治秩序牢骚满腹,批评声愈加强烈。岛内"台独"滋生的温床在逐渐形成。

为挽救台湾的政局,重收民心,蒋经国收起了"反攻大陆"的梦想,提出"革新保台",在台湾开展了一系列的革新运动。

蒋经国的"革新",主要包括"党务革新"和"政治革新"两部分。

"党务革新"的立足点和目的是缓和国民党与台湾社会的矛盾。据此,"党务革新"的突出内容有两个:一是在加强"政党功能"的基础上,扩大"党政分开"的界限,按照"政党政治"的要求和特点调整党务工作的方向和内容;二是"以民众为群众基础,以知识分子为思想主流",要求党员和干部"向下扎根",深入民间,做党和

群众的"桥梁",开展对基层民众和青年的"组训工作",扩大和巩固党的社会基础。

70 年代的"党务革新"运动对国民党本身结构及未来的发展产生了重大的影响。第一,国民党的党员的籍贯构成发生了重大变化。国民党退台最初的二十年里,新增党员 62 万人,但其中仅有 30% 是台籍,连同老党员一起,台籍的党员也只占国民党党员总数的 38.53%。到 1979 年时,这一数据已上升至 58% 以上,表明国民党日益成为具有地区特征的政党。第二,台籍党员进入国民党高层人数增多。1976 年产生的国民党第十一届"中央"委员、候补委员中,台籍人士的比例,已从 1969 年第十届的 8.1% 上升到 23.6%;在同时产生的"中常委"中,台籍人士由上届的 2 人增至 5 人,比例由 9.5% 增加到 22.7%;至 1979 年 12 月国民党第十一届四中全会时,台籍"中常委"进一步增至 9 人,比例上升到 33.3%,表明国民党高层中台籍人士的作用在逐渐加强。第三,党员的职业结构发生重大的变化。党员中,来自第三产业、知识分子界的人数迅速上升,到 1979 年时已接近 50%,表明国民党正逐渐成为代表资产阶级和小资产阶级利益的政党。第四,党的组织功能和运作程序也发生了变化。国民党效仿西方资产阶级政党体制,在党内逐渐建立起一整套运作程序、激励协调机制和管理制度;同时在党内扩大民主,增强决策、用人的透明度,使国民党改变了过去那种高度集权的专制政党模式,逐渐向"民主政党"过渡。

"政治革新"的主要内容有三点:

其一是在行政官员的任聘上推行"本土化、专业化、年轻化"的用人政策。所谓"本土化",就是延揽更多的台籍人士出任高级职务。蒋经国主政后,在行政系统的核心层中逐渐起用台籍人士。如担任"行政院"要职的就有徐庆钟(台籍首位"行政院副院长")、林金生("内政部长")、高玉树(台籍首位"交通部长")和"政务委员"李连春、连震东、李登辉等 6 人,从而使台籍人士在"内阁"主管中所占的比例一下由上届的 4.5% 增加到本届的 22%;另外,"台湾省主席"、台北市长也均由台籍人士谢东闵(首任台籍"省主席")和张丰绪出任。所谓"专业化",就是延揽专门人才担任领导职务。蒋经国先后起用了徐庆钟(农学博士)、蒋彦士(留美博士、"教育部长")、孙运璇(电力专家、"经济部长")、李国鼎(留英、"财政部长")、李登辉(留美博士)、陈履安(留美)、宋楚瑜(留美)、马英九(留美)等人担任要职。这些人均学有所长,在各自领域中颇有建树。所谓"年轻化",就是延揽大批有朝气和活力的"新人"担任领导职务,改变国民党上层官僚老化、对新事物反应迟钝、办事效率低下的现象。蒋经国初任"行政院长"时的内阁成员平均年龄为 61.8 岁。当时提拔担任台北市(1967 年 7 月 1 日升格为"院辖市")"市长"的张丰绪、基隆市市长陈政雄、桃园县县长吴伯雄任职时均年仅 40 岁左右。蒋经国通过官员的"三化",使台湾行政当局的权力结构发生了重大变化。

其二是举行增额"中央民意代表"的选举,充实"民意代表机构"。1972 年 3 月 17 日,第一届"国民大会"第五次会议通过了谷正纲提出的"临时条款"修正案。该方案提出:在继续维持原"国大代表"权力的同时,在台湾增加"中央民意代表"名额,定期选举。6 月,蒋介石颁布《动员戡乱时期自由地区增加中央民意代表名额选举办法》,废止旧有办法,定期选举增额"中央民意代表";同时,还规定台澎金马地区的"国大代表"、"立法委员"直接选举，"监察委员"由台湾省"议会"和台北市"议会"议员间接选举。根据规定，增选代表的职权与那些终身代表相同，只是增额的"国大代表"和"监察委员"每隔六年换届改选一次，增额的"立法委员"每三年改选一次。1972年选出增额"国大代表"53人，增额"立法委员"51人，增额"监察委员"15人，共计119人。蒋经国政权的这些做法，使"国大代表"、"立法委员"、"监察委员"中多少掺进了一点"新生力量"和"后续力量"，缓和了政治上的压力。"中央民意代表增额选举"对台湾的政治生态的变化产生了巨大的影响，在一定程度上推动了台湾的政治体制改革。

其三是有限度地放松极权统治。蒋经国上台后，释放了一些关押多年的政治犯，并有意识地对一些持不同政见的个人和政治刊物采取宽容的态度。在用人方面，也能面对现实，提拔各阶层、派系以及不同背景的人，努力在台湾政坛营造民主的气氛。

4. 蒋介石去世，蒋经国全面接班

1972年6月，在如愿将权力交到蒋经国手中后，时年85岁的蒋介石因身体缘故已很少过问政务。1975年4月5日23时50分，蒋介石因并发性心脏病在台北去世，享年88岁。

在去世前的3月29日，蒋介石已口述遗嘱，声称："实践三民主义，光复大陆国土，复兴民族文化，坚守民主阵容，为余毕生之志事，实亦即海内外军民同胞一致的革命职志与战斗决心。惟愿愈坚此百忍，奋励自强，非达成国民革命之责任，绝不中止！"

蒋介石去世当晚，"行政院长"蒋经国以"中国国民党从政主管同志"身份，向民党中央提出辞呈，准予解除他在"行政院"的一切职务，以守父丧。第二天清晨7

时，国民党"中常会"召开临时紧急会议，讨论蒋介石死后的政局及人事安排决定：第一，"副总统"严家淦根据《中华民国宪法》第49条关于"总统"缺位时由"副总统"继位的规定就任"总统"；第二，对蒋经国的辞职"恳予慰留"。28日，国民党"中央"委员会召开临时会议，决定修改"党章"，保留"总裁"名义予蒋介石，在"中央"委员会设主席一职（亦为常务委员会主席），统揽党务（委员会制），并推荐蒋经国担任。蒋经国顺利接任了此时台湾最为重要的国民党主席职务。

1976年11月12日，国民党召开"十一大"，蒋经国当选为国民党新主席，最终确立了蒋经国在国民党权力核心中的最高地位。1978年3月21日至25日，第一届"国民大会"第六次会议根据国民党十一届二中全会提名，选举蒋经国为第六任"总统"，谢东闵为"副总统"。接着，蒋经国提名蒋彦士为"总统府秘书长"、孙运璇为"行政院长"，组成新"政府"。至此，蒋经国集党政大权于一身，蒋介石终于实现了"党政"最高权力向蒋经国转移的愿望。

5. 国民党第十一次"全国"代表大会

国民党第十一次"全国"代表大会于1976年11月12日至18日在台北阳明山举行。出席的代表和列席会议的人员共1300余人。这次会议是在蒋介石去世后举行的第一次代表大会，主要任务就是要确立蒋经国在国民党权力核心中的最高地位。

大会听取了蒋经国所作的《政治报告》。在报告中，蒋经国继承了蒋介石既定的"实践三民主义，光复大陆国土"、"坚守民主阵营"、"誓不与中共妥协"的基本立场，并将此作为大会的基调。为贯彻"革新保台"、"向下扎根"，蒋经国还专门在报告中就进行"基地的建设和备战"的指导原则和各项要求作了阐述:在政治建设方面,要把"大政之计"公之于众,"乐于听到民众的责难","容忍不违反国策的异议",建立"开放性的政治常规"、"理性的民主秩序";在民生建设方面,确定"均富"原则,"于富中求均","于均中求富","均富同时并举",优先"开发边远地带",提高低收入所得,改善经济结构,推行十项建设;在文化、心理、社会建设方面,鼓吹将"文化复兴"运动的实践和"伦理"、"民主"、"科学"的精神"贯彻于文化建设和心理建设"之中,恢复"自信心"和"责任感",以此为"社会建设之张本";在"国防"建设和战备方面,鼓吹"建军奋战"、"自制重武器",更新军队装备,"要有无畏于核子战的心理准备",提出"以至仁伐至不仁的革命战争,精神更重于物质,信仰更重于武力","反攻复国战争,是要以三分军事,七分政治来配合"。在报告中,蒋经国还要求国民党要为大陆同胞承担"光复大陆国土"的"重担",国民党员要"有更沉重的使命感"、"革命抱负、服务热忱和对主义的信仰"。

大会通过了《中国国民党党章修正案》、《中国国民党政纲案》、《强化党的建设案》、《反共复国行动纲领》、《加强三民主义思想教育功能案》、《全党奉行总裁遗嘱决议》等议案。这些议案的指导思想和中心内容是加强国民党内部的巩固,巩固中央权力核心,更正观念与要求,使国民党能"适应当前环境",成为"时代化政党"。会议提出党的建设的要点是:第一,"强化组织领导";第二,"加强思想武装";第三,"巩固社会基础";第四,"运行党政关系"。这些措施使国民党"一体制继续维持与发扬"下去。

大会通过追认十届临时全会通过的"保留本党党章所载总裁一章籍申哀敬并

为永久之纪念"及"中央委员会设主席一人并为常务委员会之主席综揽全般党务"两案。11 月 16 日,大会继续推举蒋经国为国民党主席,续聘或新聘宋美龄、张群等 184 人为"中央"评议委员,选举严家淦、谷正纲等 130 人为"中央"委员,罗才荣等 65 人为候补"中央"委员。在 11 月 19 日召开的十一届一中全会上,一致通过了蒋经国提名的严家淦等 22 人为"中央"常务委员。

国民党"十一全"大会是在台湾"面临艰难困苦的局面"下召开的一次重要会议。它确立了蒋经国在党内的领袖地位,保持了权力核心的稳定,对国民党进一步推行"革新保台","扭转逆势"起了重要作用。这次大会延揽更多的台籍人士进入新的"中央"委员会,在 195 名"中央"委员和候补"中央"委员中,台籍有 38 人,这标志着国民党加快推行"本土化"政策的步伐,使国民党"本土化"进程进入了一个新的历史时期。

二

"党外"势力萌发

1.《大学》杂志事件与"党外"势力复苏

60 年代,台湾当局一直对"党外"势力采取高压态势,台湾的"党外"运动处于消沉状态。70 年代初,以"保钓运动"为起点的爱国运动再掀波澜,沉寂一时的"党外"运动也因此复苏。

"保钓运动"最早起源于海外,以留学生为主。当运动从海外向岛内转移时,学生们的爱国热情普遍高涨。岛内广大民众也从对"政府"的"冷漠"中觉醒。随着台湾政治环境的有限放松,台湾的爱国运动逐渐与台湾当局"革除弊政"的运动结合起来，台湾的中产阶级及知识分子开始关心并投入到台湾的政治革新中，并提出各种政治观点，参加各种政治活动以实现自己的抱负。台湾的"党外"杂志和"党外"势力也利用这一有利时机得以逐步复苏。

《大学》杂志是70年代初最著名的"党外"杂志，创刊于1968年1月，由台湾大学毕业生邓维桢独资创办。创刊初期，多为文艺、教育方面的内容。1970年底，刊物改组，由丘宏达、陈少廷、杨国枢等名人担纲主持，社务委员多达57人（1972年初增至102名），将学术界、政界、工商界中向往西方民主的青年才俊尽数网罗，如张俊宏、陈鼓应、许信良、孙震、关中等人。1971年1月，《大学》杂志发表了刘福增、张绍文、陈鼓应给蒋经国的信，标志该杂志言论升级，刊物的重心也开始转移到敏感性的现实政治问题上来。7月，《大学》杂志刊出张俊宏等人的文章《台湾社会力的分析》。10月，杨国枢等15人联名发表要求政治革新的《国是谏言》。《国是谏言》从经济、人权、司法、立法、监督等方面对国民党的"国体"、"法统"进行挑战，对"中央民意代表"进行了严厉的批评，呼吁进行管理阶层的革新、教育制度的改革并开放对大陆的研究。因此，该文被认为是开启了70年代台湾政治改革运动先河的作品。

1972年1月，《大学》杂志在第49期发表《国是九论》，再次提高问政调门。这篇由杨国枢、陈少廷、陈鼓应等18位著名知识分子联合署名的文章，紧紧围绕社会改革、民主政治等主题，"迅速提高了言论批评国事的幅度和深度"，讨论的范围包括了权力结构的调整、政治的革新、"国会"的全面改选、民主政治的实质发展等

当时没人敢提的敏感问题。文章精辟独到，引起"朝野"的普遍注意。《大学》杂志也因此成为台湾青年阅读的首选杂志。

与此前后，同"党外"杂志相配合，台湾大学校园的政治活动也冲破了台湾当局的限制，显露出"突破校园，走向社会"的倾向。学生们"向社会进军"的口号和行动，引起了国民党内保守势力的恐慌与不满。国民党开始采取分化瓦解《大学》杂志中骨干分子的手法，削弱其政治影响力，并于1973年2月逮捕陈鼓应等进步教师。虽迫于压力，台湾当局最后释放了陈鼓应等人，但政治肃杀之风已显。高压政治，导致了《大学》杂志的解体。

《大学》杂志解体后，原成员各奔东西。一些重要成员相继脱离国民党，投入到"党外"运动中。如张俊宏在1973年11月台北市议员的选举中争取"党内"提名未果后，愤然将党证寄回市党部脱党竞选。他联合"党外"人士陈怡荣、康文雄、王昆和等人，组成台北市党外四人联合阵线，角逐台北市议员席位，从而掀起了"党内外"对峙的高潮。结果，在国民党的组织战及宣传战的围攻下，出师不利，四人均高票落选。

张俊宏等人选举手法、策略的改变在台湾选举史上具有标志性的意义。如果说，1969年末"党外"人士黄信介、康宁祥在台湾第一次增补"中央民意代表"和"地方选举（台北市首届议员选举）"时人数很少，宛若旷野孤星，还未形成一股"势力"，那么，这次张俊宏联合四人公然与国民党对峙，"党外"已形成一股"政治势力"，就不能不引起国民党的重视。国民党通过组织和宣传的力量加以围剿，与"党外"的选举竞争开始加强。

张俊宏等人脱离国民党投入到"党外"运动后很快与黄信介、康宁祥等人串

联组合。借助这些受过良好教育的知识分子的力量，"党外"人士先后创办了《台湾政论》、《八十年代》、《美丽岛》等政论杂志，不仅宣传主张，规范行动，统一步骤，而且与岛内的知识分子沟通在一起，最终使整个"党外"运动面目全新，素质提高，力量增强，形成"质变"。

《台湾政论》由"党外"知识分子张俊宏与黄信介、康宁祥共同发起创办于1975年8月。创刊之后，很快成为"党外"势力的旗帜，为"党外"人士的竞选出谋划策、摇旗呐喊。该杂志虽发行了5期就被迫停刊，但为"党外"运动培植了许多著名的竞选领袖和人才，也为"党外"人士进一步联合竞选作了舆论上的准备。从此，"党外"势力在与国民党的各项选举的竞争中更加团结起来。

2. 政治改革议题的深入与"民族主义座谈会事件"

70年代初，接连发生了台湾被逐出联合国、尼克松访华、台湾当局与日本"断交"等震撼性事件以及钓鱼岛主权争议，大学生关心社会、研究政治的风气日隆。

1971年11月15日，台大"法代会"主席陈玲玉举办"言论自由在台大"座谈会，这是自国民党当局利用戒严实施白色恐怖高压统治20年来之首见。座谈会邀请了陈鼓应、王晓波、苏俊雄、王文兴等几位教授出席，讨论校园内的言论自由和出版自由等问题。在会上，来自台大哲学系的副教授陈鼓应喊出免于自由的恐惧和恐惧的自由，认为有事实根据的批评是责任感的表现，而言论的开放可使众多的智慧矿产发掘出来。在当时，"言论自由"是十分敏感的议题，因此主办的学生在座谈会名称中加上了"在台大"的框子，试图将议题限在校园墙内，避免当局的干预。这次座谈会的记录，先后在《台大法言》和《大学》杂志刊出，引起了海外文化界的广泛注意。

11月25日，陈玲玉和洪三雄又举办了第二次名为"民主生活在台大"的座谈会，邀请了陈鼓应以及政治学界知名学者胡佛、黄默出席发言，马英九的父亲、时任国民党知青党部书记长的马鹤凌亦应邀参加。在这次座谈会上，陈鼓应公开表示支持"保钓运动"，大力鼓吹开放学生运动的重要性与必要性，并建议在台大校园内开辟"民主广场"。

伴随着关心台湾、关注台湾政治革新风气的兴起，台湾大学的学生和教师开始触及一些台湾社会的现实问题，但基调仍是温和的，所偏重的也主要是台大自身的问题，尚未触及台湾现实政治问题的症结——国民党的"法统"问题，直至1971年12月7日在台大举办的"中央民意代表应否全面改革"的辩论会上，才公开对"法统"问题进行讨论。

这个有3000多人参加的辩论会由陈玲玉主持，听众中有不少社会知名人士。讨论会上，《大学》杂志社社长陈少廷与亲国民党的周道济就台湾20年来被视为禁区的政治体制问题展开辩论。陈少廷在辩论中呼吁实行"全面的政治革新"，指出："终身制"的"中央民意代表"早已失去代表性，应进行改选，产生新的"国会"，"国会是推动政治进步的原动力，但今天我们发现这个推动社会政治进步的原动力机构本身发生了问题，所以我们必须解决这个基本问题"。周道济则推出六种改革方案，坚持"国大代表"的代表性和合法性，并维护人民选举和政府遴选混合制。这个被称为台湾"空前的座谈会"所带来的影响是广泛和深远的，它将台湾所面临的政治体制危机及国民党统治的合法性和代表性问题第一次完全展现在学生面前。一夜之间,在校园的知识分子的心灵深处注入了政治改革的"清新空气"。政治改革的呼声从校园的小角落传到社会的四面八方,对推动70年代台湾的"政治革新"起了一定的作用。

台湾当局对于大学生以"爱国"之名进行学运串连有所疑虑,特别是陈鼓应将在"民主生活在台大"座谈会上的发言稿写成《开放学生运动》,在《大学》杂志上发表后,引起了轩然大波。1972年4月4日到4月9日,《中央日报》连载《一个小市民的心声》长文,反对学生运动、反对言论自由、反对学术自由,鼓吹应给予政府更大的权力,以保障小老百姓能"吃一碗太平饭"。

1972年12月4日,台大校园又举办"民族主义座谈会",陈鼓应、王晓波发表讲话,批判分离主义和强权主义。王晓波说:"一些自称拥有'西方民主自由'的人,又以'台湾人'自居,却曲意歪曲为帝国主义张目,而视民族主义为义和团。""官方也认为中国统一主张者和民族主义为认同中共的统战。"陈、王等人的言论,遭到哲学研究所二年级学生冯沪祥的指责,认为陈鼓应等人"专门攻击政府的黑暗面",并暗指其有"为匪宣传"之嫌。陈反唇相讥,称冯是"职业学生"。随即,哲学系四年级学生钱永祥站起来说"对于职业学生所讲的话我们不要听",引发了双方论战。冲突之后,台大训导处下令"调整"陈鼓应导师资格,予钱永祥以记大过处分。1973年2月17日,台湾警备司令部以"为中共宣传统战"之嫌逮捕了台大教师陈鼓应、王晓波和学生钱永祥、卢正邦。第二天,台大学生郭誉孚为抗议拘捕教师,在校门口持刀刎颈,血书"和平统一救中国"标语,引起千人围观。后因证据不足,台湾当局不得不释放陈鼓应、王晓波等人,但

陈、王等14名教师均被台大解聘。这一事件史称"民族主义座谈会事件"(或称"台大哲学系事件")。至此,大学校园的政治性活动再次沉寂。

石油危机冲击下的经济调整

1. 第五期"四年经济建设计划"

台湾当局为谋求经济的快速稳定发展,大力发展外销加工工业,针对台湾经济发展情况,于第四期"四年经济建设计划"之后,又制定出第五期"四年经济建设计划"(1969—1972年),该期"四年计划"的重点与第四期"四年计划"一样,着重在外向型经济发展,即发展出口加工业,改善投资环境,增加投资和提高生产技术管理水平,增加外贸收入,改善国际收支。不同的是,第四期较注重工业,而在第五期时因台湾农业衰退引起当局的重视故较注重农业问题的解决。另外,随着国际贸易保护主义的抬头及国际市场上竞争的激烈,台湾仍以加工装配为主不利于经济的稳定发展,故改善产业结构、着力发展重化工业也成为第五期计划中的主要任务之一。

第五期"四年计划"的要点是:经济增长率为7%,农业增长率为4.5%,继续以发展加工出口、建设基本工业和高级工业为重点,建设一贯作业钢厂,南北石化中心,建造10万吨级油轮;推动塑胶、化纤、电子工业发展;鼓励与外商合作、合资,扩大岛内零部件生产及组装出口;扩大交通与社会建设。

经过三期"四年计划"和一系列措施,台湾经济取得了明显的成效,主要表现在:第一,整个60年代,台湾经济以年均近

10%的增长速度成长。特别是工业增长率,在第五期"四年计划"期间达到21.3%,其中1971年高达24.1%。第二,外贸迅速增长。在1960年至1973年的14年间,台湾的外贸总额以年均25%的速度增长。从1971年开始,外贸首次出现顺差,且进出口产品结构发生了重大转变。第三,失业人数减少。到1973年时,台湾的失业率已下降到2.2%,就业人数大大增加。第四,物价稳定。随着台湾经济的好转,物价呈现持续稳定的局面,无论零售物价还是消费品物价的年均上涨率都在5%以下,分别为3.5%和3.7%。第五,民众生活明显改善。台湾的人均GDP由1961年的151美元增加到1972年的519美元,12年间上升了2.4倍;贫富差距由1964年的5.2倍缩小到1970年的4.6倍;电力普及率达到97%;电视机普及率达到77%;居民的储蓄存款,1968年至1970年的三年内,增长了263%。这标志着台湾的经济已完全由农业经济转变为工业经济,由进口导向经济转变为出口导向经济了。

2. 石油危机的冲击与影响

台湾经济在1964年至1972年间曾以年均15%的速度增长,确属奇迹。但从1974年开始,增长速度忽然降低,进入不稳定阶段。其主要原因是70年代初期和末期两次世界性石油危机对台湾经济产生了巨大的冲击。

1973年10月6日,第四次中东战争爆发,阿拉伯各产油国家组织决定以石油为武器同以色列作斗争。它们一方面对美国及亲以色列的各国实行石油禁运,对其他国家和地区减少了石油供应量;另一方面则大幅度提高原油价格,使原油价格从1973年10月初的每桶3.011美元上升到1974年1月的每桶11.651美元。3个月内,油价上涨了387%,且仍在持续上涨,从而引发了第一次世界石油危机。

这一危机极大地冲击了台湾的经济。石油价格的上涨,同时引发了物价的轮番上涨,对以外贸易依存度极高著称的台湾经济来说影响尤大。首先,进口资源价格上涨使产品成本上升,产品的市场竞争力下降。台湾地区矿产资源储量不丰,经济价值较小,整个经济几乎都是建立在进口资源的基础之上的,尤以煤和石油为最。随着经济的发展,工商企业规模扩大以及私人车辆的增加,能源的自给率不断下降。到1972年时,其进口的能源已占全岛总供给的65%,其中又以石油进口位居首位。该年,台湾花费在进口石油方面的支出就达1.713亿美元,占全岛进口总值的6.8%。这些进口的原油除15%来自于印度尼西亚外,其余均来自沙特阿拉伯、科威特和伊拉克等国。因此,世界石油价格和其他物价的上升,必然会导致岛内生产成本增加,从而引起产品价格上涨。在1972年底到1974年2月的14个月里,岛内的批发价上升75.7%,城市消费价上升66.5%,远远超过了1960年到1972年年平均的2%与3.3%,也超过了1952年至1960年年平均的10.5%和11.2%的总和,创造了自1952年以来物价上涨的最高记录。产品成本的增加,也极大地削弱了台湾产品在国际市场上的竞争力,造成出口受阻。其次,石油危机引发世界经济大变动,长期稳定的世界经济格局出现失衡状况,不少国家市场紧缩,台湾的外贸出口形势随之恶化,出口增长率由1973年的50%大幅下降到1974年的25.78%,1975年降至-5.86%。台湾好不容易创造出来的仅有2年的贸易顺差再次转为逆差。1974年和1975年,台湾的外贸逆差分别达13.27亿美元和6.43亿美元,逆差数额超过 1971 年前 20 年逆差数额之和。再次，外销不畅，又进一步引发了台湾地区的经济增长率下降、失业率上升。1974年，台湾的经济增长率由上年的 12.82％降至 1.12％。其中，受灾最重的是工业，1974 年台湾地区的工业生产增长指数竟由上年的 16.17％降至 −4.51％，失业率也因此增加了 0.27 个百分点，并于 1975年突破 2％的大关，达 2.41％。第四，经济发展的不景气，又进一步限制了岛内市场的发展，抑制了岛内外投资的增长。

石油危机产生的一股强烈的爆破力，引发了台湾经济本身存在的各种问题，主要是：

第一，原料与市场过分依附国际市场。台湾经济是外向型的加工出口经济，一方面，生产所需的工业原料大量仰赖进口。从 1952 年到 1978 年的 27 年间，粮食和工业原料的进口一直居台湾进口货物的首位。1952 年的进口值是 1.2 亿美元，1975 年增至 37.27 亿美元，1978 年又增至 75.51 亿美元，比 1952 年增加了 60 倍。另一方面，产品主要依赖出口消化。1970年时，台湾地区的出口值占生产总值的比例就已高达 43.9％，1978 年又进一步扩大到 50％以上。因此，对外界经济变动的敏感性极高。特别是台湾出口地区又主要集中在美国市场，且比重不断增加，而台湾岛内市场有限，美国输台又以农产品为主，可增加的进口数量极为有限，台美双边贸易严重失衡，台湾的对美贸易处于顺差。最初，美国尚能承受这种逆差，但长此以往，必将引起美国的强烈反应，特别是 70 年代以来美国经济不景气后，美国的贸易保护主义抬头，开始频繁对台湾施压，从而影响台湾经济的稳定。

第二，基础设施落后。从 60 年代起，台湾岛内的经济迅速发展，但同时也逐渐暴露出基础设施落后的种种弊端。电力、港口、运输、通讯等基础设施均不能适应岛内经济发展的需要。如基隆港和高雄港就已出现塞港现象；岛内的铁路运量和运能相差高达 50％以上；现有机构都不同程度地存在超负荷现象，已成为台湾经济发展的障碍。

第三，技术劳力欠缺。60 年代台湾依靠廉价劳动力着重发展劳动密集型产业，多属以轻工业为主的出口加工企业，因而对劳力的素质要求不高。但进入 70 年代后，随着台湾经济发展，劳力不足现象已开始出现，加重了劳工工资上涨的压力，使产品的生产成本不断增加，台湾产品在国际市场上的竞争力日益不足，劳力密集型产业发展空间逐渐缩小，台湾只能提出"工业升级"，将重点转向发展资本和技术密集型的重化产业上，然而，台湾的技术劳动力极少，技术水平普遍落后，技术劳力的缺乏使台湾经济进一步发展受到极大限制。

3.1973 年至 1982 年的经济调整

为扭转经济的困难局面，台湾当局利用行政力量积极干预经济，采取了一系列措施，在困境中谋求稳定和发展。从 1973年起至 1982 年止，台湾当局对台湾经济进行了大规模的调整，整个调整大致可分为两个阶段。

第一阶段（1973—1975 年）。这一阶段，台湾当局把着重点放在抑制通货膨胀上。为此台湾当局先后通过了《稳定当前经济措施方案》《十四项财经措施》《三项金融配合措施》《改善投资环境实施要点》等方案。其要点是：一、合理调整油价、电价、运费，适度反映成本，并提高小麦、黄豆平价价格，减少财政补贴；二、将限价改为议价，以期使市场价格发挥调节功能；三、大幅度提高银行利率，紧缩信用,鼓励储蓄,发行公债和"国库券",以缓和货币供应额增加所带来的膨胀压力;四、在岛内推行各种节能措施,以降低能源消耗。通过这些措施,迫使企业出卖存货,停止盲目扩充,并提高民众储蓄的意愿,减少大众看涨的心理,达到稳定物价的目的。

这些措施实施后,物价立即上涨。1974年2月,岛内批发物价比上月上涨了14.1%,城市消费物价上涨了17.74%。但是,由于实行对各种价格"一次性涨足"的方法,消除了大众的"预期涨价"心理,也消除了中间商人囤积居奇的状况,加之厂商恢复生产与供应,物价很快在高水平上稳定下来。至3月时,连续上涨了10个月的物价已开始回落,至5月时,物价已趋于稳定。台湾经济也逐渐从动荡中恢复过来。到1976年,台湾的工业生产增长率大幅回升到24.9%,外贸出口也由1974年和1975年连续两年的逆差转为顺差。台湾当局开始制定新的经济建设计划以指导和带动经济发展。

当时,台湾正实施以农业增产、优先发展重化工业为重点的第六期"四年经济建设计划",期望能调整好岛内各经济部门之间的比例关系。但第六期"四年计划"刚付之实施,石油危机到来,原定经济目标根本无法实现,台湾当局被迫于1975年终止第六期"四年计划"。台湾以牺牲经济增长换取了经济的稳定。

第二阶段(1976—1982年)。这一阶段,台湾当局主要通过制定经济发展战略方案和编排经建计划的方法来引导台湾经济走出困境。为调整产业结构,加强基础工业和基础设施建设,配合第二次经济转型——由劳动密集型向资本、技术密集型转变的最终实现,最终达到提高台湾经济的应变能力的目标,台湾当局编制了"六年经济建设计划",并着手进行"十二项建设"。

"六年经济建设计划"的主要内容是:①农业机械化;②建筑海边堤防;③林业精密化;④交通现代化;⑤扩充大众福利;⑥推动"国民"住宅建设;⑦制造现代武器;⑧加强社会建设;⑨开发广大山区;⑩大量扩充对外贸易;⑪提高"国民"个人收入;⑫开发海域及地下资源。其中,在工业方面:"着重于发展重化工业和精密工业,并将积极进行海陆能源与各种资源的探勘开发。"农业方面:"以加强农村建设,积极推动农业机械化,增加农民所得,改善农民生活环境与提高粮食增产为主要目标。"交通建设方面:"计划在高速公路、北回铁路、铁路电气化、桃园机场和台中港与苏澳港等工程完成之后,赓续兴建各种配合工程及其他运输通讯设施。"社会建设方面:"将在省市各地辟建卫星市镇,兴建22万余户的国民住宅。普遍加强农村、山地、滨海区域医疗卫生服务。提高国民营养,改造国民旅游娱乐设施,促进国民就业,使国民生活在实质上获得大幅度改善。"

"六年经济建设计划"的具体指标规定1976年至1981年的总体年均经济增长率为7.5%。其中,农业年均增长率为2.5%,工业则为9%;年出口增长12.2%,年进口增长10.8%;"国民收入"年均增长率7.7%。照此速度发展下去,到1981年,台湾人均"国民收入"将达1400美元。同时,该计划还确定了优先发展的资本和技术密集型产业(特别是电子组件、石化、精密仪器、成套设备、重型机械、钢铁和煤炭等产业)的策略,规定资本密集型产业的产值在整个"国民生产总值"中的比重,要从1975年的13%提高到1981年的17.5%。

"六年经济建设计划"是在国际政治经济形势对台湾经济发展极为不利的情况下制定的,所以各项指标都不高。随着石油危机过后世界经济的复苏,台湾经济状况出现好转,不少指标尚未到标点年就已远远超过原定计划。如经济增长率,1976年为13.48%,1977年为9%,1978年高达13.85%。这表明原计划对经济发展的指导意义已丧失。为此,台湾当局于1978年11月重新修订该计划的后三年(1979—1981年)指标,把计划中的年均经济增长率由7.5%提高到8.5%;工业年均增长率由9%提高到11.3%(农业不变);年出口增长为15.4%,年进口增长为19.6%;人均"国民收入"则订在2000美元的大关上。

然而,修改后的三年计划刚刚执行了一年,第二次石油危机又至,仍未摆脱对国际市场依赖的台湾经济再次受挫,各项指标均未能实现,台湾当局被迫于1979年底停止执行该计划,并于1979年制订了"十年经济建设计划"。

4."十大建设"

1973年第六期"四年计划"期间,台湾当局为突破经济发展的"瓶颈",宣布从1974年开始,用5年的时间,投资52.32亿美元,修建以社会基本建设和重化工业为主的"十大建设",即:核能发电厂、中山高速公路(基隆—高雄凤山)、铁路电气化、北回铁路、台中港、苏澳港、桃园国际机场、高雄造船厂、高雄钢铁厂和高雄炼油厂。

中山高速公路。亦名南北高速公路,是台湾第一条高速公路,北起基隆,南至高雄凤山,贯穿富饶的西部平原,路经14个县、市,连接基隆和高雄两港,并以支线连接桃园国际机场、高雄国际机场和台中港。全长373.4公里,路面分为八、六、四车道3种,采用立体交叉和交流的形式,每日行车能力为3.5万车次,而且行车速度比一般公路上升了一倍。该项目耗资398亿元台币,1971年7月动工,1978年10月建成,成为台湾交通大动脉,并使台湾的交通运输由以铁路为主转变为以公路为主,从而进入汽车运输时代。

西线铁路电气化。将基隆至高雄的495.5公里(复线)的西线铁路干线改造成为电气化铁路是台湾铁路系统改造的重要工程。该工程1975年7月开工,1979年7月完成,总投资新台币217亿元。改造后行车时间缩短一半,运能增加20%—30%,运输成本降低2/3,减少了能源的消耗和环境的污染。

北回铁路。北回铁路是台湾环岛铁路计划的重要一环,线路起于宜兰县苏澳镇附近北线铁路的南圣湖站,迄于花莲县附近东线铁路的田蒲站,全长88.1公里。整个铁路横断台湾东北部山地,山脉横断,桥隧众多,施工异常困难。工程开始于1973年12月动工,1979年12月完工,1980年2月通车,历时6年,项目耗资新台币50亿元。它的建成,有效地改善了东部地区的交通,提高了花莲港的经济效益。

台中国际港。港区位于台湾中部台中县梧栖镇,面积达3970公顷。自1973年11月起,工程分三期进行。第一期于1976年10月完工,耗资91亿元新台币,完成外廊堤防、航道、港地挖浚,修建了能泊3万吨级以下船舶的深水码头7座。该港建成后不仅使台中成为了台湾中部对外贸易的门户,而且有效缓解了高雄港和基隆港的运输压力。

苏澳港。苏澳港位于台湾东北部宜兰地区的苏澳湾,原是一小型商港。第一期扩建工程于1974年7月动工,1978年

12 月完工，耗资新台币 44 亿元，主要任务是将商港改为渔港，另加建一个能泊万吨级轮船的新商港。此港的建设对加速开发宜兰地区起了积极的配合作用。

桃园国际机场。机场位于桃园县大园乡，距台北市中心 40 公里，主要是为了替代台北松山机场。工程于 1973 年 8 月开工，1978 年建成试飞，1979 年 2 月正式使用，耗资新台币 100 亿元。机场占地 1200 公顷，跑道长 3660 米，宽 60 米，可供大型广体喷气飞机起降，每小时最大容量为 42 次。停机坪面积 31 万平方米，共有客运 22 个位置，货运 5 个位置。机场年吞吐量客运 500 万人次，货运 20 万吨，是台北松山机场的 6 倍。它的建成，对缓解台湾空运紧张的状况起了重要的作用。

高雄一贯作业炼钢厂。厂区位于高雄小港临海工业区，计划分两期施工，第一期工程于 1972 年 1 月正式动工，1977 年 12 月完工，耗资新台币 352 亿元，是世界上第二家采用百分之百连续铸造法的工厂。第一阶段完成后，形成年产粗钢 150 万吨的规模。该厂的建立，部分满足了台湾重化工业和机械工业的需要，部分产品已完全代替了进口，为台湾资本和技术密集型工业的发展奠定了基础。

高雄造船厂（台湾"中国造船公司"高雄造船厂）。厂区位于高雄小港临海工业区，工程于 1974 年 1 月动工，1976 年 6 月提前完工，是十大建设中最快、最早完成的项目。厂区占地 110 公顷，投资新台币 68 亿元。该厂设备完善，年造船能力 150 万载重吨，修船能力 250 万载重吨，最大可造 50—70 万吨级船，能同时建造 40 万吨级油轮两艘或中小型船舶多艘。高雄造船厂的建成，不仅促进了台湾航运业的发展，而且促进了各相关工业的发展。

高雄炼油厂。项目包括兴建第二轻油裂解厂、第三轻油裂解厂、二甲苯分离工厂及官营的中台化工公司、中国石油化学开发公司和民营的台塑等 16 家企业。石化建设从 1973 年开始到 1979 年结束，分为两期，总投资 321 亿元新台币。第二、第三轻油裂解厂，二甲苯分离工厂分别于 1975 年 8 月和 1978 年 3 月正式投产，年产乙烯 23 万吨、丙烯 11.5 万吨、丁二烯 3.5 万吨、苯 8 万吨、对位二甲苯 10 万吨、邻位二甲苯 4 万吨，基本满足了台湾石化原料的需求，有助于推动台湾工业升级。

核电一厂。厂区位于台北县金山乡，1970 年 12 月动工，1977 年 10 月一号机组装机完成，1979 年 2 月完成二号机组，总投资 1104 亿元新台币。该厂装机总容量 127.2 万千瓦时，年发电量达 68.78 亿度，每年可为台湾节约大量燃油。

这些项目的进行，对缓解台湾经济衰退、减少失业率、促进经济复苏有一定的促进作用，特别是为实现经济转型打下了一定的基础。但庞大的工程所需资金甚多，无论何种渠道获取资金，都将对物价形成压力，不利于缓解物价。

5. 日益萎缩的农业

进入 60 年代以来，台湾工业在"国民经济"中的主导地位逐渐明确并显现出来，农业则开始下滑。主要表现为：①发展速度趋疲。从 1964 年开始呈逐年衰退之势。1965 年至 1972 年间，台湾农业的年均增长率为 3.5%。其中，1969 年至 1972 年的年均增长率仅为 1.6%。②发展不稳，时好时坏。在 1965 年至 1973 年间，有 3 年的增长率超过 3.6%；有一年呈负增长；还有一年的增长率仅有 0.5%。③农业收入偏低，务农人心不稳。1973 年，农家的收入只占非农家收入的 60.2%；而农家收入中，农业收入又只占总收入的 45.6%。农民不愿也无力投资农业，只好粗耕粗作。另外,农业收入低,使大批农业劳动力外流,导致农业劳动力老龄化、妇女化,也影响了农业的劳动生产率的提高。④农业在对外贸易中的地位下降,作用减小。台湾农业原来是台湾经济和台湾对外贸易的重要支柱。但自1966年后,情况发生了逆转。该年,台湾农产品及农产加工品的出口占出口商品总数之比已从上年的54％降至44.9％,1973年更降至15.4％。⑤台湾的粮食自给率下降。台湾素以"米糖农业"著称,在1969年以前,每年平均出口大米12万吨。此后,农业发展锐减,粮食产量下降,出口减少。随着台湾当局1967年开放杂粮进口政策的出台,给台湾地区的杂粮生产以巨大的冲击,杂粮生产大幅度减少。如甘薯,1952年的收获面积为23.4万公顷,1978年已锐减为9.2万公顷。

为挽救台湾农业,台湾当局采取了不少的措施以图缓解农业滑坡的趋势。1969年,台湾农业首次出现负增长,为-1.9％。11月,台湾当局宣布了《新农业政策纲要》,并成立了"中央筹划小组",作为农业新政策实施的监督机构。新农业政策的主要目标在于谋求降低农业成本,提高农家所得,刺激农业生产。《纲要》提出了14条重要措施,其要点是:扩大农场经营规模,推行农业机械化;充裕农业生产资料,稳定农产品价格;强化农民组织,加强服务职能;发展农产品加工,拓展国际贸易;革新农产品运销制度,提高运销效率,降低运销成本;革新农业金融制度,充裕长期低利资金;继续增产粮食作物;继续改进畜牧生产;继续发展农业,扩大外销。

1970年,台湾农业的增长率回升到5.4％,但第二年又跌至0.5％。1972年9月,台湾当局公布了"加速农村建设重要

措施",共9大项,主要有:废除实行已久的"肥料换谷制度";取消田赋附征教育费,降低田赋征实的标准;放宽农业贷款条件,提供长期低利农耕贷款;提供设立的农业生产专业区,配合机械作业,办理土地重划,增加农村公共生产性设施;鼓励农村地区设立工厂,增加农民就业的机会,提高农民收入。1973年,台湾当局又颁布了《农业发展条例》。这是台湾第一部关于农业政策的基本法律。条例规定:奖励发展农场;减免部分税收,以减轻农民负担;以法律形式确立小农共同经营和委托经营的合法地位。1974年,为稳定粮食价格,台湾当局设立了"粮食平准基金"。为了实现上述各项措施,在1973年1月至1977年6月的四年半的时间里,台湾当局补助了新台币69.2673亿元;另外,地方部门也拨款新台币24.5961亿元。

台湾当局在60年代后期、70年代初期实施的各项扶助农业的措施,收到了一定的效果。由于田赋征实标准的降低、肥料配售价格的下降和农药进口关税的减免,使农业生产成本有所降低,在一定程度上刺激了农民生产的积极性,使农业出现了发展的势头。其中1973年至1977年期间发展相对较快,农业平均增长率为3.5％。农民的收入也从1973年的每户新台币54352元增至1976年的100873元。然而,60年代末70年代初的农业政策的调整并不能从根本上解决台湾农业滑坡的问题。随着台湾资本主义工业化的推进,以分散为特点的小(自耕)农经济越来越不适应工业发展的需要,成为工业发展的累赘。

四

教育、科技的发展

1."九年国民义务教育"

国民党接收台湾后,利用日据时期小学比较普及的基础,在台湾首先推行六年制"国民义务教育"。到1967年,整个台湾地区六年制"国民学校"已达到2.2万余所,班级4.5万余个,学生人数达到234.8万余人,学龄儿童入学率达到97.5%,基本普及六年"国民教育"。

60年代后期,随着台湾经济的发展及对人口文化素质的要求不断提高,各种行业训练没有初中程度不易入门。另外,随着经济的发展,人民生活的相对稳定,人们对就学和升学的期望日益提高。但由于台湾中学较少,虽然台湾当局采取一系列措施,中学数量仍旧不能满足需要,台湾学生小学毕业后,升学率仅在60%左右,近半数的学生既不能升学,又不能就业,整日浪荡街头,少年犯罪问题日趋严重,已成为社会问题。因此,延长"国民教育"年限势在必行。

蒋介石是延长"国民教育"的倡导者。早在1963年视察金门时,蒋介石就提出金门地区可研究试行九年制"国民教育"。据此,金门县从1964年开始试办九年制"国民教育",1967年8月,将初级职业学校和初级中学改为"国民中学",提前3年完成实验工作。

1967年6月27日,蒋介石在"总统府国父纪念月会"上提出,要加速推行九年义务教育计划。30日,他召见了"教育部长"阎振兴、台湾省政府主席黄杰、台湾省教育厅长潘振球以及台北市教育局长刘先云,"剀切指示要积极筹划延长国民教

育年限为九年"。8月9日,他在国民党"中常会"上再次提出,九年"国民教育"之实施,务须自1968年学年度开始实施。他认为,"九年国民基本教育,应该从加强国民基础知识、生活规范尤其卫生常识与现代科学精神、科学技能着手。更应该以启发性教法代替灌注式教法,作为国民基本教育的特点"。同时指出,"九年制的'国民教育',亦非徒为教育时间的延长、就学机会的普及与均等,更重要的乃为国民教育内容的充实和本质的改进"。

在蒋介石的指示下,台湾当局有关部门加速推行制定九年义务教育计划。8月,"行政院"通过了专案小组提出的《九年国民教育实施纲要》和《延长国民教育有关经费事项会商结论报告》,决定自1968年9月正式实施"九年国民义务教育"。为表示对教育的重视,蒋介石特以"总统"名义发布命令,正式实施"九年国民义务教育",儿童由7岁入学,至16岁完成"国民教育"。

为实施"九年国民义务教育",台湾当局制定了一系列有关法令法规,主要内容是:①"国民教育"年限延长至九年,分两阶段实行,前六年为"国民小学"阶段,后三年为"国民中学"阶段。课程标准根据九年一贯制的精神制订,取消原来的中小学教材的重复部分。②"国民小学"、"国民中学"划分学区,分区设置。学区内当年小学毕业生免试到学区内中学就读。③私立初级中学应依照"国民中学"课程标准实施教学。④"国民中学"学生免纳学费。清寒学生免收其他费用,并设立奖学金,奖励优秀学生。⑤"国民中学"课程标准应以民族精神教育和生活教育为中心,兼顾学生升学与就业两方面的需要,增加职业科目和技能训练,以配合学生就业的需要。⑥加强扩充地方教育行政机

构,将原县教育科改为教育局。⑦办理九年"国民教育"所需的经费,除地方当局在地方税收部分内拨给外,其余则采取加征田赋和各种教育捐税的办法以满足之。经过一年多的筹备,包括筹集经费、兴建校舍、配备师资、编印教材等,台湾"九年国民义务教育"于1968年学年度正式实施。

"九年国民义务教育"实施后,台湾的教育事业有了进一步的发展。从学校数目看,初期各地计有"国小"2244所,"国中"486所;到1991年度,在台湾出生率已下降的情况下,"国小"仍增至2495所,"国中"也增至706所。从学生入学率和毕业率看,"国小"入学率已从1968年时的97.67%增至1989年的99.9%。1967年时,"国小"的升学率仅为62.29%;次年,即实行"九年国民义务教育"的当年,就上升至74.66%;至1975年时继续上升达到90%以上,基本达到普及九年"国民教育"的目标。1982年,台湾实施的强迫入学条例生效后,升学率更是达到了98%。90年代之后,已近100%。

2. 大力兴办职业教育

台湾光复前,职业教育已有一定的基础。光复后,台湾省教育处把原来的实业学校及职业补习学校统统改为职业学校,规定入学资格为"国民学校"毕业生,修业年限3年,使之与初中平行。后来,台湾当局发现这种改制不妥,才又依三三制把27所实业学校划分为初职、高职两个阶段,除个别私立职业学校外,一律改制为省立职业学校,对90所实业补习学校,因其程度甚低或设施不良,予以改制、合并或撤除。

国民党败退台湾后,把普遍兴办职业教育和技术教育放在各项教育改革中最主要的地位。台湾的职业教育有着明确的分工和侧重,与经济发展紧密配合。50年代,当农业在台湾经济结构中占主要地位时,职业教育采取"以发展农职为主,工职为辅"的办学方针,促进了农职教育的发展,农职在校学生人数从1950年的1.2万人增加到1964年的2.7万人,占全部职校在学人数的1/4以上。教学内容则参考美国中等农职教育措施,试行农业综合课程,改变以往偏重理论,忽视技术训练的做法,加强实用技能训练和专业知识讲授。在工职教育方面,台湾当局于1953年组织工业教育视察团,在视察全省工业职业学校及专科以上学校后,决定引进美国工业职业学校的"单位行业训练方式",并于1955年选定8所示范工业职业学校办理单位行业科,实行训练,使工职教育内容以单一行业所需主要技术为范围,精简教学内容,缩短培训时间,达到学以致用的目的。

随着"九年国民义务教育"的实施,台湾高级中等教育仅剩下高级中学和高级职业学校两部分。鉴于两者教育目标的不同及台湾经济发展的需要,台湾当局在发展高级中学的同时,也对高级职业学校的建设予以关注。他们适时调整高级中学和高等职业学校的结构、比例,将40余所职校改制为高级职业学校,并将所有的公立高级职业学校改为"省立"。同时,允许部分高中兼招职业类科的学生,到1976年,兼办职业类科的公私立高级中学共有83所,占42%强,使高级职业教育得到迅速发展。

更为重要的是,他们还借鉴外国职业教育专家的建议,从1969年起,开始试办"轮调式建教合作班",即学校和工厂联合办学,学生一半时间在校学习,一半时间在工厂进行技能训练,从事生产,轮流更迭。合作的工厂负担学生的杂费并给予学生适当的补贴。这种办学模式充分利用学校和工厂的各自优势,一方面使学生既有充足的时间接受基础和专业教育,又有一定的时间以实习的方式接受专职教育和生产技能训练,成为合作工厂乐意雇佣的员工,解决了学生的就业出路问题;另一方面,在校学生也可以通过合作工厂得到一些经济收入,减轻了本人及家庭的经济负担。因此,这类模式一推出,得到了台湾各界的普遍好评。"建教合作"的教学模式以其经济有效的方式培养出更多高水平的合格人才,为台湾各业提供了大量中低级劳动力,也为台湾的经济起飞作出了贡献。

除此之外,台湾当局还根据外国职业教育专家的建议,自1971年开始试办"阶梯式教学",即学生在校学习的三年中,第一年为基础教学,第二年为专业教学,第三年则在校外经学校认可的工商企业机构中以实习的方式进行专职学习。这种教学注重理论与实践的统一,有效地避免了以往职业教育偏重理论的缺陷,使学生毕业后能很快地适应社会环境。

随着台湾经济发展和产业结构的升级,原有的职业教育因其层次较低难以满足社会的需要,广大的家长也迫切希望提高孩子的学历,同时中等职业教育的发展也为高等职业教育准备了大量的生源。因此,从1965年开始,台湾当局决定采取大设专科学校的政策,仅在1965年至1969年期间,台湾就批准设置了49所专科学校,涵盖艺术、农业、工业、商业、管理、医护、海事、家政、体育、新闻、外语、市政、师范等多个门类。这些专科学校针对不同的生源采取二年制、三年制和五年制等三种不同的学制。二年制专科招收中等职校的毕业生,三年制专科招收落榜的高中生,五年制招收初中毕业生(跨越中等教育和高等教育两个阶段)。由于专科学校发展过速、监控不力,必然会造成鱼目混珠、泥沙俱下,从而使教学质量得不到保证。1972年8月,台湾当局宣布暂停设立私立专科学校;同时,修订《大学法》,整顿专科以上学校以提高公私立学校的办学质量。为加强对专科学校的管理,1973年将原来"教育部"设置的"专科职业教育司"改为"技术职业教育司",作为"教育部"内专门掌控职业与技术教育的行政主管部门。

随着高职高专(高级职业学校和高等专科学校)的大量扩充,高职与高专学生成倍增长。1974年8月,台湾当局成立了"台湾工业技术学院"。它的成立,不仅为广大的高职高专毕业生开辟了新的进修渠道,而且促使职业技术教育形成一个中级职校——高职高专——技术学院的完整体系。

3. 科技的发展

日据时期,台湾的科技事业几乎是一片空白。1949年国民党退台时,绝大多数的科学家不愿追随国民党去台湾而留在了大陆。如国民党的最高学术机关"中央研究院"的14个研究所中,只有历史语言和数学两个研究所的部分人员和图书资料迁到台湾。因此可以说,台湾的科技事业几乎是从零开始的。

50年代初期,台湾在恢复经济时,虽然引进了一些生产性的技术,如农畜产品的改良、病虫害防治等农业技术以及食品、纺织等民生必需品的简单加工技术,但科学技术的研究基本上是处于一种"自然成长状况",发展十分缓慢。直至1954年台湾政局相对稳定后,台湾当局才开始对科技事业予以关注。是年,台湾当局宣布把该年定为"发展科学年",并于7月和10月分别成立了"科学教育委员会"和"原子能委员会",明令整个台湾地区的教育学术机构和工商企业单位积极推动科研事业的发展,但因财政拮据,仍无法付诸实践。

50年代后期,台湾在美国的帮助下恢复了原在大陆时期就已建立的"中央研究院",并于1959年成立了规划科技发展和推动长期研究的专责机构——"长期科学发展委员会"(简称"长科会",隶属于"教育部"),首次制订了《国家长期发展科技计划纲领》,终于使台湾的科技事业进入了起步阶段。

《国家长期发展科技计划纲领》的主要目标在于充实科技发展的基础,因此,这一时期科技研究发展方向以基础科学为主,同时通过各种补助措施,推动科技教育,培养研究人才。

台湾科技的真正发展是在60年代中后期。此时,随着加工出口工业的迅速发展,台湾对实用性的工业技术需求增大;同时,台湾的经济和教育的发展也为科技的发展提供了较多的经费、人才。于是,台湾当局采取了更为积极的措施发展科技。他们一方面提高科技领导机构的层级,1967年在"总统府国家安全会议"下设置"科学发展指导委员会"(简称"科导会")作为当局科技最高领导机构,负责拟订科技政策、计划;将原层级较低的"长科会"改组为直属"行政院"的主管科技发展的行政机构"国家科学委员会"(简称"国科会"),对科技发展采取"府"、"院"双重领导体制。另一方面制定了"十二年科学发展计划"(1969—1980),设置了"国家科学技术发展基金"和成立了"行政院应用技术研究发展小组"、"科技顾问小组"以及"中山研究院"、"工业技术研究院"、"能源研究所"等机构,加大对科技的投资,使科技研究由单纯"引进"逐渐发展到自身

开发,并在扩大研究基础、改进科学教育的同时,进一步加强了对应用科技的开发和运用。

"十二年科学发展计划"是70年代台湾科技发展的重要规划。该计划规定:全面改善各级科技教育;加强包括物理、化学、生物、数学、工程、农业以及地球物理、海洋科学在内的基础科学研究;系统地进行台湾历史、文化及经济结构的研究;研究工业技术,促进高级工业发展,加强学术研究与工业配合;加速有关农业科技研究,改进农业生产,促进农业现代化和科学化;积极研究交通技术发展;大力培养人才,逐步开展原子能应用技术研究;研究和发展有关医药卫生方面的科技,提高医疗卫生设施与服务,改善公共卫生。为保证"十二年科学发展计划"的实施,1969年1月25日台湾当局批准每年拨款新台币12亿元作为基金予以支持。

70年代中后期,世界科技发展日新月异,台湾以廉价劳动力为基础的传统加工也优势不再,台湾当局日感自身科技实力不足的严重性和对工业升级的紧迫性,遂开始强调以科技升级带动工业升级,推进社会发展。1978年,台湾当局首次召开了由产、官、学界参加的科技会议,研究制定了一系列发展科技的方案和计划,此年颁布了《科学技术发展方案》,作为指导科技发展的最高方针。该方案体现了基础科学、应用科学与技术开发三者并列的整体性政策,强调科技政策的制度化,强调以引进为重要手段,并提出了资讯等8项"策略性"科技为发展的重点。此后,科技会议每四年召开一次,制定出新的发展政策与计划。

1991年,台湾当局终止"动员戡乱时期"后,于7月1日正式撤销"科导会",将科技发展转向以"行政院"系统为主的领

导体制。

经过多年的发展,台湾已逐渐形成了以从事基础研究的"中央研究院"、从事技术科学研究的"工业技术研究院"和从事军事科学研究的"中山研究院"为中心的三大科研体系。其中,"中研院"下设18个研究所和1个计算中心,包括:数学所、物理所、化学所、资讯科学所、地球科学所、统计学所、原子分子科学所、植物所、动物所、生物化学所、生物医学所、分子生物所、历史语言所、民族所、近代史所、经济所、美国文化所、三民主义所。

五

东西方文化的碰撞

1. "中华文化复兴运动"

1966年11月12日是孙中山诞辰100周年的纪念日,孙科等1500人联名给台湾"行政院"写信,建议发起"中华文化复兴运动",要求将每年的11月12日即孙中山诞辰日定为"中华文化复兴节"。台湾当局立即接受了这个建议,1967年7月28日成立了以蒋介石为会长的"中华文化复兴运动推行委员会发起大会"并由国民党中央委员会颁布《推行中华文化复兴运动办法》,随即在台湾及海外开始大力推行这一运动。

台湾当局之所以如此看重"中华文化复兴运动",是有着深刻复杂的政治、社会和思想文化背景的。

首先,台湾当局企望通过"中华文化复兴运动",以中国传统文化的继承人自居,继续攻击"共产主义"是"外来文化","共产主义不适合中国国情",妄图用所谓的"民族文化"来为国民党的统治寻找一个安身立命的思想基础;其次,当时祖国大陆正发生"文化大革命",台湾当局要利用这个机会,打出"复兴中国文化"的旗帜,以反对中国共产党;再次,面对台湾经济发展所带来的社会道德沉沦、社会风气变坏的现实,企望通过这一运动作为治疗社会问题的药石;最后,国民党发动这一场"中华文化复兴运动",也是针对以李敖为首的"全盘西化"论者的。他们企望能请出中国传统文化,建立一种"文化自信心",以对付"全盘西化"论者的挑战。

"中华文化复兴运动"自1967年发起,在70年代初形成了高潮。这个运动的中心内容就是利用孙中山的某些言论,散布"中国文化、三民主义、'中华民国'三位一体论"。即要给世人一个印象:三民主义就是中国文化,中国文化就是三民主义;"国民革命"就是民族文化的保卫者。因此,"中华民国"、中国文化、三民主义三者有了"不可分性"。从运动的中心内容来看,这场运动明显要与政治结合在一起,文化只不过是政治的陪衬。

为将这场带有浓厚政治色彩的文化运动引导到当局的轨道上来,1971年2月12日,"中华文化复兴运动推行委员会"修正通过"文化复兴运动再推进"计划纲要,规定了"文化复兴再推进"的五个方向。(1)文化复兴与生活结合:①以四维八德为基础,继续加强推行《国民生活须知》与《国民礼仪范例》。②继续加强推行国语运动。③推展文艺运动,净化文艺作品,改进大众传播内容。(2)文化复兴与教育结合:①改进教育制度,充实学校课程。②加强中国史地教学,培养"反共爱国"思想。③加强学生生活教育,培养德智体群四育均衡发展。④鼓励学人回台湾讲学任教。⑤提倡职业教育,辅导中学生就业。⑥积极推行全民体育运动。(3)文化复兴与学术结合:①汇合政府与民间力量,共同推行科学研究及创作发明。②扩大中外图书交换,选择最新科学著述。③加强国内外各学术文化基金或奖学金的联系运用,奖励文化投资与文化基金捐献运动。④继续从事古籍今注今译工作,或择要予以新式标点。(4)文化复兴与"外交"结合:①以文化为前驱,争取国际人士的了解与同情,以转变国际间"姑息妥协"的言论与行动。②建立海外中华文化活动中心,传播中华文化。③大量制作具有民族文化风格的影片唱片等,免费或低价供给侨校、侨社、留学生、旅外学人、外国社团及大众传播机构播映。(5)文化复兴与"国防"结合:①唤醒同胞对"共匪"的倒行逆施及企图彻底毁灭我中华文化的狠毒行为,予以直接或间接地打击。②揭发"共匪"在国际间的文化宣传伎俩。③加强"空投"、"海漂"、"隔海喊话"及"大陆广播"等心战措施,掀起大陆同胞的"革命浪潮",以达内外夹攻的目的。④整肃文化战线,扫除毒素宣传,"以坚强革命阵营"。

这场"中华文化复兴运动"产生了多种社会影响。许多台湾同胞摒弃了反共的八股,在对中国文化总的思考下,越来越关心国家、民族的现实命运和台湾的前途问题。不可否认,也有一部分台湾知识分子接受了"三位一体论",把国民党统治下的台湾,视为"中华文化"的保卫者。

2."乡土文学"、"乡土电影"与"校园歌曲"的繁荣

进入70年代,随着台湾民众社会意识与民族意识的高潮,台湾民众对日益扩大的贫富差距以及对60年代完全西化的现代主义的不满,乡土文学遂取代现代主义文学一跃成为台湾文学的主流。

乡土文学取材相当广泛,特别关注沉浮于社会低层的卑微人物,作品洋溢着爱国主义和民族感情。其形式不局限于小说,也扩展到散文和诗歌领域。70年代,乡土写实散文作家提倡散文不应只有艳丽的词句而脱离社会现实,不应停留在"小我"而应进入"大我";不应沉潜于散文家个人的心境,而应反映社会下层人物的痛苦。其典型的作品有许达然的散文集《土》。70年代诗歌在借助现代派表现手法时更注意强调民族性、社会性、本土性、开放性、通俗性的内容和朴素明朗的语言形式,与60年代现代主义诗潮形成鲜明对比。创作出《阶》、《吾乡印象》、《爱荷华家书》、《少年中国》、《母亲》、《童年的梦》、《妹妹的红雨鞋》等佳作。但由于过分强调社会性、乡土性,不少诗又走向题材狭窄、艺术表现单调的另一个极端。

进入70年代,台湾的一批电影艺术家也开始用西方当代电影意识流、生活流的手法,编导了一大批乡土影片,如:《源》(第26届亚洲影展上获最佳编剧奖)、《原乡人》、《香火》、《汪洋中的一条船》(第25届亚洲影展上获最佳导演奖)等。浪漫爱情片和历史战争片也逐渐出台,如琼瑶的作品《几度夕阳红》和《英烈千秋》(第21届亚洲影展最佳导演、编剧和男主角奖)、《碧血黄花》(第26届亚洲影展最佳导演奖)、《辛亥双十》、《太湖英烈》、《女兵日记》等。

60年代末,西洋音乐开始逐渐流行于台湾,并为青年学生迷恋。随着70年代初台湾出现的重大变革与冲击,青年学生开始反思,他们既不满台湾社会充斥的靡靡之音,也对西洋乐占据台湾怀有深深的忧虑,试图探索创作出一批曲调清新明快、填词亲切雅致、天真质朴,并能将自然小景与个人情感有机结合的新型歌曲。由于此类歌曲的词曲作者多为在校大学生,或歌曲首先在大学校园传唱,因此人们称之为"校园歌曲"或"校园民歌"。

校园歌曲多以台湾当时著名诗人的作品或中国新文学史上的著名诗作来谱曲,像郑愁予、余光中或徐志摩、胡适等人的作品。此时校园歌曲的代表人物有陈明韶、包美圣、罗大佑、李宗盛、侯德建等,创作出包括《春天的故事》、《乡愁四韵》、《今山古道》、《你的歌》、《踏浪》、《乡间小路》、《让我们看云去》、《踏着夕阳归去》、《外婆的澎湖湾》、《蜗牛与黄鹂鸟》、《小茉莉》、《赤足走在田埂上》等歌曲。这些歌曲走进千家万户,并漂洋过海,进入香港、东南亚,后又流行于祖国大陆。

3.“现代诗论战”

60年代,现代主义文学以现代诗为发端进入一个大行其道的时期,其产生的原因一是西方文化思潮的冲击;二是在国民党的高压政策下,青年普遍产生苦闷与迷茫的情结,需要诉说与排解;三是中产阶级的兴起及其对民主自由的要求。

60年代的现代诗,不论是在语言还是在艺术表现方面都取得新的成就,突破50年代“叙述化”、“散文化”、“概念化”倾向,创造性地构造新的语言形式,意象繁复鲜明、多彩,用象征、暗示、比兴、超想象、潜意识的手法,以有限表现无限,使诗质更加稠密,诗思更加丰富;扩大了现代诗的内容与题材,相继出现了探索战争和死亡、生命的意义、人性的复杂等方面的诗作。但在“先天不足”、后天泛滥的环境下,一种“输入”来的舶来品被横向移植过来,不可避免会出现盲目模仿、一味西化的弊端。有的现代诗脱离生活,存在虚无主义、纵欲主义、形式主义、非理性主义、神秘主义、晦涩难懂等倾向。

早在70年代初,反感于现代诗“横的移植”,《龙族》诗刊声称,要“敲我们自己的锣,打我们自己的鼓,舞我们自己的龙”。但由于没有外力的帮助,现代诗坛

的内部反省很难进行,直至先后出现的“关杰明旋风”和“唐文标事件”,才引发了对现代诗创作路线的反省与论战。

1972年2月,英国剑桥大学博士,时任新加坡大学英文教师的关杰明,在台湾《中国时报》“人间副刊”连续发表了《中国现代诗的幻境》、《中国现代诗的困境》、《再谈中国现代诗:一个身份与焦距共同丧失的例证》三篇文章,对叶维康、张默、洛夫主编的三部诗论或诗选表示失望,并一针见血地指出:台湾现代诗充斥着“做作的、对生命的逃避”和“玩票式的语言技法”。作家这种“忽视传统的中国的文学,只注意欧美文学的行为,就是一件愚不可及而且毫无意义的事”。在他看来,所谓诗的传统,绝不只是诗的形式、格律等方面的东西,而更是诗人对于整个中国文学世界所建立起来的复杂而丰富的传统的归属感。但台湾现代派诗人所失落的,或抛弃的正是这种特殊的心灵的归属感。

关杰明的尖锐批评,引起了诗坛的震动,但将其批评引向深入并造成轰动的是1973年8月刚从美国回台大数学系任客座教授的唐文标。唐文标先后发表了《先检讨我们自己吧》、《什么时代什么地方什么人》、《诗的没落》、《僵毙的现代诗》等文章,指名批评《文学杂志》等社团刊物和洛夫等人,从而引发了一场现代诗的论战。

唐文标的矛头直指诗与现实的关系,强调文学面向现实的社会功能。他指责台湾现代诗人“生于斯长于斯而表现的文学竟全没有社会的意识、历史的方向,没有表现出人的绝望和希望。每篇作品只会用存在主义掩饰,在永恒的人性,雪呀夜呀,死啦血啦,几个无意义的词中自赎”。他还将台湾现代派诗人对现实“逃避”的方式归为“个人的逃避”、“非作用的逃避”、“思想的逃避”、“文学的逃避”、“抒

情的逃避"、"集体的逃避"六种,并逐一举例加以批判。

唐文标对台湾现代诗的无情批判,使整个诗坛喧哗起来,"拥唐派"和"反唐派"相互论战。现代派诗人更是群起攻之。他们反驳的文章或是以偏赅全,失之于片面性;或是意气用事,停留于情绪化;有的甚至走向政治攻击,攻击唐文标是"赤色先锋队",在台湾散布"唯物史观"和"普罗文学的毒粉"。

"唐文标事件"前后,一批年轻的学者、诗人和评论家以新生代的力量重新集结,他们与关杰明、唐文标形成合力,共同推动了台湾现代诗的检讨。其中,最著名的是诗人高准。他以对中国新诗传统的深刻理解以及秉持比较客观、公平的态度去评价诗人不同历史时期的创作风貌,归纳出现代派诗歌的八种弊端:①拖沓堆砌,结构散漫;②叫嚣呐喊,流为口号;③摧毁韵律,佶屈聱牙;④排斥抒情,毁弃性灵;⑤蹂躏汉语,暧昧晦涩;⑥割绝传统,丧心病狂;⑦矫揉造作,颓废虚无;⑧摈绝社会,麻木不仁。与此针锋相对,高准为新诗的再建设提出了"五点基准"和"三项方针",强调诗歌要吸收传统文化,深刻关注现实和发挥抒情的性能。

发生在70年代初新的社会思潮背景下的这场"现代诗论战",就其提出的问题的深度和广度来说要比以往历次对现代诗的批评深刻得多。经过激烈的论战,不仅促成了整个社会对现代诗的关注,也唤醒了现代诗人对自身创作的反思和检讨,为他们改变创作路向奠定了基础。

风雨飘零的台湾"外交"

1. 保钓运动

保钓运动是70年代初期中国海内外学生发起的一场"保土爱国"运动。

钓鱼岛,位于台湾东北部约120海里海域,包括钓鱼岛在内共八个小岛。该岛历来是中国的领土,日本觊觎之心由来已久。借助中日甲午战争中方失败不得不签订《马关条约》之际,日本强行将该岛划在琉球群岛之内。日本在二战失败后,在1952年与台湾签署的《和平条约》中承认1941年以前与中国签订的所有条约失效。换言之,日本政府承认并同意归还所有侵略中国的领土。然而,由于该岛地理位置特殊,战略价值重大,美军一直盘踞该岛而未能及时回归中国。1970年8月10日,日本对钓鱼岛海底资源主权问题提出异议。12日,美国驻日本大使馆发言人宣称:钓鱼岛"是琉球群岛的一部分","美国政府决定归还日本"。9月10日,日本外务大臣也宣布钓鱼岛的主权属于日本。对此,台湾当局发表声明,指出钓鱼岛的主权应归属中国。12月21日,台湾当局又与日、美"联络委员会"所属的"海洋开发研究联合委员会"举行会议,决定共同"调查、研究、开发"钓鱼岛附近海域的海底资源。

钓鱼岛问题引起岛内外极大的关注。中国旅美学生(主要是台湾留学生)毅然提出"中国领土不容再断送,中国主权不容再丧失"的口号,揭开了"保钓运动"的序幕。1971年1月29日至30日,美国各地华人成立的"保钓委员会"组织台湾地区留学生3000多人,在纽约、芝加哥、旧金山、洛杉矶等城市举行"保钓"示威游行。其后，又迅速波及美国50多座大城市近百所大学。3月12日，几十个"保钓委员会"联合起草了致台湾当局的公开信，要求谴责日本的侵略行径。4月9日，美国国务院发言人称：美国支持日本政府对钓鱼岛的领土要求；次日，台湾"外交部"发表谈话：反对美国将这些岛屿交还日本。与此同时，"保钓运动"进入高潮，各大学4000多名学生又一次走上街头，举行抗议游行，并向美国国务院和日本驻美国大使馆递交抗议书。在台湾岛内，4月14日至17日，台湾大学、台湾师范大学等校学生也连续在台北举行"保钓"集会和游行。然而，美日竟对中国人民的正义要求置之不理，于6月17日签订归还冲绳协议（包括钓鱼岛），把钓鱼岛"归还日本"。对此，台湾当局发言人声明：不能接受美日协议。同年12月30日，中华人民共和国外交部重申钓鱼岛为中国的领土，美日协议是完全非法的。

1972年5月13日，留美中国学生再次在华盛顿举行示威游行，抗议美日政府行径。"保钓运动"对岛内外学生产生了两大政治效果：一是不少学生开始关心中国的统一，认为只有中国的统一才会有中国的强大，才能保障中国的领土主权；二是不少学生开始关心台湾内部的政治改革，关心台湾的命运和前途，呼吁国民党当局开放民主，聚集民心，提振民气。

2. 美国对台政策的变化

进入60年代后，台美之间的"蜜月"结束。1961年，民主党人肯尼迪击败尼克松当选美国总统。在肯尼迪入主白宫直至其遇刺身亡的1000天里，他表面上仍表示坚持艾森豪威尔对华三原则，但在实际操作时则采取灵活态度。1962年，国民党"反攻大陆"之声再起，海峡局势骤然紧张。美国从国际形势和自身利益出发，决定对蒋介石的行动"既不鼓励又不支持"。肯尼迪表示，台湾地区的紧张形势，引起美国政府的"严重关注"，美国的立场是"反对在此区域内使用武力"，并警告台湾在未获得美国同意之前，不得采取"反攻大陆"的行动。特别是在关于中华人民共和国的联合国席位问题上，肯尼迪虽然表示将继续履行其对"台湾人民和在台湾的政府"的"承诺"，支持国民党当局在联合国的席位，但又向外界暗示：中华人民共和国进入联合国只是时间问题。美国在这些关键问题上的暧昧政策，在约翰逊继任总统后也没有太大的改变，并随着中国原子弹试爆成功和美国陷入越南战争泥潭，对华政策出现微调，即主张对中国大陆采取"遏止而未必孤立"的政策，政府内部主张与中国改善关系、建立正常关系的人数越来越多。

1968年11月，美国共和党人尼克松当选为美国新一任总统，美国对华政策出现重大转折，由原来的"遏止而未必孤立"转变为"以谈判代替对抗"。为了改变同中国大陆的关系，尼克松上台后采取了一连串的行动。这些行动主要有：①美国国务院于1969年7月21日宣布，六类美国人可以以观光者的身份访问中国大陆，同时准许美国商人购买非以商业为目的的中国大陆商品。②准许美商海外分公司经由第三国与中国进行非战略性物资的贸易。③美国反对提供一中队F—4D型飞机给台湾，又在军事援外法案中删除了原定供台湾购买F—4D型飞机的5450万美元。同时，宣布美国第七舰队在台湾海峡的巡逻由定期改为不定期。④1970年初，中美恢复华沙会谈，并改变过去向台湾当局通报华沙谈判内容的做法。⑤在欢迎来访的罗马尼亚总统齐奥塞斯库的酒会上，尼克松第一次改变了"共产党中国"的提法，而改称中华人民共和国的国号。

其实，尼克松在实施新的对华政策前，已充分考虑到中华人民共和国在联合国的席位问题以及与台湾关系问题。因此，他的政策出台时，尽管台湾方面表示强烈不满，但仍不为之所动。1971年7月9日，基辛格在巴基斯坦政府的协助下，巧妙避开随行记者抵达北京，经过与周恩来总理的两天会谈，初步商定尼克松访华的行程。

当尼克松访华的消息传来，台湾"朝野"震惊。10月9日，尼克松的特使、加利福尼亚州州长里根访台，向台湾表示美国此举是为了缓和与大陆的紧张关系，绝不会牺牲台湾的利益，并表示美国将保证维护国民党在联合国的会籍。

3. 台湾被逐出联合国

从1950年开始，美国操纵联合国大会，拒绝讨论中国代表权问题。但随着国际形势的变化和中国在外交方面的成就，世界上支持中国恢复席位、驱逐国民党代表的国家越来越多。在1970年的第25届联大上，支持恢复中国席位的赞成票首次超过反对票。这表明美国在联合国内顽固推行孤立中国、阻止中华人民共和国代表进入联合国的政策已经失效。

为了保证对台湾的承诺，更为了制造"两个中国"，美日两国在明知无法阻止新中国进入联合国后，加紧筹划"重要问题"和"双重代表权"两个提案，以实现其分裂中国的目的。值得肯定的是，蒋介石对"双重代表权"提案不感兴趣。不管考虑问题的出发点如何，在避免中国主权的分裂、避免落入美国预设的圈套上，蒋介石还是作出了一定的贡献。

1971年10月25日，第26届联大进入表决的关键时刻，美国虽拼命拉票却仍无法改变局面。美国的两个提案最终以59票反对、55票赞成、15票弃权和56票反对、53票支持、19票弃权被否决。当表决到阿尔巴尼亚、阿尔及利亚等23国提案时，美国代表乔治·布什竭力主张取消驱逐蒋介石集团出联合国的条款，遭各国代表的齐声反对。最后，大会以76票赞成、35票反对、17票弃权通过了阿尔巴尼亚等国的提案，形成了联合国历史上著名的2758号决议——承认中华人民共和国政府的代表是中国在联合国组织的唯一合法代表，立即把蒋介石的代表从它在联合国组织及其所属一切机构中所非法占据的席位上驱逐出去。

继联大驱蒋案通过之后，台湾"外交"形势急转直下。此时，除了国际货币基金组织和世界银行的会籍外，所有的联合国机构都对台湾关上了大门。20多个国家也随之与台湾当局"断交"，转而承认中华人民共和国。是年底，与中国建交的国家上升到69个，与台湾当局保持"外交"关系的国家则下降到54个。在世界上与中国大陆建交的国家总数首次超过了台湾。截至1973年2月，仅有39个国家与地区还同台湾当局保持"外交"关系。到1974年11月时只有20个。一段时间里，台湾的"外交部"被世人讥讽为"断交部"。

4. 尼克松访华

1972年2月21日，尼克松顺利访华，毛泽东主席立即接见了他，并定下了中方处理台湾问题的基调。同月28日，中美双方本着求同存异精神进行多次磋商形成了举世闻名的《上海公报》。

在公报中，美方承认其"认识到，在台湾海峡两边的所有中国人都认为只有一个中国，台湾是中国的一部分。美国政府对这一立场不提出异议"。但在公报中，美国坚持"它对由中国人自己和平解决台湾问题的关心"。基于此,美国才考虑"从台湾撤出全部武装力量和军事设施的最终目标",并表示它"将随着这个地区紧张局势的缓和",会"逐步减少在台湾的武装力量和军事设施"。

尽管这一公报存在着很多的模糊处,但有几点是非常清楚的:

首先,美国政府答应不对海峡两岸的中国人都认为只有一个中国的立场进行质疑,这表明美国政府已经接受了台湾最终回归祖国的现实。虽然这不是对中国拥有台湾主权的一种正式的明确的承认,但美国政府已被这种承诺所限制,它就不可能肆无忌惮地支持"台独"。

其次,美国政府表示它愿意看到中国人自己用和平方式解决台湾问题,这表明美国政府已对原有的立场进行了调整,承认台湾问题是国内性质而非国际性质的问题。

最后,美国政府虽然未明确表示撤除在台湾的美军和军事设施的时间表,但无疑透露出愿以此为代价与中华人民共和国建立外交关系的信息。

尼克松自称他访华的七天是"改变世界的一周"。这一周使台美关系逆转,给台湾当局以最沉重的打击。

为报复美国的不友好举动,台湾内部响起了"与魔鬼打交道"的声音。所谓"魔鬼",是指苏联和东欧的共产党国家。对此,蒋经国积极支持,试图通过与苏联、东欧等国拉关系,达到利用苏联,钳制中美关系的发展这一目的。同时,蒋经国还操纵情报机关,在美广泛设置地下情报网,渗透美国政府,影响美国的决策。

5. 台日"断交"

中美关系的改善,对追随美国的日本来说是一个强烈的刺激。新中国成立后,日本政府受世界冷战格局、美国远东政策和日本国家利益等因素的制约与影响,与台湾蒋介石集团于1952年4月缔结了《日台和平条约》,建立"外交关系"。在之后的20年里,日本对台政策基本保持稳定。一方面,日本与台湾在政治、经济、文化上的合作与交流加强。1957年6月2日,时任日本首相的岸信介访台,明确"反共"立场,更加强了台日之间的关系。但另一方面,日本通过民间渠道,与中国大陆间的经贸往来也日益密切。1960年7月19日,新任首相的池田在就任后举行的第一次记者招待会上表示"要同中共友好相处",进一步采取积极措施加强与中国大陆的贸易联系。日本政策的调整使台日之间的冲突不断。1964年1月,双方关系因中日成套设备贸易、"周鸿庆事件"的对立一度濒临破裂,只是在美国的调和下才得以恢复。

70年代初,随着中国外交的胜利和西方国家对华政策的改变,日本再次调整台日关系。1972年7月,田中角荣出任日本首相,表示为了实现"中日邦交正常化",不惜与台湾"断交"。"中日邦交正常化"的步伐开始加快。对此,中国政府表示欢迎。9月25日,田中角荣顺利访华。29日,中日两国发表联合声明,宣布两国结束不正常状态,正式建立外交关系。当天,日本外相大平正芳在北京举行记者招待会,宣布:作为日中邦交正常化的结果,1952年4月签署的《日台条约》宣告结束;日本政府与蒋介石集团断绝"外交关系",各自撤回"大使"。10月10日,日台双方的"大使馆"停止悬挂对方"国旗"。11月28日和30日,双方"大使"分别回"国"。至此,日本政府与台湾间的所谓"外交关系"正式断绝。

中日关系正常化和台日断交是台湾在外交领域上遭到的又一次重大的挫败。台湾失去其在远东最重要的伙伴。

附　录

党、政、军、民主党派、人民团体、各级组织沿革和领导成员名录

一

中　央

中国共产党

中国共产党第八届中央委员会

（1956 年 9 月—1969 年 4 月）

政治局扩大会议

（1966 年 5 月 4 日—26 日）

增补：

书记处常务书记　陶　铸
书记处书记　叶剑英

停止职务：

书记处书记　彭　真　罗瑞卿　陆定一
书记处候补书记　杨尚昆

（八届十一中全会批准了上述决定，正式撤销了彭真、罗瑞卿、陆定一的书记处书记职务）

八届十一中全会

（1966 年 8 月 1 日—12 日）

（改组中央领导机构、调整中央领导成员）

中央委员会

主　席　毛泽东
副主席　林　彪
政治局常务委员会委员

毛泽东　林　彪　周恩来　陶　铸　陈伯达

邓小平　康　生　刘少奇　朱　德　李富春
陈　云

政治局委员

毛泽东　林　彪　周恩来　陶　铸　陈伯达
邓小平　康　生　刘少奇　朱　德　李富春
陈　云　董必武　陈　毅　刘伯承　贺　龙
李先念　李井泉　谭震林　徐向前　聂荣臻
叶剑英

政治局候补委员

乌兰夫　薄一波　李雪峰　谢富治　宋任穷

书记处书记　谢富治　刘宁一

候补中央委员递补：

中央委员

杨得志　韦国清　罗贵波　张经武　谢觉哉
叶　飞

八届十二中全会(扩大)

(1968 年 10 月 13 日—31 日)

候补中央委员递补：

中央委员

黄永胜　许世友　陈锡联　张达志　韩先楚
潘复生　刘建勋　刘子厚　吴　德　李大章
(全会错误地决定永远开除刘少奇出党，并撤
销其党内外一切职务)

中国共产党第八届中央监察委员会

(1956 年 9 月—1969 年 4 月)

略

中国共产党第九届中央委员会

(1969 年 4 月—1973 年 8 月)

中央委员(170 人)

毛泽东　林　彪

(以下按姓氏笔画次序排列)

丁　盛　于　桑　马福全　王　震　王白旦
王进喜　王宏坤　王秀珍(女)　　王秉章
王国藩　王洪文　王树声　王首道　王效禹
王淮湘　王超柱　王辉球　王新亭　邓子恢
邓颖超(女)　　韦国清　天　宝　孔石泉

叶　群(女)　　叶剑英　龙书金　邝任农
田华贵　申茂功　皮定均　刘　丰　刘　伟
刘子厚　刘兴元　刘伯承　刘均益　刘贤权
刘建勋　刘结挺　刘格平　刘盛田　刘锡昌
江　青(女)　　江礼银　江拥辉　江燮元
朱　德　华国锋　许世友　任思忠　年继荣
纪登奎　陈　云　陈　郁　陈　赓　陈　毅
陈士榘　陈永贵　陈先瑞　陈伯达　陈奇涵
陈锡联　李　强　李　震　李大章　李天佑
李水清　李四光　李先念　李作鹏　李顺达
李素文(女)　　李雪峰　李富春　李瑞山
李德生　吴　涛　吴　德　吴大胜　吴法宪
吴桂贤(女)　　吴瑞林　吕玉兰(女)
张才千　张天云　张云逸　张达志　张池明
张体学　张国华　张恒云　张春桥　张富贵
张福恒　张鼎丞　张翼翔　汪东兴　邱创成
邱会作　邱国光　杨春甫　杨得志
杨富珍(女)　　杜　平　苏　静　肖劲光
余秋里　周　兴　周赤萍　周建人　周恩来
郑维山　宝日勒岱(女)　　范文澜　宗希云
冼恒汉　胡继宗　姚文元　南　萍　饶兴礼
耿　飚　徐向前　徐海东　徐景贤　聂荣臻
唐岐山　唐忠富　钱之光　郭沫若　袁升平
倪志福　夏邦银　莫显耀　高维嵩　梁兴初
康　生　黄　镇　黄永胜　曹里怀
曹轶欧(女)　　尉凤英(女)　　鹿田计
曾　山　曾绍山　曾国华　曾思玉　彭绍辉
鲁瑞林　韩先楚　粟　裕　温玉成　董必武
董明会　程世清　谢家祥　谢富治　赖际发
解学恭　谭甫仁　赛福鼎　蔡　畅(女)
蔡协斌　蔡树梅(女)　　滕代远　滕海清
潘世告　潘复生　魏秉奎

中央候补委员(109 人)

七林旺丹　马天水　王　体　王　新
王六生　王光临　王志强　王恩茂　王维国
方　铭　方　毅　邓　华　韦祖珍　尤太忠
文香兰(女)　　石少华　冯占武
央　宗(女)　　刘西尧　刘春樵　刘浩天
刘振华　朱光亚　华林森　达　洛
肉孜·吐尔迪　阮泊生　陈仁麟　陈华堂
陈励耘　陈和发　陈敢峰　李　立　李化民
李书茂　李再含　李守林　李定山　李跃松

吴　忠　吴纯仁　吴金全　吕　和

吕存姐(女)　　　张日清　张世忠　张令彬

张延成　张江霖　张西挺(女)　　　张秀川

张泗洲　张英才　张积慧　汪家道　杨俊生

杨焕民　宋双来　岑国荣　罗元发

罗春俤(女)　　　罗锡康　郑三生　金祖敏

易耀彩　胡　炜　胡良才　姚连蔚　赵　峰

赵兴元　赵启民　耿起昌　徐　驰

聂元梓(女)　　　唐　亮　钱学森　郭玉峰

郭宏杰　梁锦棠　康　林　康建民　黄文明

黄成连　黄作珍　黄志勇　黄荣海　崔建范

崔海龙　阎仲川　盘美英(女)　　　隆光前

曾雍雅　彭　冲　彭贵和　鲁大东　韩　英

傅传作　焦林义　舒积成　蒋宝娣(女)

谢家塘　谢望春　　　蓝亦农　蓝荣玉

谭启龙　裴周玉　樊孝菊(女)　　　樊德玲

黎　原

九届一中全会

(1969年4月28日)

选举中央委员会：

主　席　毛泽东

副主席　林　彪

政治局常务委员会委员

毛泽东　林　彪

(以下按姓氏笔画为序)

陈伯达　周恩来　康　生

政治局委员

毛泽东　林　彪

(以下按姓氏笔画为序)

叶　群　叶剑英　刘伯承　江　青　朱　德

许世友　陈伯达　陈锡联　李先念　李作鹏

吴法宪　张春桥　邱会作　周恩来　姚文元

康　生　黄永胜　董必武　谢富治

政治局候补委员

纪登奎　李雪峰　李德生　汪东兴

(1971年9月13日,林彪反革命集团发动武装政变失败。1973年8月20日,中共中央批准《关于林彪反党集团反革命罪行的审查报告》,决定永远开除林彪及其反革命集团主要成员陈伯达、叶群、黄永胜、吴法宪、李作鹏、邱会作

等人的党籍,撤销他们党内外的一切职务。)

中国共产党第十届中央委员会

(1973年8月—1977年8月)

中央委员(195人)

毛泽东

(以下按姓氏笔画为序)

丁　盛　丁可则　丁国钰　马　宁　马天水

于　桑　于会泳　于洪亮　王　净　王　震

王必成　王宏坤　王秀珍(女)　　　王国藩

王洪文　王树声　王首道　王淑珍(女)

王淮湘　王超柱　王稼祥　天　宝

巴　桑(女)　　　方　毅　邓小平

邓颖超(女)　　　尤太忠　孔石泉　孔照年

乌兰夫　韦国清　冯　铉　司马义·艾买提

白如冰　田华贵　田维新　皮定均　叶剑英

刘　伟　刘子厚　刘兴元　刘伯承　刘均益

刘贤权　刘建勋　刘盛田　刘湘屏(女)

刘锡昌　江　青(女)　　　江礼银　江拥辉

江燮元　朱　德　朱穆之　许世友

吕玉兰(女)　　　安平生　庄则栋　华国锋

华林森　乔冠华　任思忠　年继荣　纪登奎

邢燕子(女)　　　陈　云　陈　郁　陈　赓

陈士榘　陈永贵　陈先瑞　陈奇涵　陈锡联

陈慕华(女)　　　杜　平　李　达　李　强

李　震　李人章　李井泉　李水清　李仕之

李先念　李志民　李顺达　李素文(女)

李葆华　李富春　李瑞山　李德生　谷　牧

杨　勇　杨春甫　杨得志　吴　涛　吴　德

吴大胜　吴桂贤(女)　　　苏　静　苏振华

张才千　张云逸　张平化　张达志　张池明

张廷成　张体学　张宗逊　张恒云　张洪池

张树芝　张春桥　张维民　张富贵　张福恒

张鼎丞　张翼翔　汪东兴　肖劲光　岑国荣

宋佩璋　余秋里　周　兴　周宏宝

周丽琴(女)　　　周纯麟　周建人　周恩来

宝日勒岱(女)　　　宗希云　林丽韫(女)

罗青长　罗锡康　冼恒汉　金祖敏　姚文元

饶兴礼　段君毅　祝家耀　胡继宗　赵紫阳

耿　飚　耿起昌　钱之光　钱正英(女)

郭玉峰　郭宏杰　郭沫若　徐向前　徐景贤

夏邦银　唐岐山　唐忠富　倪志福　聂荣臻

莫显耀　秦基伟　陶鲁笳　姬鹏飞　康　生

黄　华　黄　镇　尉凤英(女)　　　鹿田计

曹里怀　曹轶欧(女)　　　崔海龙　梁锦棠

韩　英　韩先楚　粟　裕　董必武　董明会

傅传作　焦林义　曾绍山　曾思玉　彭绍辉

谢家祥　谢静宜(女)　　　鲁瑞林　解学恭

蔡　畅(女)　　　蔡　啸　蔡协斌

蔡树梅(女)　　　滕代远　谭启龙　谭震林

廖承志　赛福鼎　潘世告　樊德玲　魏秉奎

中央候补委员(124人)

卜谷香　七林旺丹　　　马　明　马小六

马立新　马金花(女)　　　邓　华　王　体

王　谦　王六生　王光临　王百得　王志强

王美季(女)　　　王景升　王德山

文香兰(女)　　　叶　飞　央　宗(女)

石少华　厉日耐　冯占武　冯品德　申茂功

卢忠阳　白栋材　江　华　江渭清　吕　和

吕存姐(女)　　　任　荣　达　洛　孙　健

孙玉国　刘西尧　刘光涛　刘春樵　刘振华

向仲华　朱光亚　朱克家　肉孜·吐尔迪

阮泊生　肖　克　吴　忠　吴从树　吴玉德

吴向必　吴金全　杨　贵　杨大易

杨坡兰(女)　　　杨俊生　杨富珍(女)

陈玉宝　陈代富　陈和发　陈佳忠

陈佩珍(女)　　　李化民　李守林　李定山

李祖根　李跃松　张令彬　张怀连　张世忠

张江霖　张英才　张林池　张国权　张泗洲

张积慧　宋双来　宋庆友　宋时轮　陆金龙

汪家道　汪湘君(女)　　　余积德　郑三生

林李明　罗春俤(女)　　　胡　炜　胡良才

胡金娣(女)　　　赵　峰　赵兴元　赵辛初

姚连蔚　姚依林　徐　驰　唐　亮

唐克碧(女)　　　唐闻生(女)　　　铁　瑛

贾那布尔　钱学森　高淑兰(女)

诸惠芬(女)　　　郭耀卿　康　林　康健民

黄文明　黄成连　黄作珍　黄知真

黄炳秀(女)　　　黄荣海　隆光前　崔修范

盘美英(女)　　　彭　冲　彭贵和　鲁大东

蒋宝娣(女)　　　谢家塘　谢振华

谢望春(女)　　　廖志高　裴周玉　黎　原

樊孝菊(女)　　　薛金莲(女)

十届一中全会

（1973 年 8 月 30 日）

选举中央委员会：

　主　席　毛泽东

　副主席　周恩来　王洪文　康　生　叶剑英
　　　　　李德生

　政治局常务委员会委员

　　毛泽东　王洪文　叶剑英　朱　德　李德生
　　张春桥　周恩来　康　生　董必武

　政治局委员

　　毛泽东　王洪文　韦国清　叶剑英　刘伯承
　　江　青(女)　　　朱　德　许世友　华国锋
　　纪登奎　吴　德　汪东兴　陈永贵　陈锡联
　　李先念　李德生　张春桥　周恩来　姚文元
　　康　生　董必武

　政治局候补委员

　　吴桂贤(女)　　　苏振华　倪志福　赛福鼎

十届二中全会

（1975 年 1 月 8—10 日）

选举：

　政治局常务委员会委员、副主席　邓小平

　（批准李德生关于免除他担任的副主席、政治
　局常务委员会委员的请求）

1976 年 4 月 7 日

　　中央政治局决定华国锋为中共中央第一副
主席；撤销邓小平的党内外一切职务，保留其
党籍。

1976 年 10 月 6 日

　　中央政治局对江青、张春桥、姚文元、王洪文
实行隔离审查；决定华国锋任中共中央主席、中
央军委主席（十届三中全会已予以追认）。

十届三中全会

（1977 年 7 月 16 日—21 日）

决定恢复邓小平党内外一切职务；永远开除王洪文、张春桥、江青、姚文元的党籍，撤销其党内外一切职务。

中共中央直属机关

中共中央办公厅

主　任　汪东兴（1965 年 11 月—1978 年 11 月）
副主任　邓典桃（1955 年—"文化大革命"）
　　　　曾　三（1955 年—1966 年）
　　　　龚子荣（1958 年 9 月—"文化大革命"）
　　　　田家英（1961 年 7 月—1966 年）
　　　　童小鹏（1966 年 6 月—1967 年 1 月）
　　　　杨　青（1966 年—1967 年 1 月）
　　　　王良恩（1966 年—1973 年）
　　　　张耀祠（1969 年 11 月—1979 年 2 月）
　　　　李质忠（1965 年—"文化大革命"）

中共中央组织部

部　长　安子文（1956 年 11 月—1966 年 8 月）
　　　　郭玉峰（1975 年 6 月—1977 年 12 月）
副部长　李楚离（1952 年—1966 年）
　　　　帅孟奇（女）（1956 年—1966 年）
　　　　李步新（1960 年—1966 年）
　　　　陈野萍（1960 年—1966 年）
　　　　赵　汉（1960 年—1966 年）
　　　　乔明甫（1960 年—1966 年）
　　　　杨以希（1964 年—1966 年）
　　　　曾　涤（1965 年—1966 年）

中共中央宣传部

部　长　陆定一（1954 年 7 月—1966 年 5 月）
　　　　陶　铸（1966 年 6 月—1966 年 12 月）
　　　　耿　飚（负责人 1976 年 10 月—1977 年 10 月）

副部长　陈伯达（1951 年—1966 年）
　　　　张际春（1953 年—1966 年）
　　　　周　扬（1950 年—1966 年）
　　　　李卓然（1953 年—1966 年）
　　　　张子意（1954 年—1966 年）
　　　　张磐石（1954 年—1966 年）
　　　　许立群（1959 年—1966 年）
　　　　林默涵（1959 年—1966 年）
　　　　姚　溱（1959 年—1966 年）
　　　　吴冷西（1965 年—1966 年）
　　　　熊　复（1966 年 6 月—1966 年 12 月）
　　　　雍文涛（1966 年 6 月—1966 年 12 月）
　　　　张平化（1966 年 6 月—1966 年 12 月）
　　　　刘祖春（1966 年 6 月—1966 年 12 月）
　　　　李　鑫（负责人，1976 年 10 月—1977 年 10 月）
　　　　王　殊（负责人，1976 年 12 月—1977 年 10 月）

中共中央统一战线工作部

部　长　徐　冰（1964 年 12 月—1966 年 12 月）
　　　　李大章（1975 年 11 月—1976 年 5 月）
副部长　平杰三（1954 年—1966 年）
　　　　张执一（1954 年—1966 年）
　　　　许涤新（1955 年 7 月—1966 年）
　　　　薛子正（1958 年 3 月—1966 年）
　　　　刘　春（1961 年 10 月—1967 年）
　　　　刘述周（1965 年 5 月—"文化大革命"）
　　　　张经武（1966 年—1967 年）
　　　　金　城（1961 年 10 月—1966 年）

中共中央对外联络部

部　长　王稼祥（1951 年 1 月—1966 年 3 月）
　　　　刘宁一（代部长，1966 年 6 月—1968 年 3 月）
　　　　耿　飚（1971 年 1 月—1979 年 1 月）
副部长　李初梨（1951 年 1 月—1966 年）
　　　　许　立（1951 年 3 月—1971 年 8 月）
　　　　刘宁一（1957 年—1966 年）

赵毅敏(1954 年 11 月—"文化大革命")

伍修权(1958 年 9 月—1975 年 5 月)

熊　复(1961 年 2 月—1966 年 10 月)

王　力(1964 年 6 月—"文化大革命")

申　健(1973 年 8 月—1979 年 4 月)

任允中(1973 年 8 月—1976 年)

张香山(1973 年 8 月—1977 年)

李一氓(1975 年 10 月—1982 年)

冯　弦(1973 年 8 月—1982 年)

中共中央党校

院(校)长　林　枫(1963 年 1 月—1966 年 8 月)

副院(校)长

艾思奇(1959 年 11 月—1966 年 3 月)

范若愚(1959 年 11 月—1966 年)

贾　震(1963 年 2 月—1966 年)

龚逢春(1963 年 8 月—1966 年)

李一非(1964 年 2 月—1966 年)

人民日报社

总编辑　吴冷西(1957 年 6 月—1966 年 5 月)

唐平铸(代总编辑,1966 年 6 月—1967 年 1 月)

鲁　瑛(　—1976 年 10 月)

红旗杂志社

总编辑　陈伯达(1958 年 6 月—1970 年 9 月)

中共中央马恩列斯著作编译局

局　长　许立群(1961 年 1 月—1966 年 6 月)

全国人民代表大会

第三届全国人民代表大会常务委员会

（1965 年 1 月—1975 年 1 月）

第三届全国人民代表大会所属专门委员会

民族委员会

主任委员　谢扶民(壮)

副主任委员

奎　壁　张　中　桑吉悦希　朱德海

马玉槐　铁木尔·达瓦买提　石邦智

法案委员会

主任委员　张　苏

副主任委员

武新宇　周鲠生　张友渔　赵伯平

预算委员会

主任委员　谷　牧

副主任委员　王绍鏊　薛暮桥

代表资格审查委员会

主任委员　马明方

副主任委员

王维舟　车向忱　朱蕴山　钱　瑛

提案审查委员会

主任委员　张友渔

副主任委员　李烛尘　管文蔚　曾一凡

第四届全国人民代表大会常务委员会

（1975 年 1 月—1978 年 2 月）

四届一次会议

（1975 年 1 月 17 日）

选举常务委员会：

委员长　朱　德

副委员长

董必武　宋庆龄（女）　康　生　刘伯承

吴　德　韦国清　赛福鼎　郭沫若　徐向前

聂荣臻　陈　云　谭震林　李井泉　张鼎丞

蔡　畅（女）　乌兰夫　阿沛·阿旺晋美

周建人　许德珩　胡厥文　李素文（女）

姚连蔚

委　员（按姓名笔画排列）

千　比　马成杰　马纯古　马学礼　马恒昌

王世泰　王世惠　王观澜　王克强

王秀珍（女）　王作山　王冶秋　王茂全

王淦昌　王景升　王道义　王耀花（女）

邓初民　邓颖超（女）　区棠亮（女）

贝时璋　牛发和　毛迪秋　巴　桑（女）

甘祖昌　龙　梅（女）　史　良（女）

白寿彝　白迪·海山　朴春子（女）

吕玉兰（女）　吕正操　吕美英（女）

刘大年　刘文辉　刘　裴　江礼银　朱克家

朱良才　朱蕴山　伍修权　许存贵　华罗庚

庄希泉　孙玉国　严济慈

克尤木·买提尼牙孜　杨东莼

杨坡兰（女）　杨佩莲（女）　杨荣国

肖劲光　吴从树　吴玉英（女）　吴先锋

吴有训　吴冷西　吴承清　吴德峰　吴耀宗

沙千里　沙马力汗（女）　陈玉娘（女）

陈此生　陈阿大　陈奇涵　陈逸松　陈望道

陈淑清（女）　李凤兰（女）　李世荣

李庆霖　李延禄　李金荣　李顺达　李聚奎

张文裕　张世忠　张达志　张延成

张国清（女）　张洪池　张桂珍（女）

张铁生　张福财　武新宇　茅以升

林巧稚（女）　林丽韫（女）　岩　帅

罗叔章（女）　季　方　金秀清　金祖敏

周世钊　周叔弢　周锡林　周慧芬（女）

宝日勒岱（女）　赵忠尧　赵俊桢（女）

荣毅仁　胡子昂　胡　绳　胡愈之

侯　隽（女）　俞霭峰（女）　姚士昌

晋桂香（女）　夏菊花（女）　殷诚忠

郭宏杰　郭映福　唐克碧（女）　唐岐山

浩　亮　诸惠芬（女）　陶峙岳　姬鹏飞

黄作勤　曹轶欧（女）　崔海龙

康克清（女）　梁必业　梁吉泉　彭绍辉

董天祯　董加耕　董其武　粟　裕

傅玉芳（女）　傅秋涛　童第周　曾　生

曾　志（女）　谢静宜（女）

错　其（女）　解力夫　蔡树梅（女）

廖承志　樊德玲　薛清泉　薛喜梅（女）

魏秉奎

秘书长　姬鹏飞

（1975 年 1 月 20 日四届人大常委会第一次
会议任命）

副秘书长

罗青长　武新宇　李金德　沙千里

（1975 年 3 月 18 日四届人大常委会第二次
会议通过）

四届人大常委会第三次会议

（1976 年 12 月 2 日）

补选副委员长：

邓颖超（提请下一次全国人民代表大会追认）

中华人民共和国政府

中华人民共和国最高人民法院

1965 年 1 月—1975 年 1 月

（第三届全国人大期间）

院　长　杨秀峰（1965 年 1 月—1975 年 1 月）

（1965 年 1 月中华人民共和国第三届全国人
民代表大会第一次会议选举）

副院长

谭冠三　王维纲　曾汉周　何兰阶　邢亦民
王德茂　张志让

1975 年 1 月—1978 年 3 月

（第四届全国人大期间）

院　长　江　华（1975 年 1 月—1978 年 3 月）

（1975 年 1 月第四届全国人民代表大会常务委员会第一次会议通过任命）

副院长　王维纲　曾汉周　何兰阶　郑绍文

中华人民共和国最高人民检察院

1965 年 1 月—1975 年 1 月
（第三届全国人大期间）

检察长　张鼎丞
副检察长　张　苏　黄火青

（1965 年 1 月中华人民共和国第三届全国人民代表大会第一次会议选举）

（1975 年《中华人民共和国宪法》规定："检察机关的职权由各级公安机关行使"，取消了人民检察院。1978 年《中华人民共和国宪法》恢复人民检察院的建制。）

中华人民共和国国务院

1965 年 1 月—1975 年 1 月
（第三届全国人大期间）

总　理　周恩来
副总理

林　彪　陈　云　邓小平　贺　龙　陈　毅
柯庆施　乌兰夫　李富春　李先念　谭震林
聂荣臻　薄一波　陆定一　罗瑞卿　陶　铸
谢富治
秘书长　周荣鑫

（1965 年 1 月 4 日中华人民共和国第三届全国人民代表大会第一次会议决定）

1975 年 1 月—1978 年 3 月
（第四届全国人大期间）

总　理　周恩来（1976 年 1 月 8 日逝世）
副总理　邓小平（1975 年 1 月—　）
　　　　　张春桥（1975 年 1 月—1976 年 10 月）
　　　　　李先念（1975 年 1 月—1978 年 3 月）

陈锡联（1975 年 1 月—1978 年 3 月）
纪登奎（1975 年 1 月—1978 年 3 月）
华国锋（1975 年 1 月—1976 年 2 月）
陈永贵（1975 年 1 月—1978 年 3 月）
吴桂贤（女）（1975 年 1 月—　）
王　震（1975 年 1 月—1978 年 3 月）
余秋里（1975 年 1 月—1978 年 3 月）
谷　牧（1975 年 1 月—1978 年 3 月）
孙　健（1975 年 1 月—　）

（1975 年 1 月 17 日第四届全国人民代表大会第一次会议任命）

代总理　华国锋

（1976 年 2 月 2 日中共中央决定）

总　理　华国锋（1976 年 4 月 7 日中共中央政治局通过决议任命）

外　交　部

1965 年 1 月—1975 年 1 月
（第三届全国人大期间）

部　长

陈　毅（1965 年 1 月第三届全国人大第一次会议决定任命，1972 年 1 月逝世）
姬鹏飞（1972 年 1 月—1974 年 11 月）
乔冠华（1974 年 11 月—1975 年 1 月）

副部长

章汉夫　姬鹏飞　曾涌泉　罗贵波　刘　晓
乔冠华　韩念龙　刘新权　王炳南　徐以新
陈家康　李耀文　何　英　仲曦东　余　湛
符　浩　马文波　王海容

1975 年 1 月—1978 年 3 月
（第四届全国人大期间）

部　长

乔冠华（1975 年 1 月第四届全国人民代表大会第一次会议通过任命，1976 年 11 月离任）
黄　华（1976 年 11 月第四届全国人大常委会第三次会议通过任命）

副部长

韩念龙　徐以新　何　英　仲曦东　余　湛
马文波　王海容　刘振华　张海峰　章文晋

国防部

略

国家计划委员会

1965 年 1 月—1975 年 1 月
（第三届全国人大期间）

主　任　李富春（1965 年 1 月—　）
　　　　余秋里（革委会主任 1970 年 6 月—　）

1975 年 1 月—1978 年 3 月
（第四届全国人大期间）

主　任　余秋里（1975 年 1 月—1978 年 3 月）

国家经济委员会

1965 年 1 月—1970 年 6 月
（第三届全国人大期间）

主　任　薄一波（1965 年 1 月—1970 年 6 月）
（1970 年 6 月中共中央决定撤销国家经济委员会）

教　育　部

1975 年 1 月—1978 年 3 月
（第四届全国人大期间）

部　长　周荣鑫（1975 年 1 月—1976 年 4 月）
　　　　刘西尧（1977 年 1 月—1978 年 3 月）
副部长

雍文涛　周　林　李　绮　李琦涛　高　沂
刘雪初　刘仲候　浦通修

科学技术委员会

1965 年 1 月—1975 年 1 月
（第三届全国人大期间）

主　任　聂荣臻（1965 年 1 月—　）

1975 年 1 月—1978 年 3 月
（第四届全国人大期间）

主　任　方　毅（1977 年 9 月—1978 年 3 月）

国家科学技术工业委员会

略

民族事务委员会

1965 年 1 月—1975 年 1 月
（第三届全国人大期间）

主　任　乌兰夫
副主任

刘　春　萨空了　谢鹤筹　丹　彤　谢扶民

公　安　部

1966 年 1 月—1975 年 1 月
（第三届全国人大期间）

部　长　谢富治
　　　　李　震
副部长

杨奇清　徐子荣　汪金祥　梁国斌　汪东兴
刘复之　凌　云　严佑民　于　桑　施义之
曾　威　赵登程　李　震　黄庆熙

1975 年 1 月—1978 年 3 月
（第四届全国人大期间）

部　长　华国锋
　　　　赵苍壁
副部长　杨奇清　汪金祥　刘复之　凌　云
　　　　严佑民　于　桑　施义之　黄庆熙
　　　　席国岩　吕剑光　高文礼

内　务　部

1965 年 1 月—1975 年
（第三届全国人大期间）

部　长　曾　山
副部长
　　陈其瑗　王一夫　程　垣　熊天荆　李景膺
　　黄庆熙
（1979 年以后未设内务部）

财　政　部

1965 年 1 月—1975 年 1 月
（第三届全国人大期间）

部　长　李先念（　—1967 年 1 月）
副部长　吴　波　王学明　曾　直　杜向光
　　　　江东平　陈希愈　王丙乾

1975 年 1 月—1978 年 3 月
（第四届全国人大期间）

部　长　张劲夫
副部长
　　吴　波　王学明　杜向光　曾　直　陈希愈
　　江东平　王丙乾　张瑞清

劳　动　部

1965 年 1 月—1970 年 6 月
（第三届全国人大期间）

部　长　马文瑞

副部长　郗占元　于光汉　李正亭
（1970 年 6 月，中央决定撤销劳动部。1982
年设立劳动人事部。1988 年 4 月设劳动部
和人事部。）

地　质　部

1965 年 1 月—1970 年 6 月
（第三届全国人大期间）

部　长　李四光
副部长
　　许　杰　何长工　宋　应　刘景范　旷优兆
　　胥光义　张国钰　邹家龙　李　轩　刘汉生
（1970 年 6 月中央决定撤销地质部）

国家地质总局

1975 年—1979 年

局　长　孙大光
副局长　李　轩　张国钰
（1970 年撤销地质部，1975 年设立国家地质总
局。1979 年撤销国家地质总局，恢复地质部。
1982 年 5 月改名为地质矿产部。）

国家基本建设委员会

1965 年 3 月—1975 年 1 月
（第三届全国人大期间）

主　任　谷　牧
（1965 年 3 月第三届全国人大常委会第五次
会议决定恢复设立国家基本建设委员会）

1975 年 1 月—1978 年 3 月
（第四届全国人大期间）

主　任　谷　牧

建设工程部

1965 年 1 月—1970 年 6 月
（第三届全国人大期间）

部　长　李人俊（　—1965 年 3 月）
　　　　刘裕民（1965 年 3 月—　）
副部长
宋裕和　许世平　赖际发　孙敬文　陈云涛
刘裕民　（　—1965 年 3 月）　汪少川
任朴斋　苗树森　李景昭　何郝矩
（1965 年第三届全国人大常委会第五次会议决定将建筑工程部分为建设工程部和建筑材料工业部。1970 年 6 月中央决定撤销建筑工程部，并入国家基本建设委员会。）

建筑材料工业部

1965 年 3 月—1970 年 6 月
（第三届全国人大期间）

部　长　赖际发
（1965 年 3 月第三届人大常委会第五次会议决定恢复建筑材料工业部。1970 年 6 月撤销。）

煤炭工业部

1965 年 1 月—1970 年 6 月
（第三届全国人大期间）

部　长　张霖之（　—1967 年 1 月）
（1970 年 6 月中央决定撤销煤炭工业部）

1975 年 1 月—1978 年 3 月
（第四届全国人大期间）

部　长　徐今强（　—1976 年 7 月）
　　　　肖　寒（1979 年 3 月—　）
（1975 年恢复煤炭工业部）

石油工业部

1965 年 1 月—1970 年 6 月
（第三届全国人大期间）

部　长　余秋里
（1970 年 6 月中央决定撤销石油工业部）

石油化学工业部

1975 年 1 月—1978 年 3 月
（第四届全国人大期间）

部　长　康世恩
（1975 年第四届全国人大一次会议设立。1978 年 3 月第五届全国人大一次会议撤销石油化学工业部，分别设立石油工业部和化学工业部。）

铁　道　部

1965 年 1 月—1970 年
（第三届全国人大期间）

部　长　吕正操
副部长
副部长
武竟天　石志仁　刘建章　余光生　汪菊潜
郭　鲁　钱应麟　苏　杰　彭　敏
（1970 年撤销，合并入交通部，1975 年重新恢复建制）

1975 年 1 月—1978 年 3 月
（第四届全国人大期间）

部　长　万　里（　—1976 年 12 月）
　　　　段君毅（1976 年 12 月—　）
副部长
刘建章　郭　鲁　苏　杰　邓存伦　李　新

黎 光 王效斌 廖诗权 关冶山 赵文普
郭维城

交 通 部

1965 年—1975 年 1 月
（第三届全国人大期间）

部 长 孙大光
副部长 彭德清 马耀骥

1975 年 1 月—1978 年 3 月
（第四届全国人大期间）

部 长 叶 飞
部领导小组成员
 马耀骥 陶 琦 梅盛伟 于 眉

第四机械工业部

1965 年 1 月—1975 年 1 月
（第三届全国人大期间）

部 长 王 诤

1975 年 1 月—1978 年 3 月
（第四届全国人大期间）

部 长 王 诤

第七机械工业部

1965 年 1 月—1975 年 1 月
（第三届全国人大期间）

部 长 王秉璋
 （1965 年正式设立）

1975 年 1 月—1978 年 3 月
（第四届全国人大期间）

部 长 汪 洋（ —1977 年 10 月）
 宋任穷（1977 年 10 月— ）

第八机械工业部

1965 年 1 月—1970 年 1 月
（第三届全国人大期间）

部 长 陈正人
（1970 年 6 月中央决定撤销第八机械工业部）

第一机械工业部

1965 年 1 月—1975 年 1 月
（第三届全国人大期间）

部 长 段君毅
副部长
 白 坚 周子建 杨寿山 周建南 杨殿奎
 郭 力 范慕韩 沈 鸿 孙友余 徐斌洲
 刘湘屏 马 仪 阎济民 纪兆全 李本海
 刘 昂 杨 铿

1975 年 1 月—1978 年 3 月
（第四届全国人大期间）

部 长 李水清（ —1975 年 9 月）
 周子建（1977 年 2 月— ）
副部长
 周建南 郭 力 范慕韩 马 仪 阎济民
 纪兆全 李本海 刘 昂 徐斌洲 杨 铿
 孙友余 沈 鸿 饶 斌 祁 田 项 南
 赵东宛

第二机械工业部

1965 年 1 月—1975 年 1 月
（第三届全国人大期间）

部　长　刘　杰
副部长
　　袁成隆　钱三强　雷荣天　刘　伟　刘淇生
　　刘西尧　牛书申　钱信忠　李　觉

1975 年 1 月—1978 年 3 月
（第四届全国人大期间）

部　长　刘西尧（　—1977 年 1 月）
　　　　刘　伟（1977 年 1 月—　）

第三机械工业部

1975 年 1 月—1978 年 3 月
（第四届全国人大期间）

部　长　李际泰（　—1977 年 2 月）
　　　　吕　东（1977 年 12 月—　）
副部长　段了俊　工振乾　李明突

第五机械工业部

1965 年 1 月—1975 年 1 月
（第三届全国人大期间）

部　长　邱创成

1975 年 1 月—1978 年 3 月
（第四届全国人大期间）

部　长　李成芳（　—1977 年 12 月）
　　　　张　珍（1977 年 12 月—　）

第六机械工业部

1965 年 1 月—1975 年 1 月
（第三届全国人大期间）

部　长　方　强

1975 年 1 月—1978 年 3 月
（第四届全国人大期间）

部　长　边　疆（　—1977 年 12 月）
　　　　柴树藩（1977 年 12 月—　）

冶金工业部

1965 年 1 月—1975 年 1 月
（第三届全国人大期间）

部　长　吕　东
副部长
　　夏　耘　高扬文　刘　彬　徐　驰　林泽生
　　袁宝华　周赤萍　王玉清　叶志强　李　超
　　杨殿奎

1975 年 1 月—1978 年 3 月
（第四届全国人大期间）

部　长　陈绍昆（　—1977 年 6 月）
　　　　唐　克（1977 年 6 月—　）
副部长
　　唐　克（　—1977 年 6 月）　叶志强　高扬文
　　夏　耘　杨殿奎　林泽生　钱传钧　王玉清
　　李非平　赵　岚　陆　达　马季德　刘学新
　　马　明　李　超

化学工业部

1965 年 1 月—1970 年 6 月
（第三届全国人大期间）

部 长 高 扬

（1970 年 6 月中央决定撤销化学工业部）

轻工业部

1970 年 6 月—1978 年 3 月
（第四届全国人大期间）

部 长 钱之光（ —1977 年 12 月）
　　　梁灵光（1977 年 12 月— ）
副部长
　谢鑫鹤　孔祥桢　焦善民　陈维稷　谢红胜
　杜子端　夏之栩（女）　　　王毅之　王雨洛
　安时彦　万 里　韩培信　梁灵光　宋季文

第一轻工业部

1965 年 1 月—1970 年 6 月
（第三届全国人大期间）

部 长 李烛尘（ —1965 年 2 月）
副部长
　王新元　孔祥桢　夏之栩（女）　　王毅之
　曹 鲁　姜时彦　王雨洛　谢鑫鹤　焦善民
　陈维稷
（1965 年 1 月建立，1970 年 6 月撤销）

第二轻工业部

1965 年 2 月—1970 年 6 月
（第三届全国人大期间）

部 长 徐运北
（1965 年 2 月第三届全国人大常委会第三次
会议决定设立第二轻工业部。1970 年 6 月
中央撤销第二轻工业部）

纺织工业部

1965 年 1 月—1970 年 6 月
（第三届全国人大期间）

部 长 蒋光鼐（ —1967 年 6 月病故）
副部长
　钱之光　陈维稷　张琴秋（ —1968 年 4 月）
　王达成　荣毅仁　张永清　李竹平　王雨洛
　焦奎民
（1970 年 6 月中央决定撤销纺织工业部）

邮 电 部

1965 年 1 月—1975 年 1 月
（第三届全国人大期间）

部 长 朱学范（ —1970 年 6 月）
　　　钟夫翔（1973 年 7 月— ）
副部长
　王子纲　申 光　赵志刚　谷春帆
　钟夫翔（ —1973 年 7 月）李玉奎　谢安玉
　朱春和
（1970 年 6 月邮电部撤销，1973 年 7 月恢复
邮电部建制）

1975 年 1 月—1978 年 3 月
（第四届全国人大期间）

部 长 钟夫翔
副部长
　申 光　李玉奎　朱春和　刘澄清　彭洪志
　罗淑珍（女）　　　韩国忠　杨 杰

水利电力部

1965 年 1 月—1975 年 1 月
（第三届全国人大期间）

部　长　傅作义（　—1972 年 7 月）

副部长

刘澜波　张含英　钱正英　冯仲云　程明开
李代耕

（以上 6 人，任职至 1967 年）

郝执斋（　—1965 年 8 月）

杜星垣（　—1965 年 8 月）

张　彬（　—1967 年）

王英光（　—1967 年）

1975 年 1 月—1978 年 3 月

（第四届全国人大期间）

部　长　钱正英（女）

副部长

刘向三　张季农

李代耕（1977 年 11 月—　）李锡铭

李伯宁（1977 年 11 月—　）郑代雨

郑永和（1976 年—　）姚成庆

农 业 部

1965 年 1 月—1970 年 6 月

（第三届全国人大期间）

部　长　廖鲁言

副部长

蔡子伟　顾大川　杨显东　何基沣　程照轩
朱　荣　吴　振

（1970 年 6 月中央决定撤销农业部）

农 林 部

1976 年 1 月—1978 年 3 月

（第四届全国人大期间）

部　长　沙　凤
　　　　杨立功

农 垦 部

1965 年 1 月—1970 年 6 月

（第三届全国人大期间）

部　长　王　震

（1970 年 6 月中央决定撤销农垦部）

水 产 部

1965 年 1 月—1970 年 6 月

（第三届全国人大期间）

部　长　许德珩

（1970 年 6 月中央决定撤销水产部）

林 业 部

1965 年 1 月—1970 年 6 月

（第三届全国人大期间）

部　长　刘文辉（　—1966 年）

副部长

罗玉川　惠中权　张克侠　陈　离　唐子奇
张　昭　梁昌武　杨天放　荀昌五　张世军

（1970 年 6 月中央决定撤销林业部，1975
年—1979 年设农林部，1979 年 12 月第五届
全国人大常委会第六次会议决定恢复设立
林业部）

商 业 部

1965 年 1 月—1970 年 6 月

（第三届全国人大期间）

部　长　姚依林

副部长

王　磊　吴雪之　张永励　胡子婴（女）

牛荫冠　王化民　任泉生　高　修
（1970 年 6 月中央决定撤销商业部）

1975 年 1 月—1978 年 3 月
（第四届全国人大期间）

部　长　范子瑜（　—1977 年 12 月）
　　　　王　磊（1977 年 12 月—　）
副部长
赵发生　高　修　张永励
任泉生（1975 年 10 月—　）
王化民（1975 年 10 月—1977 年 11 月）
安法乾（1975 年 10 月—1978 年 3 月）
宋克仁（1977 年 6 月—　）
刘　毅（1977 年 6 月—　）

粮 食 部

1965 年 1 月—1970 年 6 月
（第三届全国人大期间）

部　长　沙千里
副部长
陈国栋　赵发生
杨少桥（　—1966 年 10 月）
安法乾
邓　飞
（1970 年 6 月中央决定撤销粮食部）

全国供销合作总社

1962 年 6 月—1970 年 6 月
（第三届全国人大期间）

主　任　潘复生
副主任
阎顾行（　—1967 年 7 月）　梁　耀
史兰德　王越毅　王卓如　王念基　程宏毅
（1958 年 2 月第一届全国人大五次会议决定
全国供销合作总社与城市服务部合并，改称

第二商业部。1962 年 5 月中央决定分设全
国供销合作总社。1970 年 6 月并入商业部，
1975 年又恢复独立机构。）

对外贸易部

1965 年 1 月—1975 年 1 月
（第三届全国人大期间）

部　长　叶季壮（　—1967 年 1 月）
代理部长
林海云（1967 年 1 月—1970 年 6 月）
革命委员会
主　任　白相国（1970 年 6 月—1973 年 11 月）
部　长　李　强（1973 年 11 月—1975 年 1 月）

1975 年 1 月—1978 年 3 月
（第四届全国人大期间）

部　长　李　强

对外经济联络委员会

1965 年 1 月—1975 年 1 月
（第三届全国人大期间）

主　任　方　毅（　—1970 年 6 月）

对外经济联络部

1975 年 1 月—1978 年 3 月
（第四届全国人大期间）

部　长　方　毅（　—1977 年 1 月）
　　　　陈慕华（女）（1977 年 1 月—　）

物资管理部

1965 年 1 月—1970 年 6 月

（第三届全国人大期间）

部　长　袁宝华

（1970 年 6 月中央决定撤销物资管理部）

文　化　部

1975 年 1 月—1976 年 10 月

（"文化大革命"后期）

部　长　于会泳（1975 年 1 月—1976 年 10 月）
副部长　张维民　浩　亮　刘庆棠　袁水拍

对外文化联络委员会

1965 年 1 月—1970 年 6 月

（第三届全国人大期间）

主　任　张奚若

（1970 年 6 月中央决定撤销对外文化联络委员会）

中央广播事业局

1967 年—1977 年

（第三届全国人大期间）

局　长　刘建功（1973 年 1 月—1974 年）
副局长　戴征远（1973 年 1 月—1974 年）
　　　　毛德厚（1973 年 1 月—1974 年）
　　　　董　林（1973 年 1 月—　）
　　　　王寿仁（1973 年 1 月—　）
　　　　金　照（1973 年 1 月—　）
　　　　顾文华（1973 年 1 月—　）
　　　　李哲夫（1973 年 1 月—　）

代局长　邓　岗（1974 年 9 月—1976 年）
局　长　邓　岗（1976 年—1977 年）
副局长　李连庆（1977 年—　）
局　长　张香山（1977 年 1 月—　）
副局长　李衍授（1978 年—　）
副局长　卢克勤（1978 年 12 月—　）
　　　　左漠野（1979 年 2 月—　）
　　　　郝平南（1979 年 3 月—　）

卫　生　部

1965 年 1 月—1975 年 1 月

（第三届全国人大期间）

部　长　钱信忠（　—1973 年 7 月）
　　　　刘湘屏（女）（1973 年 7 月—　）
副部长　苏井观（　—1965 年 2 月）
　　　　徐运北（　—1965 年 3 月）
　　　　史书翰（　—1966 年 8 月）
　　　　贺　彪　崔义田　张凯　郭子化
（以上四人，"文化大革命"初期离职）
　　　　黄树则（1965 年 6 月—　）

1975 年 1 月—1978 年 3 月

（第四届全国人大期间）

部　长　刘湘屏（女）（　—1976 年 10 月）
　　　　汪一真（1977 年 11 月—　）
副部长
　　黄树则　钱信忠　谭云鹤　张之强
　　姜惠莲（　—1976 年）

国家体育运动委员会

1965 年 1 月—1975 年 1 月

（第三届全国人大期间）

主　任　贺　龙（　—1968 年 5 月）
副主任　蔡廷锴（　—1968 年 5 月）
　　　　卢　汉（　—1968 年 5 月）

荣高棠（ —1966 年 12 月）
黄　中（ —1966 年 12 月）
李　达（ —1966 年 12 月）
赵正洪（ —1966 年 12 月）
李梦华（ —1966 年 12 月）

军管会主任
曹　诚（1968 年 6 月—1971 年 7 月）
主　任　王　猛（1971 年 7 月—1974 年 12 月）
　　　　庄则栋（1974 年 12 月— ）
副主任
李梦华（1972 年 5 月— ）
赵正洪（1972 年 5 月— ）
李青川　姚晓程　于步血
庄则栋（1972 年 5 月—1974 年 12 月）

1975 年 1 月—1978 年
（第四届全国人大期间）

主　任　庄则栋（ —1977 年 2 月）
　　　　王　猛（1977 年 2 月— ）
第一副主任　徐寅生（1977 年 2 月— ）
副主任
李梦华　陈培民　黄　中　赵正洪　李青川
于步血　路金栋

中国人民银行

1965 年 1 月—1975 年 1 月
（第三届全国人大期间）

行　长　曹菊如（ —1973 年 5 月）
　　　　陈希愈（1973 年 5 月— ）
副行长
胡景云　陈希愈（ —1973 年 5 月）乔培新
江东平　丁冬放　李绍禹　方　皋　袁子扬

1975 年 1 月—1978 年 3 月
（第四届全国人大期间）

行　长　陈希愈
副行长
胡景云　乔培新　丁冬放　李绍禹　方　皋
袁子扬　卜　明　耿道明　杨普文

中国科学院

1965 年 1 月—1975 年 1 月
（第三届全国人大期间）

院　长　郭沫若
副院长
陈伯达　李四光　竺可桢　吴有训　张劲夫
裴丽生

1975 年 1 月—1975 年 3 月
（第四届全国人大期间）

院　长　郭沫若
副院长　吴有训　裴丽生　方　毅

新华通讯社

1954 年—1977 年
（中共中央直属机关时期）

社　长　吴冷西（1954 年— ）
　　　　朱穆之（1972 年 9 月— ）
副社长
朱穆之（1954 年—1972 年 9 月）
缪海稜（1955 年 4 月— ）
邓　岗（1955 年 4 月— ）
石少华（1959 年 8 月— ）
穆　青（1959 年 8 月— ）
王敏昭（1965 年 10 月— ）
解力夫（1972 年 9 月— ）
张政德（1972 年 9 月— ）
曾　涛（1977 年 1 月— ）

华侨事务委员会

1965 年 1 月—1970 年 6 月
（第三届全国人大期间）

主　任　廖承志

（1970 年 6 月中央决定撤销华侨事务委员会）

中国人民政治协商会议

中国人民政治协商会议第四届全国委员会
（1964 年 12 月—1978 年 2 月）
略

政协第四届全国委员会所属主要工作机构
（1965 年 3 月—1978 年 2 月）

文化教育组
　　组　长　胡愈之
　　副组长　刘子载　徐楚波　彭友今
国际问题组
　　组　长　楚图南
　　副组长　孟用潜　张明养　聂　轰　石　磊
科学技术组
　　组　长　茅以升
　　副组长　范长江　俞大绂　郭　彤
工商组
　　组　长　孙起孟
　　副组长　浦洁修　黄玠然　孙揆一　吴羹梅
　　　　　　万景光
华侨组
　　组　长　林修德
　　副组长　王炎之　卢心远
宗教组
　　组　长　赵朴初
　　副组长　肖贤法　皮漱石　刘品一

医药卫生组
　　组　长　傅连暲
　　副组长　郭子化　钟惠澜　秦伯未　王锡珍
民族组
　　组　长　卢　汉
　　副组长　吴学文　韩戈鲁
妇女组
　　组　长　章　蕴

中共中央军事委员会

1959 年 9 月—1969 年 5 月

主　席　毛泽东
副主席　林　彪　贺　龙　聂荣臻
委　员
　　朱　德　刘伯承　陈　毅　邓小平　罗荣桓
　　徐向前　叶剑英　罗瑞卿　粟　裕　陈　赓
　　谭　政　萧劲光　王树声　许光达　萧　华
　　刘亚楼　苏振华
常　委
　　毛泽东　林　彪　贺　龙　聂荣臻　朱　德
　　刘伯承　陈　毅　邓小平　罗荣桓　徐向前
　　叶剑英　罗瑞卿　谭　政
秘书长　罗瑞卿
副秘书长　萧　华　苏振华　萧向荣
军委副主席
　　陈　毅　刘伯承　徐向前　叶剑英
秘书长　叶剑英
军委常委　萧　华
军委副秘书长　杨成武　王新亭

1969 年 5 月—1977 年 8 月

主　席　毛泽东
副主席
　　林　彪①　刘伯承　陈　毅　徐向前
　　聂荣臻　叶剑英

---

①林彪于 1971 年 9 月 13 日叛逃，摔死在蒙古温都尔汗。

委 员 （按姓氏笔画为序）

丁 盛	王秉璋	王树声	王效禹	王辉球
韦国清	叶 群	皮定均	刘 丰	刘兴元
刘贤权	许世友	陈士榘	陈先瑞	陈锡联
李天佑	李作鹏	李雪峰	李德生	吴法宪
张达志	张池明	张国华	张春桥	邱会作
杨得志	杜 平	萧劲光	郑维山	冼恒汉
袁升平	梁兴初	黄永胜	曾绍山	曾思玉
彭绍辉	韩先楚	粟 裕	温玉成	谢富治
谭甫仁	潘复生			

中华人民共和国国防委员会

（1954 年 9 月设立，1975 年 1 月取消）

第三届

（1965 年 1 月—1975 年 1 月）

主 席 刘少奇
副主席

林 彪[①]	刘伯承	贺 龙	陈 毅
邓小平	徐向前	聂荣臻	叶剑英	罗瑞卿
程 潜	张治中	傅作义	蔡廷锴

委 员

方 强	王 平	王世泰	王宏坤	王 诤
王秉璋	王建安	王树声	王恩茂	王新亭
王 震	韦国清	乌兰夫	邓兆祥	邓宝珊
孔从周	卢 汉	叶 飞	刘文辉	刘兴元
刘亚楼	刘志坚	刘培善	刘善本	刘 斐
许世友	许光达	吕正操	孙大光	孙志远
孙蔚如	宋任穷	宋时轮	苏振华	李天佑
李 达	李成芳	李先念	李寿轩	李作鹏
李明扬	李明灏	李 涛	李聚奎	杨成武
杨玉成	杨 勇	杨得志	吴克华	吴法宪
邱会作	邱创成	张云逸	张达志	张宗逊
张国华	张爱萍	阿沛·阿旺晋美	陈士榘
陈再道	陈伯钧	陈奇涵	陈明仁	陈绍宽
陈 铁	陈锡联	郑洞国	林维先	林 遵
周士第	周纯全	赵尔陆	赵寿山	侯镜如
高树勋	郭天民	唐生智	唐 亮	秦基伟
徐海东	桑颇·才旺仁增	陶峙岳	鹿钟麟
阎红彦	萧 华	萧 克	萧劲光	萧望东

崔田民	曾泽生	谢富治	彭绍辉	黄永胜
黄新廷	董其武	韩先楚	粟 裕	覃异之
程子华	傅秋涛	傅 钟	赖传珠	詹才芳
赛福鼎·艾则孜	廖汉生	裴昌会	滕代远

中国人民解放军

中国人民解放军各总部、军兵种

中华人民共和国国防部

部 长 林 彪（1959 年 9 月—1971 年 9 月）
　　　叶剑英（1975 年 1 月—1978 年 3 月）

中国人民解放军总参谋部

总参谋长
　　杨成武（代）（1965 年 12 月—1968 年 3 月）
　　黄永胜（1968 年 3 月—1971 年 9 月）
　　邓小平（兼）（1975 年 1 月—1976 年 4 月）

中国人民解放军总政治部

主 任
　　李德生（1970 年 4 月—1973 年 12 月）
　　张春桥（1975 年 1 月—1976 年 10 月）

中国人民解放军总后勤部

部 长
　　邱会作（1959 年 10 月—1971 年 9 月）
　　张宗逊（1973 年 6 月—1978 年 2 月）
政治委员
　　李聚奎（1958 年 3 月—1967 年 7 月）
　　张池明（1967 年 7 月—1973 年 8 月）
　　郭林祥（1973 年 8 月—1975 年 8 月）

中国人民解放军海军

（1950 年 4 月 14 日成立海军领导机关）
司令员
　　萧劲光（1950 年 1 月—1980 年 1 月）
政治委员
　　苏振华（1957 年 2 月—1967 年 6 月）
　　王宏坤（第二）（1966 年 3 月—1977 年 10 月）
　　李作鹏（第一）（1967 年 6 月—1971 年 9 月）

苏振华(第一)(1973 年 3 月—1979 年 2 月)

中国人民解放军空军

(1949 年 11 月 11 日成立空军领导机关)

司令员

吴法宪(1965 年 5 月—1971 年 9 月)

马　宁(1973 年 5 月—1977 年 4 月)

政治委员

余立金(1965 年 5 月—1968 年 3 月)

王辉球(1968 年 9 月—1973 年 5 月)

傅传作(1973 年 5 月—1975 年 10 月)

余立金(第二)(1975 年 8 月—1977 年 4 月)

张廷发(1975 年 10 月—1977 年 4 月)

中国人民解放军防化兵

部　长

张乃更(1956 年 4 月—1969 年 10 月)(1961 年 1 月改称主任)

政治委员

李　真(1965 年 8 月—1969 年 10 月)

中国人民解放军装甲兵

(1950 年 9 月 1 日成立,1982 年 9 月改称总参谋部装甲兵部,归总参建制领导)

司令员

许光达(1950 年 6 月—1969 年 6 月)

陈　宏(1969 年 6 月—1971 年 11 月)

黄新廷(1975 年 5 月—1982 年 8 月)

政治委员

向仲华(1957 年 2 月—1965 年 5 月)

黄志勇(1965 年 8 月—1970 年 12 月)

姚国民(1971 年 5 月—1975 年 8 月)

莫文骅(1975 年 7 月—1982 年 8 月)

中国人民解放军工程兵

(1951 年 3 月成立工兵司令部;1955 年 8 月改称工程兵司令部;1982 年 9 月改为总参谋部工程兵部)

司令员

陈士榘(1982 年 9 月—1975 年 7 月)

谭善和(1975 年 7 月—1982 年 8 月)

政治委员

谭甫仁(1965 年 8 月—1968 年 5 月)

李　真(1969 年 10 月—1975 年 8 月)

王六生(1975 年 8 月—1982 年 8 月)

中国人民解放军炮兵

(1950 年 8 月成立炮兵司令部;1982 年 9 月改为总参谋部炮兵部)

司令员

吴克华(1963 年 9 月—1975 年 4 月)

张达志(1969 年 11 月—1977 年 9 月)

政治委员

陈仁麒(1959 年 11 月—1970 年 12 月)

兰文兆(1970 年 12 月—1975 年 4 月)

王　平(1975 年 4 月—1975 年 8 月)

张池明(1975 年 8 月—1977 年 12 月)

中国人民解放军通信兵

(1956 年 4 月总参谋部通信部改称中国人民解放军通信部兵;1959 年 4 月改属总参谋部建制,称总参谋部通信兵部;1961 年 2 月改称中国人民解放军通信兵部;1975 年 3 月划归总参谋部建制,称总参谋部通信部)

主　任

江　文(1960 年 5 月—1969 年 6 月)

周世忠(1969 年 6 月—1975 年 3 月)

政治委员

黄文明(1963 年 3 月—1965 年 8 月)

陈鹤桥(1965 年 8 月—1975 年 3 月)

中国人民解放军铁道兵

(1954 年 3 月成立,1983 年 1 月并入铁道部)

司令员

李寿轩(1957 年 9 月—1968 年 6 月)

张翼翔(1968 年 6 月—1969 年 4 月)

刘贤权(1969 年 5 月—1975 年 4 月)

吴克华(1975 年 4 月—1977 年 9 月)

政治委员

刘贤权(1968 年 9 月—1969 年 5 月)

宋维栻(1969 年 5 月—1975 年 4 月)

崔田民(第二)(1973 年 11 月—1975 年 8 月)

吕正操(1975 年 8 月—1983 年 1 月)

中国人民解放军第二炮兵

（1966 年 7 月成立）

司令员

向守志（1967 年 7 月，未到职）

杨俊生（1968 年 9 月—1969 年 5 月）

张翼翔（1969 年 5 月—1975 年 4 月）

向守志（1975 年 4 月—1977 年 9 月）

政治委员

李天焕（1967 年 7 月—1968 年 3 月）

吴　烈（第二）（1967 年 10 月—　　）

陈发洪（第二）（1970 年 3 月—1975 年 4 月）

陈鹤桥（1975 年 5 月—1982 年 11 月）

中国人民解放军各大军区

北京军区

司令员

杨　勇（1958 年 9 月—1967 年 3 月）

郑维山（1969 年 6 月—1971 年 1 月）

李德生（1971 年 1 月—1973 年 12 月）

陈锡联（1973 年 12 月—1980 年 1 月）

政治委员

李雪峰（第一）（兼）（1960 年 11 月—1971 年
1 月）

谢富治（兼）（1967 年 5 月—1971 年 1 月）

刘格平（兼）（1967 年 5 月—1971 年 4 月）

陈先瑞（1969 年 6 月—1975 年 10 月）

解学恭（兼）（1969 年 10 月—1975 年 10 月）

谢富治（第一）（兼）（1971 年 1 月—1972 年 3 月）

纪登奎（第二）（兼）（1971 年 1 月—1972 年 5 月）
　　　（第一）（兼）（1972 年 5 月—1977 年 9 月）

吴　德（兼）（1972 年 5 月—1975 年 10 月）

刘子厚（兼）（1972 年 5 月—1975 年 10 月）

秦基伟（第二）（1975 年 10 月—1977 年 9 月）

南京军区

司令员

许世友（1955 年 3 月—1973 年 12 月）

丁　盛（1973 年 12 月—1977 年 3 月）

政治委员

江渭清（兼，第三）（1958 年 9 月—1967 年 4 月）

江　华（兼，第三）（1962 年 9 月—1967 年 4 月）

李葆华（兼，第六）（1962 年 9 月—1967 年 4 月）

杜　平（第七）（1963 年 3 月—1974 年 11 月）

萧望东（第一）（1963 年 12 月—1965 年 5 月）

张春桥（兼，第一）（1967 年 5 月—1976 年 10 月）

廖汉生（1975 年 2 月—1977 年 9 月）

彭　冲（兼，第二）（1975 年 8 月—1980 年 6 月）

福州军区

司令员

韩先楚（1957 年 10 月—1973 年 12 月）

皮定均（1973 年 12 月—1976 年 7 月）

政治委员

叶　飞（兼）（1956 年 8 月—1967 年 4 月）

刘培善（第二）（1959 年 12 月—1968 年 5 月）

杨尚奎（兼，第三）（1962 年 9 月—1967 年 1 月）

周赤萍（1969 年 8 月—1971 年 9 月）

李志民（1972 年 10 月—1980 年 1 月）

江渭清（兼）（1974 年 12 月—1981 年 4 月）

廖志高（兼）（1975 年 1 月—1981 年 4 月）

成都军区

司令员

黄新廷（1960 年 8 月—1967 年 3 月）

梁兴初（1967 年 3 月—1973 年 7 月）

秦基伟（1973 年 7 月—1975 年 10 月）

刘兴元（1975 年 10 月—1977 年 9 月）

政治委员

李井泉（1955 年 3 月—1967 年 4 月）

郭林祥（第三）（1965 年 11 月—1973 年 6 月）

甘渭汉（第四）（1965 年 11 月—1972 年 10 月）

张国华（第一）（1967 年 5 月—1972 年 2 月）

陈仁麒（第一）（1970 年 12 月—1975 年 8 月）

谢家祥（第四）（1970 年 12 月—1975 年 8 月）

严　政（1971 年 11 月—1971 年 9 月）

刘兴之（第一）（1972 年 3 月—1975 年 10 月）

郭林祥（1973 年 6 月—1973 年 8 月）

李大章（第一）(1975 年 8 月—1977 年 9 月)

陈先瑞(1975 年 10 月—1978 年 12 月)

赵紫阳（第一）(1975 年 10 月—1980 年 6 月)

乌鲁木齐军区

司令员

王恩茂(1955 年 3 月—1968 年 8 月)

龙书金(1968 年 8 月—1972 年 5 月)

曹思明（代）(1972 年 7 月—1973 年 6 月)

杨　勇(1973 年 6 月—1977 年 7 月)

政治委员

王恩茂（兼）(1955 年 3 月—1968 年 8 月)

萧思明（第二）(1968 年 9 月—1971 年 2 月)

曹思明(1971 年 4 月—1972 年 7 月)

赛福鼎·艾则孜(1972 年 7 月—1973 年 6 月)

　　（第一）(1973 年 6 月—1978 年 1 月)

郭林祥(1975 年 8 月—1978 年 1 月)

司马义·艾买提（兼）(1975 年 8 月—1982 年 1 月)

兰州军区

司令员

张达志(1955 年 3 月　1969 年 11 月)

皮定均(1969 年 11 月—1973 年 12 月)

韩先楚(1973 年 12 月—1980 年 1 月)

政治委员

刘澜涛(1960 年 11 月—1967 年 4 月)

李瑞山(1969 年 6 月—1977 年 6 月)

内蒙古军区

司令员　乌兰夫(1955 年 3 月—1966 年 12 月)

政治委员

乌兰夫（兼）(1955 年 3 月—1966 年 12 月)

西藏军区

司令员

张国华(1955 年 3 月—1968 年 9 月)

曾雍雅(1968 年 9 月—1968 年 12 月)

政治委员

谭冠三(1955 年 3 月—1967 年 6 月)

　　(1968 年 5 月—1968 年 9 月)

张经武（第一）(1958 年 11 月—1968 年 5 月)

任　荣(1968 年 9 月—1968 年 12 月)

广州军区

司令员

黄永胜(1955 年 3 月—1968 年 3 月)

丁　盛(1969 年 7 月—1973 年 12 月)

许世友(1973 年 12 月—1980 年 1 月)

政治委员

陶　铸（兼,第一）(1955 年 3 月—1966 年 11 月)

刘兴元（第二）(1959 年 12 月—1972 年 3 月)

韦国清（兼,第一）(1966 年 11 月—1980 年 1 月)

赵紫阳（兼,第三）(1966 年 11 月—1967 年 5 月)

孔石泉（第四）(1966 年 11 月—1967 年 5 月)

　　（第三）(1967 年 5 月—1972 年 3 月)

任思忠(1971 年 2 月—1974 年 4 月)

韦祖珍(1971 年 2 月—1973 年 2 月)

华国锋（兼）(1971 年 10 月—1975 年 8 月)

孔石泉（第一）(1972 年 3 月—1975 年 8 月)

赵紫阳（兼）(1974 年 4 月—1975 年 10 月)

张平化（兼）(1975 年 8 月—1977 年 5 月)

孔石泉(1975 年 8 月—1977 年 9 月)

济南军区

司令员

杨得志(1955 年 3 月—1973 年 12 月)

曾思玉(1973 年 12 月—1980 年 1 月)

政治委员

袁升平（第二）(1960 年 12 月—1973 年 8 月)

谭启龙（第一）（兼）(1965 年 5 月—1967 年 4 月)

王效禹(第一)(兼)(1967 年 5 月—1970 年 6 月)

徐立清(1973 年 11 月—1975 年 8 月)

任思忠(1975 年 3 月—1975 年 8 月)

白如冰(第一)(兼)(1975 年 8 月—1980 年 1 月)

萧望东(1975 年 8 月—1980 年 1 月)

武汉军区

司令员

陈再道(1955 年 3 月—1967 年 7 月)

曾思玉(1967 年 8 月—1973 年 12 月)

杨得志(1973 年 12 月—1979 年 1 月)

政治委员

王任重(兼,第一)(1955 年 3 月—1967 年 3 月)

钟汉华(第二)(1963 年 12 月—1967 年 7 月)

刘　丰(1967 年 5 月—1971 年 9 月)

萧思明(第三)(1971 年 7 月—1975 年 8 月)

王六生(第一)(1971 年 11 月—1975 年 8 月)

吴　烈(1975 年 4 月—1975 年 8 月)

刘建勋(兼)(1975 年 8 月—1977 年 9 月)

赵辛初(兼)(1975 年 8 月—1977 年 9 月)

王　平(1975 年 8 月—1977 年 9 月)

昆明军区

司令员

秦基伟(1957 年 10 月—1973 年 7 月)

王必成(1971 年 6 月—1979 年 1 月)

政治委员

阎红彦(第一)(1959 年 11 月—1967 年 1 月)

李成芳(第二)(1962 年 10 月—1968 年 5 月)

谭甫仁(1968 年 5 月—1970 年 12 月)

周　兴(1971 年 9 月—1975 年 10 月)

刘志坚(1975 年 8 月—1979 年 1 月)

贾启允(兼)(1975 年 10 月—1979 年 1 月)

沈阳军区

司令员

陈锡联(1959 年 10 月—1973 年 12 月)

李德生(1973 年 12 月—1984 年 6 月)

政治委员

曾绍山(第二)(1966 年 3 月—1980 年 1 月)

潘复生(兼)(1967 年 5 月—　　)

毛远新(1974 年 2 月—1976 年 10 月)

王辉球(1975 年 3 月—1975 年 8 月)

各民主党派

中国国民党革命委员会

第四届中央委员会

(1958 年 11 月—1979 年 10 月)

略

中国民主同盟

第三届中央委员会

(1958 年 12 月—1979 年 10 月)

略

中国民主建国会

第二届中央委员会

(1960 年 2 月—1979 年 10 月)

略

中国民主促进会

第五届中央委员会

(1958 年 12 月—1979 年 10 月)

五届一中全会

(1958 年 12 月 10 日)

选举中央委员会：

主　席　马叙伦　周建人(1966 年 7 月任代理

　　　　主席)

副主席　王绍鏊　周建人　许广平（女）
　　　　　车向忱　杨东莼

中国农工民主党

第七届中央委员会

（1958 年 12 月—1979 年 10 月）

略

中国致公党

第六届中央委员会

（1956 年 4 月—1979 年 10 月）

略

九三学社

第五届中央委员会

（1958 年 12 月—1979 年 10 月）

略

台湾民主自治同盟

第一届总部理事会

（1947 年 11 月—1979 年 10 月）

略

人民团体

中华全国总工会

中华全国总工会第八届执行委员会

（1957 年 12 月—1978 年 10 月）

主　席　赖若愚
副主席　刘长胜　朱学范　许之桢　陈少敏
　　　　　马纯古（1962 年 12 月—　　）

中国共产主义青年团

中国共产主义青年团第九届中央委员会

（1964 年 6 月—1978 年 10 月）

书记处第一书记　胡耀邦
书　记　胡克实　王一伟　杨海波　王照华
　　　　　路金栋　王道义　惠世昌
候补书记　张德华　李淑铮　徐惟诚　胡启立

中华全国妇女联合会

中华全国妇女联合会第三届执行委员会

（1957 年 9 月—1978 年 9 月）

名誉主席　宋庆龄　何香凝
主　席　蔡　畅
副主席
　　邓颖超　李德全　许广平　史　良　章　蕴
　　杨之华　刘清扬　康克清

中华全国青年联合会

中华全国青年联合会第四届常务委员会

（1962 年 4 月—1979 年 5 月）

主　席　刘西元
副主席
　　王照华　丹　彤　王光英　李梦华　刘良模
　　魏　巍　钱李仁　孙轶青　林兰英
　　雪康·土登尼玛（女）　　杜近芳
（1965 年 1 月换领导班子）
主　席　王　传
副主席
　　王照华　胡启立　李文耀　钱大卫
　　杜近芳（女）　　徐寅生　曹锦如（女）
　　徐建春（女）　　布村贝赫
　　刘厚明　胡　颖（女）　陆钟武　傅德喜
　　罗冠宗

中华全国学生联合会

中华全国学生联合会第十八届主席团
（1965 年 1 月—1979 年 5 月）

主　席　伍绍祖
副主席
　黄伯诚　曹小冰（女）　　魏章玲（女）
　屈　忠　张明卿　曲耕萃　范顺荣　唐文合
　张永子（女）　　王同亲（女）　　易之双
　阿不都拉·哈木都拉

中华全国归国华侨联合会

中华全国归国华侨联合会第一届委员会
（1956 年 10 月—1978 年 12 月）

主　席　陈嘉庚
副主席
　方　方　尤扬祖　王源兴　庄希泉　庄明理
　李铁民　陈其瑷　罗理实　高明轩　郭棣治
　黄长水　彭泽民　颜子俊　蚁美厚

二

各省、直辖市、自治区

北　京　市

中国共产党北京市委员会

第三届市委
（1962 年 5 月—1971 年 3 月）

1962 年 5 月—1966 年 5 月

第一书记　彭　真
第二书记　刘　仁
书记处书记　郑天翔　万　里

　陈　鹏（　—1963 年 6 月）
　邓　拓　陈克寒
　冯基平（　—1964 年 7 月）
　赵　凡（1964 年 10 月—　）
　贾庭三（1964 年 10 月—　）

1966 年 5 月—1967 年 4 月

第一书记　李雪峰
第二书记　吴　德
书记处书记
　万　里（1966 年 6 月—1966 年 10 月）
　陈克寒（1966 年 6 月—1966 年 10 月）
　赵　凡（1966 年 6 月—1966 年 7 月）
　高扬文　郭影秋　马　力
　刘和赓（1966 年 8 月任命，未到职）
　王一平（1966 年 8 月任命，未到职）
　池必卿（1966 年 8 月—　）
　刘建勋（1966 年 9 月—　）
　雍文涛（1966 年 9 月—　）
　丁国钰（1966 年 10 月—　）

第四届市委
（1971 年 3 月—1982 年 11 月）

1971 年 3 月—1976 年 10 月

第一书记
　谢富治（　—1972 年 3 月）
　吴　德（1972 年 10 月—1974 年 3 月）
第二书记　吴　德（　—1972 年 10 月）
书　记　杨俊生　吴　忠　黄作珍　刘绍文
　　　　丁国钰　倪志福（　—1973 年 5 月）
　　　　谢静宜（女）（1973 年 5 月—　）
　　　　万　里（1973 年 5 月—1975 年 1 月）
　　　　李　讷（女）（1973 年 5 月任命，未到职）

北京市人民委员会

（1955 年 2 月—1967 年 4 月）

1964 年 9 月—1966 年 6 月
（北京市第五届人大期间）

市　长　彭　真
副市长
　万　里　贾庭三（　—1965 年 2 月）　吴　晗
　王昆仑　程宏毅（　—1965 年 1 月）　赵　凡
　范　瑾（女）　王　纯　崔月犁　乐松生
（1964 年 9 月市五届人大一次会议选举）

1966 年 6 月—1967 年 4 月

代理市长　吴　德
副市长
　牛连璧　高　修　杨寿山　谢北一　杨少桥
（1966 年 6 月 3 日中央改组北京市人民委员
会决定任命）

中国人民政治协商会议
北京市委员会

第四届委员会

（1965 年 9 月—1977 年 11 月）

主　席　刘　仁
副主席　万　里　蒋光鼐　吴　晗　余心清
　　　　凌其峻　林巧稚（女）　　崔月犁
　　　　王源兴　杨宽麟　夏　翔
（1965 年 9 月政协第四届第一次会议选举）

北京卫戍区

司令员
　李家益（1965 年 7 月—1966 年 5 月）
　傅崇碧（兼）（1966 年 5 月—1968 年 3 月）

　温玉成（兼）（1968 年 3 月—1970 年 5 月）
　吴　忠（1970 年 5 月—1977 年 9 月）
政治委员
　刘　仁（第一）（兼）（1959 年 1 月—1966 年 8 月）
　刘绍文（第二）（1963 年 9 月—1966 年 5 月）
　吴　德（第一）（1966 年 7 月—1968 年 7 月）
　谢富治（第一）（1968 年 7 月—1972 年 5 月）
　吴　德（第一）（1972 年 7 月—1976 年 10 月）
　杨俊生（1966 年 5 月—1976 年 10 月）
　黄作珍（1966 年 5 月—1976 年 10 月）
　刘绍文（1966 年 5 月—1976 年 10 月）
　刘　福（1966 年 5 月—1976 年 10 月）

天　津　市

中国共产党天津市委员会

第二届市委

（1956 年 7 月—1971 年 5 月）

略

第三届市委

（1971 年 5 月—1983 年 12 月）

第二书记
　吴　岱（1971 年 6 月—1975 年 11 月）
书　记
　刘　政（　—1973 年 11 月）
　王　一（　—1978 年 12 月）
　王曼恬（女）（　—1977 年 1 月）
　许　诚（　—1980 年 6 月）
　费国柱（　—1978 年 10 月）
　孙武成（1973 年 11 月—1977 年 7 月）
　孙　健（1973 年 11 月—1975 年 1 月）
　徐　信（1973 年 11 月—1977 年 7 月）
　邢燕子（女）（1973 年 11 月—1982 年 6 月）
　王淑珍（女）（1973 年 11 月—1977 年 10 月）

天津市人民委员会

（1955 年 1 月—1967 年 12 月）

1965 年 12 月—1967 年 12 月

（天津市第六届人大期间）

市 长 胡昭衡
副市长

宋景毅 周叔弢 杨拯民 张国藩 樊青典
王培仁 白 桦 路 达 李中垣 王占瀛
（以上人员，1965 年 12 月天津市六届人大一
次会议选举）

天津市革命委员会

（1967 年 12 月—1980 年 6 月）

主 任 解学恭（1967 年 12 月—1978 年 6 月）
第一副主任
　　吴 岱（1971 年 7 月—1975 年 11 月）
副主任
　　萧思明（1967 年 12 月—1968 年 10 月）
　　郑三生（1967 年 12 月—1969 年 10 月）
　　江 枫（1967 年 12 月—1968 年 2 月）
　　刘 政（1970 年 4 月—1973 年 11 月）
　　王 一（1970 年 4 月—1978 年 12 月）
　　池必卿（1970 年 4 月— ）
　　赵武成（1970 年 4 月—1977 年 7 月）
　　王曼恬（女）（1970 年 4 月—1977 年 1 月）
　　李荣贵（1970 年 4 月—1977 年 7 月）
　　王元和（1971 年 7 月— ）
　　阎达开（1972 年 8 月—1979 年 7 月）
　　孙敬文（1972 年 8 月—1975 年 9 月）
　　孙 健（1974 年 12 月—1975 年 1 月）
　　王淑珍（女）（1974 年 1 月—1977 年 12 月）
　　邢燕子（女）（1974 年 12 月—1980 年 6 月）
　　徐 信（1974 年 12 月—1977 年 7 月）
　　蔡树梅（女）（1974 年 12 月—1977 年 12 月）
　　张福垣（1974 年 12 月—1977 年 12 月）
　　王珍堂（1974 年 12 月—1977 年 12 月）

中国人民政治协商会议
天津市委员会

第四届委员会

（1965 年 12 月—1977 年 12 月）

略

天津警备区

司令员
　　朱 彪（1965 年 2 月—1967 年 2 月）
　　郑三生（1967 年 2 月—1969 年 2 月）
　　王 一（1969 年 6 月—1978 年 11 月）
　　曹西康（1969 年 4 月—1983 年 4 月）
政治委员
　　韩德富（1964 年 7 月—1967 年 2 月）
　　钟元辉（1969 年 11 月—1969 年 12 月）
　　许 诚（1969 年 12 月—1971 年 10 月）
　　王元和（1971 年 10 月—1975 年 6 月）

河 北 省

中国共产党河北省委员会

第一届省委

（1956 年 7 月—1971 年 5 月）

略

第二届省委

（1971 年 5 月—1985 年 5 月）

第二书记 郑三生（ —1975 年 10 月）
书 记 刘海清（ —1973 年 8 月）
　　　　马 杰（ —1975 年 3 月）

河北省人民委员会

1964 年 10 月—1968 年 2 月

（河北省三届人大期间）

略

河北省革命委员会

（1968 年 2 月—1980 年 1 月）

1968 年 2 月—1977 年 12 月

主　任　李雪峰（　—1971 年 1 月）
第一副主任　刘子厚（1971 年 1 月任主任）
副主任
　马　辉　曾　美　张英辉　刘殿臣　耿长锁
（以上人员 1968 年 3 月任职）

中国人民政治协商会议
河北省委员会

第三届委员会

（1964 年 10 月—1977 年 12 月）

略

河北省军区

司令员
　马辉（1964 年 5 月—1983 年 3 月）
政治委员
　曾　美（1965 年 5 月—1981 年 10 月）
　贺　明（1972 年 5 月—　　）

山　西　省

中国共产党山西省委员会

第二届省委

（1965 年 8 月—1967 年 1 月）

略

中共山西核心小组

（1967 年 2 月—1971 年 4 月）

组　长　刘格平
副组长　张日清

第三届省委

（1971 年 4 月—1978 年 3 月）

第一书记
　谢振华（　—1975 年 5 月）
　王　谦（1975 年 5 月—1978 年 3 月）
书　记　曹中雨（　—1977 年 3 月）
　　　　陈永贵　张平化
　　　　韩　英（1973 年 5 月—1978 年 3 月）
　　　　王　谦（1973 年 5 月—1975 年 5 月）
副书记　刘世清（1973 年 5 月—1978 年 3 月）
　　　　王大任（1973 年 5 月—1977 年 3 月）
　　　　王庭栋（1973 年 3 月—1977 年 3 月）

山西省人民委员会

1964 年 10 月—1967 年 3 月

（山西省三届人大期间）

略

山西省革命委员会

（1967 年 3 月—1979 年 12 月）

主　任　刘格平　谢振华　王　谦

副主任

张日清 刘贯一 袁 振 郭永彪 谢振华
焦国鼐 陈永贵
张平化(1971年4月—) 韩 英 王大任
王廷栋 王金籽 郭凤莲(女) 赵雨亭
史怀壁 贾 俊 赵力之 贾云标 王茂林

中国人民政治协商会议
山西省委员会

第三届委员会

（1964年10月—1977年12月）

略

山西省军区

司令员

陈金钰(1962年—1968年)
谢振华(1968年—1975年)

政治委员

张日清(1961年—1969年)
曹中南(1970年—1978年)
刘世洪(1970年—1975年)
李布德(1970年—1983年)
刘焱田(1972年—1975年)

内蒙古自治区

中国共产党内蒙古自治区委员会

第二届区委

（1963年4月—1966年）

略

内蒙古自治区人民委员会

1964年9月—1967年11月

（内蒙古自治区三届人大期间）

略

内蒙古自治区革命委员会

（1967年11月—1979年12月）

1967年11月—1977年12月

主 任 滕海清(—1971年5月)
尤太忠(1971年5月继任)

副主任

吴 涛(蒙古族) 高锦明(满族) 霍道余
徐 信 邓存伦 赵紫阳 滕俊清 倪子文
宝日勒岱(女,蒙古族)
沈新发(以上7人1971年5月增补)
李树德(1972年1月增补)
王 铎(1975年2月增补)
邵子言(1975年2月增补)
刘景平(1975年2月增补)
池必卿(1975年7月增补)

中国人民政治协商会议
内蒙古自治区委员会

第三届委员会

（1965年5月—1977年12月）

略

内蒙古军区

（1967年5月改为省军区）

司令员

乌兰夫(蒙古族)(1954年3月—1966年
5月)
乌兰夫(蒙古族)(1966年—1976年10月)
刘贤权(未到职)
滕海清(兼)(1967年5月—1971年5月)
尤太忠(兼)(1971年5月—1978年11月)

政治委员

乌兰夫(蒙古族)(1954年3月—1966年
5月)
乌兰夫(蒙古族)(1966年—1976年10月)

滕海清(兼)(1967 年 5 月—1976 年 10 月)

刘贤权(未到职)

尤太忠(兼)(1971 年 5 月—1976 年 10 月)

吴　涛(蒙古族)(第一)(兼)(1972 年 10
月—1976 年)

滕俊清(第二)(1967 年 4 月—1972 年 5 月)

辽　宁　省

中国共产党辽宁省委员会

第三届省委

(1966 年 3 月—1971 年 1 月)

候补书记

仇友文(1966 年 3 月—　)

张正德(1966 年 3 月—　)

第四届省委

(1971 年 1 月—1979 年 8 月)

第一书记

陈锡联　曾绍山(1975 年 9 月—　)

书　记

李伯秋　杨春甫(1972 年 12 月—　)

毛远新(1972 年 12 月—1976 年 10 月)

黄欧东(1972 年 12 月—　)

白　潜(1972 年 12 月—　)

胡亦民(1972 年 12 月—　)

魏秉奎(1975 年 9 月—　)

苏　羽(1975 年 9 月—　)

刘盛田(1975 年 9 月—　)

辽宁省人民委员会

1963 年 12 月—1968 年 5 月

(辽宁省三届人大期间)

略

辽宁省革命委员会

(1968 年 5 月—1980 年 1 月)

1968 年 5 月—1977 年 12 月

主　任　陈锡联

副主任

李伯秋　杨春甫　杨　迪　杨　弃　毛远新

尉凤英(女)　　　任宝成　王凤恩　刘忠礼

于桂兰　张治国　魏礼玲　郝义田　刘盛田

崔修范　魏秉奎　王景升　姜雅琴

(以上人员 1969 年 3 月任职)

副主任　张海棠　白　潜

(以上 2 人,1970 年 3 月—　)

副主任

黄欧东　胡亦民　仇友文　苏　羽　张树德

李素文(女)　　　尹灿贞

(以上 7 人 1972 年 12 月任职)

主　任　曾绍山(1975 年 12 月—　)

副主任　胡金波　黄火青

(1975 年 9 月—　)

第一副主任　任仲夷(1977 年 2 月—　)

副主任　陈璞如(1977 年 2 月—　)

张新村(1977 年 8 月—　)

中国人民政治协商会议
辽宁省委员会

第三届委员会

(1963 年 12 月—1977 年 12 月)

略

辽宁省军区

司令员

贺庆积(1955 年 3 月—1968 年 2 月)

张海棠(1968 年 2 月—1975 年 6 月)

政治委员

杨　弃(第三)(1965 年 1 月—1975 年 4 月)

李道之(第四)(1960 年 10 月—1978 年 5 月)

吉 林 省

中国共产党吉林省委员会

第二届省委

（1960 年 3 月—1966 年）

略

第三届省委

（1971 年 3 月—1983 年 3 月）

第一书记　王淮湘
书　记
张兆仁　何友发　肖道元　阮泊生　郑季翘

吉林省人民委员会

1963 年 12 月—1968 年 3 月

（吉林省三届人大期间）

省　长　栗又文
副省长
于　克　张士英　徐寿轩　朱德海　肖　靖
王岳如　周　光　张文海
（1963 年 12 月省三届人大一次会议选举）
杨战韬　严子涛
（1964 年 9 月省三届人大二次会议增选）
张开荆
（1965 年 9 月省三届人大三次会议增选）

吉林省革命委员会

1968 年 3 月—1977 年 2 月

主　任　王淮湘
副主任　阮泊生　郑季翘　肖道生　何友发
（以上人员 1968 年 3 月始任职）
兰士亭　周　光　张　英　药天禄　宗希云

冯占武　许肇昌　吴扬弟　金泰然（女）
（以上人员 1970 年 3 月始任职）

中国人民政治协商会议
吉林省委员会

第三届委员会

（1963 年 12 月—1977 年 12 月）

略

吉林省军区

司令员
何友发（1967 年 6 月—1983 年 5 月）
政治委员
赵　林（第二）（1961 年 5 月—1967 年 1 月）
王淮湘（第一）（1969 年 8 月—1977 年 2 月）
苏俊禄（第三）（1968 年 2 月—1978 年 5 月）
张兆仁（1969 年 9 月—1971 年 10 月）
翟忠禹（1969 年 8 月—　　）
张　英（1970 年 2 月—1976 年 10 月）
符必玫（1970 年 4 月—1978 年 5 月）
崔海龙（1973 年 12 月—1979 年 2 月）

黑 龙 江 省

中国共产党黑龙江省委员会

第三届省委

（1971 年 8 月—1979 年 1 月）

第一书记　汪家道
　　　　　刘光涛（1977 年 2 月—　　）
　　　　　杨易辰（1977 年 12 月—　　）
第二书记　刘光涛
书　记
傅奎清　于　杰　张林池　任仲夷
杨易辰（　　—1977 年 12 月）
于洪亮　李力安　王一伦

黑龙江省人民委员会

1964 年 9 月—1967 年

（黑龙江省三届人大期间）

省　长　李范五
副省长

杨易辰　王一伦　陈　雷　陈剑飞　王清正
孙西岐　刘　潜　关　舟

（以上人员 1964 年 9 月省三届人大一次会议
选举）

杨和亭　王逢源

（以上二人 1965 年增补）

黑龙江省革命委员会

1967 年 3 月—1971 年 8 月

主　任　潘复生
副主任　汪家道

（1967 年 3 月始任职）

刘光清　傅奎清　张林池　于　杰　夏光亚
苏　民　刘思聪　谢长华　张春和　张备之
曹　志　聂世荣　唐金枝　马占春　宋振业

（以上人员 1970 年始任职）

1971 年 8 月—1977 年 2 月

主　任　汪家道
副主任

刘光清　傅奎清　于　杰　张林池　苏　民
夏光亚　张春和　谢长华　张备之　曹　志
刘思聪　唐金枝　聂世荣　宋振业　马占春
任仲夷　王一伦　杨易辰

（以上人员 1971 年 8 月始任职）

中国人民政治协商会议
黑龙江省委员会

第三届委员会

（1964 年 9 月—1977 年 12 月）

主　席　欧阳钦
副主席

杨易辰　张瑞麟　于天放　王清正　杜国平
刘维芝　黄方刚　薛绥宸　邵　钧

（1964 年 9 月政协第三届第一次会议选举）

黑龙江省军区

司令员

汪家道(1962 年—1975 年 5 月)

政治委员

欧阳钦(1954 年 9 月—1966 年 5 月)
强晓初(1960 年—1966 年 5 月)
潘复生(1966 年 5 月—1971 年 8 月)
刘光涛(1969 年—　　)
郭　强(1973 年—1978 年 5 月)

上　海　市

中国共产党上海市委员会

1965 年 11 月—"文化大革命"前
略

第四届市委

（1971 年 1 月—1976 年 10 月）

第一书记　张春桥
第二书记　姚文元
书　记

王洪文　马天水　周纯麟　徐景贤
王秀珍(女)

上海市人民委员会

1964 年 9 月—1967 年 1 月
（上海市五届人大期间）

市 长 柯庆施（ —1965 年 4 月）
副市长
  曹荻秋（ —1965 年 12 月） 石 英
  宋日昌 宋季文 李干成
  李广仁（ —1966 年 1 月） 金仲华
  张承宗 赵祖康 胡厥文 荣毅仁
  梁国斌（1965 年 12 月— ）
（1964 年 9 月市五届人大一次会议选举）

上海市革命委员会
（1967 年 1 月—1979 年 12 月）

1967 年 1 月—1968 年

负责人
  张春桥 姚文元 廖政国 王少庸 马天水
  徐景贤 王承龙 陆文才 王洪文 李杉山
  高志荣 姬应伍 陈琳瑚 李研吾 冯国柱
  朱锡琪 张宜爱

1968 年—1970 年

主 任 张春桥
副主任
  姚文元 王少庸 马天水 廖政国 饶守坤
  周建平 徐景贤 王洪文 王承龙 王秀珍
  沈品光 周丽珍 陈敢峰 琚世月
第一副主任 姚文元
副主任 王少庸 马天水 徐景贤 王洪文
  王秀珍 周丽琴 陈敢峰 杨富珍
  王维国（ —1971 年 9 月）
  刘耀宗（ —1975 年）
  高志荣（ —1974 年 10 月）
  赵林根（ —1972 年）

周纯麟（1970 年 12 月— ）
武占魁 金祖敏 冯国柱
（以上 3 人都从 1972 年 11 月任职）
杨西光（1975 年 11 月— ）
陈丕显（1975 年 9 月—1975 年 12 月）

中国人民政治协商会议
上海市委员会

第四届委员会
（1964 年 9 月—1977 年 12 月）
略

上海警备区

司令员
  廖政国（1965 年 6 月—1970 年 4 月）
  周纯麟（兼）（1970 年 4 月—1978 年 5 月）
政治委员
  陈丕显（兼）（1965 年 6 月—1967 年 5 月）
  张春桥（第一）（兼）（1967 年 5 月—1976 年
    10 月）
  李世炎（第二）（兼）（1965 年 9 月—1969 年
    10 月）
  刘耀宗（第二）（1969 年 8 月—1978 年 5 月）
  刘文学（第三）（兼）（1965 年 6 月—1970
    年 4 月）
  刘文学（1970 年 4 月—1978 年 5 月）
  王洪文（兼）（1971 年 9 月—1976 年 10 月）

江 苏 省

中国共产党江苏省委员会

第四届省委
（1962 年 12 月—1970 年 12 月）
略

第五届省委

（1970 年 12 月—1977 年 12 月）

第一书记　许世友
　　　　　彭　冲（1974 年 11 月—　　）
书　记　杜　平　吴大胜
　　　　许家屯（1975 年 9 月—　　）
　　　　杨广立（1975 年 9 月—　　）
　　　　王敏生（1975 年 9 月—　　）
　　　　胡　宏（1977 年 5 月—　　）
　　　　韩培信（1977 年 5 月—　　）
副书记　彭　冲（　　—1974 年 11 月）
　　　　杨广立（　　—1975 年 9 月）

江苏省人民委员会

1964 年 9 月—1968 年 3 月

（江苏省三届人大期间）

略

江苏省革命委员会

（1968 年 3 月—1979 年 12 月）

1968 年 3 月—1977 年 12 月

主　任　许世友
副主任　吴大胜　杨广立　彭　冲
　　（以上 3 人 1968 年 3 月始任职）
　　王超柱　华林森　陈和法　赵桂香（女）
　　（以上 4 人 1970 年 3 月始任职）
　　蒋　科　许家屯
　　（以上 2 人 1970 年 12 月始任职）
　　王敏生（1975 年 9 月—　　）

中国人民政治协商会议
江苏省委员会

第三届委员会

（1964 年 9 月—1977 年 12 月）

略

浙　江　省

中国共产党浙江省委员会

第四届省委

（1963 年 4 月—1971 年 1 月）

略

浙江省人民委员会

1964 年 9 月—1968 年 3 月

（浙江省三届人大期间）

略

浙江省革命委员会

（1968 年 3 月—1979 年）

1968 年 3 月—1973 年 5 月

主　任　南　萍
第一副主任　陈励耘
副主任
　　赖可可　熊应堂　周建人　王子达　谢正浩
　　（以上人员 1968 年 3 月始任职）
　　谭启龙　铁　瑛
　　（以上人员 1972 年 4 月始任职）

1973 年 5 月—1977 年 2 月

主　任　谭启龙（1973 年 5 月始任）
副主任　罗　毅　陈作霖　张子石
　　（以上人员 1975 年 7 月始任职）

中国人民政治协商会议
浙江省委员会

第三届委员会
（1964 年 9 月—1977 年 12 月）

略

浙江省军区

司令员

张秀龙(1965 年 11 月—1967 年 8 月)

熊应堂(1967 年 8 月—1972 年 5 月)

张文碧(1975 年 8 月—1976 年 10 月)

政治委员

龙　潜(1965 年 7 月—1967 年 10 月)

南　萍(1967 年 8 月—1972 年 5 月)

谭启龙(1972 年 5 月—1975 年 9 月兼省委书记)

栗彬成(1973 年 12 月—1977 年 8 月)

武世鸿(1975 年 4 月—1977 年 12 月)

安 徽 省

中国共产党安徽省委员会

第二届省委
（1963 年 7 月—1971 年 1 月）

略

安徽省人民委员会

1962 年 9 月—1968 年 4 月
（安徽省三届人大期间）

省　长　黄　岩

副省长

张恺帆　王光宇　陆学斌　马长炎　杜　蓬

王　中　姚　克　彭宗珠　张祚荫　戴　戟

李任之　李凡夫

（以上人员，1964 年 9 月 29 日省三届人大一

次会议选举）

朱　光(1966 年 3 月省三届人大二次会议增
选)

安徽省革命委员会

（1968 年 4 月—1979 年 12 月）

1968 年 4 月—1978 年 1 月

主　任　李德生(1968 年 4 月—1974 年 12 月)

宋佩璋(1975 年 5 月—1978 年 1 月)

中国人民政治协商会议
安徽省委员会

第三届委员会
（1964 年 9 月—1978 年 1 月）

略

安徽省军区

司令员

李德生(1967 年 11 月—　　)

余光茂(1975 年—　　)

政治委员

张文碧(1967 年 11 月—　　)

钟国楚(第二)(1969 年 8 月—　　)

梁辑卿(第二)(1970 年 4 月—　　)

张春森(第四)(1971 年 5 月—　　)

宋佩璋(第一)(1971 年 6 月—　　)

福 建 省

中国共产党福建省委员会

第一届省委
（1956 年 7 月—1968 年 8 月）

略

福建省革委会党的核心小组

（1970 年 4 月—1971 年 3 月）

组　长　韩先楚
副组长　周赤萍　蓝荣玉

第二届省委

（1971 年 4 月—1979 年 12 月）

1971 年 4 月—1974 年 11 月

第一书记　韩先楚（　—1973 年 12 月）
第二书记　周赤萍（　—1972 年 8 月）
书　记　卓　雄
　　　　谭启龙（　—1974 年 5 月）
　　　　朱绍清　黄亚光　倪南山

1974 年 11 月—1976 年 10 月

第一书记　廖志高
书　记　卓　雄（　—1975 年 11 月）
　　　　朱绍清
　　　　黄亚光（　—1975 年 11 月）
　　　　倪南山（　—1975 年 11 月）
　　　　马兴元（1975 年 6 月—　）
　　　　汀礼银（1975 年 6 月—　）
　　　　林一心（1975 年 6 月—　）
　　　　金昭典（1975 年 11 月—　）

福建省人民委员会

1964 年 9 月—1968 年 8 月

（福建省三届人大期间）

略

福建省革命委员会

（1968 年 8 月—1979 年 12 月）

1968 年 8 月—1976 年 10 月

主　任
　　韩先楚（1968 年 8 月—1973 年 12 月）
　　廖志高（1974 年 11 月—1976 年 10 月）
第一副主任
　　皮定均（1969 年 8 月—1969 年 11 月）
副主任
　　蓝荣玉　伍洪祥　叶　松　朱耀华　黄亚光
　　庄志鹏　田毓民　洪秀枞　郑火排　王云集
　　（以上人员 1968 年 8 月始任）
　　卓　雄（1969 年 11 月—　）
　　陈佳忠　魏金水　刘永生　贯久民
　　（以上 4 人 1975 年 6 月始任）
　　李敏唐　许　亚　金昭典
　　（以上人员 1975 年 11 月始任）

中国人民政治协商会议 福建省委员会

第三届委员会

（1964 年 9 月—1977 年 12 月）

略

福建省军区

司令员
　　朱耀华（1964 年 6 月—1971 年 7 月）
　　汪志国（1971 年 7 月—1976 年 12 月）
政治委员
　　刘健挺（1964 年 3 月—1978 年 5 月）
　　罗应怀（1969 年 11 月—1972 年 5 月）
　　倪南山（1970 年 12 月—1976 年 12 月）
　　高点杰（1971 年 7 月—1975 年 6 月）

江 西 省

中国共产党江西省委员会

第六届省委

（1964 年 1 月—1970 年 12 月）

略

第七届省委

（1970 年 12 月—1985 年 6 月）

第一书记

程世清（ —1972 年 6 月）

江渭清（1974 年 12 月—1982 年 8 月）

白栋材（1982 年 8 月—1985 年 6 月）

书 记 杨栋梁

佘积德（主持省委工作）（1972 年 4 月—1974 年 12 月）

副书记 文道宏 白栋材

江西省人民委员会

1949 年 6 月正式成立江西省人民政府。1955 年改为江西省人民委员会。1968 年 1 月成立江西省革命委员会。1979 年 12 月恢复为江西省人民政府。

江西省革命委员会

（1968 年 1 月—1979 年 12 月）

1968 年 1 月—1978 年 2 月

主 任 程世清（ —1972 年）

副主任 杨栋梁 黄 先 于厚德 万里浪

（以上人员,1968 年 1 月省革命委员会成立时任职）

副主任

文道宏 刘 云 白栋材 潘世告 樊孝菊

涂 烈

（以上人员,1970 年 4 月任职）

副主任 佘积德 杨尚奎

（以上人员,1970 年 9 月任职）

主 任 佘积德（1972 年 6 月任职）

主 任 江渭清（1974 年 12 月任职）

副主任 黄知真（1977 年 4 月任职）

副主任

彭梦庚 李毅章 狄 生 刘俊秀 信俊杰 方志纯

（以上 6 人,1977 年 8 月任职）

中国人民政治协商会议 江西省委员会

第三届委员会

（1964 年 10 月—1978 年 2 月）

略

江西省军区

司令员

吴端山（1964 年 3 月—1968 年 10 月）

杨栋梁（1967 年 7 月—1972 年 6 月）

陈昌奉（1972 年 11 月—1975 年 9 月）

信俊杰（1975 年 9 月—1983 年 5 月）

政治委员

方志纯（兼）（1965 年 1 月—1967 年）

林忠照（1965 年 5 月—1968 年 10 月）

程志清（1967 年 7 月—1972 年 6 月）

郑 国（1969 年 11 月—1973 年 6 月）

张志勇（1972 年 11 月—1979 年 3 月）

山 东 省

中国共产党山东省委员会

第二届省委

（1963 年 12 月—1971 年 3 月）

第一书记　谭启龙（　—1969 年 6 月）
书记处书记

白如冰　周　兴　苏毅杰　刘秉琳　栗再温
穆　林
书记处候补书记

栗再温　穆　林　秦如珍　杨　岩

第三届省委

（1971 年 4 月—1983 年 6 月）

第一书记　杨得志（　—1971 年 1 月）
　　　　　白如冰（1974 年 11 月—　）
第二书记　袁开平
书　记

苏毅杰　厉日耐　秦如珍　李　振　赵　林
强晓初　高启云　李子超　武开章　高克亭
王金山
副书记　张　秀　白如冰　苏毅然

山东省人民委员会

1963 年 12 月—1967 年 3 月

（山东省三届人大期间）

略

山东省革命委员会

（1967 年 3 月—1979 年 12 月）

1967 年 3 月—1977 年 12 月

主　任　王效禹
副主任

杨得志　赵修德　韩金海　王竹泉
（以上人员,1967 年 5 月任命。）
袁开平　李水清　李耀文　穆　林　张富贵
白如冰　苏毅然　张铨秀　曹普南
（以上人员,1967 年 6 月至 1970 年 10 月期
间先后任命）
主　任　杨得志(1971 年 3 月任命)
　　　　白如冰(1974 年 11 月任命)

中国人民政治协商会议
山东省委员会

第三届委员会

（1963 年 12 月—1977 年 12 月）

略

山东省军区

司令员

童国贵(1965 年 1 月—1975 年 6 月)
黎锡福(1975 年 6 月—1976 年 5 月)
政治委员

刘秉琳（兼）（第一）（1965 年 5 月—1967
年 5 月）
王效禹（兼）（第一）（1967 年 5 月—1970 年
10 月）
何志远(1961 年 10 月—1981 年 6 月)
唐健如(1968 年 7 月—1981 年 6 月)
熊　飞(1973 年 12 月—1975 年 6 月)

河　南　省

中国共产党河南省委员会

第二届省委
1966 年 5 月—1966 年 12 月

略

第三届省委

（1971 年 3 月—1984 年 8 月）

1971 年 3 月—1973 年 3 月

第一书记　刘建勋
第二书记　王　新（　—1972 年 12 月）
书　记　纪登奎　耿起昌
　　　　张树芝(1973 年 2 月—　)

副书记 东传钧(1973 年 2 月—)

　　　　王维群　戴苏理

1973 年 3 月—1976 年 10 月

第一书记　刘建勋

书　记　纪登奎　耿起昌　张树芝

副书记　东传钧(　—1975 年 9 月)

　　　　王维群　戴苏理

　　　　胡立教(1975 年 9 月—)

河南省人民委员会

1964 年 9 月—1968 年 1 月

（河南省三届人大期间）

略

河南省革命委员会

（1968 年 1 月—1979 年 9 月）

主　任　刘建勋

副主任　王　新　纪登奎　耿起昌　杨力勇

　　　　（以上人员,1968 年 1 月任职)

主　任　刘建勋(　—1978 年 10 月)

副主任

　　胡立教　胡尚礼　戴苏理　王　辉　郑永和

　　刘鸿文　李庆伟

　　（以上人员,1977 年 12 月河南省五届人大一

　　次会议选举)

主　任　段君毅(1978 年 10 月—)

中国人民政治协商会议
河南省委员会

第三届委员会

（1964 年 9 月—1977 年 12 月）

略

河南省军区

司令员

　　张树芝(1966 年 5 月—1976 年 10 月)

政治委员

　　何运洪(1963 年 7 月—1967 年 8 月)

　　王全国(1964 年 7 月—1969 年 12 月)

　　王　新(1967 年 8 月—)

　　胡尚礼(1973 年 7 月—)

　　张中如(1973 年 11 月—1979 年 1 月)

　　龙　潜(1975 年 11 月—1979 年 3 月)

湖 北 省

中国共产党湖北省委员会

第三届省委

（1970 年 3 月—1976 年 10 月）

第一书记　曾思玉(　—1975 年 7 月)

　　　　　赵辛初(1975 年 7 月—)

第二书记

　　刘　丰(1971 年 3 月—1972 年 2 月)

　　王六生(1972 年 2 月—)

书　记　张体学(1971 年 3 月—1973 年 9 月)

　　　　张玉华　孔庆德　姜　一

　　　　潘振武(1971 年 7 月—)

　　　　赵　修　韩宁夫

　　　　宋侃夫(1972 年 12 月—)

湖北省人民委员会

1964 年 9 月—1968 年 2 月

（湖北省三届人大期间）

略

湖北省革命委员会

（1968 年 2 月—1980 年 1 月）

1968 年 2 月—1974 年 3 月

主　任　曾思玉
副主任
　刘　丰（　—1972 年 3 月）张玉华　任爱生
　梁仁魁　朱鸿霞　饶兴礼　杨道远　张立国
　（以上人员 1968 年 2 月始任职）
副主任　信俊杰
　（以上人员 1967 年 7 月始任职）
副主任　康世恩　孔庆德
　（以上人员，1970 年 3 月任职）
　潘振武　朱业奎
　（以上人员，1970 年 8 月始任职）
副主任　王六生
　（1972 年 2 月始任职）
副主任
　张体学（　—1973 年 9 月）　赵辛初　韩宁夫
　麦世厚　王步青　阎　钧　李夫全　王利滨
　丁凤英　马学礼
　（以上人员 1973 年 6 月始任职）

1974 年 3 月—1977 年 12 月

主　任　赵辛初
副主任
　麦世厚　韩宁夫　阎　钧　仟爱牛　梁仁魁
　朱鸿霞　饶兴礼　张立国　潘振武　朱业奎
　李夫全　王利滨　丁凤英　马学礼　王步青
　（以上人员为 1974 年 3 月调整后的革委会成
　员）
副主任　陈丕显（1977 年 7 月任职）

中国人民政治协商会议
湖北省委员会

第三届委员会
（1964 年 9 月—1978 年 1 月）
略

湖北省军区

司令员
　吴世忠（1964 年 5 月—1969 年 10 月）
　赵复兴（1968 年 7 月—1969 年 12 月）
　信俊杰（1969 年 12 月—1975 年 9 月）
　张秀龙（1975 年 9 月—1981 年 2 月）
政治委员
　周志刚（第二）（1965 年 8 月—1970 年 1 月）
　张　洪（1969 年 12 月—1978 年 5 月）
　陈继德（1973 年 2 月—1981 年 2 月）
　刘清明（1973 年 12 月—1978 年 5 月）
　梁大门（1975 年 8 月—1978 年 5 月）

湖　南　省

中国共产党湖南省委员会

第二届省委
（1960 年 3 月—1970 年 10 月）
略

第三届省委
（1970 年 11 月—1977 年 9 月）

第一书记　华国锋
书　记　卜占亚
副书记　杨大易

湖南省人民委员会

1964 年 9 月—1968 年 4 月
（湖南省三届人大期间）
略

湖南省革命委员会
（1968 年 4 月—1979 年 12 月）

1968 年 4 月—1977 年 11 月

黎　原　卜占亚　龙书金　华国锋　章伯森

杨大易

刘善福　李振军　刘顺之

（以上人员，1977 年 11 月以前，先后担任过

革委会主任和副主任）

中国人民政治协商会议
湖南省委员会

第三届委员会

（1964 年 9 月—1977 年 11 月）

略

湖南省军区

司令员

龙书金（1961 年 5 月—1968 年 9 月）

杨大易（1968 年 9 月—1975 年 7 月）

童国贵（1975 年 7 月—1980 年 2 月）

政治委员

张平化（第一）（1961 年 5 月—1968 年 9 月）

谭文邦（第一）（1964 年 6 月—1968 年）

杨大易（1968 年 7 月—1968 年 9 月）

卜占亚（第一）（1970 年 5 月—1971 年）

华国锋（第一）（1971 年 10 月—1977 年 6 月）

卜占亚（第一）（1971 年 10 月—1973 年）

张平化（第二）（1973 年 3 月—　）

张立宪（1968 年 9 月—1975 年 7 月）

郑效峰（1968 年 9 月—1975 年 7 月）

广　东　省

中国共产党广东省委员会

第二届省委

（1961 年 12 月—"文化大革命"）

第一书记　赵紫阳（1965 年 2 月—　）

常务书记　区梦觉（女）

书　记　林李明　尹林平

王　德（　—1965 年 3 月）

李坚真（女）

赵武成（　—1963 年 9 月）

刘田夫

雍文涛（1965 年 2 月—1966 年 6 月）

候补书记　曾　志（女）（　—1966 年）

张　云（　—1966 年 6 月）

张根生

魏今非（　—1964 年 9 月）

王　匡（　—1962 年 5 月）

李子元（1965 年 2 月—　）

第三届省委

（1970 年 12 月—1978 年 3 月）

第一书记　刘兴元（　—1972 年 3 月）

丁　盛（1972 年 3 月—1973 年 12

月）

赵紫阳（1974 年 4 月—1975 年 10

月）

韦国清（1975 年 10 月—　）

常务书记　焦林义（1977 年 5 月—　）

书　记　孔石泉（　—1974 年 4 月）

陈　郁（　—1974 年 3 月）

丁　盛（　—1972 年 3 月）

王首道

赵紫阳（1972 年 12 月—1974 年 4 月）

林李明（1972 年 12 月—　）

焦林义（1975 年 6 月—1977 年 5 月）

张根生（1975 年 6 月—　）

郭荣昌（1975 年 6 月—　）

雍文涛（1975 年 10 月—1977 年 1 月）

李坚真（女）（1977 年 9 月）

刘田夫（1977 年 9 月—　）

副书记　王全国（1977 年 9 月—　）

吴南生（1977 年 9 月—　）

广东省人民委员会

1963 年 12 月—1968 年 2 月
（广东省三届人大期间）

略

广东省革命委员会
（1968 年 2 月—1979 年 12 月）

1968 年 2 月—1972 年 3 月

主　任　黄永胜
第一副主任　孔石泉
副主任

 陈　郁　王首道　邱国光　阎仲川　黄荣海
 刘继发　黄育英(女)　　卜占亚　袁德良
 梁锦棠　田华贵　梁秀珍(女)
 （以上人员 1968 年 2 月任职）

1972 年 3 月—1972 年 12 月

主　任　刘兴元
第一副主任　孔石泉
副主仟

 陈　郁　丁　盛　王首道　邱国光　黄荣海
 袁德良　林李明　单印章　刘继发　梁锦棠
 黄育英(女)　　田华贵　梁秀珍(女)
 （以上人员 1972 年 3 月任职）

1972 年 12 月—1974 年 4 月

主　任　丁　盛
第一副主任　孔石泉
副主任

 陈　郁　王首道　赵紫阳　林李明　单印章
 焦林义　雍文涛　刘田夫　李坚真(女)
 张根生　刘继发　梁锦棠　田华贵
 梁秀珍(女)
 （以上人员 1972 年 12 月任职）

1974 年 4 月—1975 年 10 月

主　任　赵紫阳
第一副主任　孔石泉
副主任

 陈　郁　王首道　林李明　单印章　焦林义
 雍文涛　刘田夫　李坚真(女)　　张根生
 刘继发　梁锦棠　田华贵　梁秀珍(女)
 （以上人员 1974 年 4 月任职）

1975 年 10 月—1977 年 12 月

主　任　韦国清
副主任

 王首道　林李明　焦林义　张根生　雍文涛
 刘田夫　李坚真(女)　　刘维明　李尔重
 寇庆延　王全国　罗　天　刘继发　梁锦棠
 田华贵　梁秀珍(女)
 （以上人员 1975 年 10 月任职）

中国人民政治协商会议广东省委员会

第三届委员会
（1963 年 12 月—1977 年 12 月）

略

广东省军区

司令员
 黄荣海(1964 年—1969 年)
 张景耀(1969 年—1979 年)
政治委员
 陈　德(1963 年—1975 年)
 苏克之(1965 年—1975 年)
 熊　飞(1975 年—1982 年)

海南军区

司令员

孙干卿(1963年—1969年)

江雪山(1969年—1979年)

政治委员

魏佑铸(1965年—1967年)

冯镜桥(1967年—1968年)

王　亮(1968年—1979年)

广西壮族自治区

中国共产党广西壮族自治区委员会

第二届区委

(1962年10月—1971年2月)

第一书记　韦国清

常务书记　乔晓光

书　记

伍晋南　贺希明　覃应机　安平生

第三届区委

(1971年2月—1977年11月)

第一书记　韦国清

书　记　韦祖珍

副书记　刘重桂　安平生

广西壮族自治区革命委员会

(1968年8月—1979年12月)

1968年8月—1975年10月

主　任　韦国清

副主任

欧致富　魏佑铸　焦红光　霍成忠　安平生

韦世经　林福文　毛凤鸾　廖炜雄　龙智铭

颜景堂　曾春生

(以上人员为革委会成立初期成员)

1975年10月—1977年12月

主　任　安平生

副主任

欧致富　魏佑铸　焦红光　霍成忠　韦世经

林福文　毛凤鸾　廖炜雄　龙智铭　颜景堂

曾春生　刘重桂　赵欣然　韦祖珍　乔晓光

覃应机

(以上人员为1975年10月调整后的成员)

1977年12月—1979年12月

主　任　乔晓光

副主任

刘重桂　覃应机　杜　易　赵欣然　廖炜雄

徐其海　廖生东　周光春　黄　荣　贺亦然

(以上人员1977年12月自治区五届人大一

次会议选举)

中国人民政治协商会议广西
壮族自治区委员会

第三届委员会

(1963年12月选举产生,"文化大革命"
开始后于1967年1月停止活动)

主　席

韦国清(壮族)(1963年12月—1967年1月)

副主席

雷沛鸿(1963年12月—1967年1月)

陆秀轩(壮族)(1963年12月—1967年1月)

黄松坚(壮族)(1963年12月—1967年1月)

黄惠良(壮族)(1963年12月—1967年1月)

石兆荣(1963年12月—1967年1月)

黄　荣(壮族)(1963年12月—1967年1月)

丘　辰(1963年12月—1967年1月)

广西军区

司令员

张云逸　李天佑　卢绍武　欧致富　赵欣然
张序登　李新良　肖旭初　文国庆

政治委员

张云逸　谭甫仁　覃士冕　方国安　李士才
魏佑铸　刘重桂　王泮之　郭质甫　毕可周
肖旭初　王静波

（以上人员按任职先后排列）

四　川　省

中国共产党四川省委员会

第一届省委

（1956 年 7 月—1971 年 8 月）

第一书记

李井泉（　—1965 年 2 月）
廖志高（1965 年 2 月—1967 年 5 月）

书记处书记

李大章　廖志高　阎红彦　陈　刚　许梦侠
阎秀峰　杜心源　赵苍壁　贾启允　杨　超
杨乃选　郭林祥　廖井丹　鲁大东
张力行（候补书记）

（未注任职时间者系指先后担任过而具体任
职起迄时间不详）

第二届省委

（1971 年 8 月—1979 年 1 月）

第一书记

张国华（　—1972 年 2 月）
刘兴元（1972 年 3 月—1975 年 10 月）
赵紫阳（1975 年 10 月—　）

第二书记　梁兴初

书　记

李大章　谢家祥　段君毅　谢正荣　徐　驰
何云峰　唐克碧　汪友根　赵苍壁　杜星垣

四川省人民委员会

1963 年 8 月—1968 年 5 月

（四川省第三届人大期间）

略

四川省革命委员会

1968 年 5 月—1977 年 12 月

主　任　张国华（1968 年 5 月—1972 年 2 月）

主　任　刘兴元（1972 年 3 月—1975 年）

主　任
赵紫阳（1975 年 10 月—1977 年 12 月）

主　任

李大章（1968 年 5 月—1975 年 10 月）
梁兴初（1968 年 5 月—1974 年 12 月）
刘结挺（1968 年 5 月—1971 年 8 月）
天　宝（藏族）（1968 年 5 月—1969 年 6 月）
张西挺（女）（1968 年 5 月—1971 年 8 月）
徐　驰（1968 年 5 月—1977 年 12 月）
邓兴国（1968 年 5 月—1977 年 12 月）
江海云（女）（1968 年 5 月—1977 年 12 月）
王恒霖（1968 年 5 月—1977 年 4 月）
彭家治（1968 年 5 月—1977 年 6 月）
张泗洲（1968 年 5 月—1977 年 12 月）
冯玉德（1968 年 5 月—1977 年 12 月）
蔡文彬（1968 年 5 月—1977 年 12 月）
杨志诚（1968 年 5 月—1977 年 5 月）
但坤蓉（女）（1968 年 5 月—1977 年 3 月）
谢家祥（1969 年 12 月—1975 年 10 月）
谢正荣（1969 年 12 月—1977 年 12 月）
段君毅（1970 年 8 月—1976 年 12 月）
李子元（1975 年 10 月—1977 年 12 月）
杨万选（1975 年 10 月—1977 年 12 月）
任明道（1975 年 10 月—1977 年 12 月）

中国人民政治协商会议四川省委员会

第三届委员会

（1963 年 9 月—1977 年 12 月）

略

贵 州 省

中国共产党贵州省委员会

第二届省委

1967 年 12 月—1971 年 5 月

贵州省革命委员会领导核心小组成员：

李再含 张 明 李 立 孙昌德 刘安民
康岩中 徐英年

第三届省委

1971 年 5 月—1973 年 8 月

第一书记 蓝亦农
书 记 张荣森
副书记 贾庭三 李 立 何光宇

1973 年 9 月—

第一书记 鲁瑞林 马 力(1971 年 2 月—)
第二书记 李葆华
书 记 吴向必
贾庭三(1977 年 8 月—)
副书记 苏 钢(1977 年 3 月—)
苗春亭(1977 年 8 月—)
徐健生(1977 年 9 月—)

贵州省人民委员会

1963 年 12 月—1967 年 12 月
（贵州省第三届人大期间）

略

贵州省革命委员会

（1967 年 12 月—1980 年 1 月）

1967 年 12 月—1971 年 5 月

主 任 李再含
副主任 张 明
（以上人员 1967 年 1 月始任职）
李 立 孙昌德 刘安民 康岩中 何光宇
张 琦 刘金地 张健民 罗锡康
（以上人员 1969 年始任职）

1971 年 5 月—1973 年 9 月

主 任 蓝亦农
第一副主任 张荣森
副主任
石新安 贾庭三 李 立 何光宇 张 明
张健民 张 琦 刘兴胜 马扶增 陈行庚
李庭桂 罗锡康 田子明 孙昌德
（以上人员 1971 年 5 月中央同意任命）

1973 年 9 月—1977 年 2 月

主 任 鲁瑞林
副主任 李葆华
（以上人员 1973 年 9 月中央决定任命）

中国人民政治协商会议
贵州省委员会

第三届委员会
（1964 年 1 月—1977 年 11 月）

略

贵州省军区

司令员

何光宇（1965 年 3 月—1975 年 6 月）

孙　忠（1975 年 6 月—1979 年 1 月）

政治委员

石新安（1963 年 10 月—1978 年 10 月）

李再含（1967 年 5 月—1969 年 10 月）

蓝亦农（1969 年 10 月—1972 年 5 月）

马扶增（1971 年 7 月—1975 年 6 月）

云　南　省

中国共产党云南省委员会

第一届省委
（1956 年 6 月—1971 年 5 月）

略

第二届省委
（1971 年 5 月—1979 年 8 月）

第一书记

周　兴（　—1975 年 10 月）

贾启允（1975 年 10 月—1977 年 2 月）

安平生（1977 年 2 月—1979 年 8 月）

第二书记　王必成

书　记　陈　康　鲁瑞林

　　　　　陈丕显（1977 年 2 月—1978 年）

云南省人民委员会

1963 年 12 月—1967 年 3 月

（云南省三届人大期间）

略

云南省军事管制委员会
（1967 年 3 月—1968 年 8 月）

主　任　李成芳

副主任　张子明　黎锡福　陈　康　张力雄

（以上人员 1967 年 3 月始任职）

云南省革命委员会
（1968 年 8 月—1979 年 12 月）

1968 年 8 月—1970 年 6 月

主　任　谭甫仁

副主任

周　兴　陈　康　鲁瑞林　刘明辉　黄兆其

李　毅　徐学惠（女）　　　段宝珍（女）

（以上人员 1968 年 8 月始任职）

1970 年 6 月—1975 年 10 月

主　任　周　兴

副主任

陈　康　鲁瑞林　刘明辉　黄兆其　李　毅

徐学惠（女）　　　段宝珍（女）

（以上人员 1970 年 6 月始任职）

1975 年 10 月—1977 年 2 月

主　任　贾启允

副主任

陈　康　刘明辉　黄兆其　李　毅

徐学惠（女）　　　段宝珍（女）

（以上人员 1975 年 10 月始任职）

中国人民政治协商会议
云南省委员会

第三届委员会
（1964 年 1 月—1977 年 12 月）

略

云南省军区

司令员

黎锡福（1960 年 11 月—1975 年 6 月）

张海棠（1975 年 6 月—1979 年 1 月）

政治委员

周　兴（兼）（1965 年 5 月—1975 年 10 月）

张力雄（1965 年 8 月—1976 年 6 月）

雷远高（1969 年 4 月—1979 年 8 月）

高占杰（1975 年 6 月—1983 年 5 月）

西 藏 自 治 区

中国共产党西藏自治区委员会

第一届区委
（1971 年 8 月—1977 年 10 月）

第一书记　任　荣

书　记

陈明义　天　宝（藏族）　杨东山（藏族）

封克达　高圣轩　巴　桑（女）（藏族）

西藏自治区人民政府
（1965 年 9 月—1968 年 9 月）

略

西藏自治区革命委员会
（1968 年 9 月—1979 年 8 月）

主　任　曾雍雅（1968 年 4 月—1970 年 11 月）

代主任

任　荣（1970 年 11 月—1977 年 12 月）

1977 年 12 月—1979 年 8 月

主　任　任　荣

副主任

天　宝（藏族）　阿沛·阿旺晋美（藏族）

杨东生（藏族）　郭锡兰　巴　桑（藏族）

热　地（藏族）　杨宗欣　牛瑞周

洛桑慈诚（藏族）　乔加欣

（以上人员 1977 年 12 月自治区人大三届一次会议选举）

中国人民政治协商会议
西藏自治区委员会
第二届委员会
（1965 年 9 月—1977 年 12 月）

略

西藏军区

司令员

张国华（1955 年—1968 年）

政治委员

谭冠三（1955 年—1968 年）

任　荣（1968 年 9 月—1968 年 12 月）

（1968 年 12 月西藏军区降为省级军区）

司令员

曾雍雅（1969 年—1970 年）

陈明义（1970 年—1975 年）

郗晋武（1975 年—1983 年）

政治委员

任　荣（1967 年—1983 年）

天　宝（1969 年—1981 年）

孙玉山（1973 年—1983 年）

陕　西　省

中国共产党陕西省委员会

第四届省委

（1963 年 11 月—1971 年 2 月）

略

第五届省委

（1971 年 3 月—1983 年 4 月）

第一书记

李瑞山（　—1978 年 12 月 10 日）

王任重（1978 年 12 月 10 日—25 日）

马文瑞（1978 年 12 月 25 日—　）

常务书记　章　泽（1981 年 11 月—　）

书　记

胡　炜　黄经耀

章　泽（1978 年 10 月—1981 年 11 月）

副书记　肖　纯　吴桂贤（女）

陕西省人民委员会

1963 年 12 月—1968 年 4 月

（陕西省三届人大期间）

略

陕西省革命委员会

（1968 年 4 月—1979 年 12 月）

1968 年 4 月—1977 年 12 月

主　任　李瑞山

副主任

黄经耀　胡　炜　杨焕民　肖　纯　张培信

马希圣　单英杰　王凤琴　李世英　孙福林

杨梦云　方升普　李建平　霍士廉　谷凤鸣

章　泽

（以上人员 1968 年 4 月中共批准 12 人，1972
年 2 月和 1973 年 5 月先后增补 5 人）

副主任

李尔重　于明涛　白治民　李登瀛　舒　同

惠世荣

（以上人员 1977 年 4 月至 10 月期间，中央先
后批准增补）

中国人民政治协商会议
陕西省委员会

第三届委员会

（1963 年 12 月—1977 年 12 月）

主　席　赵守一

副主席

杨玉亭　黄子祥　党晴梵　杨伯伦　高长久

王菊人　霍祝三　韩望尘　陈雨皋　谈国帆

侯宗濂　霍子乐　张汉武

（1963 年 12 月政协三届一次会议选举）

陕西省军区

司令员

胡炳云（兼）（1963 年 9 月—1967 年 3 月）

黄经耀（1967 年 3 月—1977 年 5 月）

政治委员

高维嵩（第二）（1963 年 4 月—1966 年 5 月）

袁克服（第二）（1965 年 5 月—　）

李瑞山（兼）（第一）

马文瑞（兼）（第一）

甘　肃　省

中国共产党甘肃省委员会

梁仁芥(1969 年 3 月—1978 年 7 月)

第四届省委

（1964 年 8 月—1971 年 2 月）

略

第五届省委

（1971 年 2 月—1983 年 12 月）

第一书记 洗恒汉
书 记 皮定均 胡继宗
宋 平(1972 年 7 月—)
张 忠(1972 年 7 月—1975 年 8 月)
年继荣(1975 年 1 月—)
禹贵民(1975 年 1 月—)
秦彦章(1975 年 1 月—)
茅 林(1975 年 1 月—)

甘肃省人民委员会

1964 年 9 月—1968 年

（甘肃省三届人大期间）

略

中国人民政治协商会议
甘肃省委员会

第三届委员会

（1964 年 9 月—1977 年 12 月）

略

甘肃省军区

司令员
詹大南(1965 年 5 月—1969 年 8 月)
张 忠(1969 年 8 月—1975 年 6 月)
何光宇(1975 年 6 月—1978 年 7 月)
政治委员
龙炳初(1962 年 7 月—1975 年 12 月)

青 海 省

中国共产党青海省委员会

第四届省委

（1963 年 11 月—1971 年 3 月）

第一书记 杨植霖(—1966 年 12 月)
第二书记 王 昭
副书记
高克亭 薛宏福 冀春光 韩洪宾 刘贤权

青海省革委会核心小组

（1967 年—1971 年 3 月）

组 长 刘贤权

第五届省委

（1971 年 3 月—1983 年 4 月）

第一书记
刘贤权(—1977 年 2 月)
谭启龙(1977 年 2 月—1979 年 12 月)
梁步庭(1979 年 12 月—1982 年 12 月)
第二书记 张江霖
书 记 宋长庚
副书记
薛宏福 鲁治安 达 洛(藏族)

青海省人民委员会

1963 年 12 月—1967 年 3 月

（青海省三届人大期间）

省 长 王 昭(1963 年 12 月—1967 年 3 月)
副省长
喜饶嘉措(藏族)(—1965 年 11 月)

高克亭 李芳远 冀春光 韩 明 张晓东 马辅臣

（以上人员 1963 年 12 月省三届人大一次会议选举）

副省长 才 学（藏族）

（1965 年 11 月省三届人大三次会议补选—1967 年 3 月）

青海省革命委员会

1967 年 8 月—1977 年 12 月

主 任 刘贤权（1967 年 8 月—1977 年 2 月）

第一副主任

张江霖（1967 年 8 月—1977 年 6 月）

副主任

刘明乾 马集文 王中山 达 洛（藏族）

薛宏福

（以上人员 1967 年 8 月始任职）

副主任 宋长庚（1970 年 3 月—1977 年 3 月）

主 任 谭启龙（1977 年 2 月—1977 年 12 月）

中国人民政治协商会议
青海省委员会

第三届委员会

（1963 年 12 月—1977 年 12 月）

略

主 席 杨植霖

副主席 冀春光 丹德尔

（1963 年 12 月政协三届一次会议选举）

副主席 松 布 聂茸尕布 马乐天

（1965 年 12 月政协三届三次会议增选）

青海省军区

司令员

刘贤权（1963 年 2 月—1968 年 3 月）

张江霖（1969 年 7 月—1977 年 6 月）

政治委员

王 昭（1961 年 10 月—1967 年 5 月）

宁夏回族自治区

中国共产党宁夏回族自治区委员会

第三届区委

（1971 年 8 月—1978 年 4 月）

第一书记 唐健民（ —1977 年 1 月）

霍士廉（1977 年 1 月— ）

第二书记 高 锐

书 记 张桂金 王志强（回族）

副书记 邵井蛙 赵志强（女）（回族）

宁夏回族自治区人民委员会

1964 年 9 月—1968 年 4 月

（宁夏回族自治区第二届人大期间）

主 席 杨静仁

副主席

马玉槐 吴生秀 王金璋 马腾霭 黄执中

马 信

（以上人员 1964 年 9 月自治区二届人大二次会议选举）

陈养山（1965 年增补）

宁夏回族自治区革命委员会

1968 年 4 月—1977 年 12 月

主 任 康健民（ —1977 年 1 月）

霍士廉（1977 年 1 月— ）

副主任

张怀礼（ —1974 年 2 月）

徐洪学（ —1971 年）

王志强（ —1977 年 7 月）

安建国(—1971 年 12 月)
(以上人员 1968 年 4 月任职)
陈养山 刘震寰(—1971 年 12 月)
(以上二人 1970 年 3 月任职)
邵井蛙(1971 年 6 月—)
杨一木 丁毅民
(以上二人 1977 年 7 月任职)

中国人民政治协商会议
宁夏回族自治区委员会

第二届委员会
(1964 年 9 月—1977 年 12 月)

主 席 李景林
副主席
袁金璋 李冲和 刘震寰 刘继曾 雷启霖
洪清国
(1964 年 9 月政协二届一次会议选举)

宁夏军区

司令员
朱声达(1958 年 12 月—1968 年 9 月)
张桂金(1968 年 9 月—1970 年 6 月)
姜玉安(1970 年 6 月—1972 年 6 月)
高锐(1972 年 6 月—1975 年 9 月)
政治委员
张桂金(1970 年 4 月—1983 年 8 月)
林 山(1975 年 7 月—1983 年 3 月)

新疆维吾尔自治区

中国共产党新疆
维吾尔自治区委员会

第一届区委
(1956 年 5 月—1971 年 5 月)
略

第二届区委
(1971 年 5 月—1984 年 2 月)

第一书记 龙书金
第二书记 赛福鼎·艾则孜(维吾尔族)
书 记 曹思明 宋玫和 刘 星

新疆维吾尔自治区人民委员会

1964 年 3 月—1968 年 9 月
(新疆维吾尔自治区第三届人大期间)
略

新疆维吾尔自治区革命委员会
(1968 年 9 月—1979 年 8 月)

1968 年 9 月—1973 年 10 月

主 任 龙书金
副主任
王恩茂 赛福鼎(维吾尔族) 郭 鹏
裴周玉 李全春 李立业 胡良才
孜 牙(哈萨克族) 吴巨轮
(以上人员 1968 年 9 月任职)

1973 年 10 月—1978 年 2 月

主 任 赛福鼎(维吾尔族)
副主任
杨 勇 曹思明 刘 星 宋玫和 裴周玉
李照明 司马义·艾买提(维吾尔族)
杨立业 胡良才 孜 牙(哈萨克族) 吴巨轮
(以上人员 1973 年 10 月任职)
副主任 祁 果(1977 年 4 月—)
第一副书记 汪 锋(1977 年任命)
主 任 汪 锋(1978 年 1 月—)

中国人民政治协商会议
新疆维吾尔自治区委员会

第三届委员会

（1964 年 3 月—1978 年 2 月）

略

新疆军区

司令员

王恩茂（1955 年 3 月—1968 年 8 月）

龙书金（1968 年 8 月—1972 年 5 月）

曹思明（代）（1972 年 7 月—1973 年 6 月）

杨　勇（1973 年 6 月—1977 年 7 月）

政治委员

王恩茂（1955 年 3 月—1972 年 5 月）

赛福鼎（代）（1972 年 7 月—1973 年 6 月）

赛福鼎（兼）（1973 年 6 月—1977 年 9 月）

曹思明（1971 年 2 月—1972 年 5 月）

郭林祥（1975 年 8 月—1980 年 1 月）

司马义·艾买提（兼）（1975 年 8 月—1982 年
1 月）

国史研究论著索引

一

论　文

"89 风波"与"文化大革命"——试析两次动乱的性质、表现、联系与教训/杨发民/理论学刊/1992.3

"九·一三"事件中的专机师指挥所/木辛/纵横/2003.4

"一月风暴"大事记/李逊整理/上海工运史料/1986.5

"九·一三"后周恩来领导的批判极"左"思潮的斗争/安建设/当代中国史研究/1995.1

"九·一三"事件 50 小时内的周恩来/高振普/炎黄春秋/1998.1

"九·一三"事件补遗/符浩/党史资料通讯/1987.12

"九·一三"事件背后的外交纠葛/鲁青/春秋/2001.3

"九·一三"事件中 256 号专机机组遇难人员定性问题的回顾/康庭梓/湖北文史/2003.2

"九·一三"事件后人民解放军军事训练的恢复/刘志青/党史研究与教学/2005.1

"九·一三"事件中 256 号飞机是怎样从天上掉下来的/康庭梓/湖北文史/2005.2

"三支两军"述论/邓礼峰/当代中国史研究/2001.6

"三线建设"评析——学习毛泽东"三线建设"理论的体会/鲁礼华/军事经济研究/1993.11

"三家村"：十年动乱第一案/雅琪/党史纵横/2002.1

"于公之言"——不应限制研究"文革"的历史/于光远/书林/1989.6

"大批判"根本不是马克思主义的批判/盛斯猷/杭州大学学报：哲社版/1985.1

"大肃反"与"文化大革命"/钱澄等/扬州师院学报：社科版/1989.1

"五七"干校札记/邢琏/湖北文史/2005.2

"支左"小记/尹西林/纵横/2002.5

"文化大革命"不是任何意义上的革命/刘守仁/新华日报/1981.10.8

"文化大革命"不是革命的群众运动/金春明/红旗/1984.23

"文化大革命"与中美关系正常化的内在关系/陈尚富/新世纪论丛/2006.2

"文化大革命"与当代中国政治发展/关海庭/当代中国史研究/1997.1

"文化大革命"中武斗发展阶段及特点分析/张晋山/湖南省政法管理干部学院学报/2002.2

"文化大革命"中知识青年上山下乡运动述论/关海庭/当代中国史研究/1995.5

"文化大革命"发生的心理学分析/廖雅琪等/社会科学家/1989.4

"文化大革命"发生的原因/张天义/辽宁大学学报哲社版/1990.4

"文化大革命"发生的原因和教训/朱元石/红旗/1981.16

"文化大革命"发动的症结/王年一/党史研究/1985.1

"文化大革命"史事辨误三则——林彪的"一号命令"与疏散中央领导人以及下放干部不存在直接的因果关系/苏采青/中共党史研究/1989.5

"文化大革命"史研究:现状与评述/刘国新/当代中国史研究/1996.6

"文化大革命"史研究学术研讨会综述/吴志军/中共党史研究/2006.6

"文化大革命"史研究综述/张均兵/北京党史/1997.2

"文化大革命"动乱的十年——中华人民共和国史教学参考/黎铭/历史教学/1993.4

"文化大革命"后期在解放干部问题上的一场斗争/吴德/当代中国史研究/2003.2

"文化大革命"在任何意义上都不是革命/程继尧/文汇报/1981.9.26

"文化大革命"成因的法制因素探析/李安增/中共党史研究/2004.6

"文化大革命"初期的经历与见闻/穆欣/当代中国史研究/1996.6

"文化大革命"时期人民解放军的主要成就和经验教训/邓礼峰/当代中国史研究/2003.3

"文化大革命"时期中共与民主党派关系论析/韦玉凤/黑龙江省社会主义学院学报/2003.4

"文化大革命"时期日本人的文革论/张雅晶/史学月刊/2001.3

"文化大革命"时期乱改地名的历史教训/李炳印/青年思想家/1991.4

"文化大革命"时期的毛泽东塑像/吴继金/党史纵览/2007.5

"文化大革命"时期政治体制的特征/胡德茂/党史纵览/2001.1

"文化大革命"时期清华工宣队诸问题述评/唐少杰/社会科学论坛/2004.11

"文化大革命"时期群众变态心理剖析/路宁/争鸣/1989.2

"文化大革命"和平均主义/席宣/党史通讯/1986.10

"文化大革命"和第三代人/凌巍/当代青年研究/1989.2

"文化大革命"学术讨论会观点综述/王海光/当代中国史研究/1997.1

"文化大革命"的反思/王河/党史研究与教学/1994.4

"文化大革命"的反思/余伯流/争鸣/1989.1

"文化大革命"的发生不能归结于封建主义的影响/肖树祥/毛泽东思想研究/1992.3

"文化大革命"的由来/王年一/争鸣/1989.1

"文化大革命"的导火线——《评新编历史剧〈海瑞罢官〉》一文是怎样出笼的?（上）/天磨之/党史纵横/2003.10

"文化大革命"的起因和教训/席宣/求是/1991.22

"文化大革命"的理论必须彻底否定/谭宗级/红旗/1984.21

"文化大革命"的理性思考/强连红/克山师专学报/2001.1

"文化大革命"前期人们眼中的中国和世界/翁有为/史学月刊/2001.5

"文化大革命"是怎样结束的？/李捷/党的文献/1999.3

"文化大革命"研究之现状/李月军/许昌学院学报/2003.3

"文化大革命"结束标志与时限之我见/唐昌兴/党史通讯/1987.10

"文化大革命"给上海经济带来的损失和教训/叶奕龙/中国经济问题/1987.1

"文化大革命"起源研究述评/吴超/北京党史/2008.3

"文化大革命"理论和实践合法化之刍议/高正礼/当代中国史研究/2004.6

"文化大革命"第一阶段述评/王年一/党史研究资料/1984.10

"文化大革命"期间三线建设的物资保障/袁宝华/当代中国史研究/2003.4

"文化大革命"错误发展的脉络/王年一/党史通讯/1986.10

"文化大革命"——其经济根源和经济后果/朱嘉明/中青年经济论坛/1986.5

"文化大革命"时期农业生产波动及其动因探析/郑有贵/中共党史研究/1998.3

"文艺黑线专政"论出笼后的《解放军报》/园丁/纵横/1999.6

"文革"十年毛泽东著作毛泽东像出版纪实/方厚枢/湘潮/2000.6

"文革"三十周年有感/何满子/探索与争鸣/1996.2

"文革"口述史的理论与实践/王宇英/首都师范大学学报(社会科学版)/2007.1

"文革"中"苦中作乐"的"干校"生活/骆子程/炎黄春秋/1995.11

"文革"中评《水浒》运动内幕/党史纵览/1997.3

"文革"中的"狂妄大队"/严爱云/上海党史/1991.1

"文革"中的一场音乐闹剧——回首"批判无标题音乐"事件/蔡良玉/音乐探索/2006.4

"文革"中的一场焚书祸/郑华/武汉文史资料/1997.2

"文革"中的知识青年上山下乡运动研究述评/张曙/当代中国史研究/2001.2

"文革"中的秦城监狱/董玉峰/人民公安/2000.19

"文革"中的宿县"小反复事件"始末/庞振月/江淮文史/2003.3

"文革"中的道德歧路/高国舫/党史研究与教学/1997.4

"文革"对中国历史的影响/北京党史/1996.3

"文革"后期邓小平与台湾问题研究/工中人/党史纵横/2002.4

"文革"后期周恩来在对外经济工作中的贡献/王骏/党的文献/1999.1

"文革"后期的"梁效"大批判组/史义军/党史博览/2006.3

"文革"后期被扭曲了的报人办报/林里/炎黄春秋/1995.9

"文革"回忆片断/袁秀君/江淮文史/2003.1

"文革"初期的归国留学生们/白小乐/纵横/2003.9

"文革"初期的血统论之争/郭文亮/中国青年研究/1995.5

"文革"时期"红卫兵"的心态/高世屹/青年思想家/1991.2

"文革"时期"武斗现象"研究/中国青年研究/1993.4

"文革"时期三线建设述略/汪红娟/江西教育学院学报/2005.5

"文革"时期历史研究座谈会概述/刘志男/当代中国史研究/1997.1

"文革"时期毛泽东的经济思想探析/陈东林/当代中国史研究/1996.1

"文革"时期红卫兵组织之特征——以福建红卫兵组织为个案的分析/叶青/福建师范大学学报(哲学社会科学版)/2004.4

"文革"时期周恩来领导经济工作的艺术/王慧/唯实/2001.12

"文革"时期武汉大演革命现代戏/刘志斌/武汉文史资料/2003.3

"文革"时期武汉地区有影响的群众组织/源清/湖北文史/2006.1

"文革"时期的农民"造反"组织及其活动管窥——以福建为个案的分析/赖正维/福建师范大学学报（哲学社会科学版）/2006.4

"文革"时期的社会心理/高鉴国等/青年思想家/1991.2

"文革"时期的社会生活及其对后现代文化的影响/刘忠/甘肃理论学刊/2006.6

"文革"时期家庭问题研究论纲/梁景和/通化师范学院学报/2007.6

"文革"时期读书生活漫忆/魏光奇/首都师范大学学报（社会科学版）/2003.1

"文革"时期群众中的思想解放先驱/刘济生/内蒙古民族大学学报（社会科学版）/2003.4

"文革"灾难与毛泽东的哲学思想失误/崔自铎/理论前沿/2001.2

"文革"前后的中国援外/肖非/历史教学/2004.11

"文革"研究的第三种思路/刘悦笛/粤海风/2008.4

"文革"起因研究综述/余绪鹏/广东党史/2006.2

"文革"教训应继续探讨/季羡林/炎黄春秋/1998.9

"文革"琐忆/叶永烈/新观察/1988.9

"文革"期间知识分子的精神形态与话语方式/刘忠/中共浙江省委党校学报/2004.5

"文革"歌谣（1967—1976）/吴润生/天涯/2000.4

"文革史"——一个亟待认真研究的课题/夏潮/科学与人/1986.1

"无产阶级专政下继续革命理论"的由来和形成/谭宗级/党史研究/1987.2

"以红卫兵取代共青团"的历史公案/中国青年研究/1998.1

"以阶级斗争为纲"错误口号的由来/杨明伟/炎黄春秋/1998.8

"四人帮"及其余党策动上海武装叛乱始末/黄金平/上海党史/1991.10

"四人帮"覆灭记（上、下）/范硕/瞭望·海外版/1989.15、16

"左"倾社会主义社会观与"文化大革命"/丛进/党史研究资料/1987.11

"乒乓外交"的台前幕后/钱嘉东/纵横/2000.5

"关于'文化大革命'的再认识"座谈会/青年论坛/1986.7

"红卫兵"政治思潮的成因及其特点/范明强/河南大学学报（社会科学版）/2001.3

"红卫兵运动"研究述要/韦祖松/中共党史通讯/1992.1

"阴谋"亲历记/徐铸成/书林/1989.1

"局外人"的探索与思考——《文化大革命的起源》评介/刘魁栋/社会主义研究/1989.3

"我不入地狱谁入地狱？"——"文化大革命"中的周恩来/若水/党史纵横/1998.4

"批林、批孔"佚闻/钟利戬/纵横/2003.8

"把医疗卫生工作的重点放到农村去"——毛泽东"六·二六"指示的历史考察/姚力/当代中国史研究/2007.3

"抓革命、促生产"之剖析/王均伟/北京党史/1996.4

"周鸿庆事件"与美日台三角关系/何妍/当代中国史研究/2006.5

"和平民主新阶段"浅议/何一成等/湖南师院学报（哲社版）/1981.1

"备战、备荒、为人民"口号的由来和历史演变/廖述江/党史文苑（学术版）/2006.13

"林彪座机"副驾驶员谈三叉戟256号黑匣子/康庭梓/湖北文史资料/2002.3

"林彪座机"副驾驶谈256号的黑匣子/康庭梓/纵横/2003.4

"知识青年上山下乡运动"兴起原因初探/柳建辉/中国青年研究/1991.4

"革命委员会"始末/吴海庭/中共党史研究/1991.6

"第一张马列主义大字报"发表后/历史教学/2004.10

"野营拉练"——以上海 1970 年至 1974 年的"野营拉练"为例/金大陆/安徽史学/2008.1

"揪军内一小撮"口号的实质和来龙去脉/阎长贵/党史博览/2006.6

《五·七指示》初探/王禄林/党史研究/1987.2

《毛主席语录》的 5 个版本/郭秉兴/党史纵览/2002.5

《毛主席语录》编发始末/韦梅雅/协商论坛/2000.4

《对"文革"的历史反思》讨论会综述/佳佳/社会科学研究/1986.5

《光明日报》发表"按既定方针办"一文始末/王忠人/炎黄春秋/2003.2

《红灯记》与阿甲的悲剧命运/沈国凡/纵横/2004.6

《剑桥中华人民共和国史(1966—1982)》若干史实辩证/张志明/当代中国史研究/1998.4

《燕山夜话》:可贵的纠"左"之声/李玲/社会科学论坛(学术评论卷)/2006.4

1949—1972 年美国对华政策及其演变/任海鹏/北京科技大学学报(社会科学版)/1999.4

1949—1976 年中共文化政策述评/蒋积伟/当代中国史研究/2007.3

1949—2006 年城乡关系演变的历史分析/武力/当代中国史研究/2007.3

1953—1978 年我国城镇职工劳动生活的特征分析/耿向东/河北大学学报(哲学社会科学版)/
2005.6

1956—1976 年中国社会主义建设道路探索历程述论/谢春涛/山东师范大学学报(人文社会科学版)/2006.2

1956—1976:中国共产党社会主义文化观的扬抑轨迹/王智/湖北行政学院学报/2004.2

1956—1976 年中国社会主义建设道路探索历程论述/谢春涛/中国现代史/2006.9

1966:江青插手军队文艺内情/园丁/纵横/2000.3

1966—1976 年我国个体私营经济政策述评/刘雪明/经济史/2006.5

1966 年我国的政治体制与"文化大革命"的发动/张明军/党史研究与教学/1999.5

1966 年封闭《红卫报》(原《羊城晚报》)事件/叶曙明/广东史志/2002.4

1966 年部队文艺工作座谈会及其会议纪要述略/葛恒军/中共党史研究/1996.3

1967 年春军以上干部会议若干问题探讨/陈扬勇/党的文献/2000.6

1967 年留法学生归国始末/张存元/纵横/2007.3

1969 年中国战备与对美苏关系的研究和调整/刘志男/当代中国史研究/1999.3

1969 年中苏边界冲突:缘起和结果/李丹慧/当代中国史研究/1996.3

1969 年前后党对外交战略的重大调整/张宝军/中共党史研究/1996.1

1972 年中美关系解冻原因论析/侯峻/党史文苑/2005.12

1973 年八大军区司令员对调/舒云/中国社会导刊/2003.11

1974—1975 年毛泽东在长沙/唐振南/档案/1994.4

1975:邓小平主持各方面的整顿/程中原/当代中国史研究/2004.2

1975 年的全面整顿是建设有中国特色社会主义理论诞生前的酝酿/张明军/中共党史研究/1996.3

1975 年的军队整顿/曾庆祥、邓礼峰、陈奇勇/当代中国史研究/2003.4

1975 年整顿中的三个著名文件/程中原/当代中国史研究/1995.1

1976 年通县的抗震救灾/张慧颖/北京档案/2004.8

1981 年批判《苦恋》的前前后后/张光年/百年潮/1998.1

20 世纪 70 年代末中美建交中的经济因素/陈从阳/安徽史学/2003.4

20 世纪六七十年代中国战备的回顾与思考/赤桦/当代中国史研究/2007.5

20 年前中科院首次民主选举学部委员纪实/薛攀皋/炎黄春秋/1999.11

60 年代美国对华政策研究现状综述/唐小松/当代中国史研究/2000.5

70 年代"保钓运动"简介/孔德明/台湾研究集刊/1991.1

90 年代国内关于"知青运动"研究综述/徐春夏/当代中国史研究/2000.4

1972 年与 1975 年两次整顿的历史意义/刘阁春/辽宁工程技术大学学报(社会科学版)/2000.3

1975 年军委扩大会议的筹备与召开/邓礼峰/纵横/2001.4

1957——1967 年毛泽东与《光明日报》/穆欣/党史文汇/1994.4

1965——1975 年"文革"中的故宫/紫禁城/2005.5

一个"文革"幽灵在这里游荡——发生在上海唱片公司的"地震"/石莘元等/民主与法制/1986.10

一个关于平等的虚幻神话——"文化大革命"中的招生改革/郑谦/纵横/1999.6

一个农村红卫兵在"文革"初期/刘乐顺/史林/2006.S1

一个红卫兵发起者的自述/梁梁执笔/中国青年/1986.10

一个虚伪邪恶的灵魂能走多远——"文革英雄"刘学保故意杀人案始末/何懋绩/法律与生活/1986.2

一本不成功的中国学著作——评《1966 年 5 月—1969 年 4 月:中国学校里的文化大革命》/〔美〕托马斯·戈尔德著;张凤国译/美国研究参考资料/1990.3

一份非同寻常的"文革"油印材料/陈益南/红岩春秋/2003.6

一场捍卫党的原则的伟大斗争——"二月逆流"史话/东山/党史文汇/1986.2

一场噩梦过十年/于浩成/三月风/1986.5

一页沉重的历史记录——"五·七干校"里的中国作家/谭解文/云梦学刊/2002.3

70 年代初期我国经济建设的冒进及其调整/阎放鸣等/党史研究/1985.5

"九·一三"事件后毛泽东的思想矛盾及其变化/张化/中共党史研究/1992.2

九大至九届二中全会前夕毛泽东与林彪的分歧和矛盾/刘志男/当代中国史研究/1997.3

二十年后对"文化大革命"的再思考——从《"文化大革命"简史》谈起/张化/中共党史研究/1998.2

二月抗争纪实——"二月逆流"的历史真相/谭宗级/党史通讯/1987.10

人民日报与 1976 年天安门事件/余焕春/四川监察/1998.6

力挽狂澜——记"文革"时期周恩来与"四人帮"斗争的片断/穆欣/炎黄春秋/1994.3

十年动乱的突击队——红卫兵运动始末/海光/党史纵横/2002.4

十年浩劫,还是"十年失误"——读《当代中国史研究》的一篇文章/邵燕祥/同舟共进/2003.1

三老四帅与二月抗争/吴庆彤/纵横/2002.11

三面红旗与"文化大革命"/乔桂银/克山师专学报/2004.1

上山下乡去云南/沈志明/史林/2006.S1

上山下乡运动再评价/潘鸣啸/中国现代史/2006.2

上山下乡运动的中长期后果再评价/潘鸣啸/中国社会科学文摘/2006.1

上海"一月革命"的前前后后/金春明/党史通讯/1983.18

上海文革运动中的"宣传品"/金大陆/史林/2006.5

上海文革运动中的群众报刊/金大陆/史林/2005.6

上海文革研究的史料准备/金大陆/社会科学/2007.5

上海红卫兵外出大串联——上海红卫兵大串联研究之四/金大陆/青年研究/2008.4

上海总工会被砸纪事/范文贤/上海工运史料/1986.5

也谈"文化大革命"的下限问题——与尹俊忠、李兴革同志商榷/林修敏/河南党史研究/1990.5

也谈"文化大革命"结束的标志与时限/阎洪贵/中共党史研究/1988.3

也谈"文化大革命"结束的标志与时限问题——与唐昌兴同志商榷/李文/理论导刊/1989.3

也谈"全国第一张马列主义大字报"出笼经过/彭珮云/百年潮/2006.2

千古奇冤——刘少奇下台的前前后后(上)/魏敬民/党史纵横/2002.5

2004.9

从"新疆叛徒集团"案看康生的翻云覆雨/许人俊/炎黄春秋/2000.7

从《中国季刊》看西方学者对中华人民共和国史的研究/巫云仙/中共党史研究/2008.1

从人民公社化运动到"文化大革命"的发生——"文化大革命"发生的经济根源初探/高永昌/党史研究与教学/1996.5

从中日关系正常化看周恩来与新中国外交的历史性转折/刘建平/当代中国史研究/1998.1

从文化角度看"知青运动"/王立仁/北华大学学报(社会科学版)/1996.1

从方法论的角度谈"文化大革命"史研究/刘国新/北京党史/2006.4

从另一个视角看"文革"结果——访北京大学政治学教授李景鹏先生/伍诗逸/北京观察/2000.3

从红卫兵运动的历史悲剧中看否定"文化大革命"的必要性/朱世雄/青运史研究/1985.2

从红卫兵到"老三届"/青年报/1986.7.25

从两场运动看"文革"影射现实政治的学术研究/刘景荣/海南师范学院学报(社会科学版)/2006.1

从里委会到革委会——"文革"十年中居委会的考察与思考/郭圣莉/广州大学学报(社会科学版)/2004.7

从国际"反修"到国内文革的历史反思/魏绍馨/齐鲁学刊/2005.5

从终极关怀回到现实关怀——"人文精神"讨论与红卫兵理想主义反思/刘怀昭/中国青年研究/1995.6

从档案看"文革"期间的武夷华侨农场/王旖旎/南平师专学报/2007.1

从清华大学"文革"个案谈红卫兵运动的失败、情结及评价问题(上)/唐少杰/社会科学论坛/1999.3

从清华大学"文革"个案谈红卫兵运动的失败、情结及评价问题(下)/唐少杰/社会科学论坛/1999.4

从清华大学两派看"文化大革命"中群众组织的对立和分歧/唐少杰/中共党史研究/1998.2

从新中国建设史角度总结"文化大革命"的历史教训/柳建辉/党史研究与教学/1998.5

六十年代"左"倾错误的发展与"文化大革命"的爆发/金春明/中共党史研究/1996.1

六十年代中期的国际环境与"文化大革命"的发生/张化、沈汉/中共党史研究/1997.1

历历在目难忘怀——我为唐山地震灾民送药品/齐振家/春秋/1994.3

历史的见证——"和平民主新阶段"的前前后后/苏克尘/近代史研究/1980.3

历史的合力是"文化大革命"持续十年的根本原因/刘志建/探索/1985.2

历史的注脚——关于"九·一三"事件的一段往事/熊蕾/新观察/1986.18

历史悲剧的真实纪录——"文革"新闻摄影回忆/李振盛/党史纵横/1996.3

反张春桥的"胡守钧小集团"/秦维宪/炎黄春秋/2005.9

反党恶棍的反党勾当——揭露"四人帮"一伙伪造党史的阴谋/徐矛/解放日报/1978.7.15

天安门事件与党的领导/金春明/教学与研究/1985.2

天要下雨,娘要改嫁,随他去吧/齐鹏飞/党史纵览/1994.3

文化大革命中陈毅的两大冤案/刘建美/党史纵览/2002.12

文化大革命若干问题研究综述/黄国雄/福建党史月刊/1988.6.7

文化革命与政治体制改革/杨百揆/中国青年/1986.10

文化部"五七"干校散记/张士安/湖北文史/2005.2

文革中的张治中将军/余谌邦/团结报/1988.1.5

文革初期的空军——访空军原副司令员何廷一将军/钟兆云/炎黄春秋/2006.3

文革时期中国的海外华侨政策/郑甫弘/南洋问题研究/1996.2

文革前后秦城监狱揭秘/王文正/文史精华/2006.10

文革研究对认识中国社会的意义——一种国家与社会的视角/佟新/开放时代/2007.2

文革样板:北京二七厂清理阶级队伍/夏俊生/炎黄春秋/2008.8

日本学者对中国"文化大革命"的研究述评/〔日〕天儿慧;韩凤琴译/中共党史研究/1988.5

日本学者评说中共十一届三中全会/韩凤琴/中共党史研究/1998.6

比较——写在纪念改革开放三十周年之际/庄振华/无锡南洋学院学报/2008.3

毛、周等人的决策与中美关系解冻(一)/宫力/世界知识/1999.12

毛、周等人的决策与中美关系解冻(二)/宫力/世界知识/2001.1

毛、周等人的决策与中美关系解冻(三)/宫力/世界知识/2001.2

毛主席1971年南巡谈话中的一个问题——小议汪东兴近著/熊向晖/党的文献/1998.5

毛主席关心北京地铁建设/阮红/北京档案/1993.6

毛主席在粉碎林彪反革命政变阴谋的日子里/汪东兴/湖北文史资料/1998.3

毛主席在粉碎林彪反革命政变的日子里——汪东兴的回忆/党的建设/1994.3

毛泽东:创立建设有中国特色社会主义理论的先驱/范守信/党史文汇/1993.5

毛泽东"上山"思想探析/王玉顺/中共党史研究/1997.3

毛泽东"文革"两保邓小平原因分析/刘亚建/学术探索/2004.11

毛泽东"两条线"外交战略评析/陈再生/漳州师范学院学报(哲学社会科学版)/2007.1

毛泽东1966年6月1日的批示并非因康生的密报/胡尚元/湘潮/2007.4

毛泽东1972年至1975年嘱印"大字本"古籍的情况/刘修明/党的文献/2007.4

毛泽东八次接见红卫兵内情/张辉灿、慕安/炎黄春秋/2006.4

毛泽东与"文化大革命"研究的若干问题/陈晋/毛泽东思想研究/1989.1

毛泽东与"文革"时期的个人崇拜/彭厚文/无锡轻工大学学报(社会科学版)/2001.3

毛泽东与"批林批孔"若干问题考述/安建设/党的文献/2000.4

毛泽东与"和平演变"/子舒/党史纵横/2004.11

毛泽东与70年代中国外交的新局面/张化/当代中国史研究/1994.1

毛泽东与中央文革小组的设立/尹家民/党史博览/2006.1

毛泽东与中国建设道路的探索/陈雪薇/党的文献/1999.4

毛泽东与中国特色社会主义/袁秉达/党政论坛/1993.6

毛泽东与林彪关系的发展演变及其历史启示/李百齐/胜利油田职工大学学报/1999.3

毛泽东与领袖接班人问题/江红英/历史教学/2005.6

毛泽东与新中国谈判建交的开创/张勉励/当代中国史研究/2007.2

毛泽东发动"文化大革命"的原始诱因/刘丽丽/赤峰学院学报(汉文哲学社会科学版)/2007.2

毛泽东对中国社会主义工业化的理论探索/栾雪飞/北京党史研究/1993.6

毛泽东对民主集中制理论的重要贡献/刘顺亭/理论探讨/1993.3

毛泽东对资本主义认识的思想轨迹探析/刘秀萍/党的文献/2003.3

毛泽东对探索具有中国特色的社会主义经济发展理论的贡献/姜怀洋/中国政法学院学报/1993.3

毛泽东生平研究综述/吴景平/历史教学/1993.6

毛泽东关于中国工业化的理论与实践/陈福民/辽宁师范大学学报/1992.6.1

毛泽东关于为社会主义建立物质基础的观点/张启华/当代中国史研究/1995.6

毛泽东农民教育思想及其时代意义/陈国泳、李琦/党的文献/2002.3

毛泽东"农轻重"思想的再认识/社会科学研究/1993.5

毛泽东同志对马克思主义辩证法的一个杰出贡献/宋一秀/社会科学战线/1979.4

毛泽东同志对探索中国式社会主义工业化道路的贡献/邓历志等/理论与实践/1982.5

毛泽东同志对辩证逻辑的论述/蔡灿津/新疆大学学报/1982.3

毛泽东同志关于工作方法的理论是对马克思主义哲学的重要贡献/薛克诚/杭州大学学报/1982.2

毛泽东同志研究社会主义社会矛盾问题的方法/高齐云、李尚德/中山大学学报/1983.4.1

毛泽东同志教我们要正确对待马克思主义/李玲/中国妇女/1979.12

毛泽东论中共党史研究/唐曼珍/教学与研究/1993.3

毛泽东社会主义观研究/金春明、陈述/教学与研究/1992.4

毛泽东的"三农"现代化思想与当代农村改革/郑有贵/党的文献/1999.3

毛泽东的三项指示和邓小平主持的 1975 年整顿/程中原/当代中国史研究/1997.1

毛泽东的工业化理论探析/李庆瑞/经济学动态/1993.12

毛泽东的对外开放思想/唐振南/学术界/1993.2

毛泽东的社会主义经济体制改革思想/聂月岩/东北师大学报/1993.5

毛泽东的科技现代化思想与实践/王林涛/浙江社会科学/1993.5

毛泽东经济改革思想在实践中的运用和发展/徐彬/沈阳党史/1993.3

毛泽东经济思想初探/陈贤昌/湖南师院学报/1982.1

毛泽东经济思想的特点和哲学基础/朱竞存/学术论坛/1993.5

毛泽东诗词的出版与研究述略/郭思敏/党的文献/2000.4

毛泽东思想基本问题研讨会综述/崔禄春/党的文献/2001.1

毛泽东给我的突出印象/林克/党的文献/1992.4

毛泽东晚年"培养接班人"的理论与实践/李付安/史学月刊/2002.4

毛泽东晚年个人崇拜问题新探/刘林元/湖南科技大学学报(社会科学版)/2007.2

毛泽东晚年反和平演变思想形成的历史考察与评析/黄铭/西北大学学报/1993.1

毛泽东晚年心态透视——兼析毛泽东 70 年代初同斯诺等的谈话/张定鑫/争鸣/1993.3

毛泽东晚年对"三大主义"的认识偏差与"文化大革命"的发动/叶昌友/安徽史学/2005.6

毛泽东晚年的读书生活/忻中/党建文汇/1993.1

毛泽东晚年错误的思想方法论探源及其启示/郑镇/党史研究与教学/1999.5

毛泽东探索经济建设/范济国/云南财贸学院学报/1993.3

毛泽东教育思想的科学体系/沧南/湘潭大学学报/1993.2

毛泽东辩证逻辑思想初探/孙显元/安徽师大学报/1982.3

水与舟关系的现代诠释——论人民群众在"文化大革命"中的历史作用/郭文亮/中山大学学报(社会科学版)/2000.5

王恩茂在"文革"中与重回新疆工作以后/韦冰/党史纵横/2001.8

邓小平、叶剑英与 1975 年的军队整顿/程中原/纵横/2003.8

邓小平 1975 年整顿述论/鄢新萍/党史文苑/2004.10

邓小平与 1975 年的军队整顿/邓礼峰/党史天地/2002.2

邓小平为林彪座机机组遇难人员定性/广辛/北京纪事/2000.7

邓小平主持 1975 年整顿的历史机缘(上)/程中原/纵横/2002.1

邓小平主持 1975 年整顿的历史机缘(下)/程中原/纵横/2002.2

世界多极化趋势与毛泽东的三个世界划分理论/李捷/当代中国史研究/1997.1

北京园林职工"文革"中保护文物纪事/董建华/北京党史/1996.3

北京饭店员工回忆周恩来同志/刘霄、徐建中/人民日报/1988.3.4

发生在 1966－1976 年的特大自然灾害/金磊/当代中国史研究/1997.4

发生在当年的一场辩论/谭力夫/三月风/1986.5

可悲的"革命行动"——忆"文革"安庆烧戏衣一事/詹守真/江淮文史/1997.1

叶剑英与"九·一三"事件后军队的两次整顿/胡长水/中共党史研究/1992.2

四五运动述评/金春明/党史研究/1984.5

对"文化大革命"中"三结合"的述评/关海庭/中共党史研究/1992.5

对"文化大革命"错误的政治实践和理论的历史反思/高飞乐/党史研究与教学/2003.4

对"文革"历史的叙述应持有的态度/中国图书评论/1987.1

对"文革"前夕及"文革"时期党内"左"倾思潮的文化考察/杜蒲/毛泽东思想研究/1992.4

对《四五运动述评》一文的商榷意见/王克/党史研究/1985.2

对1975年全面整顿的历史考察/张化/上海党史与党建/1996.4

对上山下乡的再认识/娄亚莉/湖南社会科学/1990.1

对上海"一月革命"的几点看法/王年一/党史通讯/1986.2

对中国援助坦赞铁路的历史考察/张勇/聊城大学学报(社会科学版)/2007.1

对"文化大革命"起因的思考/王旸/张家口师专学报/1995.2

对毛泽东发动文化大革命初衷的探讨/李娟芬/齐齐哈尔社会科学/1991.1

对如何反映"文革"这段历史的初步探讨/兴振龙/公路交通编史研究/1986.2

对红卫兵运动性质的几点认识/范明强/党史研究与教学/1996.6

对知识青年上山下乡几个问题的反思——与高皋、严家其两同志商榷/杜鸿林等/天津社联学刊/1988.5

尼克松访华前美方对毛泽东和周恩来的分析/陈小丽/中共党史资料/2006.2

旧经济体制模式是"文化大革命"发生的经济根源/李南熏/理论内参/1986.2

正义的抗争——所谓"二月逆流"的前前后后/曾涛/党史天地/1993.1

正确认识"文化大革命"时期中共党史中的若干重大关系问题/王在安/成都市委党校学报/1992.4

正确认识毛、刘关系与"文革"的发动/高正礼/党史研究与教学/2001.2

民主党派在"文化大革命"时期的历史概要/韦玉凤/世纪桥/2001.5

民族主义与超越意识的复苏——略论"红卫兵"的精神素质/刘青峰/当代青年研究/1989.1

伟大的"四五"运动/乐史/史学月刊/1986.3

共和国"三线"建设的风风雨雨/刘炳峰/中国国情国力/2001.10

共和国中年纪事——1968年.山河一片红,干部和知青下乡/刘国新/中国经济时报/2004.2.4

共和国前30年"运动"的回顾与思考/张云/党史研究与教学/2000.4

关于"二月逆流"的一些资料/王年一/党史研究资料/1990.1

关于"中美关系解冻"研究的综述/张保军/党史研究与教学/1994.3

关于"文化大革命"阶段划分的浅见/高尚斌/党史研究与教学/1994.6

关于"文化大革命"时期党史研究综述/张化/中共党史研究/1988.5

关于"文化大革命"的下限问题/尹俊忠等/河南党史研究/1990.3

关于"文化大革命"研究的综述/翟作君等/党史研究与教学/1988.6

关于"文化大革命"起因的探讨/席宣/中共党史研究/1988.5

关于"文革"起源的一点看法/何云峰/史学月刊/2003.2

关于"无产阶级专政下继续革命的理论"的几个问题/王年一/党史研究/1984.1

关于"以阶级斗争为纲"问题的思考/郭圣福/史学月刊/2004.2

关于"红卫兵"组织兴起过程中几则史实的补证/当代中国史研究/1998.4

关于"党史"与"国史"关系的再认识/齐鹏飞/历史教学(高校版)/2008.10

关于《铁姑娘》再思考》一文几则史实的探讨/耿化敏/当代中国史研究/2007.4

关于《毛泽东与林彪反革命集团的斗争》一书中几幅照片的考证/王冰/党的文献/1998.5

关于中美建交前我党对台方针的历史演变/张万余/天水师范学院学报/2003.1

关于邓小平1975年全面整顿的历史思考/陈少晖/党史研究与教学/1996.4

关于建国后至中共九大期间"接班人"问题的历史考察/刘志男/当代中国史研究/2001.6

关于林彪的几个问题(聂荣臻回忆录节选)/星火燎原/1984.5

关于知青口述史/刘小萌/广西民族学院学报(哲学社会科学版)/2003.3

再论毛泽东在社会主义建设史上失误原因/徐焕文/松辽学刊(人文社会科学版)/2001.6

军队高干会和毛泽东的"八月指示"/顾为铭/当代中国史研究/2003.6

农村合作医疗制度的历史考察/当代中国史研究/2003.5

刘少奇与"文革"初期的工作组/黄峥/党的文献/1992.6

刘少奇对中国农村发展道路的探索/周以谟/党的文献/1992.6

刘少奇对新中国民主政治建设的贡献/吴文泰/高校理论战线/1993.3

刘少奇对新中国教育事业的重要贡献/本刊编辑/人民教育/1980.3.3

刘少奇同志对社会主义矛盾理论的贡献/张江明/理论月刊/1986.6

刘少奇在他最后的日子里/侯军、章鸿仲/党史文汇/1986.5

刘少奇论中国工业化的道路/魏兴/青海师范大学学报/1993.2

刘少奇论社会主义经济建设的若干基本原则/魏兴/青海党史通讯/1993.1

动乱中的八年(1967年1月—1975年1月)/伍修权/中共党史资料/1990.3.5

华北会议与北京军区大改组(上)/董保存、卜算子/党史博览/2006.1

华北会议与北京军区大改组(中)/董保存、卜算子/党史博览/2006.2

华北会议与北京军区大改组(下)/董保存、卜算子/党史博览/2006.3

华国锋支持袁隆平研究杂交稻/柯石/党政论坛(干部文摘)/2008.12

华国锋谈粉碎"四人帮"/张根生/炎黄春秋/2004.7

名将不减当年勇——粟裕在"文化大革命"中/朱楹/军事史林/1992.6

回忆"文化大革命"初期的"五十天路线错误"——从"6.18"事件到"7.29"大会/李雪峰/中共党史研究/1998.4

回忆"文革"中的清理阶级队伍运动/姜东平/文史精华/2004.12

回忆我的爸爸邓拓/邓云/光明日报/1979.5.18

回忆周总理领导我们建设档案事业/曾三/人民日报/1980.1.7

回忆深夜参加周恩来总理召集的紧急会议/彭志珊/军事历史/2008.4

回顾北京大学在"文化大革命"中的几件事/王效挺/党史通讯/1987.4

在极"左"思潮的冲击中稳住农业基础——"文化大革命"时期周恩来在农业领域的贡献/张化/当代中国史研究/1998.2

在国务院政治研究室的日子/冯兰瑞/百年潮/2000.3

如何正确认识"文化大革命"/刘俊文/广州医学院学报/1982年增刊

如何评价"文革"时期的经济状况?/陈东林/北京党史文汇/1997.8

年青人:无赖和红卫兵/徐有威译/当代青年研究/1989.1

延伸与准备:1949年至1978年马克思主义中国化的曲折进程与原因/郑谦/中共党史研究/2007.4

当代中国史研究中的文献史料问题/张注洪/当代中国史研究/2006.5

当代史学研究的一个侧面——开展对"文革"社会生活的研究/刘译华/天津日报/1988.11.30

当代国际社会主义改革与"文革"结束前的中国/郑谦/党史文汇/1987.3

执政党建设的失误与"文化大革命"的发动/柳建辉等/理论学刊/1989.4

有关周扬的两个问题/于光远/湘潮/2001.4

社会记忆及其建构一项关于知青集体记忆的研究/王汉生、刘亚秋/中国社会科学文摘/2006.4

评"文化大革命"前的两次教育革命/杨凤成/中共党史研究/1999.2

评"批判资产阶级反动路线"/王年一/党史通讯/1987.10

评《"文化大革命"十年史》/王年一/党史通讯/1987.4

评《水浒》运动内幕——从毛泽东与芦荻论《水浒》谈起/魏敬民/党史纵横/2002.2

评林彪、"四人帮"对所谓"剥削有功论"的围剿/张桓/广西大学学报/1980.1

近十年"文革文学"研究略述/张木荣/中国文学研究/2003.2

近十年来毛泽东个人崇拜问题研究综述/王明兴/宜宾学院学报/2006.3

近年来西方学术界关于毛泽东"一条线"外交战略的研究述评/陶季邑/史学集刊/2006.6

违反价值法则要碰得头破血流——毛泽东主席批判陈伯达/价格理论与实践/2001.12

陆定一是怎样被诬陷成"中统特务"的/达皖/钟山风雨/2003.3

陈元方同志谈志书中如何记述历次政治运动和"文化大革命"的问题/福建地方志通讯/1986.3

陈永贵制止农村夺权/温晋生/山西档案/1994.1

陈永贵政坛风云录/关思/炎黄春秋/1993.2

陈再道与武汉"7.20事件"/李明/湖北档案/1993.5

陈再道与武汉"7.20事件"/李明/纵横/1999.7

陈再道与武汉"7.20事件"/李明/湖北档案/2001.1

刻骨铭心的历史记录——十年"文革"中的十次抗争/陈家付/党史纵横/2002.5

参与解决贵州问题——"文革"中一段难忘的往事/刘回年/贵阳文史/2007.5

参天大树护英华——周恩来总理在"文革"期间保护爱国民主人士文献三则/民暄/团结/1983.10.1

周扬在"文化大革命"中/徐庆全/湘潮/2001.4

周总理处置"九·一三林彪叛逃事件"的一些情况/子南/党史研究/1981.3

周恩来"文革"中力保知识分子/刘武生/纵横/2005.1

周恩来与"文革"中的外贸工作/胡建华/纵横/1998.8

周恩来与"文革"中的信访工作/刁杰成/当代中国史研究/1998.2

周恩来与1967年二月抗争/安建设/中共党史研究/1993.2

周恩来与中国核外交战略的形成/潘敏国/当代中国史研究/2004.1

周恩来与四化建设:纪念中华人民共和国建国三十五周年/龙生/学术月刊/1984.10

周恩来与外交部"153《新情况》事件"/宗道一/文史精华/2000.7

周恩来与我军的正规化现代化建设/肖克/解放军报/1988.3.4

周恩来与坦赞铁路的援建/周伯萍/百年潮/2000.6

周恩来与基辛格的第二次会晤/宫力/党史文汇/1992.3

周恩来与新中国外交/李文业/党史纵横/1993.2

周恩来与新中国经济建设/吴群敢/党的文献/1993.4

周恩来对新中国国际事业的杰出贡献/周家鼎/国防大学学报/1988.5

周恩来关于中央与地方关系思想论析/吴志鸿/党的文献/1993.1

周恩来关于对外开放的理论述评/张田水/河南师大学报/1993.1

周恩来在"文革"中是怎样批极"左"的/王永钦/炎黄春秋/2000.11

周恩来在"文革"期间的经济指导思想/巩玉闽/党史研究与教学/1998.2

周恩来论建国后人民民主统一战线的新变化新特点/陈国权/呼兰师专学报·社科版/1986.3

周恩来和知识青年上山下乡运动/刘文杰/当代中国史研究/1998.5

周恩来的计划生育思想/费虹寰/当代中国史研究/1998.1

周恩来的四个现代化思想研究/曹应旺/当代中国史研究/1996.1

周恩来总理当年制止大串连内幕/田桂林/文史精华/2000.8

周恩来是"文化大革命"逆流中的中流砥柱——读《周恩来选集》下卷札记/余伯流/求实/1985.1

周恩来领导的1972年前后批判极"左"思潮的斗争/党的文献/1993.1

国内"文化大革命"研究概述/郭文亮/中共党史研究/1993.3

国内"文革文学"研究十年综述/李伟/佳木斯大学社会科学学报/2005.6

国史研究要以科学、敬谨的态度对待/陈奎元/当代中国史研究/2007.6

国际共产主义运动与我国的"文化大革命"论纲/高放/攀登/1993.1

国际共运史上的一次耻辱的纪念——对"文革"中一个特殊现象的反思/王观家/龙江党史/1991.2

学术期刊在政治运动中的命运沉浮——以《文史哲》、《江海学刊》的停刊与复刊为例/王晓华/兰州学刊/2006.7

实事求是与知遇之恩——第二次复出的邓小平与毛泽东关系论/秦昊扬/求实/2006.3

幸存的一脉生机——"文革"时期的对台工作/杨亲华/党史纵横/1997.5

建立"文革博物馆"是历史的需要/微言/兰州学刊/1988.5

建国以来主流意识形态的变迁及启示/张娟/求实/2006.6

建国以来社会动员制度的变迁/夏少琼/唯实/2006.2

建国后30年实行区域均衡发展政策的情况/刘海涛/当代中国史研究/1997.6

建国后至中共九大期间"接班人"的问题(一)/刘志男/中国粮食经济/2003.5

建国后至中共九大期间"接班人"的问题(二)/刘志男/中国粮食经济/2003.6

建国后至中共九大期间"接班人"的问题(三)/刘志男/中国粮食经济/2003.7

所谓"二月逆流"/聂荣臻/光明日报/1984.12.1

抬起红色按钮上的手指——1969年中苏危机中鲜为人知的一页/张广翔/世界史研究动态/1992.6

林彪、江青一伙制造个人崇拜的剖析/岳军/南宁师院学报·哲社版/1981.4

林彪叛逃事件的事实真相/李德生/中国作家/2006.19

林彪座机副驾驶员谈"九·一三事件"/康庭梓/文史博览/2000.3

武汉"7·20事件"始末/元钦/武汉文史资料/2000.4

武汉"7·20事件"始末(连载之一)/陈再道/湖北文史资料/2002.2

武汉"7·20事件"始末(连载之二)/陈再道/湖北文史资料/2002.3

武汉"7·20事件"始末/陈再道/革命史资料/1981.2

浅议"文革"史研究中文献法与口述法的综合运用/王宇英/史学集刊/2006.5

浅论"文化大革命"时期历史的主体/钱跃/党的文献/1996.3

浅论1975年的全面整顿/余义月/达县师范高等专科学校学报/2005.6

浅析"红卫兵运动"兴起的原因/李宏敏/赤峰学院学报(汉文哲学社会科学版)/2006.6

浅析毛泽东与刘少奇分歧的由来/杨瑰珍/毛泽东思想研究/1989.3

浅析发动"文革"的深层根源/王永章/新疆石油教育学院学报/2002.3

浅谈"四清运动"与"文化大革命"的异同——学习《建国以来党的若干历史问题的决议》的一点体会/雷锦章等/武汉师院汉口分院学报/1982.3、4

浅谈邓小平1975年的整顿/王凤义/世纪桥/1997.3

知识青年上山下乡运动的评价及其历史命运/杜鸿林/理论与现代化/1991.6

知识青年上山下乡运动研究综述/邬思源/党史文汇/1996.9

知识青年上山下乡的由来与影响/方进平/江西青运史研究/1991.1

知识青年上山下乡政策之历史性反思/孙涛/石家庄经济学院学报/2004.5

知识青年上山下乡研究中几个问题的争鸣/张曙/世纪桥/2000.2

知识青年上山下乡原因探析/高广景/党史文苑/2006.4

知识青年由上山下乡到留城安置的转变/邓泽民/江淮文史/2008.4

知青运动回眸/霞飞/党史天地/2006.4

艰难而光辉的最后岁月——记"文化大革命"期间的周恩来(续完)/高文谦/人民日报·海外版/1985.1.6

艰难而光辉的最后岁月——记"文化大革命"期间的周恩来/高文谦/人民日报·海外版/1985.1.4

试论"9·13事件"的客观作用/黄振平/陕西教育学院学报/2006.3

试论"文化大革命"中知识青年上山下乡运动/张化/党史资料通讯/1987.4

试论"文化大革命"发生的必然性——兼与金春明同志商榷/郑建明/宜春师专学报/1989.4

试论"文化大革命"的由来/王年一/党史研究/1982.1

试论"文化大革命"的形式——"群众运动"/刘济生/党史通讯/1986.10

试论"文化大革命"的准备/王年一/广西党史研究通讯/1984.2

试论"文革"中的知青上山下乡运动几度起伏的经济因素/张曙/世纪桥/2001.1

试论毛泽东的"中间地带"理论与当代世界格局/王荣发/毛泽东思想研究/1993.1

试论红卫兵组织的"病态型结构"及瓦解/张立湘/青运史研究/1986.3

试论建国后党对工会工作方针的曲折认识过程/江柯林/党史研究资料/1992.11

试析"三支两军"的实践活动及其客观作用/赵国勤/党史通讯/1987.10

试析"无产阶级专政下继续革命的理论"/马国钧/西北民族学院学报·哲社版/1987.4

试析"以问题为中心"的国史分期理论/张世飞/当代中国史研究/2008.3

试析毛泽东发动"文化大革命"的方法论/翁有为/史学月刊/1996.5

试析毛泽东在"文化大革命"中的思想轨迹和特点/张田水/毛泽东思想研究/1993.1

试析周恩来图书文献特点十题/李群/武汉大学学报/2007.1

试述毛泽东晚年的失误/蔡灿津/实事求是/1993.2

试谈毛泽东对当代国际共运形势的判断和"文化大革命"的发动/谭凝/国际共产主义运动/1988.3

试谈毛泽东同志对人性的论述/冯毅/青海民族学院学报/1982.2

试谈有关"文化大革命"的几个认识问题/王年一/思想战线/1984.7

诗人郭沫若在"文革"中/冯锡刚/红岩春秋/1992.6.14

轰动世界的历史性时刻——恢复我国在联合国席位写真/吴妙发/炎黄春秋/1994.6

金仲华之死——"文化大革命"中的一件骇人听闻的冤案/华平/上海党史与党建/1995.2

闹剧背后:从思想史的角度看"评法批儒"运动/周炽成/中国社会科学文摘/2006.4

复旦的"文革"资料哪里去了?——曹宠、秦邦廉访谈记/金大陆/史林/2006.1

政治文化对"文革"的支撑与推延作用及其有限性/李月军/青海师范大学学报(哲学社会科学版)/2003.2

科学评价"文化大革命"时期我国经济建设的得失/许明玉/世纪桥/1996.3

美国记者经历的"乒乓外交"/初元澎/乒乓世界/2001.4

胡愈之"文革"中进言毛泽东/世界知识/2007.2

胡耀邦与"三株大毒草"中的《汇报提纲》/陈模/红岩春秋/2002.2

要吸取"文化大革命"的经验教训/夏日娥/探索与求是/1992.5

贺龙"文革"冤案录/徐青/湖南党史月刊/1993.9

贺龙元帅的最后一次视察/徐一青/党史月刊/1993.1

赵凡与云南知青问题的解决/许人俊/纵横/2008.10

香港"左派"与"文革"/颜文斗/时代教育(先锋国家历史)/2008.14

党对社会主义认识的误区与"文化大革命"的发动/林蕴晖/中共党史研究/1996.3

党的八届十一中全会评述/贺源等/党史研究/1982.6

唐山地震后的伤员救护和卫生防疫/张剑侗/文史精华/1994.4

晋剧《三上桃峰》冤案访谈录/章彦/党史文汇/1994.5

特殊年代的特殊产物——革命委员会/广艳辉/党史纵横/2004.2

砥柱中流艰难抗争——周恩来支持叶剑英等进行"二月抗争"始末/范硕/淮阴师范学院学报（哲学社会科学版）/1999.2

破"四旧"风潮的前前后后/何立波/党史文苑（学术版）/2006.3

继续革命理论新探/陈明/江西师范大学学报（哲学社会科学版）/2006.5

耿飙、黄镇"反党集团"始末/尹家民/党史纵览/2002.9

被中途打断的1975年整党（上）/张化/纵横/2001.11

被中途打断的1975年整党（下）/张化/纵横/2001.12

被诬为"大黑会"的孔子讨论会/骆承烈/世纪/2007.3

读季羡林著《牛棚杂忆》有感/曲炜/中共党史研究/1998.6

通向缓和的道路——1968—1970年中国对美政策的调整/余万里/当代中国史研究/1999.3

高瞻远瞩果断英明——"文革"中周恩来阻止进军香港/厉松/党史纵横/1997.8

婚姻之门——上海1966—1976年社会生活史研究/金大陆/社会科学/2005.11

情注海峡两岸，心系祖国统一——"文革"后期邓小平与台湾问题/王中人/党史纵览/2001.3

曹轶欧与"第一张大字报"关系再考订/印红标/文史精华/2004.1

深化新中国历史研究/陈述/理论视野/2009.2

清华大学百日武斗始末/张晋山/党史纵览/2003.1

清华园1968"百日武斗"纪实/李玉琦/中国青年研究/1993.6

理性地认识和思考20世纪六七十年代的"全国大备战"/徐奎/当代中国史研究/2002.5

略论"文化大革命"的基本教训——学习《关于建国以来党的若干历史问题的决议》/李锋杰/吉林师范学院学报·哲社版/1986.4

略论中共第一代领导集体对社会主义建设道路的艰辛探索/黄少群/党的文献/1997.4

略论邓小平1975年的整顿/罗珍/理论探讨/1997.1

略论党的九大后的整党/金春明/党史研究/1985.5

第一支青年垦荒队的创业史/陈德勤/江西青运史研究/1990.1

第二次台湾海峡危机与中美关系/赵学功/当代中国史研究/2003.3

随康生参加华约首脑会议/阎明复/百年潮/2007.4

彭真与《二月提纲》/李淑荣/当代中国史研究/2002.4

斯大林曾建议毛泽东编辑出版《毛泽东选集》/广东党史/1994.1

最早报道"四人帮"垮台的外国报纸/文史博览/2003.2

湖北"文革"十年概述/胡泽忠等/地方革命史研究/1989.4

湖南知识青年上山下乡始末/刘布光/湘潮/2002.3

蒋星煜的《海瑞》与吴晗的《海瑞罢官》/方竟成/北京观察/2000.11

谢振华与《三上桃峰》冤案/欧阳青/纵横/1998.7

黑龙江的红卫兵运动/谷丽娟/龙江党史/1990.2

新中国成立以来中国共产党城乡政策的历史演变/张新华/历史教学问题/2007.3

新中国经济建设历程的回顾与联想/陈东林/当代中国史研究/2009.1

新中国前十七年毛泽东对农村社会分层问题的认识/席富群/福建党史月刊/2005.2

新中国恢复联合国合法席位之争——周恩来与四任联合国秘书长/杨明伟/纵横/1995.3

新中国站到举世瞩目的讲坛上——中国恢复联合国席位的过程/浙江档案/1999.9

新编地方志记述"文化大革命"的再思考/陈元方/理论导刊/1992.2

煞住编造历史的歪风——评某些关于"文化大革命"著述的倾向/李明三/中共党史研究/1989.6

福建省革命委员会始末/王爱菊/福建党史月刊/2005.1

简论周恩来教育思想/刘焱/党的文献/2000.2

解秘:"四人帮"和他们的反邓"阴谋电影"《反击》/木华/党史文苑/2003.6

瞩目世界的握手——周恩来与尼克松、基辛格(上)/南山/纵横/1995.5

瞩目世界的握手——周恩来与尼克松、基辛格(下)/南山/纵横/1995.6

二

著　作

《红灯记》的台前幕后/沈国凡著/当代中国出版社,2009.1

《新中国的光辉历程》辅导讲座/当代中国出版社,1992.7

十年风雨纪事/吴德口述/当代中国出版社,2008.6

十年后的评说:"文化大革命"史论集/谭宗级等著/中共党史资料出版社,1987.3

三代领导集体与统一战线/王文、董志铭、齐彪著/华文出版社,1999.9

工读教育史/夏秀荣、兰宏生主编/海南出版社,2000.10

中小学教育史/卓晴君、李仲汉著/海南出版社,2000.9

中华人民共和国/刘国新编著/中国青年出版社,1995.8

中华人民共和国1949—1999事典/李学昌主编/上海人民出版社,1999.9

中华人民共和国36位军事家/陈宇编著/上海文艺出版社,2002.7

中华人民共和国40年/蒋辅义主编/四川人民出版社,1990.6

中华人民共和国40年大事记(1949　1989)/中共中央宣传部编/光明日报山版社,1989.3

中华人民共和国40年大事记:1949—1989/黄道霞等主编/光明日报出版社,1989.9

中华人民共和国50年回顾与思考(上、下)/谢忱编著/新华出版社,1999.9

中华人民共和国50年成就大图典(上、下卷)/杨正泉主编/人民中国出版社,1999.11

中华人民共和国50年图集:1949—1999/方孔木、林谷良主编/上海人民出版社,1999.9

中华人民共和国55年要览:1949—2004/杨元华等主编/福建人民出版社,2006.1

中华人民共和国大事日志/王一华著/济南出版社,1992.8

中华人民共和国大事记(1949—1980)/新华通讯社国内资料组编/新华出版社,1982.6

中华人民共和国大事记·1949—2004(上、下)/新华月报社编/人民出版社,2004.8

中华人民共和国大事纪事本末/朱建华等主编/吉林教育出版社,1992.11

中华人民共和国大事评述/孙友葵等主编/黑龙江教育出版社,1989.4

中华人民共和国大事典(1949—1988)/张宏儒主编/东方出版社,1989.10

中华人民共和国大事典:1949—1989/段永林主编/吉林人民出版社,1991.2

中华人民共和国工业大事记/《人民日报》社国内资料组编/湖南出版社,1992.7

中华人民共和国广播电视简史:1949—2000/徐光春主编/中国广播电视出版社,2003.6

中华人民共和国专题史稿:卷三·十年风雨(1966—1976)/郭德宏、王海光、韩钢主编/四川人民出

版社,2004.4

中华人民共和国历史纪实·内乱骤起:1965—1969/王志明、张北根编/红旗出版社,1994.2

中华人民共和国历史纪实·风云激荡:1969—1973/刘烁、汪闲编/红旗出版社,1994.2

中华人民共和国历史纪实·极左哀秋:1973—1976/张丽波、于德宝编/红旗出版社,1994.2

中华人民共和国历史知识问答/陈述主编/中共中央党校出版社,2004.10

中华人民共和国历史故事/国家教委基础教育司主编/中国少年儿童出版社,1994.1

中华人民共和国历史简编/陈述著/中共中央党校出版社,2004.10

中华人民共和国历史简编/谭双泉等主编/新疆大学出版社,1989.7

中华人民共和国历史:1966/许嘉璐等主编/四川人民出版社,2003.8

中华人民共和国历史:1967/许嘉璐等主编/四川人民出版社,2003.8

中华人民共和国历史:1968/许嘉璐等主编/四川人民出版社,2003.8

中华人民共和国历史:1969/许嘉璐等主编/四川人民出版社,2003.8

中华人民共和国历史:1970/许嘉璐等主编/四川人民出版社,2003.8

中华人民共和国历史:1971/许嘉璐等主编/四川人民出版社,2003.8

中华人民共和国历史:1972/许嘉璐等主编/四川人民出版社,2003.8

中华人民共和国历史:1973/许嘉璐等主编/四川人民出版社,2003.8

中华人民共和国历史:1974/许嘉璐等主编/四川人民出版社,2003.8

中华人民共和国历史:1975/许嘉璐等主编/四川人民出版社,2003.8

中华人民共和国历史:1976/许嘉璐等主编/四川人民出版社,2003.8

中华人民共和国计量工作大事记(1950—1987)/国家计量局办公室编/中国计量出版社,1988.8

中华人民共和国风云实录/苏东海、方孔木主编/河北人民出版社,1994.8

中华人民共和国主席令(1—4册)/孙琬钟等/吉林人民出版社,2001.4

中华人民共和国史(2版)/何沁主编/高等教育出版社,1999.9

中华人民共和国史/何沁主编/高等教育出版社,1997.7

中华人民共和国史/何理主编/档案出版社,1989.11

中华人民共和国史/励维志主编/高等教育出版社,2001.12

中华人民共和国史/李茂盛主编/中国广播电视出版社,1990.10

中华人民共和国史/薛德行主编/河南大学出版社,1989.7

中华人民共和国史·增订本/何理主编、高化民等撰写/中国档案出版社,1995.4

中华人民共和国史专题研究/张广信主编/陕西人民教育出版社,1989.9

中华人民共和国史纲/杨勤为等主编/石油大学出版社,1990.2

中华人民共和国史纲/郭彬蔚著/河南教育出版社,1989.4

中华人民共和国史研究/焦春荣等主编/档案出版社,1989.7

中华人民共和国史简明教材/高平平主编/同济大学出版社,2005.9

中华人民共和国史稿/朱建华等主编/黑龙江人民出版社,1989.9

中华人民共和国史稿:序卷/邓力群主编/当代中国出版社,1996.6

中华人民共和国四十年/朱阳等编著/吉林人民出版社,1989.12

中华人民共和国四十年/肖效钦、王幼樵主编/北京师范学院出版社,1990.1

中华人民共和国外交大事记:1965年1月至1971年12月·第三卷/黎家松、廉正保主编/世界知识出版社,2002.10

中华人民共和国外交大事记:1972年1月至1978年12月·第四卷/廉正保主编/世界知识出版社,2003.12

中华人民共和国外交史:1957－1969/王泰平主编/世界知识出版社,1998.9

中华人民共和国外交史:1970－1978/王泰平主编/世界知识出版社,1999.9

中华人民共和国对外关系史/外交学院中国对外关系史教研室编/外交学院出版社,1964.3

中华人民共和国对外贸易关系大事记(1949－1985)/王和英编/对外经济教育出版社,1987.3

中华人民共和国民法史/何勤华、殷啸虎主编/复旦大学出版社,1999.12

中华人民共和国电影事业三十五年(1949—1984)/中国电影家协会电影史研究部编/中国电影出版社,1985.9

中华人民共和国全纪录:1949.10—1999.7(1—5卷)/李罗力、张春雷主编/海天出版社,2000.1

中华人民共和国全国人民代表大会及其常务委员会大事记·1949—1993/全国人大常委会办公厅研究室编/法律出版社,1994.3

中华人民共和国军事院校教育发展史·武警卷/张广平主编/军事科学出版社,2005.8

中华人民共和国农业史/陈守林等主编/黑龙江教育出版社,1989.12

中华人民共和国地方志:河南省志/中国大百科全书出版社,2003.1

中华人民共和国地质矿产史(1949—2000)/朱训、陈洲其主编/地质出版社,2003.8

中华人民共和国事典/陈明显、罗正楷主编/中国青年出版社,1994.9

中华人民共和国国史全鉴(1—15卷)/刘海藩主编、中共中央党校理论研究室编/中央文献出版社,2004.12

中华人民共和国国史全鉴:1949—1995(六卷)/本书编委会编/团结出版社,1996.4

中华人民共和国国史纪事/国际文化交流音像出版社,2004.1

中华人民共和国国民经济和社会发展计划大事辑要(1949—1985)/《当代中国的计划工作》办公室编/红旗出版社,1987.12

中华人民共和国国家机构通览/程湘清主编/中国民主法制出版社,1998.11

中华人民共和国国家机构概况/韩晓武编/中国展望出版社,1989.6

中华人民共和国实录(1—5卷)/刘国新等主编/吉林人民出版社,1994.6

中华人民共和国建国史手册/倪忠文主编/新华出版社,1989.6

中华人民共和国法制大事记(1949—1990)/钱辉等主编/吉林人民出版社,1992.2

中华人民共和国法制史/杨一凡、陈寒枫主编/黑龙江人民出版社,1996.11

中华人民共和国法制通史(1949—1995)/韩延龙主编/中共中央党校出版社,1998.11

中华人民共和国经济大事记:1949.10—1984.3/《中华人民共和国经济大事记》编选组编/北京出版社,1985.11

中华人民共和国经济专题大事记(1967—1984)/赵德馨主编/河南人民出版社,1989.3

中华人民共和国经济发展全史(1—12卷)/王博主编/中国经济文献出版社,2006.10

中华人民共和国经济史/武力主编/中国经济出版社,1999.10

中华人民共和国经济史/柏福临主编/黑龙江教育出版社,1989.12

中华人民共和国经济史/蒋家俊等编著/陕西人民出版社,1989.6

中华人民共和国经济史纲要/赵德馨主编/湖北人民出版社,1988.1

中华人民共和国经济史简明教程(1949—1985)/柳随年、吴群敢主编/高等教育出版社,1988.5

中华人民共和国经济史简编(1949—1985)/李德彬/河南人民出版社,1987.6

中华人民共和国经济建设简史:1949—1994/陈国权等主编/中国物资出版社,1995

中华人民共和国经济简史/陈昌智主编/四川大学出版社,1990.4

中华人民共和国经济管理大事记/《当代中国的经济管理》编辑部编/中国经济出版社,1986.12

中华人民共和国政务工作全书/汪玉凯主编/研究出版社,2001.6

中华人民共和国政治体制沿革大事记(1949—1987)/洪承华等编/春秋出版社,1987.12

中华人民共和国政治制度/浦兴祖主编/上海人民出版社,2005.2

中华人民共和国科技传播史/司有和主编/重庆出版社,2005.11

中华人民共和国科学技术大事记(1949—1988)/张应吾主编/科技文献出版社,1989.9

中华人民共和国统计大事记(1949—1991)/张寨主编/中国统计出版社,1992.8

中华人民共和国要事录:1949—1989/刘鲁风等主编/山东人民出版社,1989.8

中华人民共和国党政军群领导人名录/本书编辑组编/中共党史出版社,1990.12

中华人民共和国档案工作纪实(1949—1981)/吴宝康等编/青海人民出版社,1983.7

中华人民共和国通鉴/龙德等主编/学苑出版社,1994.5

中华人民共和国商业大事记(1958—1978)/《当代中国商业》编辑部编/中国商业出版社,1990.1

中华人民共和国教育大事记(1949—1982)/中央教育科学研究所编/教育科学出版社,1984.1

中华人民共和国教育历史传统与基础/王炳照等主编/海南出版社,2000.8

中华人民共和国教育史纲/方晓东等主编/海南出版社,2002.3

中华人民共和国新闻史/张涛著/经济日报出版社,1992.6

中华人民共和国简史（1949—2004）/金春明著/中共党史出版社,2004.10

中华人民共和国简史/尹凤英主编/北京航空航天大学出版社,1991.8

中华人民共和国简史/朱玉湘主编/福建人民出版社,1991.6

中华人民共和国简史/庞松陈著/上海人民出版社,1999.9

中华人民共和国简史/郭彬蔚等编著/吉林文史出版社,1988.7

中华人民共和国简史/曾长秋、刘仲良编著/中国工业大学出版社,1991.1

中国外交 40 年/中央人民广播电台国际部编/沈阳出版社,1989.8

中国外交史·中华人民共和国时期:1949—1979/谢益显主编/河南人民出版社,1988.7

中国农业大事记(1949—1980)/农业出版社编/农业出版社,1982.3

中国农业四十年 1949—1989/中华人民共和国农业部编/农业出版社,1989.7

中国当代文学/邱岚主编/辽宁教育出版社,1986.6

中国当代文学史(1—3 册)/二十二院校编写组编/福建人民出版社,1985.11

中国当代文学史/吉林省五院校编/吉林人民出版社,1984.12

中国当代文学史/江西大学中文系编/百花洲文艺出版社,1990.7

中国当代文学史简编/华南四学院现代文学教研室编/广东高等教育出版社,1987.7

中国当代文学思想史/朱寨主编/人民文学出版社,1987.5

中国当代史问答一百题/沈渭滨主编/河南教育出版社,1987.10

中国当代哲学(1949—1990)/樊瑞平等著/石油大学出版社,1990.12

中国当代新闻事业史(1949—1988)/方汉奇等主编/新华出版社,1992.12

中国社会主义时期史稿(第一卷)/王学启等著/浙江人民出版社,1983.6

中国社会主义时期史稿(第二卷)/王学启等著/浙江人民出版社,1988.12

中国社会主义革命和建设史讲义/胡华主编/中国人民大学出版社,1985.4

中国社会主义革命和建设史纲/郭彬蔚等著/东北师范大学出版社,1986.6

中国社会主义革命和建设史研究荟萃/翟作君主编/华东师范大学出版社,1989.6

中国近现代史纲:1840—1989/上海外国语学院出国培训部编/上海外语教育出版社,1990.8

中国现代经济史/李宋植、张寿彭编/兰州大学出版社,1989.3

中国知青史——大潮/刘晓萌著/当代中国出版社,2009.1

中国知青史——初澜/定宜庄著/当代中国出版社,2009.1

中国经济发展 40 年/谢明干、罗元明主编/人民出版社,1990.3

中国革命史述论/孔令闻主编/北京航空航天大学出版社,1990.1

中国哲学四十年(1949—1989)/杨春贵主编/中共中央党校出版社,1989.9

中南海大事:建国以来重大政治事件全纪录·上/李健编著/中共党史出版社,2006.6

中南海大事:建国以来重大政治事件全纪录·下/李健编著/中共党史出版社,2006.6

中美关系/马耀邦著/当代中国出版社,2008.10

五星红旗下的大使们/沈建、沈力编著/江苏人民出版社,1993.8

从"童怀周"到审江青/汪文风/当代中国出版社,2004.1

元江哈尼族彝族傣族自治县志/云南省元江哈尼族彝族傣族自治县志编纂委员会编/中华书局,1993.6

历史的跨越:中华人民共和国国民经济和社会发展"一五"至"十一五"规划要览·1953—2010/郭德宏主编/中共党史出版社,2006.3

少年宫教育史/许德馨主编/海南出版社,2002.3

毛泽东·尼克松在 1972/陈敦德著/昆仑出版社,1988.9

毛泽东与林彪反革命集团的斗争/汪东兴著/当代中国出版社,2004.1

毛泽东与蒋介石:1949—1976/陈敦德著/八一出版社,1993.10

毛泽东的中国及后毛泽东的中华人民共和国/[美]迈斯纳著、杜蒲译/四川人民出版社,1992.7

毛泽东的中国及其发展——中华人民共和国史/[美]梅斯纳著、张瑛译/社科文献出版社,1992.2

风云际会联合国/万经章、张兵主编/新华出版社,2008.1

归根:李宗仁与毛泽东周恩来握手/陈敦德著/解放军文艺出版社,1991.6

民族教育史/朴胜一、程方平著/海南出版社,2001.8

共和国大审判/王文正口述/当代中国出版社,2006.1

共和国风云四十年/张伟碹等主编/中国政法大学出版社,1989.9

共和国四十年大事述评/翟作君等主编/档案出版社,1989.11

共和国的岁月/孙冰红编/陕西人民出版社,1991.12

师范教育史/金长泽、张贵新主编/海南出版社,2002.3

当代中国四十年纪事:1949—1989/虞宝棠、李学昌主编/上海人民出版社,1990.7

当代中国外交/《当代中国》丛书编辑部编/中国社会科学出版社,1988.3

当代中国电影(上、下)/《当代中国》丛书编辑部编/中国社会科学出版社,1989.1

当代中国石油工业(上、下)/本书编委会/当代中国出版社,2009.1

当代中国军队的军事工作/《当代中国》丛书编辑部编/中国社会科学出版社,1989.6

当代中国军队的后勤工作/《当代中国》丛书编辑部编/中国社会科学出版社,1990.12

当代中国军队群众工作/颜金生等主编/中国社会科学出版社,1988.3

当代中国体育/荣高棠主编/中国社会科学出版社,1984.12

当代中国的人口/许涤新主编/中国社会科学出版社,1988.2

当代中国的乡村建设/《当代中国》丛书编辑部编/中国社会科学出版社,1987.1

当代中国的乡镇企业/《当代中国》丛书编辑部编/当代中国出版社,1991.8

当代中国的卫生事业(上、下)/《当代中国》丛书编辑部编/中国社会科学出版社,1986

当代中国的山西(上、下)/《当代中国》丛书编辑部编/中国社会科学出版社,1991.4

当代中国的工艺美术/季龙主编/中国社会科学出版社,1984.12

当代中国的工商行政管理/《当代中国》丛书编辑部编/当代中国出版社,1991.4

当代中国的广东(上、下)/《当代中国》丛书编辑部编/当代中国出版社,1991.12

当代中国的广西(上、下)/《当代中国》丛书编辑部编/当代中国出版社,1992.10

当代中国的云南(上、下)/《当代中国》丛书编辑部编/当代中国出版社,1991.3

当代中国的公安工作/《当代中国》丛书编辑部编/当代中国出版社,1992.2

当代中国的化学工业/《当代中国》丛书编辑部编/中国社会科学出版社,1986.6

当代中国的气象事业/《当代中国》丛书编辑部编/中国社会科学出版社,1984.8

当代中国的水产业/《当代中国》丛书编辑部编/当代中国出版社,1991.1

当代中国的水运事业/《当代中国》丛书编辑部编/中国社会科学出版社,1989.8

当代中国的计划生育事业/《当代中国》丛书编辑部编/当代中国出版社,1992.3

当代中国的计量事业/《当代中国》丛书编辑部编/中国社会科学出版社,1989.12

当代中国的北京/《当代中国》丛书编辑部编/中国社会科学出版社,1989.9

当代中国的四川(上、下)/《当代中国》丛书编辑部编/中国社会科学出版社,1990.12

当代中国的宁夏/李恽和主编/中国社会科学出版社,1990.10

当代中国的对外经济合作/《当代中国》丛书编辑部编/中国社会科学出版社,1989.11

当代中国的对外贸易(上、下)/《当代中国》丛书编辑部编/当代中国出版社,1992.3

当代中国的民航事业/《当代中国》丛书编辑部编/中国社会科学出版社,1989.10

当代中国的电子工业/《当代中国》丛书编辑部编/中国社会科学出版社,1987.6

当代中国的石油化学工业/《当代中国》丛书编辑部编/中国社会科学出版社,1987.10

当代中国的农业机械化/《当代中国》丛书编辑部编/中国社会科学出版社,1991.2

当代中国的农垦事业/《当代中国》丛书编辑部编/中国社会科学出版社,1986.10

当代中国的吉林(上、下)/《当代中国》丛书编辑部编/当代中国出版社,1991.1

当代中国的地质事业/《当代中国》编辑部编/当代中国出版社,1990.3

当代中国的安徽(上、下)/《当代中国》丛书编辑部编/当代中国出版社,1992.3

当代中国的有色金属工业/《当代中国》丛书编辑部编/中国社会科学出版社,1990.2

当代中国的机械工业/《当代中国》丛书编辑部编/中国社会科学出版社,1990.10

当代中国的江西/傅雨田主编/中国社会科学出版社,1991.5

当代中国的江苏/《当代中国》丛书编辑部编/中国社会科学出版社,1989.9

当代中国的西藏(上、下)/《当代中国》丛书编辑部编/中国社会科学出版社,1991.4

当代中国的劳动力管理/《当代中国》丛书编辑部编/中国社会科学出版社,1990.7

当代中国的劳动保护/《当代中国》丛书编辑部编/中国社会科学出版社,1992.9

当代中国的医药事业/《当代中国》丛书编辑部编/中国社会科学出版社,1988.4

当代中国的纺织工业/《当代中国》丛书编辑部编/中国社会科学出版社,1984.11

当代中国的供销合作事业/《当代中国》丛书编辑部编/中国社会科学出版社,1990.1

当代中国的固定资产投资管理/《当代中国》丛书编辑部编/中国社会科学出版社,1989.9

当代中国的建筑业/《当代中国》丛书编辑部编/中国社会科学出版社,1988.2

当代中国的建筑材料工业/《当代中国》丛书编辑部编/中国社会科学出版社,1990.12

当代中国的林业/《当代中国》丛书编辑部编/中国社会科学出版社,1985.9

当代中国的河北/《当代中国》丛书编辑部编/中国社会科学出版社,1990.6

当代中国的空军/《当代中国》丛书编辑部编/中国社会科学出版社,1989.10

当代中国的经济管理/朱镕基主编/中国社会科学出版社,1985.8

当代中国的金融事业/《当代中国》丛书编辑部编/中国社会科学出版社,1989.3

当代中国的陕西/《当代中国》丛书编辑部编/当代中国出版社,1991

当代中国的青海(上、下)/《当代中国》丛书编辑部编/当代中国出版社,1991.2

学校艺术教育史/杨力、宋尽贤主编/海南出版社,2002.1

学校体育史/李晋裕等著/海南出版社,2000.12

建国以来十大经济成就/张衔、林静主编/中国经济出版社,1994.12

建国以来十大经济观/刘朝明、张衔编著/中国经济出版社,1995.1

建国以来十大经济热点/杨江著/中国经济出版社,1995.1

建国以来中国史学论文集篇目索引初编/张海惠、王玉芝编/中华书局,1992.5

建国以来中国共产党科技政策研究/崔禄春著/华夏出版社,2002.10

建国以来军史百桩大事/李澄、晓季、王立兵主编/知识出版社,1992.7

建国以来法制建设记事/俞建平等著/河北人民出版社,1986.10

建国以来党政干部违法违纪大案要案索引/《建国以来党政干部违法违纪大案要案索引》编写组编/法律出版社,2004.2

建国后三十三年/金春明著/上海人民出版社,1987.4

波澜起伏:中美关系演变的曲折历程/王立著/世界知识出版社,1998.1

剑桥中华人民共和国史(1966—1982)/[美]费正清主编/海南出版社,1992.7

剑桥中华人民共和国史——中国革命内部的革命(1960—1982)/[美]麦克法夸尔编/中国社会科学出版社,1992.8

胜利在1971:新中国重返联合国纪实/陈敦德著/解放军文艺出版社,2004.1

党史札记末编/龚育之/中共党史出版社,2008.1

高等教育史/郝维谦、龙正中主编/海南出版社,2000.7

教育国际交流与合作史/于富增等著/海南出版社,2001.8

旌勇里国史讲座(第二辑)/刘国新主编/当代中国出版社,2009.1

职业教育史/闻友信、杨金梅著/海南出版社,2000.9

辉煌的四十五年:中华人民共和国国史研究论文集/张启华主编/当代中国出版社,1995.1

辉煌的成就——新中国四十年/朱华布等主编/天津社会科学院出版社,1989.11

数读中国30年/中国产业地图编委会/社会科学文献出版社,2008.11

新中国50年(上、中、下卷)/韩泰华主编/红旗出版社,1999.12

新中国50年:1949—1999/闪凡路主编/湖北教育出版社,1999.8

新中国人口五十年/路遇主编/中国人口出版社,2004.8

新中国万岁(1949—1999)/高凯、于玲、邱金利、申联彬主编/中国国际广播出版社,1999.4

新中国大事典/王永平主编/中国国际广播出版社,1992.11

新中国大事典:1949.9—1989.12/何彦才、高玉春主编/科学技术文献出版社,1990.9

新中国大博览/李默主编/广东旅游出版社,1993.2

新中国工业经济史/汪海波主编/经济管理出版社,1986.7

新中国马克思主义哲学50年/任俊明主编/人民出版社,2006.5

新中国五十年/陈明显编著/北京理工大学出版社,1999.5

新中国五十年大事记(上、下)/新华月报编辑部编/人民出版社,1999.9

新中国六次反侵略战争实录/李健编/中国广播电视出版社,1992.1

新中国反贪污贿赂理论与实践/钟澍钦主编/人民出版社,1995.8

新中国反腐败通鉴/李雪勤主编/天津人民出版社,1993.12

新中国反腐败第一大案:枪毙刘青山、张子善纪实/鲁兵等编著/法律出版社,1990.5

新中国文学发展史/李丛中主编/云南教育出版社,1988.7

新中国文学史(上、下)/张炯编著/海峡文艺出版社,2000.12

新中国水利 50 年/中华人民共和国水利部编/中国水利水电出版社,1999.11

新中国——东盟关系论/曹云华、唐翀著/世界知识出版社,2005.4

新中国出版五十年纪事/刘杲、石峰主编/新华出版社,1999.12

新中国史略/孙瑞鸢、滕文藻等著/陕西人民出版社,1991.9

新中国四十年研究/陈明显、张恒等编著/北京理工大学出版社,1989.5

新中国外交 50 年(上、中、下)/王泰平主编/北京出版社,1999.9

新中国外交大写意/《纵横》编辑部编/中国文史出版社,2001.1

新中国外交五十年/《新中国外交五十年》编委会编/世界知识出版社,1999.9

新中国外交风云/外交部外交史编辑室编/世界知识出版社,1990.5

新中国外交风云·第三辑/外交部外交史研究室编/世界知识出版社,1994.3

新中国外交风云·第五辑/《新中国外交风云》编委会编/世界知识出版社,1999.8

新中国外交四十年/裴坚章主编/世界知识出版社,1989.9

新中国外交思想:从毛泽东到邓小平——毛泽东、周恩来、邓小平外交思想比较研究/叶自成著/北京大学出版社,2001.6

新中国对外汉语教学发展史/程裕祯主编/北京大学出版社,2005.3

新中国民族工作十讲/国家民族事务委员会研究室编/民族出版社,2006.4

新中国电影史:1949－2000/尹鸿、凌燕著/湖南美术出版社,2002.11

新中国立法概述/顾昂然著/法律出版社,1995.10

新中国价格简史:1949—1978/叶善蓬编著/中国物价出版社,1993.6

新中国企业领导制度/张占斌等编著/春秋出版社,1988.9

新中国军事大事纪要/张驭涛主编/军事科学出版社,1998.2

新中国军事活动纪实(1949－1959)/邓礼峰编著/中共党史出版社,1989.7

新中国农田水利史略:1949－1998/丁泽民主编/中国水利水电出版社,1999.3

新中国农村经济大事记:1949.10—1984.9/李德彬等编/北京大学出版社,1989.1

新中国刑法科学简史/高铭暄等撰/中国人民公安大学出版社,1993.5

新中国戏剧史:1949－2000/傅谨著/湖南美术出版社,2002.11

新中国成人高等教育发展研究/何红玲著/中国社会科学出版社,2004.5

新中国纪事:1949—1984/郑德荣等主编/东北师范大学出版社,1986.7

新中国行政管理简史:1949－2000/中国行政管理学会编/人民出版社,2002.2

新中国劳动保障史话:1949－2003/刘贯学著/中国劳动社会保障出版社,2004.11

新中国沉重的一幕/叶永烈著/作家出版社,1993.12

新中国社会科学五十年/中国社会科学院科研局/中国社会科学出版社,2000.5

新中国国防科技体系的形成与发展研究/吴远平、赵新力、赵俊杰著/国防工业出版社,2006.1

新中国宗教工作大事概览:1949－1999/罗广武编著/华文出版社,2001.1

新中国往事/邓力群主编/中央文献出版社,2006.1

新中国法制建设四十年要览:1949－1988/周振想、邵景春主编/群众出版社,1990.8

新中国法制建设的回顾与反思/李龙主编/中国社会科学出版社,2004.4

新中国的历程:1949 年 10 月 1 日—1989 年 10 月 1 日/高凯、熊光甲主编/中国人民大学出版社,1989.10

新中国经济史/苏星著/中共中央党校出版社,1999.9

新中国经济史:1949—1989/曾璧钧、林木西主编/经济日报出版社,1990.3

新中国经济建设评析/张寿春、金鑫著/东南大学出版社,1996.10

新中国经济理论史/赵晓雷著/上海财经大学出版社,1999.9

新中国诞生实录/庞松著/浙江人民出版社,2001.12

新中国城市五十年/国家统计局城市社会经济调查总队编/新华出版社,1999.12

新中国宪政之路:1949－1999/殷啸虎著/上海交通大学出版社,2000.7

新中国思想理论教育史/张雷声、郑吉伟、李玉峰编著/高等教育出版社,2005.4

新中国政治学的回顾与展望/杨海蛟主编/世界知识出版社,2000.7

新中国统一战线五十年大事年表:(1949－1999)/中共中央统战部研究室编著/华文出版社,2000.6

新中国美术史:1949－2000/邹跃进著/湖南美术出版社,2002.11

新中国要事述评/林志坚主编/中共党史出版社,1994.7

新中国轻工业三十年:1949－1979·上册/轻工业部政策研究室编/轻工业出版社,1980.12

新中国轻工业三十年:1949－1979·下册/轻工业部政策研究室编/轻工业出版社,1981.8

新中国轻工业三十年:1949－1979·中册/轻工业部政策研究室编/轻工业出版社,1981.2

新中国重大决策纪实/中共中央文献研究室等编/中国文联出版社,1999.10

新中国音乐史:1949－2000/居其宏著/湖南美术出版社,2002.11

新中国哲学研究 50 年:中国社会科学院哲学研究所 50 周年学术文集·上/李景源主编/人民出版社,2005.9

新中国哲学研究 50 年:中国社会科学院哲学研究所 50 周年学术文集·下/李景源主编/人民出版社,2005.9

新中国哲学研究 50 年:中国社会科学院哲学研究所 50 周年学术文集·中/李景源主编/人民出版社,2005.9

新中国海战档案/崔京生著/中国青年出版社,2007.7

新中国留学归国学人大词典/中华人民共和国人事部主编/湖北教育出版社,1993.7

新中国探索"三农"问题的历史经验/张新华主编/中共党史出版社,2007.6

新中国教育历程/高奇著/河北教育出版社,1999.1

新中国第一代·开国五大书记/文辉抗、叶健君主编/湖南出版社,2006.1

新中国第一志/《新中国第一志》编写组编/河南人民出版社,1986.6

新中国领事实践/《新中国领事实践》编写组编/世界知识出版社,1991.3

新中国编年史(1949—1989)/廖盖隆等主编/人民出版社,1989.7

新中国舞蹈史:1949－2000/冯双白著/湖南美术出版社,2002.11

福建省志·总概述/福建省地方志编纂委员会编/方志出版社,2002.1

襄樊市志/湖北省襄樊市地方志编纂委员会编纂/中国城市出版社,1994.12

工具书

中华人民共和国人民代表大会文献资料汇编(1949—1990)/全国人大常委会办公厅编/中国民主法制出版社,1991.3

中华人民共和国人事制度概要/曹志主编/北京大学出版社,1985.9

中华人民共和国大词典/本词典编写组编/中国国际广播出版社,1991.2

中华人民共和国大典/《中华人民共和国大典》编委会编/中国经济出版社,1994.6

中华人民共和国大辞典/张克明主编/中国国际广播出版社,1989.1

中华人民共和国工业企业基本概况·电力工业卷/第三次全国工业普查办公室电力工业部普查领导小组办公室编/中国电力出版社,1996.10

中华人民共和国工业企业基本概况·纺织工业卷(上、下册)/中国纺织总会第三次全国工业普查办公室编/中国统计出版社,1996.12

中华人民共和国史词典/李宇铭主编/中国国际广播出版社,1989.6

中华人民共和国史词典·修订版/黄文安主编/中国档案出版社,1994.6

中华人民共和国史辞典/朱建华、郭彬蔚主编/吉林文史出版社,1989.6

中华人民共和国史辞典/黄文安主编/档案出版社,1989.11

中华人民共和国外汇管理法规汇编(1949.10.1—1997.10.31)/国家外汇管理局编/中国民主法制出版社,1998.1

中华人民共和国幼儿教育重要文献汇编/中国学前教育研究会编/北京师范大学出版社,1999.10

中华人民共和国民事诉讼法/国务院法制办公室编/中国法制出版社,2006.7

中华人民共和国边界事务条约集·中印、中不卷/中华人民共和国外交部条约法律司编/世界知识出版社,2004.11

中华人民共和国边界事务条约集·中吉卷/中华人民共和国外交部条约法律司编/世界知识出版社,2005.5

中华人民共和国边界事务条约集·中老卷/中华人民共和国外交部条约法律司编/世界知识出版社,2004.7

中华人民共和国边界事务条约集·中阿、中巴卷/中华人民共和国外交部条约法律司编/世界知识出版社,2004.11

中华人民共和国边界事务条约集·中俄卷/中华人民共和国外交部条约法律司编/世界知识出版社,2005.7

中华人民共和国边界事务条约集·中哈卷/中华人民共和国外交部条约法律司编/世界知识出版社,2005.5

中华人民共和国边界事务条约集·中塔卷/中华人民共和国外交部条约法律司编/世界知识出版社,2005.5

中华人民共和国边界事务条约集·中朝卷/中华人民共和国外交部条约法律司编/世界知识出版社,2004.11

中华人民共和国边界事务条约集·中缅卷/中华人民共和国外交部条约法律司编/世界知识出版社,2004.7

中华人民共和国边界事务条约集·中越卷/中华人民共和国外交部条约法律司编/世界知识出版社,2004.7

中华人民共和国边界事务条约集·中蒙卷/中华人民共和国外交部条约法律司编/世界知识出版社,2004.11

中华人民共和国地名录/中国地名委员会编/中国社会科学出版社,1994.3

中华人民共和国地图集/中国地图出版社,1994.6

中华人民共和国地图集/总参谋部测绘局编制/星球地图出版社,2000.5

中华人民共和国百科之最大辞典/张守强、于华夫主编/哈尔滨出版社,1993.1

中华人民共和国自然地图集/中国科学院编制/中国科学院出版社,1965.10

中华人民共和国行政区划沿革地图集/陈潮主编/中国地图出版社,2003.10

中华人民共和国行政区划简册2000/中华人民共和国民政部编/中国地图出版社,2000.4

中华人民共和国投资法规文件汇编(上、下)/全国人大内务司法委员会内务室编/地震出版社,2001.5

中华人民共和国典章制度全书(1—6卷)/中华人民共和国典章制度编委会编/中国民主法制出版社,1999.7

中华人民共和国国务院令(全四卷)/全国人民代表大会常务委员会法制工作委员会审定/吉林人民出版社,2001.4

中华人民共和国国史百科全书/邓力群主编/中国大百科全书出版社,1999.7

中华人民共和国国家普通地图集/国家地图集编纂委员会编/中国地图出版社,1995.1

中华人民共和国知识辞典/侯雄飞等主编/西南师范大学出版社,1990.6

中华人民共和国重要教育文献 (1949—1975) /何东昌主编/海南出版社,1998.9

中华人民共和国重要教育文献(1976—1990)/何东昌主编/海南出版社,1998.9

中国共产党第九次全国代表大会文件汇编/人民出版社,1969.5

中国共产党第十次全国代表大会文件汇编/人民出版社,1973.9

中国现代史词典/李盛平主编/中国国际广播出版社,1987.12

中国现代史辞典/王宗华等主编/河南人民出版社,1991.6

甘孜州志·上/甘孜州志编纂委员会编/四川人民出版社,1997.10

甘孜州志·下/甘孜州志编纂委员会编/四川人民出版社,1997.10

甘孜州志·中/甘孜州志编纂委员会编/四川人民出版社,1997.10

机构编制体制文件选编:上/劳动人事部编制局编/劳动人事出版社,1986.2

机构编制体制文件选编:下/劳动人事部编制局编/劳动人事出版社,1986.7

西藏工作文献选编(1949—2005)/中共中央文献研究室、西藏自治区委员会编/中央文献出版社,2005.9

我国代表团出席联合国有关会议文件集(1974.7—1974.12)/人民出版社,1975.11

我国代表团出席联合国有关会议文件集(1975.1—1975.6)/人民出版社,1976.4

我国代表团出席联合国有关会议文件集(1975.7—1975.12)/人民出版社,1976.10

我国代表团出席联合国有关会议文件集(1976.1—1976.6)/人民出版社,1976.10

我国代表团出席联合国有关会议文件集(1976.7—1976.12)/人民出版社,1977.9

批林批孔文章汇编(一)/人民出版社,1974.1

批林批孔文章汇编(二)/人民出版社,1974.1

建国以来毛泽东文稿·第十二册:1966年1月—1968年12月/毛泽东著/中央文献出版社,1998.1

建国以来毛泽东文稿·第十三册:1969年1月—1976年7月/毛泽东著/中央文献出版社,1998.1

建国以来刘少奇文稿·第六册/刘少奇著/中央文献出版社,2008.4

建国以来重要文献选编·第二十册/中共中央文献研究室编/中央文献出版社,1998.5

建国以来重要文献选编·第十七册/中共中央文献研究室编/中央文献出版社,1997.8

建国以来重要文献选编·第十九册/中共中央文献研究室编/中央文献出版社,1998.3

建国以来重要文献选编·第十八册/中共中央文献研究室编/中央文献出版社,1998.2

建国以来重要文献选编·第十五册/中共中央文献研究室编/中央文献出版社,1997.1

建国以来重要文献选编·第十六册/中共中央文献研究室编/中央文献出版社,1997.7

建国以来重要文献选编·第十四册/中共中央文献研究室编/中央文献出版社,1997.1

知识分子问题文选/中共中央组织部研究室编/湖南人民出版社,1983.5

知识分子问题文献选编/中共中央组织部中共中央文献研究室编/人民出版社,1983.5

金昌市志/甘肃省金昌市地方志编纂委员会编纂/中国城市出版社,1995.2

南漳县志/湖北省南漳县地方志编纂委员会编纂/中国城市经济社会出版社,1990.8

新中国五十年农业统计资料/国家统计局农村社会经济调查总队编/中国统计出版社,2000.12

新中国五十年统计资料汇编/国家统计局国民经济综合统计司编/中国统计出版社,1999.11

新中国建设大辞典/范茂发、朱元珍主编/中国轻工业出版社,1994.3

新中国法制研究史料通鉴·第一卷·军管法制篇/张培田主编/中国政法大学出版社,2003.9

新中国法制研究史料通鉴·第七卷·民政法制篇/张培田主编/中国政法大学出版社,2003.9

新中国法制研究史料通鉴·第九卷·文化教育法制篇/张培田主编/中国政法大学出版社,2003.9

新中国法制研究史料通鉴·第二卷·镇反肃反法制篇/张培田主编/中国政法大学出版社,2003.9

新中国法制研究史料通鉴·第八卷·商业法制篇/张培田主编/中国政法大学出版社,2003.9

新中国法制研究史料通鉴·第十一卷·综合篇/张培田主编/中国政法大学出版社,2003.9

新中国法制研究史料通鉴·第十卷·外交法制篇/张培田主编/中国政法大学出版社,2003.9

新中国法制研究史料通鉴·第三卷·民主建设法制篇/张培田主编/中国政法大学出版社,2003.9

新中国法制研究史料通鉴·第五卷·农业法制篇/张培田主编/中国政法大学出版社,2003.9

新中国法制研究史料通鉴·第六卷·工业法制篇/张培田主编/中国政法大学出版社,2003.9

新中国法制研究史料通鉴·第四卷·经济法制篇/张培田主编/中国政法大学出版社,2003.9